Bartle Bull
Das Café am Nil

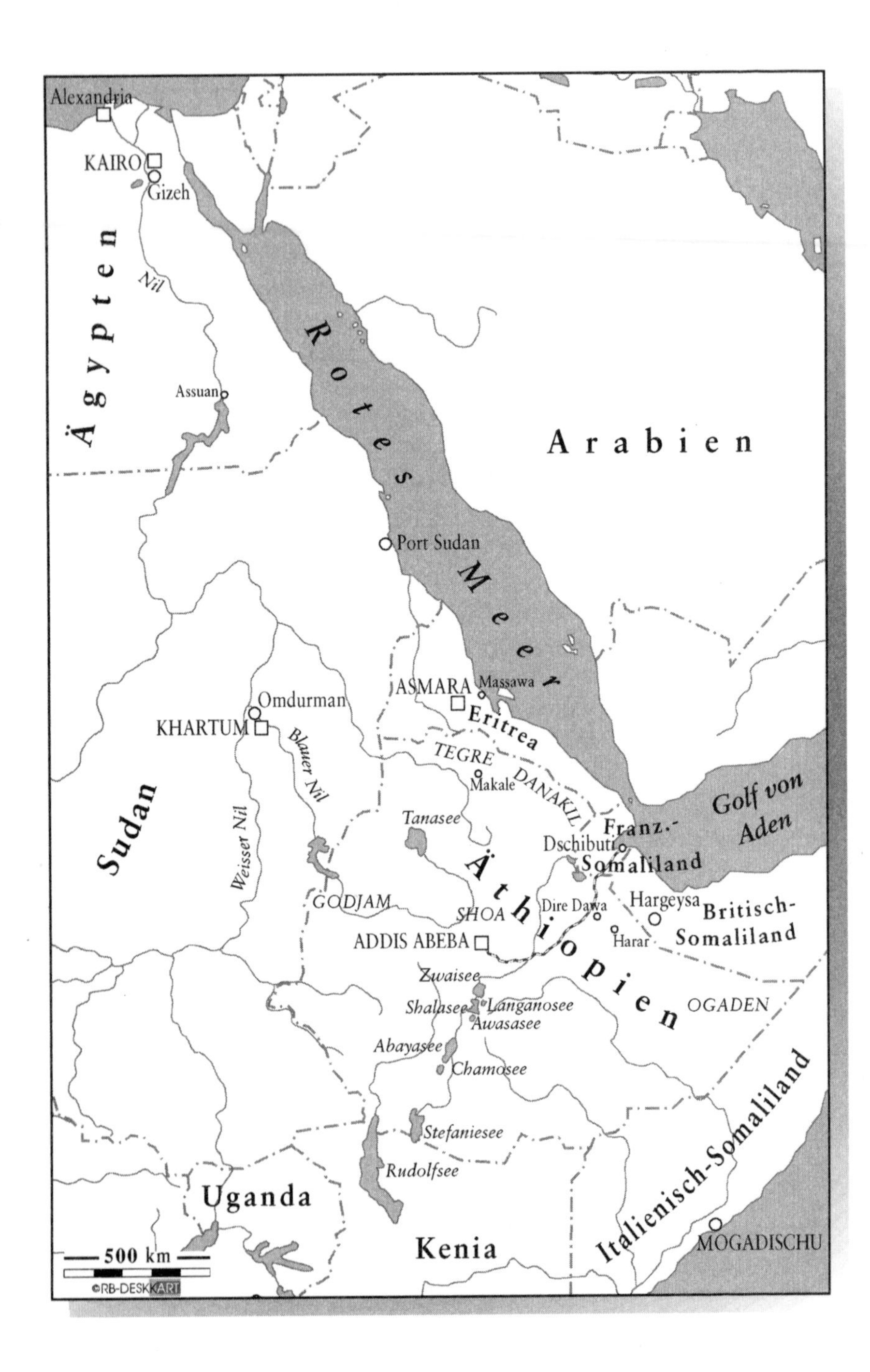
Alexandria
KAIRO
Gizeh
Ägypten
Nil
Assuan
Rotes Meer
Arabien
Port Sudan
ASMARA
Massawa
Eritrea
Omdurman
KHARTUM
Blauer Nil
TEGRE
Makale
DANAKIL
Tanasee
Franz.-
Somaliland
Dschibuti
Golf von Aden
Sudan
Weisser Nil
Äthiopien
GODJAM
SHOA
Dire Dawa
Hargeysa
Harar
Britisch-
Somaliland
ADDIS ABEBA
Zwaisee
Shalasee
Langanosee
Awasasee
OGADEN
Abayasee
Chamosee
Stefaniesee
Rudolfsee
Italienisch-Somaliland
Uganda
Kenia
MOGADISCHU
500 km
©RB-DESKKART

Bartle Bull

Das Café am Nil

Aus dem Amerikanischen
von Thomas Haufschild

Europa Verlag
Hamburg · Wien

Die Deutsche Bibliothek – Cip-Einheitsaufnahme

Bull, Bartle:
Das Café am Nil / Bartle Bull.
Aus dem Amerikan. von Thomas Haufschild.
- Dt. Erstausg. - Hamburg ; Wien : Europa-Verl., 1999
ISBN 3-203-75535-1

Deutsche Erstausgabe

Lektorat: Georgia Heilbut
Umschlaggestaltung:
Wustmann und Ziegenfeuter, Dortmund
Innengestaltung: H & G Herstellung, Hamburg
Druck und Bindung: Wiener Verlag, Himberg bei Wien
ISBN 3-203-75535-1

Für »Grandpa«

Die Personen

OLIVIO FONSECA ALAVEDO: *Ein Zwerg; der aus Goa stammende Inhaber des Cataract Cafés in Kairo.*

CLOVE ALAVEDO: *Das älteste Kind von Olivio und Kina Alavedo.*

ABD AL-AZIM PASCHA: *Der Königliche Schatzmeister des Abdin-Palastes in Kairo.*

MUSA BEY HALAIB: *Der Staatssekretär für Öffentliche Arbeiten in Kairo.*

LEUTNANT CALANDRO: *Ein Offizier im* BERSAGLIERI-*Regiment der italienischen Armee.*

CHARLES CROW: *Ein reicher amerikanischer Künstler; mit seiner Verlobten Bernadette in Abessinien auf Safari.*

ERNST VON DECKEN: *Ein deutscher Glücksritter; Freund von Anton Rider.*

DIWANI: *Ein Wakamba; Anton Riders Gewehrträger.*

ANUNCIATA FONSECA: *Eine Frau aus Portugiesisch-Westafrika; die frühere Geliebte von Anton Rider.*

OBERST LORENZO GRIMALDI: *Ein Offizier der italienischen Luftwaffe; der Geliebte von Gwenn Rider.*

DR. AUGUST HÄNGER: *Ein deutscher Fachmann für Kleinwuchs.*

KIMATHI: *Ein Kikuyu; Anton Riders Safariführer und ehemaliger Fährtensucher.*

ILSA »KNÖCHEL« KOCH: *Dr. Hängers Krankenschwester.*

WELLINGTON LLEWELYN: *Gwenn Riders erster Sohn.*

BERNADETTE UND HARRIET MILLS: *Amerikanische Zwillinge; mit Charles Crow und Anton Rider auf Safari.*

LORD PENFOLD: *Ein ältlicher Engländer; lebt in Kenia.*

ANTON RIDER: *Ein professioneller Safarijäger, wohnhaft in Kenia; als Junge in England von Zigeunern großgezogen.*

DENBY RIDER: *Der Sohn von Gwenn und Anton Rider.*
GWENN RIDER: *Eine Waliserin an der medizinischen Fakultät in Kairo; lebt von ihrem Mann Anton Rider getrennt.*
TARIQ UND HAQIM: *Nubische Brüder aus dem Sudan; Angestellte von Olivio Alavedo.*
THEODORUS: *Der Abt eines koptischen Inselklosters in Abessinien.*
HAUPTMANN UZIELLI: *Ein Offizier im* BERSAGLIERI-*Regiment der italienischen Armee.*

1

Das Cataract Café schaukelte sanft im Kielwasser einer Polizeibarkasse. Die dick mit Hanf umwickelten Stoßfänger schützten den breiten Flußkahn vor dem rissigen Mauerwerk seines vornehmen Liegeplatzes am Nil.

Olivio Fonseca Alavedo war stolz auf seinen geübten Seemannsgang, und so streckte er die kurzen Arme aus und hielt sorgsam das Gleichgewicht, während er die Stufen zu seinem hölzernen Sims hinter der Bar emporstieg. Seine Zehen krümmten sich in seinen Pantoffeln wie kleine Schnecken, derweil er darauf wartete, daß die Dünung nachließ und im sanften Wogen des Flusses aufging. Bald würde Mariä Himmelfahrt sein, der fünfzehnte August 1935, sein fünfzigster Geburtstag. Ein außergewöhnlich fortgeschrittenes Alter für einen Zwerg, und es gab sehr viel, wofür er dankbar sein mußte. Er war als unehelicher Enkel des portugiesischen Erzbischofs in einer Bruchbude in Goa geboren, doch inzwischen war er zu Ansehen gelangt und hatte Freunde und Kinder, wenngleich keinen Sohn. Er war vermögend, obwohl nie wohlhabend genug, und die gegenwärtige Wirtschaftskrise eröffnete zahllose Verdienstmöglichkeiten. Aber er durfte nicht damit rechnen, noch viele Geburtstage feiern zu können. Was auch immer er noch zu tun beabsichtigte, er mußte es jetzt in Angriff nehmen.

Er blickte durch das Bullauge auf die Kuppeln und Minarette, die sich über den flachen Dächern der Stadt erhoben, und überdachte seine Pläne. Einer Sache war er sich voll und ganz sicher: Es würde Krieg in Afrika geben. Warum sonst hatten die Italiener dermaßen große Mengen seiner leichten, langfaserigen Baumwolle gekauft, die für vierzigtausend Uniformen reichen würden? Er dachte an die Baumwollbörse in Alexandria, das gefährlichste Kasino in ganz

Afrika. Durch den malvenfarbigen Morgendunst sah er den Fluß vorbeiströmen wie ein riesiges dunkles Lebewesen. Er dachte an die entlegenen Stromschnellen und Wasserfälle, an all die schäumenden Katarakte, die den Fluß mit Leben erfüllten und seinem Café ihren Namen gegeben hatten. Er atmete den warmen, staubigen Geruch Kairos ein, die trockene, dünne Luft der Wüste, die sich vermischte mit den würzigen Düften der Bäume an den Ufern des Nils und den süßlich faulenden Früchten, die an den Molen angespült wurden. Während er nachsann, hörte er das geschäftige Rascheln der Flußratten, die an der Seite des Boots entlanghuschten. Falls tatsächlich ein Krieg bevorstand, mußte ein rechtschaffener Mann darauf vorbereitet sein.

Als der Kahn wieder ruhig im Wasser lag, ließ Olivio die Arme sinken und vergrub seine Finger in einer flachen Schale voller orangegelber Mangos. Er roch an jeder einzelnen der ovalen Früchte rund um den Stiel, erst mit dem einen Nasenloch, dann mit dem anderen, und forschte nach dem blumigen Aroma der vollendeten Reife. Er hielt jede der Mangos zwischen seinen Handflächen und drückte sie leicht, um so letztlich seine Auswahl zu treffen. Nachdem er sich für sechs Früchte entschieden hatte, nahm er ein scharfes Rasiermesser von einer Ablage hinter der Bar. Er zog die ledrige Schale der Mangos ab und ließ die tropfenden Früchte in ein grobmaschiges Sieb fallen, das in einer Tonschüssel lag. Dann zerteilte er jede Frucht in zwei gleiche Hälften, entfernte die knotigen Kerne und preßte mit kraftvollen Drehungen seines Handgelenks das Fruchtfleisch durch das Sieb. Mit der Ausdauer eines Bibers nagte er am besten der Kerne und sog den köstlichen Duft des breiigen Saftes ein, während er daran dachte, wie viele Segnungen ihm zuteil geworden waren. Er legte den blanken Kern beiseite und nahm die Schüssel in beide Hände. Er neigte sein Gesicht dem schaumigen Nektar entgegen und trank den sämigen Fruchtsaft in einem langen Zug aus.

Er hatte bereits viele Hektar des ertragreichsten Bodens der ganzen Welt erworben: Farmen und Plantagen im Nildelta. Der über Jahrtausende angesammelte Flußschlamm hatte dieser regelmäßig überfluteten Ebene eine Fruchtbarkeit verliehen, die sogar noch größer war als die von Olivios Ehefrau. Der Zwerg leckte sich den orangefarbenen Schaum von den Lippen und wischte sich seinen verschwitzten runden Kopf mit einem Geschirrtuch ab. Er dachte an die ausgedehnten Niederungen voller dichter weißer Baumwollblüten, neben denen sich seine anderen Farmen in Kenia und Portugal, Goa und Brasilien wie unfruchtbares Ödland ausnahmen.

Am besten jedoch war, daß Olivio sechs Töchter hatte. Allerdings sahen sich die Mädchen alles andere als ähnlich, mischte sich in ihren Adern doch indisches, afrikanisches und iberisches Blut wie das Wasser im turbulenten Oberlauf des Nils. Einige von ihnen waren großgewachsen und von olivfarbenem Teint wie die Fonsecas aus Portugal, andere dunkelhäutig und gedrungen wie ihre Kikuyu-Vorfahren aus der mütterlichen Linie, aber alle waren sie feingliedrig und von tiefer Bewunderung für ihren Vater erfüllt. Bis jetzt trugen nur ein oder zwei geringfügige Spuren seiner körperlichen Mißbildung. Alle sechs, so fürchtete er, waren sehr heißblütig. Die beiden Ältesten waren als Folge ihrer ausgeprägten Sinnlichkeit bereits mit Hausarrest bestraft worden, denn sie hatten den unsteten Blick ihrer braunen Augen nicht mehr von den Männern abwenden können. Würde ihre Mutter Kina, eine Frau ohne die Gabe der Sprache, aber mit glänzender Haut wie Ebenholz und mit Brüsten wie Meereswogen, ihm jemals einen Sohn schenken?

Nur die älteste Tochter, Clove, war ganz nach ihm geraten: kleinwüchsig und von scharfem Verstand, der ihr zu profunder Weitsicht verhalf. Er dachte wieder an seine Gattin und im gleichen Zuge auch an die Frau, die ihn unter Deck auf dem weichen Diwan erwartete. Bald würde das aufsteigende Tageslicht die silberne Farbe zum Funkeln bringen, die ihre Brustwarzen und Lider überzog. Jamila war am ganzen unteren Nil dafür berühmt, daß sie in ihrem Nabel dünne Goldmünzen verbiegen konnte. Sie war keine dieser breithüftigen, drallen Tänzerinnen, die in jungen Jahren in exklusiven Nachtklubs und bei Hochzeiten auftraten und später dann, mit zunehmendem Alter und Körpergewicht, in Hotelbars und ägyptischen Musikcafés. Auch gehörte sie nicht zu den herkömmlichen, wenngleich erlesenen Bauchtänzerinnen, die gelegentlich zur Unterhaltung in den Palast gebeten wurden oder zu den kleinen privaten Parties der Reichen. Jamila war eine Dame. Jeder Golddinar, dachte Olivio, konnte sich glücklich schätzen, in einen solchen Nabel gesteckt zu werden: einerseits weich und sanft wie der Hauch eines Engels, andererseits so kraftvoll wie das Fahrwerk einer Lokomotive.

Olivio stieg die schmale Treppe hinter der Bar hinab. Er ging zur Steuerbordwand des Salons und zog die braunen Rattanjalousien ein Stück empor, um mehr Luft hineinzulassen, denn schon bald würde die unerbittliche Hitze des Tages wieder auf ihnen lasten. Der Zwerg spähte durch eine der herzförmigen Öffnungen in den Fenstergittern aus Sandelholz und bemerkte die dunkle Hochwassermarke auf den Steinen des Kais.

Plötzlich horchte er auf, als ein neues Geräusch an sein Ohr drang: ein einst vertrauter Klang, auf den er lange gewartet hatte. Von der Gangway, die das Boot mit der Promenade verband, näherte sich entschiedenen Schrittes jemand mit einem Spazierstock. Es war ein Laut der Freundschaft.

Aber wie sah er aus? Um sich den eigenen Anblick zu ersparen, hatte der Zwerg alle Spiegel aus dem Café verbannt.

Olivio eilte in die Pantry und schaute, um sein Erscheinungsbild zu überprüfen, mit dem einen Auge, das ihm verblieben war, auf die glänzende Rückseite der silbernen Punschkelle. Verzerrt, aber klar. Wie passend, dachte er. Der kleine Mann fing oben an, nahm einen scharlachroten Tarbusch von einem Wandhaken und setzte sich den abgeflachten konischen Hut auf seinen glatten Kopf. Er strich die seidene Quaste flach, so daß sie zur linken Seite fiel. Er wandte seinen Kopf. Wie gut ihm diese türkischen Hüte doch standen. Sie verliehen ihm einen Anschein von Größe und Würde, wie eine inoffizielle Krone. Mit gutem Grund war er vor rund einem Jahrzehnt von Ostafrika nach Ägypten übergesiedelt.

Schnell ließ er seinen Blick über das Abbild seines runden Gesichts mit der markanten Stirn schweifen, aber er sah nicht die weißrosa Furchen des alten Narbengewebes, das er davongetragen hatte, als sein Zuhause in Kenia in Flammen aufgegangen war. Ihm fiel nicht auf, daß seine großen leeren Ohrlöcher wie die Griffe einer Vase wirkten, daß seine Lippen schmal und rot waren und die Nase flach und weich wie die eines Babys. Das falsche Auge war korrekt zentriert. Er zog die Hals- und Schulterpartie seiner *Gallabijjah* zurecht. Das perlgraue Gewand paßte farblich zu seinem Auge. Jetzt war er bereit.

»Ahoi!« Adam Penfold trat auf das Deck und klopfte mit seinem Spazierstock zweimal gegen die Reling. »Ahoi, sage ich!«

Olivio trat aus der Salonbar hinaus ins helle Tageslicht des Deckcafés. Er verneigte sich so tief, wie sein verwachsener Rücken dies zuließ. Sein Herz sprudelte über vor Freude und Stolz. Wie selten konnte er einen Mann bei sich begrüßen, den er aufrichtig mochte, zumal einen, der früher sein Herr gewesen war.

Der Zwerg streckte die Arme aus und blickte mit offenem Mund empor, während der Engländer lächelnd auf ihn zueilte. Auf der Uferstraße waren zwei schlanke Träger in schäbiger Tracht damit beschäftigt, mittels zweier langer Stangen, die auf ihren Schultern ruhten, eine große Packkiste von einem Eselkarren zu hieven. Was mochte das wohl sein? fragte sich der Zwerg.

»Herzlichen Glückwunsch zum Geburtstag, mein lieber Olivio, wenn auch ein bißchen zu früh.« Lord Penfolds blaßblaue Augen lächelten aus seinem hageren zerfurchten Gesicht herab, so daß die Lachfältchen in seinen Augenwinkeln nur um so deutlicher hervortraten. Seine weißgrauen Augenbrauen wirkten wie vorspringende Büsche an der Oberkante einer Klippe. Er legte seine Hände auf Olivios Schultern.

»Oh, wie sehr wir dich vermissen! Kenia ist ohne dich nicht mehr dasselbe.« Penfold schüttelte den Zwerg mit verzücktem Blick. Da war so viel, was sie voneinander wußten. »Hab dir ein Geschenk mitgebracht, damit du uns nicht vergißt.«

»Niemals, mein Lord.« Olivio hob tadelnd den Zeigefinger und äugte an dem großen schlanken Mann vorbei zu der hölzernen Kiste. Ungeduldig bedeutete er den beiden Ägyptern, ihre Last abzusetzen. Er erinnerte sich an die Regeln der Gastfreundschaft, die ihm sein englischer Herr einst beigebracht hatte, und unterdrückte vorerst seine Neugier.

»Welche Erfrischung darf ich Ihnen reichen, Sir? Ein kühles Getränk? Einen Fruchtsaft oder vielleicht einen kleinen Gin?«

»Ein bißchen spät für das eine und zu früh für das andere.« Penfold wischte sich die faltige Stirn mit einem zerknitterten Taschentuch ab.

»Hättest du eventuell ein Glas Stout für mich? Ganz schön anstrengend, in dieser Hitze durch die Gegend zu laufen und die ganze Zeit diese elenden Bettler abzuwehren.«

»Ein Bull Dog für seine Lordschaft.« Der Zwerg klatschte kurz und vernehmlich in die Hände. Als das dunkle Getränk gebracht wurde, reichte er selbst es an seinen Gast weiter. Dann sah er mit funkelndem Blick wieder zu der Kiste hinüber. »Können wir die jetzt öffnen?«

»Na klar, aber hast du was dagegen, wenn ich mein Bein ausruhe und ein Schlückchen trinke, während du damit zugange bist?« Penfold ließ sich stöhnend in einen hochlehnigen Korbstuhl neben einem der runden Marmortische fallen.

Olivio griff nach oben und packte die polierte Mahagonireling. Er ignorierte den Schmerz im unteren Rücken und bemühte sich, nicht wie ein gewöhnlicher Liliputaner schwankend zu watscheln, als er mit kurzen, schnellen Schritten das ansteigende Fallreep zum Kai betrat. Während er über den Orientteppich schritt, der die Gangway in voller Länge bedeckte, schwangen über seinem Kopf die Troddeln des gewölbten gelben Baldachins sachte hin und her. Als er den Kai betrat, sah er beiläufig über einen jammernden verdreckten Gassenjungen hinweg, der immerhin schon von größerer Statur als er selbst war und der in einem kleinen Beutel an seiner Hüfte Zigarettenstummel sammelte. Bettler gehörten zu Kairo wie der Regen zu London und die Hitze zu Goa.

Der Zwerg umkreiste die Kiste, berührte sie hier und da mit den Fingerspitzen, ständig bemüht, nicht allzu aufgeregt zu wirken. Auf der Rückseite las er die in schwarzer Schablonenschrift aufgemalten Worte: ABSENDER: ZIMMERMAN, NAIROBI, KENIA. Der beste Präparator von ganz Afrika! Seine Handflächen, die vom Feuer vollständig verschont geblieben waren, wurden feucht.

»Öffnet sie, ihr Idioten!« befahl Olivio den Ägyptern. Er wußte, daß Lord Penfold es nicht gefiel, wie schroff er mit Bediensteten umsprang, aber er vertraute darauf, daß sein früherer Arbeitgeber, wie alle englischen Gentlemen, keine andere Sprache als die eigene beherrschte.

»Wollt ihr erst noch abwarten, ob eure Mutter einen weiteren Dummkopf zur Welt bringt?« Obwohl er barsche Worte fand, war dem Tonfall seiner Stimme keine Wut anzumerken. »Macht sie auf!«

Einer der Träger zog eine grobe, starke Klinge aus dem Seil, das ihm als Gürtel diente, und begann, den Deckel aufzuhebeln. Einige Passanten blieben stehen und sahen zu, tuschelten und flüsterten voll gespannter Erwartung.

»Vorsichtig, ihr Narren!« sagte Olivio mit sanfter Stimme, als sich splitternd das erste Brett löste. »Ein Mißgeschick, und ich werde eure Kinder wie junge Katzen ersäufen!«

Der Mann zog die langen Nägel aus dem Holz, ließ sie geschickt in seiner Hand verschwinden und versteckte sie in einer Falte seines Gewandes, um sie später auf dem Eisenmarkt verkaufen zu können. Der andere Träger holte das Stroh heraus, mit dem man die Kiste bis obenhin angefüllt hatte. Nachdem der Deckel ganz entfernt war, räumten die beiden alle Reste des Verpackungsmaterials beiseite und warteten dann auf weitere Anweisungen des Zwergs. Ein alter Mann krabbelte auf dem Boden herum und raffte die achtlos weggeworfenen Bretter zusammen.

Olivio trat an die Kiste heran. Er stellte sich auf die Zehenspitzen, packte den splitterigen Rand und starrte hinein. Er schnupperte. Er konnte den roten Staub Ostafrikas riechen. Der Zwerg war stolz auf seinen ausgeprägten Geruchssinn und vergrub sein Gesicht in zwei kleinen Handvoll Stroh. Er schnüffelte und nieste und ließ das Stroh fallen. Dann betrachtete er das große Paket, das in der Kiste lag.

Was mochte das wohl sein? Ein Gegenstand, rund einen Meter lang, geformt wie ein Faß, aber spitz zulaufend und fest in dickes Sackleinen gewickelt. Olivio sah auf und stellte verärgert fest, daß sich auf der anderen Seite der Kiste einige Araberjungen um den besten Platz drängelten, um auch einen Blick ins Innere werfen zu können. Wo war sein grimmiger nubischer Diener mit der Peitsche?

»Holt diesen Schatz heraus, und bringt ihn in mein Café«, rief der Zwerg den Trägern zu, deren nackte Füße und schmutzige Hände ihn anekelten. Er ging zurück auf das Boot und wies auf den größten der Tische.

Olivio war entschlossen, das Geschenk seines Freundes mit der angemessenen Würde zu behandeln, und so gab er mit schriller Stimme Anweisungen, als die beiden Männer sich über den Rand der Kiste beugten. Mit lautem Stöhnen und zweifellos übertrieben zur Schau gestellter Anstrengung versuchte der größere der beiden Träger, ein Ende des Gegenstandes anzuheben. Es gelang ihm nicht, und er blickte schließlich mit rot angelaufenem Gesicht auf und hielt sich mit beiden Händen den Rücken. Die Männer starrten den Zwerg an und schüttelten die Köpfe.

»Tut, was ich sage!« herrschte Olivio sie an. »Holt es heraus!« Allein Lord Penfolds Anwesenheit hielt ihn davon ab, seiner Ungeduld völlig freien Lauf zu lassen.

Die Männer wandten sich wieder der Kiste zu. Hinter ihnen bahnte sich auf der belebten Straße langsam ein großes graues Automobil seinen Weg durch Heerscharen von überladenen Fahrrädern, Pferdedroschken, offenen Lastwagen und anderen Kraftfahrzeugen. Esel wankten vorbei, beladen mit Körben voller Feigen und Holzkohle. Der Daimler tastete sich allmählich, aber stetig durch den dichten Verkehr voran. Sein silberner Kühlergrill schimmerte wie der gepanzerte Bug einer königlichen Barkasse, die mitten durch eine Ansammlung kleinerer Boote segelte. Mehrere räudige Kamele, geschickt zusammengetrieben von flinken Jungen mit langen, wippenden Peitschen, trotteten an dem Wagen vorbei zum Schlachter.

Die Fahrertür öffnete sich, und ein riesiger Mann mit einer Roßhaargerte in der Hand stieg aus. Das Gesicht des nubischen Chauffeurs war so schwarz wie eine mondlose Nacht im Sudan. Er öffnete die Tür des Fonds.

Ein junges Mädchen sprang hinaus auf den Bürgersteig wie ein Kastenteufel aus seiner Behausung. An einem Riemen in ihrer Hand schwangen zwei Schulbücher. Sie war ungefähr vierzehn Jahre jung, klein gewachsen, mit einem weichen ovalen Gesicht, vollen glänzenden Lippen, großen schwarzen Augen und einem langen Zopf. Sie hatte eine dunkle Hautfarbe und war außergewöhnlich wohlgeformt. Unter der grünen Schuluniform zeichneten sich deutlich ihre Brüste ab, wie Melonen in einer Tragschlinge.

»Papa!« rief sie mit strahlendem Lächeln. Sie hatte nur Augen für ihn, hüpfte über die Gangway, ohne sich an der Reling festzuhalten, beugte sich über ihren Vater und begrüßte ihn mit zwei Küssen.

»Ich darf Ihnen meine älteste Tochter Clove vorstellen. Lord Penfold.« Der Zwerg sprach in gemessenem Tonfall, ganz wie ein Mann, der den Deckel seiner Schatzkiste öffnete. »Sie haben sie als kleines Kind gekannt.«

»Was für ein glücklicher Vater.« Penfold schenkte dem Mädchen ein faltenreiches Lächeln, während sie einen artigen Knicks machte.

»Sind Sie nicht mein Patenonkel?« Sie richtete ihre großen schwarzen Augen auf den Engländer. »Sie und Mr. Rider?«

»Ja, mein Kind, Anton Rider und ich sind deine beiden pflichtvergessenen Delinquenten«, bekannte Penfold, spürbar verlegen, daß er kein Präsent für sie mitgebracht hatte. »Wir waren gerade dabei, ein Geschenk für deinen Vater auszupacken.«

Clove ging zu der Kiste und lugte hinein. Sie kümmerte sich nicht um die drängelnde Jungenschar, die der nubische Chauffeur, begleitet von schnalzenden Hieben seiner Gerte, auseinandertrieb. Die beiden Träger widmeten sich wieder ihrer anstrengenden Aufgabe. Ein Ende des schweren Gegenstands hob sich langsam und fiel dann krachend wieder zurück.

»Aua!« schrie der kleinere der Träger, dessen Finger zwischen dem Frachtstück und der splitterigen Seitenwand der Kiste eingeklemmt waren. »Allah, hilf mir! Meine Hände!«

»Tariq«, sagte Clove in ruhigem Tonfall und deutete auf die Holzlatte, die man im Innern der Kiste an eine der Seitenwände genagelt hatte, um das Geschenk in seiner Position zu fixieren. »Reiß zuerst dieses Brett heraus.«

Der Nubier griff hinein und packte die Latte mit beiden Händen. Auf der anderen Seite der Kiste stand der schreiende Ägypter und bemühte sich verzweifelt, seine Finger freizubekommen.

Tariq verstärkte seinen Griff und zog mit aller Kraft. Quietschend gaben die acht Nägel nach, bis sie sich schließlich allesamt völlig verbogen aus der Kistenwand lösten. Die gaffenden Jugendlichen raunten und traten respektvoll zurück, als Tariq die Latte auf den Bürgersteig warf und den Gegenstand heraushob. Der befreite Mann schüttelte seine Hände wie die fransigen Enden eines Mops und ließ sich zu Boden sinken. Wehklagend wankte er hin und her. Clove beugte sich kurz über ihn.

»Das ist bald wieder in Ordnung«, sagte sie auf arabisch, bevor sie zu ihrem Vater zurückkehrte.

Tariq stellte das Paket mit völlig ausdrucksloser Miene auf dem größten Tisch des Cafés ab.

»Kräftiger Bursche«, sagte Penfold zu Olivio.

»Ich werde es selbst auswickeln, mein Lord«, sagte der Zwerg. Er war stolz auf diese Kraftprobe seines Dieners. Wieder einmal wurde ihm der hohe Nutzen jener physischen Fähigkeiten klar, die ihm versagt geblieben waren und derer er sich daher anderweitig versichern mußte.

Adam Penfold wischte sich das Gesicht ab und nickte lächelnd. Er steckte das Taschentuch zurück in seinen linken Ärmelaufschlag und gab jedem der beiden Träger zehn Piaster. »Danke«, sagte er noch zu den Männern, bevor sie aufbrachen.

Olivio wickelte die Verpackung Stück für Stück ab, als enthülle er eine Mumie. Der Gegenstand auf dem Tisch begann Gestalt anzunehmen. Konnte es sein? Unmöglich! Ja! Ein Horn. Zwei Hörner, eins vorn, eins dahinter. Eilends schlug der Zwerg die letzten Stücke Sackleinen zurück – und erblickte den präparierten Kopf eines weißen Nashorns, mit zwei funkelnden Glasaugen unter den harten grauen Lidern. Er sah genauer hin, bewunderte die riesige, rechteckige Oberlippe und die vereinzelten dornenartigen Wimpern. Aber was sollte er mit diesem monströsen Unpaarhufer nur anfangen?

»Herrlich! Mein lieber, verehrter Lord. Dieses edle Tier ist mehr, als ich verdiene!« Olivio wagte gar nicht daran zu denken, was dieses Geschenk gekostet haben mußte. Er warf Penfold einen verstohlenen Blick zu, weil er ihn nicht spüren lassen wollte, daß ihm sehr wohl die abgenutzten Aufschläge und der fehlende Knopf an seinem ungebügelten Anzug auffielen. Sein nobler Freund verfügte zwar über ein großzügiges Wesen, aber nicht über die entsprechenden Mittel.

»Daddy!« Clove berührte mit einer Hand die Schulter ihres Vaters, mit der anderen die Spitze des vorderen Horns. »Er würde sich prima über der Bar machen!«

»Wunderbar, mein Schatz!« rief der Zwerg aus, langte empor, um sie sanft ins Ohr zu zwicken, und wandte sich dann Penfold zu. »Euer

Tier wird auf ewig einen Ehrenplatz über der Bar erhalten. Das Cataract Café soll sein neues Zuhause sein.«

»Gern geschehen, alter Junge«, murmelte Penfold. »Nur eine Kleinigkeit, um dich an die alten Zeiten zu erinnern. Ich glaube, jetzt hätte ich doch Lust auf eine kleine Stärkung. Gin mit einem Spritzer Indian Tonic, falls es dir nichts ausmacht. Ist gut gegen diese schreckliche Hitze.«

»Bitte, folgen Sie mir.« Olivio hielt ihm den Perlschnurvorhang auf, und Penfold hinkte in den Salon. Der Engländer setzte sich auf einen der Lehnhocker am Ende der Bar und sah dem Zwerg dabei zu, wie er seine Leiter erklomm, um den Drink zu mixen. Er hatte den Eindruck, daß sein kleiner Freund Schmerzen litt, sobald er sich bewegte. Der ältere Mann dachte ohne Bitterkeit an jene Tage zurück, als er selbst reich zu sein schien und Olivio arm.

»Trinken Sie, mein Lord, und dann werde ich Ihnen erzählen, warum ich Sie gebeten habe, nach Kairo zu kommen.« Das rechte Auge des Zwergs funkelte, als er den Gin auf dem Tresen abstellte. Er hielt einen Moment inne und sah seiner Tochter dabei zu, wie sie neben ihm auf der Theke ihr Französischlehrbuch aufschlug und beim Umblättern sorgfältig jede Seite glattstrich. »Um die Wahrheit zu sagen, war es nicht wegen meines Geburtstags, obgleich ich mich unendlich geehrt fühle, daß dies allein für Sie schon Grund genug gewesen ist, mich mit Ihrem Besuch zu beehren.«

»Keine Ursache. Aber wenn es um irgendwelche Dummheiten geht – darüber bin ich hinaus.« Penfold trank einen Schluck und nahm Olivio genauer in Augenschein. »Darf ich fragen, wie du mit deinem neuen Auge zurechtkommst?«

Der Zwerg schämte sich seines Glasauges nicht und antwortete freiheraus.

»Morgens ist das Auge kühl und abends heiß wie ein gekochtes Ei«, sagte er von seinem Sims aus und dachte an die seltsamen Vergnügungen, die Jamila sich im Bett hatte einfallen lassen, wenn sie mit dem glatten Gegenstand herumspielte und ihn auf höchst intime Weise wärmte und befeuchtete. »Obwohl es mir in der deutschen Klinik in Alexandria angepaßt wurde, der besten und teuersten in ganz Ägypten, ist es meiner Ansicht nach nicht tadellos gelungen.«

»Il me plait, Papa«, sagte Clove in fröhlichem Tonfall und legte ihrem Vater eine Hand auf den gebeugten Rücken, während sie die andere vor ihm ausstreckte.

Sprachlos vor Stolz starrte Olivio mit seinem guten Auge seinen früheren Herrn an. Hatte Lord Penfold bemerkt, daß seine Tochter Französisch sprach? Französisch?

Mit einem Daumen drückte der Zwerg das haarlose Lid seines linken Auges nach oben. Die Elfenbeinkugel löste sich aus ihrer Höhle und fiel in die Hand seiner Tochter.

Clove wischte das Auge an ihrem kurzen Puffärmel ab und rollte es über den Tresen in Richtung Lord Penfolds.

»Nous aimons, vous aimez, ils aiment«, sagte sie leise. *»Je t'aime«*, fügte das Mädchen hinzu und küßte ihren Vater auf die Wange.

Olivio gefiel es, wie die Iris und die Pupille bizarr ins Leere starrten, als das Auge über das polierte Holz rollte.

»Wirkt ein bißchen weich.« Adam Penfold drückte das Auge zwischen den Fingern. »Fast wie die Billardkugeln in einem schlechten Klub. Vermutlich von einem dieser sudanesischen Elefanten, die sich ihr ganzes Leben faul im Schlamm der Sümpfe herumwälzen. Das anständige Elfenbein aus dem kenianischen Hochland wäre besser dafür geeignet, alter Junge. Oder vielleicht der Zahn eines Nilpferds. Die sind noch härter, aber natürlich ist die Farbe nicht so rein. Vermutlich würde man denken, du hast die Gelbsucht, wenn du verstehst, was ich meine.«

Lord Penfold gab ihm die Elfenbeinkugel zurück und besah sich das rechte Auge des Zwergs. »Vielleicht könnten wir ja Anton Rider darum bitten, ein Nilpferd zu schießen, dessen Zahnfarbe ungefähr hinkommt.«

Als nächstes werden sie mir Krokodilzähne vorschlagen, dachte der kleine Mann aus Goa, während er das Wechselgeld in der Kassenschublade zählte. So wie es aussieht, bin ich der einzige Mensch auf der Welt mit einem indischen und einem afrikanischen Auge.

»Bei Gott, der gute Junge könnte ein paar Einkünfte gut gebrauchen«, fuhr Penfold fort. »Heutzutage kann man mit Safarijagden nicht mehr reich werden.«

»Mr. Antons Problem ist in Kairo zu finden, nicht im Busch«, sagte der Zwerg.

»Ach, ja?« sagte Penfold interessiert. »Ich habe die beiden daheim in Kenia schon lange nicht mehr zu Gesicht bekommen.«

»Miss Gwenn kann sich mit diesem Nomadenleben nicht anfreunden, mein Lord. Sie ist noch immer hier und schließt ihr Medizinstudium ab.« Der Zwerg zögerte. »Und ich fürchte, sie pflegt im Moment einen eher ungebührlichen Lebenswandel.«

»Was du nicht sagst«, erwiderte Penfold, der sich über den Zustand der Ehe seines Freundes sorgte, aber nicht direkt danach fragen wollte.

»Miss Gwenn und die Jungen leben im Haus eines Diplomaten. Ein italienischer Offizier, ein gewisser Oberst Grimaldi.«

»Das ist ja sehr eigentümlich.«

»Das Leben ist nicht einfach«, sagte Olivio, der seine Kassenprüfung abgeschlossen hatte. »Wenig Einnahmen gestern abend, mein Lord.«

»Zu Hause machen wir auch schwierige Zeiten durch.« Penfold verlagerte sein lahmes Bein. »Wie geht es hier in Kairo zu?«

»Geschäftig wie in einem Ameisenhügel und überaus vornehm«, sagte Olivio. »Und mit einer Frau ist es höchst kostspielig. Die Schneider sind alle bloß Armenier, aber ihr Schnitt ist französisch. Die Schuhe der Gentlemen sind englisch, nicht zu spitz. Die Griechen stellen die Kellner, Zigarettenmacher und sogar manche der Anwälte. Auch die Bettler verstehen ihr Geschäft, wenngleich sie jemandem, der mit den Zuständen in Bombay vertraut ist, eher harmlos vorkommen.«

Penfold putzte seine Brille und warf einen Blick in die *Egyptian Gazette*, während der kleine Mann den Kassenstand ins Hauptbuch der Bar eintrug. Der Engländer überflog die Schlagzeilen und beugte dabei seinen Kopf immer tiefer und tiefer über die Zeitung, als wäre er ein Huhn, das inmitten des Kehrichts nach Körnern und Krümeln pickte.

»Hör dir das mal an. ITALIENER PROVOZIEREN GRENZZWISCHENFALL MIT ÄTHIOPIEN. SIEBEN ABESSINISCHE SOLDATEN BEI WAL WAL GETÖTET. ÄTHIOPIEN MACHT MOBIL UND PROTESTIERT BEIM VÖLKERbund. Italienische Gebirgsjäger nach Eritrea eingeschifft.« Penfold blickte von der Zeitung auf und zog besorgt die vorspringenden Augenbrauen hoch.

»Was haben diese Italiener da unten nur vor, frage ich dich? Nicht gerade die Sorte, die man sich hier in Afrika wünscht. Geben kein gutes Beispiel.« Entrüstet warf er die Zeitung auf den Tresen. »Nebenan in Libyen begehren sie auch schon auf. Irgend jemand wird sie aufhalten müssen, bevor das alles zu weit geht.«

»Es liegt Krieg in der Luft, mein Lord, und wir müssen uns darauf vorbereiten.«

Als hätte er nicht gehört, las Penfold weiter vor. »Hitler hält Rede bei Massenkundgebung. Deutsche Jugendliche exerzieren mit Schaufeln. Da kriecht Fritz wieder aus seinem Loch«, knurrte er. »Wir hätten ihm schon beim letzten Mal den Rest geben sollen. Zwei Millionen Sozialhilfeempfänger in New York.« Penfold ächzte und faltete die Zeitung zusammen, bevor er fortfuhr.

»Wird diese Depression denn niemals enden? Alle Farmen in Kenia sind pleite, einschließlich der meinen oder was noch davon übrig ist. In London reichen die Schlangen vor den Suppenküchen um mehrere Häuserblöcke. Sogar die Yankees scheinen dieser Tage ziemlich gebeutelt zu sein. Wird ja auch Zeit. Immerhin läuft's ein bißchen besser, seit sie den Ingenieur rausgeworfen und statt dessen diesen geschwätzigen Holländer mit dem schlimmen Bein gewählt haben.«

»Wir hier können uns glücklich schätzen, mein Lord. Wir haben zu essen, und das Leben ist nicht allzu teuer.« Der kleine Mann nickte respektvoll. Während sein ehemaliger Herr weitersprach, wartete er auf den passenden Moment für die Enthüllung seines Plans. Er erinnerte sich an die Nacht, in der Penfold sein Leben gerettet hatte, und dachte bei sich, wie sanft und rücksichtsvoll sein alter Freund wirkte, fast schon schüchtern, und wie entschlossen und tatkräftig er sein konnte, wenn es erforderlich war.

»Es passiert viel Unheil auf der Welt, Olivio, und einiges davon rückt immer näher an uns heran. Daß der alte Mars wieder sein Haupt erhebt und all das. Diese Italiener, die Abessinien schikanieren – oder Äthiopien oder wie auch immer sie dieses Land jetzt nennen. Es scheint, daß Mussoloni ...«

»Mussolini«, sagte Clove leise und warf ihrem Vater einen kurzen Blick zu.

»Ja, natürlich«, sagte Penfold, hielt kurz inne und sah das Mädchen an. Ihr Wissen erstaunte ihn. »Es scheint, daß dieser Mussolini sich ein etwas größeres Stück von Afrika einverleiben will, wie wir anderen das auch getan haben, schätze ich. Aber sie fangen ein bißchen spät damit an, und Abessinien ist so ziemlich alles, was noch übrig blieb. Schon seit Monaten kommen wahre Scharen von Italienern durch Suez ins Land. Und jetzt läßt er diese schicken neuen Panzerwagen in Somaliland entladen.«

»Falls der Krieg kommt, müssen wir darauf vorbereitet sein, unseren Teil zu tun«, sagte der Zwerg. Seine Lordschaft hatte sich nicht verändert, stellte Olivio fest. Seine Gedanken schweiften noch immer hoffnungslos ab, nicht in der Lage, sich auf das Geschäft und die eigenen Interessen zu konzentrieren. Er wußte, daß Adam Penfold jede Aussicht auf Profit verschmähen würde, falls sein Land sich im Krieg befand.

»Der letzte Weltkrieg ist in Afrika zu Ende gegangen«, sagte Penfold versonnen, trank sein Glas aus und seufzte. »Sollte mich nicht überraschen, wenn der nächste hier unten anfängt. Gott allein weiß, wohin das führen wird. Bin mir nicht sicher, ob das arme alte England jetzt schon einen weiteren Krieg aushalten kann.«

»Falls der Krieg kommt, mein Lord, wird England Freunde brauchen, die es mit Nahrungsmitteln und Kleidung versorgen.«

»Mmm.« Penfold sah den kleinen Mann aufmerksam an.

»Hier in Ägypten sind Baumwolle und Zucker die Antwort. Ihre englischen Krieger werden Uniformen benötigen, und beim letzten Mal war Rohrzucker Gold wert.«

»Ich verstehe.«

Der Zwerg überlegte, wie er seinen Vorschlag präsentieren sollte, ohne die Würde seines Freundes zu verletzen. »Hier in Kairo lauern heutzutage viele Gelegenheiten. Es ist die richtige Zeit, um zu kaufen. Deshalb habe ich Sie gebeten, nach Ägypten zu kommen.« Er beugte sich vor und zwickte sich selbst in die herabhängenden Ohrläppchen. »Man braucht lediglich Geld und Freunde.«

»Ich wünsche dir, daß du dein Glück machst, Olivio«, sagte Penfold etwas unbeholfen.

»Es wird unser Glück sein, unser gemeinsames, denn ich benötige Ihre Hilfe als Geschäftspartner. Ich beabsichtige, weiteren Grundbesitz im Delta zu erwerben, Reis und Zuckerrohr und Baumwolle, als Mitgift für meine Töchter und zur Absicherung meines Altenteils.«

Penfold rutschte auf seinem Barhocker hin und her. »Klingt ein wenig riskant, sollte man meinen, in Zeiten wie diesen.«

»Es ist genau der richtige Zeitpunkt. Die Banken gehen in Konkurs! Die mächtigsten europäischen Gesellschaften schließen ihre Niederlassungen! Sogar die reichen Kopten verkaufen ihre Villen in Alexandria!« entgegnete der Zwerg enthusiastisch und klopfte mit beiden Händen auf die Theke. »Zum erstenmal seit Generationen stehen die Baumwollfarmen im Delta überhaupt zum Verkauf, sofern man über die nötigen Mittel verfügt.«

Olivios graues Auge starrte seinen Freund an, als wolle es den älteren Mann hypnotisieren. »Die Schlammschicht ist fast zwanzig Meter dick!« Er beugte sich über den Tresen nach vorn, hielt beide Hände neben sein Gesicht, die Finger gespreizt wie ein Spinnennetz und die kleinen weichen Handflächen Penfold zugewandt. »Zwanzig Meter! Das ist unsere Chance, mein Lord.« Er legte eine Pause ein und fuhr dann langsamer fort, ohne auch nur einmal zu blinzeln.

»Aber in Kairo hängt alles davon ab, wie ein Mann nach außen wirkt. Wie ist sein äußeres Erscheinungsbild? Wen kennt er in den Ministerien? Wird er von den Beamten respektiert? Werden sie sich an seine Geschenke erinnern? Glauben sie, sie können ihn in der Grundstücksregistratur hereinlegen? Wer wird in einem trockenen Jahr mit Wasser versorgt? Wer wird während einer Überflutung nicht zu reichlich bedacht?« Der Zwerg hob einen Zeigefinger und sprach dann weiter, langsam und bedächtig, als versuche er, einem Kind etwas beizubringen.

»Ein ehrlicher Mann braucht mächtige Gönner und Verbündete, mein Lord, Beschützer. Einem englischen Gentleman wie Ihnen wird dieser ägyptische Abschaum den nötigen Respekt erweisen. Man wird nicht wissen, wen Sie kennen und wen nicht, wo Ihr Einfluß beginnt und wo er endet.« Sein Auge strahlte. »Wenn Sie und ich Partner sind, mein Lord, und zwar ohne daß dadurch Kosten für Sie entstehen, werden wir einander reich machen.«

Ungeachtet seiner Prinzipien war Adam Penfold in Versuchung geführt. Er runzelte nachdenklich die Stirn und seufzte langgezogen, bevor er etwas erwiderte. »Ich möchte nicht, daß mein Pech auf dich abfärbt, alter Junge, und vielleicht bin ich auch ein bißchen zu müde für solche Unternehmungen.«

»Das Geld wird Sie schon wieder wachrütteln, mein Lord! Pfund und Shilling, Guineen und Pence lassen einen Mann jung werden, vor allem in den Augen der Damen. Ha! Haben Sie jemals eine schöne junge Frau mit einem armen alten Mann gesehen?«

Der Zwerg leckte sich mit der dicken Zunge die Lippen und schüttelte den Kopf hin und her. »Sie werden sehen. O ja. Wir brauchen nur den Namen: Penfold Partners Estates.«

2

Der riesige schwarze Leopard, der über Anton emporragte, zeichnete sich tiefdunkel gegen das trübe graue Licht ab. Ihre beiden Körper waren von gleicher Länge und Gewicht. Der hängende Bauch des Tiers berührte ihn fast. Das Blut der verwundeten Raubkatze rann auf ihn herab und vermischte sich mit seinem eigenen. Die kräftigen Beine des Leoparden entsprangen den vier Pfosten des Krankenhauslagers wie die Säulen eines Himmelbetts. Die schwüle Hitze seines Atems umspielte Antons Gesicht wie der Atem einer Liebenden. Das Tier senkte sein Maul zu Antons linker Schulter. Er spürte, wie die langen, harten Schnurrhaare über seine Wangen strichen, bevor die Zähne des Leoparden seine Haut durchbohrten und bis zu seinem Schlüsselbein vordrangen.

Der Schmerz weckte Antons Lebensgeister und zerriß die Traumschleier des Morphiums. Das Fieber ließ ihn abwechselnd schwitzen und frieren, und er spürte, wie sich der kühle Morgennebel des abessinischen Din-Din-Waldes mit der feuchten Hitze von Dschibutis Hòpital Français vermengte.

Der Nachtjäger hob seine feuchte Schnauze und blickte auf Anton Rider hinab. Die ovalen gelben Augen funkelten wie Grubenlampen. Der Leopard hob seine linke Vorderpfote, zögerte und bewegte sie langsam nach links und rechts, als suche er nach den alten Wunden des Mannes. Anton fürchtete sich vor der verkümmerten gelben Kralle, die hoch über dem Knöchel der Kreatur gekrümmt aus deren Bein ragte. Die Katze fand seine Wunden, fuhr ihre Krallen aus und schlug zu. Die vier Fänge öffneten erneut Antons Oberarm, und dann ließen ihn der Schmerz und die Erinnerung zurück in die gefühllosen Tiefen seines Fiebers gleiten.

Er war wieder beim Lagerplatz im Din-Din-Wald. Sie erkundeten das Gebiet als Vorbereitung für seine nächsten Kunden. Das war die Art von Safari, die ihm wirklich gefiel. Sie erschlossen sich neues Gelände, er vergaß fast völlig seine persönlichen Probleme und reiste mit leichtem Gepäck, nur in Begleitung seines Führers und langjährigen Fährtensuchers Kimathi und eines äthiopischen Lagerjungen namens Josef. Sie schossen nur, um sich Nahrung zu verschaffen, und nicht, weil sie Trubel veranstalten wollten oder verrückt nach Trophäen waren. Keiner von ihnen wurde abgelenkt und mußte sich um Leute kümmern, die hier völlig fehl am Platze waren. Kimathi hatte schon seit Monaten keinen Lohn mehr bekommen und folgte ihm nur aus Gewohnheit. Die drei waren mit dem Zug bis nach Awash Station in Zentralabessinien gefahren. Nach einem ausgiebigen Mittagessen in dem alten griechischen Hotel waren sie zwei Tage mit einem Packtier aufgestiegen, bis sie in einer Höhe von zweitausendeinhundert Metern den Wald erreicht hatten.

»Wollen wir hier unser Lager aufschlagen, Kimathi?« fragte Anton leise und sprach damit zum erstenmal, seit sie den kühlen dunklen Baldachin aus Blättern betreten und sich an der Abwechslung zur kenianischen Landschaft erfreut hatten. Neben ihm durchschnitt ein schmaler Bach die Lichtung. Er stellte seinen Rucksack und das großkalibrige Jagdgewehr ab und wartete, bis Josef und das Maultier sich ihm genähert hatten. Er freute sich darüber, erstmals seit vielen Monaten wieder Müdigkeit in den Beinen zu verspüren.

»Noch nicht, *Tlaga*«, sagte Kimathi, der nach wie vor frisch wirkte. Unter der hohen faltigen Stirn und den dichten grauen Locken war sein Blick scharf und aufmerksam. »Wenn wir weiter oben kampieren, in der Nähe des Moorgebiets, werden wir nicht noch einmal umziehen müssen.« Der breitschultrige Kikuyu sah zwischen den Steineiben empor, deren Stämme bis in eine Höhe von ungefähr zwanzig Metern über ihm aufragten. »Es ist hier wie in den Aberdares«, sagte er und meinte damit die dunklen feuchten Bergwälder Zentralkenias.

»Aber höher und abgeschiedener.« Anton kniete sich hin, um in der weichen Erde neben dem Bach ein Durcheinander aus alten Fährten zu untersuchen. Waldantilope, Wildschwein, Leopard, Ameisenbär. »Und das Blätterdach ist sogar noch dichter.«

Frühere Jagdausflüge nach Äthiopien hatten ihn hin und wieder in die Nähe des Din-Din-Waldes geführt, so daß er dessen kühle Frische im Wind riechen konnte. Er hatte es immer bedauert, daß ihm keine Zeit für eine Unterbrechung geblieben war, um den gewundenen Wildpfaden zu folgen, die sich in den Tiefen des Regenwaldes verloren. In den Aberdares war das Wild für gewöhnlich dunkler und scheuer als in Kenias helleren, tiefergelegenen Gebieten. Die Tiere im Din-Din-Wald waren angeblich sogar noch schreckhafter, und die Farbe ihres Fells noch besser an die Umgebung angepaßt. Anton fragte sich, wie diese finsteren Kreaturen wohl sein mochten.

Er zog die frischeste der Fährten mit seinen Fingerspitzen nach und studierte die kleinen dunklen Feuchtigkeitsflecke daneben.

»Servalkatzen, ein Weibchen und ihre Jungen.« Anton stand auf und folgte dem schmalen Wildpfad noch ein paar Schritte, sorgfältig darauf bedacht, nicht auf trockenes Laub oder heruntergefallene Äste zu treten. Dann kauerte er sich schweigend hin und starrte zwischen die Bäume.

Abseits des Pfads befand sich eine kleine Lichtung, auf der ein paar moosbedeckte Felsen lagen. Vor einem Spalt zwischen diesen Felsen spielten drei Servalkätzchen auf einem Bett aus Stachelschweinborsten. Die Tiere waren bereits schlank und langbeinig. Bei zwei von ihnen bildeten sich auf den blaßgelben Schultern und Rücken dunkle Streifen, die sich entlang ihrer Flanken in einzelne Punkte auflösten. Das dritte Kätzchen war tiefschwarz. Seine gelbgrünen Augen leuchteten wie blasse Smaragde in einer Fassung aus Kohle. Die junge schwarze Katze war das dominanteste der Tiere, balgte sich mit ihren Geschwistern, zerzauste ihnen das Fell und biß sie in die großen ovalen Ohren. Noch nie hatte Anton einen Serval gesehen, der dieser Hochlandkatze geglichen hätte.

Von der entlegenen Seite der Lichtung ertönte ein durchdringendes hohes Geheul. *»How-how-how.«* Ein geflecktes lederfarbenes Weibchen von knapp einem halben Meter Schulterhöhe schoß auf ihre Jungen zu und drängte die kleinen Servale in den verlassenen Stachelschweinbau. Dann drehte sie sich um und fixierte Anton. Ihr Rücken krümmte sich wie ein Bogen. Die Haare auf ihrem Rückgrat richteten sich senkrecht auf.

Anton wandte den Blick von der Katze ab, um nicht mehr so bedrohlich auf sie zu wirken, und zog sich leise zurück. Er hoffte, daß er sie nicht dazu veranlaßt hatte, ihren Bau aufzugeben. Als er zurückkam, fand er Josef unter dem Kopf des Maultiers sitzend vor. Der Junge war müde, und die ungewohnte Umgebung machte ihn nervös. Die Leine des Packtiers hing über seiner Schulter.

»Zu weit«, murmelte der schlanke junge Mann auf amharisch und zeigte auf seine Füße.

Kimathi ignorierte den Abessinier und stand auf. »Laßt uns aufbrechen.«

»Ich führe das Maultier«, sagte Anton und gab dem Tier einen Klaps, damit es sich in Bewegung setzte.

Nach einer weiteren Stunde blieb Kimathi auf einer breiten Waldlichtung stehen. »Hier sollten wir kampieren, *Tlaga*«, sagte er leise. Er lehnte sein Gewehr an einen verkrüppelten Baum. »Das Moor ist ganz in der Nähe.«

Die drei Männer errichteten das Lager und scheuchten dabei einen Schwarm grüner Tauben auf. Anton und Kimathi standen zu beiden Seiten des Maultiers und luden die sorgsam ausbalancierte Last ab. Die feuchten geraden Stämme der Steineiben umgaben sie wie die Gitterstäbe eines riesigen Gefängnisses. Von den Ästen einiger Mahagonibäume hingen die weißen Pilzfäden einer Bartflechte wie gespenstische nasse Segel herab. Die verschlungenen Wurzeln und Zweige wilder Feigenbäume rangen miteinander.

Anton entfaltete eine alte Armeeplane. Ihm war ein zu den Seiten offenes Zelt über dem Kopf lieber als ein geschlossenes. Er entrindete mit seinem Messer einen meterlangen Zweig und rammte ihn in den Boden. Auf das andere Ende des Zweigs stülpte er einen umgedrehten blechernen Trinkbecher, um so zu verhindern, daß der Stab, der die Plane zentral abstützte, das Segeltuch zerreißen würde. Dann befestigte Anton die Kordeln, die an den Ecken der Plane angebracht waren, an einigen Wurzeln und einem Pflock. Während er damit beschäftigt war, sammelte Josef Holz. Kimathi zündete ein Feuer an und zerhackte Kräuter und wilde Zwiebeln, in deren Sud sie einige Würstchen kochten.

Die drei hungrigen Männer aßen schweigend. Josef saß nah beim Feuer, starrte in den Wald und befingerte nervös das abgegriffene silberne Kreuz, das er um den Hals trug. Innerhalb kürzester Zeit brach die Dunkelheit herein. Hin und wieder hörten sie, wie in dem Geäst hoch über ihren Köpfen einige Affen umherkletterten und aufgeregt schnatterten.

»Dein Äthiopier hat jetzt schon Angst«, sagte Kimathi, während er sich die Finger ableckte. Er hatte schlechte Laune, weil es nur so wenig zu essen gab. »Die sind alle wie kleine Mädchen. Nächstes Mal nehmen wir seine Schwester mit. Dann ist wenigstens ...«

»Man sagt, sie seien gute Soldaten«, sagte Anton, ebenfalls in Kikuyu. Er verteilte die letzten Stücke Ziegenkäse unter seinen Gefährten. »Die Italiener werden das vielleicht noch zu spüren bekommen. Jeder Abessinier über zehn Jahren trägt ein Schwert oder ein Gewehr.«

Unbeeindruckt aß Kimathi zügig seinen Anteil auf, spuckte dann aus und begann, seine Zähne mit einem Stück Rinde zu säubern.

»Und die Stoßtrupps ihrer Sklavenjäger werden in deinem Land nach wie vor gefürchtet«, fügte Anton hinzu. »Schon seit vielen Jahren fangen sie kenianische Mädchen ein. Vielleicht ist er dein Cousin.« Anton blickte kurz über das Feuer hinweg. »Er sieht dir ein bißchen ähnlich, nur ist er jünger.«

Kimathi verkniff sich ein Grinsen, stand auf, rülpste und ging zum Waldrand, um sich zu erleichtern. »Höchste Zeit, von Fleisch und Frauen zu träumen«, sagte er und rollte seine grobe Khakidecke unter der Plane aus.

Es wurde rasch kühler. Anton fröstelte und legte mehr Feuerholz nach. »Wir werden früh aufstehen, damit wir den Nyala nicht verpassen und uns etwas für den Kochtopf schießen können.« Er klopfte Josef auf die Schulter. »Geh schlafen.«

»Dieser Krieger, den du da mitgebracht hast, wird wach bleiben und uns beschützen«, sagte Kimathi ächzend, als er sich dicht neben seinem Gewehr niederlegte.

Innerhalb weniger Minuten waren Anton und Kimathi unter der Plane eingeschlafen.

Für fast eine Woche blieb dieses Camp ihr Basislager. Mit jedem Tag in der freien Natur wurden Antons Sinne und sein Instinkt schärfer.

Der Din-Din-Wald schien direkt den Märchen der Gebrüder Grimm entsprungen zu sein. Seine Tiefen wurden von geschmeidigen schwarzen Kreaturen bevölkert, die nirgendwo sonst auf der Erde vorkamen. In der Kälte des frühen Morgens stießen die Tiere sichtbare Atemwolken aus. Die Feuchte und Dunkelheit ihres Waldes schien sie zu durchdringen. Wie schon der junge Serval, so waren auch die Ginsterkatzen im Din-Din-Wald pechschwarz, anstatt gelbbraun und grau wie üblich. Wenn die Tiere vor den Geräuschen oder der Witterung des Menschen flohen, verschmolzen ihre Schatten und ihre Körper zu einer einzigen leichtfüßigen Bewegung in der Finsternis.

Anton hatte seinen amerikanischen Kunden eine große Antilope versprochen, die es nur in Abessinien gab: den Bergnyala. Die Jagd würde sehr schwierig werden, und Anton war der Meinung, die Aussicht auf Erfolg wäre größer, wenn er seine Lagerplätze bereits ausgesucht hatte, bevor er seine Kunden herbrachte: zwei amerikanische Schwestern und ein mit ihnen befreundeter Künstler, der allerdings nicht jagen würde.

Der Bergnyala war ebenso schreckhaft wie der Bongo. Er maß mehr als einen Meter zwanzig Schulterhöhe und hatte ein langes gewundenes Gehörn. Man konnte entweder endlos seiner Fährte durch den Wald folgen und dann aus kurzer Distanz auf ihn schießen, falls das überhaupt je gelang, oder man konnte ihn am Rand des Bergmoors bejagen, das sich oberhalb des Waldes erstreckte. Dort verloren sich die scheuen Böcke in dem bis zu zwei Meter hohen grauen Heidekraut, das im Wind wogte, brandete und sich kräuselte wie die Wellen eines Ozeans.

Er wußte, sie würden die felsigen Hügel oberhalb des Moores erklimmen und mit Ferngläsern nach dem Nyala unter sich Ausschau halten müssen, um auf einen oder zwei Schüsse aus fast dreihundert Metern Entfernung hoffen zu können. Er hatte gehört, daß man oft sogar gezwungen war, über eine steile Schlucht hinweg auf die gegenüberliegende Talwand zu feuern. Manchmal stürzte das Tier nach einem Treffer in den Abgrund oder blieb inmitten der zerklüfteten Felsen liegen, so daß die Jäger insgesamt fünfhundert Meter hinab- und dann wieder hinaufklettern mußten, um den Kadaver zu bergen.

Nicht unbedingt das richtige für reiche junge Damen aus Lexington, Kentucky.

Schließlich fand er einen perfekten Platz, einen vielzackigen Felsvorsprung in der Nähe des Waldes, von dem aus man in drei Richtungen auf das Moor hinabblicken konnte. Er machte sich mit Kimathi auf den Rückweg zum Wald. Als er den Wildpfad betrat, der zum Lager führte, zögerte Anton. Er wußte, daß die beiden Afrikaner sich nach einer Fleischmahlzeit sehnten. Seine Augen weiteten sich im trüben Licht des Waldes.

Ungefähr fünfzig Meter vor ihm, pechschwarz wie das Gewand eines Priesters, der die Tür einer Kathedrale bewacht, stand die vielleicht herrlichste aller Antilopen: ein Menelik Buschbock.

Der stattliche Bock zuckte mit den großen spitzen Ohren, blökte einmal und wandte sich ab, um zu flüchten. Im gleichen Moment hob Anton sein Gewehr und feuerte. Der Buschbock brach auf dem Pfad zusammen. Anton rannte zu dem Tier, und Kimathi schnitt einen starken Ast ab, an den sie den Kadaver hängen und zum Lager tragen konnten.

»*Tlaga*, der Wachsame, speist zu guter Letzt seine afrikanischen Gefolgsmänner«, sagte Kimathi ehrfürchtig, als er sein Ende der Last anhob.

Auf dem Rückweg lastete das Gewicht der Stange schwer auf Antons linker Schulter. Das Gewehr trug er in seiner freien Hand. Wie passend, dachte er, daß diese Königsantilope den Namen jenes abessinischen Kaisers trug, der vor vielen Jahren eine italienische Armee vernichtend geschlagen hatte. Ein kurzes Stück vor der Lichtung hörte Anton plötzlich wildes Trampeln und das gellende Wiehern des Maultiers. Es durchzuckte ihn wie ein Blitz.

»Josef!« rief Anton, ließ sofort die Stange fallen und lud das Gewehr durch, ohne hinzusehen. Er erhaschte flüchtige Blicke auf dunkelgrünes und purpurrotes Gefieder und hörte die afrikanischen Kuckucksvögel im Geäst lautstark krächzen, als er die Lichtung betrat.

Das Maultier befand sich am Rand des Baches, bockte und schlug aus. Seine Vorderbeine waren noch immer durch eine lockere Fessel miteinander verbunden. Über sein Gesicht zogen sich tiefe parallele

Wunden, ein Auge war herausgerissen und seine Oberlippe halb abgetrennt worden.

Der junge Afrikaner lag am entgegengesetzten Ende der Lichtung auf dem Pfad. Anton kniete neben dem Jungen nieder und drehte ihn vorsichtig auf den Rücken. Er nahm sein Halstuch ab, wusch es in dem Bach aus und säuberte das Gesicht seines Gefährten. Josefs Hals und Schultern waren übel mit Bißspuren zugerichtet. Seine Halsschlagader war durchtrennt, und sein Blut rann hervor wie aus einem kaputten Gartenschlauch. Das silberne Kreuz war ihm vom Hals gerissen worden. Mit der rechten Hand hielt er seine schwere Panga umklammert. An der langen Klinge klebte Blut. Die Leiche des Mannes war noch warm und sein Blut noch nicht im laubbedeckten Boden versickert.

»Leopard«, sagte Anton und blickt zu Kimathi empor. »Wie es scheint, hat Josef ihm noch einen kräftigen Hieb verpassen können.«

»Ndio, Tlaga«, sagte Kimathi, der von den Wunden des Toten sichtlich beeindruckt war. *»Chui.«*

»Ein großes Männchen.« Anton wusch sein Halstuch aus und band es wieder um.

»Ein Weibchen würde nach oben langen, um ihn mit den verkümmerten Beinkrallen zu erwischen«, sagte Kimathi, als wollte er Anton etwas beibringen. »Aber dieser Bastard war groß. Er hat Josef umgeworfen und gebissen.« Der Kikuyu deutete auf einen großen Pfotenabdruck und maß ihn mit gespreizten Fingern.

Anton sah eine Blutspur auf dem anderen Pfad vom Lager wegführen.

Normalerweise hätte er den Jungen begraben und den Leoparden davonkommen lassen. Er hatte bereits den geeigneten Platz für seine bevorstehende Safari gefunden. Aber Josef und Kimathi – und sogar der Leopard und er selbst – würden etwas anderes erwarten. Das Tier war verwundet, und er hatte wegen eines seiner Männer eine Rechnung mit ihm offen. Ihm blieb keine Wahl.

»Hol mir die .450er. Du nimmst die Zwölfer. Doppelladung grober Schrot.« Anton fuhr mit den Fingern durch eine Anhäufung frischer Pfotenabdrücke. »Wir haben ihn verscheucht. Wenn wir ihn jetzt nicht finden können, bauen wir ein Versteck weiter unten am

Pfad und legen den Buschbock als Köder aus. Er wird bestimmt zurückkommen, denn er hatte keine Zeit, etwas zu fressen.«

»*Ndio*«, sagte Kimathi ruhig. Er wußte, daß Rider keine Rechnung unbeglichen lassen würde.

Anton überprüfte beide Waffen, bevor sie aufbrachen. Er war froh, daß Kimathi ihm den Rücken deckte.

Die beiden Männer folgten langsam und schweigend dem Wildpfad, bis sie an eine kleinere Lichtung kamen. An dem in Windrichtung gelegenen Rand der Schneise errichteten sie im stummen Einverständnis eine Tarnung aus Zweigen und Rinde, Grassoden und Blättern. Während Anton das Schußfeld in dem Versteck kontrollierte, fügte Kimathi hier und da noch einige Dornenranken und Blätter hinzu, um ihren Unterstand mit den Büschen auf beiden Seiten verschmelzen zu lassen. Dann suchten sie die Bäume am anderen Ende der Lichtung nach einem geeigneten Ast ab, um den Köder daran aufzuhängen.

Einen prächtigen wilden Feigenbaum zogen sie gar nicht erst in Betracht, denn sie wußten, daß Leoparden den milchigen Saft nicht mochten, den ein Feigenbaum absonderte, wenn seine Rinde von Krallen aufgerissen oder angeschnitten wurde. Zwei nahe Mahagonibäume würden sich ebenfalls nicht besonders gut eignen, denn sie trugen Spuren menschlicher Bearbeitung, tiefe Einschnitte in ihren Stämmen. Sie stammten von Honigsammlern, die an jenen Stellen wilde Nester der großen Waldbienen herausgehackt hatten. Schließlich deutete Kimathi auf eine ausgewachsene Akazie. Anton besah sich das Geäst und nickte.

Nachdem sie aus dem unteren Rücken des Buschbocks einige Steaks herausgeschnitten hatten, hängten sie den Kadaver an einen der waagerechten Äste der Akazie. Während Anton das Seil hielt, mit dem sie den Bock nach oben gehievt hatten, befestigte Kimathi jedes Bein des Menelik gesondert an dem dicken Ast, um so zu verhindern, daß der Leopard sich den Köder nachts einfach schnappen und wegschleppen würde. Der Buschbock hing jetzt fast vier Meter über dem Boden und befand sich genau im Schußfeld der zwei Gucklöcher des fünfunddreißig Meter entfernten Verstecks. Die Männer verschlossen jedes der Sichtfenster mit einem Stopfen aus Blättern und Zweigen.

Später an jenem Abend begruben Kimathi und Anton den Abessinier. Sie achteten Josefs koptischen Glauben und stellten daher sicher, daß er sein Kreuz in den gefalteten Händen hielt. Danach bemühte Anton sich, die Wunden des Maultiers so gut wie möglich zu versorgen. Anschließend verzehrten sie schweigend die zarten Lendenstükke. Nur selten hatte Anton besseres Fleisch gegessen und zugleich so wenig Freude daran gehabt.

»Auf Josef«, sagte Anton und goß Metaxa in seinen Kaffee. Er trank einen Schluck und reichte den Becher an Kimathi weiter.

»Dein Äthiopier hat uns eine feine Aufgabe hinterlassen«, sagte Kimathi trocken. Er leerte den Becher und gab ihn zurück an Anton, damit dieser noch mehr Weinbrand eingoß. »Dieser schwarze Dämon hat nichts Gutes zu bedeuten. Ein verwundeter Leopard ist wie eine verlassene Frau. Wütend bis aufs Blut.«

»Du mußt nicht mitkommen, alter Mann«, sagte Anton, wenngleich er es besser wußte. Er stand auf und band das Maultier an einen dicken Baumstamm in der Nähe des Feuers, damit nicht irgendein anderes Raubtier es verscheuchen würde.

»Was soll ich machen, wenn der Leopard dich tötet?« sagte Kimathi lakonisch. Dann zuckte er die Achseln. »Das ist nicht unsere erste Katze.«

Anton nickte.

Einige Stunden lang schliefen sie abwechselnd. Hin und wieder hörte Anton, wie sich Colobus-Affen durch das Blätterdach schwangen. Die tagaktiven Tiere waren ungewöhnlich aufgeregt. Er wußte, daß ihre ziegenähnlich meckernden Alarmschreie ihn warnen würden, falls der Leopard zu ihrem Lager zurückkehrte, um seine Beute zu holen.

Während seiner Wache schweiften Antons Gedanken ab. Er dachte an seine beiden Jungen, die in Kairo zur Schule gingen, und an die Frau, die er verloren hatte. Er sah Gwenns grüne Augen vor sich, ihre schlanke Gestalt und ihre makellose Haut. Gwenn war immer so stolz und kraftvoll. Sie ging jetzt ihren eigenen Weg, ohne seine finanzielle Unterstützung. In dieser Zeit wirtschaftlicher Depression waren Safarikunden so selten wie Einhörner, und er hatte Gwenn nur gelegentlich ein paar Pfund schicken können. Bald würde sie als Ärztin selbständig arbeiten und ihr eigenes Leben führen. Dann würde sie ihn nicht mehr brauchen, falls das überhaupt jemals der Fall gewesen war. Wie ihm zu Ohren gekommen war, hatte sie sich bereits irgendeinen Liebhaber genommen, einen Grafen, Spanier oder Italiener oder so ähnlich. Er fragte sich, ob ein Teil von ihr ihn noch immer liebte. Er war stolz auf sie, aber auch traurig, viel trauriger, als er zuzugeben vermochte. Er hatte das Gefühl, daß seine Familie ihn überging.

Wann war es soweit gewesen, daß die Reue schwerer wog als alle Hoffnung? Er war sich nicht sicher, zu welchem Zeitpunkt seine unbeschwerte Stimmung und sein sorgenfreies Leben sich ins Gegenteil verkehrt hatten, aber er wußte, daß das Scheitern seiner Beziehung zu Gwenn hauptsächlich dafür verantwortlich war. Er sehnte sich nach ihr und den Jungen, sowohl nach seinem leiblichen Kind Denby als auch nach seinem Stiefsohn Wellington, aber er schien in ihrer Welt nur ein Außenseiter zu sein, ein Nomade, der am besten in größerer Entfernung aufgehoben war. Und jetzt befürchtete er, daß er womöglich niemals nach Hause kommen würde.

Nach eineinhalb Jahren Abwesenheit fühlte er sich schuldig. Aber trotz der Jungen und einiger alter Freunde, die er zu treffen hoffte, hatte Anton Angst vor Kairo, denn er wußte, daß dieser Besuch ihm all seine Verfehlungen nur um so deutlicher vor Augen führen würde. Es würde schon schlimm genug sein, in schäbiger Kleidung und fast ohne jedes Geld dort aufzutauchen. Er würde nur armselige Mahlzeiten einnehmen und kaum Trinkgeld geben können, hatte keine anständigen Geschenke für die Jungen und Gwenn, und er würde nicht in der Lage sein, seine Familie oder seine Kunden in Kairos elegante Klubs und Restaurants auszuführen. Er wußte, daß er sich über den Erfolg anderer Männer ärgern würde, in gleicher Weise wie selbst attraktive Frauen auf die frische Schönheit junger Mädchen eifersüchtig waren.

Anfangs hatte er als weißer Jäger weitaus mehr Geld gemacht als die meisten jungen Männer, aber inzwischen hatte sich das Blatt total gewendet. Kunden waren rar, und viele Zeitgenossen waren längst nicht mehr so abenteuerlustig wie früher. Jahrelang hatte er geglaubt, seine Kindheit bei den Zigeunern in England und sein Leben mit den Safarikunden in Afrika, Finanzgrößen und Adligen aus einem Dutzend verschiedener Länder, hätten ihn überall zu Hause sein lassen, mit jedermann in gutem Einvernehmen, und in gewisser Weise war dies tatsächlich so gewesen. Jetzt jedoch empfand er sich um so krasser als Außenseiter, wohin er auch kam. Nur im Busch fühlte er sich wirklich gelöst und heimisch.

Im Busch oder beim Kartenspiel kam er sich niemals arm vor, und wenn er einen Drink in der Hand oder ein Mädchen im Arm hatte, gelang es ihm gelegentlich sogar, seine Sorgen zu verdrängen. Aber in der Stadt war Geld unentbehrlich, und die Rolle des Ehemanns oder Vaters brachte Kosten mit sich, die er nicht begleichen konnte. Seine Taschen waren nach wie vor leer, und sein Beruf, falls man überhaupt von einem Beruf sprechen konnte, bot mit jedem Tag trübere Aussichten, derweil er älter wurde und die Wirtschaftskrise kein Ende nahm. In Kürze würde von dem einträglichen Safarileben seiner Jugend vielleicht gar nichts mehr übrig bleiben, aber es war das einzige Leben, das er kannte.

Als Anton zum erstenmal nach Afrika kam, hatten sich die Zigeunerlektionen seiner Kindheit als Vorteile erwiesen: die Jagd, das Kartenspiel und das Boxen, das Kunstschießen und die Reiterkunststücke, ja sogar das Weissagen aus der Asche des Lagerfeuers und aus Teeblättern. Jede einzelne dieser Fertigkeiten schien dazu geeignet, ihn voranzubringen. Jetzt kam ihm all das wie ein Fluch vor, der ihm lediglich in jungen Jahren von Nutzen gewesen war. Und was noch schlimmer war, er fand sich in letzter Zeit nur allzuoft in gewaltsamen Auseinandersetzungen oder beim Glücksspiel wieder, jedesmal fast wie durch Zufall. Wie sollte ein arbeitsloser Jäger, der niemals eine Schule besucht hatte, den Lebensunterhalt für Frau und Familie bestreiten? Was sollte er nächstes Jahr tun, was in fünf oder zehn Jahren?

Eine erfolgreiche Safari würde ihm schon weiterhelfen. Anton war sicher, daß Afrika ein Krieg bevorstand, und er hoffte inständig, daß seine amerikanischen Kunden eintreffen würden, bevor die Italiener in Äthiopien einmarschierten. Mussolinis Truppen sammelten sich bereits in den italienischen Kolonien im Osten und Süden, und italienische Patrouillen erkundeten mit einheimischen Spähern die Grenzen zu Eritrea und der Ogaden-Region.

Er würde diese amerikanischen Kunden in Kairo treffen und mit ihnen zurück nach Dschibuti segeln. Dort würden sie den Zug ins Landesinnere nehmen und die Safari in Abessinien beginnen. Den telegrafisch angewiesenen Vorschuß der Amerikaner hatte er bereits ausgegeben. Er brauchte jeden einzelnen Penny, um seine Schulden zu bezahlen und sein Safaripersonal in Kenia halten zu können. Was wäre er nur ohne die Kredite und seine Taschenspielertricks? Jetzt brauchte er dringend das Safarigeld. Wenn er Gwenn keinen Zuschuß zum Schulgeld zahlen konnte, wie sollte er sie dann jemals für sich zurückgewinnen?

Als der Morgen zu dämmern begann, stand Anton auf und reckte sich. »Unser Leopard wartet«, flüsterte er und rüttelte seinen Freund an der Schulter. »Falls du mitkommen willst, bleib mit der Schrotflinte hinter mir.«

Kimathi erhob sich, und die beiden kehrten zu ihrem Versteck zurück. Jetzt am frühen Morgen wehten ihnen quer über die Lichtung eisige nasse Windböen entgegen. Nachdem sie eine Stunde schweigend dagesessen hatten, ging Anton hinter den Gucklöchern in Position. Er überprüfte die Ladung des Gewehrs, nahm zwei lange .450er Rundkopfgeschosse aus der Tasche und steckte sie in die Patronenschlaufen seines Hemdes. Mehr brauchte er nicht. Wenn man es mit vier Schüssen nicht schaffte, einen Leoparden aufzuhalten, würde man ohnehin keine weitere Gelegenheit zum Nachladen bekommen.

Anton setzte sich bequem hin, seine alte Holland & Holland auf den Knien. Er zog vorsichtig die Stopfen heraus, spähte mit dem rechten Auge durch eines der Gucklöcher und beobachtete, wie das erste Licht des Tages den dichten Nebel aufhellte. Inmitten der wogenden Nebelschwaden des Din-Din-Waldes verwandelten sich die hohen Stämme der Steineiben in die Masten gespenstischer Segelschiffe. Zuhause in Kenia kehrten die Leoparden für gewöhnlich zwischen sieben und acht zum Fressen zurück, nachdem die ersten Sonnenstrahlen sie erwärmt hatten. Anton richtete sich darauf ein, eine gefleckte Gestalt mit kleinem runden Kopf und langem Schwanz zu Gesicht zu bekommen, die zunächst am Wasser anhalten und dann zu dem Köder klettern würde.

Der Nebel lichtete sich, und Anton konnte den Kadaver des

Buschbocks sehen. Er warf Kimathi einen Blick zu, tippte sich gegen die Vorderzähne und ahmte ein Kauen nach. Der Bock hing nicht mehr von dem Ast herab, sondern lag jetzt darauf. Die Raubkatze mußte ihn in der Nacht zum Fressen nach oben gezerrt haben. Selbst von dem Versteck aus konnte Anton erkennen, daß bereits die Hälfte des Buschbocks fehlte, ungefähr dreißig oder vierzig Pfund Fleisch.

Kimathi drückte Antons Knöchel und deutete nach vorn.

Neben der Tränke lag eine riesige Katze flach auf den Boden gepreßt, den Körper tief zwischen die angewinkelten Beine gesenkt mit dem Kopf am Rand des Wassers. Von der Schnauze bis zur Schwanzspitze maß das Tier deutlich mehr als zwei Meter. Der runde Kopf war außergewöhnlich groß. Aber am erstaunlichsten war das dichte weiche Fell: Dieser Leopard war nicht gefleckt, sondern tiefschwarz.

Selbst der Wald schien zu verstummen. Anton achtete darauf, daß er nicht zu atmen aufhörte, denn er brauchte eine ruhige Schußhand.

Der Leopard drehte seinen Kopf und ließ für einen kurzen Moment zwei leuchtendgelbe Augen erkennen. Er leckte die oberflächliche Wunde in seiner rechten Schulter.

Anton verspürte ein Prickeln auf der Haut. Seine Muskeln spannten sich an. Das waren die Momente, die dieses Leben lebenswert machten.

Während das Tier trank, bewegte sich sein Schwanz langsam hin und her. Anton wollte das Gewehr erst dann zu dem Guckloch heben, wenn die Katze den Baum erklomm und dadurch jedes kleine Geräusch überdeckte, das er womöglich beim Anlegen verursachte. Der Leopard stand auf und erleichterte sich, hob den Schwanz und scharrte mit beiden Hinterläufen. Anton sah keine Regung der kleinen Ohren, kein Anzeichen der Beunruhigung.

Leichtfüßig und geschickt wie ein Kätzchen, wandte der Leopard sich um und erklomm die Akazie mit einem kurzen Spurt. Anton schätzte das Gewicht der schwarzen Bestie auf nahezu neunzig Kilogramm, was dem einer ausgewachsenen Löwin entsprach. Es war der größte und schönste Leopard, den er je gesehen hatte. Es war der Teufel selbst.

Die Schultermuskeln des Tiers zogen sich zu schwarzen Strängen zusammen, als es sein Gesicht im Rumpf des Buschbocks vergrub. Es hielt den Kadaver mit den Vorderpfoten auf dem Ast fest und riß mit seinen langen gebogenen Reißzähnen das rohe Fleisch und die Eingeweide heraus.

Anton kniff das linke Auge zu und zielte mit der doppelläufigen Flinte auf die Stelle direkt hinter und unterhalb der rechten Schulter des Tiers. Er hielt den Atem an.

Im gleichen Moment, in dem er den vorderen Abzug drückte, drang neben ihm aus dem Versteck plötzlich Unruhe. Mit jähem Knurren sprang der Leopard auf.

Der laute Knall des Schusses durchbrach die Morgenstille und dröhnte in Antons Ohren. Er versuchte, das Tier im Visier zu behalten, und feuerte den linken Lauf ab. Dann wandte er sich in dem engen Versteck um und sah, daß Kimathi mit seiner Panga auf eine Viper einschlug. Was für ein verdammtes Pech, dachte er wütend. Während er Kimathi zusah, lud Anton nach. Er wußte, wie sehr sein Freund sich vor Schlangen fürchtete. Jeder hatte vor irgend etwas Angst. Als Kind war Kimathi einmal von einer schwarzen Mamba gebissen und beinahe getötet worden.

Der Leopard verschwand knurrend im Wald.

Zu Antons Füßen zappelte noch immer der dicke Körper der Bergviper wie ein Aal in der Falle, obwohl ihr flacher Kopf gespalten und abgetrennt war. Schweißüberstömt und vornübergebeugt ließ Kimathi nicht von der zuckenden Schlange ab, sondern hackte sie in immer kleinere Stücke. Sogar die Wände des Verstecks riß er dabei um.

Anton stand auf und streckte sich. Er mußte seinem Freund Gelegenheit geben, sich zu beruhigen. Nach Jahren im Busch glaubte Anton inzwischen an Glück und Aberglauben.

Er wußte, daß er die große Katze verwundet hatte, nicht getötet. Höchstwahrscheinlich eine zerschmetterte Schulter, die ausreichte, den Leoparden in Wut zu versetzen, mehr nicht. Ob das Tier sich bei dem Geräusch aus dem Versteck bewegt hatte oder ob er selbst dadurch abgelenkt worden war, konnte er nicht mit Gewißheit sagen. Aber jetzt mußte er einen verwundeten Leoparden verfolgen.

Er erinnerte sich an die Worte des alten von Decken, der ihn auf seine erste Jagd mitgenommen hatte, als Anton noch ein Junge in Tanganyika war. »Verwunde einen Löwen, Engländer, und er wird sich vielleicht davonschleichen, um zu sterben. Aber verletze einen Leoparden«, hatte der silberhaarige deutsche Pflanzer ihn gewarnt und mit seiner Zigarre gewedelt, »und du gehörst ihm, bis er stirbt. Er wird versuchen, dich zu erledigen. Immer.«

Anton und Kimathi ließen sich Zeit, damit das Tier ausbluten und schwächer werden würde. Sie verließen ihr Versteck und überprüften den Boden neben der Tränke und unter dem Buschbock. »Ziemlich viel Blut«, sagte Kimathi säuerlich, »aber nicht genug.«

»Und es ist dick wie Sirup.« Anton tauchte seine Finger darin ein, roch daran und zerrieb das Blut zwischen Daumen und Zeigefinger. Was er sah, gefiel ihm nicht. Das schien eine ernste, aber nicht tödliche Wunde zu sein. Hellrot und schaumig hätte einen todbringenden Treffer bedeutet.

Anton ging voran, als sie der frischen Spur folgten und tiefer in den Wald eindrangen. Sie kreuzten schmale Wildpfade und kleine dunkle Lichtungen. Nach einer Weile kauerte er sich nieder, um einen tunnelähnlichen Pfad zu betreten, vermutlich der Weg irgendeines Wildschweins. Voller Anspannung konzentrierte er all seine Sinne. Er wußte, daß der Leopard ihn nicht wie ein Löwe mit bedrohlichem Knurren warnen würde. Anton fürchtete, daß ihm für einen gezielten Schuß mit seiner Flinte nicht genug Zeit und Platz bleiben würden, und wandte sich zu Kimathi um.

Er legte einen Finger an die Lippen, nahm dann Kimathis Schrotflinte in die rechte Hand und tauschte die Waffen. Durch eine Geste gab er Kimathi zu verstehen, er solle sich im Hintergrund halten. Wenngleich die Schrotflinte nicht die Kraft eines großen Rundkopfgeschosses hatte, würde er in der Lage sein, zwei schnelle Schüsse abzugeben, die zumindest teilweise treffen dürften.

Die unregelmäßige Fährte aus Blut und Pfotenabdrücken führte sie zum oberen Waldrand. Ausläufer des Moores reichten hier in den sich lichtenden Wald hinein. Das hohe Heidekraut war noch feucht und funkelte in der Morgensonne. Anton spürte eine warme Windbö und roch den aromatischen Duft des felsigen Moorgebietes, der an die Stelle der kalten Feuchte des Unterholzes trat.

Als sie aus dem Schutz des Waldes hervorkamen und dabei sorgsam einige tiefe Bodenspalten umgingen, brach eine Schar schwarzweißer Colobus-Affen in wildes Geheul aus und sprang in dem Blätterdach am Rand des Moores von Baum zu Baum. Über sich hörte Anton einen klangvollen Schrei. Er blickte nach oben.

Er sah einen Haubenadler, der die Schwingen anlegte und in Sturzflug überging. Der weiße und rötlich-schwarze Vogel tauchte zwischen zwei Bäumen entlang und griff sich mitten im Flug einen der Affen. Mit heftigem Flügelschlagen und unter großer Anstrengung erhob sich der kräftige langschwänzige Adler, der vom Schnabel bis zur Schwanzfeder nur etwa dreißig Zentimeter maß, langsam in die Lüfte, während der Affe in seinen gelben Fängen zappelte. Der pelzige schwarzweiße Körper und der lange Schwanz des Primaten baumelten hilflos hin und her, während er immer höher getragen wurde. Der Rest des Affenrudels stürzte sich in die tieferen Ebenen des Blätterdaches, stob von Ast zu Ast, kreischte hysterisch und landete mit den Füßen voran im dichteren Blattwerk.

Aus dem Heidekraut nur wenige Meter vor Anton erklang ein Knurren. Noch bevor er das Gewehr an die Schulter heben konnte, stürmte etwas auf ihn zu. Er hatte sich von dem Adler ablenken lassen und nicht mehr an seinen tödlichen Gegenspieler gedacht. Als der riesige Leopard durch das Heidekraut brach und auf sein Gesicht zusprang, gab Anton einen Schnellschuß auf den schwarzen Blitz ab, verfehlte jedoch sein Ziel.

Die Katze füllte den Himmel aus wie eine schwarze Wolke. Sie traf Anton an der linken Schulter und riß ihn um, als er den linken Lauf abfeuerte. Er war von der Kraft und Wildheit des Angriffs wie betäubt und fühlte, wie die Zähne des Tiers sein Fleisch durchdrangen und auf den Knochen trafen. Für den Bruchteil einer Sekunde kam es ihm so vor, als wäre er gar nicht wirklich verwundet, sondern würde die ganze Szene von außen betrachten. Dann hörte er Kimathi aufbrüllen, als der Afrikaner stürzte und seitlich aus seinem Blickfeld verschwand.

Anton lag auf dem Rücken. Das Gewehr war seinen Fingern entglitten. Verzweifelt versuchte er, das schwere Tier mit den Füßen von sich zu stoßen. Er hob den linken Arm, um seine Kehle zu schützen, und zog zugleich mit der Rechten sein Messer aus dem Gürtel. Er spürte, daß das Tier mit jedem Muskel, jedem Zahn und jeder Kralle wild darum kämpfte, ihn zu töten. Dieser Eindruck des unermeßlich starken Willens seines Angreifers überwältigte ihn.

Der Leopard packte mit den Zähnen seinen linken Arm. Jetzt merkte Anton, wie der Schmerz ihn wie ein Schock durchzuckte. Die funkelnden Augen der Kreatur waren nur wenige Zentimeter von seinem Gesicht entfernt und starrten ihn an, als würde die Katze ihn kennen. Anton roch ihren stinkenden Atem und sah, wo die zweite Schrotladung ein Loch in den Rücken des Tiers gerissen hatte. Einen Moment lang stand ihm jede Einzelheit des Leopardenleibes deutlich vor Augen. Anton war ihm so nah wie einer Geliebten und sah jetzt im helleren Licht des offenen Moores, daß der Leopard, ungeachtet des ersten Anscheins einer unverfälschten Färbung, ein Muster aus schwarzen Rosetten trug, die sich kaum wahrnehmbar über seinen ganzen Leib erstreckten. Die Grundfarbe des dichten Fells war kein reines Schwarz, sondern entsprach eher einem tiefdunklen Braun.

Anton wehrte sich mit äußerster Kraft, schrie unartikuliert und stieß dem Leoparden das Messer in den Hals. Dann riß er es heraus und stach noch einmal zu. Mit einem wütenden schrillen Fauchen ließ das Tier seinen Arm los und vergrub die Krallen mit wilder Wut in seiner anderen Schulter. Als die Katze ihren Kopf zurückzog, spritzte ihr Blut in Antons Gesicht. Das Messer steckte noch immer in ihrer Kehle.

Kimathi rappelte sich aus dem Loch auf, in das er gefallen war, und kniete neben dem ringenden und um sich schlagenden Paar nieder. Er wollte schießen, aber hatte Angst, seinen Freund zu töten. Schließlich stürzte er nach vorn, drückte dem Leoparden den Gewehrlauf an die Brust und feuerte.

Das tobende Tier stürzte schreiend von Anton herunter auf den Rücken. Alle vier Pfoten schlugen wild ins Leere und fuhren die großen Krallen im Todeskampf aus und wieder ein.

Anton kam wankend auf die Knie. In seiner Brust klafften offene Wunden, und beide Schlüsselbeine waren freigelegt. Mit blutunterlaufenem Blick sah er Kimathi aus einem Meter Entfernung erneut feuern. Er traf die Katze hinter den Augen in den Kopf. Alle drei wurden von Knochensplittern und Blut bespritzt. Anton stand torkelnd auf und suchte nach seinem Gewehr. Als er zusammenbrach, sah er noch, wie Kimathi auf ihn zurannte.

»*Tlaga!*« rief der Afrikaner und fing Anton auf.

»Warum singst du nicht?« fragte Anton kurz darauf, als er für einen Moment zu Bewußtsein kam. Sie waren an dem Bach, und Kimathi wusch seine Wunden aus. Der Schock war noch immer stärker als die Schmerzen. »Wir müssen singen, so wie wir das immer tun, um den großen Leoparden zu ehren, den wir getötet haben«, sagte er langsam mit versagender Stimme zu seinem Freund, bevor sich seine Augen schlossen.

Kimathi versorgte Antons Wunden mit einem Desinfektionsmittel und verband sie mit seinem eigenen Hemd. Während er damit beschäftigt war, sang er mit tiefer, kraftvoller Stimme das Lied eines Kikuyujägers, so daß es durch den ganzen Din-Din-Wald hallte.

Während der nächsten beiden Tage kam Anton immer nur für kurze Augenblicke zu Bewußtsein, und stets wußte er, daß Kimathi an seiner Seite war, als der Afrikaner ihn auf dem verwundeten Maultier festband, das Tier zurück nach Awash Station trieb, ihn für die Zugfahrt nach Dschibuti auf eine Pritsche legte und ihn schließlich auf seinen Armen ins Hòpital Français trug.

Mehr als zwei Wochen hatte Anton unter Morphium im Krankenhaus gelegen und von der herrlichen Kreatur geträumt, die ihn angefallen hatte. Er fragte sich, ob dies eine Art Vergeltung für all die Tiere darstellte, die er selbst getötet hatte. Seine Arme ruhten jeweils in einer Schlinge, die vom Handgelenk bis zum Ellbogen reichte, während der Arzt und zwei ältere Nonnen seine dreißig Schnitte und Bisse behandelten. Eine Woche lang hatten sie, wie der Leopard in seinem Traum, zweimal täglich die Wunden in seinen Armen und Schultern wieder geöffnet, um sie mit einem Antiseptikum zu spülen und so die Infektion abzutöten.

Eines Abends, Anton hatte gerade von Gwenn geträumt, betrat jemand sein Zimmer. Er dachte, es wäre die Nachtschwester, die ihm etwas Wasser brachte. Er konnte seine Arme nicht bewegen, und als eine Hand seinen Kopf hob und ihm eine Tasse an die Lippen hielt, ließ er die Augen geschlossen. Dann roch er das unverwechselbare Parfum.

Er wußte sofort, um wen es sich handeln mußte: seine erste Freundin, Anunciata, die ihn vor so vielen Jahren in einem kenianischen *Donga* in der Kunst der Liebe unterwiesen hatte. »Im Freien ist es am besten«, hatte sie behauptet, und er hatte ihr recht geben müssen.

»Blauauge«, sagte die portugiesische Dame, als sie die leere Tasse auf dem Tisch neben dem Bett abstellte. »Du darfst dich nicht bewegen. Laß mich für dich da sein.«

3

»Wasser, Abd al-Azim, Wasser«, sagte Graf Grimaldi zu dem Königlichen Schatzmeister, während er die sepiafarbenen Photographien durchsah, die ihm ein Gesandter des Hofs vorlegte. Junge Knaben und Mädchen, die in ihren Kostümen unbeholfen wirkten, starrten mit hoffnungsvollem, verängstigtem Blick in die Kamera. Der Italiener nahm eines der Bilder genauer in Augenschein und strich sich über den grauen Schnurrbart.

»Zu jung, sogar für den Palast, aber bemerkenswert für ihr Alter.« Lorenzo Grimaldi steckte das Photo in die Brusttasche seiner weißen Luftwaffenuniform, sorgfältig darauf bedacht, die zahllosen Orden nicht in Unordnung zu bringen. »Bemerkenswert.«

Als Italiens Luftfahrtattaché in Ägypten hatte er vielerlei Verpflichtungen. Im Augenblick bereitete er den Besuch von Vittorio und Bruno Mussolini vor, den Söhnen des Duce, die beide als Flieger im *Disperata* Geschwader der *Regia Aeronautica* dienten, das man kürzlich mit den herrlichen dreimotorigen Caproni-Bombern ausgestattet hatte. Schon bald würden diese römischen Adler in den Lüften über Abessinien auf die Jagd gehen, dachte er befriedigt.

»Verraten Sie mir, Euer Exzellenz«, fragte der Ägypter, »wird Ihr Land Afrika den Krieg bringen? War Libyen noch nicht genug?«

Grimaldi ließ sich seine Verachtung nicht anmerken und erwiderte: »Wir Italiener sind eine friedfertige Nation, Pascha, aber wir müssen unsere Grenzen schützen.« In Wirklichkeit wußte er nur zu gut, daß Italien beabsichtigte, ein eigenes Empire zu errichten, und er war sich sicher, daß dies keine einfache Aufgabe war. Das Mittelmeer würde erneut zum *Mare Romana* werden, zum *Mare Nostra*. Und am Ende würde das *Africa Orientale Italiana* stehen, das Benito Mussolini schon seit langem versprach. Die kostspielige Befriedung und Kolonisierung Libyens war nur der Anfang.

»Selbstverständlich.« Der Schatzmeister winkte mit einer Hand ab, und sein Tonfall wurde zunehmend gönnerhaft. »Aber unsere Freunde in Port Said und Suez berichten, daß in diesem Jahr pro Monat fünfundzwanzigtausend italienische Soldaten den Kanal durchquert haben. Man braucht doch sicherlich nicht dermaßen viele römische Krieger, um Italienisch-Somaliland und Eritrea gegen ein paar wilde *Shifta* zu verteidigen, oder?«

»Diese Frage müssen Sie der Armee stellen«, sagte Enzo Grimaldi steif und nahm sich vor, das Gespräch in eine andere Richtung zu lenken. »Ich bin Flieger.« Er legte seine weißen Lederhandschuhe auf den kleinen Tisch neben sich, während sein Gastgeber fortfuhr.

»Oder geht es vielleicht darum, daß Ihr Land zu spät beim Ball der Kolonialmächte eingetroffen ist? Frankreich, England und Deutschland, ja sogar Portugal und Belgien haben sich bereits alle afrikanischen Bräute geschnappt.« Der Ägypter rieb sich die Hände und lächelte. »Abessinien ist die einzige verbliebene Jungfrau, und sie will nicht mit Ihnen tanzen.«

Der Italiener war beleidigt. Er nahm eine Karaffe Wasser von dem kupfernen Tablett, das den mit Einlegearbeiten geschmückten Tisch des Abd al-Azim Pascha zierte. Mit ruhiger Hand ließ Enzo so lange Wasser auf die Tischplatte tropfen, bis sich eine kleine Lache gebildet hatte.

Der Pascha starrte Grimaldi wortlos an. Der Hofbeamte war über die Wut seines Gegenübers erhaben. Er war Absolvent des Victoria College in Alexandria. Die Witze der dortigen Schuljungen hatten ihn gelehrt, was man von einem Italiener erwarten konnte.

»Mit einem einzigen Eimer Wasser, Abdu, kann ich Sie töten oder Ihr Leben retten. Zu viel, zu wenig – und Ihr Grundbesitz ist entweder kostbar oder wertlos, eine Wüste oder ein Garten oder ein Sumpf…« Enzo tippte mit dem Zeigefinger in das Wasser und wartete darauf, daß sein Gastgeber seinem Zorn Luft machen würde.

»Ihr braucht einem Ägypter nichts über den Wert des Wassers beizubringen.« Der Schatzmeister war verärgert über die unverschämte Anrede mit der vertraulichen Form seines Namens. Er setzte sich kerzengerade auf und ließ dabei eine bernsteinfarbene Perlenschnur schnell durch seine Finger gleiten. Er war die Anmaßung der Briten und die Arroganz der Franzosen gewöhnt. Was konnte dieser Italiener ihm schon Neues bieten? Er lächelte und fuhr fort, nachdem er einen kurzen Blick auf die großen langsamen Flügel des Deckenventilators geworfen hatte.

»Wir sind keine Kinder, Oberst Grimaldi. Wir sind keine Neger. Sogar Euer Napoleon mußte erst herkommen, um die Bedeutung des Wassers zu begreifen und um unsere Zivilisation zu studieren, wenngleich er zu dumm war, den Kanal zu bauen. Der Narr glaubte, das Mittelmeer und das Rote Meer hätten unterschiedlich hohe Wasserspiegel...«

»Geben Sie uns nicht die Schuld für die Franzosen, Abdu.«

»Ihr Europäer kommt und geht«, fügte der Ägypter unwirsch hinzu und wischte den Einwand mit einer Handbewegung beiseite. Es machte ihm Spaß, die Gedanken seines Gastes in eine andere Richtung zu lenken. »Griechen, Römer, Franzosen, Engländer. Aber für einen Zeitraum von vierhundert Jahren war Ägypten osmanische Provinz. Was unsere kulturelle Zugehörigkeit betrifft, ist Konstantinopel unsere Hauptstadt, nicht London, Rom oder Paris.«

Grimaldi stellte die Karaffe ab und erwiderte in ruhigem Tonfall: »Hier in Ägypten ist nur ein Zwanzigstel des Landes bewohnbar und fruchtbar. Ein *Feddan*, ein Morgen von zwanzig. Welcher Morgen, das hängt davon ab, wohin der Nil fließt und wo er über die Ufer tritt. Und im Delta wird der Nil durch die große Talsperre nördlich von Kairo kontrolliert. Und wer, Abdu, überprüft die Wehre des Staudamms, wer entscheidet, welche Schleuse geöffnet wird und welcher Abfluß trocken bleibt wie eine alte Frau? Wer bestimmt darüber, welches Gebiet eine Ernte trägt und welches zwei oder sogar drei?«

»König Fuad bestimmt, wohin das Wasser fließt, Eure Exzellenz, wie sein Vater und Großvater vor ihm. Ein Siebtel des ägyptischen Farmlandes gehört ihm.« Der Schatzmeister drehte sich um und deutete auf eines der beiden gerahmten Photos an der Wand hinter ihm. »Eines Tages wird der Sohn Seiner Majestät, Prinz Faruk, die königlichen Amtsgeschäfte übernehmen.«

Der gutaussehende fünfzehnjährige Junge mit dem freundlichen, sanft gerundeten Gesicht blickte mit ruhiger Miene zu ihnen herab. Sein weiches Kinn ruhte auf dem hochgeschlossenen Kragen eines dunklen Militärrocks, geschmückt mit goldenen Epauletten, Tressen und Orden. Ein hoher Tarbusch saß schräg auf seinem Haupt, verlief dicht über seinem rechten Auge und gemahnte den Betrachter daran, daß Faruk, ungeachtet der Militärschule in England, in erster Linie ein osmanischer Prinz war, ein Herrscher des Ostens, auch wenn sein Haus ursprünglich von einem Albaner begründet wurde.

Bevor er fortfuhr, schaute Abd al-Azim Pascha nach unten und nahm sich ein gepudertes Konfekt von einem Teller auf dem Tisch.

»In der täglichen Praxis werden solche Angelegenheiten natürlich vom Minister für Öffentliche Arbeiten entschieden, und sofern es Fragen der Bewässerung betrifft, ist mein lieber Cousin, der Staatssekretär Musa Bey Halaib dafür zuständig. Er bestimmt, ob ein Kanal sich mit Unkraut oder mit Wasser füllt.«

Grimaldi erkannte die Aufforderung. »Ist Ihr Cousin ein praktisch veranlagter Mann, Abdu?«

»Musa Bey steht mit beiden Beinen im Leben.« Der Tonfall des Paschas war wieder freundlicher. Er leckte sich Honig und Puderzukker von den Fingern. »Aber es gibt viele, die gern in sein Ohr flüstern und ihm dafür so manche Gunst erweisen würden.«

Grimaldi wußte von Abd al-Azim Paschas Abneigung gegen die Palastitaliener, die Hofoffiziere und Diener, die sich in den königlichen Haushalt eingeschlichen hatten. Enzo erkannte, daß es nötig sein würde, die Interessen des Paschas besser mit seinen eigenen in Einklang zu bringen. Sie hatten bereits ein diskretes und profitables Geschäft gemeinsam abgewickelt: einen Baumwollvertrag für Italiens neuen Afrikafeldzug. Jetzt sollten diese Gewinne in ein neues Projekt gesteckt werden. Sie wollten Grundstücke aufkaufen, die sich durch den neuen Bewässerungsplan von einer Wüste in ertragreiches Farmland verwandeln würden. Grimaldi sprach inzwischen für ein Konsortium wichtiger italienischer Investoren.

»Spielt sonst noch jemand unser Spiel, Abdu? Sind wir früh genug dran?«

»Falls wir zu früh kaufen, könnte der Plan sich noch ändern. Wenn wir den richtigen Zeitpunkt verpassen, wird die Angelegenheit zu teuer.« Der Schatzmeister genoß die Gelegenheit, seinen arroganten Gast zu belehren. Ebenso wie viele andere Ägypter seines Bildungsstandes hatte auch er trotz aller Abneigung gelernt, sich die unangebrachte Überheblichkeit der Europäer zunutze zu machen. Wenn es schon Cäsar und Napoleon nicht gelungen war, hier Fuß zu fassen, wie wollten es dann erst diese Männer schaffen? Das Vergnügen lag darin, den einen gegen den anderen auszuspielen.

»Und dann gibt es noch ein oder zwei andere, deren Ball anscheinend auf denselben Dreistab zielt, wie unsere neuen Gäste, die Briten, es ausdrücken würden.«

»Ich spiele kein Kricket«, sagte der Italiener.

»Genaugenommen scheint vor allem ein ganz bestimmter Unruhestifter in unserem Revier zu wildern. Er ist schlau, und er hat eine Menge Geld zur Verfügung. Aber bislang bilden seine Neukäufe noch kein zusammenhängendes Gebiet, und manche der Grundstücke hat er vielleicht nur auf gut Glück erworben. Hier in Ägypten benötigen Investoren mehr als nur Geld. Der Bewässerungsplan wurde noch nicht abschließend festgelegt, und wir genießen natürlich gewisse Vorteile.«

»Ist unser Rivale Ägypter oder Europäer?« Grimaldi war sich sicher, daß sein Gastgeber den Namen des Betreffenden nicht nennen würde. Er schätzte die Macht der Geheimhaltung höher als die Großzügigkeit der Enthüllung.

»Nein, kein Ägypter«, sagte Abd al-Azim bedachtsam, »und auch nicht unbedingt ein Europäer. Ein seltsamer Mann, aber äußerst gerissen.«

Der Italiener blickte auf die Wand neben sich. Sie war übersät mit Nilszenen: Zeichnungen, Aquarelle und Photos. Grimaldi konnte diese Faszination gut verstehen. Feluken mit Lateinsegeln kreuzten die grünen Fluten oberhalb des Assuan-Staudamms. Kolonnen von schwerbeladenen Arbeitern trotteten mit Körben voller Steine auf die emporwachsenden Türme der großen Talsperre zu. Eine Frau arbeitete an einer archimedischen Schraube. Grimaldi sah zurück zu seinem ägyptischen Gastgeber und trank einen großen Schluck Pfefferminztee, bevor er das Wort ergriff.

»Wenn wir wissen, wohin das Wasser fließt, Pascha, werden Sie und ich wissen, welche Farmen wir kaufen müssen. Und wenn das Naß versiegt, muß ein Farmer verkaufen.« Enzo zog mit einer Fingerspitze kleine Wasserpfade über die Tischplatte.

»Derartige Spielchen mit dem Nil können bisweilen verhängnisvoll verlaufen, Euer Exzellenz. In den Tagen der Pharaonen waren die Fürsten für solcherlei Gefallen bereit, Morde zu begehen. Und ebenso zur Zeit Alexanders, Kleopatras und der Cäsaren. Wenn auch nur ein einzelner Deich ohne Genehmigung errichtet wurde, setzte man Legionen in Marsch. Haben Sie vergessen, daß das Niltal die Kornkammer des alten Roms gewesen ist?«

Der italienische Flieger antwortete nicht. Manchmal überraschte ihn dieser Ägypter.

Der Schatzmeister drehte sich auf seinem Stuhl um und klopfte auf die Karte des Deltas, die neben dem Photo des jungen Faruk an der Wand hing. Mit Kairo als südlicher Begrenzung erstreckte sich die umgekehrte Pyramide des Deltas nach Norden bis zum Mittelmeer. Dort wurde das Delta westlich von Alexandria und östlich von Port Said begrenzt. Direkt oberhalb von Kairo, am Ort der großen Talsperre, teilte der Fluß sich in zwei Hauptarme, die sich wiederum nach allen Seiten in ein Netz aus Nebenläufen und Kanälen verzweigten. »Es gibt Grenzen, Euer Exzellenz, sogar in Ägypten. Sogar in diesem Haushalt.«

Grimaldi hob die Brauen und dachte daran, was in den umliegenden königlichen Gemächern vor sich ging.

»Grenzen?« fragte er. Mit fünfhundert Räumen, einem vergoldeten Theatersaal, einer Garage, groß genug für zweihundert Automobile, und Alabastergängen mit den lebensgroßen Mosaiken nackter *Houris*, bot der Abdin-Palast genug Platz für alles Vorstellbare. Sogar die Schwestern des Prinzen blieben nicht davon verschont, sondern saugten ihre Nahrung bis ins fortgeschrittene Kindesalter aus den Brüsten von Ammen, deren Körpergewicht weit jenseits der hundert Kilo lag.

»Grenzen?« fragte Grimaldi erneut, nahm seine Handschuhe und erhob sich. Er blickte auf den Ägypter herab und lächelte humorlos. »In Kairo?«

Der Schatzmeister erwiderte zunächst wortlos das Lächeln.

»Fahren Sie jetzt zum Flugplatz, Oberst?« fragte er dann. Er hatte zuvor bereits erfahren, daß der Italiener seine Fliegermontur und -brille im Wagen mit sich führte.

»Ich bewundere Ägypten aus der Luft«, sagte Grimaldi, »und ich möchte gern unsere neue Breda testen.« Ein zivil lackiertes Exemplar von Italiens neuestem Jagdflugzeug wartete bereits auf ihn. Er fragte sich, wie lange es wohl noch dauern würde, bis Italien auch Ägypten eroberte.

Gwenn Rider war die einzige Frau unter den Studenten auf der kreisförmigen Galerie. Sie stützte ihre Arme auf das Geländer und blickte nach unten in einen der beiden neuen Operationssäle des King Fuad Hospitals an der Qasr al-Ayni. Nachdem es infolge der Depression unmöglich geworden war, mit einem Landwirtschaftsbetrieb in Kenia existieren zu können, und da es in Britisch-Ostafrika keine medizinische Hochschule gab, war sie 1929 mit den Jungen nach Kairo gezogen. Ein Jahr zuvor hatte die hiesige medizinische Fakultät zum erstenmal weibliche Studenten zugelassen.

Kairo war gut zu ihr gewesen, obwohl die etwas steiferen englischen Damen sie inzwischen nicht mehr empfingen und auch nicht mehr gestatteten, daß ihre Kinder miteinander spielten. In ihren Augen war Gwenn eine doppelte Sünderin: Sie hatte sich nicht nur von einem englischen Ehemann getrennt, sondern lebte zudem mit einem Italiener zusammen. Manche der wohlhabenderen Ägypter und Diplomaten schienen dieses Empfinden zu teilen. Als der Zwerg gesehen hatte, wie Gwenn eines Tages in seinem Café absichtlich gemieden wurde, war er zu ihr gekommen und hatte sich tief vor ihr verneigt. Dann hatte er ihr seinen besten Ecktisch zugewiesen. »In Kairo«, hatte er zu seiner alten Freundin gesagt, »gerät die Scheinheiligkeit nie aus der Mode. Man sagt, die Franzosen hätten sie aus Paris mitgebracht, im Gefolge Napoleons, glaube ich.«

Glücklicherweise herrschten in Kairo keine einheitlichen Wertvorstellungen vor, und so hatte Gwenn trotzdem viele Freunde gefunden. »In Kairo gibt es für jeden Reiter ein Kamel – und für jeden Rider auch«, hatte Olivio ihr eines Abends lächelnd versichert.

Gwenn sah der Amputation leidenschaftslos zu. Sie hatte sich schon vor langer Zeit an die dunklen Seiten der Medizin gewöhnt, ja sogar an das Leid. Nur Brutalität konnte sie nicht tolerieren. Sie hatte gesehen, was Maschinengewehre, Stacheldraht, Gas und Granaten im Großen Krieg mit den menschlichen Körpern angerichtet hatten, und sie fürchtete die verheerenden Auswirkungen der modernen Waffen beim nächsten Einsatz. Zumindest hatte der Völkerbund die Verwendung von Giftgas geächtet.

Der Chefchirurg kommentierte seine Arbeit sorgfältig in gut verständlichem Englisch. Die Studenten neben Gwenn machten sich Notizen. Seit der Gründung der Fakultät im Jahre 1827 war der Unterricht nacheinander in französischer, italienischer, deutscher und arabischer Sprache durchgeführt worden. Jetzt fand Gott sei Dank alles auf englisch statt.

Müde und verschwitzt, warf sie einen Blick auf die Wanduhr. Es war fast vier Uhr. Die Jungen würden jeden Augenblick von der Schule nach Hause kommen. Zum Glück würde Sana, die Haushälterin, sie erwarten.

»So! Sie sind dran, Doktor.« Die Stimme des Chefchirurgen hallte durch den Saal. Gwenn sah den stattlichen grauhaarigen Mann beiseite treten. Er streckte seine Finger in den rutschigen, feuchten roten Handschuhen, um die Anspannung loszuwerden. Ein jüngerer Arzt trat an den Tisch. Er hielt eine langzahnige chirurgische Säge.

Bald wäre sie auch Ärztin, und nach zwei weiteren Jahren Chirurgin. Vielleicht würde sie nach Kenia zurückkehren, als Medizinerin praktizieren und die Farm wieder auf die Beine bringen, sobald sie etwas Geld verdient hatte. Aber was war mit den Jungen und Lorenzo? Und was war mit Anton? Konnte die Beziehung mit ihm jemals richtig funktionieren? Sie fragte sich, ob Anton gerade auf Safari war. Und falls nicht, mit welcher Frau war er zusammen? Es war langsam an der Zeit, daß er nach Kairo kommen und die Jungen besuchen würde. Einerseits vermißte sie ihn, andererseits fürchtete sie sich davor, ihn zu sehen. In der Stadt war er immer so gereizt. Für ihn waren der Busch und das Safarileben zu einem Zufluchtsort geworden anstatt zu einem Beruf. Die Wahrheit lautete, daß Anton schon immer zu jung für sie gewesen war. Oder war sie zu alt? Auf alle Fälle war sie seit jeher ernsthafter und praktischer veranlagt gewesen als er.

Sie sah, wie zwei Sanitäter das Bein in einer Schale auf dem Boden ablegten. Auf Rolltragen neben der Tür warteten noch drei weitere Fälle. Das erinnerte sie an einen Vorfall während ihrer Mädchenjahre in Wales. Dick eingepackt gegen die Kälte, hatte sie inmitten der vielen betenden Familien nach der Hand ihrer Schwester gegriffen, während die Alarmsirene heulte und die rasselnden Förderkörbe zahllose zerschmetterte Bergleute an die Oberfläche holten. Heute würde sie in einer ähnlichen Lage helfen können, aber in Abessinien, nicht in Wales. Gestern hatte sie sich praktisch dazu verpflichtet, mit dem ägyptischen Medizinerteam nach Äthiopien zu gehen.

Die Studenten wurden entlassen, und Gwenn eilte die Treppe hinunter. Sie war erleichtert, daß in der Nähe des Eingangs Omar, ihr eigener Fahrer, schlafend in seinem Citroën auf sie wartete. Glücklicherweise kostete diese Art von Luxus in Kairo nicht viel.

Sie klopfte an das Wagenfenster. »Hallo, Omar«, sagte sie und lächelte. »Nach Hause, bitte.«

Hinter Omars linkem Ohr steckte als Glücksbringer ein zusammengerolltes Lotterielos. Unter permanentem Hupen raste er durch die belebten Straßen. Ständig mußte er bremsen und das Steuer herumreißen, so daß der Wagen bockte wie ein Polopferd. Er wußte, daß sie diesen Fahrstil haßte, aber er war fest davon überzeugt, nur auf diese Weise seiner männlichen Pflicht Genüge tun zu können. Unmittelbar vor ihnen fiel ein Sack Reis von einem Eselkarren und platzte auf. Gwenn mußte sich am Vordersitz abstützen, als Omar bremste und nur um Haaresbreite einige Frauen verfehlte, die auf die Straße stürzten, um den Reis in die langen Röcke ihrer Gewänder zu schaufeln.

»Gut gemacht, Omar«, sagte sie, als sie vor dem Haus eintrafen. »Wir haben's geschafft.«

Gwenn hatte Schuldgefühle, weil sie so spät dran war. Sie ließ ihre Medizinbücher auf den Tisch in der Eingangshalle fallen und eilte in die Küche. Sie wünschte, ihr würde etwas Zeit bleiben, nach oben zu laufen, ein Bad zu nehmen und ein wenig die Füße hochzulegen. Denn Lorenzo hatte es am liebsten, wenn sie sich für ihn hübsch machte, sobald er vorbeikam. Aber im Moment war sie einfach nur müde. Ihr war bewußt, daß sie nicht mehr so belastbar war wie früher.

»Hallo, Jungs«, sagte sie fröhlich. Sie war erleichtert, daß die beiden an dem großen Küchentisch saßen und ihren Tee tranken. Wellington half seinem jüngeren Bruder dabei, Luftlöcher in den Blechdeckel einer großen Flasche zu stechen, in der sich der grüne Baumfrosch befand, den Denby im Garten gefangen hatte.

»Du kannst jetzt nach Hause gehen, Sana«, sagte Gwenn. »Tut mir leid, daß ich mich schon wieder verspätet habe.« Sie berührte die ältere Frau am Arm. Sana nahm die Schürze ab, die sie über ihrem schwarzen Kleid trug, und legte sich ein Tuch um die Schultern. Die Frau verstaute ein paar Habseligkeiten in ihrem Einkaufsnetz, winkte den Jungen zu und ging.

»Wie war's in der Schule?« Gwenn strich über Wellingtons roten Schopf. Es machte sie traurig, daß es ihm immer ein wenig unangenehm zu sein schien, wenn sie ihn berührte. Sie trat hinter Denbys Stuhl und legte die Hände sanft auf die Schultern ihres jüngeren Sohns.

»Ja, Mum«, sagte Wellie, schaute kurz auf und wandte sich dann wieder seinem Teller mit Mandelplätzchen und grünroten Eishäppchen zu. Für seine vierzehn Jahre war er ziemlich groß und stämmig.

»Wo sind deine Hausaufgaben?« Sie war ärgerlich, daß er nicht auf ihre Frage geantwortet hatte. Trotzdem bemühte sie sich, nicht allzuscharf zu klingen, wenngleich sie wußte, daß er in jenem Schuljahr nicht sonderlich gut dastand.

»Ich hab sie in der Schule vergessen.« Der Junge blickte auf, vermied es jedoch, ihr in die Augen zu sehen. »Tut mir leid. Ich hole sie morgen nach. Versprochen.«

Denby zog sein Schulbuch dicht an seinen Teller heran und schlug es auf, während seine Mutter mit Wellie beschäftigt war.

»Morgen werden noch weitere Hausaufgaben hinzukommen«, sagte sie ungehalten und versuchte ihre Wut über das verschwendete Schulgeld im Zaume zu halten. Für die hohen Kosten konnte Wellington nichts. Allerdings wußte sie nicht, wie sie zurechtkommen sollte, wenn Lorenzo nicht alle Rechnungen begleichen würde.

Gwenn beugte sich vor und küßte Denbys zarte Wange. »Wie geht's dir, mein Schatz?«

»Hast du mal 'nen Bleistift?« fragte Denby und wischte sich beide Hände an seinen Shorts ab.

Gwenn wühlte auf einem Regal herum, das von medizinischer Fachliteratur, Photographien und Flugzeugmodellen mit italienischen Hoheitsabzeichen überquoll. Sie reichte ihrem Sohn einen Bleistift und setzte auf dem Herd einen Kessel Wasser auf.

Denby nahm den Stift und sah sie mit den klaren blauen Augen seines Vaters an. »Mummy«, sagte er zögernd.

Sie spürte, daß er ihr etwas Wichtiges mitteilen wollte. Sie drückte seine Schulter. »Ja, mein Liebling?«

»Sie haben uns heute in der Schule gefragt, ob unsere Väter zum Sportfest kommen«, stieß Denby hastig hervor. »Weißt du, es soll zwischen den Jungen und den Vätern ein Tauziehen geben.«

»Ich bin nicht sicher«, sagte Gwenn und sah aus dem Fenster. Sie fragte sich, wann Lorenzo wohl vorbeikommen würde.

»Normalerweise gewinnen wir, weil nicht genug Väter da sind, aber wenn...« Er hielt inne, denn er merkte, daß seine Mutter abgelenkt war.

Gwenn wußte, was Denby dachte: Sein Vater war stark genug, um alle Jungen zu besiegen. Sie war sich im klaren, wie sehr ihre Söhne sich wünschten, daß Anton nach Hause kommen würde. Und manchmal wünschte sie sich das auch.

»Ich werde versuchen, dir rechtzeitig Bescheid zu geben, mein Schatz«, sagte sie. In diesem Augenblick sah sie Lorenzos langen schwarzen Bugatti vor dem größeren Nachbarhaus anhalten. Sie ging zurück in die Halle und überprüfte ihr Aussehen im Spiegel. Dann eilte sie nach oben. Sie mußte einige wichtige Dinge mit Lorenzo besprechen, aber irgendwie war nie der richtige Moment dafür.

Als sie nach unten kam, hörte sie Lorenzo und Wellington in der Küche lachen.

»Amore«, sagte Lorenzo liebevoll, und sein markantes Gesicht überzog sich mit einem Lächeln. Er stand auf und nahm sie bei der Hand. Dann küßte er sie. Nach den letzten oberflächlichen Ehejahren mit Anton genoß sie es, sich bei Lorenzo endlich wieder wie eine Frau zu fühlen. Im Bett verwandelte sich sein Zartgefühl zumeist in kraftvolle Leidenschaft, verbunden mit einem Geschick und Gespür,

die ihr oftmals tiefe Befriedigung schenkten. Sie mochte seine Berührungen, ja sogar das kratzige Gefühl seines Schnurrbarts, aber ihr war immer noch unbehaglich zumute, wenn er ihr seine Zuneigung so offen vor den Augen der Jungen zeigte, wenngleich nur Denby sich manchmal daran zu stören schien. Auch Lorenzos Reife, seine Aura der Autorität und seine zupackende Art hatte sie anfänglich als angenehm empfunden. Inzwischen fühlte sie sich jedoch oft zu sehr von ihm kontrolliert und eingegrenzt. Vielleicht brauchte sie ihn bald nicht mehr.

Wellington drehte sich um und sah mit weit aufgerissenen Augen zu seiner Mutter hoch. »Oberst Grimaldi sagt, er nimmt mich am Sonntag zum Fliegen mit.«

Für den Bruchteil einer Sekunde, während Lorenzo noch immer ihre Hand hielt, dachte sie an ihr erstes Treffen und an ihren ersten gemeinsamen Morgen zurück, als er sie in der Dämmerung auf einen Flug mitgenommen hatte. An jenem Morgen hatte sie beschlossen, sich Lorenzo zum Liebhaber zu nehmen. Sie waren in niedriger Höhe in Richtung der Westlichen Wüste geflogen, während hinter ihnen die Sonne aufging, und hatten sich eine Feldflasche voll Kaffee geteilt, als das leuchtendrote Gesicht des Sphinx an ihnen vorüberzog und wie ein blutiges Gespenst über der dunklen Wüste zu schweben schien.

»Nur wenn du alle deine Hausaufgaben erledigt hast, Wellie«, sagte Gwenn, befreite ihre Hand und ging zum Herd. Sie selbst hatte noch jede Menge Hausarbeiten zu machen. Ihr wurde klar, wie einfach sich die Zuneigung eines Kindes erkaufen ließ. Einen Moment lang überlegte sie, inwieweit dieser Gedanke auch auf sie zutraf.

»Tee?« fragte sie Lorenzo und bemerkte, daß Denby fröhlich mit den Einzelteilen eines neuen Modellflugzeugs spielte, die auf dem Tisch verstreut lagen. Die Bauanleitung auf dem Deckel der Schachtel war in Italienisch verfaßt. Denby hatte bereits ein paar Brocken von Enzos Muttersprache gelernt. »Du sollst die Jungen doch nicht so verwöhnen.«

»Ach, Mama«, stöhnte Wellie.

Manchmal hatte Gwenn den Eindruck, daß sie auf der einen Seite stand und diese drei Männer auf der anderen, aber sie wußte, daß keiner von ihnen ihr Gefühl teilte.

»Ihr Engländer wißt nicht, wie ihr eure Kinder lieben sollt«, sagte Lorenzo, aber in einem verspielt heiteren Tonfall, als wäre damit keinerlei Vorwurf verbunden.

Gwenn war verärgert, vermutete, daß hinter diesem Kommentar mehr steckte und daß er sich auch auf ihre Gefühle für ihn bezog. Sie setzte zu einer Entgegnung an, besann sich dann aber eines anderen.

»Das Wasser kocht gleich«, sagte sie. »Tee?«

»Kaffee«, sagte ihr Liebhaber, knöpfte seine adrette Uniformjacke auf und setzte sich. »Ihr Engländer seid immer so streng mit Kindern. Denby und ich wollten gerade mit einem prächtigen neuen Jagdflugzeug anfangen, einer Macchi. Wir werden mit ihr die Lüfte unsicher machen.« Er nahm den leichten hölzernen Rumpf des Modells und ahmte einen Sturzflug auf Denby nach. »Rat-tat-tat!«

»Ich wünschte, du würdest aufhören, den Jungen etwas über Flugzeuge, Bomben und das Töten von Menschen beizubringen«, sagte sie vorwurfsvoll. Sie hielt kurz inne und fuhr dann mit sanfterer Stimme fort. »Laß uns auf der Veranda eine Tasse trinken, während die Jungs ein wenig lesen. Ich möchte etwas mit dir besprechen.«

Sie entdeckte einen gewissen Argwohn in Lorenzos Blick. Das erinnerte sie daran, welch unerbittlicher Scharfsinn sich hinter seinen eleganten Manieren verbarg.

»Es geht bloß um so eine Idee von mir«, fügte sie hinzu, drehte sich um und nahm die Tassen aus dem Schrank. Sie wollte die Sache endlich loswerden. Es störte sie, daß zwischen ihnen beiden eine gewisse Kühle zu herrschen begann, aber mittlerweile war sie entschlossen, sich nicht mehr davon einschüchtern zu lassen. »Ein Vorschlag, den man mir in der medizinischen Fakultät gemacht hat.«

»Könnten wir uns später darüber unterhalten? Ich muß nebenan noch etwas Arbeit erledigen, bevor wir zum Abendessen gehen«, sagte er und beugte sich geistesabwesend zu Denby herüber, um ihm dabei zu helfen, die Bauteile der Tragflächen und des Hecks auszusortieren. »Ich werde einfach nur einen kleinen Kaffee schlürfen, während du mit den Jungs Tee trinkst.«

Gwenn saß schweigend da, nippte an ihrem Tee und betrachtete Lorenzo. Sie fühlte sich seltsam distanziert und fragte sich, was sie wohl machen sollte, falls sie noch immer mit ihm zusammen war, wenn Anton nach Kairo kam. Lorenzo war wie ein Engel gewesen und hatte sich um sie und die Jungen gekümmert. Manchmal glaubte sie, daß sie ihn aufrichtig liebte, aber meistens war sie sich nicht sicher, denn sie haßte seine Arbeit und war überzeugt, daß er dabei half, einen neuen Krieg in Afrika zu planen. Mit etwas Glück, dachte sie traurig und warf einen Blick auf ihre Söhne, würde sie bei Antons Ankunft vielleicht schon in Abessinien sein, weit weg von ihnen allen.

»Schau mal, Mummy«, sagte Denby und hielt die Macchi empor, »sie ist fast schon flugbereit!«

4

»Treffen wir uns doch auf einen Drink im Cataract Café«, hatte Anton seinen Kunden vorgeschlagen. Er hatte sie auf ihren Zimmern in Shepheard's Hotel angerufen, unmittelbar nachdem er in seiner Pension in Kairo eingetroffen war. Allerdings hatte er nicht damit gerechnet, hier auf der Uferpromenade ein solches Bild vorzufinden. Morgen würde er sich mit Gwenn in Verbindung setzen und ein Treffen mit seinen Söhnen vereinbaren. Vorher jedoch sollte ihm sein alter Freund Olivio die schmerzliche Neuigkeit mitteilen, wo und mit wem sie jetzt lebte.

Er fragte sich, was für Leute diese Amerikaner wohl waren. Glücklicherweise hatten sie zuvor schon einige Jagderfahrungen gesammelt, wenngleich noch nicht in Afrika. Absolute Neulinge stellten immer ein gewisses Risiko dar, denn zumeist bekamen sie sehr schnell Heimweh. Anton haßte nichts mehr als eine gedrückte Stimmung am Lagerfeuer. Selbst für erfahrene Jäger war Afrika eine völlig andere Welt, und Anton schenkte den Behauptungen eines Kunden niemals Glauben, solange er den Betreffenden nicht selbst in der freien Natur erlebt hatte. Einer aus der Gruppe war ein Künstler, und diese Yankees hatten auf ein ungewöhnliches Abenteuer bestanden. Abessinien dürfte genau das Richtige sein, dachte er und rieb sich bei dem Gedanken an den schwarzen Leoparden die verwundete Schulter. Es war seine zweite Woche ohne Verband oder Schlinge.

Je mehr er sich in der Nähe des Pont des Anglais auf dem Kalksteinpflaster der Uferstraße seinem Ziel näherte, desto lauter wurde der Lärm. War denn ein solcher Auflauf vor Olivios Café? Anton bahnte sich seinen Weg durch die Menge der Passanten und Bettler unter den Eukalyptusbäumen. Ein fliegender Händler bot ihm geeiste Fruchtsäfte in den schillerndsten Farben an. Ein Lotterieverkäufer drückte ihm ein Flugblatt in die Hand. Anton warf einen kurzen Blick darauf. *Moassat Lotterie: 1. Preis Fünftausend Ägyptische Pfund. Zufriedenheit! Glück! Erleichterung! Garantiert durch die Ägyptische Nationalbank.* »Das könnte ich im Moment wirklich gut gebrauchen«, murmelte er.

»Libb! Sudani! Tirmis!« riefen die Hausierer auf ihrem Weg durch die Menge und boten in ihren hölzernen Bauchläden selbstgefaltete Papiertüten voller getrockneter Samenkerne und Nüsse feil. Andere verkauften Zigaretten, Zeitungen und Bilder des Königs und des Prinzen. Akrobaten, Feuerschlucker und Jongleure suchten nach freien Flecken, um ihre Künste vorzuführen. Vor dem Ende der Gangway stand eine Wagenschlange und brachte immer neue Gäste. Papierlaternen erhellten die Bäume entlang des Kais. Ein Teppichhändler drapierte seine Waren über einige der Äste. Ein Weihrauchverkäufer schwebte wie ein Dschinn durch die Menge und verbreitete Wohlgerüche, sobald er auf seinem runden Kupfertablett ein winziges Körnchen entzündete. Überall standen Musiker und versuchten einander mit ihren hölzernen Flöten, bemalten Ledertrommeln, Zimbeln und Dudelsäcken zu übertönen.

Oben am Fallreep hielten vier nubische Angestellte die Menge zurück. Tariq, ihr rabenschwarzer Anführer, blickte finster unter seinem großen weißen Turban hervor. Er war mit einer *Qurbash* bewaffnet, die in einer Roßhaargerte endete. Mit dieser Peitsche aus Rhinozeroshaut schlug er öfter nach den vorbeiflitzenden Straßenjungen, um sich im nächsten Moment wieder vor den Gästen zu verbeugen, die ihren Automobilen entstiegen. Anton war überrascht, wie förmlich die Leute gekleidet waren, und fühlte sich etwas befangen in seinem abgetragenen Leinenjackett und den alten Stoffhosen. Er war dankbar, daß man die alten Kleidungsstücke in seiner Pension zumindest gereinigt und geplättet hatte, und so rückte er sein rotes Halstuch zurecht und näherte sich der Gangway. Das sandfarbene Jackett ließ er offen, denn es war ihm etwas zu eng und spannte an den Schultern.

Anton ließ einer Kairoer Schönheit und ihren ägyptischen Begleitern den Vortritt. Im Vorbeigehen schenkte die Frau ihm ein kurzes Lächeln, und ihr hochgeschlossener Seidenmantel berührte ihn fast.

Als sie das Fallreep betrat, raffte sie mit beiden Händen ihr langes Kleid. Die Männer trugen dunkle englische Anzüge, diamantene Krawattennadeln und teure Tarbusche. Sie schwenkten ihre Gehstökke und wirkten trotz des gepflegten Äußeren eher geleckt und plump, ein bißchen wie dicke graue Tauben. Von dem belebten Deck unter ihm stieg Anton der intensive Geruch von Weihrauch und starkem Tabak in die Nase.

Hinter ihm schrie eine Frau auf.

»Au! Hilfe! Er hat meine Handtasche gestohlen!«

Anton fuhr herum und sah eine junge rothaarige Frau, die nach dem zerrissenen Riemen einer Handtasche faßte, während neben ihr ein Ägypter, der offenbar zu fliehen versuchte, ins Stolpern geriet. Noch bevor irgend jemand reagieren konnte, packte sie den jungen Mann beim weiten Kragen seiner *Gallabijjah*.

»Wie kannst du es wagen!« schrie sie mit ausgeprägtem amerikanischen Akzent, ließ den Riemen los und ging dem Mann wütend an die Kehle.

»Verflucht! Ich bring dich um!« Sie zerrte kräftig, und die *Gallabijjah* riß ein. Ihre Fingernägel hinterließen deutliche Spuren im Nakken des Mannes, als sie ihm wie ein verwundeter Leopard nachsetzte. Der Dieb versuchte, sich von ihr loszumachen, strauchelte an der Gangway und stürzte fünf Meter nach unten ins Wasser, wobei er die Frau mit sich riß.

Anton machte zwei Schritte zum Rand des Kais, sah die beiden miteinander ringenden Gestalten unter der Wasseroberfläche verschwinden, und sprang hinterher. Während er fiel, hörte er den Lärm der Menge hinter sich, gleich darauf spürte er das kühle Wasser in sein Gesicht schlagen, und dann stieß er mit dem Kopf gegen den Rumpf des Hausboots und verlor das Bewußtsein.

Als Anton die Augen aufschlug, starrte das runde Gesicht des Zwergs zu ihm hinunter. Es wurde eingerahmt durch das arabeske Design der bemalten Zimmerdecke und wirkte deshalb wie eine fette Spinne in ihrem Netz.

»Willkommen in Kairo, Mr. Anton!« Olivio hielt noch immer Antons rechte Hand umschlossen. Von dem Deck über ihnen hörte man lautstark die Gäste und Musik, Gelächter und Tanz. »Wir sind hier in meinen Privatgemächern im Unterdeck des Cataract Cafés.«

Anton sah sich um. Sein Kopf tat weh, und über seinem Ohr hatte sich eine große Schwellung gebildet. »Sieht eher aus wie ein türkisches Bordell, würde ich sagen.«

Überall in dem langen dunklen Raum, der sich über die volle Länge des Boots erstreckte, sah man kostbare Wandbehänge, verzierte Truhen, türkische Teppiche und massive Kerzenständer. Ferner entdeckte Anton unzählige verschiedene Skulpturen, die in sich den Körper eines Löwen und den Kopf eines Mannes vereinten – Variationen des Sphinx: kleine steinerne Statuetten in Vitrinen an der Wand; einer lag auf dem Boden, aus Holz geschnitzt und groß wie ein Löwe, mit einer Kobra auf der Stirn und einem Bart am Kinn, quer über seinem Rükken ein lederner Kavalleriesattel; schließlich als Gemälde auf einer der Wände, in voller Länge und vom Boden zur Decke reichend, die Große Sphinx selbst, in genau der gleichen Farbe und ramponierten Verfassung wie das Original in Gizeh. An der gegenüberliegenden Wand hing ein Schrank mit einem Vorhängeschloß.

Anton blickte an sich herab und stellte entsetzt fest, daß er einen brokatenen Morgenrock trug und auf einem weichen Samtdiwan lag, der nach altem Parfum stank. »Was hast du mir angetan, du kleiner Schuft?«

»Während Ihre Kleidung trocknet, haben wir Ihnen etwas aus dem hiesigen Bestand angezogen.« Und außerdem eine Kleinigkeit hinzugefügt, dachte der Zwerg im stillen. Er hatte bestürzt festgestellt, daß sein Freund kaum noch drei Pfund bei sich trug. Daraufhin hatte Olivio ein paar seiner eigenen Geldscheine zerknittert und durchnäßt und sie dann in die Taschen der schäbigen Kleidungsstücke gesteckt. Olivio hielt nicht viel von Mäßigung, sondern gefiel sich darin, abwechselnd den extremen Formen der Gier und der Großzügigkeit nachzugeben. »Ihre eigenen Sachen sind bald trocken, Mr. Anton.« Einer der Köche war gerade dabei, das Jackett seines Gastes auf einer heißen Platte zu glätten.

»Hast du einen Brandy für mich, während ich warte?« fragte sein Freund.

»Ich lasse Ihnen gleich einen bringen. Jetzt müssen Sie mich aber entschuldigen, ich muß mich um meine Gäste kümmern.« Wenngleich er den Aufstieg scheute, ging Olivio zur Treppe und verbeugte sich. Er erinnerte sich an den jugendlichen Überschwang, der die Ehe des Jägers kompliziert gemacht hatte, seine Affären mit verschiedenen Kundinnen, die über die Grenzen des Lagers hinaus bekannt geworden waren. »Man sollte Indiskretionen stets diskret behandeln«, hatte er einmal zu seinem jungen Freund gesagt. Rider hatte gelächelt, aber sich nicht an diesen Rat gehalten.

Der Zwerg sagte noch einen Satz, bevor er die Stufen emporstieg. »Hier in Kairo müssen Sie mir gestatten, daß ich für Ihre Unterhaltung sorge.«

Von einer Chaiselongue in einer Ecke des Raums hinter Anton erklang das warme Lachen einer Frau.

»Danke, daß Sie mir helfen wollten«, sagte die fröhliche amerikanische Stimme. »Aber Sie sollten nicht ins Wasser springen, wenn Sie nicht schwimmen können.«

»Ich kann schwimmen.« Anton wandte den Kopf. Seine Verwirrung war ihm deutlich anzumerken.

»Hätte ich nicht Ihren Kopf über die Wasseroberfläche gehalten, wären Sie in dieser Kloake ertrunken.« Die Frau kam mit einem Glas in ihrer Hand zu ihm herüber und nahm neben dem Diwan auf einem hohen verzierten Sitzkissen Platz. Sie rümpfte die Nase. »Meine Güte, Sie riechen aber lieblich.«

»Das ist die Couch«, erwiderte Anton barsch.

Er bemerkte den leuchtendroten Lippenstift am Glas und betrachtete die Dame genauer, als sie einen Schluck trank. Ihr kurzes nasses Haar war zurückgekämmt wie das eines Jungen. Antons *Diklo*, sein rotes Zigeunerhalstuch, war um ihre Stirn geknotet. Sie schien sich in ihrem weiten, türkisch gemusterten Seidenmantel sehr wohl zu fühlen. Mit kühlen Fingerspitzen hob sie Antons Kinn an und hielt ihm den Brandy an die Lippen.

»Ich hoffe, Sie sind im Dschungel besser als in der Stadt.«

»Spielt das eine Rolle?« Im gleichen Moment wurde Anton klar, wer sie sein mußte.

»Darauf können Sie aber wetten! Ich bin Harry Mills, Harriet. Sie sind unser großer weißer Jäger.«

»Bitte, verzeihen Sie.« Anton lächelte, versuchte sich aufzusetzen und schloß benommen die Augen. So sollte das erste Treffen zwischen einem professionellen Jäger und seinen Kunden eigentlich nicht ablaufen.

»Es tut mir leid, ich wußte nicht, wer Sie sind.«

»Meine Schwester Bernadette und ihr Verlobter haben mich auf ihre Safari eingeladen«, sagte sie, während sie sein Gesicht und seinen Körper sorgfältig musterte. »Die beiden sind ganz wild darauf, Sie kennenzulernen. Man hat ihnen erzählt, Sie seien die größte Nummer in ganz Afrika. Aber sie werden nicht ganz glücklich darüber sein, Sie in diesem Zustand anzutreffen.«

»Nein, das werden sie wohl nicht.« Anton setzte sich auf und schloß die Augen. Er kannte diesen Tonfall und auch die Art Frau: verwöhnt, klug, auf ihre Weise wohlerzogen, überheblicher als jedes europäische Mädchen, eine reiche attraktive Amerikanerin, die es gewohnt war, ihren Kopf durchzusetzen. Er hatte ein oder zwei davon bereits näher kennengelernt.

Harriet betrachtete zwei eingerissene Fingernägel an ihrer rechten Hand.

»An diesen schmierigen Dieben zu zerren, bekommt den Fingernägeln eines Mädchens überhaupt nicht gut.« Sie beugte einen Zeigefinger und runzelte die Stirn. Dann holte sie ein Stück dunkler Haut unter dem klar lackierten Nagel hervor. »Igitt.« Sie blickte auf und sah Anton lange an, bevor sie erneut das Wort ergriff. Sie bewunderte seine langen Finger, als er sich die blauen Augen rieb.

»Ich habe diesem komischen kleinen Mann geholfen, Sie auszuziehen. Was, glauben Sie, macht er wohl hier unten? In diesem Schrank da hängen die merkwürdigsten Klamotten und ich weiß nicht, was sonst noch.« Harriet fuhr sich mit einer Hand durch die Locken und schüttelte den Kopf, so daß ihre Haare sich auflockerten. »Es sieht hier so aus, als hätte jeder diesem Raum seinen Stempel aufdrücken dürfen, vom Papst bis zu Katharina der Großen.«

»Olivio hat interessante Freunde«, sagte Anton und lächelte. Das war typisch für den Zwerg, daß er es seiner Kundin überließ, ihn zu entkleiden. Sein kleiner Freund hatte sich nicht verändert.

Ihre Augen funkelten interessiert. »Wenn ich recht verstanden habe, sind Sie einer davon. Ich habe ihn gefragt, woher all Ihre entzückenden Narben stammen, vorne und hinten und an den seltsamsten Orten. Einige der hübschesten sehen äußerst frisch aus.« Harriet nippte an dem Brandy und ließ ihre Zungenspitze über den Rand des Glases wandern. »Ich will mir gar nicht näher ausmalen, wo Sie überall gewesen sind.«

Ihm fielen ihre ausgesprochen vollen, runden Lippen auf. Die Wölbung ihres Mundes war makellos, fast so als gehöre er einer schönen schwarzen Frau, irgendwie zu üppig für dieses ansonsten zierliche Mädchen.

»Die hier gefällt mir.« Sie streckte ihre Hand aus und zog mit zwei Fingernägeln die Narbe auf seinem Brustkasten nach. Er erschauerte, und etwas in seiner Magengrube zog sich zusammen. Ihr Hausmantel verrutschte ein wenig.

»Was hat mein Freund Ihnen erzählt?« fragte Anton und bemühte sich, seinen Blick nicht zu ihren kleinen festen Brüsten und den rosig aufgerichteten Brustwarzen schweifen zu lassen. Von oben ertönten durchdringend die Dudelsäcke. Anton änderte seine Meinung und starrte sie unverfroren an. Er war gespannt, wie sie reagieren würde.

»Nichts weiter. Er hat bloß gesagt, Sie seien schon häufiger geschwommen.« Beiläufig zog sie mit einer Hand ihren Mantel zusammen.

»Harry, Harry!« rief eine andere amerikanische Stimme aus Richtung der Treppe. Ein Paar Stöckelschuhe kam unsicher auf dem Boden des Raums zum Stehen.

»Harry! Was ist hier unten los? Ach, du liebe Güte!« Eine rothaarige Frau, die Harriet vollkommen ähnlich sah, winkte Anton zu und verschüttete dabei Champagner aus ihrem Glas. »Schäm dich, Schwester.«

»Er ist unser Tarzan«, sagte Harriet. »Das hier ist unser berühmter weißer Jäger, Mr. Anton Rider.«

Ihre Schwester sah sie abschätzend an. »Nun, Harry, benimm dich. Du weißt doch, er gehört dir nur zur Hälfte.« Das zweite Mädchen hielt kurz inne und trank einen Schluck. »Zieht er sich immer so an?«

»Guten Abend«, sagte Anton und stellte fest, daß er ihre Beine bewunderte. Warum hatten amerikanische Mädchen nur immer die hübschesten Beine?

»Hi, ich bin Bernie Mills, Bernadette. Danke, daß Sie sich um meine Schwester gekümmert haben. Ich hoffe, Sie werden auch mich eines Tages zu retten versuchen. Ist es nicht ein unverschämtes Glück für Harry, daß Sie nicht schwimmen können?«

»Ich kann sehr wohl schwimmen«, sagte Anton und war froh, daß der Lärm der Menge auf dem oberen Deck ihm das Wort abschnitt. Er stand im Moment etwas neben sich, und für einen Augenblick war er nicht mehr ganz sicher, welches der beiden Mädchen nun wer war. Er fragte sich, ob die beiden in jeglicher Hinsicht identisch waren.

»Beeilt euch, ihr beiden!« sagte Bernadette. »Und kommt nach oben. Sie wollen gleich ›Happy Birthday‹ singen.« Antons Blick hing an Bernadettes Beinen, während sie die Stufen emporstieg.

»Vergessen Sie nicht, daß meine Schwester verlobt ist«, flüsterte Harriet pikiert und half Anton auf die Beine.

»Entschuldigen Sie mich, ich will meine Kleidung wechseln«, sagte er. Er nahm seine klammen, frisch geplätteten Sachen, ging in eine dunkle Ecke des Raums und zog sich schnell um. Er spürte, daß sie ihn eingehend musterte, während sie rauchend am Fuß der Treppe wartete. Nachdem er schon jetzt einen Eindruck von dem bissigen Konkurrenzkampf der Zwillinge bekommen hatte, dachte er grübelnd darüber nach, was das wohl für die Safari bedeuten würde.

»Hallo, alter Junge!« rief Adam Penfold und winkte Anton mit seinem Gehstock über den Köpfen der Menge zu. Er wirkte grau, schlank und vornehm wie ein Sekretär-Vogel. Anton lehnte sich gegen den Türrahmen und erwiderte den Gruß.

Die Bar war voller drängelnder Europäer, die ihre Arme hoben, um die Aufmerksamkeit der umlagerten Barmänner zu erregen. An einem bemalten Deckenbalken hingen emaillierte Glaslampen und tauchten den Raum in verschiedenfarbiges Licht. An der Wand hinter der Bar entdeckte Anton den gewaltigen präparierten Kopf eines weißen Nashorns, der zwischen einer Flagge Goas und einem Photo von König Fuad hing. Der ägyptische Monarch stand in seiner Marineuniform steif an Deck der riesigen königlichen Jacht, der *Mahroussa*.

Adam Penfold hinkte zu Anton herüber und schüttelte ihm die Hand. Anton fiel auf, daß die Weste seines Freundes nicht richtig zugeknöpft war. Er mußte über dieses Detail lächeln und freute sich, einen Mann zu kennen, der sich wohl niemals ändern würde. Konnte es sein, daß er diese Sachen absichtlich machte?

»Lassen Sie mich Ihnen einen Drink besorgen«, sagte Penfold und sah seinen Freund besorgt an. »Sie scheinen ja nicht gerade in Höchstform zu sein. Wie ich höre, haben Sie Ihre Kunden schon gefunden.«

»Umgekehrt, meine Kunden haben mich gefunden.« Anton dröhnte noch immer der Schädel.

Am anderen Ende des Cafés ertönte ein lautstarker Trommelwirbel. Dudelsäcke heulten auf und verstummten wieder. »Ruhe, bitte!« riefen einige Leute durch den Lärm. Die Gäste traten beiseite und machten einem jungen Mädchen von ungefähr zwölf Jahren, honigfarben und wohlgeformt, Platz. Sie trug einen großen Schokoladenkuchen vor sich her, auf dem ein ganzer Wald aus Kerzen stand. Ihr Schritt wirkte ein wenig wie das Hüpfen eines aufgeregten Schulmädchens, doch ihre Körperhaltung strahlte das wissende Selbstvertrauen einer erfahrenen jungen Frau aus. Ein paar aufmunternde Stimmen spornten sie an. »Gut gemacht, Ginger!«

Hinter ihr folgte ein weiteres Mädchen, größer, dunkler, mit ausgeprägteren Formen: Antons Patenkind, Clove. Er stellte sich auf die Zehenspitzen und winkte ihr zu, aber sie sah ihn nicht. Ihre dunklen Augen funkelten. Sie lächelte und grüßte im Vorbeigehen Lord Penfold. Auf ihrem Arm trug sie ein zweijähriges Kind. »Hallo, Clove! Toller Auftritt!« rief einer der Gäste. Hinter Clove folgten drei weitere Mädchen, alle bekleidet mit den gleichen langen grünen Strümpfen, Faltenröcken und den Blazern ihrer europäischen Schule.

Die fünf Mädchen betraten ein schmales Podium auf der Steuerbordseite und versammelten sich dort um den Kuchen. Links neben ihnen stand eine strahlende schwarze Dame in einem weißen französischen Abendkleid und langen weißen Handschuhen, umwerfend und sinnlich wie eine Operndiva, mit goldenen Armbändern an den Handgelenken und einer leuchtendweißen Perlenkette um den Hals. Über eines ihrer Schlüsselbeine zog sich der breite Striemen einer rosafarbenen Brandnarbe und verschwand hinter ihrer Schulter. Die Frau nahm das jüngste der fünf Mädchen bei der Hand. Das Kind, ungefähr vier Jahre alt und glänzend schwarz wie seine Mutter, drückte seine andere Hand von außen in den Kuchen und lächelte mit großen braunen Augen empor.

»Happy birthday to you!« sang die Menge.

Tariq ergriff den Zwerg unter beiden Achseln und hob seinen Herrn wie einen Dreikäsehoch in die Luft. Mit großer Behutsamkeit setzte der kräftige Diener den kleinen Mann auf der Bühne hinter seinen Kindern ab.

»For he's a jolly good fellow!«

Olivio Fonseca Alavedo hielt sich mit der linken Hand an der Reling fest. Er nahm so gut es ging die Schultern zurück und blickte zu seinen Gästen hinab. Er erlebte diesen Moment ganz bewußt. Wie oft ihn sein Leben doch erstaunte. Aber es würde nicht mehr allzu viele Kerzen geben. Der Zwerg wußte, daß sich seine zukünftigen Geburtstage an einer Hand abzählen ließen. Er schätzte, ihm würden ungefähr noch so viele Lebensjahre wie einer ägyptischen Gans bevorstehen, drei oder vier, vielleicht fünf, und jedes würde schmerzvoller als das vorige werden. Schon jetzt machten ihm die Beschwerden, unter denen Kleinwüchsige im allgemeinen litten, bisweilen schwer zu schaffen. Selbst er konnte den Folgen der Mißbildungen seines Körpers nicht entrinnen.

Olivio nickte dem einen oder anderen Gast zu. Er hob seine rechte Hand. Einen Moment lang herrschte fast völlige Stille.

»Danke.« Der Zwerg nahm mit beiden Händen seinen Tarbusch ab und verbeugte sich. Sein Kopf war vollkommen rund und glatt. Früher hatte ihn sein bizarres Aussehen peinlich berührt, doch er hatte gelernt, es sich zunutze zu machen, so wie eine schöne Frau die Wirkung ihrer Beine oder Brüste bewußt einsetzt. Sein rechtes Auge funkelte. »Danke, meine Freunde.« Manche waren tatsächlich seine Freunde, andere nicht, dachte er im stillen. Da sich der Großteil der Kairoer Oberschicht zu dieser Jahreszeit in Alexandria befand, konnten viele seiner Bekannten aus der Regierung sowie manche seiner Freunde und Kunden aus den Kreisen der weltlichen moslemischen Elite nicht an dieser Party teilnehmen.

Die Dudelsäcke erklangen. Die Trommeln ertönten. Auf dem flachen Dach des Salons loderten zwei Fackeln auf. Die Gäste blickten empor. Zwischen den Fackeln erschien eine Frau, das Gesicht durch einen Schleier verhüllt und den Körper unter einem Umhang verborgen. In dem zuckenden Schatten hinter ihr schlugen Olivios Tauben nervös mit den Flügeln und zogen sich in die hintersten Winkel ihrer Käfige zurück.

Die Tänzerin öffnete den Umhang. Die Gäste raunten, und vereinzelte Ausrufe wurden laut. Zwei Zimbeln schlugen aneinander. Die Frau, deren Körper mit schimmerndem Mandelöl eingerieben war, schleuderte ihren Umhang nach unten in die Menge. Ein älterer Franzose bekam ihn zu fassen und preßte ihn sich vor das Gesicht. »Jamila!« rief der Mann. »Jamila!«

Während Olivio zu ihr emporblickte, dachte er daran zurück, wie er und die Tänzerin noch vor wenigen Stunden den Nachmittag miteinander verbracht hatten. Es war ein anstrengendes und doch erfrischendes Intermezzo gewesen. Kurz vor der Teestunde hatte er Jamilas Großzügigkeit mit einer seiner ganz besonderen Gaben belohnt: der Fähigkeit, seine komplette Hand, die linke und kleinere, sorgfältig eingeölt mit Cashewlikör, in ihren Körper einzuführen. Sie war sofort regungslos verharrt und hatte wie eine Bombe mit glimmender Lunte gewartet. Er hatte es ihr gleichgetan und seine nagellosen Finger eng zusammengehalten wie die Schwingen einer verschnürten Taube. In diesem Moment waren sie wie eine Person gewesen. Als schließlich ihre Atemzüge in perfektem Gleichklang ertönten, hatte er seine schlüpfrige Hand in ihr geöffnet wie eine Nachtblume, die in der Dunkelheit erblühte. Jamila war erzittert und hatte aufgeschrien. Ihr Körper hatte sich gewunden und gekrümmt wie eine Forelle auf einer Sandbank, regelrecht elektrisiert, während seine kleinen geschickten Finger ihr genießerisches Spiel vollführten. Da der Zwerg nie in der Lage gewesen war, den Frauen durch seinen Charme oder eine ansprechende Gestalt zu gefallen, hatte er seine ganz speziellen Fähigkeiten bis zur Meisterschaft verfeinert.

Die Tänzerin war nackt bis auf einen kurzen perlenbesetzten Rock sowie zwei Schnüre und eine Reihe kleiner Goldstücke um ihren Bauch. Sie ließ die goldenen Fingerzimbeln hinter ihrem Kopf erklingen und schloß die Augen. Sie beugte sich zurück und versetzte ihren Unterleib in Bewegung. Die Münzen funkelten und klimperten. Die Menge jubelte. Der Franzose schwenkte ihren Umhang.

Anton stand unterhalb von Jamila in dem Durchgang zur Bar und ließ seinen Blick über die nach oben gerichteten Gesichter der anderen Gäste auf dem Deck schweifen. Kina erkannte ihn und beantwortete sein Winken mit einem strahlenden Lächeln. Außer Penfold und den Zwillingen kannte er keinen der Anwesenden. Anton hatte gehört, daß sich die Gäste auf russisch und deutsch miteinander unterhielten, auf türkisch, griechisch, französisch und italienisch. Noch nie, nicht einmal als Junge unter den Zigeunern, hatte er eine solch exotische Gesellschaft erlebt, eine Ansammlung aus seidenen und halbseidenen Anzügen, bunten *Gallabijjahs*, Tuniken und Roben, Militärmützen und Tarbuschen. Es gab Afrikaner, die wie Europäer gekleidet waren, und Europäer, deren Aufzug dem eines Mauren entsprach.

Nur die Soldaten schienen sich an gemeinsame Grundsätze zu halten: schneidige, gutsitzende Uniformen, poliertes Leder, Orden und Ehrenzeichen, Spartaner unter den feiernden Athenern. Im Zuge der aufkeimenden Kriegs- und Krisenstimmung war das Militär wieder in Mode gekommen.

Anton bemerkte drei junge ägyptische Offiziere, allesamt im Rang eines Hauptmanns, die stolz und kerzengerade beisammen saßen, an Gläsern mit Zitronensaft nippten und kein Wort redeten, als wären sie als Beobachter hier, nicht als Teilnehmer. Vielleicht spiegelte sich in ihrem Verhalten der neue nationalistische Geist, der im Offizierskorps angeblich immer mehr Anhänger gewann. Man sagte, daß sie insgeheim England und Frankreich als ihre Gegner betrachteten. Als ein deutscher Offizier an ihren Tisch trat, erhoben sich die drei von ihren Plätzen. Hinter ihnen stand Harriet, die Anton zu sich heranwinkte und ihr Glas hob. »Du mußt deine Pflicht erfüllen«, murmelte Anton bei sich.

Er bahnte sich einen Weg zu dem lächelnden amerikanischen Mädchen und entschuldigte sich fortwährend bei den Umstehenden.

»Ist das nicht großartig?« sagte Harriet, als er zu ihr trat, und hob ihr Glas in Richtung der Menge. Sie nahm seinen Arm mit festem

Griff und führte ihn zu einem Tisch, an dem Bernadette und ein schlanker junger Mann mit ihren Getränken saßen. Der Mann war stirnrunzelnd damit beschäftigt, irgendein Motiv auf einem Skizzenblock festzuhalten, und wirkte so konzentriert, als sei er allein in seinem Atelier.

»Charlie«, sagte Bernadette zu ihrem Begleiter, der ganz in seiner Arbeit versunken blieb. Sie stieß ihn an. »Charlie, aufwachen! Unser Jäger ist hier. Darf ich vorstellen – Anton Rider.«

Der Mann erhob sich und begrüßte Anton mit einem offenen, freundlichen Lächeln. »Charles Crow.« Er steckte seinen Bleistift hinter ein Ohr und ergriff Antons ausgestreckte Hand. »Bitte, setzen Sie sich zu uns. Wir sind schon ganz neugierig.«

Anton sah sich nach einem Stuhl um. Harriet hing an ihm wie eine Klette. Er blickte hinter die Gangway, als sein Herz einen Schlag aussetzte.

»Entschuldigen Sie mich«, sagte er mit heiserer Stimme und trat von Harriet zurück.

Am oberen Ende des Fallreeps stand ein stattliches Paar. Ein grauhaariger italienischer Oberst, nicht hochgewachsen, aber beeindrukkend und vornehm in seiner weißen Uniform mit Orden und goldenen Schwingen über den Brusttaschen, strich sich über den silbernen Schnurrbart, während er beiseite trat, um der Dame in seiner Begleitung den Vortritt zu lassen.

Aufrecht, mit geradem Hals und emporgerecktem Kinn, ging die Frau voran. Sie war groß und schlank und trug ein unauffälliges tailliertes Leinenkostüm. Ihr brünettes Haar war gewellt und ihr markantes Gesicht leicht von der Sonne gebräunt, mit ausgeprägten runden Wangenknochen und vollen, aber zart geschwungenen Lippen. Die einzige Frau, die Anton jemals geliebt hatte. Ihre grünen Augen erblickten ihn. Gwenn. Seine Frau.

Anton ging geradewegs auf sie zu.

»Anton …«, setzte Gwenn an. Ihre Stimme und ihr Blick ließen erkennen, wie überrascht sie war.

»Bitte, verzeihen Sie«, sagte Anton, ohne dem Offizier einen Blick zuzuwerfen, »aber ich möchte mit meiner Frau sprechen.« Bevor der Mann etwas erwidern konnte, packte Anton Gwenn fest am Ellbogen und führte sie zum entgegengesetzten Ende des Boots. Er wußte, daß seine Kunden ihm durch die Menschenmenge hinterherstarrten.

»Anton, bitte, so kannst du dich doch nicht aufführen«, sagte Gwenn und machte sich los. Es ärgerte sie, daß er sie überrumpelt hatte. »Du bringst mich in Verlegenheit. Was glaubst du, wo du bist?«

»Ich bin dein Mann«, sagte er beherrscht nach einer kurzen Pause, in der er sich zu beruhigen versuchte. »Du siehst heute abend wundervoll aus.«

Als er sich vorbeugte, um sie auf die Wange zu küssen, versteifte sie sich.

»Es hat sich manches verändert«, sagte sie und sah ihm in die Augen. In ihrem Tonfall schwang die Bitte um Verständnis mit.

»Wer ist dein spanischer Kapellmeister?«

Anton sah, wie sich ihre Fäuste ballten.

»Er ist kein Spanier«, erwiderte sie gereizt. »Er ist ein italienischer Offizier.«

»Ach, wirklich?« Anton starrte quer über das Deck und versuchte, den Feind einzuschätzen.

»Du mußt dich bei ihm entschuldigen.« Sie berührte Antons Hand. »Bitte«, fügte sie hinzu, noch immer seine Hand umschließend.

»Ich werde mich bei dir entschuldigen«, sagte er und meinte es auch. Ihre Berührung ging ihm nahe. »Es tut mir leid.«

»Er ist sehr gut zu uns«, sagte sie. Sie wollte es ihm erklären, auch wenn sie ahnte, daß Anton es ihr übelnehmen würde. »Er ist sehr großzügig zu den Jungen und mir.«

»Wie gut?« fragte Anton verbittert und bereute es im selben Moment, denn er wußte, daß er damit die Situation verdarb. Er fühlte, wie sie sich zurückzog. »Wie großzügig?«

Mit neuer Entschlossenheit erwiderte Gwenn wortlos und ohne zu blinzeln seinen Blick und hob ihr Kinn. Ihre Lippen waren fest zusammengepreßt. Sie wandte sich ab und ging. Sie hatte befürchtet, daß es so ablaufen würde.

»Wie geht es dir und den Jungen?« fragte er. Er wollte sie jetzt nicht verlieren.

»Den beiden geht's prima«, sagte sie, während Anton sich bemühte, in der lärmenden Menge auf gleicher Höhe mit ihr zu bleiben. »Uns allen geht es gut, danke, wir kommen zurecht.«

»Kann ich sie morgen sehen?«

»Natürlich«, sagte sie über die Schulter gewandt und überdachte hektisch Lorenzos Terminplan. »Am besten wäre es gleich am Morgen, kurz vor acht, bevor die beiden zur Schule aufbrechen. Du könntest sie auf dem Schulweg begleiten, wenn du magst.«

Gwenn blickte nach vorn zur Gangway. Ihr Begleiter starrte ihr wütend entgegen.

»Lorenzo«, sagte Gwenn und bemühte sich, normal und ungezwungen zu klingen, »das hier ist Anton Rider – Graf Grimaldi.«

»Guten Abend«, sagte Enzo kühl und deutete eine Verbeugung an, ohne jedoch seine Hand auszustrecken.

»Während ich noch in Kairo bin«, sagte Anton schon halb abgewandt und wünschte, der Mann würde ihm einen Anlaß geben, gewalttätig zu werden, »lassen Sie mich bitte wissen, Graf, wieviel ich Ihnen dafür schulde, daß Sie sich um meine Frau und meine Kinder gekümmert haben.«

Die Männer starrten sich an wie zwei wilde Tiere im Busch.

5

Gwenn lehnte an einem der Pfeiler neben der Tür und blickte ihren Söhnen auf dem Weg zum Automobil hinterher. Sie war noch immer verärgert darüber, daß Anton sie am Abend zuvor kalt erwischt hatte. Jetzt sah sie ihn neben dem Wagen warten, um die beiden Jungen zur Schule zu begleiten. Hinter ihm schnippte Lorenzos Fahrer, Kamil, mit einem langen Staubwedel einige Krümel von der funkelnden verzierten Kühlerhaube des Bugatti.

Wellie zog seinen jüngeren Bruder an der Hand hinter sich her. Beide Jungen trugen robuste braune Schuhe, lange graue Socken, graue Flanellshorts und die kastanienbraunen Blazer und Kappen des Prince Albert College. Der neunjährige Denby hielt seinen neuen Hockeyschläger in der anderen Hand. Er blieb hinter seinem Bruder zurück, versuchte sich loszureißen und schlug nach einer Heuschrecke, die am Rand des Weges saß. Er kommt sehr nach seinem Vater, dachte Gwenn. Auf ebenso perfekte wie rätselhafte Weise gelang es dem riesigen Grashüpfer, sich von der glatten Kante des Schlägers unbeschadet in die Luft heben zu lassen und davonzufliegen.

Anton war zu Fuß gekommen. Er liebte Spaziergänge, aber sie bezweifelte, daß dies der Grund dafür gewesen war. Gwenn war sich sicher, daß er kein Geld hatte. Er war sonnengebräunt und für einen Mann von vierunddreißig Jahren fast jungenhaft, und sogar aus der Entfernung konnte sie sehen, daß er sich besser für Ostafrika und den Busch eignete als für Kairo und den Gesira Club. Sie wußte, daß er Kairo noch nie gemocht hatte. Andere Besucher fanden den hiesigen Kontrast zwischen Eleganz und Elend aufregend, doch ihm war beides gleichermaßen zuwider, und bis zu einem gewissen Grad stimmte sie ihm darin zu. Sie nahm Anton erneut in Augenschein, diesmal mit größerer Sorgfalt.

Bei ihrem ersten Zusammentreffen war er groß und schmal gewesen, mittlerweile wirkte er kräftiger und zäher. Wenn er sich bewegte und sprach, war er nicht mehr ganz so ungezwungen, aber er hatte noch immer diesen ehrlichen Blick, das offene gebräunte Gesicht und den kleinen Höcker auf dem Rücken seiner vorstehenden Nase. Die Frauen mußten ihn einfach lieben, vor allem seine Safarikundinnen, die ihn stets in seinem Element erlebten. Gwenn war acht Jahre älter als Anton, doch inzwischen kam ihr der Altersunterschied sogar noch größer vor. Ihr Magen verkrampfte sich, und sie preßte die Lippen zusammen. Vielleicht spielte ihr Alter letztlich doch eine Rolle, für sie mehr als für ihn.

Gwenn erinnerte sich daran, wie es anfangs gewesen war, auf Safari im Hügelland, bei der gemeinsamen Arbeit auf der Farm, während der Liebesnächte unter freiem Himmel. Seine Erfahrung und sein körperliches Einfühlungsvermögen hatten sie überrascht. »Im Freien ist es am besten«, hatte er eines Nachmittags zu ihr gesagt. Was für ein Jammer, daß es nicht so bleiben konnte. Zu jener Zeit hatte sie lediglich auf eigenem Grund und Boden eine Familie gründen wollen. Sie besaß nach wie vor die Farm, doch die dürfte zwischenzeitlich wieder völlig vom Busch überwuchert worden sein. Kenia schien so weit weg, und die glücklichen Tage dort lagen so weit zurück.

Sie sah, wie Anton in die Hocke ging, als die Jungen sich ihm näherten. Wellington ließ seinen jüngeren Halbbruder los und machte als erster einen Schritt nach vorn. Er nahm seine Kappe ab und streckte die Hand aus. Anton grinste, nahm Wellies Hand und zerzauste sein rotes Haar. Der leibliche Vater des Jungen war schon seit vielen Jahren tot, und so war Anton im Laufe der Zeit an seine Stelle getreten.

Denby zögerte. Anton breitete die Arme aus und umarmte seinen Sohn. Der Junge vergrub sein Gesicht am Hals seines Vaters. Gwenn war gerührt und schlug eine Hand vor den Mund. Sie wußte, daß es eigentlich nur darauf ankam. Sie preßte die Lippen zusammen, und ihr stiegen Tränen in die Augen. Sie wußte, wie sehr Denby auf diesen Augenblick gewartet hatte und Wellie ebenfalls. Ein Teil von ihr fühlte genauso. Die Jungen waren in einem Alter, in dem Anton für sie alles verkörperte, was ein Vater darstellen sollte: Stärke und Mut, Abenteuerlust, ein Jäger wie kein zweiter. Aber sie kannte den anderen Anton: zerstreut, unpraktisch, sorglos und leichtsinnig, was die Zukunft betraf, verläßlich nur dann, wenn es hart auf hart kam. Untreu. Er konnte Intimität nicht auf Dauer ertragen, und Verantwortungsgefühl war ein Fremdwort für ihn. Dennoch stellte er für sie und auch für andere die wilde männliche Seite dar, die viele Frauen mochten.

Anton blieb in der Hocke, eine Hand auf Denbys Schulter gelegt. Er nahm seine Armbanduhr ab und gab sie Denby. Der Junge nahm die Uhr mit beiden Händen, besah sie sich genau und schaute dann voll Erstaunen zu seinem Vater. Anton nahm die Uhr zurück und holte ein Taschenmesser hervor. Er stach mit der Spitze des Messers zwei zusätzliche Löcher in das Armband und band die Uhr dann um das linke Handgelenk seines Sohnes. Gwenn biß die Zähne zusammen und kämpfte mit den Tränen. Sie sah, wie Anton das Messer zuklappte und es Wellie gab. Vermutlich hatte er nichts anderes, das er ihnen schenken konnte.

Kamil öffnete die Tür des Bugatti. Der kleine italienische Stander wurde von einer schwarzen Lederhülle verdeckt. Die Jungen stiegen ein. Anton zögerte, dann drehte er sich um und sah zu Gwenn. Er winkte ihr zu. Sie konnte seine Ungewißheit und seine Sehnsucht spüren. Gwenn hob eine Hand und versuchte zu lächeln. Anton stieg ein, und das Automobil fuhr los. Bald schon würde der Wagen ihn wieder zurückbringen. Sie blickte ihnen nach, dann wandte sie sich schnell um und ging ins Haus.

»Darf ich hereinkommen?« erklang Antons Stimme zögernd von der Vordertür. Sie hatte noch nicht mit ihm gerechnet.

»Natürlich. Komm in die Küche, und trink eine Tasse Tee.« Gwenn fuhr sich nervös mit den Fingern durchs Haar und ging voran. Sie fragte sich, ob er wohl versuchen würde, sie zu küssen. Er versuchte es nicht, und sie war erleichtert und zugleich ein wenig enttäuscht.

Er setzte sich auf die Kante von Sanas Stuhl am Küchentisch und sah Gwenn zu, wie sie den Tee aufgoß. All ihre Bewegungen waren ihm so vertraut, machten ihm Freude. Die Regale hinter ihr waren voller Medizinbücher und Photographien der Jungen. Ein Bild von ihm war aber nicht darunter, wie er bemerkte. Er war neidisch, daß das Haus und die Einrichtung nicht ihm gehörten, und er fragte sich, ob sie vor seinem Besuch wohl vorsorglich die Photos ihres Liebhabers versteckt hatte.

»Du hast die Jungen ganz wundervoll erzogen«, sagte er und nahm widerwillig die Flasche Amaretto und den Sack italienischen Kaffee auf dem Teeregal zur Kenntnis. »Denby ist genau wie du.« Willensstark und unabhängig, dachte er.

»Das ist chinesischer Tee«, sagte sie und wollte das Getränk in seiner Tasse mit heißem Wasser aus der zweiten Kanne verdünnen. »Zitrone?«

Er hielt eine Hand über seine Tasse. »Ich möchte ihn dunkel, mit Milch, bitte. Und viel Zucker.«

»Der ist aus China. Er ist nicht allzu stark.« Warum sage ich ihm immerzu, was er zu tun und zu lassen hat? dachte Gwenn bei diesen Worten. »Milch verdirbt den Geschmack.«

Anton knirschte mit den Zähnen. »Bitte, bereite ihn so zu, wie du es für richtig hältst«, sagte er in beherrschtem sachlichen Tonfall und mußte daran denken, wie es ihm früher immer ergangen war.

Sie war ihm dankbar für seine Nachsicht, sah ihn an und lächelte, während sie die Kanne abstellte und ihm dann Milch eingoß.

»Hat dir die Schule gefallen?« fragte sie.

»Wirkte ein bißchen streng, aber ich habe kaum Vergleichsmöglichkeiten«, erwiderte er unbekümmert, um sie zu besänftigen. Seine Schule hatte aus einigen Romanen von Dickens bestanden, die in einem Regal über der niedrigen Tür des *Vardo* verstaut gewesen waren, jenes Zigeunerwagens, den er mit seiner Mutter und ihrem Roma-Liebhaber geteilt hatte. Er konnte verstehen, warum Gwenn wollte, daß die Jungen es einmal besser hatten.

»Sie haben gesagt, ich sei zu spät gekommen, um noch die Lehrer kennenzulernen.«

»Die Jungs fühlen sich sehr wohl dort. Wellie könnte in ein paar Jahren Schulsprecher werden, falls er in Latein und Rechnen gute Noten bekommt.«

»Latein?« fragte er. Die Jungen taten ihm leid.

»Natürlich.«

Er merkte, daß sie vorhatte, sich nur über die Jungen zu unterhalten. Er sah, daß ihm kein anderer Ausweg blieb, als ganz offen zu sein.

»Gwenn, ich hatte gehofft, daß ihr alle am Ende des Semesters, oder sobald du dein Studium beendet hast, nach Hause kommen würdet.«

»Nach Hause?« Sie versuchte gar nicht erst, ihre Verbitterung zu verbergen. »Wieviel Zeit hast du je zu Hause verbracht?« Sie versteifte sich und drehte sich schnell um, so daß sie ihm den Rücken zuwandte. Sie begann, einige Sachen auf einem der Regale umherzuräumen.

»Du weißt doch, daß ich arbeiten mußte«, sagte er versöhnlich. »Safaris sind mein Beruf. Wir konnten nicht allein von dieser desolaten Farm existieren.« Das war gewöhnlich der Moment, in dem sie auf seine Untreue zu sprechen kam, dachte er. Er war auf merkwürdige Weise davon angetan, daß sie inzwischen nicht mehr so reagierte.

Anton beschloß, daß er kaum etwas zu verlieren hatte, und so tat er, was er die ganze Zeit hatte tun wollen. Er ging zu Gwenn, legte ihr die Hände auf die Hüften und küßte sie auf Hals und Schulter. Sie wies ihn nicht zurück, sondern neigte ihren Kopf ganz natürlich in seine Richtung, als würde ihr seine Berührung gefallen. Für einen Moment berührten sich ihre Wangen.

»*Makwa*, Miss, die Wäsche«, sagte Sana von der Tür aus, mit einem Stapel Bettlaken auf den Armen. Sie war in der Nähe geblieben, so wie Gwenn es ihr gesagt hatte.

»Hallo, Sana«, sagte Gwenn, trat ein Stück zur Seite und drehte sich um. Ihre Gefühle waren völlig durcheinander. »Das hier ist Mr. Rider, Denbys Vater.«

»Guten Morgen.« Anton nickte kurz. Er war nicht verlegen, aber er spürte, wie die Intimität verflog.

»Gwennie, du bist meine Frau. Die Jungs sind meine Söhne. Du weißt...«

»Wie lange ist es her, daß du mein Mann gewesen bist?« fragte sie verbittert und zog sich innerlich zurück. Wütend starrte sie ihn an, ihr Gesicht wirkte eingefallen.

»Bist du überhaupt je für mehr als ein paar Wochen am Stück mein Mann gewesen?«

»Ich werde es nicht zulassen, daß dein Italiener meine Söhne kauft.«

»Söhne, Ehemann?« schnappte sie. Ihr Gesicht lief rot an, und sie ballte die Fäuste. Gwenn wandte sich ab. »Die Jungen und ich wissen nicht einmal mehr, was für ein Mensch du bist«, sagte sie langsam über ihre Schulter hinweg. Sie wollte ihn verletzen.

Sie hörte, wie seine Schritte sich entfernten, als er das Haus verließ. Einen Moment lang war sie sehr mit sich zufrieden.

Enzo Grimaldi entschlüsselte die chiffrierte Nachricht. Sein ganzes Leben hatte der Vorbereitung auf diesen Zeitpunkt gedient, dachte er im stillen. An seinem zwölften Geburtstag hatte sein Vater ihn in die Waffenkammer mitgenommen und den Schrank aufgeschlossen, in dem die Kiste mit den Habseligkeiten seines Großvaters verstaut war, der an dem Abessinienfeldzug von 1896 teilgenommen hatte. Außer seinem Säbel befand sich nicht allzuviel darin. Sporen, zwei Orden, ein kleines Tagebuch mit Ledereinband, ein Feldstecher, eine Gürtelschnalle und einige Messingknöpfe, auf denen die römische Wölfin eingraviert war. Genau sechs Jahre später hatten Enzo und sein Vater mit Sekt auf das Wohl des alten Soldaten angestoßen, und die Kiste war in seinen Besitz übergegangen.

Graf Grimaldi, ein Kavallerist, hatte in der Schlacht von Adua die Eritreische Brigade der einheimischen Infanterie befehligt. Es sollte die größte Niederlage werden, die eine europäische Kolonialarmee jemals erlitten hatte. Viertausend Italiener starben an jenem Tag in den felsigen Tälern und auf den Bergpässen, die sich über den fünf christlichen Kirchen der Stadt erhoben. Sie hatten mehr Glück als ihre überlebenden eritreischen Waffenbrüder, die von ihrem früheren Herrn, Menelik, dem Kaiser von Abessinien, als Volksverräter betrachtet wurden. Feinde mußten besiegt werden, Verrätern stand etwas Schlimmeres bevor. Die gefangenen Eritreer wußten das.

Der Graf wurde von den Siegern rücksichtsvoll behandelt. Als er, mit seinem Säbel neben sich, gegen einen Wacholderbaum gelehnt dasaß und langsam an seinen Wunden starb, konnten er und ein weiterer italienischer Offizier beobachten, wie eintausend Männer, die er selbst rekrutiert, ausgebildet und geführt hatte, sich in sechs Reihen aufstellen mußten. Hinter den beiden Italienern saß im Schatten des Baums ein dunkelgekleideter Klingenschärfer aus Tigray und hielt seinen großen ovalen Wetzstein zwischen den Füßen. Neben ihm lag ein Stapel *Saifs* in ihren verzierten Lederscheiden. Den beiden Italienern klang fortwährend das Schaben von Stahl auf Stein in den Ohren, denn jedes einzelne der langen gebogenen Schwerter wurde von dem alten Mann zunächst geschliffen, bevor er die Schärfe der Klinge mit den Nägeln seiner linken Hand überprüfte.

Vor jeder Gefangenenreihe befand sich ein Holzblock. Neben den Blöcken warteten in ihren roten Umhängen die dienstbeflissenen Schwertträger aus dem Volk der Galla, hochgewachsen, dunkelhäutig und mit schmalen Gesichtern. Die Reiter waren von ihren Pferden abgestiegen und sollten nun für ihre Loyalität belohnt werden. Langsam wurde die *Negaret* geschlagen, eine große kupferne Kriegstrommel, die man mit abgenutzten Löwenhäuten geschmückt hatte. Die Galla holten plaudernd und scherzend ihre geschärften Schwerter ab, wobei jeder Mann seine Waffe sorgfältig überprüfte. Dann begann das Ritual. In einiger Entfernung, im Zentrum von Adua, riefen die langen Zeremonienhörner der weißgekleideten Priester die christlichen Gläubigen zur Messe.

Der erste eritreische Gefangene mußte seinen rechten Arm auf den Block legen. Mit einem einzigen Hieb wurde ihm die Hand am Gelenk abgetrennt. Die umstehenden Galla-Krieger brüllten begeistert auf. Hunderte von ihnen eilten zu Fuß oder zu Pferd herbei, jubelten verzückt und schwenkten ihre langen Krummschwerter. Der linke Fuß des Gefangenen wurde auf den Block gelegt. Nach einer Weile standen die erschöpften Schwertträger knöcheltief im Blut. Die Verstümmelten bluteten aus und starben. Einige von ihnen schleppten sich zwischen den johlenden Galla hindurch und verkrochen sich unter Büschen, wo sie mit Teilen ihrer Gewänder stöhnend ihre Stümpfe verbanden. Die Holzblöcke wurden auf trockenen Untergrund gezerrt, die erschöpften Scharfrichter von frischen Soldaten abgelöst.

Graf Grimaldi war schon fast ins Delirium gefallen, doch er bemühte sich trotzdem verzweifelt, mit Hilfe seines Säbels auf die Beine zu kommen. Es gelang ihm nicht, und so rief er einen abessinischen Hauptmann zu Hilfe. Der Mann kam zu ihm herüber und neigte respektvoll den Kopf. Der Graf gab ihm zu verstehen, daß er für sich selbst die gleiche Behandlung wie für seine Männer forderte. Der Hauptmann verstand, nahm den Grafen behutsam auf die Arme und trug den verwundeten Italiener an die Spitze einer der Reihen. Der Hauptmann setzte Grimaldi ab. Unverzüglich hob einer der rasenden Galla sein Schwert und hieb durch den Stiefel bis hinab auf den Knochen. Noch vor dem zweiten Schlag war der Graf tot.

Zwei Jahre später hatte der andere italienische Offizier die Grimaldis in ihrer Villa in der Lombardei besucht, um ihnen seine Aufwartung zu machen und die Habseligkeiten des Grafen zu überbringen. Nach dem Mittagessen führte Enzos Vater den Soldaten in die Bibliothek, versorgte ihn mit einer Flasche Grappa und einem Block Papier und bat ihn, einen Bericht über die letzten Tage des Grafen zu verfassen. Später ließ man die losen Blätter binden. Auf dem Umschlag wurden nur ein einziges Wort und eine Jahreszahl eingeprägt: *L'Abissinia,* 1896.

Enzo drehte sich um und fuhr mit den Fingern die geschwungene Klinge des Säbels entlang, der an der Wand hinter seinem Schreibtisch angebracht war. Wie oft hatte er sich in die Bibliothek geschlichen, den schmalen Lederband hervorgezogen und sich hinter dem Pult seines Vaters auf den Boden gesetzt, um jenen Bericht zu lesen? Als Lorenzo Grimaldi dreizehn wurde, kannte er jedes einzelne Wort dieser achtzehn Seiten auswendig, jedes Detail dieser tödlichen afrikanischen Zeremonie. Schon als Junge wußte Enzo, daß die verstümmelten eritreischen Überlebenden als wandernde Bettler die Abessinier durch ihre unverwechselbaren Wunden für Generationen daran erinnern sollten, wie hoch der Preis für die Unterstützung des italienischen Abenteuers gewesen war.

Auf einer Seite des Säbels hing ein signiertes Porträt des Duce, dessen eiserne römische Miene unbeirrbar und entschlossen dreinblickte. Auf der anderen Seite befand sich eine detaillierte Karte des Horns von Afrika, vom Sudan bis Kenia. An einer der schmalen Seitenwände waren sechs Zeichnungen der Flugmaschinen angebracht, die Leonardo da Vinci entworfen hatte. An der Wand gegenüber hingen Photographien von Enzo in seiner Maschine an der Flugschule in Kalabrien, im offenen Cockpit seiner Fiat CR-1 im Jahre 1927 während des Kriegs in Libyen und gemeinsam mit seinen Pilotenkameraden von der Kunstflugstaffel vor drei Doppeldeckern des Typs Breda 19. Er hatte sich schon immer für Kriegstechnologie interessiert.

Enzo las noch einmal die Nachricht, zerknüllte sie und legte sie auf ein Kupfertablett. Dann zündete er sie an. Er ging zum Fenster der Botschaft und blickte über den Nil zum Manial-Palast hinüber.

Je näher die Invasion Abessiniens rückte, desto größer war die Zahl seiner Verpflichtungen geworden. Es ging nicht länger nur darum, Nachrichtenmaterial über die britischen Absichten zu sammeln und seine ägyptischen Gesprächspartner zu beruhigen, während italienische Truppen, Arbeiter und Vorräte durch den Suezkanal nach Süden strömten.

Er war einer der wenigen ranghohen italienischen Piloten mit Afrikaerfahrung und hatte an der Einsatzplanung der *Regia Aeronautica* mitgewirkt. Am ersten Tag der Kämpfe würden vierhundert italienische Flugzeuge in das Kriegsgeschehen eingreifen. Und inzwischen sah es so aus, als würde ihm die Ehre erwiesen werden, sich seinen Fliegerkameraden in Italienisch-Somaliland oder Eritrea anschließen zu dürfen. Seine eigenen Interessen in Kairo mußten zurückstehen.

Der Krieg schreckte ihn nicht und ebensowenig die Tatsache, daß er seinen Lebensstandard würde einschränken und so viel hinter sich lassen müssen. Aber es gab eine Mission, die hoffentlich nicht ihm zugewiesen werden würde: im Auftrag der Luftwaffe herauszufinden, ob es militärisch ratsam war, in Abessinien Giftgas einzusetzen. Das war eine äußerst delikate Angelegenheit, denn der Völkerbund hatte die Anwendung von Giftgas im Rahmen der Genfer Konvention von 1925 geächtet.

Er hatte bereits auf Sizilien an geheimen Versuchen mit Abwurfkanistern teilgenommen. Falls nötig, standen fünfzig neue Flugzeuge für diese Aufgabe bereit. Er hoffte inständig, daß der Krieg schnell und reibungslos verlaufen würde. Ein langer und unschöner Konflikt, vor allem wenn Giftgas darin involviert war, konnte ein Ölembargo gegen Italien heraufbeschwören. Auch konnte der Kanal für italienische Schiffe gesperrt werden. Ohne Treibstoff würde die Armee in Afrika untergehen. Selbst Adua würde im Vergleich mit dem Ausmaß dieser Katastrophe unbedeutend erscheinen. Lorenzo Grimaldi hatte nicht vor, als zweiter Repräsentant seiner Familie einem italienischen Desaster beizuwohnen.

Anstatt zu fliegen, sollte er vielleicht eher den Zug nach Port Said nehmen oder mit dem Wagen nach Suez fahren und sich auf einem der besseren Truppentransporter nach Süden einschiffen. Vier transatlantische Linienschiffe, darunter die herrliche *Giulio Cesare*, würden dieser Tage von Neapel aus in See stechen, an Bord dreizehnhundert fähige Arbeiter und fünftausend Schwarzhemden. Man war zudem dabei, weitere Passagierschiffe aus kanadischen und deutschen Beständen zu erwerben. Er nahm *Il Giornale d'Oriente* zur Hand, um die Auslauftermine zu überprüfen.

Auf der ersten Seite dieser in Kairo erscheinenden italienischen Zeitung war ein Photo von Benito Mussolini abgedruckt. Er stand mit erhobener rechter Faust auf der Lafette einer alten Kanone im Hafen von Genua vor Angehörigen der *Valpusteria Alpini* und beschwor aus Anlaß des 2688. Gründungstags der Stadt Rom die Augusteische Vergangenheit herauf.

»Ihr werdet Rache für Adua nehmen!« rief der Duce den scheidenden Soldaten zu. »Ganz Italien steht hinter seinen Söhnen, die nach Afrika aufbrechen, weil sie ein heroisches Leben einer ziellosen Existenz vorziehen. Wir Italiener sind die Protagonisten einer großen historischen Entwicklung. Unsere Zukunft liegt im Osten und Süden, in Asien und Afrika. Die ganze Welt muß den Wert des faschistischen Geistes anerkennen.«

Enzos Ordonnanz trat mit einer weiteren Nachricht ein. Der Graf riß den Umschlag des Telegramms aus Rom auf. »Sie werden sich in Suez einschiffen«, hieß es dort zum Schluß. Man hatte ihm die Entscheidung abgenommen.

Er nahm den Schnappschuß in die Hand, der das englische Mädchen nach ihrem ersten gemeinsamen Flug am Aerodrom zeigte. Sein weißer Schal war um ihren Hals geknotet. Sie hielt eine seiner Fliegerbrillen in der Hand. Ihr Lächeln war strahlend und aufgeregt wie das eines Schulmädchens. Selbst jetzt noch fand er ihre Schönheit und ihr Gemüt erfrischend. Er würde sie und auch ihre Söhne vermissen. Er hatte den Jungen Reiten und Fechten beigebracht und Wellington auch das Schießen.

Wütend dachte er daran zurück, wie sie ihn in dem Café behandelt hatte. Er hatte es als öffentliche Beleidigung empfunden. Letztendlich war sie beinahe zitternd an seiner Seite geblieben, nachdem ihr Engländer gegangen war, doch zunächst hatte sie sich abweisend und wortkarg verhalten. Später hatte sie sich bei Enzo entschuldigt, allerdings ohne ein Zeichen ihrer Zuneigung. Jemand mußte für die Erniedrigung bezahlen. Es war schon peinlich genug, überhaupt eine solche Affäre in Kairo zu unterhalten, von den Kosten ganz zu schweigen. Er hatte gelernt, daß sie um so undankbarer wurde, je großzügiger er sich verhielt. Manchmal ließ sie sogar Anzeichen jener Übellaunigkeit erkennen, die den Empfängern von Freigebigkeit oftmals zu eigen war.

Heute abend würden sie im Groppi essen, ihrem bevorzugten Restaurant, wenn sie unter sich waren. Und falls alles gut verlief, würden sie danach vielleicht im Mena Lido tanzen gehen.

Grimaldi stand auf und ging nach draußen zu seinem wartenden Bugatti. Er rief sich ins Gedächtnis, daß er trotz des letzten Abends großzügig und sorgsam darauf bedacht sein mußte, sich ihre Zuneigung und ihr Wohlwollen zu erhalten. Alles andere würde sie zurück zu Rider treiben.

»Seit dein Engländer gestern aufgetaucht ist, bist du nicht mehr du selbst«, sagte Enzo nach dem Dinner, als Gwenn seinen Arm ausschlug. »Liebst du ihn noch?«

»Ach, ich weiß nicht. In gewisser Weise vielleicht, manchmal«, sagte sie langsam und versuchte, nicht allzu ausweichend zu wirken. »Aber es ist nicht mehr dasselbe.«

Als der Bugatti links nach Garden City abbog, wurden sie beide aneinandergepreßt. Gwenn küßte Lorenzo sanft auf die Wange. Das Abendessen war nicht so fröhlich wie sonst verlaufen. Zum erstenmal seit fast anderthalb Jahren hatte zwischen ihnen Schweigen geherrscht, und zwar nicht jene unbeschwerte, behagliche Ruhe, die besser als ein Gespräch sein konnte, sondern eine distanzierte, unerträgliche Grabesstille. Sie hatte sich immer geschworen, für keinen Mann freiwillig einen solchen Zustand zu ertragen. Sie wußte, daß es an ihr lag, aber heute abend schien auch Lorenzo mit seinen Gedanken ganz woanders zu sein. Sie hatte ihm gesagt, sie wäre zu müde, um noch tanzen zu gehen.

»Kommst du am Freitag nach Suez, um mir Lebewohl zu sagen?« fragte er und ärgerte sich, daß er überhaupt danach fragen mußte, wenngleich er wußte, daß sie es ihm niemals von selbst anbieten würde.

»Das würde ich sehr gern, Lorenzo, aber du weißt doch, daß ich mich um die Jungs kümmern muß.« Und um eine Prüfung in der Universität, fügte sie im stillen hinzu. Sie berührte flüchtig seine Hand. Sie und ihre Kinder waren schließlich nach wie vor Gäste in seinem Haus, und er würde in den Krieg ziehen. Wenn er doch nur gehen könnte, bevor sie anfangen würden, einander Vorwürfe zu machen.

»Ich werde dich vermissen«, sagte sie kurz darauf und dachte, daß dies hin und wieder bestimmt der Fall sein würde. »Warum mußt du denn jetzt gehen?«

»Die Söhne des Duce kommen mit der *Saturnia* aus Neapel, und ich habe den Befehl erhalten, in Suez an Bord zu gehen und gemeinsam mit ihnen nach Eritrea zu fahren. Von Kairo aus werden Sonderzüge nach Port Said bereitgestellt werden, um sie dort angemessen zu begrüßen.«

»Warum müßt ihr alle gehen?« fragte sie. »Ist dieser Krieg denn wirklich notwendig?« Sie wußte, daß er es leid war, Italiens Ambitionen zu verteidigen.

»Es ist kein Krieg«, sagte Lorenzo langsam und bedächtig, als rede er mit einem Kind. »Wir beschützen lediglich italienisches Territorium. Diese Äthiopier kommen jede Nacht über die Grenze, ermorden Leute und stehlen Vieh. Weißt du, sie entführen Kinder und verkaufen sie als Sklaven. Es sind Wilde.«

Sie atmete tief durch, bevor sie antwortete. »Bitte, Lorenzo, wir wissen beide, daß es nicht darum geht. Der Kaiser hat versprochen, die Sklaverei abzuschaffen.«

»Warum sind die Abessinier für euch alle solche Engel?« beharrte er. »Sie behandeln einander wie Tiere. Abessinien ist das letzte Land auf Erden, in dem noch immer Menschenhandel betrieben wird.«

»Mussolini will das ganze Land versklaven«, sagte sie und bemerkte, wie wütend ihre Stimme klang. »Sind all eure Flugzeuge und Männer nicht in Wirklichkeit deswegen hier? Warum bist du mir gegenüber nicht ehrlich, Lorenzo?«

»Ehrlich? Du willst die Wahrheit hören?«

»Das weißt du sehr wohl«, stieß sie zwischen zusammengepreßten Lippen hervor. Ihre Züge verhärteten sich.

»Außer Liberia ist Äthiopien das einzige Land in Afrika, das noch nicht kolonisiert worden ist, und es grenzt bereits an zwei italienische Territorien. Überdies haben wir dort eine geschichtliche Verpflichtung einzulösen, das gebietet unsere Ehre. Das Land ist hoch und kühl, gesundes, gutes Farmland, wie geschaffen, um unsere arbeitslose Bevölkerung dort anzusiedeln. Schon jetzt sind die Einheimischen zur Hälfte christlichen Glaubens.« Er machte eine Pause und sah sie an. »Hat nicht dein eigenes Volk ein Viertel der gesamten Erde kolonisiert?«

»Danke, Lorenzo, daß du mir endlich die Wahrheit gesagt hast, zumindest teilweise.«

Einen Moment lang sprach keiner von beiden ein Wort.

»Du hast mich nicht gefragt, was ich tun werde, während du fort bist«, durchbrach sie leise das Schweigen.

»Verzeih mir, *cara*«, sagte er und seufzte. Seine Stimme wurde sanfter. »Bitte, erzähl es mir.« Er streichelte ihre Hand.

»Man hat mich gebeten, auch nach Abessinien zu gehen.«

»Dich?« fragte er und lachte nervös auf. Sein Streicheln verebbte.

»Im Krankenhaus sucht man nach Freiwilligen für den Einsatz in Äthiopien«, sagte sie und bemühte sich, sachlich zu klingen. Ihr war bewußt, daß sich durch dieses Politikum Risse zwischen ihnen auftaten, deren Existenz sie beide lange ignoriert hatten.

»Das ägyptische Rote Kreuz, genaugenommen der Rote Halbmond, wird so schnell wie möglich zwei Sanitätsgruppen losschicken. Man braucht achtzig oder neunzig Leute, und man weiß, daß ich in Frankreich während des Kriegs einen Rettungswagen gefahren habe.

Sie suchen Ärzte, Krankenschwestern, Sanitäter, Fahrer, Mechaniker, vorzugsweise mit Kriegserfahrung ...«

»Weshalb?« stieß Lorenzo ein wenig zu schneidend hervor und zuckte mit den Achseln.

Gwenn wandte den Kopf und musterte sein Profil in der Dunkelheit. Wofür hielt er sie? Für einen Schwachkopf?

»Weshalb?« schnappte sie. »Um den Menschen nach eurer italienischen Invasion zu helfen.« Sie zog ihre Hand zurück.

»Es gibt keine italienische Invasion«, sagte er verärgert. »Das habe ich dir doch alles schon erklärt. Haile Selassie und seine Eingeborenen greifen unsere Außenposten an, besetzen unsere Wasserlöcher und belügen den Völkerbund wegen des Grenzverlaufs. Er läßt Italien keine andere Wahl.«

»Lorenzo, bitte. Du sprichst hier nicht mit den Zeitungen. Du und ich, wir beide wissen, daß das alles Quatsch ist. Euer Duce will schlicht und einfach ein neues römisches Imperium. Das bekräftigt er doch jeden Tag aufs neue.«

Gwenn sah, daß Enzo schon wieder sein Gesicht abwandte. Hinter all seinem intelligenten Charme steckte eine Wut, die sie ängstigte. Sie durfte sich von ihm nicht einschüchtern lassen. Und wenn er denn Rest der Wahrheit aus ihrem Mund hören wollte, dann würde sie ihm diesen Wunsch erfüllen.

»Mussolini hat es sogar auf Ägypten und den Sudan abgesehen, im Zusammenschluß mit Libyen, Äthiopien, Eritrea und Italienisch-Somaliland. Du weißt das. Du bist ein Teil von all dem. Bitte, lüg mich nicht mehr an, Lorenzo. Ich habe es satt. Falls er diesen Krieg beginnt, könnte die ganze Welt darin verwickelt werden.«

»Habt ihr Briten denn nicht ein Empire? Warum sollten wir nicht auch? In der Zeit vor Christi Geburt waren sowohl Ägypten als auch Britannien römische Provinzen. Warum sollte Ägypten in der heutigen Zeit ein Teil des britischen Empire sein? Schau mal auf eine Karte. Das Mittelmeer steht uns zu, nicht euch. Die ägyptischen Studenten, die Blauhemden, demonstrieren jeden Tag gegen euch Briten.«

»Darum geht es nicht. Es wird unschuldige Opfer geben, um die sich niemand kümmert, falls wir nicht dorthin gehen.« Gwenn starrte durch die Seitenscheibe in die Dunkelheit.

»Dann hast du dich bereits zum Mitkommen entschlossen?«

»Ich denke noch darüber nach. Ich wollte mit dir über die Angelegenheit reden.« Sie ballte die Fäuste. »Aber wie ich sehe, ist das nicht möglich.« Sie erkannte, daß sie aus diesem Haus ausziehen mußte. Aber wohin sollten sie und die Jungen gehen?

»Du weißt, daß ich dich liebe«, sagte er, obwohl er spürte, daß es bereits zu spät war, »und du weißt, was ich tun muß.«

Und ich weiß jetzt auch, was ich tun muß, dachte sie, als der Wagen vor Lorenzos Haus anhielt.

»Ich gehe nur kurz nach nebenan und sehe nach den Jungen«, sagte Gwenn. Sie wußte, daß er nach wie vor erwartete, daß sie mit ihm schlafen würde. Ihr fiel kein geschickter Weg ein, sich diesem Wunsch zu entziehen, und sie war unsicher, ob sie nachgeben oder Widerstand leisten sollte. Beides war ihr gleichermaßen zuwider. Vielleicht war es am besten, eine direkte Konfrontation zu vermeiden. Sie würde Sana mit irgendeiner Ausflucht zu ihm schicken.

»Ich sehe dich dann gleich oben«, sagte sie hastig.

Gwenn ging ins Haus und schloß erschöpft und erleichtert die Tür hinter sich. Ihre widersprüchlichen Gefühle verwirrten sie. Sie war noch immer so wütend auf Anton, daß sie in Erwägung zog, aus reiner Gehässigkeit mit Lorenzo zu schlafen, vielleicht aber auch wegen der Zuneigung, die sie einst für den Italiener empfunden hatte. Sie schloß die Augen und lehnte sich seufzend an die Tür.

6

Der Zwerg saß in seinem Ledersattel rittlings auf dem hölzernen Sphinx. Da es im Café immer geschäftig zuging, war das Unterdeck Olivios bevorzugtes Refugium geworden, wenn er nachdenken wollte. Sein Glas Aprikosennektar befand sich unangetastet auf dem breiten Rand des großen sakralen Kerzenständers, der neben ihm auf dem Boden stand. Die morgendliche Feuchtigkeit des Flusses kroch durch den Bootsrumpf, drang tief in seine Gelenke und sein Rückgrat ein und verhärtete ihm Lymphgefäße und Knochenmark. Das ließ ihn an den medizinischen Bericht denken, den er noch immer in seiner rechten Faust umklammert hielt. Seine Mißbildungen verschlimmerten sich unbarmherzig.

Olivio blickte müde nach links. Die Türen des Kampferholzschranks, der an der langen Wand hing, standen offen. Das Vorhängeschloß baumelte an seiner kurzen Kette. In der Mitte des ersten Fachs stand eine Tonstatue des Gottes Bes aus der Zeit des Mittleren Reiches. Der ägyptische Gott des Kleinwuchses stand auf kurzen krummen Beinen. Sein Bauch hing herunter. Der breite, tiefliegende Nabel wurde von seinen Händen umrahmt, die er in die Hüften gestützt hielt. Aus dem markanten dreieckigen Kopf ragte seine ausgestreckte dicke Zunge hervor.

Zur Rechten von Bes lag das Fragment eines Papyrus aus der 21. Dynastie. Bilder des Zwergengotts verschmolzen mit Abbildungen des heiligen Mistkäfers, des Skarabäus Khepri. Die entstandenen Mischwesen, halb Zwerg, halb Insekt, hatten einen großen runden Leib und kurze gebogene Glieder gemeinsam. Sie alle wurden von einem Flammenkreis umgeben, der für den Triumph über ihre Feinde stand und in dem sich die Beziehung des heiligen Skarabäus zu der brennenden Scheibe des Gottes der Morgensonne spiegelte. Wie gut die alten Ägypter doch Olivios Verfassung und die damit verbundene Einzigartigkeit verstanden hatten.

Sein Blick wanderte höher und richtete sich auf einen seiner Lieblingsschätze: die Kopie eines Sarkophagpapyrus aus dem Ägyptischen Museum in Turin. Eine nackte Sängerin beugt sich anmutig über den Rahmen eines zweirädrigen Triumphwagens. Ihre makellos geformten Flanken, Olivios liebstes Detail, ragen ein kleines Stück über das Ende des Gefährts hinaus. Hinter ihr steht ein Priester auf Zehenspitzen. Sein Mund ist leicht geöffnet, und er dringt mit seinem vergrößerten Phallus in die Sängerin ein, während sie das Gesicht nach hinten wendet, um ihn über ihre Schulter hinweg mit dunklen ovalen Augen unter geschwungenen Brauen anzublicken. Der Wagen wird von zwei schlanken Mädchen gezogen. Ein langschwänziger Affe steht mit gespreizten Zehen auf der Deichsel und spielt mit den Zügeln. Unter dem Affen geht ein Zwerg, der in seiner rechten Hand eine kleine Tasche trägt. Mit der anderen Hand versucht der kleine Mann erfolglos, die Aufmerksamkeit der beiden Mädchen zu erregen, in deren Richtung auch sein riesiger erigierter Phallus nach oben weist. Er befindet sich ebenfalls auf Zehenspitzen, allerdings nicht aus dem gleichen Grund wie der Priester, dessen war sich Olivio sicher. Für den abgebildeten Zwerg hieß der Anlaß *Talipes Equinus*, eine angeborene Mißbildung der Füße, die einen Menschen dazu zwingt, auf gestreckten Sohlen zu gehen. Olivios Stummelzehen spielten mit den Steigbügeln, während er in den Einzelheiten des Bildes schwelgte. Wie lebendig das alles für ihn war. Wie gut diese alten Ägypter alles verstanden hatten.

Zumindest hatten sie die besonderen Qualitäten, die eine kleine Statur mit sich bringen konnte, durchaus zu schätzen gewußt, dachte Olivio. In erster Linie waren das die fünf Attribute des Zwergengotts, eines dem Fest gewidmetes, nämlich die Schirmherrschaft über Wein, Musik und Tanz, und vier beschützende: der Schutz des Kriegshandwerks und der Toten sowie des Schlafs und der Frauen, vor allem der Gebärenden. Olivio dachte an Kina. Gestern abend hatte sie mit ihm über ihre Schwangerschaft gesprochen. Es würde ihr letztes gemeinsames Kind sein. Würde ihm in diesem Winter ein

Sohn geboren werden? Und falls ja, würde er in den Augen der anderen Menschen normal sein oder würde er das Schicksal seines Vaters teilen?

Der Zwerg breitete die beiden Seiten des medizinischen Berichts vor sich auf den Schultern des Sphinx aus. Die Klinik in Alexandria konnte ihm keine Antworten liefern, lediglich die Bestätigung seines zunehmenden körperlichen Verfalls. Vielleicht war es an der Zeit, zum Dolder Institut in der Nähe von Zürich zu reisen, der Heimat der Achondroplasiologie, der Erforschung der verbreitetsten Formen des Kleinwuchses. Die Schweizer, so schien es, maßen sogar den Zwergen einen gewissen Wert bei.

Er wußte, daß er die Wallfahrt nach Zürich machen sollte. Ihm würden dort unglaubliche Ausgaben und Demütigungen bevorstehen, aber er würde erfahren, was er wissen mußte: den voraussichtlichen weiteren Verlauf seiner Leiden, das Ausmaß der noch verbleibenden Zeit und die Aussichten für seine Kinder. Die Kosten spielten keine wesentliche Rolle für ihn. Schlechte Neuigkeiten konnte er vermutlich akzeptieren. Aber die Erniedrigung, sich nackt den stechenden Blicken der Schweizer Ärzte und ihres Gefolges auszusetzen, während sie seinen Zustand auf deutsch diskutierten, ihn vermaßen und sich Notizen machten, war mehr, als er ertragen konnte.

Was waren das für Männer und Frauen, die sich einer solchen Arbeit widmeten? Sie mußten noch andere Beweggründe haben als einzig und allein wissenschaftlichen Forschungsdrang oder Mitgefühl. Hegten sie eine Vorliebe für das Entsetzliche?

Ihre professionelle Haltung konnte nicht einmal annähernd darüber hinwegtäuschen, mit welcher Abscheu und Sensationslust sie ihn untersuchen würden. Zuerst würden sie ihn vom Scheitel bis zum Schambein und vom Schambein bis zur Sohle vermessen, um so festzustellen, in welchem Ausmaß das Größenverhältnis seiner Proportionen von der Norm abwich. Dann würden sie seine Mißbildungen sorgfältig mit Zahlen benoten. Wahrscheinlich würde ein Arzt oder, noch schlimmer, eine Krankenschwester, ein Maßband an seinen nackten Körper halten und lautstark jede einzelne Millimeterangabe verkünden, während ein anderer die scheußlichen Ziffern wiederholte und aufschrieb.

Dann würden sie Glied für Glied und Organ für Organ fortfahren, angefangen mit einer Analyse seines Kopfes. Sie würden den Verknöcherungsgrad der Knorpel einschätzen, das vergrößerte Schädeldach und die verkleinerten Gesichtszüge vermerken, ferner den eingedrückten Nasenrücken und die vorstehenden Kiefer, wie es bei Kleinwüchsigen üblich war. Alles, was überwiegend der Norm entsprach, würde sie enttäuschen, und jegliche extreme Mißbildung würde Begeisterung, ja sogar Verzückung hervorrufen. Je deformierter er war, desto größer würde ihr Behagen ausfallen.

Wenn die Vermessung vollständig war, würde man ihn Dr. August Hänger höchstpersönlich vorführen, wie ein exotisches Gericht, das man einem Gourmet servierte. Zunächst würde der Spezialist ihn mit ausdruckslosem, abschätzendem Blick in Augenschein nehmen. Zweifellos würde der große Arzt mit seinen präzisen bleichen Fingern langsam eine Akte auf seinem Schreibtisch aufklappen und kurz nach unten schauen. Dann würde er Olivio mit einer flüchtigen aufmunternden Bewegung seiner Lippen darum ersuchen, sein Krankenhausnachthemd abzulegen und sich frei zu machen. Zumindest auf eines seiner körperlichen Attribute würden sie alle neidisch sein.

Olivio Fonseca Alavedo wußte, wie er reagieren würde. Er würde vor lauter Wut und Abscheu fast den Verstand verlieren, und sein verletzter Stolz würde heißer und wilder in ihm brennen als Magma im Zentrum der Erde. Wenn er dann am Abend in der luxuriösen Umgebung des Dolder Grand Hotels allein auf seinem Zimmer war, mit dem Nachttopf aus Porzellan neben sich im untersten Fach des Nachttischs, würde sein schlimmster Feind, das Selbstmitleid, sich wie ein Nachtmahr auf ihn stürzen und ihn verzehren.

Die meisten Mißbildungen, unter denen Olivio litt, hielten sich in einem erträglichen Rahmen. Seine krummen Beine und schwach ausgeprägten Klumpfüße störten ihn nicht weiter. Der Zustand seiner Glieder hatte sich im großen und ganzen nicht wesentlich verschlechtert. Obwohl er sich ständig bemühte, seinen watschelnden Gang zu unterdrücken, gab es viele Männer, die mit weitaus schlimmeren Beeinträchtigungen zurechtkommen mußten. Auf seine geschickten Finger und seinen beachtlichen Geruchssinn war Olivio stolz. Sein großer Kopf verhalf ihm zu einem eindrucksvolleren Erscheinungsbild. Das überschüssige weiche Gewebe, das in Falten an seinem Körper herabhing, blieb unter seiner Kleidung verborgen. Sein Gehirn und seine intellektuelle Entwicklung, die sich bei den meisten Zwergen im normalen Bereich bewegte, waren bei ihm wie ein strahlender Leuchtturm, der sich über einem schwarzen, felsigen Gestade erhob.

Er machte sich vor allem Sorgen um seine Wirbelsäule und hatte sich genau darüber informiert. Seine Wirbelsäule verlief von seinem *Foramen magnum*, der Durchtrittsöffnung an der Schädelbasis, nicht in gerader Linie nach unten wie bei den meisten Menschen, sondern bog und wand sich wie eine Schlange. Der Druck und die Deformation nahmen unerbittlich zu. Seine Lordose war erbarmungslos fortgeschritten, und der untere Teil seines Rückgrats hatte sich allmählich immer mehr nach innen gewölbt. Das war der grausame Feind, gegen den Olivio sich Beistand versprach. Aber mußte er deswegen nach Zürich reisen?

Der Zwerg überlegte, wie er statt dessen die Alpen nach Kairo bringen konnte, die Schweizer Berge zu Mohammed.

Wußte Dr. Hänger, daß es in Ägypten mehr sterbliche Überreste von Zwergen gab als sonstwo auf der Welt? Dies lag daran, daß man Kleinwüchsige im alten Ägypten in hohen Ehren gehalten hatte. Man hatte sie nicht nur mumifiziert und konserviert wie nirgendwo anders, auch die trockene Wüstenluft hatte ihren Beitrag geleistet und sogar jene Skelette erhalten, die nicht zuvor von einem Einbalsamierer behandelt worden waren. Grabräuber hatten die Zwergensärge für unwichtige Kindersarkophage gehalten, und so waren nicht nur die Leichen, sondern auch die beiliegenden Juwelen, Kosmetika und sogar die Statuetten ihrer Dienerschaft erhalten geblieben. Das in Abydos entdeckte Grab König Semerkhets aus der Ersten Dynastie hatte die vollständigen Leichen zweier Zwerge preisgegeben, deren stark gekrümmte Schienbeine und eingesunkene Gesichtszüge unter den vergrößerten Schädeldächern ihrer winzigen Köpfe nicht zu übersehen gewesen waren. Ein anderes Zwergenskelett stammte aus der Badari-Kultur und war somit inzwischen mehr als sechstausend Jahre alt. Seine ungleichen Schlüsselbeine und verformten Rückenwirbel würden zu Dr. Hängers persönlicher Untersuchung bereitliegen. Hier am Nil waren Zwerge sogar Götter gewesen. Götter!

Olivio fühlte, wie er erzitterte. Auf seiner Haut bildeten sich Schweißperlen, zumindest soweit das noch möglich war. Er mußte an das furchtbare Feuer denken, das vor vielen Jahren sein Haus in Kenia vernichtet hatte. Er hatte sich zu jenem Zeitpunkt gerade mit Kina amüsiert und sich zu diesem Zweck als englisches Kleinkind kostümieren und ans Bett fesseln lassen. So war er fast bei lebendigem Leibe verbrannt. Lord Penfold hatte den Rauch gerochen und war aus seinem Bungalow gerannt. Dann hatte er sich in eine nasse Decke gehüllt und war mit einer Panga in der Hand in das brennende Wohnhaus gestürzt. Er hatte Olivios Fesseln durchtrennt, den keuchenden Zwerg in seine Arme gerissen und ihn wie ein Kind unter der Decke an seine Brust gedrückt. Dann hatte er sich durch eine der vom Feuer beschädigten Wände seinen Weg ins Freie gehackt. Der Zwerg hatte es nicht für möglich gehalten, daß er seine schweren Verletzungen überleben würde: Ein Drittel seines Körpers war verbrannt, ein Auge vom Feuer zerstört, seine Haut und sein Fleisch von schwarzen Bläschen überzogen und seine Fingernägel für immer verloren. Miss Gwenn hatte ihn während dieser Zeit der Höllenqualen gepflegt. Anton Rider hatte geholfen, ihn zu rächen. Ohne diese drei Menschen wäre er heute nicht mehr am Leben. Selbst jetzt noch fürchtete er sich vor Feuer wie vor nichts anderem auf der Welt.

Noch immer tief in Gedanken an seine körperliche Verfassung versunken, faltete Olivio den Bericht der Klinik aus Alexandria zusammen. Er schüttelte die Steigbügel von den Füßen und stieg langsam von dem Sphinx ab. Kurz darauf trat er auf das Deck des Cafés hinaus. Er starrte auf den Fluß, drehte und wendete die Angelegenheit in Gedanken ein ums andere Mal und fragte sich, welcher Anreiz wohl nötig sein mochte, um einen Schweizer Arzt, der sich der Achondroplasie gewidmet hatte, nach Ägypten zu bringen. Eine seiner Quellen hatte Olivio darauf hingewiesen, daß der Spezialist genaugenommen deutscher Abstammung war. Der ernste Mann mit der beginnenden Glatze und den etwas ungleichmäßigen Gesichtszügen hatte seinen

Wohnsitz dauerhaft in die Schweiz verlegt. Olivio mußte mehr über diesen Arzt herausfinden und sich seiner Dienste versichern.

Er würde einen Brief, ein Paket und eine Bankanweisung nach Zürich schicken. Wie viele Männer gab es wohl auf der Welt, die jemals ein solch passendes, jahrtausendealtes Geschenk sowie Geld und eine derartige Einladung erhalten hatten?

»Ich fahre lieber mit dem Wagen als mit den überfüllten Dampfern der *Compagnie des Bateaux-Omnibus*«, sagte der Zwerg, als die drei Automobile sich nordwärts in den morgendlichen Verkehr auf der Sharia Qasr al-Ali einreihten. »Ich vermute, daß Sie recht froh darüber sind, die Stadt zu verlassen, Mr. Anton.«

»Sehr sogar«, sagte Anton vom Fahrersitz aus. Er grübelte über die schmerzliche Unterredung mit Gwenn vom Vortag nach und fragte sich, was er vielleicht noch hätte sagen sollen. »Wohin fahren wir?«

Olivio saß auf dem erhöhten Beifahrersitz des offenen Sunbeam Alpine und genoß den Geruch des weichen Connolly-Leders. Er rutschte hin und her, bis das Kissen die tiefe Wölbung seines Rückens richtig ausfüllte.

»Folgen Sie einfach dem ersten Rover, Mr. Anton. In dieser Richtung liegen die Stadt Alexandria, das Nildelta und der ertragreichste Boden der ganzen Welt.«

Der Zwerg wandte seinen Kopf so weit er konnte und sah Anton durch eines der dicken, runden braunen Gläser seiner Fahrbrille an. Anton Rider war für ihn in vielerlei Hinsicht so etwas wie seine zweite Hälfte. Wie vollendet sie beide in einer Person gewesen wären! Er selbst war äußerst rational und raffiniert, sein Verstand gerissener als die Intrigen der Kurie, aber sein Körper war verkrüppelt und zum schämen. Er konnte Netze weben wie eine Spinne, aber seine Beine waren nicht dazu geeignet, die einzelnen Fäden ständig unter Kontrolle zu halten. Anton war so freimütig wie ein Kind, direkter als der Sturzflug eines Adlers und zugleich behende und sehnig wie ein Gepard.

»Wie weit ist es bis zu deiner Farm?« fragte Anton. Er wußte, daß Olivio eigentlich ein Stadtmensch war, und es überraschte ihn, daß der Zwerg sich so sehr für seinen Landbesitz interessierte. Er vermutete, voller Zuneigung, daß der kleine Mann ein wenig mit seinen Erfolgen angeben wollte. Er wünschte nur, daß er in der Lage gewesen wäre, das gleiche zu tun.

»Die erste liegt nur dreißig Kilometer vor uns. Wir werden dort im Schatten der riesigen Palmen zu Mittag essen und dann mit einer *Felucca* zum nächsten Anwesen weiterfahren. Vielleicht könnten Sie uns ein paar Vögel zum Abendessen schießen. Wir haben sehr gute Gewehre und viele Schuß Munition mitgenommen.«

»Ich kann mit einer Schrotflinte nicht besonders gut umgehen, Olivio.« Im diesem Moment mußte Anton das Steuer herumreißen, um einem Eselkarren auszuweichen. Das kleine Grautier schritt entschlossen mit gesenktem Kopf voran, während sein Herr schlief. Das Kinn war ihm auf die Brust gesunken. Abgesehen von ein paar Resten roter Zwiebelschale war der holpernde Karren leer. »Mein Fall sind eher die Jagdgewehre.«

»Oh, aber das Fleisch der Flußenten ist so dunkel und aromatisch, obwohl es im Moment nicht allzu viele gibt.« Olivio leckte sich die Lippen. »Wir werden sie zusammen mit harten gelben Äpfeln von meinen Obstplantagen braten und dazu Reis kochen, der von meinen Feldern stammt.«

»Schneller, Daddy«, rief Denby vom hinteren Klappsitz aus und klopfte mit seinem Hockeyschläger auf den Wagenboden. Sein großer Halbbruder war nicht mit dabei, und so fühlte er sich als Anführer. Wellie war in Kairo geblieben. Er hatte ein Fußballspiel gegen die verhaßten Froschfresser vom Lycée Français zu bestreiten. Gwenn war im Hospital. Anton war enttäuscht, aber nicht überrascht, daß sie sich nicht die Zeit genommen hatte, sie zu begleiten.

»Schneller!« schrie Denby.

»Ich kümmere mich schon selbst darum, wie schnell und wohin wir fahren, vielen Dank«, sagte Olivio in schneidendem Tonfall und ohne sich umzublicken. Da ihm gewisse physische Beschränkungen auferlegt waren, hatte der Zwerg schon vor langer Zeit begriffen, daß es für ihn unerläßlich war, die Geschehnisse um ihn herum unter Kontrolle zu behalten. Ein Ortswechsel war für ihn immer mit Risiken behaftet, zum Beispiel der Gefahr, sich unvermutet der Lächerlichkeit oder einer nicht zu bewältigenden Situation ausgeliefert zu sehen.

»Vor dem Mittagessen werde ich Sie in das wahre Mysterium Ägyptens einweihen, Mr. Anton.« Olivio war darauf bedacht, seinen jungen Freund zu zerstreuen. Der Zwerg bedauerte, daß es Anton Rider im Moment ein wenig an Lebensfreude mangelte. »Der Schatz liegt nicht in den geheimen Kammern einer Pyramide verborgen, wie die meisten glauben, oder ist auf dem Stein von Rosette vermerkt oder gar im Bauch des Sphinx versteckt. Nein.« Er schüttelte den Kopf.

Sie ließen Garden City hinter sich und fuhren landeinwärts am britischen Generalkonsulat vorbei. In diesem Moment schloß der zweite Rover auf der benachbarten Spur zu ihnen auf. Der arabische Fahrer saß kerzengerade und stolz hinter dem Steuer, die Adlernase nah an der Windschutzscheibe. Vom Beifahrersitz aus feuerte Harriet ihn an, noch mehr Gas zu geben. Sie winkte fröhlich zu dem Sunbeam herüber, warf den Insassen eine Kußhand zu und wartete auf eine Reaktion, während ihr Wagen vorbeifuhr. Anton nahm eine Hand von dem großen Lenkrad und drückte die Doppelhupe. Das müßte genügen, dachte er. Aus dem Augenwinkel sah er, daß Bernadette und Charles sich auf der Rückbank küßten. Hinter den beiden zog in diesem Moment der Bahnhof vorüber.

»Warum machen die das, Daddy?« Denby beugte seinen vom Wind zerzausten blonden Schopf zwischen die Sitze vor.

Anton freute sich, die Hand des Jungen auf seiner Schulter zu spüren. Er fühlte noch immer, wie schmerzlich er ihn vermißt hatte. »Ich glaube, dein Onkel Olivio kann solche Dinge besser erklären, junger Mann«, entgegnete er trocken.

»Warum bleiben sie nicht hinter uns in der Kolonne, Mr. Anton?« Der Zwerg schlug verärgert die Hacken zusammen, während sie dem Verlauf der Sharia Shubrah folgten. »Ich lasse den Fahrer ohne seine Sandalen zu Fuß nach Hause laufen.«

Nach rund einer Stunde verwandelte sich die asphaltierte Straße übergangslos in eine unbefestigte Fahrbahn. Die kleinen ovalen Bremslichter des Rover vor ihnen waren plötzlich in eine Wolke aus feinem braunen Staub gehüllt, in die der Sunbeam dem vorderen Wagen folgte. Hustend trat Anton fest auf die Bremse und schaltete die Scheinwerfer ein. Denby purzelte nach vorn.

»Zurück auf deinen Platz!« herrschte Olivio ihn an, zog ein großes seidenes Taschentuch hervor und band es sich vor Mund und Nase. Nach seiner Erfahrung waren Kinder wie große Hunde, zu groß und lebhaft für ihre Intelligenz und ziemlich impulsiv. Damit waren sie potentiell erniedrigend für ihn, denn sie machten ihm nur um so deutlicher seinen eigenen Zustand bewußt.

Der erste Wagen bremste plötzlich und bog von der Straße ab. Als Anton es ihm gleichtat, rumpelte ein verbeulter grüner Polizeibus an ihnen vorbei. Die Halbmondflagge Ägyptens war auf die Tür gemalt. Anton sah Reihen junger Männer in groben dicken Uniformen, die wie alternde Schuljungen zu den Fenstern hinausstarrten. Er verließ die Straße und folgte dem Rover, bis dieser im Schatten eines kleinen Palmenhains anhielt. Der Zwerg nahm seine Brille und das Taschentuch ab.

»Jetzt, Mr. Anton, werde ich Ihnen den Ursprung von Leben und Tod zeigen.«

Anton war neugierig, was der Zwerg beabsichtigte. Er stieg aus dem Wagen und ging auf die linke Seite herüber, um Olivio behilflich zu sein. Als er die Tür öffnete, blickte der Zwerg mit dem Gesicht einer Babyeule zu ihm auf. Der runde haarlose Kopf war inzwischen vollständig braun und entsprach der Farbe der Straße, abgesehen von weißen Ringen um seine Augen sowie um seine kleine Nase und den Mund, was sie wie einen Schnabel aussehen ließ. Anton reichte ihm die Hand, und sein kleiner Freund stieg aus. Denby kletterte ebenfalls aus seinem Sitz und schrammte dabei mit dem Hockeyschläger über die Seite des Wagens.

»Du dämliches Kind!« schrie der Zwerg. »Du hast mein Automobil beschädigt!«

Anton zwinkerte Denby zu.

Auch die anderen entstiegen ihren geschlossenen Rovern, sauber und unversehrt vom Schmutz der Reise. Inmitten eines Schwarms junger Mädchen kletterte Adam Penfold unbeholfen, gebeugt und steifbeinig aus dem dritten Wagen. Er blieb unschlüssig stehen, bis Clove zu ihm kam. Je öfter sie ihn sah, desto enger wurde die Freundschaft zwischen den beiden.

»Laß mich dir helfen, Onkel Adam«, sagte Clove, nahm Penfold bei der Hand und führte ihn langsam und vorsichtig den Weg entlang. Pepper und Marjoram eilten hinter ihnen her. Durch die Palmen vor ihnen drang ein Geräusch, das wie die kräftige Brandung an einem Meeresstrand klang.

Olivio winkte Tariq, den Fahrer des dritten Wagens, zu sich heran. Anton konnte nicht verstehen, was der Zwerg sagte, sondern vernahm lediglich den harschen Tonfall, in dem er dem Nubier Anweisungen erteilte. Tariq ging zu dem arabischen Fahrer des Wagens der Amerikaner und sprach einige Worte. Der Mann wandte sich überheblich von ihm ab. Er vertraute darauf, daß ein ägyptischer Chauffeur weitaus höher gestellt war als ein schwarzer Diener. Tariq legte dem Fahrer seine linke Hand auf die Schulter und drehte ihn herum, als wäre er ein Kleiderständer. Ohne ein weiteres Wort und mit unverändert stoischer Miene hob der massige Nubier seinen rechten Arm und gab dem Mann mit einer langsamen Bewegung eine schallende Ohrfeige. Der Fahrer taumelte zurück und begann eilig damit, die Fahrzeuge zu reinigen, wobei er fortwährend die amerikanische Frau verfluchte, die ihn angewiesen hatte, seinen Herrn zu überholen.

Mit Tariqs Unterstützung führte Olivio seine Begleiter dann zwischen den Palmen entlang. Vor ihnen erhob sich die große Talsperre: eine massive rote Ziegelwand, fast anderthalb Kilometer breit, die durch eine von üppigem Grün bedeckte Felserhebung auf nahezu halber Strecke in zwei Teile aufgegliedert wurde. Fasziniert betrachtete Denby die von Zinnen gekrönten Brustwehren und Türme, mit denen jede Sektion des Damms zu beiden Seiten befestigt war. Der reißende Fluß strömte ungehindert durch breite Durchlässe in der Mauer und traf dann auf zahlreiche senkrechte Schleusentore. Einige dieser Tore waren vollständig geschlossen, so daß das Wasser von den schwarzen Stahlplatten zurückgehalten wurde. Andere waren ganz oder teilweise geöffnet.

Über den wirbelnden Strudeln und den Schilfgräsern entlang der Flußufer kreisten und jagten langbeinige Stelzvögel, darunter viele schneeweiße Silberreiher. Oberhalb des nahen Ufers erhoben sich in den Hängen bei den Palmen mehrere Reihen von Grabhügeln. Penfold blieb mit Clove stehen und atmete tief ein.

»Die Luft ist so frisch und duftend«, sagte er, als das Mädchen geduldig zu ihm auflächelte.

»Das erinnert mich an das Hochland, mein Kind.«

»Meinst du in Schottland, Onkel?«

»Du lieber Himmel, nein, Liebes. In Nanyuki, in Britisch-Ostafrika. Wo dein Papa und ich früher gewohnt haben.«

Tariq hob Olivio hoch und stellte ihn auf dem flachen Stumpf einer Palme ab. Penfold gesellte sich zu ihm und stützte sich unbeholfen auf den Rand des toten Baums. Von Clove ermutigt, teilten zwei von Olivios jüngeren Töchtern, Rosemary und Cinnamon, kleine Gläser in kupfernen Haltern aus und servierten den Gästen dann gezuckerten Limonensaft und Datteln. Der Zwerg stand mit dem Rücken zum Nil und hielt sich mit einer Hand an Penfolds Schulter im Gleichgewicht. Er hob den anderen Arm und gestikulierte in Richtung des Damms wie ein Priester während der Messe. Er wartete ab, bis alle ihm zuhörten.

»Die Fertigstellung hat einen hohen Blutzoll gefordert und fünfundfünfzig Jahre gedauert.« Er deutete auf die Talsperre. »An dieser Stelle mußten zahllose Arbeiter während des Baus ihr Leben lassen. Sie wurden zerschmettert, sind in den Fluten ertrunken oder vor Erschöpfung gestorben, während sie hier im Angesicht der unbarmherzigen Sonne wie einst die Sklaven des Pharaos geschuftet haben.«

Olivio hielt inne und blickte nach unten. Er wollte diesen Tag zu einem Ereignis machen, an das sich seine Kinder und seine Gäste noch nach seinem Tod erinnern würden.

»Dort, bei der Gezira al-Shir, der Insel in der Mitte des Damms, teilt sich der Nil in zwei große Mündungsarme, die Rosette und die Damiette, und jeder dieser Flüsse dann in Tausende von Kanäle, die jene Landstriche am Leben erhalten, von denen Afrika ernährt und Europa mit Kleidung versorgt wird.« Und durch die so mancher Mann zu Reichtum gelangt, dachte er und zwinkerte Penfold verschmitzt zu.

»Schon bald wird man im Westen einen neuen Kanal ausheben, der Wasser und Leben bis an den Rand der Westlichen Wüste bringen wird.« Er stieg von dem Palmstumpf hinab und fügte leise für

Penfold hinzu: »Sie werden sehen. Genau dort werden wir unsere erste neue Farm errichten.«

»Prächtig«, sagte Penfold und blickte gedankenverloren Denby und Anton hinterher.

»Komm, mein Junge, wir erforschen den Damm«, sagte Anton zu Denby.

»Es ist eine Burg«, rief der Junge und folgte begeistert seinem Vater am Ufer entlang, während dieser vorbei an vereinzelten Gruppen von Tagestouristen und picknickenden Ausflüglern auf den Damm zuging.

Zu ihrer Rechten, ungefähr sechs Meter über dem Fluß, lagen abwechselnd leuchtendgrüne Kleefelder und kleine Schonungen, in denen sich Zierpflanzen- und Heckensämlinge in dichter Folge aneinanderreihten. Zu ihrer Linken fiel die Böschung steil zum Flußufer ab. Dort hingen Fische an hölzernen Gestellen, und Frauen schlugen nasse Kleider gegen die Steine.

»Können wir auf einen der Türme steigen, Daddy?« fragte Denby mit großen blauen Augen.

Daraufhin hielt Anton ihm den Arm entgegen und lächelte. Eilig ergriff sein Sohn die ausgestreckte Hand. Sie näherten sich dem offenen gepflasterten Hof vor den ersten beiden Türmen. Diese waren durch eine doppelte Zugbrücke mit zwei weiteren Türmen verbunden. Unter der Brücke lag die Schiffahrtsschleuse, die man an diesem Ende des Damms eingebaut hatte.

Anton spürte, wie aufgeregt sein Sohn war, als sie die Zugbrücke überquerten. Endlich erlebten sie einmal ein gemeinsames Abenteuer.

»Ich schätze, das ist der Turm, in dem sie die Gefangenen einkerkern«, raunte Anton. Über ihren Köpfen waren massive steinerne Gegengewichte in den klappbaren Stahlrahmen eingehängt, mittels derer die beiden Teile der Brücke angehoben wurden. »Vielleicht können wir ihre gequälten Schreie aus den Verliesen hören.«

Der Junge war sich nicht sicher, ob sein Vater das ernst meinte, und warf einen kurzen Blick zu ihm empor.

»Paß auf die Wachen auf«, sagte Anton.

»Was machen wir, wenn sie uns sehen?« fragte Denby, der jetzt langsam in dem Spiel aufging.

»Benutze dein Schwert«, sagte Anton und spürte, wie Denbys Hand fester zudrückte.

»Oh«, sagte Denby einen Moment später. »Aber sie haben bestimmt Piken.«

»Psst«, machte Anton.

Sie stiegen die Wendeltreppe in einem der Türme hinauf. Die dikke Wand des Turms war von schmalen, sich nach außen verengenden Fenstern durchbrochen, und Denby blieb an jeder der Öffnungen kurz stehen, um einen Blick nach unten zu werfen. Im sechsten Stockwerk traten sie schließlich nach draußen auf das offene, zinnenbewehrte Dach des Turms. Sie konnten die kühle Luft des Nils riechen. Anton bewunderte die herrlichen Gärten, die sich am entgegengesetzten Ende der Talsperre erstreckten. Denby achtete nicht weiter auf Clove, die ihnen vom Ufer aus zuwinkte und etwas rief. »Vielleicht nehmen sie ja diese Mädchen gefangen«, sagte er. »Dann könnten wir sie vielleicht retten.«

Auf der stromaufwärts gelegenen Kuppe des Damms verlief ein Gleis. Denby starrte nach unten auf einen von drei mobilen Kränen, der auf diesen Schienen langsam auf sie zurollte. »Was machen die da?« fragte er. »Was ist das?«

»Eine Belagerungsmaschine«, sagte Anton.

»Das habe ich mir gedacht«, sagte Denby und ließ den Kran nicht aus den Augen. »Sie werden Steine auf uns schleudern.«

Unter der Leitung eines europäischen Ingenieurs brachte der Bedienungstrupp den schweren Kranwagen genau oberhalb des nächstgelegenen Schleusentors in Stellung. Dann sicherte man die Räder des Wagens mit Bremsblöcken, so daß er sich nicht von der Stelle bewegen würde.

Die dicke Stahlplatte vor jedem der Durchlässe war an zwei schweren Ketten befestigt. Anton und Denby sahen dabei zu, wie mehrere Ägypter die Ketten auf beiden Seiten einer Platte an den Walzen der zwei Winden befestigten, die vorne und hinten an dem Kranwagen angebracht waren. Zwei weitere Männer standen wartend an den langen Kurbelgriffen der Winden.

»Achtung, Jungs, jetzt alle zusammen!« rief der Ingenieur mit schottischem Akzent. »Und los! Feste!« Er klatschte in die Hände.

Die Zahnräder der Kurbeln griffen direkt in die entsprechenden Gegenstücke der Winden. Die Männer stemmten sich in die Griffe. Die Ketten strafften sich. Die massive Platte begann sich langsam zu heben.

»Wir müssen gehen«, sagte Anton. »Adam winkt uns zu den anderen herunter.«

Denby folgte seinem Vater die Stufen hinab und blieb an jedem der Fenster ein kurzes Stück hinter ihm zurück, bis sie schließlich am Fuß des Turms auftauchten.

Plötzlich hörten sie das schrill kreischende Geräusch von Stahl auf Stahl und das Schreien mehrerer Männer. Anton und Denby traten auf den Damm hinaus. Anton sah, wie das Ende einer der Ketten von der Trommel der Winde abriß. Die Kette schlug peitschend mit enormer Kraft auf der Dammkrone auf und verschwand dann unter dem Kranwagen zwischen den Gleisen.

»Daddy!« rief Denby verängstigt und umschlang die Taille seines Vaters. Er sah, wie der schottische Ingenieur angerannt kam und die aufgeregten Arbeiter zusammenstauchte.

Anton legte Denby einen Arm um die Schultern. »Nur eine kleine Panne, mein Junge«, sagte er und ging mit seinem Sohn weiter.

Der Zwerg wartete bereits auf sie. Er stand erneut auf dem Baumstumpf, hatte die Hände hinter dem Rücken verschränkt und wirkte ungewöhnlich ruhig und nachdenklich. Auch er hatte den lautstarken Zwischenfall beobachtet. Anton und Denby nahmen jeder eine seiner Hände und halfen ihm herunter. Dann gingen die drei gemeinsam zurück zu den Wagen.

Nach einer kurzen Fahrt bogen sie zu einer Lagune ab, die ein Stück vom Nil entfernt lag.

»Mr. Anton, würden Sie uns vielleicht ein paar Gänse und Enten schießen, während die Diener das Mittagessen vorbereiten?« Olivio nickte dem Nubier zu. Tariq stellte zwei Patronentaschen vor ihm ab und öffnete die Riemen eines ledernen Gewehrfutterals.

Denby stand ganz in der Nähe und sah seinem Vater fasziniert dabei zu, wie dieser mit geübten und flinken Fingern eine der beiden Schrotflinten überprüfte und zusammensetzte. Anton bemerkte, daß sein Sohn ihn bewundernd anstarrte. Es gefiel ihm.

»Mantons«, sagte Anton beeindruckt. »Joseph Manton ist der Urvater eines jeden modernen Büchsenmachers«, erklärte er dem Jungen. Dann prüfte er die blauen, sorgfältig geölten Läufe, klappte die Waffe zu, legte an und verfolgte mit ihr die Flugbahn einer vorüberziehenden Gans. Denby sah ihm mit offenem Mund zu. »Erstklassige Gewehre.«

»Hergestellt in Kalkutta. Die bevorzugten Feuerwaffen der Gentlemen aus Goa«, fügte Olivio voller Stolz hinzu. Er saß inmitten einer großen Fläche aus bunten Strohmatten unter einem zu den Seiten offenen Segeltuchzelt und wedelte sich mit einem herzförmigen Strohfächer etwas Luft zu. »Einige meiner Leute werden mit Booten durch das Schilf staken und wie Wasserschlangen die Vögel für euch aufscheuchen.«

»Warum lassen wir nicht Charles oder einer der Damen den Vortritt?« fragte Anton und schaute einladend zu den Angesprochenen hinüber. Er wußte immer gern darüber Bescheid, wie neue Kunden mit einer Waffe umzugehen pflegten.

»Ich schieße nicht.« Charles blickte von seinem Skizzenblock auf und sah zu der Taubenfestung, die sich in der Lagune vor ihnen befand. »Aber die Zwillinge werden bereitwillig auf alles und jeden zielen. Die beiden sind nämlich aus Kentucky, verstehen Sie?«

»Lassen Sie uns gehen«, sagte Harriet begeistert.

Auf einem Fundament aus getrocknetem Schlamm erhob sich eine fünfgeschossige braune Pyramide, die als ein viereinhalb Meter hohes kunstvolles Puppenhaus für Vögel diente. Sie war von Kuppeln, Zinnen und Minaretten gekrönt sowie mit Nestnischen versehen, und sie wirkte alles in allem leicht abgenutzt und verfallen. Die Festung aus Lehm und Schlamm war von Kotflecken übersät und beherbergte mehrere hundert fette graue Tauben. Zwei Taubenwärter, die weißen *Gallabijjahs* zwischen den Beinen hochgerafft, standen mit Netzen im seichten braunen Wasser. Ein dritter Wärter saß im Schneidersitz am Ufer, hielt eine zappelnde Taube in seinem Schoß und stutzte mit einer langen Schere ihre Schwingen.

Anton stand am Rand der Lagune und beobachtete einen älteren Mann, der langbeinig wie ein Reiher die Seiten der Inselfestung abschritt. In einer Hand hielt er einen Weidenkorb, in der anderen eine

Maurerkelle. Mit der Sorgfalt eines Zahnarztes oder eines Mannes, der Kaviar aus dem Leib eines Störs streicht, kratzte und schabte er den breiigen grauen Vogelkot von jeder Ritze und allen Zinnen und sammelte ihn in dem Korb. Unter den Augen der Gäste seines Herrn beendete er seine Arbeit und watete dann langsam ans Ufer, den Korb in beiden Händen vor sich. Die dünnen Beine des Mannes waren von runzliger, faltiger Haut überzogen, als wäre er irgendeine uralte Amphibie, die nur selten an Land kam.

Als Anton den Zwillingen je ein Gewehr überreichte, achtete er genau auf ihre linken Hände, weil er hoffte, sie auf diese Weise voneinander unterscheiden zu können.

»Suchen Sie nach einem Verlobungsring?« fragte Harriet, während sie ihre Waffe in Augenschein nahm. »Bernie hat ihren in Lexington gelassen, damit er nicht verlorengeht, und ich habe meine immer zurückgegeben.«

Bernadette und Harriet folgten Tariq zum Flußufer.

»Möchtest du uns begleiten, Denby?« fragte Anton und streckte seinem Sohn eine Hand entgegen. »Oder willst du lieber hier bei den anderen bleiben?«

»Kann ich die Patronen tragen?« fragte Denby und eilte zu ihm.

»Mit Waffen und Munition muß man immer sehr vorsichtig umgehen.« Anton reichte ihm eine Patronenschachtel. Dann gingen sie den Zwillingen hinterher.

»Während die anderen auf der Jagd sind, können wir beide eine Rundfahrt über mein Anwesen machen«, sagte der Zwerg zu Penfold. Er winkte einem der Bediensteten, worauf der *Fellah* einen schmalen Ponywagen herbeiführte, vor den ein Esel gespannt war. Der Bauer hielt das widerspenstige Tier am Kopfgeschirr. »Können Sie einen solchen Wagen lenken, mein Lord?«

»Das will ich doch hoffen.« Penfold dachte an den hochrädrigen Einspänner, mit dem er und seine Mutter jeden Sommer durch Wiltshire gefahren waren. Olivio und er hatten beide Schwierigkeiten beim Einsteigen. Penfold ließ die Zügel auf die Schulter des Esels klatschen, aber das Tier regte sich nicht. Er schlug einmal kräftig mit der Peitsche und erwischte den Esel innen am Ohr. Das Grautier setzte sich gemächlich und würdevoll in Bewegung.

»Einen Moment, bitte«, sagte Olivio, nachdem sie ein paar Meter gefahren waren. »Es ist meine Pflicht, aufmerksam zu sein.«

Penfold hielt den Wagen an. Beide Männer sahen dabei zu, wie der ältere Taubenwärter sich zwischen zwei langen Reihen von Granatapfelsetzlingen hinkniete und dabei wie ein rostiges Scharnier ächzte. Hinter ihm stand ein barfüßiger Junge. Der Mann fing an, den Vogelkot gleichmäßig um jede der Pflanzen zu verteilen und dann mit seiner Kelle in den Boden unterzumischen. Sobald er mit einer Pflanze fertig war, kroch er auf Knien langsam zur nächsten und schob dabei murmelnd und knurrend den Korb vor sich her. Das Kind folgte ihm, sammelte eventuelle Abfälle und Unkraut ein und klopfte mit beiden Handflächen die Erde um jede einzelne Pflanze fest.

Olivio nickte befriedigt. Adam Penfold, der langsam Lust auf einen Drink verspürte, zog einmal kräftig an den Zügeln. Was er sah, beeindruckte ihn. »Ich selbst habe die Landwirtschaft nie so richtig kapiert«, brummte er. »Bin in zwei Ländern damit gescheitert. Hoffnungslos, wirklich.« Penfold war überzeugt davon, daß der Zwerg einen großartigen Geschäftspartner abgeben würde, aber als Vorgesetzter war er bestimmt der Teufel in Person. »Muß sagen, alter Junge«, sagte er bewundernd, »das sieht mächtig fruchtbar aus.«

»Allerdings«, sagte der Zwerg und bemühte sich, nicht allzu belehrend zu wirken, »aber das ist es nicht, was unser Delta so wertvoll macht. Es ist der angeschwemmte Boden, denn dadurch wird es fast so flach wie ein gebackener *Aysh baladi*, verstehen Sie? Sobald der Grundbesitzer es erst einmal richtig geebnet hat, ist es äußerst einfach zu beackern und zu bewässern.«

»Aha«, sagte Penfold.

»Wenn Sie sich jetzt bitte links halten würden, mein Lord, dort zwischen den Avocados und diesen Mangobäumen entlang.« Der Esel verfiel in eine aggressive, hüpfende Gangart, so daß der Wagen noch heftiger über den holprigen Pfad zwischen den unterschiedlichen Plantagen rumpelte. Olivio schloß die Augen und hielt sich an der Sitzfläche fest. Der Schmerz in seiner Wirbelsäule war fast unerträglich. Er versuchte, möglichst unbekümmert zu klingen. »Obwohl ein Großteil der Felder zur Zeit unter Wasser steht, werde ich Ihnen zeigen, wie wir hier im Delta Landwirtschaft betreiben.«

Die meisten Teilnehmer der Reisegesellschaft waren nach der Jagd, der Fahrt und dem Essen ziemlich müde und hielten daher ein kleines Nickerchen, während Olivios *Felucca* in der Hitze des späten Nachmittags langsam nilaufwärts segelte. Anton war mit den Schießkünsten seiner Kunden durchaus zufrieden und schlief inzwischen wie ein Toter. Er hatte sich reichlich an gegrilltem Shishkebab und Ente gütlich getan, an dicken Bohnen und Kaninchen, die man mit Okra und Reis geschmort hatte, und an einigen von Olivios kleinen fettbrüstigen Tauben mit einer Füllung aus geschrotetem Weizen, Öl, Knoblauch und den gehackten Lebern, Herzen und Mägen der Vögel. Charles Crow hatte nicht sehr viel gegessen und saß zeichnend neben Anton. Harriet fächelte sich mit ihrem Strohhut Luft zu und betrachtete den schlafenden Jäger.

»Wir sind da, Mr. Anton.« Olivio klopfte mit einem Gehstock an Antons Fuß. »Mr. Anton, es ist an der Zeit zu debarkieren.«

»Was?« fragte Anton, noch ganz schlaftrunken von der sanft schaukelnden Bewegung des flachen, breiten Segelboots und mit dem Traumbild des kühlen ostafrikanischen Hochlands vor Augen. Weit über ihm schlug ein hölzerner Rollkloben rhythmisch gegen den hohen Mast. Er sah seinen Sohn an den Tauen herumspielen. Denby schaute zu ihm herüber, ob sein Vater auch zusah. Anton lächelte, dann beugte er sich über die Bordwand und spritzte sich Wasser ins Gesicht. Er konnte sich keinen schöneren Tag vorstellen.

»Ich sagte, wir müssen jetzt von Bord gehen, Mr. Anton. Hier wird der Fluß zu einem neuen Kanal. Wir sind nahe der Grenze der Westlichen Wüste. Zu unserer Rechten das ertragreichste Land der Erde. Und nur ein paar Meter zu unserer Linken felsige Grabstätten, Ödland, eine unfruchtbare, endlose Wüste.«

Schwankend stand Anton auf und half Adam Penfold auf die Beine. Dann sprang er auf das sumpfige Ufer, um den Damen beim Aussteigen behilflich zu sein. Harriet hielt in einer Hand ihre Wanderschuhe und hob mit der anderen ihren langen Khakirock an. Ohne jede Vorwarnung sprang sie Anton in die Arme. Sie stürzten beide auf den weichen feuchten Boden. Ihre Wangen berührten sich. Er spürte ihren schlanken Leib an seinem Körper. Anton schoß die

Schamesröte ins Gesicht, und er rappelte sich sofort wieder auf. Er fragte sich, was Denby jetzt wohl denken würde. Neben ihnen wurde Olivio von Tariq ans Ufer getragen.

»Harry, du Flittchen!« schrie Bernadette. »Schäm dich! Wann werdet ihr beiden endlich damit aufhören, euch in diesen Fluß zu stürzen?«

Der Zwerg erwartete seine Gäste auf einem Erdwall, der zwei quadratische smaragdgrüne Felder mit jungem Reis voneinander trennte. Er blickte auf diese perfekte Üppigkeit hinab. Für ihn war jedes einzelne Korn ein kleines Wunder.

Auf diesem höhergelegenen Landstreifen zwischen den Feldern standen zwei Kamelkarren bereit, die man mit Baldachinen, Kissen und Strohmatten ausgestattet hatte. Die mürrischen Zugtiere kauten gemächlich und blinzelten mit ihren zynischen Augen. Als die Reisenden einstiegen, schlugen die Treiber den Kamelen mit langen Stöcken auf die runzligen Knie, woraufhin die Tiere sich schwankend erhoben.

Olivio war sich bewußt, daß der Leiter der *Makadam*, oder Kamelmann, ihn argwöhnisch beobachtete, während er als sein Herr jedes der Kamele höchstpersönlich in Augenschein nahm. Zweifellos hatte dieser mißmutige Gauner die Tiere in der Zwischenzeit für seine eigenen Zwecke benutzt, vermutete der Zwerg. Da Tariq anwesend war, ließ sich der Mann keinerlei Unverschämtheit anmerken.

Olivio besah sich die Tiere mit seltener Bewunderung. Von allen Tieren war das Kamel eines von zweien, denen er sich in gewisser Weise verwandt fühlte. Für den unwissenden Betrachter wirkten sie häßlich und unbeholfen, und doch nannten sie erstaunliche Talente ihr eigen: Klugheit, Ausdauer und Selbstbeherrschung. Vor allem aber waren sie mit einer ausgeprägten Rachsucht gesegnet. Wer auch nur einmal ein Kamel mißhandelt hatte und ihm dann fünf Jahre später zufällig begegnete, konnte sich sicher sein, daß es mit seinen langen gelben Schneidezähnen wütend nach ihm schnappen oder ihn mit seinem stechenden, lange angesammelten Urin bespritzen würde.

Zunächst prüfte der Zwerg, daß die Brandzeichen auf den Hälsen der Tiere seine eigenen waren. Den eigentümlichen Geruch der Kamele empfand er dabei als durchaus angenehm. Dann untersuchte Olivio jedes Kamel auf Anzeichen von Mißbrauch. Er interessierte sich hauptsächlich für jene offenen Verletzungen, die durch unsachgemäßen Gebrauch des Geschirrs hervorgerufen wurden und die zuerst Fliegen anzogen, dann Maden hervorbrachten und schließlich Vögel mit scharfen Schnäbeln anlockten, die zugleich Maden und Fleischstücke herauspickten. Die Folge waren häßliche eiternde Wunden, bis das Kamel letztendlich all seinen Wert verloren hatte. Er stellte erfreut fest, daß die Höcker der Tiere fett und prall waren. Wenn sie bei seiner neuen Farm eintrafen, mußte er daran denken, auf die Art und Weise zu achten, wie die Kamele in die Knie gingen. Falls ein Kamel dabei nämlich nicht zugleich Vorder- und Hinterbeine beugte, befand es sich nicht bei bester Gesundheit.

Olivio enthielt sich eines Kommentars und stieg in den vorderen Karren ein. Dann fuhren sie los.

Nach wenigen hundert Metern steckten im Sand oder in kleinen Steinhügeln Bambuspfähle, wie sie von Landvermessern benutzt wurden. Je weiter sie vorankamen, desto trockener und härter wurde der Boden, nur gelegentlich wuchsen kleine Palmen und Büschel robuster Gräser. Die mit Felsen besprenkelten, festen sandigen Hänge verloren sich in der Ferne wie die Wogen eines Ozeans.

Anton fiel auf, daß vor ihnen Reifenspuren verliefen, und dann hörte er auch schon den Tumult, dem sie sich näherten.

Er erkannte den verbeulten Polizeibus, bevor sie ihn noch richtig erreicht hatten. Es handelte sich um dasselbe Fahrzeug, das auf der Straße an ihnen vorbeigefahren war. Die Karren hielten hinter dem Bus an. Alle außer Olivio stiegen aus.

Zwei Gruppen Polizisten bewegten sich langsam in ihre Richtung. Die jungen Männer waren mit schweren Schlagstöcken bewaffnet und trugen schlechtsitzende, grüne Uniformen, die zudem staubig und zerknittert waren. Schwitzend und fluchend zerrten sie zwei barfüßige Dorfbewohner zu dem Bus. Anton sah einen Offizier mit einer Pistole am Gürtel.

Im Hintergrund standen um einen einzelnen Brunnen herum die Erdhütten eines kleinen Dorfes. Frauen in langen Kleidern hielten ihre Kinder umschlungen und jammerten. Die *Fellahin* rannten hin und her und versuchten, die Polizisten zu behindern, die Gemüsebeete umpflügten und mit Vorschlaghämmern und langen Pfählen Löcher in die Schlammwände der Häuser rissen. Drei der Polizisten schlugen auf einen weißbärtigen Mann ein, der ihnen den Weg zum Brunnen versperren wollte.

»Das hier ist mein Grund und Boden!« schrie Olivio mit sich überschlagender Stimme. »Das hier ist mein Dorf! Das hier sind meine Leute!« Der kleine Mann begann zu zittern. Clove eilte zu ihm und ergriff seinen Arm, um ihm Beistand zu leisten. »Hilf mir, Tariq, heb mich runter. Wir müssen dieser Teufelei Einhalt gebieten.«

»Ihr bleibt hier«, sagte Anton zu Denby und den anderen. »Clove, du paßt auf, daß die Kinder bei den Karren bleiben. Ich werde versuchen, Olivio zu helfen.« Er schloß sich Tariq und Olivio an, die in Richtung des Dorfes eilten. Penfold ließ sich nicht abhalten und hinkte ihnen hinterher. Er war entschlossen, seinen Freunden beizustehen.

»Herr!« Der alte *Fellah* am Brunnen warf sich Olivio zu Füßen.

»Allah sei Dank, daß Ihr gekommen seid! Sie sagen, dieses Land gehört nicht Euch. Daß unser Dorf durch die neuen Kanäle überflutet wird. Sie zwingen uns zur Flucht. Sie drohen, unseren Brunnen zu vergiften und ihn mit Steinen zuzuschütten!«

»Khanzîr!« brüllte einer der Polizisten und hieb dem Mann seinen Schlagstock ins Kreuz, während seine beiden Kollegen sich zwischen den Dorfbewohner und Olivio drängten. Der Zwerg war außer sich angesichts seiner Hilflosigkeit. Sein Gesicht lief rot und weiß an, und er riß die Hände empor.

»Ihr Idioten!« schrie er. »Ihr Idioten!«

Einer der Polizisten hob den Arm, um Olivio eine Ohrfeige zu verpassen.

Anton packte den Mann am Handgelenk und drehte ihm den Arm fester als zunächst beabsichtigt auf den Rücken. Er hörte die Schulter brechen wie einen trockenen Zweig. Der andere Polizist schlug Anton mit seinem Knüppel.

Tariq hob einen Mann an der Hüfte empor und schwang ihn herum, so daß sein Kopf gegen den steinernen Brunnen schlug. Weitere Polizisten eilten herbei, um in den Kampf einzugreifen.

Olivio stand neben dem Brunnen, kochte vor Wut und fluchte auf die Polizei. Er hatte die kleinen Fäuste geballt und bemühte sich, sein Zittern zu unterdrücken. Ihm standen Tränen in den Augen, und ihm war schwindlig. Der Körper des Zwergs war solche Anstrengungen nicht gewöhnt und hatte sich in einen Hochofen verwandelt, denn seine porenlose verbrannte Haut konnte keinen Schweiß absondern, um die Körpertemperatur zu regulieren.

Penfold hinkte an Olivios Seite. Er hob den Gehstock, um seinen Freund zu beschützen, wurde jedoch von einem weiteren Polizisten zu Boden geschlagen.

Zwei Schüsse peitschten auf. Tariq brüllte.

»Der nächste Mann ist tot!« Der ägyptische Offizier zielte mit seinem Revolver auf Anton. Dieser bemerkte, daß Blut aus Tariqs Oberarm quoll, und zog in Betracht, einen Versuch zu unternehmen, den Ägypter zu entwaffnen. Dann aber dachte er an die Kinder in der Nähe, trat zurück und hob beide Hände. Der Kampf hörte auf.

»Hauptmann Thabet, Sonderpolizei«, stellte der Offizier sich gewissenhaft auf englisch vor. »Wer sind Sie?«

»Reden Sie mit mir, junger Mann?« fragte Adam Penfold ruhig und klopfte sich den Staub vom Anzug.

»Wer sind Sie?« Thabets Stimme wurde lauter.

»Ich bin Lord Penfold. Sie machen sich soeben der tätlichen Bedrohung britischer Staatsbürger schuldig.«

Der Offizier zögerte und deutete dann auf Olivio. »Und was ist diese Kreatur da?«

»Ich bin Olivio Fonseca Alavedo. Sie sind Diebe. Sie zerstören mein Eigentum«, sagte der Zwerg langsam und in schneidendem Tonfall. Er starrte empor. Sein Gesicht war inzwischen vollständig erbleicht. Dann beugte er sich nach unten, wobei er ein schmerzerfülltes Keuchen gerade noch unterdrücken konnte, hob seinen verbeulten Tarbusch vom Boden auf und setzte ihn sich mit beiden Händen auf den Kopf.

»Ich werde Sie nicht vergessen, Hauptmann Thabet. Und auch nicht diesen Hund, der versucht hat, mich zu schlagen. Sie haben heute Ihren Pensionsanspruch verspielt.«

Thabet überlegte kurz, dann verhärtete sich seine Miene, und er ergriff entschlossen das Wort. »Wir handeln mit Ermächtigung des Palastes. Die Eigentumsübertragung dieses Landstücks ist nicht rechtmäßig verlaufen. Sie stehen alle unter Arrest.«

»Sie haben keinerlei Befugnis, ausländische Staatsangehörige festzunehmen oder ihnen ihr Eigentum zu stehlen«, sagte Penfold entschieden. Er war sich unverkennbar seines Ranges bewußt. »Wie Sie wissen, ist dies in den ägyptischen Kapitulationsbestimmungen eindeutig geregelt. Sie würden einen überaus gravierenden Fehler begehen, Sir.«

»Das hier ist Ägypten. Ich tue lediglich meine Pflicht.« Der Hauptmann gab mehreren seiner Männer kurze Anweisungen und wandte sich dann noch einmal an die Ausländer. »Es gibt eine Möglichkeit, die Angelegenheit zu bereinigen.«

Die Polizisten fingen an, Steine und die dunklen Beine eines Eselkadavers in den Brunnen zu werfen. Einer der Männer hob den Kopf des Tiers an. Aus den offenen Venen und den schlackernden Hautfetzen an der Schädelbasis stiegen große schwarze Fliegen auf und umschwärmten den Mann, der das Leichenteil zum Brunnen schleppte. Die Dorfbewohner schrien und jammerten.

»Nein!« rief Olivio. »Hauptmann Thabet, halten Sie diesen Mann zurück!«

Der Offizier reagierte nicht.

Als der Polizist den Kopf in den Brunnen warf, machte Anton einen Schritt nach vorn und packte den Mann.

»Ich werde schießen!« brüllte der Offizier und hob seinen Revolver.

»Verzeihen Sie, Hauptmann«, sagte eine laute amerikanische Stimme. »Geben Sie Ihre Pistole Lord Penfold, oder ich werde hier ein fürchterliches Durcheinander anrichten.«

Hauptmann Thabet war überrascht, diese Worte aus dem Mund einer Frau zu vernehmen. Er drehte sich um und sah sich Harriet gegenüber, die mit einer Schrotflinte auf ihn zielte.

»Sofort!« sagte sie.

Thabet lachte auf und wandte ihr wieder den Rücken zu.

Harriet legte den Sicherungshebel um und feuerte einen Schuß auf den rechten Vorderreifen des Busses ab. Das Gefährt sackte herunter wie ein verwundetes Tier. Anton sah, daß Harriet zwischen den Fingern ihrer linken Hand zwei weitere Patronen bereithielt.

Thabet blickte erneut zu der Amerikanerin. Auch ihm fielen die zusätzlichen Patronen auf.

»Machen Sie keine Dummheiten«, sagte Harriet.

Thabet händigte Penfold seine Pistole aus.

»Genug«, sagte Olivio ruhig und bedeutete seinen Gästen, sich zurück zu den Karren zu begeben. »Wir brechen nach Hause auf.«

Auf der abendlichen Rückfahrt nach Kairo schlief Denby mit dem Kopf auf dem Schoß seines Vaters. Der Zwerg lag mit einem Kissen im Genick auf der Rückbank und grübelte in der Dunkelheit. Seit dem Feuer hatte er nicht mehr solche Schmerzen verspürt. Angestrengt versuchte er sich darüber klarzuwerden, wer hinter all diesem Unheil stecken könnte.

»In der letzten Zeit«, murmelte der Zwerg nach einer Weile, ohne sich darum zu kümmern, ob Anton ihm zuhörte oder nicht, »haben Regierungsbeamte, Steuereintreiber, kleinere Funktionäre und dergleichen sich immer häufiger in meine Grundstücksangelegenheiten eingemischt.«

»Hört sich an wie in Kenia«, warf Anton überflüssigerweise ein. Er war ganz in Gedanken versunken, denn er befürchtete, Gwenn würde verstimmt darüber sein, daß er in Gegenwart von Denby und den Mädchen in eine gewaltsame Auseinandersetzung geraten war.

»Für sich allein betrachtet«, fuhr Olivio ungeduldig fort, »könnte man jeden dieser Zwischenfälle für eine Folge des Chaos in der ägyptischen Verwaltung halten, aber alle zusammen ergeben in meinen Augen ein Muster, nämlich für möglichst viele Hindernisse und Störungen zu sorgen.«

»Hört sich nicht gut an«, sagte Anton und bemühte sich, möglichst interessiert zu wirken.

»Ganz und gar nicht. Ganz und gar nicht, Mr. Anton«, sagte Olivio Alavedo zu seinem naiven Freund und schüttelte seinen Kopf auf dem Kissen, während er das Problem in Gedanken hin und her wälzte und es wie die Flächen und Kanten eines Edelsteins von allen Seiten genau studierte.

»Es bestätigt vielmehr, wie klug durchdacht mein Vorhaben ist, wenn ich es mal so ausdrücken darf. Irgend jemand anders, jemand mit Einfluß, der über die Planung für die Kanäle Bescheid weiß, hat es auf mein Land abgesehen.«

Der Zwerg kannte sich mit Intrigen aus, und so konnte er den geheimen Rivalen förmlich riechen. Er mußte die Identität dieses schlauen Halunken enthüllen und ihm einen Strich durch die Rechnung machen.

7

Anton lehnte an der Brüstung der Niluferstraße, die Fäuste tief in den ausgebeulten Taschen seiner Buschjacke vergraben, und wartete darauf, daß Gwenn aus dem King-Fuad-Hospital kommen würde. Immer wenn sich die Krankenhaustür öffnete, machte er einen Schritt nach vorn, obwohl er nicht allzu eifrig wirken wollte, doch es war nie Gwenn, die dort heraustrat. Er rief sich ins Gedächtnis, daß Medizinstudenten keine vorhersehbaren Arbeitszeiten hatten. In Gedanken ging er noch einmal durch, was er zu sagen beabsichtigte.

Anton war hungrig und fühlte sich leicht verkatert, nachdem er letzten Abend in der Rotunde des Groppi und im Kursaal mit den Zwillingen einen Foxtrott nach dem anderen getanzt hatte. Jetzt erinnerte er sich daran, welch eine feste Insel Gwenn für ihn und sein Nomadenleben bedeutet hatte. Zu ihr nach Hause zu kommen, war immer am schönsten gewesen. Vor allem frühmorgens, wenn er seinem Pferd unter dem Affenbrotbaum am Ewaso Ngiro den Sattel abnahm, sein Hemd abstreifte und sich das staubige Gesicht in dem eiskalten Wasser wusch, dann ein paar kleine Flußkiesel sammelte und an ihr Fenster warf, bis sie aufwachte und merkte, um wen es sich handeln mußte. Er wartete draußen, bis sie zu ihm gerannt kam, ihn umarmte und mit ihm durch das vom Tau kühle Gras rollte, so daß er ihre Wärme spürte.

Aber er hatte sich nie an dieses Leben gewöhnen können. Die endlose trübselige Plackerei auf der Farm, bei der immer ein paar helfende Hände fehlten, der ständige Kampf gegen die Vögel, Heuschrekken und Raupen, die den Kaffee schädigten und den Weizen verdarben, und gegen die Würmer und Parasiten, an denen die Rinder erkrankten und die Schafe verendeten. All die magische Vitalität

Afrikas, die er am Busch so sehr liebte, wandte sich auf der Farm gegen sie und nahm die Gestalt von Tausenden feindseliger Plagegeister an, die sich bemühten, ihn und seine Familie, ihre Saaten und ihre Tiere von dem Land zu vertreiben. Aber Gwenn gab niemals auf. Angesichts all der Rückschläge und der Schulden verlor sie nie den Mut, sondern sagte statt dessen, daß Kenia immer noch besser sei als das Bergmannsleben in Wales. Sie war unbeugsam und entschlossen, sich auf genau jenem Stückchen Land eine Familie und ein Leben aufzubauen, und immer wenn er zu einer Safari aufbrach, war sie verärgert und enttäuscht.

Zuletzt wurden jede Heimkehr und jeder erneute Aufbruch zu schmerzvoll für sie beide, und sie wußten, daß es so nicht weitergehen konnte. Selbst als alles noch rosig erschien, spürte sie seine ständige Unrast. Und er war sich dessen bewußt. An einem Ort wie Kairo oder sogar Nairobi gab es genug Abwechslung, um einer einsamen Strohwitwe die Zeit zu vertreiben – Freunde, Klubs und Unterhaltung. Aber im Busch mußte eine Ehe aus sich selbst heraus existieren, und sie hatte erkannt, daß er dazu niemals in der Lage sein würde. Hinzu kamen noch seine anderen Dummheiten, über die eine Frau nicht einfach hinwegsehen konnte, selbst wenn Gwenn eine Zeitlang versucht hatte, dies alles seiner Jugend zuzuschreiben. Als er endlich mit drei Wochen Verspätung von einer anstrengenden Safari in der Karamojo-Region nach Hause zurückgekehrt war, hatte er bereits tief im Innern gefühlt, daß sie nicht mehr da sein würde.

Durch die Kinder war alles nur um so schlimmer. Er liebte seine Söhne, aber er konnte mittlerweile kein Teil ihrer Welt mehr sein. Bereits jetzt hatte er von Kairo genug. »Du kannst einfach nicht seßhaft werden«, hatte Gwenn vor langer Zeit einmal zu ihm gesagt. »Du bist ein Einzelgänger.«

Anton konnte es kaum ertragen, daß die Jungen mit der gleichen vaterlosen Leere in sich aufwuchsen, wie er selbst sie erfahren hatte. Er versuchte, den Traum der letzten Nacht aus seinen Gedanken zu verdrängen. In diesem Traum stand er als kleiner Junge dicht neben seinem eigenen Vater, so nah, daß er das Gesicht des Mannes nicht erkennen konnte, denn er hatte seinen Vater nie kennengelernt. »Als du verwundet wurdest«, fragte er und blickte hoch, »hat es da sehr wehgetan?« »Ja«, sagte sein Vater. »Ja.« Anton schlang die Arme um ihn, preßte seine Wange an den Körper des Vaters und drückte den großen Mann so fest er konnte. Als Anton zu weinen begann, legte sein Vater ihm eine Hand auf den Hinterkopf, nahm Anton fest in die Arme und fragte: »Warum weinst du, Junge?« »Wegen uns, Daddy«, entgegnete er.

Die Tür des Hospitals schwang auf, und Gwenn kam heraus. Ihr Anblick ging ihm immer noch sehr nah. Sie wirkte müder, älter, aber er wußte, daß ihr Alter ihn niemals stören würde. Sie war überrascht, ihn zu sehen, aber sie schien nicht verärgert zu sein. Er lächelte, während sie näher kam, und bewunderte ihre anmutige Haltung. Sogar ihr Schritt wirkte entschlossen und aufrichtig. Als sie vor ihm stand, bemerkte er die Fältchen um ihre Augen und den Mund. Sie machten ihm die Zeit, die sie beide verloren hatten, nur um so schmerzlicher bewußt.

»Ich möchte mich für neulich entschuldigen«, sagte er und sah Gwenn dabei direkt in die Augen, ohne sie jedoch zu berühren. »Ich hatte nicht vor, mich so danebenzubenehmen.«

»Ach, ist schon in Ordnung«, sagte sie und lächelte kurz. Sie rechnete ihm seine Offenheit hoch an, vor allem im Vergleich mit Lorenzo. »Ich war auch nicht sonderlich nett.«

Sie hauchten sich gegenseitig einen Kuß auf die Wange.

»Denby sagt, er habe einen wunderbaren Tag verlebt«, sagte Gwenn und trat ein Stückchen zurück. »Er war ziemlich müde, aber er hat trotzdem immer wieder von dieser Burg am Fluß erzählt – und von deinem Kampf mit der Polizei. Ich fürchte, es hat ihm gefallen.«

»Ich...«

»Aber die Jungen dürfen nicht so aufwachsen. Ich werde nicht zulassen, daß sie ruppig und wild werden. Sie können nicht so aufwachsen wie du...«

»Ich würde Denby gern öfter sehen«, sagte Anton ein wenig zu flehentlich. Er wußte, daß er sie bedrängte. »Und dich und Wellie auch«, fügte er leise hinzu.

»Hast du Lust auf einen kleinen Spaziergang?« fragte sie. Sie nahm sich zusammen, denn sie haßte es, eingeengt zu werden, und wollte nicht weiter darauf eingehen. »Nach dem Dienst laufe ich immer noch ein bißchen am Fluß entlang, um die Gedanken an das Krankenhaus aus dem Kopf zu bekommen.«

Sie gingen los und folgten langsam dem Nil stromabwärts. Anton dachte an ihre langen Abendspaziergänge entlang des Ewaso Ngiro, Hand in Hand oder manchmal gemeinsam mit den Jungen. Hin und wieder waren sie stehengeblieben, hatten einen Zweig in den Fluß geworfen und dann versucht, ihn mit ein paar Steinen zu treffen, während er im Wasser auf und ab hüpfte und schließlich verschwand, als wäre er ein kleines Tier, das sich im Unterholz versteckte.

»Dieser Zwischenfall mit der Polizei gefällt mir gar nicht«, sagte sie in reserviertem Tonfall und sah ihn an. »In Kairo empfiehlt es sich, solchen Problemen besser aus dem Weg zu gehen.«

»Ich konnte nichts dafür«, sagte er. Es ärgerte ihn, daß er sich rechtfertigen mußte. »Ich weiß, daß du annimmst, ich hätte alles nur noch schlimmer gemacht, aber Olivio hat Hals über Kopf in Schwierigkeiten gesteckt, und sogar Adam ist in Gefahr geraten. Die beiden haben meine Hilfe gebraucht.«

»Ich bin sicher, das stimmt«, sagte sie und wußte, daß sie Ärger heraufbeschwor, »aber irgendwie scheinst du Probleme immer nur auf die harte Tour lösen zu können.«

»Glaubst du, Adam und Olivio waren versessen auf eine Schlägerei?«

»Das habe ich nicht behauptet.« Sie beschleunigte ihren Schritt.

Anton spürte, wie er langsam wütend wurde, aber er hielt sich vor Augen, weswegen er eigentlich hergekommen war. Ein Streit mit ihr würde nicht besonders hilfreich sein. Eine Weile sagte keiner von beiden ein Wort.

»Dies ist vermutlich nicht der richtige Moment, Gwenn, aber ich muß dich etwas fragen.« Er fühlte, daß sie innerlich erstarrte, und er hatte den Eindruck, daß sie unmerklich von ihm abrückte. »Es tut mir leid, daß ich euch nicht unterstützen konnte«, sagte er. »Ich will – und werde – das ändern.«

»Ich verstehe.« Sie wandte kurz den Kopf und sah ihn an. »Wir kommen zurecht.«

»Ich würde alles tun, um dich und die Jungen zurückzubekommen.«

»Zurück?« Ein Anflug von Bitterkeit schlich sich in ihre Frage. »Wohin zurück?«

»Nach Hause, natürlich. Nach Kenia, wo die Jungs hingehören. Es würde ihnen dort gefallen.«

»Wie würden wir dort leben?« rief sie aus. Ihre Stimme wurde lauter. »Immer wieder hast du mir erzählt, Cairn Farm könnte niemals funktionieren.« Sie gestikulierte wild mit einer Hand. »Es läuft hier alles ganz gut. Ich werde bald Ärztin sein. Die Jungen gehen auf eine Schule, eine gute Schule. Es ist für ihre Entwicklung wichtig, nicht ständig den Wohnort zu wechseln. Die Welt verändert sich. Wer weiß, was noch alles passieren wird? Sie brauchen eine wirkliche Ausbildung, eine Zukunftsperspektive. Ich werde sie nicht erziehen, als ... als wären sie ... du weißt schon ...«

»Ich brauche sie, Gwenn«, sagte er, blieb stehen und sah sie an.

»Die beiden haben Freunde hier, genau wie ich auch«, sagte sie und schritt noch entschlossener voran. »Mir gefällt unser Leben. Ich habe lange gebraucht, um uns all das aufzubauen.«

»Die Jungen brauchen einen Vater«, warf er ein. »Denby ...«

»Den Jungen geht es gut, vielen Dank«, unterbrach sie ihn, obwohl sie wußte, daß er recht hatte. »Die beiden haben Verständnis.«

»Verständnis wofür?« fragte Anton und eilte ihr hinterher. »Liebst du ihn?«

»Wen?« fragte sie, wütend über ihre eigene Feigheit.

»Du weißt, wen ich meine«, sagte er vorwurfsvoll. »Deinen Italiener. Liebst du hin?«

Sie fühlte, wie sich ihr Magen zusammenzog. Als sie ihm antwortete, wählte sie ihre Worte langsam und mit Bedacht.

»Wenn du kein Geld hast und ganz allein bist, und jemand ist gut zu dir und deinen Kindern, dann gerätst du durcheinander.«

Anton starrte sie an und redete dann eindringlich auf sie ein.

»Gwenn, verlaß ihn. Die Kinder gehören nicht in sein Haus.«

»Wohin sollten wir gehen?«

»Gwenn ...«

»Bitte.« Sie blieb stehen und sah ihm in die Augen. Dann berührte sie seinen Arm, als wollte sie die Zurückweisung mildern. »Ich kann jetzt nicht, Anton, zumindest *noch* nicht.« Sie hatte das Gefühl, sich ihm gegenüber rechtfertigen zu müssen, und so fuhr sie fort, vermutlich um ihn zu bestrafen, weil sie ihn so sehr vermißt hatte. Also sagte sie etwas, das sie schon vor vielen Jahren hätte sagen sollen und nicht in diesem Moment.

»Du kannst von uns nicht erwarten, daß wir jedesmal, wenn du zu unser aller Überraschung auftauchst, einfach unser Leben ändern.«

Anton fühlte sich allein und im Stich gelassen. Er brauchte einen Moment, bis er ihr antworten konnte. »Ich verspreche, ich werde mich bessern.« Er hielt kurz inne und fuhr dann verbittert fort.

»Vielleicht ist es mein Fehler, aber ich finde es abscheulich, wie ihr drei auf diese Weise bei ihm und von ihm lebt.« Er war wütend und mußte daran denken, wie oft Gwenn ihm wegen seiner Untreue Vorwürfe gemacht hatte.

»Ist dir das alles denn nicht peinlich?«

»Peinlich?« fauchte sie ihn aufgebracht an.

»Was muß er wohl von dir halten?«

»Er liebt mich«, erwiderte sie in kaltem unerbittlichen Tonfall und winkte mit einem Arm ein Taxi zu sich heran. »Er kümmert sich um mich und die Jungen, wie du das nie wirklich für uns getan hast.« Sie ging zu dem Wagen und war sich bewußt, daß sie in diesem Moment weit übertrieb.

»Was erwartest du von uns? Daß wir deinetwegen wie Bettler leben?«

Schweigend und ernüchtert hielt Anton ihr die Tür auf.

Als das Taxi losfuhr, drehte Gwenn sich um und sah reglos durch die Heckscheibe zu ihm zurück. Ihr stiegen Tränen in die Augen. Er blickte ihr mit bekümmerter Miene hinterher. Es war immer dasselbe mit Anton, dachte sie, und dennoch ging er ihr so sehr zu Herzen, wie es bei Lorenzo nie der Fall sein würde.

Anton war gerade erst aufgestanden. Es saß auf dem Deck des Cataract Cafés, ließ den Blick von Westen nach Osten schweifen und sah, wie der Nil dabei immer heller wurde. Schon bald würden Insektenschwärme, kaum daß die Wärme sie aus ihrer nächtlichen Starre erweckt hatte, sich zunächst langsam regen und dann aufsteigen. Dadurch würden sie die Fische an die Wasseroberfläche locken und wiederum die Wasservögel auf die Fische aufmerksam machen. Er erinnerte sich daran, wie er als Junge in England auf Forellenfang gegangen war. Die Zigeuner hatten ihm viel beigebracht, und so lag er in der kühlen, feuchten Morgendämmerung bäuchlings am Flußufer, wilderte mit kalten bloßen Händen im Wasser und lauerte darauf, die Silberbäuche mit flinken Fingern aufs Ufer zu schleudern und sich dann auf sie zu stürzen.

»Ich bringe Ihnen hier Kaffee, Mr. Anton.« Olivio trug über seiner *Gallabijjah* eine offene gestreifte Köperweste gegen die morgendliche Kälte. »Natürlich kenianischer Kaffee, aber für Sie nach türkischer Art stark und schwarz zubereitet.« Der Zwerg stellte das Kupfertablett auf einem Tisch ab und setzte sich neben seinen Freund.

»Ich möchte Ihnen etwas zeigen«, sagte Olivio kurz darauf. Er klopfte auf einen Ziegenlederbeutel, der neben dem Tablett auf dem Tisch lag. Nur in Gegenwart alter Freunde waren ihm die glatten Kuppen seiner kurzen Finger nicht peinlich, die nackte Rundung seiner Fingerknochen, die rosa und weiß gefleckte, porenlose wulstige Haut, die von den Ärzten als »stolzes Fleisch« bezeichnet wurde.

Olivio öffnete die Zugschnur des Beutels und holte den Schatz hervor: eine geschlossene ovale Vase aus glattem Kalkstein. Der Deckel war dem Kopf eines Sphinx nachempfunden, mit langem Bart und einer speienden Kobra auf der Stirn. Ein Sphinx, nicht wie der in Gizeh, sondern wie jene im Tal der Könige. Hier und da waren auf dem Gesicht noch die Reste heller Farben vorhanden, eine kraftvoll leuchtende Art der Bemalung, so kam es ihm vor, die einerseits die unschuldige Klarheit von Wasserfarben besaß, andererseits aber auch die satte Patina von Emailarbeiten oder lasierten Ölfarben. Die erhabene Steinfigur schien den Zwerg und seinen Freund würdevoll anzublicken.

»Dies hier, Mr. Anton, ist älter als ein jedes Artefakt in ganz Europa. Es handelt sich um einen Kanopenkrug. In solchen Gefäßen wurden nach dem Dahinscheiden die Gehirne und inneren Organe der

Herren Ägyptens aufbewahrt. Hierin befand sich das Allerheiligste des menschlichen Lebens nach dem Tode.«

Anton sah dabei zu, wie Olivio mit äußerster Sorgfalt den präzise angepaßten Deckel abnahm.

»Dieser Krug enthielt die Organe eines Kindes, eines Prinzen.« Oder vielleicht sogar die eines hochverehrten Zwergs, womöglich eines Gottes, dachte Olivio.

»Wie ist er in deinen Besitz gelangt?«

»Oh, sagen wir mal, ich bin darauf aufmerksam geworden und habe dafür gesorgt, daß er nicht in die falschen Hände geraten konnte.« Der Zwerg guckte hinein und roch daran. Mit geschlossenen Augen sog er genießerisch den mystischen Duft einer längst vergangenen Zeit ein.

»Die Konservierung menschlicher Überreste erfordert meisterliche Fähigkeiten. Nur in dieser Tätigkeit vereinen sich Wissenschaft und Religion, Mr. Anton.«

»Mmm. So habe ich das noch nie betrachtet.« Antons Interesse ließ nach, und er warf einen Blick auf den Nil. »Hast du schon immer ein Faible für solche Sachen gehabt?«

»Daheim in Goa besitzen wir ein großes Wunder, den mumifizierten Körper des heiligen Franz Xaver höchstpersönlich ...«

»Ich verstehe«, sagte Anton. Er mußte sich zwingen, ihm weiterhin zuzuhören.

»Dieser Heilige ist 1542 in Indien eingetroffen und hat das Christentum gepredigt. Später hat er auch den Chinesen das Kreuz gebracht, aber er wurde auf seinen eigenen Wunsch in der Basilika Bom Jesus in Goa bestattet.«

Olivio erinnerte sich an ein Abenteuer, das er einst als winziger zehnjähriger Junge erlebt hatte. Er war mitten durch die Reisfelder landeinwärts in die uralte leidgeplagte Hauptstadt Goas gewandert und hatte so lange die verlassenen portugiesischen Kolonialruinen abgesucht, bis er schließlich vor der Basilika stand. Er hatte dem barfüßigen Wärter eine kleine Münze in die dreckige Hand gedrückt und war auf einen Betstuhl geklettert, um durch die dicke, getönte Scheibe einen Blick auf das wirklich unversehrte Gesicht des heiliggesprochenen Jesuiten zu werfen.

»Und was hast du mit diesem Topf vor?« fragte Anton, der sich nach etwas zu trinken sehnte. Es war langsam an der Zeit, das Thema zu wechseln.

»In diesem Kanopenkrug wird meine Asche nach Goa zurückkehren. Dort wird man dieses geschmückte Gefäß hinter einer gravierten Wandtafel in der Kapelle des St. Paul College beisetzen.« Die vierhundert Jahre alte Kapelle, in der er sich einst hinter einer der Sitzreihen zusammengekauert und Vater Santiago beim Plündern der Armenkollekte beobachtet hatte, war inzwischen dank der Großzügigkeit Olivio Fonseca Alavedos restauriert worden.

»Wir alle müssen uns Gedanken um die Zukunft machen«, sagte Olivio und kam damit auf den Kern seiner Erzählung zu sprechen. Er hoffte inständig, daß sein Freund diesen Ratschlag befolgen würde.

»Sag mir, Olivio, wo kann man hier am besten an einem kleinen Glücksspiel teilnehmen?« Anton hatte ausnahmsweise ein paar Scheine in der Tasche, genaugenommen sogar Dollars, die Abschlußzahlung der Amerikaner. Er würde dieses Geld riskieren müssen, um sein Leben neu aufbauen zu können. »Immerhin gibt es noch ein paar Dinge, von denen ich etwas verstehe«, sagte er und dachte dabei verärgert an Gwenns Vorhaltungen.

Olivio kam dem Wunsch seines Freundes nach und ging höflich auf dieses neue Thema ein. »Moslems ist das Glücksspiel zwar verboten, Mr. Anton, aber ganz Kairo ist ein Kasino.« Der Zwerg rieb Daumen und Zeigefinger aneinander, als hielte er Banknoten in der Hand. Er spürte, wie verzweifelt sein Freund war.

»Selbst der ärmste *Fellah* kauft sich für seine schwer erarbeiteten Piaster Lotterielose. Der junge Prinz Faruk hegt eine Vorliebe für Bezique und Bakkarat. Einige britische Offiziere, aber auch Araber, Türken und Griechen in den Kaffeehäusern, bevorzugen Backgammon. Es gibt Etablissements für Kartenspiele, Hahnenkämpfe und Roulette. Man veranstaltet Pferderennen im Sporting Club, Bridge- und Pokerrunden im Automobilklub, Würfelspiele in den Bars. Auf den Straßen wirft man Stäbchen oder schiebt runde, flache Steine über hölzerne Spielbretter. Manche spielen um Geld oder Kamele, andere um Mädchen entlang der Wagh al-Birkat und der Clot Bey. Ein paar spielen um Kinder oder Grundstücke.«

»Karten«, sagte Anton begeistert. »Karten.«

»Ein Ort für Gentlemen?«

»Vielleicht etwas weniger Exklusives.«

»Bei Herz und Pik, Kreuz und Karo, Mr. Anton, kommt es im wesentlichen darauf an, mit wem sie spielen möchten und wieviel sie verlieren können.«

»Ich muß zu etwas Geld kommen.« Falls ihm das je gelang, würde er die Schulden von Gwenns Farm bezahlen, fast elfhundert Pfund. Falls er aber andererseits dieses Geld verlor, würde die Safari nicht stattfinden können.

»Dann würde ich Ihnen empfehlen, an einem Mittwoch in die Wüste zu gehen. Heute abend, falls Sie mögen. Gehen Sie links am Mena House, den Pyramiden und auch am Großen Sphinx vorbei, bis zu den hohen Dünen am Rand der Wüste. Dort haben ein paar reiche Männer Partyzelte für verschiedene Zerstreuungen errichtet.« Der Zwerg unterbrach sich und breitete die Arme aus, als öffne er die Türen zu einer anderen Welt.

»An warmen Abenden geben die Botschafter dort Cocktailempfänge. Elegante Damen, gekleidet in der neuesten Pariser Seidenmode, veranstalten Abendgesellschaften und erzählen in Gegenwart ihrer eifersüchtigen Freunde von Monte Carlo, während sich vor ihren Augen die funkelnden Lichter Kairos im Nil spiegeln.«

Olivio beugte sich zu Anton hinüber. Sein graues Auge öffnete sich weit wie bei einem Nachtvogel im Dämmerlicht. Er wies mit zwei Fingern nach vorn und fuhr fort.

»Hinter all diesen Zelten, ganz am Ende, am Rand der Einöde, gibt es, so hat man mir gesagt, zwei Zelte, in denen mittwochs reiche Männer spielen und sich ein wenig zerstreuen. Bisweilen setzen sie das ganze Gold eines Pharaonengrabes auf eine einzige Karte.« Er hielt einen Finger empor. »Das letzte Zelt, das mit den schwarzweißen Streifen eines Beduinenfürsten, ist für seine hohen Einsätze berühmt. Man nennt es auch das Zelt des Ali Baba.«

»Klingt großartig. Ich werde heute abend hingehen.«

»Sagen Sie dort, Sie seien ein Freund des Cataract Cafés, und man wird Sie willkommen heißen«, sagte Olivio. In diesem Augenblick fiel ihm ein, wie er seinem Freund vielleicht dabei helfen konnte, etwas höhere Gewinne zu erzielen. »Und Sie müssen mir freundlicherweise gestatten, Mr. Anton, daß ich mein Geld dem Ihren hinzufügen darf. Was auch immer Sie setzen, ich werde die gleiche Summe hinzufügen, um Ihnen den Rücken zu stärken.«

Antons Gesicht hellte sich auf, aber er wollte seinen Freund dennoch warnen. »Ich würde es nur sehr ungern sehen, daß du zusammen mit mir verlierst.«

»Wir werden Gewinn und Verlust miteinander teilen. Und falls Sie gewinnen, werden Sie vielleicht mit mir gemeinsam in neues Land im Delta investieren«, sagte der Zwerg leise wie üblich, als würde er sich zu einer Verschwörung verabreden. »Aber ich möchte etwas vorschlagen.«

»Ja?«

»Gehen Sie zweimal hin. Haben Sie beim ersten Mal sichtlichen Spaß, und verlieren Sie. Lassen Sie sich Ihre gute Laune durch die Verluste nicht verderben. Am zweiten Abend wird Ihnen jeder Tisch offenstehen. Wie strahlend die Damen lächeln werden, wenn Sie eintreten!«

Anton nickte anerkennend. »Sehr schlau.«

»Und erlauben Sie mir noch eine zweite Anregung.«

»Selbstverständlich, Olivio.« Anton erinnerte sich daran, welch großes Vergnügen der kleine Mann dabei empfand, perfekte Vorkehrungen zu treffen. Für ihn war kein Detail zu unbedeutend, kein Kunstgriff ausgeschlossen.

»Sie könnten Lord Penfold bitten, Sie zu begleiten.«

»Sehr gern«, erwiderte Anton, obwohl er nicht sicher war, ob er das für eine gute Idee hielt.

»Ja, ja, natürlich, aber nicht aus diesem Grund.« Der Zwerg versuchte, nicht ungeduldig zu klingen, aber wie konnte sein tapferer Freund nur so naiv sein? Warum war es so schwierig, ihm zu helfen?

»Zur Tarnung, Mr. Anton, als ihr Deckmantel. Seine Lordschaft wird dem Ganzen eine würdevollere Note verleihen. Ihr Besuch wird in einem anderen Licht erscheinen. Man wird ihm trauen.«

»Ich verstehe«, sagte Anton.

»Und noch etwas. Falls Sie gewinnen, werden Sie gut beraten sein, dieses Zelt am Ende des Abends nicht ohne Begleitung zu verlassen. Sogar Sie. Im Suk sagt man, daß ein Grieche die Summe, die er im Innern des Zeltes verliert, sich nachher draußen zurückholt. Für den Hin- und Rückweg werde ich Ihnen ein Automobil zur Verfügung stellen, mit Tariq als Ihrem Fahrer und eventuell seinem Bruder zu Ihrem Geleitschutz. Ich habe dafür gesorgt, daß Haqim aus dem Gefängnis entlassen wird, und jetzt braucht er eine Anstellung.«

8

»Du bist gestern abend nicht du selbst gewesen«, sagte Enzo leise und griff quer über den Frühstückstisch nach Gwenns Hand. Als er sie berührte, blieb sie reglos. Sie haßte diese kleinen Gesten der Zuneigung, wenn sie sich nicht danach fühlte. Jede einzelne kam ihr wie ein Test vor, den sie nicht bestehen konnte. Es war jetzt fast eine Woche her, daß sie zum letztenmal gemeinsam gefrühstückt hatten. Normalerweise gehörte das zu ihren Lieblingsgewohnheiten.

»Seit er in der Stadt ist, bist du so anders«, fuhr Enzo unbeirrt fort. Es ärgerte ihn, daß auf dem Tisch neue runde Dosen Ovaltine und Scott's Haferflocken standen, genau jene scheußlichen Vorboten des englischen Alltags, die auf der ganzen Welt zu den unabdingbaren Bestandteilen ihres blasierten Empire gehörten.

»Bevor du aufbrichst, muß ich dir noch etwas sagen, Lorenzo«, entgegnete Gwenn und entschied sich zunächst für den weniger persönlichen von zwei unangenehmen Punkten.

»Du kannst mir alles sagen, *cara.*« Er drückte ihre Hand. »Das weißt du doch.«

Wie vornehm er in seiner Sommeruniform aussah, dachte sie. Männer waren so verwirrend. Ein Jahr lang waren sie und Lorenzo beinahe glücklich gewesen. Und jetzt war er angesichts der bevorstehenden Abreise ganz aufgeregt. In wenigen Minuten würde der Bugatti wieder hier sein, um ihn nach Suez zu bringen.

»Ich werde auch bald aufbrechen«, sagte sie und bemühte sich, möglichst ruhig und versöhnlich zu klingen, wenngleich sie wußte, daß dieser Versuch zum Scheitern verurteilt war. »Nach Äthiopien.«

»Ich dachte, wir hätten diesen Schwachsinn geklärt«, sagte er barsch und versuchte gar nicht erst, ihr Respekt entgegenzubringen.

»Das geht nicht. Du würdest mich in eine peinliche Lage versetzen.« Er gestikulierte abweisend mit beiden Händen. »Gibt es denn hier in Kairo nicht genug arme Teufel, denen du helfen könntest?«

»Lorenzo, ich muß das einfach tun, um meinetwillen«, sagte sie und bemerkte, wieviel älter er aussah, wenn er sich ärgerte. »Warum probierst du nicht wenigstens, mich zu verstehen?«

»Ich bin ein italienischer Offizier, Gwenn. Mein Land steht an der Schwelle bedeutsamer Entwicklungen. Am Kai von Port Said haben gestern dreißigtausend Leute die Söhne des Duce begrüßt. Heute abend werde ich mich in ihrer Begleitung nach Italienisch-Somaliland und Eritrea einschiffen.« Er sprach mit Stolz, gemächlich und belehrend. Seine Stimme klang unerbittlich, aber sein Blick war bekümmert.

»Schon bald werden diese Wilden, denen du zu Diensten sein möchtest, mir als Feinde gegenüberstehen. Sie werden versuchen, mich zu töten. Sie haben meinen Großvater verstümmelt. Wie kannst du mir so etwas nur antun?«

»Ich tue dir überhaupt nichts an. Es sind Leute wie du, die uns zu dieser Aktion veranlassen.«

»Bleib zu Hause, Gwenn.« Er beugte sich vor, so daß sein Gesicht ganz nah vor ihrem war. »Bleib zu Hause. Kümmere dich um deine Kinder. Du hast dort nichts zu suchen.«

»Nichts zu suchen?« Sie umklammerte mit beiden Händen die Tischkante. »Was hat die italienische Luftwaffe denn dort zu suchen? Es ist der Mittelpunkt Afrikas.«

Er wechselte von der Politik zu den persönlichen Angelegenheiten. Sein Tonfall wurde noch ernster und schneidender. »Und wer hat dich nach Afrika eingeladen? Dein mittelloser Zigeuner?«

Lorenzo ließ zum erstenmal erkennen, wie eifersüchtig er auf Anton war. Er versuchte sie zu verletzen. Sie wußte, daß Menschen oft unbewußt Konflikte heraufbeschworen, wenn ein Abschied bevorstand. Das geschah natürlich aus Selbstschutz, um den Trennungsschmerz zu lindern. Aber dies hier war mehr als das.

»Ich bin ganz allein nach Afrika gekommen.« Sie stand auf und blickte zu Lorenzo hinab, bevor sie fortfuhr. »Und mein Mann ist kein Zigeuner. Er wurde eine Zeitlang von Zigeunern großgezogen.«

Ihre Wangen waren blaß und angespannt. Es ärgerte sie, daß sie Anton und sich selbst rechtfertigen mußte.

»Und was ist mit mir? Schuldest du mir denn gar nichts?« fragte Enzo jetzt mit unverhohlener Feindseligkeit. »Schuldest du mir nicht mehr als den Äthiopiern? Und solltest du dich nicht um deine Kinder kümmern?«

»Benutze nicht die Jungen. Ich kümmere mich immer um meine Kinder, vielen Dank. Es wird ihnen gutgehen. Sie werden bei Mr. Alavedo wohnen.«

»Bei diesem abscheulichen Wicht? Wie kannst du sie nur bei ihm lassen? Er ist die Witzfigur von ganz Kairo.«

»Wer Olivio kennt, denkt nicht so. Und er ist kein Wicht. Wir werden sofort dorthin umziehen.«

»Wirst du mit ihm auch ins Bett gehen?« fragte Grimaldi. Er ließ sie gar nicht erst zu Wort kommen, sondern redete sich mit immer lauterer Stimme selbst in Rage. Abermals beugte er sich vor.

»Meine Freunde hatten natürlich recht«, fügte er in geringschätzigem Tonfall hinzu, als würde er mit sich selbst reden. »Ich hätte mich nie mit der Tochter eines Grubenarbeiters einlassen sollen. Was kann man da auch anderes erwarten?«

Gwenn erwiderte nichts darauf, aber sie richtete sich kerzengerade auf und fühlte, wie ihre Selbstachtung wuchs. Sie drehte sich um und ging aus dem Zimmer, als hätte sie ihn nie gekannt.

Der Sphinx erhob sich vor Anton wie ein riesiger Löwe im Mondlicht. Am Ende der Schotterstraße hielt Tariq den Rover an und stieg aus, um etwas Luft aus den Reifen entweichen zu lassen, damit der Wagen im Sand leichter vorankommen würde.

Zu seiner Rechten sah Anton den dunklen Eingang zu den Katakomben der Nekropole, ein Labyrinth der Toten, größtenteils jünger als die Pharaonen, aber älter als die Cäsaren. Mehrere niedrige ungleiche Öffnungen hoben sich schwarz gegen die graue Fläche des steil ansteigenden Hangs ab. Man konnte in diesen höhlengleichen Eingängen, den teils eingestürzten Kammern und den engen gewundenen Korridoren unmöglich sagen, wo die Arbeit des Menschen begann und wo sie wieder aufhörte.

Obwohl der Mann kein Wort gesagt hatte, konnte Anton deutlich spüren, daß Haqim vor ihm saß und diesen Platz mit seiner Anwesenheit ausfüllte wie ein Obsidianblock. In seiner groben dunkelgrauen *Gallabijjah* war Haqim nachts praktisch unsichtbar. Er war so robust und kräftig wie sein Bruder, aber kleiner und massiger. Sein Gesicht war flach und seine Haut mindestens ebenso schwarz. Es war, als hätte man Tariq gefesselt und in einem Schraubstock zusammengepreßt, so daß seine Gestalt kompakter und dichter wurde. Bei Tariq hatte Anton ein- oder zweimal Humor feststellen können, ja sogar Sanftheit, wenn er den Mädchen half oder seinen Herrn emporhob. Haqim hingegen wirkte stets kaltblütig und bedrohlich. Dieser Mann schien nur ein einziges Gefühl zu empfinden: Loyalität, aus Dankbarkeit für den Zwerg, weil dieser seine Freilassung bewirkt hatte.

Anton wandte sich zur Seite, um etwas zu Lord Penfold zu sagen, aber dann sah er, daß sein Freund noch immer ein kleines Nickerchen hielt.

Tariq ließ den Wagen wieder an und fuhr langsam über den dichten steinigen Sand links an dem Sphinx vorbei. Vor ihnen glommen die orangefarbenen Rücklichter eines Daimler. Zu ihrer Linken lagen Kairo und der Nil. Sie kamen an den ersten Zelten vorbei, die rechts von ihnen etwas weiter oben auf den Dünen standen. Manche der Zelte waren dunkel und unbenutzt. Andere leuchteten wie riesige Laternen am Rand der Wüste. Hinter den Planen zeichneten sich Lampen ab, deren Lichthöfe die blauschwarze Nacht erhellten. Auf einer der Zeltwände tanzten Schemen, die wie Figuren eines Schattentheaters wirkten. Er erkannte die Melodie, zu der sie sich bewegten: »In the Mountain Greenery.«

Anton dachte an seinen ersten Abend im Spielzelt vor einer Woche zurück: Er hatte seinen einzigen Anzug angezogen und einem Türsteher, der aussah wie aus Tausendundeiner Nacht, seinen Namen und seine Empfehlung genannt. Die Finsternis draußen stand im krassen Gegensatz zu dem geschäftigen Treiben im Innern, den flinken Fingern der Kartengeber und dem schier überwältigenden Eindruck des Reichtums.

Nachdem er bereits sein ganzes Leben unter Segeltuchplanen zugebracht hatte, wäre ihm niemals in den Sinn gekommen, daß ein Zelt einen solchen Überfluß beherbergen könnte. Sogar die Zeltstangen waren mit farbigen Stoffen umwickelt und wurden von rosengleichen Verzierungen aus rotem Satin gekrönt. Stumme Kellner mit spitz zulaufenden Pantoffeln hielten Tabletts mit Champagner und Kanapees. Elegante Frauen britischer, europäischer und ägyptischer Herkunft scherzten und plauderten mit Männern in weißen und schwarzen Dinnerjackets. Währenddessen lief die Maschinerie der Glücksspiele beständig weiter. Würfel rollten. Kartenstapel wurden geteilt und gemischt. Spielkarten wurden ausgegeben. Kugeln rollten und klickerten. Chips und Jetons wurden gestapelt und als Einsätze hingeworfen. Männer unterschrieben Schuldscheine und stellten Schecks aus.

Vom Hauptspielzelt ging es weiter zu zwei anderen, kleineren Zelten, die nicht ganz so hell erleuchtet waren. Im ersten waren auf niedrigen Kupfertischen Speisen hergerichtet. Ein Geiger in einem abgetragenen Frack, irgendein gestrandeter Exilant von höchstwahrscheinlich ungarischer oder österreichischer Abstammung, spielte mit geschlossenen Augen romantische Weisen, den Kopf tief über sein Instrument gebeugt. Einige Männer und Frauen hatten es sich auf übergroßen Kissen und Diwanen bequem gemacht. In dem anderen Zelt blubberten Wasserpfeifen, und hinter Weihrauchschwaden wand sich eine Bauchtänzerin. Ihre flachen goldenen Pantoffeln und ihre bloßen Schultern waren regungslos, aber ihr Bauch bewegte sich in Wellen, und die goldenen Quasten ihres tief sitzenden Gürtels wurden von ihren Hüften emporgeschleudert.

Anton hatte ziemlich viel getrunken, denn nach seinem Streit mit Gwenn fühlte er sich verbittert und traurig. Er hatte Poker, Blackjack und Bakkarat gespielt, manchmal gewonnen, häufiger jedoch verloren. Er hatte die Ablenkung durch die Frauen genossen, vor allem die einer blonden Sirene aus Frankreich mit einem verlockend zarten Dekolleté, die ihn beunruhigend deutlich an eine alte Flamme erinnert hatte. Schließlich war er aufgestanden, hatte sich verabschiedet, ein großzügiges Trinkgeld gegeben und war mit zweihundert Pfund weniger in der Tasche allein nach Hause gegangen. Heute abend würde er sich mehr anstrengen.

Tariq hielt den Wagen am Fuß des langen Dünenkamms an.

»Adam, aufwachen«, sagte Anton mit sanfter Stimme und berührte seinen Freund am Arm. »Wir sind da.«

»Was?« fragte Penfold und rieb sich die Stirn, während er sich zu erinnern versuchte, wo er sich befand. »Oh, natürlich, auf geht's.«

Sie stiegen aus und gingen die letzten dreißig Meter zu Fuß. Anton blickte zurück. Tariq hatte den Wagen gewendet und säuberte die Karosserie mit einem Staubwedel. Haqim war nicht zu sehen. Auf dem Weg nach oben zu dem gestreiften Zelt nahm Penfold Antons Arm und stützte sich auf seinen Spazierstock. Anton trug zum erstenmal ein Dinnerjacket, schwarz und zweireihig. Es war in aller Eile von Olivios Schneider angefertigt worden. Adam hatte zur Gestaltung der Einzelheiten ein paar Anregungen gegeben.

»*Messieurs.*« Der Türsteher verbeugte sich. Auf dem Weg durch den kurzen tunnelähnlichen Korridor, der den Eingang des Zeltes bildete, stieg Anton Weihrauchgeruch in die Nase. Im Innern blieben sie kurz stehen. Der griechische Hausherr trat auf sie zu, um sie zu begrüßen, neigte seinen Kopf und streckte seine weiche Hand aus. In seiner anderen Hand baumelte eine Schnur mit bernsteinfarbenen Kugeln.

»Abermals willkommen im Zelt des Ali Baba! Ein Freund von Mr. Alavedo, wenn ich mich recht entsinne. Mr. Reader, nicht wahr?«

»Rider, danke vielmals. Lord Penfold, ich darf Ihnen Mr. Kotsilibis, unseren Gastgeber, vorstellen.«

Penfold nickte. Seine Fliege war ungleichmäßig gebunden wie die Flügel eines deformierten Schmetterlings. Winzige Brandlöcher, hervorgerufen durch Zigarrenasche, verunzierten einen seiner breiten Jakkenaufschläge aus grobem Stoff. Zwischen den Taschen seiner schwarzen Weste hing eine langgliedrige Goldkette herab. Anton war stolz auf ihn. Kerzengerade und mit weißen Brauen wirkte er würdevoll wie ein alter Falke, der den Blick von einem kahlen Baumwipfel über sein Königreich schweifen ließ. Es konnte keinerlei Zweifel daran bestehen, was er war und woher er kam. Aber Anton wußte, daß Adam in all dem Stimmengewirr nicht besonders gut würde hören können.

»Seien Sie mir herzlich willkommen, Eure Lordschaft.« Der Grieche verbeugte sich. »Champagner? Schottischer Whisky?«

Penfold blickte mit wässrigen Augen an dem Griechen vorbei zur Bar. Er hatte seine Hände in die Taschen seines Jacketts gesteckt, so daß nur die Daumen herausschauten. Anton konnte erkennen, daß der Levantiner beeindruckt war, ignoriert zu werden. Er verwechselte Schwerhörigkeit mit aristokratischer Herablassung.

Sie tranken. Anton ließ seinen Blick über die Tische wandern und sah hin und wieder eine Zeitlang einem der Spiele zu. Er machte sich Gedanken um Adam, denn er kannte seine Angewohnheit, bisweilen leichtsinnig zu sein und dabei zumeist Pech zu haben. Außerdem wußte er, daß Adam fünfzig oder sechzig kostbare Pfund bei sich trug, die einen Vorschuß Olivios auf jenes Geld darstellten, das Penfold aus England erwartete. Andererseits könnten seine Spieleinsätze sich als hilfreich erweisen, denn sie würden die Aufmerksamkeit von Anton ablenken.

»Sie brauchen nicht das Kindermädchen zu spielen, danke, alter Junge«, sagte Penfold fröhlich zu Anton und nahm an einem Bakkarattisch Platz, an dem mit niedrigen Einsätzen gespielt wurde. »Ich bin schon immer selbst in der Lage gewesen, ein paar Guineen zu verlieren.«

Anton ging hinüber ins Buffetzelt, um einen Happen zu essen. Dann begab er sich in das zweite kleine Zelt. Momentan trat keine Tänzerin auf. Statt dem Klang der Zimbeln vernahm Anton das ohrenbetäubende Schnarchen eines rotgesichtigen Schotten, der ausgestreckt auf einem Berg aus Kissen lag. Nur die Zehen des Mannes berührten den Boden. Unter dem knappen schwarzen Dinnerjacket hing sein Kilt an ihm herab wie ein Lampenschirm.

»Engländer!« brüllte eine Stimme voll aufrichtiger Freude.

Anton erkannte voller Erstaunen die Stimme Ernst von Deckens und starrte in die dämmrige Ecke. Dann sah er den massigen, gestreng wirkenden Deutschen hinter einem Kupfertisch sitzen, neben sich eine schlanke dunkle Frau in einem makellosen weißen Baumwollkleid. Eine Somali, schätzte Anton, für den die Frauen dieses Volkes immer wieder zu den Schönsten gehörten. Aufrecht und mit zurückgelegtem Kopf stieß sie leise lachend mit ihrem Glas das ihres Begleiters an, während Ernst ein weiteres Mal rief. Der finster blikkende Mann hatte eine Hand in einer Schale mit Gewürzgurken vergraben, die andere war unter dem Tisch verschwunden. Ernst hat noch nie viel von schmallippigen Jungfern gehalten, dachte Anton, als er lächelnd auf ihn zuging.

»Schnaps, Aquavit!« brüllte Ernst einen der Turban tragenden Barmänner an und stand auf. *»Pesi, pesi!«*

»Ernst von Decken!« Anton grinste wie ein kleiner Junge. Als sein Freund ihn mit festem Griff an sich zog, konnte er den Alkohol und den Schweiß riechen.

»Das hier ist Gretel. Würdest du uns bitte entschuldigen, Schätzchen? Mein englischer Freund und ich müssen über Geschäfte reden.«

Die Dame erhob sich anmutig. Sie schüttelte mit kühlen schmalen Fingern Antons Hand und verließ das Zelt. Ihr Kleid schmiegte sich an ihren Körper wie das Gewand einer griechischen Statue. Nur ihre hohen straffen Brüste unterbrachen den glatten Fluß des Stoffes. Anton erinnerte sich daran, daß Ernst seinen Frauen möglichst keine einheimischen Namen zu geben pflegte.

»Dein Haar ist ganz weiß geworden, von Decken«, sagte Anton. »Irgendwas hat dich wohl mächtig erschreckt.«

»Nicht weiß«, protestierte Ernst und fuhr sich mit einer Hand durch sein dichtes welliges Haar. Seine kalten blaugrauen Augen leuchteten auf, und er lächelte. »Die Damen sagen, es ist silbern.«

Anton setzte sich, und beide Männer tranken und rauchten gemeinsam.

»Wie geht's deinem Vater?« fragte Anton und hoffte, Ernst würde sich nicht nach Gwenn erkundigen.

»An gebrochenem Herzen gestorben. Nachdem ihr Briten den Krieg gewonnen und uns unsere Farm in Tanganyika gestohlen hattet, ist das Leben aus ihm gewichen.«

»Das tut mir sehr leid, Ernst.« Einen Moment lang dachte Anton an seinen ersten Tag auf Gepard Farm zurück. Er war mit dem Tropenhelm des alten Mannes umherstolziert, hatte sich am frühen Abend an frischem Fleisch und deutschen Bratäpfeln gütlich getan und dann bei Einbruch der Nacht auf der Veranda gesessen und etwas getrunken, während Herr von Decken rauchte und Geschichten aus den Anfangsjahren vor dem Großen Krieg erzählte.

»Als Afrika noch wild war«, wie er zu sagen pflegte, »und bevor so viele weiße Männer hergekommen sind und nur noch Unheil angerichtet haben.« Seine Geschichten hatten in Anton den Wunsch geweckt, Jäger zu werden.

»Tja, und so habe ich mein Stück Afrika noch immer nicht zurück.« Ernst zog eine zerknitterte Landkarte aus seiner Brusttasche.

»Wer hat das schon?« Anton zuckte die Achseln.

Von Decken ignorierte die Frage und fuhr fort. »Aber ich habe jemanden gefunden, der mir beim Rückkauf der Farm helfen wird.« Er breitete die Karte auf dem Tisch aus und stellte je eine Schale Gewürzgurken und Oliven auf zwei der Ecken.

»Wer wird dir das Geld geben?« fragte Anton und dachte an die blühenden Sisalfelder der Familie von Decken zurück und an den Duft der Obstplantage unterhalb des Kilimandscharo.

»Ein Katzlmacher.« Ernst hatte den Mund voller Gewürzgurken. »Benito Mussolini.«

»Warum sollten die Italiener bezahlen?« fragte Anton. Er hatte den Eindruck, daß soeben die blonde Französin am Eingang des Zeltes aufgetaucht war und ihm einen Blick zugeworfen hatte.

»Paß auf.« Ernst knallte ein Geldstück auf den Tisch. »Weißt du, was das ist, Junge?«

Anton nahm die schwere Silbermünze in die Hand. Bewundernd musterte er die vollbusige gekrönte Dame mit dem tiefen Ausschnitt. »Ungefähr fünfzig Jahre alt, österreichisch, ein Maria-Theresien-Silberdollar. Die werden überall in Abessinien und im Somaliland nach wie vor für alles mögliche benutzt: als Aussteuer oder Schmuck, für Sklaven oder Vieh. Heißen dort Taler. Werden aber nicht mehr hergestellt.« Schon bevor er zu Ende gesprochen hatte, schüttelte Ernst bereits den Kopf.

»Falsch. Die originalen Prägestempel befinden sich in Rom und sind seit 1896 nicht mehr benutzt worden. Dieses Ekel Mussolini hat kürzlich eine Million neuer Münzen prägen lassen, um sich in Äthiopien seinen Weg an die Macht zu erkaufen – um die Fürsten zu bestechen, die Priester zu korrumpieren und allgemein Zwietracht zu säen. Letztes Jahr hat er Papst Pius gekauft, dieses Jahr werden es die äthiopischen Bischöfe sein. Alles die gleichen Huren.

Die Münzen sind gerade nach Eritrea unterwegs.« Ernst senkte seine Stimme. »Aber sobald sie damit anfangen, sie in Afrika unter die Leute zu bringen, werden sie ihnen schneller zwischen den Fingern zerrinnen als Wolken oder Quecksilber. Ich brauche bloß ein paar Tausend.«

»Ich wußte gar nicht, daß du ein Straßenräuber bist«, sagte Anton, der gleichwohl interessiert war. Er konnte sich nicht daran erinnern, daß Ernst jemals so viel geredet hatte.

»Ich bin was auch immer erforderlich ist. Im Moment bin ich Einkäufer für das abessinische Militär. Deshalb bin ich hier. Sie versuchen, für den Kampf gegen die Italiener moderne Waffen zu kaufen, aber manche Länder wollen ihnen nichts liefern, weil sie nach wie vor Sklavenhändler sind. Mein Auftraggeber da unten ist ein gerissener schwarzer Teufel mit hohen Schnürstiefeln und gestreiften roten Pantalons, der junge Ras Gugsa, der Fürst von Tigray, ein Heerführer, wie er sagt, aber die Itaker versuchen, ihn noch vor Kriegsbeginn auf ihre Seite zu ziehen.« Von Decken hustete lautstark und nahm noch eine von Antons Zigaretten, bevor er fortfuhr.

»Es dürften demnächst einige Geldtruhen unterwegs sein. Mit etwas Glück wird Ras Gugsa mich bitten, seinen Anteil zu eskortieren. Seinen eigenen Leuten kann er nicht vertrauen. Die Silbermünzen befinden sich in kleinen hölzernen Kassetten, jeweils fünftausend Stück. Ich lasse mir gerade selbst ein paar Kisten anfertigen, die genauso aussehen. Sobald die verschlossen sind, könnte selbst ein Kardinal nicht mehr sagen, welche zu welchen gehört.« Er zwinkerte Anton zu und stürzte seinen Drink hinunter. »Wird bestimmt nützlich sein.« Noch bevor Anton etwas entgegnen konnte, redete Ernst weiter. »Ich dachte, du wärst vielleicht daran interessiert. Kann sein, daß wir uns mitten durch den Busch schlagen müssen, still und leise quer durch schwieriges Gelände. Genau die Sache, die du früher ganz gut gekonnt hast.«

»Das ist nicht ganz mein Fall, alter Mann, aber ich wünsche dir Glück«, sagte Anton. Auf Pump zu leben und um Geld zu spielen war schon schlimm genug. Diebstahl kam für ihn bislang noch nicht in Frage.

Ernst hatte sich nicht verändert. Er ignorierte Anton und erzählte einfach weiter. Er fuhr mit dem Ende einer knubbeligen Gurke quer über die Karte und hinterließ eine feuchte gewundene Fährte.

»Ich bereite mehrere verschiedene Fluchtwege aus Äthiopien vor, je nachdem, wo wir das Zeug in die Finger kriegen und wer hinter uns her ist. Aber es dürfte am besten sein, weiter ins Landesinnere vorzustoßen, statt in Richtung Küste aufzubrechen, weg von den Itakern, nicht zu ihnen hin. Nach Westen bis zu den Seen im Ostafrikanischen Graben, dann südlich nach Kenia, ungefähr in deine Gegend.«

»Tut mir leid.« Anton schüttelte den Kopf, obwohl er sich Gedanken machte, wie man die Aufgabe am besten bewerkstelligen konnte. Ihm fiel auf, daß die Somalidame am Eingang des Zeltes wartete und freundlich die Angebote zweier Verehrer ablehnte. Gretel wußte zweifellos, wie von Decken auf solcherlei Zerstreuungen reagieren würde.

»Es wäre nicht direkt Diebstahl«, sagte Ernst und rieb sich die Hände. »Betrachte es als Patriotismus. Wenn der Krieg kommt, werden die Italiener der Feind sein. Vielleicht werdet sogar ihr Engländer darin verwickelt. Wir beide würden lediglich versuchen, uns als erste unseren Anteil zu sichern. Betrachte es einfach als eine weitere Safari. Ich erledige zunächst die schmutzigen Dinge, und dann heuere ich dich an, damit du dich um unseren Fluchtweg kümmerst.« Der Deutsche klopfte mit dem Ende der Gurke auf die Karte und steckte sich das salzige Gemüse dann in den Mund. »Wir könnten uns irgendwo in der Gegend des Zwaisees treffen, hier, südlich von Addis.«

»Ich fürchte, ich bin bereits gebucht, Ernst. Ich bin mit ein paar amerikanischen Kunden selbst auf dem Weg nach Abessinien.«

»Noch immer der englische Schuljunge«, sagte der Deutsche und schüttelte den Kopf. »Aber in Afrika kann alles mögliche passieren.« Er winkte Gretel zu sich heran.

Anton war eifersüchtig auf Ernsts romantische Vergnügungen, und so ließ er die beiden allein.

Als er ins Spielzelt zurückkehrte, entdeckte er die französische Dame. Sie beugte sich gerade zu ein paar Glückspilzen herunter, die in einer der Ecken saßen. Ihre Figur war sogar noch üppiger, als er es in Erinnerung hatte. Anton war nach wie vor wütend auf Gwenn und hatte es langsam satt, sich immer wieder ihren Streit vor Augen zu halten. Mit einem Gin in der Hand stellte er sich hinter Penfold und beobachtete die Frau, während sein Freund beim Bakkarat einen bescheidenen Einsatz verlor.

Die französische Dame drehte sich um und kam näher. Ihr figurbetontes graues Seidenkleid schimmerte aufreizend bei jeder Bewegung. Er lächelte verschmitzt.

»Guten Abend«, sagte Anton.

»Wer ist Ihr großer ungehobelter Freund?« fragte sie und hielt kurz inne. »Ist er Deutscher?«

»O ja, sehr«, sagte Anton. Das Parfum der Frau lenkte ihn ab. Sie stand jetzt so nah vor ihm, daß ihre Brüste ihn beinahe berührten.

»Er sieht aus, als wäre er bei einem Kampf eine wertvolle Hilfe«, sagte sie bewundernd.

»Das ist er in der Tat«, sagte Anton und bemühte sich, ihr Interesse wachzuhalten. »Ich schulde ihm viel.«

»Wofür denn?« fragte sie und hob ihre Augenbrauen.

»Ach, dafür, daß er mich im Busch aufgelesen hat, für die Gastfreundschaft auf einer Farm in Deutsch-Ostafrika und dafür, daß er mir bei einer Kneipenschlägerei den Rücken freigehalten hat«, sagte Anton und winkte mit einer Hand ab. Er meinte das durchaus ernst und mußte an die Jagden, die Schürferei und die Prügeleien denken. »Und vielleicht auch für ein bißchen Goldstaub.« Das schien sie schon eher zu interessieren.

»Spielen Sie gern? Auch mit Partner?« Sie bot Anton aus einem glänzenden silbernen Zigarettenetui mit blauen Lackstreifen eine Sobranie an. »Kann ich vielleicht helfen?«

»Vielen Dank.« Er nahm eine Zigarette, und ein vorbeikommender Kellner gab ihnen Feuer. »Helfen wobei?«

»Neulich abend habe ich Sie, glaube ich, verlieren sehen, *Monsieur.*«

»So ergeht es mir meistens«, sagte Anton, lächelte freundlich und sah sie mit mehr Achtung an. »Aus diesem Grund bin ich auch immer willkommen.«

»Bitte, gesellen Sie sich zu uns.« Sie deutete auf eine entlegene Ecke des vollen Zeltes. »Sonst reden meine Freunde wieder nur über geschäftliche Dinge. Und ich brauche einen Partner beim Bezique. Ich glaube, bei euch Amerikanern heißt es Binokel.«

»Ich bin kein Amerikaner. Ich komme aus Kenia, aber ich glaube, ich kenne das Spiel.« Er sah sie nachdenklich an. »Geht es dabei nicht darum, im Verlauf mehrerer Runden möglichst viele Punkte zu erzielen?«

»Bravo! Quelle innocence!« rief sie heiter aus. »Habe ich Sie nicht im Shepheard's mit ein paar langbeinigen amerikanischen Mädchen gesehen? Ich erinnere mich an Ihre blauen Augen.« Sie nahm Antons Arm und führte ihn langsam durch die Menge. Die anerkennenden Blicke der anderen Männer interessierten sie nicht, und sie behandelte ihn in diesem Moment, als wäre er der einzige Mann in ganz Ägypten. Solch ein Gefühl hatte er lange nicht gehabt, und er genoß es.

»Was ist das?« fragte sie und meinte damit die an seinen rechten Unterarm geschnallte Messerscheide, die sie unter seiner Jacke ertastete.

»Das Geschenk eines alten Freundes.« Das schmale Zigeunermesser war über viele Jahre Antons ständiger Begleiter gewesen. In der letzten Zeit trug er das *Choori* nur noch zu besonderen Anlässen und manchmal als Glücksbringer.

»Was machen Sie?« fragte sie und blickte zu ihm hoch.

»Wie darf ich das verstehen?« Er spürte ihre Brust an seinem Arm und drückte sich enger an sie.

»Dans la vie«, sagte sie achselzuckend. »Im Leben.«

»Ich jage.«

»Mmm«, murmelte sie. »Wie gefährlich.«

Sie führte ihn zu einem kleinen quadratischen Tisch in einer Ecke des Zeltes. Auf der grünen Tischdecke standen ein Sodasiphon, eine offene Flasche Brandy und einige Stapel Spielchips des Hauses. Zwei Männer erhoben sich, um ihn zu begrüßen, ein Europäer und ein kleiner breitschultriger Ägypter in enganliegender britischer Abendgarderobe mit einer roten Blume am Revers.

»Enchanté«, sagte der blasse korpulente Franzose überschwenglich und zuvorkommend. Er trug ein zweireihiges weißes Dinnerjacket mit einer Rosette im Knopfloch. *»Un bon pigeon,* Cerise?«

»Je l'espère.« Sie lächelte und riß zwei neue Päckchen mit je achtundvierzig Karten auf. »Wir werden sehen.«

Ein Kellner kam und stellte eine Huka neben den Ägypter. Im Zentrum der Wasserpfeife glühten hell die perfekt vorbereiteten Kohlen.

Cerise beugte sich zu Anton herüber und legte ihm die Karten zum Abheben vor.

»Würden Sie gern mit mir spielen?« fragte sie in unschuldigem Tonfall, aber ihr Blick war amüsiert und einladend.

»Natürlich.«

»Als Partner?«

»Besser jeder für sich«, sagte Anton. »Ich möchte nicht, daß Sie mit mir untergehen.«

»Das Spiel geht um eintausend Punkte«, verkündete der Franzose herzlich. »Punktevergabe wie üblich, Sonderpunkte für Asse und Bildpärchen, jeder Gewinner einer Runde addiert den Wert seiner Karten zu den gewonnenen Stichen. *Roulez.*«

Anton wußte, daß dies sein Spiel werden mußte, falls er tatsächlich zu etwas Geld kommen wollte. Er konnte es sich kein zweites Mal erlauben zu verlieren.

Etwa eine Stunde lang spielten sie gleichbleibend ihre Karten aus, tranken, rauchten und plauderten. Anton mußte sich nicht allzusehr konzentrieren, da sein gutes Kartengedächtnis ihn stets über den aktuellen Stand auf dem laufenden hielt. Er schätzte, daß er und das Mädchen jeweils einige Pfund in Führung lagen. Im hellen Licht der Lampe, die über dem Tisch hing, erkannte er, daß sie älter war, als er zunächst vermutet hatte. Sie war sogar älter als er selbst, vermutlich ungefähr vierzig, vielleicht sogar darüber. Falls er nicht aufpaßte, würden ältere Frauen für ihn noch zur Gewohnheit werden. Sie würden ihn träge machen.

»Ein Geschenk von Ali Baba für Mr. Alavedos Freund«, sagte ein Tischsteward zu Anton und brachte eine Flasche geeisten Champagner und Gläser. Anton sah, wie sich die dunklen Augen des Ägypters verengten und er Anton etwas genauer musterte. Am Rand des Tisches lagen zwei neue Päckchen Spielkarten.

»Laßt uns etwas Interessanteres ausprobieren.« Cerise, die Anton gegenüber saß, hob ihr Glas an die Lippen. Sie rutschte auf ihrem Stuhl ein wenig nach unten und legte Anton unter der Tischdecke ihren bestrumpften Fuß zwischen die Beine.

»Wir spielen vier Karten gleichzeitig«, sagte sie. »Ich fange an, ja?« Ihre Zehen waren geschäftig wie Hummerscheren, die sich durch den Meeresgrund wühlten. »Einverstanden, Monsieur Musa Bey?«

Der Ägypter nickte, während er kräftig am Mundstück der Huka sog. Cerise teilte je vier Karten gleichzeitig an sie aus. Unterdessen streichelte Anton ihren Fuß, rieb den Spann und massierte die Zehen. Cerise ließ sich nichts anmerken und teilte weiter aus. Obwohl ihre Fingerfertigkeit und ihre unbeteiligte Miene Anton beeindruckten, wandte er seine Aufmerksamkeit aufs neue der Gefahr eines Betrugs zu.

Er wußte, daß bei dieser Spielvariante mit vier Karten bereits ein einziger Fehler ausreichen würde. Der Versuch wurde immer dann unternommen, wenn das Opfer als Kartengeber an der Reihe war. Einer der Betrüger würde beim Abheben dafür sorgen, daß voraussichtlich entweder vier der acht Asse oder vier Bilder oben auf dem Kartenstapel zu liegen kamen. Unmittelbar darauf würde das Opfer dann genau diese vier Karten an den zweiten Betrüger austeilen.

Anton wußte mehr über Kartenmogeleien als die meisten anderen. Er erinnerte sich daran, wie die jungen Zigeuner in diese Tricks eingewiesen wurden, abends im schützenden Kreis der *Vardos*, während die Hunde auf Knochen herumkauten oder unter den Wagen dösten. Die Kinder saßen im Schneidersitz und legten die großen bunten Karten auf Tücher, die man am Lagerfeuer ausgebreitet hatte. Die Mädchen lernten, aus den Karten die Zukunft vorherzusagen, die Jungen lernten das Glücksspiel, von Casino, Kalabrias und Cribbage bis zu Poker und Binokel. Nach einiger Zeit konnte jeder Zwölfjährige sich den Spielverlauf zweier Kartensätze in Folge merken. Er konnte Karten verschwinden lassen und sie geschickt verbergen, unnütze loswerden und wertvolle ansammeln, sie markieren und fremde Markierungen erkennen, einem anderen Zeichen geben oder betrügen wie ein Zauberkünstler.

Ernst von Decken tauchte hinter Anton auf und legte seinem Freund eine seiner schweren Hände auf die Schulter.

Nervös wartete Anton auf den Stich, während die gegnerischen Spieler ihre Einsätze wechselseitig erhöhten. Der Überbotene mußte jedesmal mit der gesamten Kasse gleichziehen. Anton würde diese

Runde gewinnen müssen, bevor der Pot den Punkt erreichte, an dem sie mit ihren Tricks anfingen. Er hoffte inständig auf ein Bezique, die punktstarke Kombination aus Pikdame und Karobube, ein besonders passendes Paar, wie er fand. Die Spieler setzten und erhöhten ihre Einsätze auf schwache Blätter, mußten manchmal passen und steuerten mehrfach einen Betrag in Höhe der stetig anwachsenden Kasse bei, während das Spiel immer wieder den Tisch umkreiste. Der Pot wuchs auf zweihundert, dreihundert, vierhundertzwanzig Pfund an. Anton näherte sich rasant seinem finanziellen Limit. Cerise wirkte nicht mehr ganz so unbekümmert.

Anton lehnte sich zurück, und Ernst beugte sich zu ihm herab. »Kannst du fünfzig Pfund entbehren?« flüsterte Anton. Der Deutsche richtete sich auf, brach in lautes Gelächter aus und klopfte Anton mehrmals auf die Schulter.

»Ich bin hergekommen, um dir deine Blondine zu stehlen«, flüsterte Ernst in Antons Ohr. »Nicht, um dir Kredit zu geben.«

Anton war inzwischen äußerst erregt und fragte sich, ob Ernst wohl bemerkt hatte, welchen Unfug Cerise unter dem Tisch anstellte.

Nach einer weiteren Runde betrug der Pot etwas mehr als zwölfhundert Pfund. Antons Körper war angespannt wie ein schußbereiter Bogen. Seine Taschen waren fast leer, sowohl der gesamte Safarivorschuß als auch Olivios Einsatz lagen auf dem Tisch. Sein kleiner Freund konnte sich einen solchen Verlust erlauben, er selbst hingegen nicht. Er dankte Gott für seine Zigeunerausbildung: Je höher die Einsätze wurden, desto ruhiger wirkte er nach außen. Er lächelte scheinbar entspannt.

»Fürchte, ich werde langsam ein bißchen müde, alter Junge.« Penfold beugte sich zu Anton hinab und flüsterte ihm ins Ohr. »Ich liege ein paar Guineen vorn. Sie machen weiter wie abgesprochen, und ich gehe nur kurz nach draußen und mache im Wagen ein kleines Nickerchen.«

Anton nickte und sah dem Franzosen zu seiner Rechten beim Mischen der Karten zu.

Ernst begrüßte Penfold mit außergewöhnlichem Respekt. »Lord Penfold, Sir!« Er schlug die Hacken zusammen und nickte ruckartig. »Hauptmann Ernst von Decken, Schutztruppe.«

»Du lieber Himmel!« sagte Penfold erfreut und schüttelte ihm die Hand. »Der Deutsche.« Die beiden Männer unterhielten sich kurz, dann verließ Penfold das Zelt.

»Mächtig netter Hunne«, murmelte Penfold, als er zu dem klaren kalten Sternenhimmel über der Wüste emporblickte, »aber manchmal vergißt er, wer den Krieg des Kaisers verloren hat.«

Anton spürte, daß der entscheidende Stich kurz bevorstand. Mit feuchten Händen nahm er eine Zigarette und legte das blanke silberne Etui der Dame beiläufig links neben sich auf den Tisch. Er nahm den bereits abgehobenen Kartenstapel und teilte vier Karten an den Ägypter aus. Zwischen den blauen Lackstreifen spiegelten sich für einen Augenblick die Ecken von je zwei Herzkönigen und Herzdamen im Silber des Etuis. Doppelte Hochzeit, eine Gewinnerkombination. Er blickte auf und sah die Anspannung auf dem weichen Gesicht des Ägypters. Mit seiner rechten Hand spielte der Mann an der Blume in seinem Knopfloch herum, rupfte geistesabwesend die kleinen roten Blütenblätter ab, dann rollte und zerrieb er sie zwischen Daumen und Zeigefinger.

Anton wußte, daß er das Spiel unterbrechen mußte. In nach wie vor entspannter Haltung teilte er vier Karten an Cerise aus. Er rief sich ins Gedächtnis, daß Profis jegliches Aufsehen fürchteten und daher stets vermieden, daß an ihren Tischen irgendein Wirbel die allgemeine Aufmerksamkeit auf sie lenkte. Ein erfahrener Gegner könnte daraus sonst womöglich einen Vorteil ziehen. Als Anton mit seiner rechten Hand Cerise die Karten hinwarf, stieß er gegen ihr Glas. Der Champagner schwappte heraus und ergoß sich über ihre Karten.

»Mon Dieu!« Schnell versuchte Cerise, das Glas festzuhalten, und verschüttete dabei noch mehr Champagner auf den Tisch. *»Zut!«* Cerise drehte die durchweichten Karten um und verzog das Gesicht. Als einige Tropfen Champagner über die Tischkante in ihren Schoß rieselten, zuckte ihr Fuß vor, und ihre Zehen vergruben sich in seinem Schritt.

»Bitte verzeihen Sie!« sagte Anton und reichte ihr sein Taschentuch. »Ich fürchte, wir müssen dieses Kartenspiel beiseite legen. Es ist ruiniert.«

»Eh, alors!« sagte der Franzose wütend, aber er hielt sich zurück

und fügte nichts mehr hinzu. Statt dessen tauschte er mit dem Ägypter wissende Blicke aus.

Anton öffnete ein neues Päckchen Spielkarten und reichte sie dem Franzosen zum Abheben. Sie würden jetzt ein oder zwei weitere Runden benötigen, um die Karten neu anzuordnen. Anton teilte aus. Die anderen Spieler achteten mit höchster Konzentration auf seine Hände.

Seine eigenen Karten, keine Asse, aber immerhin ausschließlich Bilder, könnten für den Gewinn ausreichen. Der Ägypter hielt seine Karten fest umklammert. Er überlegte und beobachtete Antons Gesicht mit verkniffenen kaltblickenden Augen. Der Mann bot schließlich dreihundertfünfzig Punkte, die anderen erhöhten dann auf dreihundertsechzig und dreihundertneunzig. Es ging nach wie vor um eintausend Punkte, von denen sechshundert bereits im Pot lagen. Alles, was Anton an diesem Abend erreichen wollte, lag jetzt zum Greifen nah.

»Vierhundert Punkte«, sagte Anton. Er ging dieses große Risiko ein, um nicht mehr überboten werden zu können. Keiner am Tisch sprach ein Wort. Die anderen drei ließen ihn nicht aus den Augen. Anton deckte als erster seine Karten auf und konnte den anderen Gesichtern im gleichen Moment ansehen, daß er gewonnen hatte. Einer nach dem anderen drehte seine Karten herum und ließ sie dann fallen. Er hatte diese Runde und die Kasse gewonnen, ungefähr sechsmal soviel wie sein ursprünglicher Einsatz, überschlug er.

Als Anton den Pot mit beiden Händen an sich zog, löste der Knoten in seinem Magen sich langsam auf. Zwischen den Banknoten, Chips und Jetons fanden sich kleine rote Fragmente der Blume des Beys. Jetzt würde er noch ein, zwei Spiele machen und dann aufbrechen. In der Zwischenzeit würden sie damit beginnen müssen, die Kasse erneut aufzubauen. Der Ägypter legte ihm den Kartenstapel hin, und er hob ab. Cerises Zehen gingen seit Antons Sieg sogar noch aktiver und geschickter vor. Er spürte, wie seine Erregung wieder wuchs. Der Bey teilte aus.

Ein Tumult am Eingang störte Antons Konzentration. Er ließ seine Karten sinken und blickte hoch.

Tariqs riesige Gestalt füllte den Durchgang aus. Der Blick seiner dunklen Augen suchte flink das verrauchte Zelt ab. Es war, als wäre irgendein wildes Tier zufällig in einen Salon gelaufen. Zwei Kellner versuchten sich ihm in den Weg zu stellen. Einer berührte seinen Ärmel. Tariq schüttelte sich gereizt wie ein Hengst, der sich gegen das Zaumzeug sträubt, und hob die Hände. Die Männer zuckten zurück, als hätten sie sich verbrannt.

»Bitte entschuldigen Sie mich.« Anton warf seine Karten auf den Tisch und zahlte schnell noch seinen Einsatz, um mit dem kleinen Pot gleichzuziehen. Dann stand er auf und eilte zu Tariq.

»Dieser Gentleman gehört zu mir«, sagte er zu dem versammelten Personal.

»Der Lord, *Effendi*«, sagte Tariq. »Er ist verwundet. Kommen Sie schnell.«

Anton erkannte, daß keine Zeit für Erklärungen blieb. Er kehrte zu dem Tisch zurück und entschuldigte sich ein weiteres Mal.

»Verdammt, ich bin schuld«, sagte er zu Ernst. »Olivio hat mich gewarnt, daß es gefährlich sei, diesen Ort allein zu verlassen.«

»Dein Zwerg ist in Kairo?« fragte Ernst.

»Das will ich doch meinen.« Anton sammelte seinen Gewinn aus Bargeld und Chips ein.

»Wo wohnen Sie in Kairo?« fragte die Blondine, als Anton aufbrach.

»In der Pension Agamemnon«, stieß er hastig hervor. Es gefiel ihm, daß sie sichtlich enttäuscht war, aber er bezweifelte, daß sie ihn dort aufsuchen würde.

Anton, Tariq und Ernst liefen zum Wagen. Rutschend und schlitternd nahmen sie den kürzesten Weg die steile dunkle Flanke der Düne hinab. Gretel folgte ihnen etwas langsamer.

Penfold saß auf der Rückbank und hielt ein verfärbtes Taschentuch an den Kopf gedrückt. Eine Seite seines Hemdkragens war vom Blut gerötet. Sein Monokel war zerbrochen.

»Tut mir leid, daß ich Ihr Spiel unterbrechen muß. Irgendwelche Gauner haben mir einen üblen Hieb versetzt. Sie waren zu dritt. Das Geld ist mir egal, ich verlier's sowieso immer, aber sie haben mir die Taschenuhr samt Uhrenkette meines Vaters gestohlen.«

Anton nahm das Taschentuch und untersuchte die blutende Wunde, die von Penfolds rechtem Ohr bis zu seiner Augenbraue verlief.

»Sieht nicht gut aus. Wird vermutlich mit ein oder zwei Stichen genäht werden müssen«, sagte Anton. »Wo ist Haqim?«

»Immer geradeaus«, sagte Penfold kraftlos. »In Richtung der alten Katakomben.«

»Bin gleich wieder zurück.« Anton zog sein Jackett aus und legte es seinem Freund über die Brust. »Bleib bei seiner Lordschaft, Tariq.«

»Laß mich mitkommen«, bat Ernst. »Es wäre mir ein Vergnügen. Das ist keine Aufgabe für einen netten englischen Jungen.«

»Nein, du kümmerst dich um Adam. Vielleicht kommen sie hier vorbei.« Anton gab Ernst das Taschentuch. »Bitte versuche, diese Wunde zu reinigen und die Blutung zu stoppen.«

»Gute Jagd«, sagte der Deutsche grinsend und reichte das Taschentuch an Gretel weiter.

Anton war auf sich selbst wütend, weil er an das Geld gedacht hatte anstatt an seinen Freund. Er lief los und verschwand in der Dunkelheit. Der Mond stand inzwischen höher und hatte an Umfang verloren. Vereinzelte Dunstschleier dämpften sein Licht.

Anton erreichte den ersten Eingang; zwei niedrige steinerne Säulen, die rauh und unbehauen waren, schienen direkt aus der felsigen Hügelflanke herausgemeißelt worden zu sein. Er blieb stehen und horchte. Ein Stück weiter am Hang sah er eine Gruppe undeutlicher Gestalten, die mit übereinandergeschlagenen Beinen um ein schwach glimmendes Feuer saßen. Sie wirkten wie aus einer fremden Welt. Anton war schlau genug, sie nicht um Hilfe zu bitten.

Aus der Katakombe hörte er schnelle Schritte und dann einen Schmerzensschrei. Er bückte sich und ging hinein, in seiner rechten Hand das schmale Messer, in der anderen einige Streichhölzer. Seine Hand traf auf eine rauhe Wand, dann auf eine scharfe Biegung um die Ecke. Er folgte dem Pfad und sah vor sich ein schwaches Glühen aus der nächsten Kammer dringen.

Er stolperte und blickte nach unten. Eine ausgestreckte Gestalt blockierte den Weg. Eine kleine Öllampe, die aus einem langen Docht in einem offenen Gefäß bestand, spendete ihr spärliches Licht. Anton kniete sich hin.

Der Tote trug nur eine Sandale an den Füßen. Seine abgetrennte rechte Hand lag mit gespreizten Fingern in einer Blutlache neben ihm. Die Strafe für Diebstahl, vermutete Anton und dachte an Haqim. In der Nähe der Leiche lag außerdem ein zerbrochener langer Dolch. An einem Riemen um sein gebrochenes Genick trug der Mann zwei lederne Talismane, der übliche Schutz vor Syphilis und Bandwürmern. An seiner Taille hing eine Lederbörse. Anton öffnete sie und fand Lord Penfolds goldene Kette, aber nicht seine Uhr. Er stieg über die Leiche hinweg, als Kampfgeräusche an sein Ohr drangen.

Anton nahm die Lampe, beugte sich tief hinunter und betrat die nächste Kammer.

Haqim rang tobend und fluchend mit zwei Männern. Sein linker Arm war offenbar nicht einsatzfähig. Einer seiner Gegner drehte sich um und entdeckte Anton.

»*Afrangi!*« brüllte der Mann und ging mit einem kurzen gebogenen Messer auf Anton los.

Anton schüttete das Öl in seine Richtung. Die Flüssigkeit entflammte in der Dunkelheit und ergoß sich wie ein Umhang über die Schultern von Antons Angreifer. Die *Gallabijjah* des Mannes loderte wie eine riesige Fackel auf, so daß sein Gesicht plötzlich wie von einem Glorienschein umgeben war. Die Flammen züngelten an seinem Hals empor. Schatten zuckten über die Decke und Wände der Kammer. Der Mann schrie auf und ließ sein Messer fallen. Er stürmte an Anton vorbei, warf sich in dem Durchgang zu Boden, rollte im Staub hin und her und schlug mit beiden Händen auf sein Gewand, um die Flammen zu ersticken. Dann sprang er auf und rannte davon, bis seine Schreie allmählich in der Ferne verhallten. Anton kauerte sich in der Dunkelheit nieder und hielt seine Klinge vor sich ausgestreckt. Haqim und sein letzter Gegner kämpften noch immer miteinander. Anton konnte sie grunzen und fluchen hören.

Urplötzlich herrschte in der dunklen Kammer Stille. Dann hörte Anton das Scharren eines Schritts auf dem Steinboden.

»Haqim?« Anton hielt sich die gewölbte Hand vor den Mund, um so den Ursprungsort seiner Stimme möglichst zu verschleiern, und machte schnell einen Schritt zur Seite.

Ein Schlag streifte seine Schulter. Funkensprühend schlug der schwere Stein genau dort gegen die Wand, wo Anton eben noch gestanden hatte. Er schwang das *Choori* in einem weiten Bogen nach oben. Er hörte, wie die Klinge durch Stoff fuhr, dann spürte er am Ende der Bewegung Widerstand und hieb gleich noch einmal zu. Ein Mann schrie auf und stürzte gegen ihn. Anton trat einige Schritte zurück, bis er eine Wand hinter sich fühlte. Er blieb stehen und hörte einen Körper zu Boden fallen. Der Mann würgte und spuckte wie ein Tier, das an seinem eigenen Blut erstickte.

Anton entzündete ein Streichholz. In seiner rechten Hand hielt er das Messer bereit. Sein Hemd war vorn ganz klebrig vom Blut seines Angreifers. Haqim lag ganz in der Nähe. Er atmete noch. Sein Kopf war blutüberströmt. Offenbar hatte sein Gegner ihn mit dem Stein bewußtlos geschlagen. Das Streichholz flackerte und erlosch. Anton entzündete ein weiteres und hielt es hoch.

Drei Meter von ihm entfernt lag ein Ägypter in einer größer werdenden Blutlache. Seine Augen waren geöffnet und starr. Die Finger seiner rechten Hand steckten in einer langen Wunde, die vom Schlüsselbein bis zum Kinn reichte.

Anton durchsuchte die Leiche. Er fand eine kleine Rolle englischer Banknoten und einen Spielchip, aber keine Uhr. Er wischte das Messer am Gewand des Mannes ab. Da er keinen Gürtel trug, steckte Anton sich das Messer zwischen die Zähne. Für diese Art Beschäftigung war er momentan nicht richtig gekleidet, dachte er. Er ging neben Haqim in die Knie und wuchtete sich den Mann auf die Schultern. Anton stöhnte vor Anstrengung. In seiner verwundeten Schulter pochte der Schmerz, und er war sich sicher, daß er noch nie ein schwereres Gewicht angehoben hatte. Haqims Körper war kompakt wie ein Stein. Unbeholfen riß Anton ein weiteres Streichholz an und machte sich gebückt auf den Weg nach draußen.

Die entfernten Gestalten am Feuer behielten ihn reglos im Auge, während er mit Haqim in die Nacht hinausstolperte.

Keinen Augenblick zu früh, dachte Anton, als er die Lichter des Rover zweimal kurz aufblinken sah. Er torkelte durch den Sand darauf zu.

»Du lieber Himmel!« hörte er Adams Ausruf, als dieser ihn in seiner blutigen Abendgarderobe erblickte, mit einem Messer zwischen den Zähnen und dem riesigen Nubier quer über den Schultern. Tariq rannte ihnen entgegen und nahm Anton seinen Bruder ab.

»Mehr konnten wir nicht erreichen.« Anton gab Penfold das Geld und die Goldkette. Dann ließ er sich erschöpft auf das Trittbrett des Wagens sinken.

»Mit deinem deutschen Freund an deiner Seite wäre es besser gelaufen«, sagte Ernst, die Hände in die Hüften gestemmt.

»Was ist mit den anderen Kerlen passiert?« fragte Penfold wißbegierig.

»Einer von denen braucht jetzt ein paar feuchte Teeblätter. Die sind gut für seine Verbrennungen. Er muß der Strolch sein, der die Uhr hat«, sagte Anton und ging nicht weiter auf Ernst ein, während er sich Gesicht und Hände mit einem Lappen aus dem Handschuhfach abwischte.

»Würde mich nicht überraschen, falls die anderen beiden auf den Tischen von Gwenns medizinischer Fakultät auftauchen. Ich werde Gwenn bitten, ihnen für den alten Haqim hier ein paar zusätzliche Schnitte zu verpassen.«

»Freut mich, daß mein Engländer nach wie vor Spaß an einer kleinen Keilerei hat«, knurrte Ernst und dachte daran, wie hilfreich sein Freund nach dem Raubüberfall sein könnte. »Ich werde dich in deiner Pension besuchen. Vielleicht können wir ja dasselbe Boot nach Ostafrika nehmen.«

9

»Clove scheint sehr an diesen Tauben zu hängen«, sagte Adam Penfold. Er blickte nach oben auf das flache Dach über der Bar, wo seine Patentochter gerade damit beschäftigt war, die Vögel in ihren Käfigen mit Futter aus einem Korb zu versorgen. »Was wirft sie ihnen da hin? Ich bekomme selbst schon langsam Hunger.«

»Getreide, mein Lord«, sagte Olivio Alavedo. »Und für ihre Lieblinge vielleicht auch ein paar Tamarindensamen.« Es ärgerte ihn, daß sein Freund sich immer so leicht ablenken ließ und oftmals über die unsinnigsten Dinge nachgrübelte. Andererseits freute er sich über jede Aufmerksamkeit, die seinem Lieblingskind zuteil wurde. Seine Clove hatte diese Täubchen ins Herz geschlossen. Im Gegensatz zu einigen ihrer Schwestern beklagte sie sich jedoch niemals darüber, daß einige der Vögel für den Kochtopf bestimmt waren. Genau wie ihr Vater hatte Clove ein Gespür für die Gesetze des Lebens. Ihre Lieblingsvögel waren die dunklen Brieftauben, die in einem eigenen Käfig über den anderen untergebracht waren. Der Feind dieser Vögel war nicht das Messer, sondern der Falke.

»Es sieht so aus, als würde man uns vor das Mischtribunal zitieren können, Mr. Anton«, sagte der Zwerg kurz darauf und stellte eine Schale heißer Gemüse*samosas* auf den Tisch, eine jede gefüllt mit gewürztem Erbsenpüree und gehackten Silberzwiebeln von seiner Farm. »Die Leute der Sonderpolizei und dieser Hund Hauptmann Thabet, die wir auf meinem Land angetroffen haben, sind im Auftrag des Palastes dort gewesen – oder auf Veranlassung von jemandem, der dem Palast nahesteht.«

So wie andere Männer einen Sinn für Polo oder das Klavierspiel besaßen, ein Talent zur Malerei oder Philosophie, so hatte Olivio Alavedo einen sechsten Sinn für das Aufspüren von Intrigen. Er war wie ein Frettchen auf der Jagd nach einem Maulwurf – sobald er erst einmal die Fährte aufgenommen hatte, war ihm kein Tunnel zu finster, zu tief oder zu verschlungen.

Der Zwischenfall bei dem Dorf basierte auf einer bedenklicheren Ursache als lediglich auf Inkompetenz. Auch bei anderen Grundstückskäufen hatte er mehrfach unerfreuliche Erfahrungen gemacht, als hätte die Bank oder die Behörde, die ihm ihre Unterstützung versagte, auf Anweisung eines Konkurrenten gehandelt. Er argwöhnte, daß es irgendeinen Feind gab, den er noch nicht ausgemacht hatte, einen Rivalen beim Erwerb dieser Ländereien, dessen schlaue Pläne seinen eigenen nicht unähnlich waren. Darüber hinaus hatte sich bei ihm bereits ein Mittelsmann im Namen eines unbekannten Käufers gemeldet. Versuchte man, ihn einzuschüchtern und ihn davon abzuhalten, jene neuen Liegenschaften zu erwerben und zu kultivieren, auf die er so versessen war?

Olivio fragte sich, was einem Mann wie ihm wohl in einem ägyptischen Gefängnis bevorstehen mochte, oder, noch schlimmer, bei einer Arbeitskolonne, die den Schlick aus den Kanälen schaufelte. Schon vor Jahren hatte er es sich zu eigen gemacht, seine Phantasie im Zaum zu halten, außer bei diversen intimen Gelegenheiten. Ohne diese Zurückhaltung lief er schnell Gefahr, sich selbst verrückt zu machen. Ein bestimmtes Bild jedoch konnte er in diesem Moment nicht länger verdrängen. Er erinnerte sich an die Hände eines *Fellah*, der viele Jahre vor diesem Zusammentreffen im Sträflingssteinbruch von Tura gearbeitet hatte.

Von dem weißen Staub des Kalksteins und dem reflektierten Sonnenlicht war der Mann fast erblindet, und seine Hände wiesen ihn eindeutig als Überlebenden des Steinbruchs aus. Die Finger waren vielfach gebrochen, die Hände steif wie zwei verzogene Bretter, aufgerissen und schwielig, wie es schlimmer kaum vorstellbar war. Sie glichen eher den Extremitäten irgendeines seltsamen Tiers. Könnte die Hölle noch schlimmere Schrecken bereithalten als die Tura?

Olivio brachte sich zur Vernunft. Dies war immerhin Ägypten. Für einen gewissen Preis ließen sich stets besondere Vereinbarungen treffen.

»Das Mischtribunal?« fragte Anton. Nach einem morgendlichen Ausritt mit den Zwillingen zu den Pyramiden war er staubbedeckt und ausgedörrt. Er stürzte gerade sein zweites Glas Saft herunter. Diese Mädchen aus Kentucky konnten wirklich reiten.

»Die gemischten Gerichtshöfe sind Teil der Kapitulationsbedingungen, die wir damals mit den Türken ausgehandelt haben. Schließlich haben die vor uns diesen Haufen hier regiert«, sagte Penfold. Sein Gesicht hellte sich auf. Er nippte an seinem Gin Tonic und versuchte, sich die geschichtlichen Einzelheiten ins Gedächtnis zu rufen. Er bemerkte, daß Olivio und Anton auf weitere Erklärungen warteten. Vor allem Olivio wirkte außergewöhnlich interessiert. Es war für Penfold selten geworden, daß jemand ihm solch gespannte Aufmerksamkeit schenkte, und so fuhr er beschwingt fort.

»Eine Weiterentwicklung der alten Konsulatsgerichte. Die Bestimmungen besagen, daß kein Ausländer der ägyptischen Gesetzgebung, Gerichtsbarkeit oder Besteuerung unterliegt und nur vor solche Tribunale gestellt werden kann, die aus vornehmlich ausländischen Richtern bestehen.«

Der schaumige rote Orangensaft war das beste Getränk, das Anton jemals gekostet hatte. Sein leichter Kater ließ den Saft nur noch besser schmecken. In der Stadt trank man ohnehin immer zuviel, und ein Abend mit seinen Kunden im Semiramis trug nicht dazu bei, dem aus dem Wege zu gehen. Er tunkte die Ecke einer *Samosa* in das Chutney. Noch eine weitere Woche wie diese und er würde verweichlicht und träge sein. Er stöhnte auf und warf Adam einen skeptischen Blick zu. Der alte Gentleman war gerade damit beschäftigt, seine *Samosa* mit einer Gewürzpaste zu bestreichen.

»Besser als die strenge einheimische Justiz, junger Mann«, sagte Penfold, der Antons Unmutsäußerung mißverstand. »Manche der alten osmanischen Strafen waren ziemlich unangenehm. Hätten Ihnen keine Gelegenheit gegeben, je Ihre Enkel kennenzulernen.«

Penfold hielt inne und zwinkerte Olivio zu. »Du wirkst ein bißchen geistesabwesend, alter Junge. Trink lieber einen mit mir. Wir können uns glücklich schätzen, glaub mir. Leider wird es bald schlimmer werden. Die jungen ägyptischen Offiziere, die patriotischen Verbände, die Studenten und all das – sie dringen auf ein Ende der Kapitulationsbedingungen, verlangen sogar, daß unsere Truppen nach Hause geschickt werden. Verrückt, wirklich. Sie betrachten es als ihr Ägypten und all diesen Blödsinn. Selbstverständlich hat dieses Land noch nie ihnen gehört. Vierhundert Jahre lang war es im Besitz der Türken.« Penfold war mit seinem Bericht zufrieden und bürstete sich ein paar Teigkrümel von der Jacke.

»Das klingt, als sollte ich meine Kunden lieber aufs Boot verfrachten, bevor alles in Fahrt kommt.« Es war wie damals, als er noch ein Junge war, dachte Anton. Immer wenn es Ärger gab, brachen die Zigeuner nachts ihr Lager ab, anstatt so dumm zu sein, womöglich schlimme Folgen abzuwarten. Innerhalb von zwanzig Minuten waren ihre Sachen gepackt, die Pferde angespannt und die Wagen unterwegs. Aber jetzt tat es ihm leid, seine Jungen hier zurückzulassen.

»Das wäre vermutlich besser«, sagte der Zwerg, der auch deswegen besorgt war, weil der Abend beim Glücksspiel in der Nähe der Pyramiden für seine Freunde einen solch blutigen Ausgang genommen hatte. »Und es könnte nicht schaden, wenn der alte Haqim einen kleinen Urlaub antritt.«

»Wir können morgen den Zug nach Suez nehmen und gerade noch den Dampfer nach Somaliland erwischen«, sagte Anton. Wenigstens würde er sich nicht in Unkosten stürzen müssen, um die Zwillinge im Shepheard's zum Tanztee auszuführen, dachte er und schüttelte den Kopf. Die beiden hatten eine Vorliebe für Champagner.

Oberst Grimaldi klopfte gegen die Trennscheibe, worauf Kamil den Bugatti an den Rand der holprigen Schlaglochpiste lenkte und anhielt. Enzo stieg aus, streckte sich und atmete tief ein. Hier in der Östlichen Wüste zwischen Nil und Suezkanal nahm der Sand weichere Formen an, eher wie an einem Strand, weniger felsig und dafür stärker dem Einfluß des Windes ausgesetzt. Vor ihm erstreckten sich ausgedehnte Dünen bis ans Ende seines Blickfelds. Der Graf erleichterte sich und zündete sich eine Zigarette an. Kamil tat es ihm auf der anderen Straßenseite gleich. Grimaldi roch die warme staubige Luft, während von Süden der Chamsin aufkam. Der italienische Wimpel des Wagens begann zu flattern. Kameldornbüsche wurden rollend und hüpfend über die Straße geweht.

Zwischen zwei Dünen im Norden erschien von links nach rechts der graue Bug eines Schiffes, als würde es durch den Sand segeln. Noch bevor alle Decksaufbauten sichtbar waren, wurde es wieder von den fernen gelbbraunen Hügeln verdeckt, die das leicht abschüssige Gelände bis zum sandigen Horizont ausfüllten. Nur die schmale schwarze Rauchsäule war ständig zu sehen, während das Schiff zwischen den sanft gerundeten Dünen auftauchte und verschwand wie die Silhouetten in einem Schattenspiel. Vermutlich eines von unseren, dachte Enzo.

Bislang hatten in diesem Jahr mehr als hundertfünfzig italienische Schiffe mit Männern und Vorräten für Ostafrika den Suezkanal durchquert. 1934 waren es nur vier Schiffe gewesen. Die französischen Schmarotzer der Suez-Gesellschaft berechneten den Italienern für jeden einzelnen Mann sieben Franc und für jede Tonne Fracht fünfundzwanzig Franc. Die Franzosen verkauften Abessinien. Vielleicht würden sie eines Tages sogar damit anfangen, sich gegenseitig zu verkaufen, dachte Grimaldi mißmutig.

Bald würde er am Kanal eintreffen. Enzo wünschte, Gwenn wäre dort, um ihn zu verabschieden. Als er abfuhr, war sie damit beschäftigt gewesen, ihre Sachen zu packen, um die Jungen in die Villa dieses abscheulichen Gnomen zu bringen, bevor sie selbst nach Äthiopien aufbrechen würde. Enzo kannte sich gut genug, um zu wissen, wie sehr er sie vermissen würde. Er bezweifelte, daß sie sich darüber im klaren war, aber er wußte genau, was dem Problem zugrunde lag. Es war weder ihre Arbeit noch seine, und es war auch nicht der bevorstehende Krieg oder all die Dinge, die sie beide gesagt oder nicht gesagt hatten. Es mußte der Engländer sein. Alles hatte sich in dem Moment geändert, als Rider in Kairo eingetroffen war.

»Eines Tages werde ich ihn dafür bezahlen lassen«, sagte Enzo leise, während er seinen Blick über die Wüste schweifen ließ.

Doch in gewisser Weise lag es nicht einmal an Rider, sondern vielmehr an Gwenns sturer Überzeugung, welchen Verlauf die Dinge nehmen sollten. Rider und dieser bevorstehende Feldzug hatten schließlich das Faß zum Überlaufen gebracht.

»Es liegt nicht an dir, Lorenzo, und es liegt auch nicht an ihm«, hatte sie abschließend gesagt und von ihrem Koffer aufgeblickt, während er wütend in der Türöffnung stand. »Es liegt an mir oder eher daran, wie ich leben möchte.«

Grimaldi zündete sich noch eine Zigarette an und dachte über ihre Worte nach. Er erinnerte sich an einen bestimmten Abend zurück. Damals hatte es zwischen ihnen beiden noch besser ausgesehen. Sie hatte ihm von dem jämmerlichen Dasein ihrer Mutter in einer walisischen Bergarbeitersiedlung erzählt. Es war mehr gewesen, als er hatte hören wollen.

»Immerhin gab es im Leben meiner Mutter ein paar bedeutende Konstanten«, hatte Gwenn ihm gesagt. Sie klang, als wüßte sie, daß er sie niemals verstehen würde. »Sie führte ihr Leben so, wie es sein sollte, mit ein und demselben Mann, ihren Kindern und an einem Ort, der immer ihr Zuhause sein würde.«

Enzo schnippte die Zigarette in die Wüste und kehrte schnellen Schrittes zu dem Bugatti zurück.

»Denk daran, kurz vor Suez anzuhalten und den Wagen von außen zu säubern«, befahl er, als Kamil ihm die Tür aufhielt. Sogar die Kühlerfigur, ein von Lalique entworfener Falke, war von dunklem Staub überzogen.

Nach weniger als einer Stunde erreichten sie Suez. Sie kamen an einer Kette von Militärposten vorbei, über denen britische und ägyptische Flaggen wehten. Aber Grimaldi wußte, daß es nicht auf die Flaggen ankam. Auch die Ziegelbauten der riesigen Kaserne am Rand der Stand standen unter britischer Kontrolle. Das Gelände wirkte wie die Mischung aus einem Fort und einer dieser schauderhaften britischen Textilfabriken. Vor den Mauern bejubelte ein Haufen Soldaten mit Dudelsäcken ein Fußballspiel zwischen zwei schottischen Regimentern. Enzo fühlte Groll in sich aufsteigen.

Mit flatterndem Wimpel hielt der schimmernde Bugatti am Hauptdock an, das hinter dem Ende des Kanals bereits am Golf von Suez lag. Eine Schar von fünf- oder sechshundert Italienern wartete hier. Faschistische *Squadristi* mit ihren schwarzen Kappen durchstreiften die Menge, verteilten Flugblätter und gaben Anweisungen. Junge Männer trugen faschistische Fahnen und die königlich italienische Flagge. Ein kleines Orchester spielte die Marschlieder der Schwarzhemden. Einige in der Menge begannen *»Du-ce, Du-ce,*

Du-ce!« zu rufen, als sie das Botschaftsfahrzeug bemerkten. Die Religion des Ducismo hatte bereits in Afrika Fuß gefaßt.

»Guten Tag, *Colonnello.«* Ein Konsulatsoffizier salutierte vor Grimaldi. »Die *Saturnia* wird in einer Stunde hier eintreffen, Sir.« Der typische Hafengeruch nach Öl und Abfall stieg Enzo in die Nase. Das erinnerte ihn immer wieder aufs neue daran, wie er sich zum erstenmal in Genua nach Nordafrika eingeschifft hatte.

Er ging durch den Basar in die Stadt und bestellte sich in einem verstaubten Café etwas zu trinken. Überall sah Enzo italienische Soldaten, die für kurze Zeit von Bord des Truppentransporters *Quirinale* gegangen waren. Sie würden die Menge zur Begrüßung der Söhne des Duce zahlenmäßig verstärken. Die Soldaten, zumeist Bauernsöhne und Kinder der Elendsviertel, wirkten unglaublich jung und aufgeregt. Viele von ihnen trugen aus Stroh geflochtene Militärtropenhelme, die sie bei Straßenhändlern erstanden hatten. Die meisten waren junge Burschen, für die ein Ausflug nach Rom oder Venedig ein unglaubliches Abenteuer bedeutet hätte. Und jetzt bat man sie, Afrika zu erobern.

Er sah, wie die gewöhnlichen Soldaten für eine Gruppe eleganter *Bersaglieri* Platz machten. Die schneidige dunkle Montur und die schwarzen Lederhüte des Elite-Gebirgsregiments schrien förmlich danach, zur Schau gestellt zu werden. Selbstsicher und kraftstrotzend stolzierten die *Bersaglieri* lauthals lachend vorbei, während die langen Hahnenfedern an ihren Hüten im Wind wehten. Enzo hatte sich schon immer über die Arroganz der Sondereinheiten des Militärs geärgert. Er zog das Gefühl der Brüderlichkeit vor, das die Flieger seines Landes miteinander verband. Er fragte sich, wie es wohl um die Herkunft und den Werdegang dieser Männer bestellt sein mußte, wenn ihnen bereits ein paar Gockelfedern ein solches Gefühl der Überlegenheit verliehen.

Oberst Grimaldi sah, daß ihr Transportschiff ein ganzes Stück vom Dock entfernt geankert hatte, um Platz für die *Saturnia* zu machen, die soeben eintraf. Auf ihren Decks hatte man Hunderte von schwarzen Maultieren nebeneinander an der Reling festgemacht. Er fragte sich, wie diese europäischen Tiere wohl in den Bergen Afrikas zurechtkommen würden. Hinter den Maultieren erkannte er auf einem der Decks ein Bataillon festgezurrter *Autoblinda* 611, Italiens prächtigen neuen Panzerwagen, ein jeder sieben Tonnen schwer. Einer war mit einer 37mm-Kanone ausgestattet, die anderen mit 8mm-Zwillingsmaschinengewehren. Nach den Erfahrungen des Libyenfeldzugs hatte man jeden der Wagen mit vier hinteren Antriebsrädern versehen. Die Ersatzreifen waren seitlich in der Mitte angebracht. Sie hingen tief herunter und konnten sich frei drehen, um auf diese Weise zu verhindern, daß die Fahrzeuge in zerklüftetem Gelände aufsetzten.

Enzo bezahlte sein Getränk und ging zur *Saturnia*. Seine Ausrüstung war bereits an Bord. Man bat ihn, sich umgehend bei Luftmarschall Italo Balbo zu melden.

In dem Durchgang vor der Kabine des Marschalls stand ein jüngerer Offizier. Der enge Korridor ließ ihnen keine andere Wahl, als ganz nah aneinander vorbeizugehen. Der Soldat sah Grimaldi aus vorspringenden, fast schon hervorquellenden Augen abschätzend an. Er war ein Hauptmann der *Bersaglieri*, wie Enzo bemerkte, stämmig, mit muskulösen Waden und dicken Oberschenkeln. Er sah aus wie ein Mann, der endlos weitermarschieren konnte. Der Soldat salutierte flüchtig vor Oberst Grimaldi, machte aber kaum Platz, um Enzo passieren zu lassen. Grimaldi war gezwungen sich auf seinem Weg zur Tür seitlich an dem Mann vorbeizuzwängen. Der Schweißgeruch des Hauptmanns stieg ihm in die Nase, und auf seiner Schulter fiel Enzo ein Abzeichen auf, das er noch nie zuvor gesehen hatte.

»Bitte, treten Sie ein, Grimaldi«, rief Italiens oberster Luftmarschall von seinem Stuhl aus. Seine tiefe Stimme klang müde und erschöpft. »Wir müssen ein paar heikle Angelegenheiten besprechen, und ich möchte, daß Sie ein oder zwei Offiziere kennenlernen.«

Die Kabine des alten Schiffs roch nach Zigaretten und frischer Farbe. Die Farbe ließ Enzo an die außerordentlichen Anstrengungen denken, die sein Land an allen Fronten unternahm. Neben der Tür waren drei lederne Taschen gestapelt. Durch die Bullaugen hörte man die Signale der Bootspfeifen, das Orchester und den frenetischen Jubel der italienischen Soldaten, Seeleute und Zivilisten.

»Vittorio! Vittorio! Bruno!«

Grimaldi salutierte schneidig. Er war ganz aufgeregt, Europas größten Flieger kennenzulernen, den »zweiten Kolumbus«, der als erster eine geschlossene Formation von Flugzeugen über den Atlantik geführt hatte. Er dachte daran zurück, wie er sich mit seinen Pilotenkameraden im Fliegerhorst bei Tripolis um ein Radio geschart hatte, um den Bericht von der Landung Balbos zu verfolgen. Als das Geschwader der zwölf Flugboote im Hafen von Buenos Aires wasserte, waren sie alle in ein lautes Freudengeheul ausgebrochen, und manchem der Männer hatten Tränen in den Augen gestanden. Vor Ort hatten sich Tausende von Italienern auf den Docks und an den Stränden eingefunden. Sie tranken, jubelten und schwenkten italienische Flaggen. Ähnliche Empfänge wurden dem Geschwader bereitet, als es Nord- und Südamerika im Triumphzug bereiste. 1933 hatte Balbo dieses Kunststück wiederholt. Diesmal überquerte er den Atlantik als Italiens neuer Luftfahrtminister an der Spitze von vierundzwanzig Wasserflugzeugen mit Doppelrümpfen. Die Flieger landeten auf dem Michigansee, um die Weltausstellung in Chicago zu besuchen. Einhunderttausend Menschen empfingen sie begeistert mit einem Meer aus italienischen Fahnen. Später hatte man zu Ehren Balbos eine Konfettiparade in New York veranstaltet, und er hatte mit Präsident Roosevelt im Weißen Haus zu Mittag gegessen.

Enzo und Balbo saßen an einem kleinen Tisch. Der Marineflieger strich sich über seinen kurzen kupferfarbenen Bart. Dann schenkte er zwei Grappas ein.

»Ich werde Sie hier verlassen, Oberst. Ich bin auf dem Weg nach Tripolis, um meinen Posten als neuer Generalgouverneur von Libyen anzutreten. Sie können also meine Kabine übernehmen.« Er hustete und zündete sich eine Zigarette an. »Und meinen Verantwortungsbereich.« Er nahm Grimaldi mit erfahrenem abschätzenden Blick in Augenschein. Enzo tat es leid, daß der Marschall so entkräftet wirkte. Er schien zu alt für Afrika zu sein.

»Die Söhne des Duce sind erst einundzwanzig und siebzehn«, sagte Balbo. »Und die ganze Welt schaut auf die beiden. Sie werden sich um die Jungen kümmern, als wären es Ihre eigenen Söhne. Gleichwohl müssen die beiden sowohl Einsätze fliegen als auch Führungspositionen einnehmen. Und ich brauche Ihnen nicht zu erklären, daß die Jungs unbedingt heil zurückkommen müssen. Falls nicht, werden auch Sie nicht heimkehren.«

»Können sie fliegen?« fragte Enzo. Er wußte, daß der Marschall als überzeugter Faschist sogar einer der drei Anführer des Marsches auf Rom gewesen war. Dennoch hielt sich das Gerücht, daß er dem Duce gegenüber Vorbehalte empfand.

»Ja, fliegen können sie, aber das hier ist ein Kriegseinsatz. Sie werden bald verstehen, was ich meine. Bruno ist der jüngste Pilot Italiens. Seine Ausbildung ist ein bißchen hastig vonstatten gegangen. Er ist sicherlich kein geborener Kriegsheld, aber er soll diesen Bauernjungen als Vorbild dienen.« Der Marschall wies mit seiner Zigarette beiläufig in Richtung des Docks. »Mit Ihrer Hilfe wird er Wilde in den Bergen von Afrika bombardieren, während seine Schulkameraden Touristen beklauen oder für ihre Prüfungen büffeln. Begreifen Sie, was ich sagen will?«

»Jawohl, Sir.«

»Falls notwendig, werden Sie selbst mit dem *Disperata* Geschwader fliegen, Oberst Grimaldi.« Balbo füllte beide Gläser nach. »Manchmal könnte es sogar passieren, daß Sie in Wirklichkeit die Flugzeuge der beiden lenken und die Bomben abwerfen.«

»Wie Sie befehlen, Marschall«, entgegnete Enzo kurz angebunden. Dieser zusätzliche Auftrag war ihm zuwider.

»Und dann ist da noch eine Angelegenheit, die ebenfalls ein feines Gespür und eiserne Diskretion erfordert. Falls die Bodentruppen nicht gut genug vorankommen, werden die Generäle lautstark nach Giftgas verlangen. Das sind alles Weltkriegsveteranen. Die wissen, daß Gas durchschlagend funktioniert, wenn der Gegner keine Masken hat.« Marschall Balbo hustete und drückte seine Zigarette aus.

»Und die Abessinier besitzen keine Masken. Italien hat in jenem Krieg vor nicht einmal zwanzig Jahren eine halbe Million Tote zu beklagen gehabt, und *Il Duce* wird nicht zulassen, daß so etwas noch einmal geschieht. Er sagt, er sei dabeigewesen, als Unteroffizier in den Gräben gegen die Österreicher.«

»Ich verstehe«, sagte Enzo und verstand nur zu gut. Natürlich war Gas für ihn beileibe keine schlimmere Waffe als jede beliebige andere, aber die damit verknüpften politischen Schachzüge waren etwas, das er verachtete und fürchtete. Bei jedem Feldzug wurden einige Soldaten den politischen Zielen geopfert. Spielte es für einen hergelaufenen äthiopischen Bauern irgendeine Rolle, auf welche Weise er starb? Aber warum mußte seine Karriere durch solch einen Blödsinn in Gefahr geraten?

»Offiziell verfügen wir nicht über Gas«, fuhr Balbo ermattet fort. »Der Völkerbund sagt, es ist ein Verbrechen. Aber wie Sie wissen, wurden die Kanister längst in Massawa und Mogadischu bereitgestellt. Wir haben unsere Vorräte dort unten in den letzten zehn Jahren kontinuierlich aufgestockt. Inzwischen sind es mehr als zweihundert Tonnen, und für weiteren Nachschub ist gesorgt. Man wird in Rom auf Ihre Einschätzung der Lage warten, Oberst.« Er hielt kurz inne, weil er Grimaldis Bestätigung hören wollte.

»Jawohl, Sir.«

»Selbstverständlich wird die endgültige Entscheidung vom Faschistischen Nationalrat getroffen, also von *Il Duce* höchstpersönlich.«

Enzo verstand, warum der Marschall mit seinem neuen Posten zufrieden war. Balbo sprach weiter.

»Und falls das Gas eingesetzt wird, Oberst Grimaldi, beten Sie, daß es durchschlagende Wirkung zeigt.« Einen Moment lang herrschte Schweigen zwischen den beiden Offizieren, und sie lauschten dem Jubel vom Dock. »Falls nicht, so sagen manche, ist der Duce dazu entschlossen, bakteriologische Waffen zum Einsatz zu bringen. Und dann wird unser Land wirklich ganz auf sich allein gestellt sein.«

Der alte Flieger stand auf und ging zum Bullauge. Eine Weile stand er da und blickte nach draußen, die Schultern hochgezogen und die Hände vor dem Bauch verschränkt. Schließlich drehte er sich um und sah Grimaldi an. Er erhob seine Stimme, um das Gejubel der Menge zu übertönen.

»Italien darf nicht noch einmal einen Krieg in Afrika verlieren. Wir stellen in diesen Tagen das größte Expeditionskorps zusammen, das je für einen Kolonialfeldzug zusammengesetzt wurde, und die *Regia Aeronautica* muß dafür Sorge tragen, daß dieses Korps auf gar keinen Fall untergeht.« Balbo trank sein Glas aus und fügte hinzu: »Würden Sie bitte die Tür öffnen, Grimaldi, und den Offizier dort draußen hereinrufen?«

»Oberst«, sagte Balbo, nachdem der Mann eingetreten war, »dies ist Hauptmann Uzielli von einer neuen Sondereinheit der *Bersaglieri*, einer Fallschirmjägerkompanie für Spezialaufgaben. Sie haben vielleicht schon von ihm gehört. Er hat als gefeierter Fußballer für Bologna gespielt. Vorstopper, glaube ich. Nicht wahr, Uzielli?«

»Verteidiger, Sir«, sagte Uzielli mit dem breiten Akzent jener Stadt.

»Ich kann mich nicht daran erinnern«, sagte Grimaldi, der keinerlei Vertraulichkeiten mit diesem Mann wünschte. Er erkannte jetzt, daß das Schulterabzeichen des Hauptmanns den weißen Umriß eines Fallschirms darstellte.

»Uzielli weiß von dem Gasplan, Oberst«, sagte Balbo. Falls diesbezügliche Bodeneinsätze erforderlich sind, werden er und seine Männer für die entsprechenden Aufgaben zuständig sein: Informationen sammeln, Kanister bergen, Gefangene verhören, sich der Zeugen annehmen, was auch immer. Falls wir das Gas einsetzen, dürfen Sie davon ausgehen, daß Sie beide zusammenarbeiten werden.«

»Ist dies Ihr erster Aufenthalt in Afrika, Hauptmann?« fragte Grimaldi und betrachtete den Mann genauer. Ihm fielen der kräftige Nacken und die großen Ohren auf. Die breite Narbe auf seiner linken Wange ging in dem dunklen, tiefzerfurchten Gesicht eines Bauern aus der Romagna beinahe unter. Enzo gefiel es nicht besonders, unmittelbar mit der Armee zusammenzuarbeiten, und er hoffte, daß er diesen schlechtgelaunten Mann nicht wiedersehen würde.

»Ich habe 1929 in Libyen gedient, Sir. 1931 und 1932 war ich dann im Somaliland«, sagte Uzielli stolz und barsch.

Die beiden ranghöheren Offiziere nippten an ihren Gläsern, boten ihm jedoch nichts an. Der Marschall räusperte sich, bevor er erneut das Wort ergriff.

»Bevor er Libyen verlassen mußte«, sagte Balbo hustend, »hat Hauptmann Uzielli eine nützliche, aber nicht besonders populäre Vorliebe entwickelt. Er hat die Rebellen aufgespürt und eliminiert, denen wir jene Greueltaten zu verdanken hatten, aufgrund derer Kriege einen so schlechten Ruf genießen. Er hat sie immer erwischt, und noch ein paar andere dazu, aber dann haben seine Männer einmal die falschen Leute umgelegt. Wo ist doch gleich dieser kleine Unfall geschehen, Hauptmann?«

»Meinen Sie Sarir, Sir?« fragte Uzielli. Die Anerkennung schmeichelte ihm.

»Genau, Sarir. Obwohl mit ein wenig Glück die Schuldigen vielleicht mit den Unschuldigen zusammen gestorben sind.« Der Luftmarschall trank und sah Grimaldi an. »Wissen Sie, manche Dinge lassen sich eben nicht ändern.«

»Sehr wohl, Sir«, sagte der Oberst.

»Das ist alles, Hauptmann«, sagte Balbo und wartete, bis die Kabinentür sich hinter dem Mann geschlossen hatte.

»Sie müssen verstehen, Grimaldi, daß sowohl die Söhne Mussolinis als auch das Gas heikle Geheimaufträge darstellen, für die Sie niemals Ruhm einstreichen können. Es mag vielleicht eine Beförderung geben, aber keine Orden.« Marschall Balbo erhob sich, und Enzo salutierte. »Dies alles wird Ihrer Karriere womöglich nicht zuträglich sein, Oberst, aber falls Sie versagen, ist Ihre Laufbahn auf jeden Fall beendet. *Buona fortuna.*«

Noch bevor Grimaldi etwas erwidern konnte, klopfte es an der metallenen Kabinentür.

»Herein!« rief Marschall Balbo. »Herein, bitte.«

Die Tür ging auf, und drei junge Männer in Uniformen der *Regia Aeronautica* drängten sich in die Kabine.

»Willkommen, meine Herren«, sagte Balbo beschwingt, nahm elegant Haltung an und erwiderte ihre Ehrenbezeigung. »Oberst Grimaldi, ich darf Ihnen Leutnant Mussolini, Hauptmann Ciano und Leutnant Mussolini vorstellen.«

Die drei jungen Offiziere mit den hohen polierten Stiefeln, den bauschigen Jodhpurhosen und den hochgeschlossenen Waffenröcken nahmen kerzengerade Haltung an und salutierten. Enzo erwiderte den Gruß.

»Ich wünschte, ich könnte mit Ihnen allen fliegen. Vittorio und Bruno sind beim Vierzehnten Bombergeschwader, *La Disperata*«, sagte der alte Flieger und klopfte dem jüngeren Bruder auf die Schulter. »Capronis, wie herrlich. Und Galeazzo hat soeben das Kommando des Fünfzehnten übernommen.«

Balbo wies auf Grimaldi. »Der Oberst ist ein alter Hase, was Feldzüge in Afrika betrifft, und sein Großvater ist als Befehlshaber unserer einheimischen Infanterie bei Adua gefallen.« Die drei jungen Männer sahen Enzo respektvoll an, während Balbo ihre Gläser füllte. Grimaldi war erstaunt, wie jungenhaft sie waren. Nur Graf Ciano, der Ehemann der ältesten Tochter Mussolinis, wirkte halbwegs gelöst und nicht mehr ganz so grün hinter den Ohren. Er war vielleicht schon für den Kriegseinsatz geeignet. Vittorio hatte ein vierschrötiges Gesicht, ganz wie sein Vater, und stellte ein vorlautes, großspuriges Benehmen zur Schau. Es hieß, daß er sich vornehmlich für Kinofilme interessierte. Bruno war schweigsam und nervös und wirkte sogar noch jünger als siebzehn. Grimaldi erkannte auf den ersten Blick, daß er ein paar vertrauliche Worte mit den Besatzungen ihrer Maschinen wechseln mußte.

»Bei diesem Einsatz geht es um sehr viel«, sagte Marschall Balbo, schlug die Hacken zusammen und hob sein Glas.

»Auf *Africa Orientale Italiana*!« Die fünf Männer tranken.

»Vergessen Sie eines nicht: Wohin auch immer Ihr Weg Sie führt, am wichtigsten ist es, in der Luft zu bleiben!« Balbo lächelte wie ein kleiner Junge. »Und jetzt gilt es, mich von Ihnen zu verabschieden, meine Herren. Aber Sie haben sicherlich viel Gesprächsstoff«, sagte der Marschall enthusiastisch und hielt ihnen die Kabinentür auf.

»Afrika erwartet Sie.«

»Meine Eltern haben mich gebeten, Sie in unserem Haus willkommen zu heißen«, sagte Clove Alavedo mit einem warmherzigen Lächeln. Gwenn und sie standen mitten auf der gewundenen Zufahrt, die zur Villa ihres Vaters am Nilufer führte, und küßten sich auf die Wangen. Zur Straße hin wuchsen kubanische Königspalmen am Rand des Anwesens. Vier Gärtner kümmerten sich um die rotblühenden Büsche und die brasilianischen Pfeffersträucher, die das dreigeschossige Haus umgaben. Auf einer Schaukel unter einem riesigen Banyanbaum in der Mitte des Rasens saßen zwei Mädchen. Die roten Früchte des schattenspendenden Baums bedeckten das Gras um sie herum.

»Mein Vater hat versprochen, bald nach Hause zu kommen«, sagte Clove, während sie Gwenn zur Vordertreppe führte. »Und meine Schwestern können es kaum erwarten, Ihre Söhne hierzuhaben.« Tariq ging mit zwei Hausdienern an Clove vorbei und fing an, das Gepäck aus den Rovern auszuladen.

»Den hier trage ich selbst«, sagte Denby, sprang aus dem zweiten Wagen und hielt einen der Diener davon ab, einen Weidenkorb vom Beifahrersitz zu nehmen.

Cloves jüngere Schwestern beobachteten Wellington und Denby vom Kopfende der Treppe, als sie auf das Haus zugingen.

»Was da wohl drin ist?« sagte Cinnamon zu Rosemary, die neben ihr auf der Schaukel saß, und deutete auf den Korb. »Bestimmt etwas ganz Schreckliches.«

»Ich hoffe, du und deine Eltern habt nichts dagegen, Clove, aber ich habe Dr. Fergus vom Krankenhaus gebeten, heute nachmittag zum Tee vorbeizukommen«, sagte Gwenn, während sie die Stufen emporstiegen.

»Natürlich nicht.« Clove lächelte. »Wie nett.«

Als Gwenn eine Stunde später aus ihrem Zimmer nach unten kam, traf sie ihren Gastgeber und Malcolm Fergus bereits beim gemeinsamen Teetrinken an. Der zerbrechlich wirkende schottische Arzt sah in seinem gelbbraunen Leinenanzug elegant und gelassen aus. Mit funkelndem Blick schaute er Olivio durch die Gläser seiner Brille aufmerksam an. Fergus war stets zu jedermann höflich, und auch mit dem Zwerg schien er sich gut zu verstehen.

»Willkommen, Miss Gwenn, willkommen in unserem Haus!« rief der Zwerg mit aufrichtiger Freude. Er machte sich lediglich ein paar Sorgen darüber, was wohl zwischen Wellington und seinen kostbaren Töchtern passieren könnte. »Dieser bedeutende Mediziner, Dr. Fergus, hat mir berichtet, daß Sie in drei Tagen nach Äthiopien aufbrechen. Wir werden Sie hier in Garden City sehr vermissen. Aber da die Jungen hier sind, werden auch Sie im Herzen bei uns sein, davon bin ich fest überzeugt.«

»Unsere Lastwagen, Sanitätsfahrzeuge und Vorräte sind bereits in Port Said verladen worden«, sagte der ältere schottische Chirurg und stand auf, um Gwenn zu begrüßen. »Wir werden in Suez zusteigen.«

»Ich verstehe diese Eile nicht«, sagte der Zwerg und wog den Kopf hin und her. Im stillen dachte er, daß es in Wahrheit eher die Wohltätigkeit dieser Mission war, die sein Begriffsvermögen überstieg. Seine Einschätzung des Schotten hatte noch nicht zu einem befriedigenden Ergebnis geführt. »Bislang herrscht dort noch kein Krieg.

Woher wollen Sie wissen, daß Sie dort überhaupt gebraucht werden?«

»Es gibt bereits vereinzelte Scharmützel entlang der Grenzen«, sagte Fergus, während Clove ihm Tee nachschenkte. Mit jedem Satz wirkte er zunehmend lebhafter und jugendlicher. »Dieser Krieg wird schrecklich. Panzer und Flugzeuge gegen barfüßige Soldaten und Zivilisten. Man wird uns brauchen, Mr. Alavedo, und zwar schon sehr bald.«

»Malcolm hat recht, Olivio«, fügte Gwenn hinzu und berührte den Zwerg am Arm. »Aus diesem Grund sind wir Ärzte geworden.«

»Ja, natürlich«, sagte der kleine Mann und mußte daran denken, wie Gwenns Fürsorge ihn selbst nach seinen schweren Verbrennungen gerettet hatte. »Ich verstehe.«

»Und wir alle sind überaus dankbar für Ihren großzügigen Beitrag zu unserem Abessinien-Hilfsfonds, Mr. Alavedo«, sagte Fergus. »Einer unserer Krankenwagen stammt aus Ihren Mitteln.«

»Ach, das ist nichts, gar nichts«, sagte der Zwerg und senkte bescheiden den Kopf, während seine Lieblingstochter vor lauter Stolz auf ihn fast platzte. Großzügigkeit war selten genug, und im Laufe der Jahre hatte er gelernt, ihr möglichst viele Vorteile abzugewinnen, vor allem wenn es um seine eigene Großzügigkeit ging. Überreichte man ein Geschenk zu eitel und protzig, wurde dem Spender diese Geste verübelt. Verlief der ganze Vorgang völlig anonym und stillschweigend, besaß er kaum einen Wert. Am besten war es, das Ganze scheinbar inkognito in die Wege zu leiten, und dann voller Zurückhaltung die Enthüllung durch einen anderen zu genießen.

Olivio beugte sich vor. Ohne mit seinem gesunden Auge zu blinzeln, wandte er sich nun in einem ganz anderen Tonfall an den Arzt. Er klang sachlich und ernst.

»Ich verlasse mich darauf, Dr. Malcolm Fergus, daß Sie für einen bestimmten Punkt Sorge tragen: Sie müssen auf Miss Gwenn aufpassen.« Er hielt inne.

»Ich habe diese Spende nicht wegen Äthiopien gegeben. Ich habe es um ihretwillen getan.«

»Ich werde mein Bestes tun«, sagte der Arzt. Das eindringliche Auftreten des kleinen Mannes überraschte ihn, und er bemühte sich, den

Blick des Zwergs offen und ehrlich zu erwidern. »Sie können sich darauf verlassen.«

»Jetzt verstehen wir uns«, sagte Olivio Alavedo etwas gelöster und lehnte sich wieder gegen sein Kissen. »Noch etwas Tee?«

Gwenn war überrascht, von Olivios Freigebigkeit zu erfahren, und seine Worte waren ihr peinlich. Sie wollte sich selbst dazu äußern.

»Wir müssen dorthin gehen und tun, was wir können«, sagte sie und dachte daran, wie schwer es ihr fiel, ihre Söhne zu verlassen. Heute abend würde sie es ihnen sagen müssen. Sie erinnerte sich, wie bekümmert die Jungen und wie verworren ihre eigenen Gefühle gewesen waren, als Anton kurz vorbeigeschaut hatte, um sich zu verabschieden. Zu ihrer Überraschung hatte er ihr einen Umschlag mit einer großzügigen Summe für die Auslagen der Jungen in die Hand gedrückt. Gwenn hatte Anton zunächst nur widerstrebend in Kairo begrüßt, und jetzt war sie traurig, daß er aufbrach. Sie war zuversichtlich, daß Wellie die Nachricht ihrer eigenen Abreise halbwegs gut verkraften würde, aber sie fürchtete sich schon jetzt davor, wie Denby mit zusammengepreßten, zitternden Lippen stumm zu ihr aufschauen und seine Augen sich langsam mit Tränen füllen würden. Bereits ihr eigenes Verlustgefühl machte ihr schwer zu schaffen, und so fügte sie noch einen Satz hinzu, als versuchte sie, ihren Söhnen eine Erklärung zu geben.

»Die Abessinier werden keine andere medizinische Hilfe bekommen, und wir wollen dasein, wenn wir gebraucht werden.«

10

»Wieso starrt diese junge englische Schwuchtel eigentlich Mädchen hinterher?« sagte Ernst von Decken und verschüttete ein wenig von der Schildkrötensuppe, als er seinen Teller nachfüllte. »Laß die Terrine ruhig hier auf dem Tisch stehen, Junge, das ist schon in Ordnung. Ja, genau hier«, sagte er ruhig und bestimmt zu dem turbantragenden Kellner.

»Nicht so laut, sonst hört er Sie noch. Und Dr. Pointer ist nicht schwul«, sagte Bernadette. Die Schiffsuhr im kleinen Speisesaal der *R. M. S. Otranto* begann zu schlagen. »Er ist ein äußerst bemerkenswerter südafrikanischer Arzt, und er hat sich in meine bezaubernde Schwester Harry verliebt.« Bernadette schenkte der Angesprochenen ein strahlendes Lächeln. »Er läuft Harry wie ein hungriger Welpe auf dem ganzen Deck hinterher. Manchmal wedelt er sogar mit dem Schwanz.«

»Dr. Pointer ist einfach nur verwirrt«, sagte Harriet und sah Anton bei diesen Worten tief in die Augen. »Er verwechselt mich mit Bernie. Das ist immer so«, fügte sie hinzu und goß Anton etwas Weißwein ein. »Warum ist unser stattlicher Jäger denn so still?« fragte sie und wußte, daß Antons stämmiger deutscher Freund sich deswegen ärgern würde.

»Er träumt vom Busch«, sagte Ernst und musterte Harriet mit unverhohlenem Interesse. Zumindest hatte Anton diesen Eindruck. »Englische Jungs stehen auf Tiere. Das ist alles, woran sie denken können.«

»Entschuldigung«, sagte Anton und rang sich ein Lächeln ab. Er war es leid, unaufhörlich über seine Differenzen mit Gwenn nachzugrübeln. Ihm fiel auf, daß Ernst sich ungewöhnlich gründlich rasiert und herausgeputzt hatte. Sein durchfurchtes Gesicht strahlte regelrecht. Sein struppiges graues Haar war in der Mitte gescheitelt und zurückgekämmt. Er trug eines von Antons roten Tüchern wie eine Krawatte um den Hals.

»Übrigens, sieht der alte von Decken heute abend nicht ungemein schick aus?« stellte Anton bewundernd fest. »Ich hab ihn noch nie so geschniegelt und gestriegelt gesehen. Alle Achtung, Ernst.«

Ernst warf Anton einen eisigen Blick zu und nahm sich noch mehr Suppe.

»Und was ist mit Ihnen?« fragte Harriet, die ihren Teller leergegessen hatte und sich zu Ernst hinüberbeugte, damit er ihr Feuer gab. Sie betrachtete das lebenserfahrene Gesicht des Deutschen und berührte seine schwielige Hand, als sie die Flamme von dem Luftzug eines Deckenventilators abschirmte. »Woran denken Sie gerade, Mr. von Decken?«

»Sex«, sagte Ernst kurzerhand und erwiderte ihren Blick, ohne zu lächeln. »Sex. Professor Freud hat uns Deutsche gelehrt, immerzu an Sex zu denken. Aber ich habe in dieser Hinsicht leider keinerlei Erfahrung.«

Der listige alte Halunke mußte bemerkt haben, daß Harriet kürzlich in einem ihrer Psychologiebücher gelesen hatte, erkannte Anton gereizt. Hier bahnte sich irgend etwas an. Harriet brach in schallendes Gelächter aus. Er sah, daß ihre Augen funkelten.

»Wie geht's deiner Freundin Gretel?« fragte Anton den Deutschen unüberhörbar. »Schade, daß sie uns nicht beim Abendessen Gesellschaft leisten konnte.«

Ernst ignorierte ihn und aß seine Suppe auf.

»Dr. Pointer hat mich für morgen abend zu einer Pokerrunde mit ein paar Freunden eingeladen«, durchbrach Charles Crow die Stille und nahm Bernadettes Hand. »Vermutlich will er mich über deine Schwester ausfragen.«

»Na ja, er ist sehr vermögend«, sagte Bernadette und lächelte ihren Verlobten an. »Er stammt aus einer Diamantenfamilie im Rand und ist auf dem Heimweg nach Port Elizabeth.«

»Ich an Ihrer Stelle wäre vorsichtig, Charlie«, sagte Anton zu dem jungen Künstler. »Auf diesen Dampfern treiben sich häufig Falschspieler herum.«

Nach dem Dessert stand Ernst auf und entschuldigte sich. »Meine Freundin fühlt sich auf dem Wasser immer ein wenig unwohl«, sagte er. »Ich bringe ihr etwas zu essen auf die Kabine.« Anton war sich nicht sicher, ob Gretel tatsächlich leicht seekrank wurde, oder ob Ernst keine peinliche Situation heraufbeschwören wollte, indem er seine afrikanische Geliebte in den Speisesaal mitbrachte.

Der Deutsche wünschte den anderen eine gute Nacht und deutete lächelnd eine Verbeugung an. Harriet blickte ihm hinterher.

Der Rest der Gruppe versammelte sich nach dem Abendessen steuerbords auf dem Passagierdeck. Sie tranken Brandy, rauchten, plauderten und versuchten immer wieder, einen Blick auf die Küste zu erhaschen. Von Zeit zu Zeit konnten sie in einiger Entfernung die Lichter anderer Schiffe ausmachen. Die Spitzen der verhangenen gelben Mondsichel wiesen nach Süden gen Afrika.

Sogar noch stärker als das beruhigende Geräusch eines fahrenden Zuges erinnerte das gleichmäßige Stampfen der Schiffsmaschinen Anton daran, wie es sich angefühlt hatte, jung und unternehmungslustig zu sein. Vor sechzehn Jahren hatte er sich als schmächtiger und optimistischer Bursche auf der alten *Garth Castle* seine Überfahrt von Portsmouth nach Mombasa erarbeitet. Wenn er doch nur noch mal von vorn anfangen könnte.

»Gute Nacht«, sagte er und stand auf, als die Damen sich erhoben. »Man wird Ihnen morgen früh Tee auf die Kabinen bringen.« Bis dahin, dachte er, würde bereits ein warmer Westwind über ihnen wehen, weil sie sich im Indischen Ozean befänden. Der Morgen würde den staubigen Geruch Afrikas mit sich bringen, wie er südlich der Sahara vorherrschte. Zu Hause.

Anton hatte an diesem Abend reichlich Wein und Brandy getrunken und schlief daher sehr schnell ein. Einige Zeit später wurde er durch ein leises Klopfen an seiner Kabinentür geweckt.

Er öffnete die Augen. Am oberen Rand des Bullauges schien der Mond zu ihm herein, höher, kleiner und weißer, als er ihn zuletzt in Erinnerung hatte. Inzwischen dürfte auch Gwenn sich auf dem Weg nach Abessinien befinden, dachte er, während er im Halbschlaf dalag.

Das Hämmern an der metallenen Tür wurde lauter.

»Wer ist da?« fragte er mit schwerer Stimme.

»Ich bin's, Harry. Ich kann nicht schlafen.« Wieder das Geräusch. »Machen Sie auf.«

Anton schlang sich ein gestreiftes Handtuch der Orient Line um die Hüften und ging zur Tür. Als sie sich an ihm vorbei in die kleine Kabine schob, konnte er ihr Parfum riechen. Er tastete nach dem Lichtschalter.

»Nicht. Das Mondlicht ist herrlich. Ich bin ein bißchen auf Deck herumgelaufen, und es ist so wunderschön, daß mir fast die Worte fehlen.« Sie wirkte leicht verschüchtert, aber zugleich stolz auf ihre Kühnheit, und setzte sich auf die Kante des einzigen kleinen Stuhls. »Die Flasche hier ist noch fast voll, aber ich habe nur ein Glas mitgebracht.«

Anton hielt ihr sein Zahnputzglas entgegen, und sie goß ihm etwas Champagner ein. Ihm war bewußt, daß er sich zurückhalten mußte. Er hatte gelernt, daß es am besten war, solche Angelegenheiten ganz bis zum Ende der Safari aufzuschieben, falls es nämlich völlig danebenging, und immer der Kundin den ersten Schritt zu überlassen. Andererseits, dachte er plötzlich verärgert, wenn Gwenn sich so schamlos aufführen durfte, warum dann er nicht auch?

Die Amerikanerin ging zum Bullauge und stellte sich auf die Zehenspitzen. Unter dem hautengen Seidenkleid zeichnete sich ihr straffer Körper ab. Manchmal verstand er schnell, was Frauen mit der Wahl ihrer Kleidung bezwecken wollten. Dieser Fall hier würde schwierig werden. Obwohl er Harriet kaum sehen konnte, mußte er an ihre wohlgeformten langen Beine denken. Einen Moment lang fragte er sich, ob Harriet wohl zu ihm gekommen war, weil sie wußte, daß Ernst bereits beschäftigt war. Die Antwort war ihm allerdings ziemlich egal.

»Oh, sehen Sie nur!« rief sie aus. »Die See leuchtet, als wäre sie ganz aus Gold!«

»Das liegt an der Phosphoreszenz und am Mond. Oben im Norden sieht es nie so aus.« Anton trat zu ihr und schaute ihr über die Schulter. Eine Weile sagte keiner von beiden ein Wort. Am Horizont näherte sich langsam eine Kette aus Lichtern. Drei oder mehr Schiffe fuhren in geschlossener Formation Richtung Süden.

»Italienische Truppentransporter auf dem Weg nach Massawa und Mogadischu«, sagte er. »Ich frage mich, ob all diese Männer je nach Hause zurückkehren werden.«

»*Sie* sind nicht zurückgekehrt.« Sie wandte ihren Kopf zur Seite und sprach mit sanfterer Stimme über ihre Schulter hinweg, längst nicht so frech wie sonst. »Warum sind Sie ursprünglich nach Afrika gekommen?«

»Ach, ich war jung, achtzehn Jahre alt. Ich war auf der Suche nach Abenteuern und vielleicht auch ein oder zwei anderen Dingen.« Dinge, die er nicht gefunden oder behalten hatte: sein Glück und eine Familie.

»Geht mir genauso.«

Sie drehte sich um und drückte ihren Unterleib an seinen Körper. Sie legte den Kopf in den Nacken, trank ihren Champagner und musterte sein Gesicht im Mondschein. Er spürte, daß sie zwar Lust empfand, aber nicht verzweifelt darauf aus war. Ihm war bewußt, daß sie ihn inzwischen durch das Handtuch hindurch fühlen konnte. Ihr Gesicht lag vor ihm im Schatten verborgen. Sie legte die linke Hand auf seine Brust und krümmte ihre Finger, so daß die Spitzen ihrer Nägel seine Haut berührten. Am Rand der Silhouette ihres Kopfes schimmerte dunkel ihr rotes Haar. Sie ließ ihre Hand auf seinem nackten Rücken entlang der Wirbelsäule nach unten gleiten und hielt am oberen Rand des Handtuchs inne. Die Berührung gefiel ihm.

Sie leerte ihr Champagnerglas und warf es zum Bullauge hinaus. Dann hielt sie die Hand auf und wartete, bis Anton ebenfalls ausgetrunken hatte. Danach schmiß sie auch sein Glas ins Wasser.

»Den Rest müssen wir nachher direkt aus der Flasche trinken.« Sie nahm seine Hände, legte sie um ihre Hüften und führte sie nach unten, bis er ihre Pobacken umklammert hielt. Sie waren straff und wohlgeformt, seitlich leicht nach innen gewölbt wie bei einer jungen Kikuyu, mit einer deutlichen Einbuchtung am Übergang von Oberschenkel und Hüfte.

»Man hat mir gesagt, dies sei der hübscheste Teil meines Körpers. Was glauben Sie?«

»Das kann ich noch nicht beurteilen«, sagte er, als sie ihr Gesicht hob, um ihn zu küssen. Er vergaß alle guten Vorsätze und zog sie erregt mit beiden Händen fest an seinen Unterleib heran, bis er ihren Beckenknochen spürte. »Wir werden sehen.«

»Ganz schön was los hier.« Adam Penfold ließ seinen Blick über die vielen Leute wandern, die im langgestreckten hohen Wartesaal des Ministeriums für Öffentliche Arbeiten ausharrten. Der Weg hierher hatte sie bereits durch einige düstere überfüllte Flure geführt, die von zahlreichen Nischen gesäumt waren, in denen mürrische Beamten teilnahmslos Tee schlürften und die schwitzenden Antragsteller ignorierten, die sich in langen Schlangen vor ihren Schreibtischen sammelten. Auf den Tischen, Fensterbänken und sogar auf dem Boden stapelten sich unzählige verstaubte graue Aktenordner, die man mit braunen Bändern zu Bündeln verschnürt hatte. »Was wollen all diese Leute hier?«

»Wasser, mein Lord«, klärte Olivio ihn auf und betrachtete bewundernd den neuen zweireihigen weißen Leinenanzug seines Freundes. Genau das richtige, um den alten Musa Bey Halaib zu beeindrucken. Der Staatssekretär, in dessen Aufgabenbereich die Bewässerungsfragen fielen, war ein Mann mit dem nötigen Fingerspitzengefühl. Er würde die blaugestreifte Krawatte einzuschätzen wissen, auch wenn sie ausgefranst und fleckig war.

»Wasser. Manche wollen mehr davon, andere weniger«, fuhr der Zwerg fort. »In Ägypten ändert sich nur sehr wenig. Ich kann Ihnen Wandmalereien zeigen, auf denen lange Schlangen von Bittstellern mit Geschenken sehnsüchtig darauf warten, bei den Beamten des Pharaos vorgelassen zu werden.«

Penfold hätte die Armut einem Bittgesuch vorgezogen, aber vielleicht würde diese Angelegenheit irgendwo dazwischen liegen. Er hatte gelernt, daß Gibbons Worte zutrafen: »Es ist besser, erniedrigt als ruiniert zu werden.« Und immerhin war dieser neue Anzug gar nicht mal schlecht für nur vier Tage Arbeit. Die Knöpfe waren aus echtem Knochen, und dank seiner nachlässigen Art würde der Anzug schon bald ziemlich abgetragen aussehen. Dann erst würde Penfold sich richtig in ihm wohlfühlen. Wenigstens waren seine Schuhe, betagte Stücke aus der Werkstatt von Joseph Box, uralt wie ein Elefant. Das braune Leder hatte sich im Laufe der vielen Jahre durch die ständige Abnutzung und das viele Polieren fast gänzlich schwarz verfärbt, und abgesehen von den schimmernden Kappen waren die Schuhe vollständig von einem Netz aus Tausenden feiner Risse überzogen.

Olivio senkte seine Stimme. Es gefiel ihm, seinem Freund zeigen zu können, wie gut er sich hier auskannte. »Diese große tuschelnde Gruppe dort in der Ecke ist eine Abordnung wichtiger Persönlichkeiten aus Oberägypten. Sie sind hier, um Protest dagegen einzulegen, den Pegel des Flusses durch die Überschwemmung gewisser Gebiete zu senken. Als Folge dieser Maßnahme würde nämlich ihre *Sefi*, die sommerliche Baumwollernte, den Fluten zum Opfer fallen, bevor sie eingesammelt werden kann.« Olivio lächelte. »Das wiederum würde dazu führen, daß die Ernte insgesamt niedriger ausfällt, die Preise steigen und somit andere Baumwollfarmer zu Reichtum gelangen, verstehen Sie?«

»Und was ist das für ein lautstarkes Gesindel dort drüben?« Penfold zog ein Taschentuch aus seinem linken Ärmel und wischte sich das Gesicht ab.

»Ach, die sind jeden Tag hier. Das sind die großen Reisfarmer aus der Provinz Dakhlia. Sie sind bestimmt nicht mit leeren Händen hergekommen, und vielleicht werden sie heute vorgelassen, um ihre Bitte zu äußern. Einige von ihnen haben bereits eine Klage eingereicht. Diese Männer müssen natürlich die größten Geschenke mitbringen. Für den Reisanbau ist die Überflutung unbedingt notwendig. Sie wollen, daß die Durchlässe an den Ufern geöffnet und die Wassermassen freigesetzt werden.«

In der Nähe des Eingangs entrollten zwei Männer einige große Konstruktionszeichnungen. Ihre drei Begleiter, darunter ein Engländer, stritten sich über einige Einzelheiten des Entwurfs.

»Und diese Männer, mein Lord, haben sogar ein noch kostspieligeres Unterfangen im Sinn. Sie bewerben sich darum, den Damm bei Assiut zu verstärken. Er liegt südlich von Kairo und wurde lange vor unserer Zeit fertiggestellt. Als es vor fünf Jahren darum ging, den Assuan-Staudamm zu erhöhen, haben diese Männer die Ausschreibung gegen die Franzosen verloren. Man sagt, die Franzosen hätten mehr Geld für die Villa des Ministers in Alexandria ausgeben müssen als für die Bauarbeiten am Damm. Ha! Ha! Diesmal will die britische Firma sich verpflichten, bei ihren Arbeiten ägyptischen Zement zu verwenden.«

»Wer stellt den Zement her?«

Seine Lordschaft war vielleicht doch lernfähig. »Eine ganze Reihe von Gentlemen. Gemeinsam mit ein paar interessierten Freunden im Palast haben wir uns freiwillig erboten, der Nation bei diesem patriotischen Unterfangen zur Seite zu stehen.«

Eine Tür ging auf. Ein unnachgiebig blickender Beamter erschien. Sein europäischer Anzug und seine schwarzen Schuhe waren makellos. Im Saal wurde es schlagartig still.

Der Beamte ging zu Olivio und verbeugte sich. »Musa Bey wird Sie jetzt empfangen, Effendi.«

In einer Hand hielt Olivio ein kleines viereckiges Päckchen, das hübsch mit einer rosafarbenen Seidenschleife verschnürt war. Er und Penfold folgten dem Ägypter durch zwei kleinere, formellere Wartezimmer. Das gleichmäßige Geräusch von Penfolds Spazierstock begleitete sie auf ihrem Weg. Der Beamte hielt ihnen eine schwere polierte Tür auf. Sie betraten ein großes Büro, das nach englischer Art eingerichtet war.

»Seien Sie mir herzlich willkommen, Mr. Alavedo!« Mit freundlichem Lächeln ging der Ägypter um seinen Schreibtisch herum und umschloß Olivios freie Hand mit beiden Händen. Der kleine massige Mann trug einen engen dunklen Maßanzug mit einer roten Nelke am Revers. Nur neben Olivio wirkte er groß.

»Herr Staatssekretär, ich habe hier ein bescheidenes Geschenk für Ihre bezaubernde Tochter Yasmin, anläßlich ihrer Hochzeit. Nur eine Kleinigkeit, wie elegante junge Damen sie gern am Handgelenk tragen.« Olivio konnte sich noch gut an das fünfzehnjährige Mädchen erinnern. Sie war ein Abbild ihres Vaters: untersetzt, geschmackvoll gekleidet, mit einem leichten Bartschatten über der schmalen Oberlippe. Als zierender Schmuck wäre das mit Edelsteinen besetzte Armband eine furchtbare Verschwendung. Als geschäftliche Investition würde es jedoch gewiß einen Ertrag bringen.

Olivio neigte seinen Kopf in Richtung des Engländers. »Und ich darf Ihnen meinen geschätzten Partner vorstellen, Baron Penfold.

Der Lord bereist zur Zeit Afrika und stattet seinen Besitzungen in Ägypten und Kenia einen Besuch ab.«

»Willkommen in Ägypten, Euer Gnaden.« Musa Bey Halaib verbeugte sich und reichte ihm die Hand. »Was auch immer ich tun kann, um Ihren Aufenthalt angenehm zu machen, es wird mir ein Vergnügen sein.«

»Vielen Dank«, sagte Penfold. Diese Leute würden nie begreifen, wie man sich angemessen artikulierte. Warum versuchten sie es trotzdem immer wieder?

Ein Diener trat ein und stellte ein Tablett auf einem niedrigen Tisch ab. Um ein Schälchen mit glühenden Kohlen standen drei Tassen. Aus einer Kupferkanne stieg dampfend aromatischer Kaffeeduft empor.

Musa Bey Halaib ließ sie an dem kleinen Tisch Platz nehmen.

Penfold betrachtete den Mann genauer. Er wußte nicht, wo, aber verflucht noch mal, er glaubte, diesen Kerl schon gesehen zu haben. Andererseits ähnelten sich diese hochnäsigen Typen alle und führten sich immer übertrieben unterwürfig auf. Wie sollte man sich da sicher sein?

Der Staatssekretär holte einen hölzernen Kasten von seinem Schreibtisch.

Penfold nahm eine Zigarre und schaute sich im Zimmer um. Statt sich des Abschneiders zu bedienen, zwickte er ein Ende der Zigarre kurzerhand mit seinen langen Fingern ab. Seine Fingergelenke schienen täglich steifer und dicker zu werden. Und in ein paar Minuten würde er schon wieder auf dieses dreckige Klo gehen müssen.

Die Mauer gegenüber den Fenstern wurde von einem Wandgemälde eingenommen, das verschiedene Baustufen des Suezkanals darstellte. Ganz links waren Männer, Esel, Kamele und Maschinen bei ihrer schweren Arbeit im Sand abgebildet. Am anderen Ende stand eine vollbusige Dame in einem üppigen Kleid mit Reifrock.

Dem Bey fiel auf, daß Penfold die bemalte Wand betrachtete. »Ein großartiges Werk«, sagte er. »Unser Kanal. Wäre ohne den *Corvée* gar nicht möglich gewesen. Ich fürchte, Ihr Engländer würdet es als ›Frondienst‹ bezeichnen. Einhunderttausend Arbeiter sind für Ägypten gestorben.«

»Mmm, tausend pro Meile. Scheint mir dennoch ein wenig kostspielig. Fast wie bei den Pyramiden, nicht wahr?« Penfold blickte skeptisch durch sein Monokel. »Das alles wurde natürlich von einem Franzosen geplant. Würde selbst nicht für einen von denen arbeiten wollen.«

Mit konzentrierter Miene hielt Penfold stirnrunzelnd seine Zigarre an die Weichkohlen in der Schale, die sein Gastgeber ihm entgegenstreckte. Er blickte auf und paffte einige Male. »Darf ich fragen, wer die Dame auf diesem Gemälde ist?«

»Diese Frau ist Kaiserin Eugénie von Frankreich bei der Freigabe des Kanals im Jahre 1869. Wie viele Frauen, war auch sie höchst kostspielig veranlagt. Der Khedive hat zu ihrem Empfang in Kairo ein Opernhaus errichten lassen, das mit der Weltpremiere von *Aida* eröffnet werden sollte. Dieser Verdi hat sich als waschechter italienischer Komponist natürlich mit der Fertigstellung von *Aida* verspätet. Also hat er uns statt dessen *Rigoletto* gegeben, und seitdem sind wir die Italiener nicht mehr losgeworden.« Musa Bey Halaib verdrehte die Augen. Er wußte, wie diese Briten über die romanischen Völker dachten.

Olivio befürchtete, Lord Penfold würde von sich aus niemals auf die geschäftlichen Angelegenheiten zu sprechen kommen. Mit einem Räuspern wandte er sich an den Staatssekretär.

»Wie ist es um die Regenfälle in Abessinien bestellt?«

»Soweit ich weiß, regnet es dort Tag und Nacht. Die Wassermassen müßten bald hier eintreffen.«

Zufrieden stieß Penfold eine Rauchwolke aus. »Ich dachte, in Ägypten regnet es nicht.«

»Das ist richtig. Der Blaue Nil wird uns den Regen aus Abessinien bringen. Und der Weiße Nil auch. Die Nilometer bei Malakal und Rossieris steigen bereits. Bei Khartum beträgt der Pegelstand momentan mehr als sechzehn Meter. Sobald er achtzehn erreicht, werden drei Wochen später in Kairo die Abwasserkanäle überlaufen. In diesem Büro wird Wasser stehen, und unter den Armen wird Malaria ausbrechen. Oberhalb von Assuan sind schon einige Dörfer überflutet, und die Leichen werden aus den Gräbern gespült.«

»Kann man denn nichts tun?« fragte Penfold.

Der Bey richtete sich auf und umklammerte die schwere Goldkette seiner Uhr.

»Es wird alles menschenmögliche getan, Lord. In jedem Dorf arbeiten die Männer an den Uferböschungen, und die Frauen errichten Erdwälle um ihre Häuser.« Er sprach voller Stolz.

»Falls die Scheiks und die *Omda* nicht dafür sorgen, daß diese Arbeit getan wird, werden sie mit einem Bußgeld belegt. Mein Cousin, der Minister für das Fernmeldewesen, hat entlang der Deiche Telefonleitungen und entsprechende Apparate verlegen lassen, damit jedes Leck sofort gemeldet werden kann. Ich selbst werde mich morgen mit dem Generalinspekteur für Bewässerungsfragen in Unterägypten sowie den *Mudiren* der Provinzen auf dem Dampfer *Dandara* einschiffen, um die Verstärkungsarbeiten zu inspizieren.«

»Wie glücklich Ägypten sich doch schätzen kann, Musa Bey Halaib als Herrscher über die Fluten zu haben«, warf Olivio ein. Er nippte an seinem Kaffee, die Stimmung seines Gastgebers einschätzend, der überraschend viel Zeit zu haben schien.

»Ich vermute, Euer Gnaden sind gemeinsam mit Sir Miles zur Schule gegangen?« fragte der Bey in anderem Tonfall. Na endlich geht es um Geschäfte, dachte Olivio. Dieser Gauner will herausfinden, ob seine Lordschaft über Einfluß beim Hochkommissar verfügt. Immerhin haben die Briten in diesem miserabel regierten Land nach wie vor einiges zu sagen.

»War ein bißchen nach meiner Zeit.« Penfold zog an seiner erloschenen Zigarre und dachte an seine Schulzeit zurück. »Kräftiger Kerl. Genaugenommen zu kräftig. Hat meinem Neffen am Wall die Schulter gebrochen. Esse morgen mit ihm zu Mittag.«

Von was für einem Wall war die Rede? fragte Olivio sich verwirrt. Aber Musa Bey Halaib nickte freundlich und schien zu verstehen, was gemeint war. Der Zwerg vernahm Stimmengemurmel vor der Tür. Ein Fingerzeig?

»Also, wie kann ich Ihnen zu Diensten sein?« fragte der Ägypter.

Olivio stellte seine Tasse ab. »Gar nicht.« Er hatte sich über die besonderen Vorlieben seines Gastgebers informiert, und er wußte, daß er den Bey Stück für Stück locken mußte. »Ich wollte Sie zu einem unserer ruhigen privaten Abende ins Café einladen.«

Die braunen Augen des Ägypters begannen plötzlich zu strahlen. Einen Moment lang ließ er alle Masken fallen. »Es wäre mir eine Ehre, um nicht zu sagen ein Vergnügen.«

»Nur eine Kleinigkeit«, sagte der Zwerg beiläufig. »Haben Sie eine Karte der neuen Kanäle, die von der Rosette abzweigen?«

»Eine Karte?« Musa Bey Halaib war sofort wieder amtlich und distanziert. Er legte die Fingerspitzen aneinander und dachte nach. »Sie fragen nach einer Karte? Eigentlich nicht. Zumindest nichts Definitives, das von diesem Ministerium aufgesetzt worden wäre. Ich möchte Sie nicht in die Irre leiten.«

Oder uns eine numerierte Karte geben, die mit dem Namen des Ministeriums versehen ist, dachte der Zwerg, und die eines Tages in die falschen Hände gelangen und zu unangenehmen Verwicklungen führen könnte. Er war dankbar, daß der letzte Satz des Beys ihn rechtzeitig gewarnt hatte.

In diesem Augenblick sah Olivio einen langen Aschekegel von Lord Penfolds Zigarre auf dessen Anzug fallen. Die Asche rollte sein prächtiges breites Revers hinunter, verlor dabei an Substanz, zerbrach in zwei Teile und hinterließ schmutzige graue Spuren, bis sie schließlich zu Boden fiel. Seine Lordschaft schien das Fiasko gar nicht zu registrieren. Der Zwerg sah, daß der Staatssekretär dieses Mißgeschick ebenfalls bemerkt hatte und die Ahnungslosigkeit seiner Lordschaft zweifellos fälschlich für vornehme Gleichgültigkeit hielt.

»Aber ganz im Vertrauen, unter Gentlemen, könnte ich Ihnen einige frühe Planskizzen der neuen Kanäle überlassen, die vom Ministerium für Technik und Ingenieurwesen stammen. Sie müssen die Pläne so vertraulich behandeln wie den geheimen Zugang zu einem Pharaonengrab und sie vernichten, sobald Sie keinen Bedarf mehr für sie haben.«

Der Bey holte ein gefaltetes Stück Papier aus seiner Jackentasche und reichte es dem Zwerg.

»Ich hoffe, daß diese Skizzen sich als vertrauenswürdig erweisen. Aber ich muß Sie warnen, der Schatzmeister, mein Cousin Abd al-Azim Pascha, hat mir anvertraut, daß der Palast in dieser Angelegenheit eigene Interessen verfolgt. Natürlich spricht er manchmal für den Palast und manchmal für sich selbst.«

»Natürlich.« Olivio erhob sich. »Bitte grüßen Sie Ihre Gemahlin von mir. Und der liebreizenden Yasmin und ihrem beneidenswerten Bräutigam wünsche ich hundert Jahre Glück und Reichtum.« Der Zwerg verbeugte sich und lächelte, bevor er den traditionellen Hochzeitstrinkspruch von Goa ausbrachte.

»Saúde, amor, dinheiro e tempo para gastolos.«

11

Anton stand auf und zog sich an. Er war enttäuscht, daß seine Besucherin von letzter Nacht nicht noch einmal in seine Kabine zurückgekehrt war. Eine Zeitlang hatte er sich dank Harriet unbeschwert gefühlt. Er trat auf den Gang hinaus und stieg die Treppe zum Passagiersalon und Promenadendeck hinauf. Er dachte, er würde vielleicht auf Ernst treffen, der das Abendessen in seiner Kabine eingenommen hatte.

Er konnte den Deutschen nirgends entdecken, und so holte Anton sich einen Gin von der Bar, zeichnete den Beleg ab und schlenderte die Steuerbordreling entlang. Er versuchte zu erinnern, was Ernst ihm erzählt hatte, bevor er nach unten gegangen war.

»Weißt du noch, Engländer«, sagte sein Freund, bereits leicht angetrunken, »wie mein Vater sich immer über den Niedergang seines unverdorbenen Afrika beklagt hat?« Der Deutsche hielt inne und nickte langsam, bevor er fortfuhr. »Tja, falls dieser Krieg größere Ausmaße annimmt, könnte er das Ende für *unser* Afrika bedeuten.«

Durch die Fenster des Spielzimmers fiel Licht nach draußen. Anton warf einen Blick hinein und stellte überrascht fest, daß sechs Männer, manche von ihnen in Abendkleidung, nach wie vor Karten spielten. Einer der Männer war Bernadettes Verlobter. Charlie sah müde aus, mehr als müde. Er hatte seine Jacke ausgezogen und die Manschetten des Hemdes über seinen dünnen Armen hochgekrempelt. Er goß sich gerade einen Whisky ein, während ein anderer Mann die Karten austeilte.

Anton behielt den Gin einen Augenblick im Mund und spuckte ihn dann über die Reling. Er sah die dunkle Küste des Sudan vorüberziehen. Am Strand funkelten vereinzelte Lichter. Anton war schon ziemlich schläfrig, aber er würde lieber noch einmal nach Charlie sehen. Noch war er nicht auf jene elterliche Weise für seine Kunden verantwortlich wie später im Busch, wenn jeder Dorn in seinen Zuständigkeitsbereich fallen würde, aber sie befanden sich dennoch bereits in seiner Obhut. Er drehte sich um und spazierte ins Spielzimmer.

»Möchten Sie sich nicht zu uns gesellen?« Charles hustete und wedelte eine Wolke Zigarrenrauch beiseite. Anton sah, daß er schwitzte. Überall auf dem Tisch standen halbleere Flaschen Whisky, Gin und Brandy.

»Ist mir ein Vergnügen«, sagte Anton. Das Schlimmste im Leben eines weißen Jägers war, ständig die Kunden zufriedenstellen zu müssen, Tag und Nacht. Immerhin verfügte er jetzt über ein bißchen Geld. Er war in der Lage gewesen, Gwenn eine beträchtliche Summe für das Schulgeld zu geben, ungeachtet seines Ärgers über ihre Affäre. »Spielgewinne?« lautete ihre Frage, weil sie ihn nur zu gut kannte. »Das Geld ist sauberer als aus deiner bisherigen Quelle«, hatte er erwidert und sich im gleichen Moment dafür gehaßt. Das meiste des restlichen Geldes gab er Olivio, damit der es in sein neues Farmprojekt investierte. Der Zwerg war ausnahmsweise nervös gewesen und hatte ihn davor gewarnt, daß sein Anteil ebensogut auch verlorengehen konnte. Aber sie wußten beide, daß Anton Glücksspiele gewohnt war.

Er zündete sich eine Zigarre an und setzte sich. »Welches Spiel?«

»Poker, behaupten die anderen«, sagte Dr. Pointer und lächelte. Der gutaussehende Südafrikaner kramte weiteres Bargeld aus seinen Taschen hervor, Pfund Sterling und Dollar, und warf die Banknoten auf den Tisch. »Stud mit fünf Karten, Asse niedrig.«

Die anderen Männer stellten sich vor, ohne aufzustehen: zwei belgische Brückenbauingenieure, unterwegs nach Eritrea, um den Italienern beim Ausbau des Straßennetzes ins Landesinnere behilflich zu sein, ein amerikanischer Journalist der Hearst-Gruppe, der versuchte, noch vor Kriegsausbruch Addis Abeba zu erreichen, und der erstaunt war, daß niemand seinen Namen kannte, und ein Kaufmann aus Glasgow, der sich auf dem Heimweg nach Berbera befand.

»Die behaupten, Sie seien Jäger«, sagte einer der Ingenieure, Maurice, ein stämmiger Mann mit derben Gesichtszügen, breiter Nase und einer glatten Narbe unter dem Auge. Anton kannte diese Sorte: Er gehörte zu der nomadenhaften Schattenwelt von Wanderfachleuten, die in einem Land nach dem anderen für einzelne Projekte unter Vertrag genommen wurden. Maurice sprach fließend Englisch, wenngleich mit starkem, nahezu französischem Akzent.

Anton mißfiel der skeptische Unterton dieser Bemerkung, und er beschloß, sie nicht als Frage aufzufassen. Er erwiderte nichts.

»Unser Kurs beträgt genau fünf Dollar pro Pfund. Zum Geldwechseln ist keine Zeit«, fuhr der Belgier fort, warf einen Blick nach unten auf seine Karten und schob mit dem Rücken seiner großen Hand zwei Pfund in die Mitte des Tisches. »Wie gut läßt es sich in der Gegend von Asmara jagen?«

»Gar nicht mal schlecht, aber im Landesinnern ist es besser. Hinter Adi Quala sind die Chancen vermutlich am größten. Bergnyalas, Buschböcke, viele Löwen.« Anton war sicher, daß diese beiden ihm das letzte Hemd ausziehen würden, wenn er es zuließ. Er sah sich sein Blatt an und überlegte. Zwei Achten. Er zögerte, dann setzte er zehn Dollar. »Jagen Sie?«

Maurice ließ die wulstigen vernarbten Knöchel seiner rechten Hand knacken. »Meistens Elfenbein, damals, als wir im Kongo gearbeitet haben.«

»In Léopoldville haben sie Maurie immer *Boucher de la Nuit* genannt.« Der zweite Belgier gluckste. »Das meiste seines Elfenbeins hat er sich geholt, indem er in unserem Wagen ein Nickerchen bei den Wasserlöchern machte, meistens mit einer besoffenen schwarzen Schlampe auf dem Schoß. Sobald die dämlichen Elefanten auftauchten, hat er sie zuerst mit den Scheinwerfern geblendet und dann erschossen. Er war ziemlich gut darin. Auf diese Weise spart man sich viel unnützes Herumgerenne. Jagt man in Kenia auch so?«

»Nur, wenn man seine Lizenz verlieren und des Landes verwiesen werden will.« Anton wurde wütend. »Bei uns heißt das ›mosambikanische Art‹ oder portugiesische Jagd. Ich selbst schieße keine Elefanten.«

»Sind Ihnen wohl zu groß, was?« sagte Maurice, ohne zu lächeln. Der Belgier zu seiner Linken legte ihm den Kartenstapel vor, und er hob ab. Die Karte zuoberst des unteren Stapels war an einem Ende leicht gebogen.

»Das ist jetzt schon das zweite Mal, Maurice«, sagte Pointer mit zittriger Stimme, »daß Sie das gemacht haben«. Er wurde rot und warf seine Karten auf den Tisch. »Sie knicken die Karte, damit genau an dieser Stelle abgehoben wird.«

Maurice warf dem südafrikanischen Arzt durch den Rauch einen langen argwöhnischen Blick zu, bevor er das Wort ergriff. »Falls Ihnen etwas nicht paßt, Pointer, können wir das draußen regeln.« Maurice stand auf und zog seine Jacke aus. Er wandte sich an seinen Begleiter. »Paß auf mein Geld auf, Jules. Ich bin gleich wieder da.«

Dr. Pointer ging auf wackligen Beinen zur Tür. Die anderen Spieler sahen durch das Kabinenfenster, daß der Arzt mit geballten Fäusten wartete. Er streckte und dehnte seine schmalen Schultern und scharrte mit den Füßen auf dem hölzernen Deck. Maurice folgte ihm nach draußen. Ohne jedes Zögern nahm der Belgier eine geduckte Haltung ein, drehte sich und schlug einen Haken. Er legte all sein Gewicht in diesen Schlag und traf Pointer in den Magen. Der Arzt stürzte gegen das Fenster.

»Fehler«, sagte Jules, ohne einen Blick nach draußen zu werfen. »Maurie hat früher als Mittelgewichtler geboxt.«

Pointer stützte sich vom Fenster ab und kam leicht torkelnd wieder auf die Beine. Er hob seine Hände, um sich zu verteidigen. Maurice ließ die Schultern kreisen und lockerte seine Muskeln. Dann holte er aus und traf Pointer wieder auf dieselbe Stelle, diesmal sogar noch stärker. Als der Arzt aufschrie und sich krümmte, schleuderte Maurice ihn an einem Arm herum und schmetterte sein Gesicht gegen die Scheibe. Pointers Augen waren geschlossen, und seine Nase blutete. Er rutschte nach unten und hinterließ dabei eine verschmierte Blutspur auf dem Glas. Maurice fuhr sich mit den Knöcheln über den Mund und spuckte auf die zusammengesunkene Gestalt.

»Das reicht jetzt!« Charlie sprang auf und rannte zur Tür hinaus. Anton eilte ihm hinterher. Dann folgte Jules.

»Halt dich da raus, Junge«, forderte Jules Charlie auf und stellte sich ihm in den Weg.

Charlie versuchte, Jules mit der flachen Hand beiseite zu schieben und sich im selben Augenblick an Maurice vorbeizudrängen, um zu Pointer zu gelangen.

»Immer langsam«, sagte Anton und trat vor. Aber es war zu spät, denn in diesem Moment schlugen Jules und Maurice gleichzeitig zu. Charlie ging zu Boden und erbrach sich auf seine Kleidung. Dann blieb er reglos liegen.

Die beiden Männer sahen Anton an. Ihm war klar, daß sie so etwas schon öfter getan hatten. Beruhige dich, rief er sich zur Ordnung, einer nach dem anderen. Nicht so wie Charlie es gemacht hat.

»Kein Grund, übermütig zu werden«, sagte Jules, der größere der beiden. Sein Gesicht war vor lauter Alkohol und Erregung rot angelaufen, aber Anton konnte erkennen, daß er sich noch immer vollständig unter Kontrolle hatte.

Jules zog seine Fliege zurecht und sah Anton in die Augen. »Seien Sie nicht dumm. Maurie ist ein Profi.«

»Das war ich auch mal.«

Anton erinnerte sich an die Schläge, die er als junger Jahrmarktboxer eingesteckt hatte. Er hatte auf diese Weise für die Zigeuner Geld verdient und war mit bloßen Fäusten gegen jeden Bauernburschen seiner Gewichtsklasse angetreten. Einen nach dem anderen hatte er besiegt, bis er schließlich auf einen Gegner traf, der ihm gewachsen war.

Anton kniete nieder und wischte Charlies Gesicht mit seinem Taschentuch ab. Dann hob er seinen Kunden hoch, setzte ihn auf einen Liegestuhl und zog Charlies Unterlippe zurück, um sorgfältig seinen Mund zu untersuchen. Er nahm eine Decke vom nächsten Stuhl und breitete sie über den benommenen Amerikaner aus. Sie waren noch nicht mal in Ostafrika eingetroffen, und schon hatte Anton die oberste Regel eines jeden professionellen Jägers verletzt: Schütze deinen Kunden. Es war jetzt vermutlich am vernünftigsten, hielt er sich vor Augen, Charlie einfach nur zu Bett zu bringen und die Sache zu vergessen. Dann hörte er die beiden hinter sich lachen.

»Ihr Jungs schuldet meinem Freund zwei Zähne«, sagte Anton über die Schulter gewandt. Er stand auf und zog seine Jacke aus.

»Will jeder einen Zahn beisteuern«, fragte Anton und deutete erst auf den einen, dann auf den anderen Mann, »oder kann einer von euch zwei Zähne erübrigen?«

Er gab Jules die Jacke. Verwirrt nahm Jules sie mit beiden Händen entgegen.

Anton fuhr herum und schlug Maurice mit all seiner Kraft in den Bauch.

Maurice grunzte laut und lief rot an, während er seitwärts torkelte und in ein paar Stühle und einen kleinen Tisch hineinstolperte. Er stürzte schwer zu Boden und landete auf seinem Gesicht. Dann rappelte er sich langsam auf Händen und Knien auf.

Anton achtete nicht weiter auf Maurice, sondern drehte sich zu Jules und täuschte mit der Linken einen Schlag gegen den Magen des Belgiers an. Der große Mann ließ die Jacke fallen und nahm die Hände herunter, um seinen Bauch zu schützen. Antons Rechte traf ihn genau auf den Mund.

Jules stürzte gegen die Reling und spuckte einen abgebrochenen Vorderzahn aus. Keuchend lehnte er an dem Geländer und sah Anton an. Sein Mund stand offen und blutete. Ein zweiter Zahn hing schief aus seinem Oberkiefer.

Anton versuchte, sich etwas zu beruhigen, und ging zur Reling. Seine rechte Hand blutete. Um ein Haar hätte er Jules ins Rote Meer geworfen. Er hörte, wie Maurice hinter ihm wieder auf die Beine kam.

Anton sah Jules an. »Wir sind noch nicht ganz fertig«, sagte er schnell. Er verpaßte Jules zwei kräftige Ohrfeigen, erst mit der einen Hand, dann mit der anderen. Links, rechts. Der zweite Zahn fiel aufs Deck. Dann drehte Anton sich zu Maurice um.

Der Mann stand schwer atmend neben der Tür und hielt die Fäuste an seinen Seiten gesenkt. Er wirkte robust und kampfbereit, aber nicht bedrohlich. Mit ihm würde es nicht einfach werden. Falls es noch weiterging, würde Anton ihm den Tisch ins Gesicht hauen. Er wollte seine Hände nicht noch stärker verletzen.

Nur ein paar Meter entfernt kam Pointer langsam wieder auf die Beine. Charlie saß nach wie vor auf seinem Stuhl.

»Wir sind quitt, Gentlemen«, sagte Anton ruhig. »Gute Nacht Ihnen beiden.« Er wandte sich ab und half Pointer in den Raum hinein.

Er hatte gelernt, daß man nicht jeden Kampf bis zum bitteren Ende ausfechten mußte.

Der amerikanische Journalist hatte sich nicht von seinem Platz erhoben und lächelte ihnen jetzt mit einem Drink in der Hand entgegen. Jemand hatte das Geld zu ordentlichen kleinen Stapeln aufgeschichtet, wahrscheinlich der Schotte, vermutete Anton. Er nahm seinen und Charlies Anteil. Dann ging er zurück aufs Deck und hob seinen Kunden auf die Arme.

»Hoffe, der Krieg wird genauso unterhaltsam«, sagte der Reporter und hielt ihnen die Tür auf. »Den beiden hätte auffallen müssen, daß Sie eine gebrochene Nase haben.«

»Wie kommt es, Olivio, daß sowohl der Reiher als auch das Flugboot morgens stromabwärts und abends stromaufwärts fliegen?« sinnierte Adam Penfold und faltete die *Egyptian Gazette* vom Vortag in seinem Schoß. Er bemühte sich, seinen linken Fuß trotz der energischen Bemühungen des grauhaarigen Schuhputzers ruhig zu halten.

Penfold fragte sich, ob mit seinem Freund wohl alles in Ordnung war. Der Zwerg schien erregt und ein wenig durcheinander zu sein, und direkt bevor der alte Junge nach oben gekommen war, hatte es unter Deck ein fürchterliches Getöse gegeben. Eine seiner Wangen sah ein bißchen mitgenommen aus, und er schien in Gedanken ganz woanders zu sein. Manchmal war es nicht einfach, mit dem kleinen Mann zu reden. Es war, als würden sie beide verschiedene Gespräche führen. »Was glaubst du, hmm?«

»Über solcherlei Angelegenheiten zerbreche ich mir normalerweise nicht den Kopf.« Olivio war noch ganz erschöpft von den anstrengenden Lustbarkeiten in seinem Refugium und versuchte, sich nun auf eher praktische Fragen zu konzentrieren: die Aussaat und der Fruchtwechsel der Sämereien auf der neuen Farm bei Sa al-Hagar, unter Berücksichtigung der Lage auf dem Weltmarkt, der Bewässerungsanforderungen, seiner Lissabonner Bankiers, der Ernährung der erbärmlichen *Fellahin*, der Erntetermine, der Exportkontrollen und einer Rücklage für die notwendigen Bestechungen. Ganz zu schweigen von seinem neuesten Widersacher: der rosafarbenen Larve des Baumwollkapselkäfers.

Olivio hatte gelernt, seine Feinde genau zu studieren. Er verstand jetzt, wie diese kleinen Kreaturen vorgingen. Niemand wußte besser als er, daß die Größe nichts über die mögliche Bedrohung aussagte.

Ein einziges Weibchen dieser Rüsselkäferart legte zweitausend Eier in einer Nacht. Er hatte einst gewartet, wie lange es dauerte, bis die Larven schlüpften. Mitten im Baumwollfeld hatte er unter einem Sonnenschirm auf einer weichen Binsenmatte ausgeharrt, sich an einem Elfenbeinstiel ein Vergrößerungsglas vor das Auge gehalten und dabei zugesehen, wie dieses üble Gelege innerhalb von vier Tagen seine Brut hervorbrachte.

Die Morgensonne ließ die letzten Tautropfen verschwinden, und die winzigen reifen Eier wurden warm und wärmer und platzten auf. Unendlich viele kleine rosa Würmer wanden und krümmten sich und zerrissen schließlich die hauchdünne elastische Hülle, mit der die einzelnen Eier zusammengehalten wurden. Da die Larven den Schatten vorzogen, krochen sie unverzüglich unter die Blätter und begannen dort mit der Nahrungsaufnahme. Am Anfang waren sie gesellig wie Kinder und aßen gemeinsam. Aber nach ein oder zwei Tagen suchten sie sich ihre eigenen Blätter, verstreuten sich und stürzten sich auf seine Baumwollknospen. Nach zehn Tagen fielen die aufgedunsenen, schweren Larven in der Wärme des Tages zu Boden und krochen erst in der Abenddämmerung wieder hinauf, um weiterzufressen. Nach zwei weiteren Wochen gruben die Larven sich kleine Höhlen im Boden, um sich dort zu verpuppen. Sie konzentrierten ihre Lebenskraft und gaben ihr eine neue Form, um zehn Tage später als Käfer wieder aufzutauchen. Sie waren jetzt bereit, sich über seinen Feldern auszubreiten und eine neue Generation von Eiern zu legen, die nicht mehr nach Tausenden, sondern nach Millionen zählte. Das ganze geschah siebenmal pro Jahr. Auf manchen Feldern blieben nur die blanken Stengel zurück. Auf anderen überlebten ein paar hochgelegene Blätter und die eine oder andere Baumwollkapsel. Sahen seine Konkurrenten in Rußland, Amerika und Indien sich auch solchen Feinden gegenüber? Olivio mußte an Miss Gwenns verzweifelte Bemühungen auf ihrer Farm in Kenia denken. Er hörte, wie seine Lordschaft unbekümmert fortfuhr.

»Dennoch, je mehr ich darüber nachdenke, desto außergewöhnlicher kommt mir das vor. Beide, Vogel und Flugzeug, lehnen sich sogar ein bißchen zurück und strecken die Beine voran, wenn sie auf dem Nil landen. Und dann verdrücken sie sich über Nacht ans Ufer. Imperial Airway vertäut die Maschine hier am Schwimmdock. Der Reiher begibt sich im Schilf zur Ruhe. Was soll man davon halten, hmm?«

Penfold klemmte sich sein Monokel vor das Auge und blickte nach unten, als der Schuhputzer gegen seinen linken Schuh klopfte. Er überprüfte die Arbeit und streckte ihm dann den rechten Fuß entgegen. Links immer zuerst, hatte sein Vater ihn gelehrt.

»Ich vermute, mein Lord, daß beide Kreaturen aus Eigennutz handeln.« Es war ohnehin, als würde er mit einem Kind reden, also konnte er genausogut eine nützliche Lektion daraus machen.

»Eigennutz.« Olivio erhob einen Zeigefinger. »Der Reiher, so vermute ich, wird die Reflexion des Lichts auf dem Wasser und den Fall seines eigenen Schattens beachten, denn er muß seine Beute, die Fische, erspähen, ohne daß sie ihn bemerken. Das große Wasserflugzeug hingegen benutzt den Fluß beim Start zur Beschleunigung und bei der Landung zum Abbremsen.« Der Zwerg fuchtelte mit dem Finger.

»Wir müssen es fertigbringen, so wie die beiden zu denken, mein Lord. Eigennutz, das eherne Gesetz des Eigennutzes, darum geht es, Sir.«

»Beide nehmen am Morgen Treibstoff auf«, merkte Penfold sarkastisch an und ließ eine Münze in die Hand des Schuhputzers fallen, dann noch eine, obwohl er wußte, daß er nach Ansicht seines Freundes mal wieder des Guten zuviel tat. Er wußte aber auch, daß diese unbedeutende Großzügigkeit für den alten Ägypter weitaus mehr bedeutete als für ihn. Außerdem fühlte er sich wenigstens für einen Moment lang ein bißchen vornehm und nicht verarmt.

Olivio verfolgte die kleine Transaktion aufmerksam. Noch immer zuviel Trinkgeld. Seine Lordschaft würde es wohl nie lernen.

Der Schuhputzer verstaute seine Lappen, Bürsten, Flaschen und Polituren in einer verzierten Kiste aus geschnitztem Holz und Kupfer. Er stieß ein eiliges Dankeschön hervor und lief die Gangway hinauf.

»Armut, mein Lord, ist die Tochter der Freigebigkeit«, sagte Olivio und breitete auf dem Tisch zwischen ihnen eine Karte aus.

»Wo wir gerade dabei sind, ich habe über deinen Partnerschaftsplan nachgedacht, Olivio.« Penfold trank seinen Tee aus und nahm die *Gazette.* »Du bist viel zu großzügig, wirklich.«

Der Zwerg war verblüfft. Was war das für ein Blödsinn?

»Es kann nicht sein, daß du das ganze Bargeld einbringst, wenn wir echte Partner sein wollen, verstehst du?« Penfold blickte bewundernd einer überladenen *Qajjasa* nach, die am Café vorbeiglitt. Die Dollborde des Boots befanden sich nur wenige Zentimeter über der glatten Wasseroberfläche.

Was hatte der Lord vor? Wollte er etwa seine neuen Anzüge verkaufen? Dieser kostspielige graue Nadelstreifen sah jetzt schon heruntergekommen aus.

»Ich werde noch ein paar Stücke in Wiltshire losschlagen. In den Treibhäusern wächst sowieso nichts mehr, abgesehen von Unkraut so hoch wie Sonnenblumen. Die alten Ställe haben seit Jahren kein Jagdpferd mehr gesehen. In dem Punkt bin ich mir aber noch nicht sicher, denn meine liebe Frau telegraphiert mir, daß sie auf jeden Fall ein paar Boxen behalten möchte, nur für den Fall.«

Genau der richtige Ort für Sissy Penfold, dachte Olivio. Ein Gefühl des Ekels stieg in ihm hoch wie bittere Galle. Er dachte an die abscheulichen Schweinereien, die Lady Penfold von ihm verlangt hatte, bevor Olivio der Freund seines Herrn geworden war.

»Ach«, sagte Penfold und putzte das neue Monokel mit seiner schmierigen Schulkrawatte, »als ich mich gestern abend im Bett hin- und hergewälzt habe, ist es mir endlich eingefallen. Es waren diese Blumen, verstehst du? Ich selbst habe nie gern Nelken getragen. Wirklich, die gehören in eine Zahnarztpraxis.«

»Wie bitte, mein Lord?«

»Ich weiß jetzt, wo ich deinen Musa Bey, diesen Staatssekretär, schon mal gesehen habe, bevor wir in seinem Büro gewesen sind. Er war in dem Ali Baba Zelt an dem Abend, als der junge Anton und ich dort ein wenig Spaß hatten und diese Kerle mich dann überfallen haben.«

Der Zwerg richtete sich auf, plötzlich ganz Ohr. Roch er da eine Schurkerei?

»Er hat mit Anton Bezique oder so was gespielt. Wie ich verstanden habe, war er wohl ein wenig zu geschickt mit den Karten. Zusammen mit irgendeinem Franzosen. Und er hat eine rote Nelke getragen. Derselbe Kerl, da bin ich absolut sicher. Wäre mir schon früher eingefallen, wenn man mir in jener Nacht nicht eins übergezogen hätte.«

»Zweifellos, mein Lord, zweifellos.« Olivio beugte sich vor und hätte fast Penfolds Arm getätschelt. »Das war Musa Bey Halaib? Wie überaus interessant.«

»Übrigens, ich muß sagen, es war doch wirklich ein bißchen ungehörig von uns, nach einer Karte der Regierung zu fragen, meinst du nicht?«

»Die Regierung selbst hat uns diese Karte gegeben.« Der Zwerg zuckte die Achseln. Sogar eine solch kleine Bewegung bereitete ihm starke Schmerzen. War dies der richtige Moment, um mit seiner Lordschaft über den wesentlichen Punkt zu sprechen: ihre Investition im Delta? Die Angelegenheit wurde immer komplizierter und kostspieliger. Ihre Rivalen deckten langsam die Karten auf. Das konnte sowohl den Ruin als auch ungeahnte Reichtümer bedeuten.

»Dennoch finden wir nur schwer heraus, wo wir unser Land kaufen sollen.«

»Die Karte hat uns nicht verraten, wo wir kaufen sollten. Sie hat uns gezeigt, welche Käufe wir tunlichst vermeiden werden.« Olivio deutete auf den vermeintlichen Verlauf des geplanten Kanals auf der Karte. »Die Karte sollte dazu dienen, uns in die Irre zu führen, unser Kapital zu verschwenden und uns zum Kauf jener Grundstücke zu verleiten, die wir nach Ansicht eines anderen erwerben sollten. Der Staatssekretär hat die Karte sicherlich nicht aus reinem Zufall in seiner Jackentasche bereitgehalten.«

»Woher willst du das wissen?« fragte Penfold. Seine wässrigen Augen waren groß und unschuldig wie der Blick eines erstaunten Kleinkindes.

»Laut dieser Karte wird die neue Farm, auf der wir kürzlich gewesen sind, für immer und ewig eine Wüste bleiben. Warum sollte dann irgend jemand eine Busladung Polizisten dorthin schicken, um sie an sich zu reißen?« Er wußte, daß seine Lordschaft nicht antworten würde.

»Verstehen Sie«, fuhr der Zwerg fort, »man hat versucht, uns einzuschüchtern, Sir, und uns davon abzuhalten, unseren Grundbesitz zu vergrößern. Diese Teufel schrecken vor nichts zurück. Zuerst Gewalt. Jetzt Betrug. Was soll ein ehrlicher Mann da machen?«

»Es sieht so aus, als würde es unten im Süden immer kritischer werden«, sagte Penfold. Er wechselte das Thema, weil er sich nicht länger mit dieser lästigen Angelegenheit beschäftigen wollte. Nachdem er sein Monokel geputzt hat, las er Olivio die Schlagzeilen vor. Er hatte diese alte Angewohnheit wieder zum Leben erweckt und frönte ihr jeden Morgen, wenn er im Café vorbeischaute. »Äthiopischer Krieg steht bevor. Italien stellt unerfüllbare Forderungen. Verlangt Eisenbahn und italienische Berater. Abessinischer Kaiser lehnt ab. O weh, o weh.«

»Ja, mein Lord«, sagte der Zwerg geduldig. Er befürchtete, daß sein Freund zunehmend weltfremder wurde. Penfold war Teil eines kultivierten Zeitalters, das nahezu verstrichen war und bald ganz entschwunden sein würde, wie eine Kerze, die herunterbrannte und verlosch. »Ja, allerdings.« Olivio nickte.

»Und Abessinien ist erst der Anfang. Noch schlimmer als diese Itaker dürften die Krautfresser sein. Sind sie immer. Unten in Tanganyika, früher mal Deutsch-Ostafrika, werden diese alten Buschgermanen, Pflanzer und ich weiß nicht was von Tag zu Tag rühriger. Sie halten Kundgebungen in Arusha ab. Hissen neue Flaggen. Haben allen möglichen Unfug im Kopf. Verdammt, ich werde den Eindruck nicht los, daß die sich die ganzen Ländereien zurückholen wollen, die Sisalfelder und das alles, überlege mal. Die haben vergessen, wer den Krieg des Kaisers verloren hat. Dieser kleine Schreihals mit dem schwarzen Schnurrbart bei denen zu Hause scheint sie so richtig anzustacheln.«

»Wie ein toter Franzose mal gesagt hat, mein Lord, in Zeiten wie diesen müssen wir unseren eigenen Boden bestellen.« Der Zwerg stand auf, um sich um einige Angelegenheiten in seinem Café zu kümmern. »Entschuldigen Sie mich.«

»Kein Problem.« Penfold seufzte und warf einen Blick auf die *Gazette*. Sein Tee war kalt. Zur Zeit ging in der Welt dermaßen viel vor sich: neue Erfindungen, die Depression, das Kino. Gott sei Dank war er kein junger Mann und mußte sich mit all dem beschäftigen.

Bis jetzt war Kairo ein recht angenehmer Zufluchtsort gewesen. Sissy war in England, wenngleich es ihm manchmal so vorkam, als könnte er nach wie vor ihre Stimme hören, so schrill und durchdringend wie ein Eichelhäher mit gebrochener Schwinge. »Es ist an der Zeit, daß ich mir langsam Gedanken über eine Veränderung mache«, hörte er sie sagen, meistens nachdem sie sich unmittelbar zuvor außerordentlich selbstsüchtig benommen hatte. Die Zahlungsaufforderungen der Bankiers aus Nairobi hatten ihn bislang noch nicht eingeholt. Aber nachts lag er in seinem prachtvollen Zimmer in Olivios Villa wach und grübelte über seine Fehler nach. Er hoffte, daß Olivios Projekt ihnen allen über die Runden helfen würde. Auch wenn man sich immer mehr auf das Nötigste beschränkte, war es dennoch ziemlich teuer, die verbliebenen Besitztümer zusammenzuhalten. Für ihn selbst ging es nur noch darum, sich irgendwie über die Zeit zu retten. Aber für Anton, das wußte er, sah die Sache schon weitaus ernster aus, denn immerhin spielten Gwenn und seine Söhne eine wichtige Rolle. Aber der Junge hatte eine Chance. Zumindest war er in seinem Job mit Abstand der Beste.

»Gute Neuigkeiten, Patenonkel?« fragte Clove und gab ihm einen Kuß auf die Wange. Sie stand mit einer frischen Kanne Lapsang und einem Teller Petits fours neben ihm. Sie wußte, wie sehr er dieses morgendliche Ritual genoß.

»Leider nein, Liebes«, sagte er und lächelte sie an. Er nahm eine andere Ausgabe der *Gazette* zur Hand. »Wirf einfach nur mal einen Blick hierauf: HITLER SPRICHT BEIM ERNTEDANKFEST ZU 500 000 BAUERN. So stellt der Deutsche sich zweifellos ein romantisches Picknick vor. HURRIKAN BEI KEY WEST LÄSST ZUG INS WASSER STÜRZEN. MUSSOLINI STREITET BEDROHUNG DES NILS NACH INVASION ABESSINIENS AB. Das alles nimmt kein Ende. HUEY LONG ERSCHOSSEN. FÜNFZIG ITALIENISCHE U-BOOTE BLOCKIEREN IM ROTEN MEER JAPANISCHE TRANSPORTE NACH ÄTHIOPIEN.« Kopfschüttelnd nahm Penfold sich eines der kleinen Törtchen.

»Ach, du liebe Güte«, sagte Clove besorgt.

»Hier ist noch was Nettes. FRANZÖSISCHE PANZER FÜR DIE ITAlienische Armee. Renault liefert 325 Einheiten. Genau das, was man erwarten würde. Man darf diesen Kanaillen auch nicht einen Moment den Rücken zuwenden.«

Die Petits fours schmeckten leicht nach Aprikosen. Penfold leckte sich die Fingerspitzen und seufzte, weil ihm bewußt war, daß niemand wirklich etwas auf seine Meinung gab. Aber er war dennoch froh, daß Clove ihm zuhörte. »Der dämliche Völkerbund sollte sich so schnell wie möglich um diese äthiopische Katastrophe kümmern. Falls nicht, wird der ganze letzte Krieg umsonst gewesen sein und statt dessen, ehe man sich versieht, ein neuer ausbrechen. Denk an meine Worte, Kind. Es wird nie wieder so sein, wie es einmal war.«

»Darf ich dich etwas fragen, Patenonkel?« Clove setzte sich auf ihrem Stuhl zurecht, dabei wirkte sie ein wenig kokett.

»Natürlich, Liebes«, erwiderte Penfold freundlich. Ihm fiel auf, wie wenig kindlich sie jetzt wirkte.

»Du kennst doch Wellie, oder? Wellington, den Sohn von Mrs. Rider?«

»Ja, natürlich. Er ist auch mein Patenkind.«

»Was hältst du von ihm?«

»Ein feiner junger Bursche, soweit ich weiß. Ich kenne ihn schon, seit er ein kleiner Bengel war.«

»Glaubst du, er ist zu jung für mich?«

»Tja, äh«, sagte Penfold unbeholfen und tastete nach einem weiteren Törtchen. Er bedauerte, daß er selbst zu alt war. »Weißt du, Clove, so etwas ist schwer zu sagen. In solchen Dingen bin ich nicht besonders gut. Vielleicht fragst du am besten deinen Vater.« Er nickte eifrig. Der Gedanke kam ihm entgegen. »Ja, genau, das wäre das Beste. Er kennt sich mit all diesen Sachen aus.«

12

»Glaubst du, daß Frauen so etwas öfter tun als Männer?« Harriet nahm ihre Brille ab und blickte von ihrem Buch auf. Sie kaute an ihrer vollen Unterlippe und runzelte die Stirn. Die Frage nahm ihre Aufmerksamkeit so sehr in Anspruch, daß sie das geschäftige Treiben im Hafen von Massawa gar nicht wahrnahm.

»Was denn?« Bernadette zog eine Augenbraue hoch. »Harry denkt auch nur an das eine«, sagte sie zu niemand bestimmtem. »Was denn, Harry?«

Anton wurde aufmerksam. Er saß zwischen den Zwillingen auf dem Oberdeck der *Otranto*, schwitzte unter dem gelbbraunen Segeltuch, das sich quer über das Deck erstreckte, und trank Pimm's mit seinen Kunden. Harriet hatte *Die Entwicklung der Persönlichkeit* gelesen, ganze Passagen unterstrichen und, wie er sehen konnte, streitbare Anmerkungen an den Rand geschrieben.

»Na, was Jung behauptet, Bernie. Ich habe dir doch davon erzählt. Die Projektion. Daß wir das Phantasiebild unseres idealisierten Liebespartners, er nennt es hier den *Animus*, auf unser Objekt der Begierde übertragen. Deshalb ist man anfangs bis über beide Ohren verliebt. Bald darauf sind wir natürlich enttäuscht und versuchen, die andere Person so zu verändern, daß sie unserem Idealbild entspricht.« Harriet hielt inne. Es ärgerte sie, daß Bernadette die Augen verdrehte und Anton ansah, als sei ihre Schwester übergeschnappt.

»Hör mir zu, Bernie. Wenn dann alles in die Brüche geht, sind wir am Boden zerstört, als hätte uns jemand aller Gefühle beraubt. Dabei haben wir lediglich die nutzlose Projektionsfläche verloren, auf die wir uns fixieren wollten. Verstehst du denn nicht? Das paßt genau. Es ist immer so. Er hat recht.«

»Was weiß Carl Jung denn schon von Liebe? Er ist Schweizer.« Bernadette klang völlig überzeugt. »Und natürlich machen Männer das sehr viel öfter. Deshalb schauen sie auch nur auf Äußerlichkeiten. Den Rest reimen sie sich im Kopf zusammen. Sie denken es sich einfach aus, bis wir sie lehren, was für einen Fehler sie begangen haben und daß wir nicht so sind, wie wir aussehen.«

Lieber Gott, dachte Anton, sind amerikanische Frauen denn wirklich alle gleich? Dieses wütende Geschnatter, als würden sie sich ständig am Rand irgendeines Privatkriegs befinden.

»Aber Charlie versteht uns, nicht wahr, Charlie?« Bernadette stupste den Angesprochenen gegen die Schulter. Charles hatte ihr den Rücken zugekehrt und spitzte schweigend mit einem Federmesser einen Bleistift an. Er saß in dieser stinkenden Hitze mit dunklem durchgeschwitzten Hemd da und musterte den hektischen Hafen, der sich so kraß von der flachen und öden Küstenlinie Eritreas abhob. Sein Skizzenblock war auf einem Notenständer festgeklemmt, der ihm als tragbare Staffelei diente. Mit seinen drei Standbeinen würde das wunderbar leichte und stabile Gestell im offenen Gelände perfekte Dienste leisten.

»Die Stadt sieht so aufregend aus!« sagte Bernadette. »All diese hübschen italienischen Soldaten! Wir sollten lieber an Land gehen. Weißt du noch, wie wir in Florenz ein bißchen Italienisch gelernt haben, Harry?« Sie zwinkerte ihrer Schwester zu. »Das ist die einzig richtige Art, etwas zu lernen.«

»Du wirst dich hier benehmen müssen, Bernie«, sagte Harriet und klang so, als meinte sie es auch.

»Engländer!« rief Ernst und winkte Anton zu sich heran. Er stand am oberen Ende der steilen Gangway, die zu der Motorbarkasse führte. Anton hatte genug von Jung, also stand er auf und gesellte sich zu seinem Freund.

»In Massawa ist es schlimmer als im Vatikan.« Ernst deutete mit beiden Händen in Richtung Ufer. »Es wimmelt von Italienern. Überall Katzelmacher. Hast du all die Schiffe gesehen, die vor dem Hafen darauf warten, entladen zu werden?«

»Ich habe vierzig gezählt, die meisten mit Heimathäfen wie Neapel, mehr als dreitausend Kilometer von hier entfernt«, sagte Anton nachdenklich. »Der Kapitän sagt, die Schiffe aus Kalkutta und Jakarta seien voller Baumwolle für Uniformen, Futter für Maultiere und Tabak für die Männer.« Er warf einen Blick auf die kleineren italienischen Hochseeschiffe, die an einer Seite des Hauptdocks vertäut waren, mit dem Heck voran, um Platz zu sparen.

»Was habe ich dir gesagt?« warf der Deutsche verbittert ein und schüttelte den Kopf. »Die Zeiten für alte Haudegen wie uns sind vorbei, Rider.« Er nahm Anton letzte Zigarette. »Unser Afrika gibt es nicht mehr.«

»Noch ist es nicht ganz soweit«, sagte Anton zu dem älteren Mann. »Es ist immer noch Zeit genug für ein paar weitere Safaris.«

Ernst sah dabei zu, wie die Matrosen sein Gepäck auf die Barkasse verluden. »An diesem Ort befinden sich mehr weiße Männer, als du und ich in all unseren Jahren in Afrika je gesehen haben. Und es wird nicht mehr lange dauern, bis diese Sache anfängt.« Der Blick des Deutschen verhärtete sich. »Ich hole meine leeren Kisten und den Lastwagen, und dann machen Gretel und ich uns heute nachmittag auf den Weg, um meine Silbermünzen zu ergattern.« Er verpaßte Anton einen heftigen Schlag auf die Schulter. »Du weißt, wie mein Plan aussieht.«

»Wir werden uns nicht treffen«, sagte Anton und lehnte damit das Angebot ein letztes Mal ab, »aber falls die Lage sich zuspitzt, dürften die Seen im Ostafrikanischen Graben den besten Fluchtweg für dich bedeuten.«

»Noch etwas«, sagte Ernst und senkte die Stimme. »Sind sie reich?«

»Wer?«

»Die Zwillinge, du Idiot. Die meisten amerikanischen Frauen haben zuviel Geld.«

Anton achtete stets darauf, nicht über seine Kunden zu reden. »Ich bin mir nicht sicher, woher das Geld stammt, aber es war Charlie, der mich für die Safari bezahlt hat. Schon neulich in Kairo, Gott sei Dank.«

»Ich schätze, diese Mädchen sind reich«, sagte Ernst. »Andernfalls müßten sie sich netter aufführen.«

»Vielleicht«, sagte Anton. Er fragte sich, worauf der Deutsche hinauswollte. »Aber für eine Frau bedeutet Schönheit praktisch das gleiche wie ein großes Vermögen. Sie wird immer jemanden finden, der ihr ihre Wünsche erfüllt.«

»Jedenfalls für eine gewisse Zeit«, schloß Ernst und schnippte seinen Zigarettenstummel ins Wasser. Er legte Anton die Hand auf die Schulter. »Wir sehen uns vor unserer Abfahrt noch auf einen kurzen Drink im Toselli.« Er ignorierte den Steward, der ganz in der Nähe auf ein Trinkgeld von ihm wartete, und reihte sich mit Gretel in die Warteschlange vor dem kleinen Boot ein.

Außer den beiden belgischen Ingenieuren hielten alle der Abreisenden kurz auf der Gangway inne und winkten den verbleibenden Passagieren zum Abschied fröhlich zu. Dann kletterten sie in die Barkasse nach Massawa. An Bord wurden hinter ihnen die Ladebäume an den Masten ausgeschwenkt, um volle Frachtnetze auf die Decks der wartenden Leichter hinabzulassen.

Nachdem Anton allein zurückgeblieben war, putzte er seinen alten Feldstecher und besah sich den betriebsamen Hafen durch das Fernglas.

An der hundert Meter entfernten Küste herrschte auf den steinernen Kais ein Durcheinander aus glänzenden schwarzen Packern, die mit freiem Oberkörper Schwerstarbeit verrichteten, weißgekleideten arabischen Kaufleuten und turbantragenden Seemännern, italienischen Soldaten und Matrosen, Transportlastern, Maultieren und Kamelen. Hinter all dem erhoben sich zwei riesige dreigeschossige Steingebäude, deren Fassaden zum Hafen wiesen. Jedes verfügte auf allen Etagen über geräumige Terrassen, die über die gesamte Breite verliefen und von kunstvoll verschnörkelten Eisengeländern geziert wurden. Die Erdgeschoßterrassen bildeten eine belebte Straßenarkade, auf der sich zahlreiche Männer und Frauen mit Schirmen vor der drückenden Sonnenglut schützten. Die Gebäude stellten das überaus passende italienische Handels- und Industriezentrum dar: Sie waren solide und praktisch, wenn auch nicht elegant. Das sandige Grau des örtlichen Baumaterials verschmolz in der flimmernden Hitze mit den Bergen im Hintergrund. Von den Balustraden der beiden Gebäude hingen patriotische Flaggen in der stickigen feuchten Luft schlaff herab.

Der größte Kai wurde vollständig von mehreren hundert neuen

Chevrolet-Lastwagen eingenommen, die man Stoßstange an Stoßstange geparkt hatte. Italienische Mechaniker schlossen Batterien an und füllten Öl nach. Barfüßige schwarze Jungen drängten sich zwischen den Fahrzeugen hindurch und malten mit den Fingern in der dicken Staubschicht, die jeden der Wagen überzog. Ein Bataillon aus fünfzehn leichten Fiat-Panzern wartete auf hölzernen Paletten. Mit ihren gedrungenen Silhouetten und kantigen Aufbauten sahen sie aus wie Spielzeuge. Richtschützen erkletterten die Panzer und überprüften ihre Zwillingsmaschinengewehre. Wachposten behielten die aufgetürmten Kriegsgüter im Auge, während eine Horde kleiner schwarzer Jungen ihre Waffen anstarrte und auf einen geeigneten Moment wartete, um sich an ihnen vorbeizustehlen.

Auf der anderen Seite des Hafens rekelten sich Scharen von italienischen Bauern, rund eintausend Mann, schätzte Anton, auf Ballen und Paketen oder lehnten auf Spitzhacken und langstieligen Schaufeln, während sie rauchten und sich unterhielten. Anton hatte in den Kairoer Zeitungen gelesen, daß diese Männer in ihrer Heimat arbeitslos waren und mit Zeitverträgen nach Afrika geschickt wurden. Dort faßte man sie in Arbeitskolonnen für den Straßenbau zusammen, wobei zwecks Erhaltung der Moral darauf geachtet wurde, daß Männer aus demselben Dorf zusammenbleiben konnten. Jetzt entdeckte Anton einige *Squadristi*, die langsam durch die Menge gingen und sich mit schwarzen Tüchern den Schweiß aus dem Nakken wischten. Die Faschisten schrien Anweisungen und gestikulierten wild. Sie schienen die Männer zu einer Kolonne staubiger Lastwagen zu dirigieren.

Durch den Hafenlärm hindurch hörte Anton die müden Trommeln und Becken einer Schwarzhemdenkapelle zur Begrüßung von Tausenden ihrer Landsleute aufspielen, die soeben vom Truppentransporter *Conte Biancamano* an Land kamen. Die Männer wurden direkt auf Lastwagen verladen, um nach Asmara in ein etwas angenehmeres Klima verlegt zu werden. Der Weg dorthin führte über eine neue, achtzig Kilometer lange Pflasterstraße, zweitausendvierhundert Meter hinauf zur eritreischen Hochebene. Von dort waren es nur noch fünfzig Kilometer bis zur abessinischen Grenze und weitere fünfzig bis zum alten Schlachtfeld bei Adua.

Charlie war völlig überwältigt von den vielen Motiven. Er schlug ein neues Blatt auf und begann, die *Biancamano* zu skizzieren.

Die Flanken der drei oberen Decks des alten Passagierdampfers waren über die gesamte Länge mit Postern behangen, die Benito Mussolinis Kopf zehnfach lebensgroß im Profil zeigten. Der Duce trug den in der modernen italienischen Armee üblichen schüsselförmigen Stahlhelm mit breitem Kinnriemen. Neben der *Biancamano* lagen drei Wassertankschiffe vor Anker, von denen man eines zur Eisfabrikation umgerüstet hatte. Dann folgten die strahlend weißen Lazarettschiffe *Urania* und *California*.

Zum ersten Mal hatte Anton tatsächlich das Gefühl, daß ein Krieg unmittelbar bevorstand. Er war erstaunt, welches Ausmaß die italienischen Vorkehrungen angenommen hatten.

Anton sah, wie die Barkasse der *Otranto* am steinernen Kai des Zollamts festmachte. Die beiden Belgier sprachen mit einem Hafenbeamten in weißer Uniform und gingen dann zu einem Hotel in Ufernähe.

»Ich hoffe, wir sitzen mit den beiden nie mehr an einem Tisch«, sagte Anton zu Charlie in Anspielung auf das nächtliche Kartenspiel, aber sein Kunde beachtete ihn nicht. Antons Blick folgte den zwei Ingenieuren, bis sie aus seinem Sichtfeld verschwanden.

Die Barkasse machte sich auf den Rückweg durch das ölige Wasser, schlängelte sich an den Docks vorbei und zwischen den hochseetüchtigen Dhauen und Schleppern mit hohen Schornsteinen hindurch. Zahllose kleinere Boote und ein paar rostige Küstenfrachter kreuzten ihren Weg. Auf den offenen Decks stapelten sich Holzfässer und Leinensäcke.

»Meine Damen und Herren, möchten Sie vielleicht einen Landausflug unternehmen?« Der Decksteward wischte sich die Stirn ab. »Die Barkasse ist bereit. Wir fahren um Mitternacht nach Dschibuti und Berbera weiter.«

»Gute Idee!« Bernadette küßte Charles sanft auf den geschwollenen Mund. Sie war nach der Schlägerei bei dem Pokerspiel stolz auf ihn. »Während Charlie beim Zahnarzt ist, können wir ein paar Einkäufe erledigen.«

»Ist es in Dschibuti auch so heiß?« fragte Harriet den Steward. In der feuchten Luft ringelte sich ihr kurzes rotes Haar in zahllosen kleinen Löckchen.

»Die Franzosen in Dschibuti, Ma'am, wären heilfroh, einen solch kühlen Tag erleben zu dürfen. Dort unten ist es sogar den Moskitos zu heiß.«

Harriet runzelte mürrisch die Stirn und wischte sich das Gesicht mit einer Serviette ab.

Charles packte seine Zeichensachen zusammen, dann gingen sie zur Gangway. Harriet wartete an der Reling darauf, an die Reihe zu kommen. Anton bewunderte, wie die Zwillinge in ihren langen khakifarbenen Faltenröcken aussahen. Die Kleidung wirkte einerseits völlig passend, andererseits verlieh sie ihnen den Anschein quirliger, kesser Schulmädchen. Er war der letzte in der Schlange und trat am oberen Ende des Fallreeps dicht an Harriet heran. Sein Unterleib berührte ihre perfekten festen Pobacken. In dieser Hinsicht hatte sie wirklich recht. Es waren tatsächlich ihre hübschesten Körperteile. Er spürte ihre Wärme und schob sich noch näher an sie heran. Sie ließ es geschehen. Leise ergriff er das Wort.

»Werfen Sie immer Ihr Champagnerglas ins Meer, bevor Sie richtig loslegen?« fragte er.

Harriet fuhr abrupt herum. »Verzeihung?«

»Werfen Sie immer Ihr Champagnerglas ins Meer, bevor...«

»Wovon reden Sie da?« rief Harriet empört und trat auf die Gangway. Sie blieb stehen, drehte sich um und sah ihn an. »Sie haben sich wohl im Mädchen geirrt, Mr. Rider.«

Anton wurde rot. Um Gottes willen, das mußte in jener Nacht Bernadette gewesen sein, die sich für Harriet ausgegeben hatte. Innerhalb von zwei Tagen hatte Anton nicht nur zugelassen, daß Charles zusammengeschlagen wurde, sondern ihm auch noch Hörner aufgesetzt. Er betrachtete sie genauer, aber jetzt war er sich nicht mehr sicher. Vielleicht war es doch Harriet gewesen, und nun spielte sie einfach mit ihm. Wollte sie erreichen, daß er eine peinliche Situation mit Bernadette heraufbeschwor?

»Beeilt euch, ihr beiden«, rief Bernadette aus der Barkasse. »Und versucht bitte, euch nicht ins Wasser zu stürzen.«

Als sie an Land gingen, überprüfte ein Hafenbeamter ihre Pässe. Er nahm ein kleines Trinkgeld und arrangierte für Charles einen Besuch beim italienischen Militärzahnarzt an Bord der *California*. Charles kehrte zur Barkasse zurück und winkte den Zwillingen zu, als das kleine Boot in Richtung des Lazarettschiffs ablegte.

Anton war guter Dinge und fühlte sich bereits jetzt mehr zu Hause als noch vor ein paar Tagen in Kairo. Er blieb mit den Mädchen vor einem Bronzedenkmal stehen, das man zu Ehren der Italiener errichtet hatte, die 1885 im Kampf gegen die Abessinier bei Massawa gefallen waren. Der steinerne Sockel war von verwelkten Blumen und Kränzen der Faschisten bedeckt. Während die Zwillinge sich bemühten, die italienische Inschrift zu übersetzen, schaute Anton einer Gruppe eritreischer *Askaris* zu, die in der Nähe herumlungerten. Harriet kam zu ihm und nahm seinen Arm.

»Italienische Kolonialinfanterie«, sagte Anton, die afrikanischen Soldaten bewundernd. Sie waren groß und dunkel, mit flachen Bäuchen, schlanken Beinen und bloßen Füßen. Über ihren bauschigen Khakihosen und Wickelgamaschen trugen sie grüne Schärpen.

»Ooohh«, sagte Harriet, »sind sie nicht wunderschön? Ich liebe diese Kummerbunde, und sehen Sie nur die hübschen dicken Troddeln, die jeder an seinem Fez trägt.«

»Diese Jungs erinnern mich an die kenianischen King's African Rifles«, sagte Anton. »Gute Soldaten, wette ich, kameradschaftlich, anspruchslos und ausdauernd.« Wenn diese Truppen gut geführt wurden und den Italienern so loyal ergeben waren wie die K. A. R. den Engländern, konnten Männer wie diese Italien jenen entscheidenden Vorteil bringen, den es in Äthiopien brauchte. »Und sie sind die traditionellen Feinde der Abessinier«, fügte er hinzu.

Er dachte an den Zwerg und lächelte.

»Kein Sold und keine Belohnung ist wertvoller als die Gelegenheit, alte Rechnungen zu begleichen«, hatte Olivio vor vielen Jahren einmal zu ihm gesagt und dabei den Zeigefinger erhoben. »Kein Gefühl hält so lange an wie Rachegelüste.« Und das stimmte. Es schien immer ein paar Afrikaner zu geben, die nur allzu bereitwillig an der Seite irgendwelcher Europäer gegen andere Afrikaner in den Kampf zogen.

Die Zwillinge hakten sich zu beiden Seiten bei Anton ein. Sie kamen an eine schmale staubige Straße und machten sich auf den Weg zum örtlichen Marktplatz.

Zwei Stunden später kehrten sie zum Ufer zurück, schmutzig und durstig wie Kamele. Anton war ärgerlich, weil er einen großen geflochtenen Korb tragen mußte, in dem sich die Einkäufe der Zwillinge befanden: Kopftücher und Reitgerten, Dolche und einheimischer Schmuck. An einem Tisch im Hafencafé des Hotels Toselli warteten bereits Ernst und Gretel auf sie. Anton fiel auf, daß Ernst, der ausgestreckt und weitaus entspannter als an Bord dasaß, bereits wieder wie eine alte erfahrene Landratte wirkte. Der Staub und die Hitze machten ihm nichts aus, und seine Stiefel, die grauen Shorts und das verschwitzte Hemd waren genau das richtige für alles, was noch vor ihm lag.

Auf der überdachten Terrasse saßen noch zwei andere europäische Frauen. Sie waren italienische Krankenschwestern mittleren Alters, unscheinbar wie Mauerblümchen, aber sie wurden von einem Dutzend uniformierter Männer umschwärmt. Neugierig musterten die Frauen Bernadette und Harriet.

»Deine belgischen Kumpel sitzen da drüben«, sagte Ernst zu Anton. »Trinken mit dem Feind. Vermutlich erzählen sie gerade, was für ein gefährlicher Hund du bist.«

Anton versuchte, sich nicht umzudrehen und hinzuschauen, aber ihm war bewußt, daß die Belgier am anderen Ende des Cafés mit einigen italienischen Offizieren zusammensaßen. Jules stand auf und verließ den Tisch, als er die Gruppe um Anton bemerkte.

Anton bestellte italienisches Mineralwasser und kalten Verdicchio. Er wollte gern einige Minuten für sich sein. Sobald die Safari begonnen hatte, würde er keinen Moment der Muße mehr haben.

»Entschuldigt mich eine Weile«, sagte er und erhob sich. »Ich gehe noch mal zu dieser Bank und besorge etwas geeignetes Bargeld.« Er beeilte sich, nach draußen zu kommen, bevor jemand anbieten konnte, ihn zu begleiten.

Mit einigen silbernen Maria-Theresien-Talern in der Tasche schlenderte er auf dem Rückweg in eine schmale Gasse, um eine Abkürzung zum Hotel zu nehmen.

Mit dem Instinkt eines Jägers spürte Anton etwas hinter sich. Er fuhr herum und schaute zurück. Drei Männer eilten ihm hinterher, offenbar Italiener, Stauer oder Arbeiter, massige, kräftige, finster blikkende Männer. Einer hielt einen Axtstiel in der Hand. Der größte trug einen Bootshaken bei sich.

Er würde sich um sie kümmern müssen, wurde ihm klar, aber ohne Aufsehen im Hafen zu erregen. Seine Kunden würden eine dritte Schlägerei sicherlich kaum gutheißen, und die italienischen Behörden könnten sie am Ufer festhalten, wenn es Ärger gab.

An der Rückwand einer Moschee entdeckte Anton eine schmale offene Tür. Er ging hinein und zog seine Wüstenstiefel aus. Er befand sich in einer nach oben offenen Kammer am rückwärtigen Ende des von Säulen durchzogenen Gebetssaals. Hinter ihm blieben die Italiener zögernd an der Tür stehen und sprachen miteinander.

Anton ging langsam an einer der Wände des Gebetssaals entlang, die Stiefel in der Hand und den Kopf respektvoll gesenkt. Auf den Gebetsteppichen saßen schweigend Reihen weißgekleideter Moslems mit übereinandergeschlagenen Beinen. Anton blieb stehen und legte eine Hand an die Stirn. Einen Moment lang genoß er die erfrischende Kühle des schattigen Raums.

Im offenen Torweg am Eingang der Moschee schlüpften neun oder zehn Moslems gerade in ihre Sandalen und wollten aufbrechen. Anton sprach sie auf Suaheli an und drückte dem Mann, der ihn am besten verstand, ein paar Geldstücke in die Hand.

»Einen Silbertaler«, sagte er, hielt die stattliche Münze hoch und ließ sie in der Sonne funkeln, »für den Mann, der mir den Bootshaken dieses Italieners da bringt. Ihr findet mich im Toselli.«

Anton trat in die Hitze hinaus. Die kleine Verfolgungsjagd hatte belebend gewirkt. Seine Sinne waren geschärft, als wäre er mitten im Busch auf der Pirsch. In diesem Moment kamen zwei der Stauer um die Ecke der Moschee gerannt.

»Auf sie!« schrie der Mann, den Anton bezahlt hatte. Die Moslems zogen ihre Dolche und stürzten auf die Italiener zu. Als Anton zum Café zurückging, hörte er lautes Fluchen und Kampflärm hinter sich.

»Meine Güte! Hier sind achtundvierzig Grad im Schatten«, sagte Bernadette, als Anton hereinkam. Charles hatte sich inzwischen zu ihnen gesellt. Anton warf einen kurzen Blick auf das Wandthermometer neben der bronzenen Gedenktafel, die Major Toselli gewidmet war, dem Namenspatron des Hotels.

»Wer war dieser Toselli?« fragte Harriet.

»Der Kommandant von mehreren Tausend Italienern, die von den Abessiniern überrannt und abgeschlachtet wurden. 1895, wenn ich mich richtig erinnere«, sagte Anton, während die Zwillinge ihren Durst stillten. »Irgendwo oben in den Bergen.«

»Sind die italienischen Schwestern lieb zu dir gewesen, Charlie?« fragte Bernadette.

»Ja, sie waren äußerst entgegenkommend«, erwiderte Charlie trokken, zog ein Stück Papier aus der Tasche, faltete es auseinander und begann, eine Hafenansicht zu zeichnen. »Du weißt, wie sehr ich Schmerzen hasse, Bernie. Während der Zahnarzt seine Arbeit machte, haben mich zwei italienische Schönheiten in den Stuhl gepreßt, damit ich nicht zu sehr wackeln konnte.«

»Darf ich das auch tun, sobald wir verheiratet sind?« fragte Bernadette mit großen Augen und einladend geöffnetem Mund.

»Und in der Zwischenzeit«, sagte Charlie, der bereits wieder in seine Arbeit vertieft war, »hat eine der verdammten Ordonnanzen meinen Zeichenblock beschlagnahmt.«

»Wer sollte sich schon für diese alten Zeichnungen interessieren?« fragte Harriet, was ihr einen frostigen Blick von ihrer Schwester einbrachte.

»Sie haben gesagt, die Carabinieri würden meine Hafenzeichnungen als Spionage werten und uns alle einsperren«, sagte Charlie und fuhr sich mit der Zunge über die Vorderzähne. »Hier, schaut mal.« Er zog seine Unterlippe nach vorn und drehte seinen Kopf in Richtung der Mädchen. Seine nächsten Worte waren kaum zu verstehen.

»Der Arzt hat aus einem großen Schrank zwei Zähne genommen, sie aneinandergefügt und mir dann eingesetzt.« Er machte den Mund weit auf. »Am schlimmsten waren all diese kleinen Schubladen voller Zähne, in allen Größen und Farben, auch gelbe und braune, wie ein Anglerkasten voller Fliegenköder. Ich mag gar nicht daran denken, woher die stammen. Ich hoffe bloß, daß meine fest bleiben, bis wir wieder zu Hause sind.«

»Mein armer Charlie.« Bernadette legte ihm eine Hand auf die Wange und musterte die neuen Zähne. »Die sind ganz schön lang. Haben bestimmt mal einem Kaninchen gehört.«

»Wie war das Schiff?« fragte Anton. »Die *California*.«

»Ein ehemaliger Passagierdampfer«, sagte Charles. »Die haben ganz sicher große Pläne. Siebenhundert Betten. Bakteriologielabors, zu Operationssälen umgebaute Salons, klimatisierte Krankenstationen in den früheren Frachträumen, und die meisten davon schon voll belegt.«

»Voll belegt?« fragte Harriet. »Die Kämpfe haben doch noch gar nicht angefangen.«

Charlie nickte. »Malaria. Manche von denen sahen halbtot aus. Dünn und gelblich verfärbt, mit ständig triefenden Augen. Was für ein Gestank. Ich hoffe, wir bleiben davon verschont. Wir dürfen auf keinen Fall unser Chinin vergessen.«

»Was, um alles in der Welt, will dieser Mann da?« fiel Bernadette ihm ins Wort. »Der mit dem zerrissenen Gewand.« Sie deutete auf einen Araber, der am Rand der Terrasse stand. »Sieht aus, als würde er uns meinen. Seine Stirn blutet, und er winkt uns mit diesem großen Haken zu.«

Anton stand auf und griff in seine Tasche.

Der Araber kam zu ihm und gab ihm den langen Stiel. *»Effendi«*, sagte er und neigte den Kopf. Die Spitze des Hakens glänzte feucht. Anton wußte, daß die Belgier ihn von ihrem Tisch aus beobachteten, als er dem Mann eine Münze gab und ihm die Hand schüttelte.

»Asanti, sana.« Lächelnd drehte Anton sich um und reichte den Stab an Ernst weiter. »Du wirst vermutlich Verwendung für so etwas haben.«

Ernst stand auf, um sich zu verabschieden. »Übrigens«, sagte er zu Anton, »diese einheimischen Truppen sahen besser aus als ihre Offiziere. Ich möchte mich nur ungern von ihnen durch die Berge hetzen lassen.«

»Viel Glück«, sagte Anton, der sich selbst Gedanken um seine Safari machte. Er bemerkte, daß Gretel schweigend und mit stolz emporgerecktem Kinn dabei zusah, wie Harriet den Deutschen lange umarmte und ihm dann einen Kuß auf den Mund gab.

Die Umarmung erstaunte Anton. Er fragte sich, ob ihm auf dem Schiff womöglich etwas entgangen war.

»Charlie«, sagte Anton, nachdem Gretel und Ernst gegangen waren, »ich muß Ihnen allen noch ein weiteres Mal diese Frage stellen: Es wird in Abessinien drunter und drüber gehen. Warum führen wir die Safari nicht in Somaliland durch, Britisch-Somaliland, wenn's geht? Dazu müßten wir in Berbera von Bord gehen. Es gibt viele Löwen dort, und außerdem jede Menge schöne Menschen, Dörfer und bucklige Rinder zum Zeichnen. Es würde Ihnen gefallen.« Er sah, daß die Zwillinge auf Charlies Antwort warteten. Es ist sein Geld, dachte Anton.

»Nein, ist schon in Ordnung«, sagte Charles und schüttelte den Kopf, ohne aufzublicken. »Äthiopien ist einzigartig, und wir werden weit im Landesinnern sein, wo ich dann koptische Kirchen und alte Klöster zeichnen kann.« Er umriß ein weiteres gigantisches Porträt Mussolinis.

»Und vergiß nicht die Jagd«, fügte Harriet hinzu.

»Die Leute zanken sich hier schon seit Jahren, und es hat bislang keinen Krieg gegeben«, sagte Bernadette abweisend. Sie klang überheblich. »Der Völkerbund würde das gar nicht zulassen.«

»Nun«, sagte Anton resigniert, »es ist Ihre Safari. Zum Glück ist es ein großes Land, ungefähr zehnmal so groß wie England. Man sollte meinen, daß dort jeder verlorengehen kann, vielleicht sogar diese italienische Armee.«

»Es wird langsam Zeit, daß ich irgend etwas Nützliches mache. Ich weiß noch nicht so recht, was, aber vielleicht sollte ich weiterziehen«, murmelte Adam Penfold seinem Freund zu. »Ein Kerl rostet ein, wenn er nur faul herumhängt wie Kleopatra.«

»Aber ich benötige hier in Kairo Ihre Unterstützung, meine Lordschaft. Ich brauche Ihren Einfluß.« Olivio sah, daß seinem Partner Zigarrenasche auf den sorgfältig gestärkten Aufschlag seines neuen grauen Anzugs fiel. Inmitten des bleifarbenen Aschekegels glühte noch ein winziger Funken. Dieses erlesene Kleidungsstück würde nie wieder so sein wie vorher. Er mußte versuchen, die wichtigsten Punkte zu erklären.

»Die Ministerien nehmen meine Rechtsansprüche und Anträge inzwischen ernst, denn sie wissen von der Beteiligung Ihrer Lordschaft und von Ihrer Bekanntschaft mit dem Hochkommissar.« Der Zwerg sog die frische Flußluft ein und beugte sich mit ausgestreckten Handflächen vor.

»Die Beamten empfangen uns mit offenen Armen. Selbstverständlich auch mit offenen Taschen. Bald kommt der kritische Moment! In der nächsten Woche könnte der neue Bewässerungsplan genehmigt werden. Unbekannte Interessenten versuchen bereits, uns zum Verkauf unserer neuen Grundstücke zu bewegen. Sie haben es auf unseren Anteil an Ägyptens Zukunft abgesehen. Selbst unsere Baumwollkäfer sind in ihren Eiern nicht sicher!«

»Was ist los?« fragte Penfold geistesabwesend. Ihn beschäftigte eher, wie er bei seinem Freund Interesse für die weltbewegenden Ereignisse wecken konnte. Er richtete seine Aufmerksamkeit wieder auf die *Gazette*.

»Hör dir das mal an. DEUTSCHLAND VERLANGT GUTACHTEN VOR EHESCHLIESSUNGEN. HESS UNTERZEICHNET GESETZESVORLAGE. SEXUALVERHALTEN MUSS OFFENGELEGT WERDEN. HAT EINER DER BETEILIGTEN NICHT-DEUTSCHES BLUT IN DEN ADERN? Hmmm. So etwas hätte ich mal von meiner lieben Sissy verlangen sollen. ITALIEN SCHICKT ELITEEINHEITEN NACH ERITREA. SAVOYEN-ULANEN SIND DER STOLZ DER TRUPPE. Das dürfte ausreichen, um sie in die Knie zu zwingen, oder gar Schlimmeres. Sieht so aus, als würde sich die Sache in Abessinien immer übler zuspitzen. Grenzzwischenfälle. Italienische Bedrohung an zwei Fronten. Und der Völkerbund zittert.« Penfold blickte hoch. Er riß die hellblauen Augen weit auf, so daß sein Monokel herabfiel. »Was soll man da machen?«

Der Zwerg enthielt sich einer Antwort. Er empfand für Penfold zwar sehr viel Respekt, aber dennoch hoffte er inständig, seine Lordschaft würde endlich genug von diesem nebensächlichen Blödsinn haben.

»Zeit für einen Drink, alter Junge«, sagte Penfold und überlegte kurz. »Wie wär's mit einem Stella?«

Olivio stampfte zweimal mit dem Fuß aufs Deck, woraufhin ein *Suffragi* angeschlurft kam und mit einer Verbeugung die Bestellung entgegennahm. Der kleine Mann sah, wie sein Freund mit dem Monokel auf eine Photographie in der *Gazette* deutete.

»Schau dir nur mal diesen Quatsch an«, sagte Penfold mit einem seltenen Anflug von Empörung in der Stimme. »Dieser Mussolini hat auf einem neuen Prachtboulevard in Rom anscheinend riesige Landkarten aus Marmor anbringen lassen. Hier ist er und posiert vor einer Karte, die das Römische Reich zu Zeiten Trajans zeigt. Es erstreckt sich von Großbritannien direkt bis nach Kleinasien und Ägypten.«

Das klingt schon ein wenig bedenklicher, dachte Olivio. Mühsam rutschte er auf seinem Stuhl nach vorn, um sich das Photo anzusehen. Es stimmte. Mussolini stand mit einem neuen Stahlhelm auf dem Kopf neben der Karte des alten Imperiums. Sein Kinn war emporgereckt, der Blick entschlossen. Hinter ihm standen Statuen der Cäsaren marschbereit in Reih und Glied.

Nachdem er nun ausreichend Geduld bewiesen hatte, kam der Zwerg wieder auf die geschäftlichen Dinge zu sprechen.

»Mein Lord, mein Lord! Während wir hier sitzen und miteinander reden, ist das Unheil hinter uns her wie Fledermäuse in der Nacht. Unsere Feinde schmieden Pläne, um uns unser Land abzunehmen. Andere lassen stillschweigend zu, daß der Verlauf der Kanäle geändert wird. Diese Schurken sind ohne Unterlaß geschäftig, bestechen, stehlen und korrumpieren. Sie flüstern, wir seien keine Ägypter und daher nicht berechtigt, die neu erschlossenen Ländereien zu besitzen! Wer sind diese Leute?« Der Zwerg spreizte die Finger und starrte seinen Freund wütend an.

»Sogar dieser Faruk ist bloß Albaner. Albaner! Die meisten dieser Leute sind in Wirklichkeit Türken. Meine kleinen Töchter wurden auf dem Nil geboren. Unsere Anträge sind in ihrem Namen erfolgt. Sind meine Clove, Cinnamon oder Cayenne nicht ebenso Ägypterinnen wie Nofretete?«

Als Olivio seine kurzen Arme zu beiden Seiten ausstreckte, schmerzten seine Schultern. »Unsere kleine Wüste könnte ein blühender Garten werden. Der Sand und die Skorpione werden Baumwollblüten und Mangohainen weichen! Aber ich bin auf den vermeintlichen Einfluß Ihrer Lordschaft angewiesen.« In Olivios

Augenwinkel schimmerte eine Träne. »Bitte.« Er nahm dieses Wort nur höchst selten in den Mund.

»Geld ist nicht alles, alter Junge.«

Olivio sah seinen Freund an, als hätte er ihm eine schallende Ohrfeige verpaßt. Der Baron hatte nichts dazugelernt. Ein Weltkrieg, die globale Depression und sein persönlicher Bankrott waren an ihm abgeglitten wie ein Tropfen Regenwasser. Sein Besitz in England war fast völlig dahin. Seine Farm in Kenia hatte sich wieder in unberührtes Buschland verwandelt. Sein Hotel stand leer und verfiel. Lediglich die roten Termiten waren dort noch eifrig am Werk. Sogar in guten Zeiten hatten die Gäste nie ihre Rechnungen bezahlt. Damals, als er selbst noch als Barmann und Majordomus im White Rhino Hotel gearbeitet hatte, war es nur Olivios wilder Entschlossenheit zu verdanken gewesen, daß ein Bankrott abgewendet und die Hyänen in Schach gehalten werden konnten. Und jetzt mußte ihm es gelingen, diesen Engländer dazu zu bringen, sich angemessen zu verhalten.

Olivio wußte, daß er nichts an Lord Penfolds Meinung ändern konnte, aber vielleicht konnte er das Verhalten seines Freundes beeinflussen. Wenn er schon nicht im eigenen Interesse handeln wollte, dann half unter Umständen ein Appell an sein Pflichtgefühl. Eine ziemliche Kehrtwendung.

»Wir haben Mr. Anton gegenüber eine Verpflichtung«, sagte der Zwerg mit Nachdruck. Er wußte, daß Lord Penfold sich um Anton sorgte wie um den Sohn, den er niemals gehabt hatte. »Er hat jeden Penny, den er besitzt, und auch einige, die er nicht besitzt, in unsere Obhut gegeben. Er hat uns vertraut, Ihnen und mir, und zwar mit Haut und Haaren. Wenn wir versagen, ist unser Freund am Ende.« Er sah, wie Lord Penfolds Stirn sich in Falten legte.

»Mr. Anton ist kein praktischer Mann. Wir müssen für ihn tun, was er selbst nicht zu bewerkstelligen vermag.« Der Zwerg verstand nur zu gut, daß Anton sich stets als Außenseiter betrachtete, aber in Geldfragen war das vermutlich einerlei.

»Oje, oje«, sagte der Engländer leise. Er begriff voll und ganz, wie sein kleiner Freund ihn benutzte. »Nun, falls mir irgend etwas zustoßen sollte, sorge bitte dafür, daß mein Anteil an dieser Investition auf Rider übergeht. Wirst du das tun?«

»Natürlich.« Wie konnte dieser Mann noch immer nicht begreifen, worum es ging? Der Zwerg versuchte es erneut. »Aber wenn wir Mr. Anton jetzt zu etwas Wohlstand verhelfen, wird das sehr viel Gutes nach sich ziehen. Er kann dann für Miss Gwenn Cairn Farm wieder aufbauen. Seine große Liebe wird zu ihm zurückkehren. Seine Söhne werden bei ihm sein. Ohne sie ist sein Herz kalt und leer.«

»Ich hatte den Eindruck, daß es ihm eigentlich ganz gut geht. Er schien sich recht eingehend um diese beiden Mädchen aus den Staaten zu bemühen, obwohl ich sagen muß, daß er an deinem Geburtstag ein wenig bekümmert gewirkt hat.«

»Ein Mann hat nur ein Herz, mein Lord.« Die Engländer hatten noch nie verstanden, was Liebe wirklich bedeutete.

13

»Ist sie trocken, Paolo?« fragte Enzo Grimaldi seinen persönlichen Mechaniker und Offiziersburschen. Er wollte in der Luft sein, bevor die Sonne vollends über Eritrea aufgegangen war. Sein langer Fliegermantel stand offen, der breite Kragen war hochgeklappt. Dieser Mantel mit seinem Futter aus libyscher Schafwolle war für ihn wie ein alter Freund, der Glück brachte. Das braune Leder war trocken und rissig wie die Wangen eines alten kalabrischen Bauern. Enzos Pistole, die der treue Paolo regelmäßig reinigte und überprüfte, hing an dem Gürtel über seiner linken Schulter.

»Eine Stunde, Oberst, nur wenig Sonne«, wies Paolo ihn resolut an und hustete laut. Paolo war ein Veteran des Großen Kriegs und an der österreichischen Front bei einem Gasangriff verwundet worden.

Der weißhaarige Mechaniker hatte sich gegen die morgendliche Eiseskälte warm eingepackt. Er hielt seinen Kopf dicht neben die Fiat CR-20 und roch an der Farbe. Der Oberst hatte ihn eine Woche lang mit verschiedenen Anstrichen experimentieren lassen, um das Flugzeug an die Farben Ostafrikas anzupassen. Die Motorverkleidung war inzwischen silbergrau gestrichen, der Rumpf und die Tragflächen hingegen hellbraun, mit zwei grünen Streifen in der Nähe des Hecks. Das Leitwerk trug drei waagerechte grünweißrote Streifen. Der weiße Streifen wurde durch den roten Schild mit Kreuz und die goldene Krone König Viktor Emanuels geziert. In der Mitte des Rumpfes war das Machtsymbol des faschistischen Italien abgebildet, ein Rutenbündel mit vorragendem Beil, die Faszes, das Wahrzeichen der Amtsgewalt im alten Rom.

Grimaldi faßte an die Vorderkante der unteren Tragfläche. Sie war nur noch leicht klebrig. Die Farbe blieb nicht an seinen Fingern haften. Zufrieden knöpfte er den Mantel zu und legte sich den Gürtel mit der Beretta um. Enzo mochte die Ausgewogenheit und leichtgängige Handhabung seiner Dienstwaffe, einer 9 mm-Selbstladepistole für kurze Patronen. Sie stammte direkt aus Pietro Berettas Fabrik in Brescia und gehörte zu den neuen Waffen, die der Duce für zukünftige Feldzüge in Auftrag gegeben hatte.

»Wirf sie an, Paolo.«

Enzo packte eine der Streben, stellte seinen linken Stiefel auf die Trittplatte und schwang sein rechtes Bein über die Kante des Cockpits, als würde er ein Pferd besteigen. In Momenten wie diesem fühlte er sich immer jung und aufgeregt, fast wie ein Ritter, der aus seiner Burg ins Abenteuer ritt.

Paolo fuhr den Startlaster an die Nase des Flugzeugs heran und verband die Antriebswelle des Anlassermotors auf dem Lastwagen mit der Propellernabe der Zwölfzylindermaschine des Flugzeugs. Danach schaltete Enzo die Magnetzündung ein, und Paolo ließ den Motor des Lastwagens an, um so die Antriebswelle und damit den Propeller in Drehung zu versetzen. Die Maschine der Fiat stotterte kurz und erwachte kraftvoll zum Leben. Aus den Abgasrohren schlugen Flammen, und das Flugzeug erbebte.

Dies würde der erste Flug des Obersts über Abessinien sein. Er zog sich die lederne Fliegerhaube über den Kopf, putzte mit seinem Schal die Brille und streifte die Handschuhe über. Unter ihm umkreiste Paolo das Flugzeug ein letztes Mal, überprüfte die Reifen und die Spannung der Streben und rüttelte mit beiden Händen an den Querrudern. Der Oberst warf ihm einen warmherzigen Blick zu. Er spürte, daß der alte Mann in Gedanken mit ihm in die Lüfte stieg. Der Mechaniker hatte Enzo seit seinem ersten Flug über Libyen im Jahre 1931 begleitet.

Enzo erhöhte die Drehzahl. Gleichmäßig zitternd stemmte das Flugzeug sich gegen die Hemmkeile und Bremspedale wie ein junger Vollblüter am Stalltor.

Paolo zog die Keile unter den Rädern hervor. Grimaldi bekreuzigte sich und rollte mit dem Wind an der doppelten Reihe primitiver offener Hangars vorbei. Die kleineren hatten Seitenwände aus Binsen und ein Dach aus Stroh, die stabilsten besaßen Holzwände und Wellblechdächer. Achtzehn riesige Capronis warteten wie die Schlachtrösser von Rittern in ihren Boxen. Mit einer Spannweite von zwanzig Metern waren sie fast vier Meter hoch und konnten eine Bombenlast von rund einer halben Tonne Gewicht tragen.

Am Vortag hatte man in Gegenwart einer Abordnung eritreischer Würdenträger alle Capronis nach draußen gerollt, um ihre Motoren zu testen. Die Eritreer, die größeren Wert auf die gesellschaftliche Stellung als auf Verdienste legten, reizte es weitaus mehr, die Söhne Benito Mussolinis zu treffen, als die Bekanntschaft der altgedienten Offiziere zu machen. Sie waren erstaunt, die Mussolinis und Ciano gemeinsam mit ihren Fliegerkameraden des *Disperata* Geschwaders antreten zu sehen.

Jede Besatzung nahm unter der Nase ihres Flugzeugs Haltung an, hob die rechte Faust auf der Stelle marschierend zum Faschistengruß, als die Abordnung an ihnen vorbeizog. Einer nach dem anderen warfen die Mechaniker einer jeden Maschine die drei neunzylindrigen Alfa-Romeo-Motoren an, die jeweils bis zu zweihundertsiebzig Pferdestärken leisten konnten. Vierundfünfzig Motoren ließen den Boden erbeben. Die Flugzeuge stemmten sich gegen ihre Bremsklötze, und der aufwirbelnde Sturm und das Getöse überwältigten die Besucher.

Am Ende der unbefestigten Piste drehte Grimaldi die Maschine und hatte nun die gesamte Länge des Rollfelds vor sich. Der Wind wehte ihm ins Gesicht. Er brachte den Motor auf Touren und jagte die Startbahn entlang. Als der Oberst den Steuerknüppel anzog, sah er Paolo am Rand stehen und winken. Die Höhenruder gehorchten, und das Jagdflugzeug hob vom Boden ab.

Er fühlte sich frei und erregt. Am meisten genoß er immer die Zeit bis kurz vor dem Ende des ersten Anstiegs, wenn der Motor volle Leistung brachte und das Gefühl der Ausgelassenheit noch stark war, bevor er sich an den Flug gewöhnte und an andere Dinge zu denken begann.

Die Luft wurde dünn und kalt. Bei zweieinhalbtausend Metern fing er die Maschine ab. Der Flugplatz von Nefasit versank hinter ihm im orangefarbenen Glühen der aufsteigenden Sonne. Er sah den dunklen Grat des westlichen Horizonts hinter den Rand der Erdkugel zurückweichen. Enzo änderte den Kurs um dreißig Grad in südwestliche Richtung und flog mit einer Geschwindigkeit von ungefähr zweihundert Kilometern pro Stunde auf die eritreisch-abessinische Grenze zu.

Dies war die beste Tageszeit für einen Aufklärungsflug. Das Licht war perfekt, und die Luft flirrte noch nicht vor Hitze. Seine Gegner würden schlafend in ihren Camps liegen. Jeder, der die Maschine hörte und in ihre Richtung nach oben blickte, würde durch die aufgehende Sonne geblendet werden. Er wußte, daß die Abessinier eine kleine Luftwaffe besaßen, deren unterschiedliche Flugzeuge von einer bunten Truppe internationaler Abenteurer geflogen wurden, zumeist Schweden und Belgier, aber auch ein amerikanischer Neger und einige ausländische Aristokraten. Aus technischer Sicht war er durchaus gespannt darauf, wie sie sich schlagen würden, vor allem am Steuer einer Fokker oder der Bleriot-Spad 51, aber er rechnete nicht damit, daß ihm heute eine solche Herausforderung bevorstand.

Die Landschaft unter ihm wurde hügliger und steiniger, während er – nach seiner Einschätzung – die Grenzregion überflog und in den Luftraum der abessinischen Provinz Tigray eindrang. Nach Westen erstreckte sich eine Reihe von Hochplateaus, ein jedes höher und felsiger als das vorherige. Gelegentlich tauchten Dörfer auf. Sie bestanden aus Ansammlungen von runden Strohhütten mit spitzen Dächern und primitiven Gehegen aus rauhen Felswänden und Dornzweigen, in denen kleine Viehherden gehalten wurden. Er hielt nach der Kette tiefer Schluchten Ausschau, die ihm den Weg nach Adua weisen würde. Er stieß auf eine bodenlose Klamm, die noch nicht von der Sonne beschienen wurde, und ließ die Maschine zwischen die Felswände sinken. Während die Fiat CR-20 von den jähen Luftströmen durchgerüttelt wurde, versuchte er, auf gleicher Höhe mit den Kammlinien zu bleiben.

Enzo folgte dem Verlauf des Felslabyrinths. Die ersten Sonnenstrahlen fielen in die steilen gewundenen Schluchten und tiefen Seitentäler. Er war verblüfft, wie hoch die schroffen Felswände anstiegen, mehr als fünfhundert, teilweise sogar bis zu eintausend Meter. Militärisch betrachtet, war dies das schwierigste Gelände, das er je gesehen hatte.

Er erinnerte sich daran, wie er nach der Schule auf dem Boden der Bibliothek seines Vaters gesessen und sich voller Faszination die detaillierten Kupferstiche angeschaut hatte, auf denen die abessinische Strafexpedition der Briten aus dem Jahr 1868 gezeigt wurde: Kaiser Twodoros' Männer, die eine Kanone zu seiner Bergfestung bei Magdala emporzogen. Tausend von ihnen stemmten sich in die Seile, die man an den riesigen Holzrädern des Sewastopol befestigt hatte, jenes gigantischen Mörsers, den der äthiopische Monarch für seine stärkste Verteidigungswaffe hielt. Die Briten hingegen waren mit einem Heer von 32 000 Mann aufmarschiert. Auf ihrem Vormarsch zum Fuß der Berge verlegten sie eine eigene Schienenstrecke, dann luden sie zerlegte Geschütze auf die Rücken von Elefanten, die sie eigens aus Indien hergebracht hatten, und schließlich erstürmten sie Magdala, worauf der Kaiser Selbstmord beging. Zu gegebener Zeit zogen die Briten wieder in Richtung Küste ab und nahmen auf dem Rückweg ihre eisernen Schienen mit. Als Junge war er von der Dummheit der Briten überzeugt gewesen, weil sie Elefanten nach Afrika gebracht hatten. Er hatte nicht bedacht, wieviel einfacher die kleineren indischen Elefanten zur Arbeit abgerichtet werden können.

Das Sonnenlicht fiel auf die weiße Kuppel einer Kirche, und Enzo erkannte die Stadt Adua, die jetzt vor ihm erschien. Er mußte an seinen Großvater denken.

»Unsere Familie hat hier noch eine Rechnung offen«, murmelte er.

Enzo drehte in nördliche Richtung ab und flog in die nächste Schlucht hinein. Er stieg und ließ die Stadt zu seiner Linken hinter sich, stieg immer höher und suchte nach der breiten Talsenke, in der nach seinen Informationen die Armee Ras Seyums, des Befehlshabers der Provinz Tigray, ihr Lager aufgeschlagen hatte. Man schrieb den 28. September, der für die strenggläubigen Christen Abessiniens, so wußte Enzo, ein ganz besonderer Tag war.

Man beging heute in Anlehnung an heidnische Bräuche das Masqalfest, um das Ende des Regens und den Frühlingsanfang zu feiern. Letzterer war schon immer und überall der Starttermin für Militärfeldzüge gewesen, und in Abessinien markierte das Fest des Kreuzes zudem den Beginn der noch immer stattfindenden jährlichen Sklavenjagden. Enzo mußte lächeln. Sogar Ketten konnten ihr Gutes haben:

Das internationale Waffenembargo, durch das Abessinien eigentlich zur Aufgabe des Sklavenhandels gezwungen werden sollte, hatte das Land praktisch wehrlos gemacht.

Er stieg über einen Kamm empor. Vor ihm lag das Heer des Ras Seyum: eine ausgedehnte, unordentliche Ansammlung von Zelten und Schuppen, Kochstellen, aufgetürmten Ausrüstungsgegenständen, Tausenden von angeleinten Pferden, Maultieren und Kamelen sowie zahlreichen Gehegen aus Dornzweigen, in denen Ziegen und Rinder gehalten wurden. Heute abend würden die Männer sich anläßlich des Feiertags die Bäuche mit rohem Rindfleisch vollschlagen. Hier und da flatterten Wimpel an langen Stangen, die man in den Boden gerammt hatte. In der Mitte eines weiten runden Platzes stand ein großes Kreuz. An mehreren Stellen waren Fahrzeuge geparkt. Er zählte zehn oder zwölf veraltete Geschütze und mindestens vier moderne Lastwagen, vermutlich französischer Bauart. Auf die Dächer der Wagen hatte man schwere Zwillingsmaschinengewehre montiert, deren Läufe gen Himmel wiesen. Während er näher kam, krabbelten Hunderte von Gestalten aus den Zelten, rannten umher und schwenkten Gewehre.

Nach seiner Schätzung blieb ihm lediglich Zeit für ein oder zwei Überflüge. Er strich am Lager vorbei, stieg schnell empor und flog in einer engen Kehre zurück. Dann ging er in Sturzflug über, um Geschwindigkeit aufzunehmen, und konzentrierte sich darauf, Art und Anzahl der schweren Geräte festzustellen. Während er fiel, verwandelte sich das Lager in ein Wirrwarr aus hektischen Männern und flüchtenden Tieren. Schafe trampelten durch die Feuerstellen. Männer griffen nach ihren Waffen. Viele feuerten ihre Gewehre auf ihn ab. Eine Kugel durchschlug unmittelbar vor dem Heck den Rumpf der Maschine. Enzo ließ sich nicht einschüchtern und flog unbeirrt weiter. In der Luft legte er grundsätzlich eine fatalistische Haltung an den Tag.

Zweimal flog er mit gedrosselter Geschwindigkeit eine längere Strecke am Rand des Lagers entlang und überließ die Fiat dabei sich selbst. In einer Höhe von nunmehr zweitausendsiebenhundert Metern über dem Meeresspiegel und damit zirka sechshundert Meter über dem Lager, beugte er sich über die Kante des Cockpits und nahm das hektische Gewimmel durch seinen Feldstecher in Augenschein. Die schiere Anzahl der Männer, Zivilisten aus dem Begleittroß und Tiere beeindruckte ihn. Aber eine richtige Armee war das nicht, dachte er.

Er überprüfte seine Kraftstoffanzeige. Mit einer Reichweite von weniger als achthundert Kilometer, war es an der Zeit für den Rückflug. Enzo ließ die Maschine sacken und folgte dem Verlauf der Schluchten, bis er schließlich wieder über den ersten Plateaus auftauchte.

Die Luft war jetzt dichter und wärmer. Er flog so tief, daß er den Busch praktisch riechen konnte. Wie ein Tier, so hatte auch sein Flugzeug in der spätmorgendlichen Sonne inzwischen jegliche Steifheit der kühlen Nacht abgeschüttelt. Die Maschine war warmgelaufen und brachte optimale Leistung. Dankbar dachte er an Paolo und ließ die Fiat nun bis dicht über den Grund sinken, um sich und seine Maschine zu testen. Mittels der Pedale und der Lenksäule paßte Enzo kontinuierlich seine Flughöhe an, während er über Bäume und Hütten raste, dem geschwungenen Verlauf der Kammlinien folgte, in Täler hinabtauchte und sich von dem warmen Aufwind wieder emportragen ließ. Er liebte es, so zu fliegen. Er hätte einen Looping gedreht, aber dafür flog er zu tief. Er wußte, daß die CR-20 zum Überziehen neigte, also vollführte Enzo eine langsame Rolle. Dies war nicht der geeignete Zeitpunkt, um zu Fuß durch Afrika zu wandern. Er folgte einem schmalen Wasserlauf nach Westen in Richtung Eritrea.

Als er erneut emporstieg, sah Enzo, daß die immer trockenere Landschaft im Südwesten in buschbewachsenes Ödland überging, Vorläufer der großen Danakilwüste. Auf dem hellen Untergrund wurde eine dunkle Linie sichtbar: eine Kamelkarawane, die aus Richtung Französisch-Somaliland nach Nordwesten zog, vermutlich mit Vorräten beladen, die man an die Abessinier verkaufen wollte. Unterstützung für den Feind, dachte Enzo wütend. Er schwenkte südwärts und ging im Sturzflug auf die Kamele nieder, ohne jedoch seine beiden Maschinengewehre abzufeuern. Statt dessen freute er sich über das Kreischen des Motors, während die Nadel der Geschwindigkeitsanzeige zitternd bei zweihundertfünfundsechzig Kilometern pro Stunde stehenblieb. Die Kamele gerieten in Panik und liefen in Windeseile in alle Richtungen auseinander. Mehrere der Reiter wurden abgeworfen. Aufgeregt wie ein kleiner Junge fing Enzo die Maschine bei einer Höhe von zwanzig Metern ab und wippte mit den Tragflächen. Er mußte an den Krieg in Libyen denken. Hatte sein Großvater das gleiche empfunden, als er damals in Afrika einmarschiert war?

Enzo drehte in weitem Bogen ab, gewann ein wenig an Höhe und flog in nördlicher Richtung erneut auf die in Auflösung begriffene Karawane zu. Zu spät entdeckte er die in einen Umhang gehüllte Gestalt, die zwischen ein paar Felsen auf dem Rücken lag und mit dem langen Lauf einer alten Flinte seinen Flug verfolgte, als wäre er ein Vogel, der von einem Jäger anvisiert wurde. Eine Wolke aus Pulverdampf schoß aus dem Gewehr. Zu seiner Linken durchschlug ein großkalibriges Projektil die untere Tragfläche direkt neben dem Cockpit. Gut gezielt, dachte er und verspürte einen Anflug von Angst. Er zog in Erwägung, umzukehren und seine Waffen einzusetzen. Doch heute befand er sich auf einer Aufklärungsmission, nicht im Kampf. Es würde noch früh genug soweit sein.

Kurz bevor er wieder auf den Wasserlauf stieß, sah Enzo zwei Giraffen, die in der Nähe des Wüstenrandes an ein paar Bäumen ästen. Dann folgte er abermals dem Fluß, ohne jedoch diesmal allzu tief zu fliegen, denn seine Konzentration war gestört. Auf dem Boden vor sich entdeckte er im Schatten ein Löwenrudel, das um einen Kadaver lag. Er reduzierte seine Geschwindigkeit und ging tiefer. Er mußte an Äthiopiens schmächtigen kleinen Kaiser denken, Haile Selassie, der sich voller Arroganz als »König der Könige«, bezeichnete, als »Negus Negesti«, und als »Löwe von Juda«. Er war der zweihundertfünfundzwanzigste Monarch, der diesen Titel in vermeintlich direkter Abfolge von Salomo, dem Sohn Davids, beanspruchte.

Als Grimaldi näher kam, sprang das Rudel auf die Beine. Eine Löwin kauerte sich schützend vor einige Jungen und bedeckte eines mit ihren Vorderpfoten. Zwei der Tiere, kleinere Weibchen, suchten das Weite. Hinter einem Dornbusch trat ein riesiger Löwe mit schwarzer Mähne hervor und blickte dem Flugzeug regungslos entgegen. Enzo sah, daß seine Mähne sich wie eine mittelalterliche Halskrause sträubte und sein dunkler Schwanz starr in die Luft ragte. Als die Fiat über ihn hinwegflog, riß der Löwe herausfordernd und wütend das Maul auf, wenngleich Enzo sein Knurren nicht hören konnte. Grimaldi flog eine Kehre, sank auf fünfzehn oder zwanzig Meter und verfolgte den Löwen, der jetzt die Flucht ergriff. Enzos Geschwindigkeit betrug ungefähr hundertvierzig Kilometer pro Stunde. Er schätzte, daß der Löwe rund ein Drittel davon erreichte.

Enzo drehte erneut um. Als er auf das müder werdende Tier zuhielt, blieb der Löwe stehen und wandte sich seinem Verfolger zu. Sein Schwanz stand wie eine Rute senkrecht empor. Den Abzug lösend, sah Enzo die Wut im Gesicht des Tiers. Als die beiden Gewehre zu feuern begannen, wurde die Maschine kräftig durchgerüttelt. Zwei Geschoßgarben ließen den Staub vor dem Löwen aufspritzen und trafen ihn dann in Brust und Schulter. Enzo wippte respektvoll mit den Tragflächen und flog zurück zur Basis bei Nefasit.

»Geschafft!« rief Gwenn. Sie hatte ein großes rotes Kreuz auf das Dach der Morris-Ambulanz gemalt und soeben den weißen Kreis fertiggestellt, der das Kreuz umgab. »Jetzt können sie uns nicht mehr bombardieren.

Die sieben Krankenwagen und zwei Bedford-Laster hatten bei ihrer Lieferung zwar Kreuze auf den Seiten besessen, aber nicht dort, wo sie wirklich nötig waren, wie Gwenn angemerkt hatte. »Nicht gerade hübsch«, fügte sie angesichts der verwischten Ränder des Symbols hinzu, »aber ich schätze, den italienischen Piloten ist das egal.« Sie zuckte zusammen, weil sie in diesem Moment an Lorenzo denken mußte, aber dann zwang sie sich, den Gedanken beiseite zu schieben. »Es sollte reichen, um uns das Leben zu retten.«

»Das haben Sie wohl damals im Krieg gelernt«, sagte Dr. Fergus. Er wußte, daß sie als freiwillige Ambulanzfahrerin gedient hatte. Seine schmalen Arme hielten die Leiter fest, während Gwenn mit Farbeimer und Pinsel nach unten stieg.

»Damit sind morgen nur noch die Bedfords dran«, sagte sie müde und vermied jedes Gespräch über den Krieg in Frankreich und Belgien. Gwenn blieb stehen und wischte sich mit einem alten Lappen den Schweiß und ein paar Farbspritzer aus dem Gesicht. Sie befanden sich in einem offenen Lagerhaus aus Lehmziegeln neben dem Bahnhof von Addis Abeba. Ganz in der Nähe waren andere Mitglieder des Sanitätsteams damit beschäftigt, Kisten auszupacken und die Vorräte zu zählen und zu sortieren. Fergus und Gwenn gingen zu einem der Maultiertaxis, die vor dem Bahnhof im Schatten der Eukalyptusbäume bereitstanden.

»Es ist erst eine Woche her, aber ich fühle mich, als hätte ich schon mein ganzes Leben hier festgesessen und diese abessinischen Beamten dazu gedrängt, verleitet oder bestochen, uns diese verfluchten Ambulanzen aus den Waggons laden zu lassen«, sagte Fergus auf dem Weg. Gwenn wußte inzwischen, daß es dem alten Arzt guttat, seiner Empörung Luft zu machen. Diese Verschwendung von Kraft, Geld und Zeit war seiner schottischen Natur zuwider. »Warum ist es so verdammt schwierig, den Leuten zu helfen?«

»Wir sind nicht mehr allzulange hier«, sagte Gwenn. »Obwohl ich zugeben muß, daß mir das geschäftige Treiben von Addis fehlen wird.« Sie fügte nicht hinzu, daß sie sich auf die bevorstehenden Aufgaben geradezu freute. Manchmal fühlte sie sich schuldig, daß sie den grausigen Erfahrungen der nächsten Zeit derart begeistert entgegenblickte, als müßten die Afrikaner Gwenns Selbstverwirklichung zuliebe leiden. Aber das Leid würde Gwenns Berufung einen Sinn geben.

»Zuerst haben die Franzosen von der Eisenbahn uns jeden Tag berechnet, an dem sie die Waggons nicht nutzen konnten, und jetzt jeden Tag, den wir ihr rattenverseuchtes Lagerhaus benötigen.« Fergus eilte an den schimpfenden Kutschern vorbei zur Spitze der Schlange. Erfreut stellte er fest, daß der vorderste Wagen von einem zerlumpten schattenspendenden Brokatbaldachin überdacht war. »Typisch Franzosen«, murmelte er. »Halten zu beiden Seiten die Hand auf.«

Gwenn half ihm beim Einsteigen, während er fortfuhr.

»Wer weiß?« Malcolm schüttelte den Kopf. »Vielleicht ist der Versuch, Menschenleben zu retten, in Afrika einfach zu teuer.«

»Hotel Splendide, bitte«, sagte Gwenn langsam, als der Kutscher sein Maultier antrieb. »Hotel Splen-dide.«

Auf der langen Fahrt vom Bahnhof zu ihrer Unterkunft boten sich ihnen zahlreiche intensive Einblicke in die lebendige Vielfalt Afrikas, die sie umgab. Man sah belebte Hütten- und Barackendörfer, die inmitten der großen Stadt völlig für sich existierten wie die ethnischen Viertel in London oder Paris. Kleine Prozessionen koptischer Priester gingen in ihren faltigen weißen Gewändern gemessenen Schrittes durch die Straßen. Sie wirkten wie gerillte griechische Säulen und schritten unter großen flatternden Schirmen, umhüllt von Weihrauchwolken und mit seltsamen, kompliziert verschlungenen Kreuzen von Zeremonie zu Zeremonie. Auf den Märkten wurden unter freiem Himmel Kamele und Silber gehandelt, Ziegen und Kaffee, Bananen, Schwerter und alte Gewehre. Lärmende Kinderscharen mit bloßen Füßen, dünnen Beinen und niedlichen ovalen Gesichtern balgten sich wie junge Hunde in der schmutzigen Gosse.

»Diese Kinder sind so hübsch«, sagte Gwenn, die sich schmerzlich an ihre Söhne erinnert fühlte. Sie vermißte die gemeinsamen Momente jeden Tag aufs neue und fragte sich, ob die Jungen wohlauf waren und in der Schule gut vorankamen.

Wohin sie in dieser riesigen, weitläufigen Stadt auch kamen, überall sahen Gwenn und Malcolm Soldaten: Offiziere mit Kopfputz und mit Löwenfellen um die Schultern, die auf dem Rücken von Maultieren saßen; protzige Häuptlinge, die mit Schwertern und Schirmen einherstolzierten und von Sklaven begleitet wurden; Gebirgskavalleristen auf tänzelnden Pferden, deren prächtige rote Sättel mit Quasten und deren Mähnen mit Federn geschmückt waren; Haile Selassies Kaiserliche Garde, die täglich von weißen Offizieren auf den Straßen gedrillt wurde, jeder Mann schlank und barfuß, akribisch genau mit und stolz auf seine europäische Uniform, die Federkappe und das moderne Gewehr.

»Ich habe noch nie so viele Soldaten auf einem Haufen gesehen. Es gibt in diesem Land siebzig verschiedene Volksgruppen, und ich will verdammt sein, wenn sie heute abend nicht alle zum Essen herkommen«, sagte Malcolm. »Warum ziehen sie nicht dahin, wo die Kämpfe stattfinden werden?«

»Es ist hier draußen Brauch, sich vor einem Krieg um den Kaiser zu scharen«, sagte Gwenn und gab damit wieder, was sie selbst erst vor kurzem gelernt hatte. Sie hatte den Eindruck, die Energie der ganzen Nation würde sich zur Zeit in der Hauptstadt konzentrieren, wie Kohle, die man in einen Schmelzofen schaufelte. »Sie gehorchen dem kaiserlichen *Chitet*, dem Kriegsruf.«

»Tja, diesmal wird es ihnen wenig nützen, in Addis herumzuspringen«, sagte Fergus. »Junge, Junge!« Er wandte sich auf der Sitzbank um und hielt seinen Blick auf eine große Gruppe hochgewachsener Männer mit Schwertern gerichtet, die neben der Straße lagerten. »Das da müssen die Gofas sein.«

Die Gesichter der Männer waren mit Ockerfarbe bemalt wie florentinische Villen. An einem riesigen Speer, den man in den Boden gerammt hatte, waren die drei Löwenjungen ihres Häuptlings angeleint. Die Gofakrieger gingen prahlerisch einher, schwangen drohend ihre langen Schwerter und verscheuchten andere äthiopische Sippen, die sich in dem offenen Gelände hier und da primitive Unterkünfte errichtet hatten.

Gwenn war erleichtert, als sie das Hotel erreichten. Sie fühlte sich schrecklich und wollte vor den abendlichen Parties ein wenig Zeit ganz für sich haben. Sie hatte gehofft, bereits am frühen Nachmittag zum Splendide zurückkehren zu können, während die Journalisten noch bei der Arbeit waren oder ihren Rausch ausschliefen, denn sie wußte, daß sich vor dem Raum mit der schmutzigen Badewanne eine Warteschlange bilden würde. Das verfallene Splendide lag günstig neben dem Telegraphenbüro der Regierung und war der Umschlagplatz für alle Informationen, die zwischen Abessinien und dem Rest der Welt ausgetauscht wurden.

»Hallo, Schwester!« rief Herb Klein, der Kriegsberichterstatter der *Chicago Tribune*, und blickte von der bröckelnden gefliesten Terrasse des Splendide zu Gwenn und Malcolm herab, als sie die Hoteltreppe emporstiegen. Er kaute auf seiner Zigarre herum und war offenkundig auf der Suche nach einem Gesprächspartner. Das kurzärmelige Hemd des Reporters war dunkel vom Schweiß.

»Sie wirken ein bißchen erschöpft, Miss Rider«, fügte er hinzu und stand auf, um einen Stuhl vom Tisch abzurücken. Die zerbrochenen blauen und weißen Fliesen klirrten. Man erzählte sich, daß die meisten Fliesen auf dem Transport zwischen der Küste und Addis Abeba gestohlen worden waren. Als der Vorrat zur Neige ging, hatten die Maurer als Provisorium zum Füllen der Lücken Stuck verwendet, der sich bald darauf im Regen auflöste und die Fliesen über die Terrasse rutschen ließ wie Spielsteine auf einem Damebrett. Gwenn kam es so vor, als hätte sie auf dem Weg von der Küste hierher Fliesen wie diese im Bahnhofsrestaurant von Dire Dawa gesehen.

»Und Ihr Doktor sieht aus, als könnte er einen kräftigen Schluck Gin vertragen«, fügte Klein hinzu, rief nach einem weiteren Glas und schob eine Flasche in Richtung des Arztes.

»Gut beobachtet, Klein«, sagte Fergus müde und ließ sich auf einen Stuhl fallen. Er hatte nicht mehr genug Energie, um weiterhin sein Leid zu klagen. »Gott sei Dank führen Sie in Ihrem zweiten Schreibmaschinenkoffer Gin bei sich.« Er nickte dankbar, als Gwenn das neue Glas abwischte, bevor er es füllte und Klein damit zuprostete. »Irgendwelche Neuigkeiten?«

Gwenn wußte, daß die Antwort weitschweifig ausfallen würde, und so zog sie unter dem Tisch heimlich die Schuhe aus. Sie wackelte mit den Zehen und überlegte, wie lange sie wohl warten mußte, bis es ihr möglich sein würde, sich höflich zu entschuldigen. Sie musterte Malcolms verhärmtes Gesicht und sorgte sich, ob sein Herz die Höhenluft und die Anstrengungen verkraften würde. Er schien abwechselnd kraftlos und enthusiastisch zu sein, und auf jeden Energieschub folgte eine längere Phase der Erschöpfung.

»Neuigkeiten? Es gibt immer Neuigkeiten«, sagte Klein diensteifrig und wischte sich das Gesicht mit einer Ecke der dreckigen Tischdecke ab. »Immer. Wir haben hier hundertdreißig ausländische Journalisten, die auf ein und demselben Schwachsinn herumkauen. Unser Kampf mit den Zensoren geht gnadenlos weiter. Keine Gefangenen. Ich habe nebenan im Telegraphenbüro drei Stunden am Tisch des Zensors verbracht und drei Absätze durchbekommen. Es war ganz egal, welche, denn der Kerl verstand kein Wort Englisch. Verdammt gutes Material, aber drei Absätze reichen meinen Lesern nicht, nicht einmal in Chicago. Die Typen, die ihn nicht bestochen haben, Schweizer, Kanadier und so weiter, sind immer noch da. Der Zensor hat das Gymnasium von Addis besucht. Er gehört zu irgendeiner fürstlichen Familie und bläst sich ständig auf. Schlimmer als ein Ochsenfrosch. Wollte ein bißchen angeben. Sehr gründlich. Hat die Artikel für den *Figaro* und *France Press* wirklich eingehend bearbeitet. Genaugenommen ist nichts davon übrig geblieben. Was dabei herauskam, hatte Ähnlichkeit mit einem Kreuzworträtsel.«

Kleins Gesicht war schon wieder schweißbedeckt. Er hielt inne und leerte sein Glas. Dann warf er einen Blick zum anderen Ende des langen Tisches, wo der Korrespondent der *Zeitung* erbarmungslos auf seine Remington einhackte. »Fritz da drüben ist natürlich noch recht neu hier draußen und glaubt nach wie vor, er müsse irgendeinen Redaktionsschluß einhalten. Sag guten Tag, Fritz.« Der kleine Deutsche nickte und lächelte, ohne seinen Blick zu heben. »Hallo«, sagte Gwenn leise. Sie wußte, daß Klein jeden Deutschen »Fritz«, nannte.

»Gibt's was Neues vom Krieg?« fragte sie und spürte, wie der Gin ihre Lebensgeister weckte.

Der Amerikaner sah in sein Notizbuch. »Sieht so aus, als würden De Bonos Italiener sich an der östlichen Grenze bei Adua und Makalle sammeln, und zwar jede Menge. Hunderttausend oder mehr. Stellen Sie sich mal vor, wie all die Jungs in dieser Wildnis ernährt werden sollen. Unten auf der Seite des Somalilands hat es in der Nähe von Dolo ein paar Scharmützel gegeben, höchstwahrscheinlich zwischen äthiopischen Freischärlern und italienischen Kolonialtruppen. Und Ihre Briten verstärken die Mittelmeerflotte durch die *Prince of Wales*. Und in Genf gibt es jede Menge Geschwätz.«

»Genug davon. Was liegt für heute abend an, in diesem Paris von Afrika?« fragte Fergus und beugte sich auf seinen Ellbogen vor. Seine Stimmung und sein Äußeres verbesserten sich. Der Tisch ruckte, und der Deutsche blickte von seiner Schreibmaschine auf. Hinter der runden metallgefaßten Brille wirkten seine Augen riesig und verdutzt. Er beugte sich nach unten und schob zwei Fliesen zurück unter das Tischbein.

»Sag mal, Fritz, würdest du bitte den ganzen Boden wieder herrichten, wo du gerade dabei bist?« rief Klein mit lauter Stimme. Der Deutsche kam mit rotem Gesicht wieder unter dem Tisch hervor und antwortete nicht.

»Auch in dieser Hinsicht gibt's eine Menge Neuigkeiten«, nahm

Klein den Faden wieder auf. »Es geht los mit Cocktails im Deutschen Haus, und zwar dank Fritz da drüben, also seien Sie nett zu ihm, Miss Rider.« Klein ignorierte auch weiterhin hartnäckig Gwenns Ehering. »Dann weiter zur belgischen Gesandtschaft, um einen tüchtigen Happen zu essen, und danach ins Perroquet, wo die eine oder andere Tanzparty stattfinden dürfte. Die Belgier haben immer das beste Essen und den edelsten Fusel. Kommt wohl daher, daß sie schon seit Ewigkeiten versuchen, die Franzosen zu überflügeln.«

»Tolles Programm, Klein«, sagte Fergus nun merklich fröhlicher. Und am besten war, daß sie all das nichts kosten würde. Er sah dem Deutschen dabei zu, wie er die Tasten seiner Schreibmaschine mit einem feinen Pinsel säuberte. Glaubte der Mann, irgendein Professor würde ihn benoten?

»Klingt prima.« Gwenn erhob sich, um zu gehen.

»Fritz nimmt uns alle im Wagen mit«, sagte Klein laut und vernehmlich und warf eine Schachtel Streichhölzer gegen die klappernde Remington, was ihm ein knappes bestätigendes Nicken einbrachte. »Er braucht meine Hilfe, um seine Stories zu bekommen. Es scheint, daß er heute ein echtes Automobil zur Verfügung hat, sogar eins aus dem neuen Deutschland. Stimmt's, Fritz?«

Das Tippen hielt mit der Gleichmäßigkeit einer Mauser Automatik an.

»Bitte entschuldigen Sie mich«, sagte Gwenn und fragte sich, ob der Deutsche wohl tatsächlich Fritz hieß. Sie ging ins Hotel und hoffte inständig, daß man in dieser Hauptstadt voller Diebe nichts aus ihrem Zimmer gestohlen hatte. Sie würde heute abend ihr letztes Paar Strümpfe anziehen.

»Fritzie meint, wir müssen unterwegs kurz beim Faschistenklub halten«, sagte Klein später, nachdem sie alle in den verbeulten Benz des Deutschen eingestiegen waren. Einen Moment lang saßen sie schweigend da, während der einheimische Fahrer sich bemühte, den Motor anzuwerfen. Gwenn stellte erfreut fest, daß Malcolm nach seiner Ruhepause besser aussah. Sie hoffte, das gleiche galt auch für sie selbst.

»Es ist in der Nähe vom Basar, fast direkt auf dem Weg«, fügte Klein ermutigend hinzu, als der Motor ansprang.

»Macht es Ihnen etwas aus, wenn Gwenn und ich im Wagen warten, während Sie beide hineingehen?« fragte Fergus zu Gwenns Erleichterung, als sie vor dem frisch gestrichenen Steingebäude anhielten. Zu beiden Seiten des Eingangs hingen faschistische Flaggen. »Könnte für uns ein bißchen haarig werden.«

Fritz hielt die Tür auf und sagte: »Bitte, begleiten Sie uns.«

Gwenn war die Situation unangenehm. Sie stieg aus und ging mit Malcolm Fergus die Stufen des Faschistenklubs hinauf.

Beide Empfangsräume waren voller Leute. Gwenns Aufmerksamkeit richtete sich sofort auf den italienischen Gesandten, Graf Vinci-Gigliucci, der zwischen zwei großen Porträts König Viktor Emanuels und Benito Mussolinis stand.

»Seit der ganze Ärger angefangen hat«, flüsterte Klein ein wenig zu laut in Gwenns Ohr, »haben die Itaker hier draußen keinen richtigen Botschafter mehr. Bloß diesen Luigi.«

Der italienische Diplomat wirkte freundlich und gelöst. Er hielt braune Lederhandschuhe in einer Hand und verbeugte sich vor seinen Gästen, die er in vier oder fünf verschiedenen Sprachen begrüßte. Links hinter ihm stand ein nervöser Berater, raunte ihm Namen zu, stellte manche Gäste vor und flüsterte dem Gesandten gelegentlich einige Einzelheiten ins Ohr. Zu seiner Rechten stand ein zweiter Berater und bot den Gästen Getränke und Kanapees an.

»Dem Kerl macht das richtig Spaß«, sagte Herb Klein deutlich leiser, während er und Gwenn in der Warteschlange voranrückten. Als der Amerikaner sein Gesicht zu ihr neigte, konnte sie seine Zigarre riechen. »Man kann nicht alle Tage einen Empfang in genau der Stadt veranstalten, die man kurz danach überfallen will.«

Gwenn bemerkte, daß der Gesandte sie genau musterte, als sie auf ihn zuging. Ein Berater flüsterte ihm etwas zu. Sie fragte sich, ob er wohl Lorenzo kannte.

»Wenn ich recht verstehe, sind Sie eine Freiwillige der ägyptischen Sanitätsbrigade«, sagte der Italiener in gutem Englisch und lächelte, als Gwenn ihm vorgestellt wurde. »Vielleicht werden Sie demnächst einmal mit uns zu Abend essen.« Er küßte ihre Hand und ließ sich dabei auffallend viel Zeit, als sei er sicher, daß es ihr gefallen würde.

»Ja«, sagte sie und bezog sich damit lediglich auf seine erste Äußerung. Sie hatte sofort den Verdacht, daß es Graf Vinci-Gigliucci gewesen war, der für die Komplikationen am Bahnhof gesorgt hatte. »Soweit ich weiß, sind auch noch andere Teams unterwegs. Aus Großbritannien, aus Holland und Schweden und vielleicht noch einige mehr, wie wir hoffen.«

»Warum das alles?« fragte der Graf unbekümmert und lächelte, als wäre er verwirrt. Sein Akzent und seine Ausflüchte riefen unangenehme Erinnerungen an Lorenzo wach. »Warum benötigt man dort Ambulanzen, solange Abessinien nicht beabsichtigt, einen Krieg anzufangen?« Er zuckte die Achseln. Dann wandte er sich ab und verneigte sich vor dem spanischen Botschafter.

»Wenn sie keine Invasion planen, warum stört es sie dann, daß wir hier sind?« flüsterte Gwenn Fergus zu. Sie und Malcolm lehnten dankend die angebotenen Getränke ab und warteten in der Nähe des Eingangs auf ihre Freunde.

Eine Stunde später standen sie in einer Wagenschlange vor der belgischen Botschaft. Zuvor hatten sie auf einen Cocktail kurz im Deutschen Haus vorbeigeschaut. Gwenn bemerkte, daß sich über einigen dunklen Pfützen auf der unbefestigten Straße Schwärme von Fliegen sammelten. Als sie im Dämmerlicht aus dem Wagen stieg, trat sie mit einem Fuß versehentlich in eine dieser Lachen. Ganz in der Nähe, auf der anderen Straßenseite, hüteten ein paar Jungen mit langen Gerten eine kleine Viehherde. »Das Abendessen«, sagte Klein lachend.

»Bienvenue à Bruxelles!« sagte ein kleiner, aber gutaussehender belgischer Offizier, als sie die Botschaft betraten.

Es war tatsächlich wie in Brüssel, dachte sie und rief sich ins Gedächtnis, was sie über die Ereignisse in jener Stadt am Vorabend von Waterloo gelesen hatte. Auch damals hatten sich Fatalismus und Erregung mit dem Gefühl einer bevorstehenden Apokalypse verbunden und zu einer seltsamen Heiterkeit geführt. Die besten Weine wurden als erste geöffnet. Das Tanzen hörte gar nicht mehr auf. Die Liebesaffären eines ganzen Lebens ereigneten sich in einer einzigen Ballnacht. Aber in Addis waren Europäerinnen so rar wie Meerjungfrauen, und Gwenn wurde umschmeichelt und hofiert wie noch nie.

Wäre sie in Brüssel gewesen, ihre Tanzkarte hätte sich im Nu gefüllt. Sie fühlte sich jung.

»Lassen Sie mich Sie und Ihre Freunde in den Garten begleiten«, sagte ihr Bewunderer übereifrig. Als sie die Treppe hinuntergingen, warf sie einen Blick auf ihre Füße und stellte entsetzt fest, daß ihr rechter Schuh von Blut befleckt war.

Der belgische Offizier ging zu einem der beiden Zelte, die man in dem von einer Mauer umgebenen Park hinter der Botschaft errichtet hatte, und holte Gwenn ein Glas Champagner. Sie hatte zwei Abende zuvor auf der Party eines tschechischen Waffenhändlers bereits kurz mit diesem Mann geflirtet, aber sie konnte sich nicht an seinen Namen erinnern.

»Danke sehr, Hauptmann«, sagte Gwenn. Sie wußte, daß Malcolm für diese Art Getränk nichts übrig hatte, also fragte sie: »Haben Sie für meinen Freund Dr. Fergus vielleicht einen Gin oder Whisky?«

»Bitte nennen Sie mich Michel.« Der junge Offizier verneigte sich. Sein dunkles Haar war glatt und wie bei Valentino ordentlich in der Mitte gescheitelt. »Ja, wir haben Whisky, wir haben Gin, alles. Der Botschafter besteht darauf, daß wir den Keller leeren. Er will nicht, daß letztendlich Mussolini und die Schwarzhemden die Vorräte austrinken.«

Ein anderer Offizier gesellte sich zu ihnen. »Wir verdanken Ihnen den Trinkspruch von Addis, Ma'am«, sagte er zu Gwenn und erhob mit zittriger Hand sein Glas. »Auf die Nachtigall von Shoa!«

»Weshalb ist die belgische Armee in Addis, Hauptmann?« fragte Dr. Fergus freundlich und nahm seinen Whisky entgegen.

»Wir bilden die Kaiserliche Garde aus, Doktor«, erwiderte Michel und wandte seinen Blick nur widerstrebend von Gwenn ab, wenngleich er darauf achtete, daß ihr kein Wort seines Berichts entging. »Drei Bataillone, insgesamt dreitausend Mann mit den besten belgischen Gewehren der Firma Lebel sowie eine kleine Kavallerieabteilung auf großen australischen Pferden, die wir erst kürzlich aufgestellt haben. Wir bringen den Offizieren sogar Lesen und Schreiben bei. Natürlich Französisch. Aber der Kaiser besteht darauf, daß die Soldaten barfuß bleiben. Er meint, auf diese Weise würde das Marschieren sie noch mehr abhärten.«

»Ich dachte, die Schweden wären für den Drill der Garde verantwortlich«, sagte Dr. Fergus.

»Nein, Sir«, entgegnete der Belgier schneidig. »Die sind lediglich für die Kadettenschule und ein oder zwei weniger bedeutende Angelegenheiten zuständig. Genaugenommen versuchen die bloß, ihre Waffen zu verkaufen.« Er wandte sich wieder Gwenn zu, sah ihr in die Augen und lächelte.

»Kadettenschule?« fragte Gwenn und beschloß, Interesse zu zeigen.

»Ja, Miss«, sagte Michel beflissen. »Es steckt wirklich nicht allzuviel dahinter. Das meiste ist Angeberei. Es handelt sich nur um rund hundert äthiopische Jungen, zumeist aus Adelsfamilien, viele mit eigenen Dienern.«

»Wie machen sie sich?« fragte der Doktor und beugte sich vor. Er hatte einen neuen Drink in der Hand.

»Gar nicht mal so schlecht, aber sie sind noch nicht fertig«, sagte der Belgier, ohne seinen Blick von Gwenn abzuwenden. »Ein schwedischer Freund von mir sagt, daß sie schlauer sind als schwedische Jungs im gleichen Alter. Na gut, das ist keine große Überraschung! Aber sie sind körperlich schwächer, natürlich nicht an Sport gewöhnt, und viel zu viele von ihnen haben Syphilis.«

»Natürlich«, sagte Fergus.

»Verzeihen Sie, Miss«, sagte Michel. »Ich bin nicht darin geübt, in Gegenwart einer Dame zu reden.«

»Keine Ursache«, sagte Gwenn. Sie mochte ihn. »Bald werde ich Ärztin sein.«

Ein äthiopischer Beamter in einem dunklen englischen Anzug gesellte sich zu der Gruppe, die sich um Gwenn und Dr. Fergus bildete. Sein schmales Gesicht wirkte scharfsinnig und aufgeweckt.

»Willkommen in Abessinien«, sagte er. »Soweit ich weiß, besteht ihre Ambulanzbrigade je zur Hälfte aus Christen und Moslems, genau wie mein Volk.« Der Beamte deutete auf den großen Grill, der sich zwischen den beiden Zelten befand.

An langen Stangen wurden ganze Schafe und Ochsen herbeigetragen. Den Tieren rann noch immer das Blut aus dem Leib. »Diese Lämmer und Rinder stammen aus den persönlichen Herden des Kaisers«, sagte er, breitete die Arme aus und spreizte die Finger. »Sie wurden ganz frisch vor der Tür dieser Botschaft geschlachtet und sind ein Geschenk an unsere Freunde. Sie sollen Ihnen allen, die Sie unserem Land zur Hilfe geeilt sind, Stärke verleihen.«

Unter den Gästen der Party befanden sich noch zahlreiche andere Äthiopier: Männer aus Tigray und Shoa, Soldaten und Regierungsbeamten, Fürsten und *Ras* aus den alten Städten Gondar und Aksum. Europäische Händler und Diplomaten, Soldaten und Abenteurer scharten sich um einige schlanke, kerzengerade aufgerichtete schwarze Frauen mit kleinen ovalen Gesichtern und vollendeter Physiognomie. Ein oder zwei trugen europäische Kleider, die meisten jedoch elegante *Shammas* aus Baumwolle. In ein ernstes Gespräch vertieft, saßen etwas abseits sieben oder acht ältere äthiopische Würdenträger, Männer mit schmalen Gesichtern und dünnen Bärten, weiten weißen Jodhpurhosen und rissigen Lackschuhen. Weit entfernt sah Gwenn einen Mann, der sie an Anton erinnerte.

»Sehen Sie diesen großen schwarzen Kerl mit dem weißen Schal und den goldenen Tressen, der sich so angeregt mit der Frau des schwedischen Botschafters unterhält?« fragte Michel und beugte sich nah an sie heran. Er legte seine Hand auf eine von Gwenns Händen.

»Ja«, erwiderte sie und zog ihre Hand ein Stückchen zurück.

»Das ist der berühmte Schwarze Adler von Harlem, ein amerikanischer Pilot, der hier ist, um für Afrika zu kämpfen«, sagte der Belgier begeistert und versuchte, ihre Hand fester zu umschließen. »Gestern hat er mit einem der Flugzeuge des Kaisers eine Bruchlandung hingelegt. Damit bleiben der Luftwaffe noch neun oder zehn Maschinen.«

Ein koptischer Geistlicher mit kleingelocktem weißen Haar bewegte sich langsam durch die Menge. Er trug ein großes Goldkreuz in den verschränkten Händen und nickte grüßend nach links und rechts, während zwei Gefolgsleute sich verzweifelt bemühten, einen mit Quasten besetzten Zeremonienschirm über seinen Kopf zu halten.

»Gott sei Dank«, sagte Michel. »Endlich. Der *Abba*!«

»Wie bitte?« fragte Malcolm. Er wurde langsam müde.

»Der Bischof«, sagte der belgische Offizier. »Man würde das Festmahl niemals ohne ihn beginnen.«

Das war der Moment, auf den die hungrigen Gäste gewartet hatten. Alle drängelten sich um das Fleisch, während der Geistliche in seinem langen Gewand an den Grill trat. Von den frisch geschlachteten Tieren tropfte Blut ins Feuer. Das Fett ließ die Flammen auflodern. Der Duft der Speisen und der Rauch des Holzfeuers umgaben den Bischof wie eine Wolke aus Weihrauch. Er streckte die Arme in Richtung der Flammen und segnete das heidnische Mahl mit schwungvollen Bewegungen seines Kreuzes. Gwenn war über dieses Ritual erstaunt und mußte an die Rinder und die Schweinerei draußen auf der Straße denken.

Schwitzende Diener bahnten sich einen Weg nach vorn und schnitten im Rauch hustend und spuckend Stücke des fast noch rohen Fleischs heraus, während andere die Bratspieße drehten.

»Wollen Sie sich nicht zu uns setzen?« wurde Gwenn von einem älteren Herrn gefragt. Sie nahm dankend an und hoffte, sie würde nicht gleich wieder im Mittelpunkt der Aufmerksamkeit stehen. Der Mann ließ sie sogleich wissen, daß er ein Schweizer Verfassungsgelehrter war und in Diensten des Kaisers stand.

»Es ist schon irgendwie komisch«, sagte er und rückte einen Stuhl für sie zurecht. »Man hat mich angestellt, um die abessinische Verfassung durchzusehen, die vor kurzem von Japan übernommen wurde. Sie wissen schon, die von 1889.«

Nach diesen einleitenden Worten blieb der Schweizer schweigend neben Gwenn sitzen, als wäre er ganz erschöpft von seiner Arbeit, während ein geschwätziger stotternder Engländer begann, ihr den Hof zu machen. Als Angehöriger der Anti-Sklavereibewegung war er bestürzt, daß seine Versuche, hier im Lande Salomos und des Priesterkönigs Johannes, des weltweit ältesten christlichen Königreichs, ein sofortiges Ende der Sklavenhaltung zu bewirken, bislang nicht von Erfolg gekrönt waren.

»Wie ist es nur möglich«, klagte der Sklavenbefreier, »daß die Sklaverei nur noch in dem afrikanischen Land verbreitet ist, das als einziges nie kolonisiert wurde? Und haben Sie diese öffentliche Auspeitschung gesehen?«

»Nicht so laut«, sagte Fergus, »wir essen hier schließlich das Fleisch des Kaisers.«

Als der Engländer aufstand, um Gwenn etwas zu essen zu holen, nahm Michel auf seinem Stuhl Platz und goß ihr Wein nach.

»Darf ich Ihnen eine Photographie meiner Verlobten zeigen?« fragte er nach kurzem Zögern und zog aus der Brusttasche seines Waffenrocks das Bild eines üppigen Mädchens hervor. Sie hatte kleine Augen und trug ihr langes blondes Haar hochgesteckt. Das Mädchen saß neben einer Picknickdecke im Gras.

»Sie ist entzückend«, sagte Gwenn.

»O ja«, sagte Michel, »und in Wirklichkeit ist sie noch viel hübscher als auf dem Photo.«

Bevor Gwenn etwas darauf erwidern konnte, beugte eine ältere englische Dame sich über ihre Schulter.

»Darf ich morgen vorbeikommen und beim Aufrollen der Bandagen behilflich sein?« fragte die Frau. »Ich könnte einige Freundinnen von der Gesellschaft zum Schutz der Wildblumen mitbringen. Wir würden schrecklich gern etwas tun. Das ist alles so aufregend.«

»Es wäre uns eine große Hilfe«, sagte Gwenn.

»Sie sind erst seit kurzem hier, nicht wahr? Können Sie etwas Neues berichten?« fragte die Dame. »Ich habe gehört, daß unsere Kriegsflotte sich im Mittelmeer befindet. Was wird der Völkerbund unternehmen?«

»Das kann ich wirklich nicht sagen«, entgegnete Gwenn. In diesem Moment begann Michel, ihr von der anderen Seite aus etwas zuzuflüstern.

»Hätten Sie vielleicht Lust, morgen mit mir picknicken zu gehen?« fragte der Belgier begierig. »Wie wär's mit dem dichten Wald direkt oberhalb der Stadt?«

Sie zögerte. Seine jugendliche Begeisterung und ihre unmittelbar bevorstehende Abreise waren verlockend. Es würde gar nicht genug Zeit bleiben, als daß sich allzuviele Komplikationen ergeben könnten.

»Wir wollen jetzt los zum Perroquet«, unterbrach Klein ihre Gedanken mit lauter Stimme. Er schob seinen Teller beiseite und wischte sich den Mund ab. Dann erhob er sich von seinem Platz auf der anderen Seite des Tisches. »Fritzie!« Er klopfte mit seinem Löffel auf den Tisch, um die Aufmerksamkeit des Deutschen zu erregen.

»Fritzie, geh besser schon mal vor und laß den Wagen holen. Los, Fritz, aufstehen, du hast genug gehabt!«

»Trinken wir eventuell später bei mir im Hotel noch einen Champagner?« raunte Michel, als Gwenn aufstand. »Das Imperial, Zimmer Neun, falls ich nicht im Billardzimmer bin.«

»Vielleicht«, sagte sie, durchaus nicht abgeneigt, und mußte an den Ratschlag einer erfahrenen englischen Komteß denken: Sieh zu, daß du immer eine Zahnbürste dabeihast und dir keine Gelegenheit entgehen läßt. Sie fragte sich, wie oft die Komteß wohl ihren eigenen Rat befolgt hatte. »Aber jetzt muß ich mit meinen Freunden weiter.«

»Neun!« rief Michel ihr hinterher und zeigte die Zahl mit den Fingern an.

Der Fahrer war halb eingeschlafen und roch nach *Tajj*. Anfangs fuhr er sehr zurückhaltend, aber je wärmer der Benz wurde, desto mehr kehrten auch seine Lebensgeister zurück. Gwenn war zwischen ihm und Klein eingeklemmt. Hin und wieder lehnte der Journalist sich aus dem Fenster und winkte oder brüllte anderen Freunden zu, die sich ebenfalls in irgendwelche alten Wagen gezwängt hatten und quer durch die riesige Stadt von einer Party zur nächsten unterwegs waren.

Das Automobil verlor sich zwischen den königlichen Parks und ausgedehnten Elendsvierteln und holperte über ungepflasterte Straßen an den überfüllten Unterkünften und prasselnden Lagerfeuern der Stammeskrieger vorbei, die sich aus den Provinzen eingefunden hatten. Es war kein einziger Mann ohne Waffe zu sehen. Tausende gespenstischer Gestalten kauerten sich in ihren langen Gewändern um Kochstellen, die sie mitten auf den Fahrbahnen und Fußwegen errichtet hatten. Als der Wagen langsamer wurde, sah Gwenn Kinder, die mitten in der Nacht spielten, und schlanke haarlose Hunde, die umherschlichen und sich um die Abfälle balgten. Einen Moment lang mußte sie an Wellie und Denby denken. Hier war sie nun, ging auf Parties und ließ sich von eleganten jungen Offizieren hofieren. Aber insgeheim tröstete sie sich mit dem Gedanken, daß die beiden bei Olivio sicher und glücklich waren, vor allem weil Sana sie mit Kuchen und Zuneigung überhäufen würde, wie ägyptische Frauen dies bei kleinen Jungen immer reichlich zu tun pflegten. Die Mädchen würden Denby verwöhnen und verhätscheln, und Wellington würde bald alt genug sein, um noch ganz andere Interessen zu entwikkeln.

Die wild rauschende Party im Perroquet hatte nichts von den Einschränkungen der diplomatischen Empfänge an sich. Sie erstreckte sich über alle drei Stockwerke des verfallenden Hotels, und als großzügige Gastgeber fungierten mehrere Waffenhändler und Konzessionäre. Ein Klavier, ein Akkordeon und eine Geige spielten Mozart und Benny Goodman, während die Leute im Speisesaal, auf den Fluren und auf der Terrasse tanzten, tranken, redeten und sich umarmten. Sie schrien sich in den verschiedensten Sprachen Bemerkungen zu, die nur allzuoft wegen des Lärms keine Beachtung fanden. Normalerweise hätte Gwenn sich von einer solchen Menschenmenge abgestoßen gefühlt, aber heute teilte sie die Heiterkeit und genoß die Stimmung eines Addis am Rande der Katastrophe.

»Möchten Sie tanzen, meine Liebe?« fragte Dr. Fergus mit höflichem Lächeln. Sein mürrisches Benehmen war nach ein paar Drinks verschwunden und seine Wangen vom Whisky leicht gerötet.

»Sehr gern, Malcolm«, sagte Gwenn. Sie schwebten über die volle Tanzfläche, wobei der alte Arzt sich als überraschend gewandt und leichtfüßig erwies. Plötzlich durchzuckte Gwenn der Gedanke, daß sie vielleicht nie wieder Gelegenheit zum Tanzen haben würde. Überall um sie herum sprach man vom Krieg, sogar die Liebespaare. Sie schaute ins Halbdunkel des überfüllten verrauchten Flurs hinaus und entdeckte Klein, der an der Hand einer sehr jungen afrikanischen Dame in weißer *Shamma* die Treppe hinaufging. Seine andere Hand hielt eine Flasche umklammert.

Gwenn und Malcolm wurden von einem anderen Paar gegen das Klavier gedrängt. Gwenn sah, wie das Mädchen ihren Begleiter auf den Hals küßte. Seine Augen waren geschlossen. Sie beneidete die beiden um ihre Hingabe. »Wird man den Suezkanal schließen, Liebling?« fragte das Mädchen ihn.

Stundenlang tanzte Gwenn mit Männern, die sie nicht kannte und denen sie nie mehr begegnen würde.

»Frühstück!« sagte Klein schließlich und stützte sich auf Gwenns Schulter, nachdem sie einen Tanz beendet hatte. Er beugte sich zu

Malcolm Fergus herunter, der schlafend auf einem Stuhl saß, und gab ihm einen leichten Klaps auf die Wange. »Zeit fürs Frühstück, Doc. Fritzie ist schon los, um das Auto zu holen.«

Sie fuhren zum Splendide zurück, wo Associated Press ihre wöchentliche Frühstücksparty veranstalteten. Die Gäste brachten den Alkohol mit. Alles andere wurde von den Amerikanern gestellt.

Gwenn ging nach oben, um sich das Gesicht zu waschen, ihre Schuhe zu wechseln und einen Pullover überzuziehen. Sie wußte, daß sie nicht mehr aufstehen würde, falls sie sich auch nur für einen Moment hinlegte. Als sie mit schmerzenden Füßen wieder nach unten kam, stieg ihr zur Begrüßung der Duft des starken äthiopischen Kaffees in die Nase. Die Kannen dampften in der kühlen Morgenluft, während über der Terrasse die Sonne aufging. Ein oder zwei Männern war beim Einschlafen der Kopf auf die Tischplatte gesunken. Andere rauchten, tippten auf ihren Schreibmaschinen oder riefen nach Essen und heißen Handtüchern, während sie lachend von den Abenteuern der vergangenen Nacht erzählten. Gwenn verspürte urplötzlich bohrenden Hunger und holte sich je einen Teller mit Räucherhering, Eiern und zähem einheimischen Porridge, das in Honig schwamm.

»Wo waren Sie?« rief Michel. Während er auf sie zueilte, geriet er auf den Fliesen ins Stolpern. »Ich habe die ganze Nacht gewartet.« Bei Tageslicht sah er nicht mehr ganz so stattlich aus, fand sie. Seine Augen waren rot, sein Waffenrock schmutzig. Gwenn fragte sich, wie sie selbst wohl aussah.

»Wir sind noch auf einen Drink im Perroquet gewesen«, sagte Gwenn. Als sie aufblickte, bemerkte sie erschrocken, daß Malcolm sich am Geländer der Terrasse abstützte und auf ein Stück Papier in seiner Hand starrte. Schlechte Neuigkeiten? war ihr erster Gedanke.

»Bitte entschuldigen Sie mich«, sagte sie zu Michel.

»Natürlich«, erwiderte er zögernd, als Gwenn aufstand und zu dem Arzt lief. Sie führte Malcolm zu einem Stuhl.

»Ich kann meine Brille nicht finden«, sagte Fergus und reichte ihr das Blatt.

»Wir müssen los«, sagte sie sofort darauf. Ihre Müdigkeit war verflogen. Sie begleitete Malcolm die Treppe hinauf und winkte ihrem Belgier zum Abschied zu. »Wir sind zur somalischen Front in der Nähe von Harar beordert worden. Lassen Sie uns packen gehen. Ich helfe Ihnen.«

Am Mittag hatten sie die Stadt hinter sich gelassen und waren ostwärts nach Harar unterwegs, wo aller Voraussicht nach die südliche Front entstehen würde. Die drei Tage langsamer Fahrt durch hügeliges und bergiges Gelände gaben ihnen ausreichend Gelegenheit, die Fahrzeuge einzufahren, die Ladung neu anzuordnen und sich über die ersten Dummheiten ihres armenischen Mechanikers zu ärgern. Immer wenn sie anhielten, um sich ein wenig die Beine zu vertreten, etwas zu essen und die Lastwagen und Ambulanzen zu warten, fühlte Gwenn sich durch den kühlen Wind erfrischt, der über die dichten Weizen-, Hirse- und Gerstenfelder strich, die sich in jedem Tal erstreckten.

Der Gouverneur von Harar hatte nicht mit ihnen gerechnet, kam ihnen aber wie ein Fürst zur Begrüßung entgegengeritten, nachdem ihre Fahrzeuge vor den uralten Mauern der Stadt von einigen Wachposten angehalten worden waren. In der Nähe wuchsen in ordentlichen Reihen ganze Haine von Zuckerrohrpflanzen, deren schimmernde dunkelgrüne Blätter locker an den hochgewachsenen Stengeln hingen. Der alte Krieger trug einen mit Perlen verzierten Umhang und einen Kopfschmuck aus der Mähne eines Löwen.

»Hier in meiner Provinz Harar«, erklärte der bärtige Gouverneur von seinem Sattel aus, »wird man uns nicht aus dem Osten, von Eritrea her angreifen, nein, sondern von Süden, aus dem Gebiet, das sie als Italienisch-Somaliland bezeichnen.« Er sprach zu ihnen mittels eines Dolmetschers, der neben seinem Steigbügel stand und beim Sprechen jede der ausladenden Gesten seines Herrn nachahmte.

Zwei berittene Untergebene trugen das alte silbern verzierte Gewehr des Gouverneurs sowie seinen runden spitzen Schild und ein langes Schwert, das in einer quastenbehangenen Scheide steckte. Während er sprach, breiteten andere Diener unter steten Verbeugungen eine scharlachrote Decke auf dem Boden aus und stellten Geschenke für die Ärzte und Krankenschwestern darauf: Orangen, Teppiche aus Affenfell und silberne Armreife. Gwenn bemerkte an den Handgelenken eines der Diener blasse Streifen. Die Spuren von Ketten? fragte sie sich.

»Nach dem Krieg«, sagte der Gouverneur, klopfte sich auf den Bauch und wartete, bis sein Dolmetscher es ihm gleichgetan hatte, »werden Sie in Harar meine Gäste sein, und wir werden uns an Makkaroni gütlich tun. Makkaroni deshalb, weil in meinem *Gibbi* italienische Offiziere am Herd stehen werden.«

Der Gouverneur ließ seine Frauen und Kinder sowie einige betagte Gefolgsleute herbeirufen, damit sie von den Ärzten untersucht werden konnten. Während die anderen sich dieser Aufgabe widmeten, passierten Gwenn und Malcolm das mit Schießscharten versehene Tor und sahen sich in den engen hügligen Straßen nach einem geeigneten Hospitalgebäude um. Während sie Malcolm dabei half, sich die steilen Gassen hinauf und wieder hinab zu quälen, fragte Gwenn sich, warum gerade die Schotten sich so oft in der Fremde um das Wohlergehen anderer sorgten.

Als die beiden Europäer den großen Platz vor der koptischen Kirche überquerten, folgten ihnen die gespenstischen Blicke einer Gruppe verhüllter Aussätziger. Einige hübsche junge Frauen mit schmalen Hüften, Adaris, vermutete Gwenn, beugten sich vor und schnallten die langen grüngelben Zuckerrohrgarben ab, die sie sich auf den Rükken gebunden hatten. Die Trägerinnen auf dem Platz waren in buntbedruckte Gewänder gekleidet, so daß sie mit ihrer Last wie einzelne große Blumensträuße wirkten. Lächelnd und plaudernd schnitten sie jeden der zwei Meter langen Stengel in marktgerechte Stücke. Gwenn beobachtete ein paar kleine Jungen, die angerannt kamen, sich die heruntergefallenen Reste schnappten und begannen, darauf herumzukauen. Genau wie Denby, wenn es Süßigkeiten gab, dachte sie. Ein Muezzin rief mit quäkender Stimme von einem Minarett zum Gebet. Von den zahlreichen entlegenen Moscheen fielen andere in seinen Aufruf ein.

»Hier gibt es nichts Passendes«, schloß der Chefchirurg müde und setzte sich auf eine niedrige Mauer am Rand des Platzes. »Und wir benötigen frisches Wasser.«

»Lassen Sie uns unser Lager in einem Wäldchen bei diesem Flußlauf aufschlagen, zwei oder drei Kilometer vor der Stadt«, schlug Gwenn vor. So geschah es dann auch.

Innerhalb von zwei Tagen hatte sich um das Feldlazarett eine lärmende Schar von Bettlern, Wäschern, Kurzwarenhändlern und Holzsammlern angesiedelt. Als eine Gruppe Leprakranker versuchte, sich dem Lazarett zu nähern, hatten die Kinder dieser neuen Siedler sie schon mit Steinen vertrieben, bevor Gwenn eingreifen konnte. Sie fragte sich, ob diese Ausgestoßenen wohl zu den Patienten von Harars Kapuzinerleprosorium gehörten, das dafür gerühmt wurde, den Aussatz mit Kupferinjektionen zu behandeln. Am gegenüberliegenden Flußufer begann sich ein Kamelmarkt zu bilden. Man reagierte damit auf den Appell der Regierung, Lasttiere zur Verfügung zu stellen.

In jeder Nacht dort bei Harar lag Gwenn in ihrem niedrigen Zelt auf dem Rücken und blickte durch die hochgeschlagenen Klappen hinaus in den endlosen klaren Himmel Afrikas. Je länger sie schaute, desto mehr Sterne sah und erkannte sie. Die funkelnde Pracht wurde nur von dem einen oder anderen schmalen Blatt unterbrochen, das sich schwarz gegen den leuchtenden Nachthimmel abhob. Sie erinnerte sich noch an Abende auf der Farm, als Anton ihr die Sterne erklärt hatte. Auch dieses Wissen stammte aus seiner Zeit bei den Zigeunern.

Solange sie auf den Ausbruch des Kriegs warteten, kümmerten die Ärzte und Krankenschwestern sich um die Einwohner von Harar. Gwenn stand morgens schon früh auf und schlenderte stromaufwärts, um in dem saubereren Wasser zu baden. Jetzt endlich war die Zeit gekommen, auf die sie sich so lange vorbereitet hatte. Die Warteschlangen jeden Morgen wurden länger, und immer mehr neue Patienten trafen aus den umliegenden Galla-Dörfern ein.

»Ich bringe die Maschine runter, Leutnant«, sagte Oberst Grimaldi zu Bruno Mussolini, als sie hörten, daß der linke Propeller der Caproni an Drehzahl verlor. Der beißende Geruch eines Kabelbrands stieg dem Oberst in die Nase. »Ich bin mal gespannt, wie sie sich mit nur zwei Motoren fliegt.« Der siebzehnjährige Pilot begann mit bleichem Gesicht und schweißüberströmt, den Motorausfall mittels der Luftklappen und des mittleren sowie des rechten Propellers auszugleichen. Die Flugzeuge zu ihrer Linken vergrößerten den Abstand zu ihnen.

Als das stotternde Triebwerk zu qualmen anfing, schaltete Enzo es ab. Da sie weder Bomben noch Nutzlast geladen hatten, machte er sich keine Gedanken, ob die beiden verbleibenden Motoren ausreichen würden, um sie sicher nach unten zu bringen. Der Rest des Geschwaders schwenkte ab und ließ ihnen den Vortritt. Enzo drehte die große Caproni in den Wind und setzte zur Landung an. Er brauchte nicht einmal die Hälfte der Rollbahn. Paolo raste ihnen im Bergungslaster entgegen. Er stand mit zwei weiteren Männern auf der Ladefläche neben einigen Fässern voller Wasser, an die man primitive Pumpen angeschlossen hatte. Am Ende der Piste wartete das Bodenpersonal darauf, die Maschinen des Geschwaders zu überprüfen und gegebenenfalls zu reparieren. In der Nähe sah Enzo eine Gruppe *Bersaglieri* herumsitzen, die den Capronis bei der Landung zuschauten.

»Das war ein ganz gutes Training, Leutnant«, sagte er zu Bruno und klopfte dem Jungen auf die Schulter, nachdem er sich losgeschnallt hatte. »Nichts Ernstes.« Grimaldi war erleichtert, daß alles so glatt verlaufen war. Er bückte sich und ging zur Ausstiegsluke. Gar kein so schlechter Kerl, dachte Enzo, während er das Flugzeug hinter sich ließ, aber in der Luft eine Gefahr.

»Cinzano und Soda«, sagte der Oberst kurz darauf, zog genußvoll an seiner Zigarette und lehnte sich gegen die hohe Bambustheke, die eine Seite des Raums einnahm, der ihnen hier in Nefasit als Offiziersmesse und Besprechungsraum zugleich diente. Er sah Hauptmann Ciano allein an einem Tisch sitzen und in seinem Tagebuch schreiben. Die Gebrüder Mussolini saßen mit den anderen Piloten des *Disperata* Geschwaders zusammen, rauchten und tranken. Von allen Anwesenden wirkte nur Bruno etwas angespannt. Neben ihm bemühte einer der Männer sich, ein Radio zu reparieren. Die dazugehörige Antenne hing an einer Stange auf dem strohgedeckten Dach. Der hintere Gehäusedeckel des schwarzen Marconi lag auf dem Tisch, und der Mann überprüfte soeben die Röhren und schraubte die Kabel fest.

Daneben erklärte Hauptmann Uzielli an einem der groben Tische einem Leutnant der *Bersaglieri* eine Landkarte. Grimaldi unterdrückte seinen Ärger. Er wußte, daß die Fallschirmjäger auf einem der vorgeschobenen Fliegerhorste stationiert werden mußten. Sie hatten sich bereits darüber beschwert, daß sie gezwungen waren, für ihre Übungssprünge die ungeeigneten Capronis zu benutzen.

Trotz seines höheren Rangs war Enzo sich der Tatsache bewußt, daß die *Bersaglieri* sich selbst in einem besonderen Licht sahen. Sie bildeten sich ein, ein Leutnant ihres Regiments auf soldatischem Gebiet könne jeden beliebigen General eines anderen Truppenteils in die Tasche stecken. Und eine Fallschirmjägereinheit nahm sich natürlich noch mehr heraus.

»Dürfte einfach sein«, sagte der junge Soldat mit lauter Stimme zu Uzielli, »falls die Infanterie sich hier und hier konzentriert und gute Luftunterstützung erhält. Das wird nicht ganz so schlimm wie Libyen. Diese Wilden werden rennen wie die Hasen…«

»In Afrika ist es niemals einfach, Junge«, sagte Uzielli. »Die Entfernungen sind zu groß, das Gelände ist verdammt schwierig, und hin und wieder kämpfen die *Negrettos* bis zum letzten Blutstropfen. In Somaliland haben wir unter jedem Stein eine Schlange oder einen Skorpion entdeckt.« Er hielt inne und stürzte seinen Rotwein hinunter.

»In den ersten paar Wochen wird alles vermutlich noch recht glatt laufen. Rom wird begeistert sein. Die Armee auf dem Vormarsch, schnelle harte Kämpfe, sobald der Feind sich sammelt, viele Siege für all diese hübschen Flugzeuge, Gerätschaften und modernen Waffen. Aber dann wird es auf dem Boden ziemlich übel werden. Denken Sie an meine Worte. Es läuft immer so.«

»Aber wir werden über eine halbe Million Männer verfügen«, wandte der Leutnant heftig gestikulierend ein, »Soldaten, Farmer, Straßenbauer…«

»Sie werden verschwinden.« Uzielli machte eine abwinkende Bewegung.

»Verschwinden?«

»Sie werden sich auf diesen riesigen Hochebenen völlig verlieren.« Uzielli erhob die Stimme und hämmerte mit seinem leeren Glas auf die Karte. »Und die Zeit der Besetzung ist stets schlimmer als die

Schlachten«, sagte er und goß sich aus der Flasche nach. »Jeder barfüßige Schäferjunge hat einen Speer oder eine Flinte. Unsere Verluste entlang des oberen Juba ...«

»Hauptmann«, unterbrach ihn Grimaldi im Vorbeigehen und zwang Uzielli dadurch, Haltung anzunehmen. »Ich möchte, daß Ihre Männer morgen einen zusätzlichen Sprung absolvieren.«

»Wir sind bereits heute morgen gesprungen, Sir«, sagte Uzielli. »Bei der Landung im felsigen Gelände hat sich ein weiterer Mann das Bein gebrochen, und die Fahrzeuge haben sehr lange gebraucht, um uns zu finden.«

»Sie und Ihre Männer benötigen noch immer zuviel Zeit, bis sie alle aus den Flugzeugen abgesprungen sind. Daher werden sie über ein großes Gebiet verteilt wie Laub in einem Sturm.« Grimaldi sprach, als hätte er den Einwand des Soldaten nicht gehört. Er wußte, daß er Uzielli dadurch vor seinem untergebenen Offizier in eine peinliche Situation brachte. »Ein Mann hat keine Chance, wenn man ihn dort draußen allein erwischt.«

»Diese Bomber wurden nicht für Absprünge konzipiert, Oberst«, sagte Uzielli in nachdrücklicherem Tonfall. »Der Rumpf ist zu beengt, die Luken zu klein. Falls Sie die Fluggeschwindigkeit etwas reduzieren, Sir, werden meine Leute enger beieinander landen.« Uzielli verschränkte die Arme. »Bei jedem Absprung verletzen sich ein paar der Männer und fallen aus. Ich empfehle, keine weiteren Trainingssprünge mehr durchzuführen.«

»Sie und Ihre Männer fliegen morgen früh um sieben Uhr los, Hauptmann«, sagte Enzo. Er wollte diesen arroganten *Contadino* am liebsten zerquetschen. »Fünfzehn oder sechzehn Kilometer westlich von hier werden Sie über einfachem Gelände aussteigen. Kein Marschgepäck, leichte Waffen. Sehen Sie zu, daß diesmal alle schnell draußen sind, damit wir das Ganze nicht noch mal wiederholen müssen.« Etwas versöhnlicher fügte er hinzu: »Ich werde in meiner CR-20 unmittelbar hinter Ihnen sein. Sorgen Sie dafür, daß Ihre Jungs so schnell wie möglich zum Lager zurückmarschieren.«

Als Grimaldi weiterging, salutierte Uzielli. Seine hervortretenden dunklen Augen blickten starr. Er fragte sich, ob er dem Oberst während des Kriegs wohl einmal auf dem Boden begegnen würde.

»Darf ich mich zu Ihnen gesellen?« fragte Enzo freundlich die jungen Offiziere, als er an Bruno Mussolinis Tisch kam. Ihm fiel auf, daß das Radio schon fast wieder zusammengebaut war.

»Selbstverständlich, Sir«, sagte einer der Piloten. »Die hast du heute prima gelandet, Bruno«, fügte der Mann an den jungen Mussolini gewandt hinzu, bevor er sich wieder zu seinen Freunden umdrehte. »Diese verdammten Mechaniker sollten besser dafür sorgen, daß wir in der Luft bleiben können.«

Bruno sah Grimaldi kurz in die Augen, dann blickte er schnell zur Seite. Er sagte kein Wort.

Eine heftige Windbö aus westlicher Richtung trieb eine Wolke aus heißem grauen Sand in die Messe. In der Nähe schleppten vier Fernmeldetechniker einen ihrer Kameraden auf einer behelfsmäßigen Trage vorbei.

»Was ist passiert?« rief einer der Piloten.

»Schlangenbiß, während wir Telefonkabel verlegt haben«, ächzte einer der Träger. »Schlimmer als auf Sizilien.«

»Beeil dich mit dem Radio, Massimo«, sagte einer der anderen Flieger und sah auf seine Uhr. »Es ist fast soweit.«

Nachdem er die letzte Röhre eingeschraubt hatte, ertönte statisches Knistern aus dem Lautsprecher des Radios.

»Stellen Sie morgen sicher, daß Ihre Flugzeuge technisch in Ordnung sind, meine Herren. Sie wollen doch nicht mitten im Busch runterkommen«, sagte Grimaldi. »Es kann jetzt jeden Tag losgehen.«

Alle nickten bestätigend. Dann senkten sie ihre Köpfe dem Radio entgegen. Plötzlich kam das Signal unverzerrt herein, und der Sender aus Asmara erklang hell und klar wie die Kirchenglocke in einem Dorf daheim in Italien.

»Romani!« rief die Stimme, während die Menge auf der Piazza Venezia wogte und toste wie ein Sturm auf dem Meer. Sogar Oberst Grimaldi konnte nicht verhindern, daß ihm ein Schauder über den Rücken fuhr.

»Wir haben vierzig Jahre Geduld bewiesen!« schrie Mussolini in dieser Rundfunkübertragung. Enzo konnte förmlich sehen, wie der Duce mit eisenhartem Blick die Faust erhob, während die jubelnden Massen von seiner Energie überwältigt wurden. Man hatte Italien versprochen, daß die Zuhörerschaft anläßlich der Kriegserklärung die größte Zusammenkunft der Menschheitsgeschichte sein würde. Herbeigerufen durch Glocken und Sirenen, hatten sich angeblich mehr als fünfundzwanzig Millionen Menschen versammelt, auf jedem Rathausplatz, jedem Schulhof und jedem Markt von Brindisi bis Bergamo. Die Hände der jungen Piloten an Enzos Tisch verkrampften sich. Bruno Mussolini saß totenstill da, als die Stimme seines Vaters Afrika erreichte.

»Morgen wird Italien seinen Platz an der Sonne einnehmen!«

14

»Ist er nicht der aufregendste Mann der Welt? Ich kann es kaum ertragen, ihn anzusehen.« Die Dame schloß die Augen und reichte das Plakat an ihre Freundin weiter. »Falls ich Merle Oberon wäre, ich wüßte nicht, was ich tun würde.«

»Das Cataract Café und London Films präsentieren Douglas Fairbanks«, stand auf dem Zettel zu lesen, »in *The Private Life of Don Juan*, in der Regie von Alexander Korda, mit Merle Oberon und weiteren hervorragenden Schauspielern. Als Vorfilm: *Cock o' the Walk.*«

Ein nubischer Diener verkaufte Karten an die eintreffenden Gäste, die über das abschüssige Fallreep auf das Deck des Cafés traten. Zur Linken befand sich das Parkett. Vor der weißen Filmleinwand, die an der Außenwand der Bar hing, standen mehrere Reihen kleiner goldfarbener Klappstühle. Zur Rechten der Gangway befand sich der erste Rang. Man hatte die üblichen runden Marmortische und bequemen Rattansessel nach hinten in Richtung des Bugs geschoben. Reiche Kopten, hohe britische Offiziere, wichtige Händler und andere elegante Kairoer Bürger nippten an Veuve Clicquot und knabberten Zucchini*sambusak*, oder *Samosas*, wie der aus Goa stammende Besitzer des Cafés sie zu nennen pflegte. Die heftigen Trinker, allesamt Briten, hielten sich in der Bar hinter der Leinwand auf und stürzten vor Filmbeginn ein paar Drinks auf Vorrat hinunter.

Olivio stand neben der Leinwand. Hinter ihm hing der Perlschnurvorhang vor dem Durchgang zur Bar. Der Zwerg hielt die Hände auf dem Rücken verschränkt. Er trug seinen neuen smaragdgrünen Tarbusch. Leise zischte er dem Personal Anweisungen zu, während er zugleich mit liebenswürdigem Nicken seine hochrangigen Gäste begrüßte.

»Ich muß die Preise erhöhen«, murmelte Olivio angesichts einer

Gruppe nicht ganz so schicklicher Gäste, die sich darüber aufregte, daß ihre Plätze zu dicht vor der Leinwand lagen. »Was glauben die, wer sie sind?«

»Die Schweden, *Effendi*!« sagte Tariq zu seinem Herrn. »Sie sagen, sie wollen nicht neben den Japanern oder den Italienern sitzen.«

»Nun gut«, erwiderte Olivio verständnisvoll, »dann weisen wir ihnen Plätze an der Reling zu, neben den Argentiniern.«

Die Sitzordnung bei diesen Veranstaltungen war komplexer und schwieriger als eine Krönungszeremonie. Gewisse Italiener und Deutsche durften nicht neben bestimmte andere Diplomaten und Militärs plaziert werden. Der drohende Krieg in Abessinien und die Nutzung des Kanals zur Nachschubversorgung der potentiellen Invasoren hatte viele kleine Dramen heraufbeschworen. Kairos italienische Gemeinde hatte sich bisweilen prahlerisch gegeben, was ihr von Italiens Kritikern lautstarke Unmutsäußerungen eingebracht hatte. Die Japaner waren trotz ihrer diskreten Art und ihrer annähernd makellosen, wenn auch allzu knapp geschnittenen englischen Anzüge für manche nach wie vor unwillkommene Sitznachbarn, weil ihr Volk brutal in der Mandschurei, in China und in Korea eingefallen war. Diverse Liebespaare mußten nebeneinander sitzen oder zumindest in unmittelbarer Nähe des anderen; andere wiederum durften auf keinen Fall zusammen gesehen werden. Feinde, Leidenschaften, Intrigen. Das war genau sein Element oder, wie die weisen alten Männer in Goa sagen würden, sein Herzblut. Olivio massierte eines seiner durchbohrten Ohrläppchen. Er beobachtete eine Gruppe ägyptischer Regierungsfunktionäre dabei, wie sie an bunten Fruchtsäften nippten und eindringlich flüsternd politische Angelegenheiten diskutierten.

»Wenn ihr wüßtet, wer gerade unter Deck zugange ist«, murmelte er und warf einen kurzen Blick zu der Tür, die nach unten führte.

Die Seiten des Cafés waren mit elektrischen Lichterketten verziert, deren kleine Glühlampen abwechselnd rosa und weiß leuchteten. Olivio bemerkte Clove, die vornübergebeugt dastand und die Linsen der beiden tragbaren Gaumont-British-Projektoren polierte. Sie schien ein frühreifes Talent im Umgang mit mechanischen Geräten zu sein. Er vertraute seiner Tochter, aber er wollte sich dennoch selbst vergewissern, daß alles reibungslos verlaufen würde, wenn Clove und Tariq die Filmrollen wechseln mußten.

Olivio staunte noch immer über die Wunder der Technik. Von allen modernen Neuerungen, die seine Welt verändert hatten, konnte er den Filmen und den Automobilen am meisten abgewinnen. Beide gestatteten ihm etwas, das die Natur ihm versagt hatte: die Gelegenheit, im Dunkeln genau wie die anderen Leute zu sein und an ihren Freuden gleichberechtigt teilzuhaben und die Möglichkeit, sich mühelos über größere Entfernungen zu bewegen. Bald würde er sich das 1936er Hillman-Modell kaufen, den Minx Magnificent. Seiner würde der erste in Kairo sein. Der Wagen war zwar nur leicht motorisiert, sah aber sehr elegant aus. Die Mädchen würden ihn lieben.

Die großen, fast fünf Kilo schweren Filmrollen lagen auf einem Stuhl zwischen seiner Tochter und Lord Penfold. Er wünschte, sein Freund könnte dieses Gefühl von Magie mit ihm teilen, statt allem Neuen so ablehnend gegenüberzutreten.

»Ist das Kino nicht etwas Wundervolles?« rief Olivio begeistert aus. »Wie sehr unsere Welt sich doch verändert.«

»Da kann man nichts machen.« Penfold schüttelte den Kopf.

»Denken Sie darüber nach, mein Lord«, rief der Zwerg, während Penfold seinen Gin mit dem kleinen Finger umrührte. »In diesen acht runden silbernen Dosen wartet eine ganze Welt! Jede der Rollen ist darauf ausgelegt, vierundzwanzig Bilder pro Sekunde zu zeigen, das sind fast dreißig Meter die Minute!« Er breitete enthusiastisch die Arme aus. Penfold zog höflich und geduldig die weißen Augenbrauen hoch, sagte aber nichts. Der Zwerg fuhr fort.

»Heute abend ist es die magische Welt des alten Spanien, die in England erschaffen wurde und nun auf dem ehrwürdigen Nil für die Gäste des Cataract Cafés zum Leben erwacht!«

»Steck sie hier drauf, Tariq«, sagte Clove und lotste die schwere Filmrolle in den Händen des nubischen Dieners auf den Dorn am vorderen Arm des Projektors. »Autsch!« Sie hatte sich den Finger geklemmt.

Nachdem die erste Rolle sicher angebracht war, begann Clove, den Nitratfilm einzufädeln. Er bestand aus nahezu dreihundert Metern Nitro-Zellulose, einer Substanz, die dermaßen volatil und entflammbar war, daß sie sogar unter Wasser weiterbrennen würde, wenn sie sich erst einmal entzündet hatte. Cloves Vater hatte sie eindringlich vor den Schrecken des Feuers gewarnt, und so stellte sie stets sicher, daß das Lampengehäuse sauber war, die Luftschlitze frei und der Film exakt eingelegt, um zu verhindern, daß er sich verhaken und überhitzen konnte.

»Verscheuch diese erbärmlichen Straßenjungen. Die sammeln sich auf dem Kai wie die Ratten«, sagte Olivio zu Tariq. »Diese Gauner versuchen, einen Blick auf meine Leinwand zu erhaschen, ohne dafür zu bezahlen. Nächste Woche werde ich das Boot zur Mole hin mit einem Vorhang abdecken lassen.«

Als fast alle Tische und Stühle besetzt waren, betätigte Olivio einen Schalter neben der Tür zur Bar, aus, an, aus. Die Gespräche wurden leiser und erstarben. Olivio klatschte im Dunkeln zweimal in die Hände. Auf einer Seite des Cafés glitt ein einzelnes Boot vorbei, das längsschiffs mit Laternen behangen war. Auf der anderen Seite erhellten hin und wieder die Scheinwerfer eines Automobils die Straße entlang der Uferpromenade. Über ihnen strahlten die Sterne Afrikas und ein zunehmender Mond. Oh, wie sehr er diesen Moment liebte!

Clove schaute zu ihrem Vater und zog fragend die Augenbrauen hoch, ob sie anfangen sollte. Der Zwerg lächelte sein Kind an und nickte zweimal. Sie schaltete die Mazda-Glühlampe ein. Der erste Projektor begann zu laufen, erreichte seine Betriebsgeschwindigkeit, und *Cock o' the Walk* leitete die Abendunterhaltung ein.

Nach einer unangenehmen Erfahrung anläßlich eines Filmabends im Mai, weigerte Olivio sich inzwischen, Wochenschauen zu zeigen. Bilder des Reichskanzlers Hitler, der anläßlich der prunkvollen Hochzeit von Luftfahrtminister Göring mit dem statuenhaften Filmstar Emmy Sennemann einen Trinkspruch ausbrachte, hatten einige britische Offiziere zu schallendem Gelächter und die deutschen Gäste zu wütender Gebärde verleitet. Der deutsche Botschafter war mit seinem Gefolge erhobenen Hauptes von Bord des Cafés gegangen, als wäre er ein Westentaschenkreuzer, der eine Flotte durch die stürmische Nordsee geleitete.

Olivio ging zu seiner Tochter und stellte sich hinter sie. Er konnte gerade noch über ihre Schulter spähen. Es ärgerte ihn, daß einige

Stammgäste nicht an ihren üblichen Tischen saßen: hauptsächlich Diplomaten und Bankiers, aber auch eine vornehme Kurtisane, eine emigrierte Ungarin, die berühmt für ihre vollen Lippen war.

»Warum sind diese Tische leer?« fragte Clove.

»Wenn diese Leute das nächste Mal herkommen, kriegen sie die Plätze neben der Küche«, sagte er. »Unsere mißgünstigen Rivalen haben sie weggelockt, vermutlich das Cosmo Cinema und das Diana Palace.«

»O je«, sagte Clove. Ihre Miene verhärtete sich ebenso wie die ihres Vaters.

»Welche Filme werden dort gezeigt, mein Kind?« fragte Olivio. Er war sich sicher, daß sie es wissen würde.

»Im Cosmo läuft *China Seas* mit Harlow und Clark Gable«, erwiderte sie mit merklichem Stolz auf ihre Kenntnisse, »und im Palace kann man Myrna Loy und Spencer Tracy in *Whipsaw* sehen. Der Film ist angeblich dreidimensional.«

»Das ist doch Schwindel! Was für ein Quatsch!« rief der Zwerg. »Und wer sind schon Tracy und dieser Gable, verglichen mit Douglas Fairbanks?«

Auf der Leinwand drehten Zeichentricktauben eifrig Pirouetten und imitierten damit die Choreographie Busby Berkeleys. Das Publikum lachte. Nachdem Olivio gesehen hatte, daß seine Gäste zufrieden waren, öffnete er die Privattür vor der Treppe, die ins Unterdeck führte, und schlüpfte hinein. Es war stockfinster und roch nach schwerem Parfum und Weihrauch. Unwiderstehlich, dachte er. Und dies waren nicht die natürlichen Düfte Musa Bey Halaibs. Hörte Olivio das Klimpern dünner Goldmünzen, die aneinander schlugen? Bewegte Jamila sich gerade? Er blieb auf der obersten Stufe stehen und schloß leise die Tür hinter sich.

Olivio hatte an Deck diverse Verpflichtungen zu erfüllen, und eine Filmrolle hielt nur zehn Minuten an, also blieb ihm keine Zeit für eine angemessene Verkleidung. Es war nicht fair. Aber noch während sein Auge sich an die Dunkelheit gewöhnte, nahm er zwei Gegenstände von ihren Haken an der Rückseite der Tür: eine Maske in Gestalt eines Sphinxkopfes und einen kurzen schwarzen Samtumhang. Nicht genug, um sich voll und ganz auf die Rolle einzustimmen, die ein vollendetes Kostüm mit sich brachte, aber immerhin hilfreich, um die Phantasie anzuregen.

Von unten hörte er, wie sich jemand schweren Schrittes schnell bewegte, als würde irgendein Tier, vielleicht ein wilder Eber, durchs Dickicht brechen. Der Staatssekretär für Bewässerungsfragen kam näher! dachte er grinsend. Wie überrascht der Bey doch sein würde!

Der Zeichentrickfilm ging zu Ende. Clove bereitete sich darauf vor, zum zweiten Projektor überzuwechseln. Das war für sie der Lieblingsteil ihrer Aufgabe. Sie mußte dabei immer an ihre privaten Klavierstunden mit diesem unartigen französischen Musiklehrer denken. Auf der Leinwand kam jetzt das romantische Finale. Die plumpen Vögel umkreisten ihren großen Taubenschlag in inniger Umarmung, Schwinge an Schwinge und Schnabel an Schnabel. Direkt über ihnen auf dem Dach hockten Olivios Tauben stumm in ihren Käfigen. Clove stellte den rechten Fuß auf das Wechselpedal, mit dem die beiden Projektoren verbunden waren. Auf der Leinwand erschien der Abspann des Disney-Films. Clove schaltete den zweiten Projektor ein.

Olivio hörte, wie das Lachen verstummte. Er wandte sich zögernd ab und hängte den Umhang zurück an den Haken.

Das letzte Bild verblaßte. Clove trat auf das Pedal. Die Glühlampe des ersten Projektors ging aus, die des zweiten erwachte zum Leben. Der Ton kam jetzt ebenfalls vom aktiven Projektor, ohne daß die Zuschauer den nahtlosen Übergang bemerkt hätten. Nicht so kritisch wie die späteren Wechsel, aber ein guter Test.

Olivio schob sich durch den Perlschnurvorhang. Das beifällige Gemurmel seiner Gäste erfreute ihn, und er war stolz auf seine geschickte Tochter. Er lehnte sich gegen die Wand zurück und blickte mit offenem Mund zu der Leinwand empor.

Douglas Fairbanks als Don Juan. Ein Abend in Sevilla. Blumensträuße, die zu vernachlässigten Damen hinauf auf den Balkon geworfen werden. Besorgte Ehemänner, die ihre Frauen einschließen, nachdem sie gehört haben, daß der berüchtigte Liebhaber wieder in der Stadt ist. Aber ist es wirklich Don Juan, oder handelt es sich um einen Hochstapler? Douglas Fairbanks, mit Degen und Schnurrbart, unglaublich charmant, der echte, wenngleich alternde Don Juan, flieht vor seiner wütenden Frau, Dolores. Sein Arzt rät ihm zu einem weniger romantischen Lebenswandel: »Klettern Sie höchstens einmal pro Tag auf einen Balkon. Dann reduzieren Sie diese Zahl langsam auf vier Balkone pro Woche. In fünfzehn Jahren müssen Sie dann ganz ohne Balkone auskommen.«

Zwei Tänzerinnen wetteifern um Don Juans Aufmerksamkeit. Eine wird durch seinen Nachahmer getäuscht und verführt. Don Juan umwirbt die andere. Als er bei Tagesanbruch erschöpft auf einem Karren voller Kohlköpfe nach Hause fährt, fragt er sich, ob Frauen solche Mühen überhaupt wert sind.

Clove betätigte das Pedal. Erneut ein perfekter Übergang. Als Olivio sich gerade davonstehlen wollte, hörte er Don Juan seinen Haushofmeister fragen: »Gibt es nicht auch Frauen, die dicke Männer lieben?« Der Zwerg hielt inne, um die Antwort abzuwarten. »Ja. Überaus reiche dicke Männer.« Er hoffte, Lord Penfold würde gut zuhören.

Olivio kehrte zu der Treppe zurück. Seine spitz zulaufenden Pantoffeln aus dunkelgrüner Seide, passend zu seinem Tarbusch, verursachten kein Geräusch. Er sann über einen der Vorzüge Ägyptens nach: Was anderswo als übertriebene Art der Kleidung angesehen und vielleicht sogar als Kostümierung verlacht wurde, galt hier als ganz normale Moderichtung. Andererseits wurde es dadurch um so schwieriger, sich tatsächlich zu verkleiden. Nachdem er Maske und Umhang angelegt hatte, stieg er unendlich vorsichtig die Stufen hinab. War er dem mächtigen Mann gegenüber, der sich hier unten vergnügte, etwa zu großzügig?

Jamila war in Smyrna aufgewachsen und sprach sieben Sprachen wie ein Gelehrter. Ihre Mutter war eine privilegierte Konkubine gewesen, ihre Großmutter eine Sklavin. Wenn es Jamila in den Sinn kam, murmelte sie während des Beischlafs Zitate von Aretino, Abu Nawas oder aus *Tausendundeiner Nacht*. So wie der mancher Bauern oder Soldaten, war auch ihr Beruf eine Familientradition.

Jamilas Großmutter war 1850 von den Russen in Tscherkessien gefangengenommen worden. Wie so viele Angehörige der Schwarzmeervölker, hatte sie lockiges blondes Haar, war hellhäutig und wild, hochgewachsen und lieblich anzusehen. Zum Zeitpunkt ihrer Versklavung war sie neun Jahre alt. Als man sie versteigerte, mußte sie sich splitternackt präsentieren und dabei langsam im Kreis drehen, während ein Diener ihr eine ihrer Hände über den Kopf bog. Ein älterer türkischer Händler kaufte sie für sieben Pfund Sterling, die aus dem Verkauf edler Bokharateppiche stammten. Drei Jahre lang wurde sie in seinem Haushalt unterwiesen. Da der Händler zu alt war, um sich mit ihr den fleischlichen Genüssen hinzugeben, machte er aus ihr eine sinnliche Jungfrau, die ihm seine letzten Jahre versüßte. Sie spielten Backgammon um sexuelle Gefälligkeiten und versuchten sich mit Humor und himmlischer Geduld in den Künsten der Lusterregung. Bei seinem Tod kam sie frei. Sie hatte ihre Lektion sorgfältig gelernt, gründete einen eigenen Haushalt und stand fortan einflußreichen Gästen zu Diensten. Ihr einziges Kind, Jamilas Mutter, wußte dem Gouverneur zu gefallen, gebar selbst eine Tochter und wurde in der antiken Stadt Smyrna zu einer beneideten Persönlichkeit.

Der Wesir sorgte dafür, daß sein Kind ein seltenes Geschenk erhielt: eine Ausbildung in Literatur und Sprachen. Und von ihrer Mutter lernte Jamila die Kunst des Tanzes. Mit ihrer olivfarbenen Haut, den ausladenden Brüsten und Hüften, den schlanken Beinen und dem lockigen blonden Haar vereinte sie in sich die Vorzüge mehrerer Welten, wenngleich sie für den osmanischen Geschmack ein wenig zu hager und zu widerspenstig war. Wenn sie tanzte, dann nur, wenn es ihr selbst gefiel.

Olivio fungierte gelegentlich als ihr Beschützer oder persönlicher Bankier und verlangte im Gegenzug nie zuviel. Er war der einzige Mann, der sich je darum bemüht hatte, in erster Linie *ihr* Vergnügen zu bereiten und nicht sich selbst. Da Frauen sich zeitlebens nicht besonders zu ihm hingezogen fühlten, hatte der Zwerg sich angewöhnt, als Diener ihrer geheimen Gelüste zu agieren, anstatt seine eigenen Wünsche in den Vordergrund zu stellen, zumindest anfänglich. Er hatte die gleiche Stufe der Sinnlichkeit, die auch Jamila erreicht hatte, erklommen. Sie waren beide in gleichem Maße erfahren und geschickt, und da ihnen herkömmliche Geliebte kaum noch Genuß verschafften, waren sie mit Spaß und Entzücken einander zu Diensten.

Olivio saß auf der untersten Stufe und wartete darauf, daß ihm in der Dunkelheit des langen Raums ein verräterisches Geräusch an die Ohren dringen oder ein Duft in die Nase steigen würde. Er hörte das sanfte rhythmische Tappen von nackten Füßen auf dem Holzboden. Dann das leise Klirren dünner Goldmünzen, als ein Körper sich bewegte. Von der gegenüberliegenden Wand erklang ein schweres, grunzendes Atmen: Musa Bey Halaib. Jemand wechselte sehr schnell seinen Standort, aus einer anderen Richtung ertönte ein helles, schwer zu ortendes Lachen, und Olivio bedauerte, daß es für ihn an der Zeit war, nach oben zu gehen. Manchmal fürchtete er, ihm könnten einige Unannehmlichkeiten bevorstehen, falls der Staatssekretär hier an einem solchen Abend ungewollt das Zeitliche segnete.

Die dritte Filmrolle war schon weit fortgeschritten. Hier war Don Juan höchstpersönlich. Ein Freund fragt nach dem Geheimnis seiner Erfolge bei den Damen. »Langweilige Ehemänner«, entgegnet Fairbanks beiläufig, »und die sorgfältige Meidung intelligenter Frauen. Sie berauben einen Mann seiner Pracht.« Bald darauf wird Don Juans Doppelgänger in einem Duell getötet, weil man ihn für den echten Verführer hält. Don Juan beschließt, diese Verwechslung dazu zu nutzen, seinen eigenen Tod vorzutäuschen. Das eröffnet ganz neue Möglichkeiten, dachte Olivio, als er dem berühmten Liebhaber bei der Teilnahme an seiner eigenen Beerdigung zusah, sorgfältig verkleidet, umgeben von zahllosen, untröstlich schluchzenden Damen in Schwarz, alle angeblich ehemalige Geliebte von ihm. »Das ist der herrlichste Tag meines Lebens«, ruft Don Juan aus. »Ich habe keine dieser Frauen je zuvor gesehen.« Die Filmrolle wechselte. Olivio kehrte beflügelt zu der Treppe zurück.

Auch das Spiel war jetzt ein anderes, eines von den Lieblingsspielen des Zwergs, eine romantische Variation von Blindekuh.

In dem langgestreckten Raum brannten inzwischen drei dicke Kerzen. Am Rande des Kreises aus Helligkeit um jedes der flackernden Lichter gingen die dunklen Schatten jäh in tiefe Finsternis über. Jamila stand in der Mitte des Refugiums. Sie war eingeölt und schlüpfrig, und ihre Haut schimmerte leicht wie die einer frischgepflückten Dattel. Abgesehen von ein wenig Seidenstoff und Gold war sie nackt. Sie bewegte sich gelenkig auf der Stelle, als würde sie vor einem Wettrennen ihre langen festen Muskeln lockern und dehnen. Von der Seite betrachtet, wanden und krümmten sich ihre Schultern, Brust, Bauch und Hüften mit der eleganten Geschmeidigkeit einer Schlange oder Welle. Ihr Kopf und ihre Füße blieben reglos.

Was konnte der Bey ihm auch nur annähernd dafür anbieten? Olivio bekreuzigte sich und kannte die Antwort. Ihre Gespräche hatten sich bereits vage darum gedreht, wie Schmetterlinge, die eine Blüte umkreisten: der Zwischenfall mit der Polizei auf seinem Grund und Boden sowie der drohende Prozeß vor dem Mischtribunal. Der Staatssekretär würde die Angelegenheit nicht offiziell zum Abschluß bringen, Beweise unterdrücken oder die Beschwerde abweisen. Statt dessen würde er auf eine Weise eingreifen, die keine Spuren hinterließ, sondern in diesem zeitlosen Land völlig natürlich erschien: Verzögerungen, dann noch mehr Verzögerungen, ein fortwährender Aufschub jeglichen Verfahrens. Dieser verhaßte junge Polizist, Hauptmann Thabet, würde Großvater sein, bevor er jemals vor Gericht erschien. Die Gefahr dieser Lösung bestand natürlich darin, daß Olivio sich das Wohlwollen des Staatssekretärs immer wieder aufs neue sichern mußte, solange die Angelegenheit noch akut war. Der Zwerg dachte über dieses Dilemma nach und zwickte sich dabei ins Ohrläppchen, bis es wehtat.

Im Moment trug der Staatssekretär einen gelbgrünen Pinocchio-Anzug mit drei riesigen Knöpfen und einen breiten schwarzen Glanzledergürtel, der um seinen Körper lag wie ein Metallring um ein Faß. Mit verbundenen Augen kroch er auf Händen und Knien in Richtung der Tänzerin. Olivio staunte, wie viele Rollen dieser Mann spielen konnte. Die zum Kostüm des Beys gehörige Maske verfügte über eine unglaublich lange und knollige Nase, die von einer roten Spitze gekrönt wurde. Sie ragte aus seinem Gesicht wie der gepanzerte Rammsporn einer Sklavengaleere. Immer wenn Jamila stehenblieb und das lenkende Geräusch ihrer Schritte verstummte, hörte der Staatssekretär auf zu krabbeln. Sein Atem, der ohnehin nicht besonders wohltönend klang und dank seiner Nasenverlängerung noch verstärkt wurde, war das einzige Geräusch im Raum. Sobald die Schritte wieder ertönten, kroch er weiter. Der Zwerg wußte nur zu gut, in welchen geheimen Garten der Ägypter seine Nase versenken wollte. Falls Jamila nicht aufpaßte, würde Pinocchio noch mehr bewerkstelligen, als ihm zustand. Ungeachtet seiner selbst fühlte Olivio Eifersucht in sich aufsteigen wie eine Kobra aus einem Korb.

Als Jamila aufhörte zu tanzen, war der Bey nur noch einen halben Meter von ihr entfernt. Er sprang auf sie zu. Mit der furchtlosen Anmut eines Matadors hob Jamila eines ihrer langen Beine. Der Staatssekretär stürzte krachend der Länge nach vor sie hin. Olivio konnte den Schmerz und die Frustration des Mannes förmlich am eigenen Leibe spüren. Der Bey lag seitlings auf dem harten Boden und wimmerte. Seine Nase war verbogen, aber das schwarze Seidentuch befand sich noch immer vor seinen Augen. Im Schatten hinter Musa Bey Halaib verzog das riesige bemalte Gesicht des Sphinx keine Miene. Es gab kaum etwas, das dieses Geschöpf noch nicht gesehen hatte. Einen Moment lang bewunderte Olivio das makellose Abbild. Es war etwas mehr als vierundzwanzig Meter lang, genau ein Drittel des Originals. Dann trat die Frau zurück und begann zu tanzen, schneller und energischer. Erregt und mit neuerlichem Verlangen rappelte ihr Verfolger sich zu einem weiteren Versuch auf.

Von oben erklang ein schrilles Pfeifkonzert, dann das Donnern trampelnder Füße. Seine Gäste! Irgend etwas mußte mit dem Film geschehen sein! Olivio rannte die Treppe hinauf.

Atemlos eilte er an der Bar vorbei und gelangte durch den Perlschnurvorhang auf Deck. Eine Katastrophe! Seine Tochter war eingeschlafen und hatte den Wechsel verpaßt, so daß jetzt das lose Ende des Nitratfilms wild peitschend an der hinteren Rolle hing.

»Clove!« rief er schon von weitem. In der Hektik des Augenblicks hatte er vergessen, seine Sphinxmaske abzunehmen.

»Heilige Mutter Gottes!« kreischte eine Frau entsetzt, als sie sich umdrehte und den halb kostümierten Zwerg aus der Türöffnung rasen sah. Er stürzte wieder nach drinnen und verstaute die Maske hinter der Bar.

»Tariq, schnell«, sagte Olivio, »Champagner für den ersten Rang.« Dann ging er zu Clove, stellte sich schweigend hinter sie und drückte sanft ihre Schultern.

»Vater«, sagte sie, drehte sich um und sah ihm ins Gesicht. »Es tut mir so leid.«

Der Zwerg musterte seine Tochter. Sein Auge funkelte in dem trüben Licht hell wie eine Fackel. Er sprach ganz ruhig mit ihr, ohne jeden Anflug von Zorn.

»Du und ich, mein Kind, wir können es uns nicht erlauben, in der Öffentlichkeit Fehler zu begehen. Die Demütigung ist uns stets dicht auf den Fersen wie ein Schatten.«

Clove nickte und biß sich auf die Lippen. Er gab ihr einen ermutigenden Kuß auf die Wange. Peinlich berührt, aber ruhig schaltete sie den zweiten Projektor ein. Sie betätigte das Pedal.

Douglas Fairbanks füllte die Leinwand aus, wütend über die Zurückweisung einer Kneipendirne, die nicht glaubt, daß es sich bei ihm in Wirklichkeit um den »toten« Don Juan handelt. Er besucht ein Theater, um der Premiere eines Stücks über sein Leben beizuwohnen. Er springt auf die Bühne und unterbricht die Vorstellung, um zu verkünden, daß er, Don Juan, gar nicht tot ist, sondern vielmehr am Leben! Niemand glaubt ihm. Verzweifelt tritt der große Liebhaber den Heimweg an. »Die Ehe ist wie eine belagerte Stadt«, grübelt er. »Alle draußen wollen hinein. Und die drinnen wollen heraus.« Don Juan hat sich mit seinem Schicksal abgefunden. Der Film endet damit, daß er den Balkon erklimmt, um seine eigene Frau zu verführen.

Ein interessanter Gedanke, dachte Olivio. Würde es wirklich eines Tages soweit sein? fragte er sich. Glücklicherweise war seine eigene liebe Frau eine Kikuyu und erwartete, daß er sich hin und wieder jüngere Frauen nahm.

Als das Licht anging, kamen Applaus und Gelächter auf, und Rufe nach Getränken wurden laut. Olivio war stolz auf Cloves Filmauswahl. Er mischte sich unter seine Gäste, entschuldigte sich wegen der Unterbrechung und nahm ihre anerkennenden Worte für die gelungene Abendunterhaltung entgegen. Tariq half Clove dabei, die Filmrollen in ihren silbernen Metalldosen zu verstauen. Während er sie aufeinanderstapelte und die Projektoren aus dem Weg räumte, beschloß Clove, voranzugehen und den hölzernen Schrank zu öffnen, in dem sie die Dosen unterbringen würden. Er befand sich ein Deck tiefer unter der Treppe.

Clove ging zur Tür und öffnete sie. Im ersten Moment hörte sie kein Geräusch von unten, weil es im Café so laut war. Sie ging die Stufen hinunter auf den Kerzenschein zu.

Dort vor ihr befand sich der Staatssekretär für Bewässerungsfragen. Er lag neben dem Sphinx flach auf dem Rücken. Seine Augen waren geschlossen, und abgesehen von einer langen geraden Nase war er nackt. Seine Hand ruhte zwischen seinen Beinen.

Clove stand auf der letzten Stufe und starrte nach unten. Sie war völlig fasziniert, und ihre eigenen Pubertätsphantasien stiegen vor ihrem inneren Auge auf. Sie hatte es nicht eilig, sondern sah den beiden interessiert zu. Sie war die Tochter ihres Vaters.

Die Füße des Beys waren mit einem breiten schwarzen Gürtel aneinandergefesselt. Daneben glitzerten inmitten der grünen und gelben Fetzen irgendeines Kleidungsstücks ein paar Goldmünzen auf den Planken. Der Bey war erschöpft, und sein schlaffes Fleisch war feucht und entspannt. Es breitete sich um seinen Körper aus wie eine Masse aus weichem Teig. Ein Stück entfernt stand eine nackte Frau mit dem Rücken zu ihm neben einer Schale Wasser und hob einen Arm, um sich mit einem Schwamm zu reinigen.

Der Mann schlug die Augen auf, sah nach oben und blickte direkt in Cloves Gesicht. Musa Bey zuckte heftig zusammen, heulte weinerlich auf und versuchte verzweifelt, sich auf die Seite zu rollen. Das Mädchen aber drehte sich ruhig um und ging die Treppe hinauf.

15

»Willkommen in Afrika, willkommen zu Hause, Bwana Rider!« rief der stattliche Farbige und fing das Seil auf, das der Schiffsjunge des Leichters auf den Kai von Dschibutis geschäftigem Hafen schleuderte. Bernadette hatte den Eindruck, daß in der tiefen Stimme des grauhaarigen Mannes Humor und vielleicht sogar Spott mitschwang.

Der Leichter wurde langsamer und legte an der Mole an. An seinem Heck flatterte eine leuchtende Trikolore. Kleine Jungen mit hübschen, aufgeregten Gesichtern schwammen und tauchten dem Schiff hinterher und schrien nach Francs und Centimes. Andere rannten die ausgewaschenen Stufen des Kais hinab und waren ganz wild darauf, beim Anlegemanöver behilflich zu sein.

Überall bemerkte Bernadette, wie kleine Anzeichen der gallischen Präzision und Amtsgewalt diesen Ort aus der Masse und Farbe Afrikas heraushoben. Bei der Einfahrt in den Hafen waren sie an dem ausgebrannten Rumpf des Luxusliners *Fontainebleau* vorbeigekommen, dem auffallendsten Schiff im Hafen, das inzwischen als Wellenbrecher diente. In der Nähe des Kais flatterte die Trikolore am Turm des Hafenmeisters und erinnerte Besucher daran, daß dieser Teil des Somalilands zu Frankreich gehörte.

Anton ging als erster von Bord und streckte den Zwillingen seine Hand entgegen, um ihnen beim Aussteigen behilflich zu sein.

»Nein, vielen Dank«, sagte Harriet beiläufig und ergriff statt dessen den starken Arm des Afrikaners. »Ich möchte nicht naß werden.«

Anton ging nicht darauf ein. »Das hier ist Kimathi«, sagte er und umarmte den Mann, nachdem alle auf festem Boden standen. »Er wird auf unserer Safari als Führer fungieren.«

»Wird er mit uns auf die Jagd gehen?« Bernadette schüttelte Kimathis rauhe Hand, sah ihre Schwester an und zog eine Augenbraue hoch.

»Vielleicht manchmal, falls Sie artig sind, Miss«, sagte Anton. Jetzt fühlte er sich endlich wieder zu Hause. Er zog sich die breite Krempe seines braunen Buschhuts ins Gesicht und warf einen Blick in die Hitze hinaus, die flimmernd über dem Hafenviertel hing. »Er hat mir vor nicht allzulanger Zeit mal wieder das Leben gerettet.«

»Mein weißer Herr ist im Busch wie ein Kind«, sagte Kimathi bedächtig und führte sie zu einer Gruppe von fünf anderen Afrikanern, die sich neben einem geordneten Haufen von Gepäckstücken und Ausrüstungsgegenständen versammelt hatten. Die Gesichter der Männer hellten sich auf, und alle erhoben sich, sobald sie Anton Rider erblickten. In aller Ruhe begrüßte Anton jeden einzelnen von ihnen, lachte, stellte Fragen und lauschte ihren diensteifrigen Antworten. Soweit Bernadette verstand, unterhielten sie sich auf Suaheli. Alle trugen die gleichen khakifarbenen Segeltuchshorts und dunkelgrünen Hemden, manche davon mehr, andere weniger ausgeblichen. Über den Hemdtaschen waren die Initialen »A. R. S.«, eingestickt. Bernadette bemerkte, daß Kimathi und ein weiterer Mann an ihren Hemden Patronenschlaufen anstatt Taschen hatten.

Anton wandte sich an seine Kunden, um sie vorzustellen. »Laboso hier kann eine Elenantilope häuten, bevor sie noch tot umgefallen ist, und Lapsam kocht so schlecht, daß er schon keine Zähne mehr hat.« Der Angesprochene grinste sie mit dem runden leeren Mund eines Kugelfisches an.

»Dieser magere Wakamba-Bursche hier ist Diwani, unser alter Gewehrträger«, sagte Anton und legte dem Mann einen Arm um die schmächtigen Schultern. »Er ist schon ein- oder zweimal von Büffeln und Nashörnern über den Haufen gerannt worden, aber er hat nach wie vor die schärfsten Augen von ganz Kenia.« Diwanis schmales Gesicht legte sich in Falten, entlang seiner Wangen erschienen tiefe Grübchen und ein Netzwerk aus Fältchen bildete unter seinen Augen neue Muster. In den großen Löchern seiner durchbohrten Ohrläppchen steckten kleine Elfenbeinbehälter, in denen er seinen Schnupftabak und verschiedene Talismane verwahrte.

»Miss Bernadette, Miss Harriet, Bwana Crow«, sagte Anton langsam und deutlich. Die Männer nickten und lächelten. Jeder tauschte mit den Kunden einen Händedruck aus, während Anton ihn mit Namen und Tätigkeit vorstellte und jedesmal noch einige zusätzliche Anmerkungen machte. Harriet mußte an ihre Großmutter denken, die im Anschluß an eine Reise nach Aiken oder Saratoga ihre Rückkehr auf die Pferdefarm in Lexington stets auf ähnliche Weise zu begehen pflegte.

»Und das hier ist Haqim«, fügte Anton für seine Leute hinzu. Er wußte, daß sie den Nubier eher unterkühlt aufnehmen würden. »Ein neuer Mann aus Kairo. Er wird uns im Lager zur Hand gehen.« Der stämmige Sudanese nickte einmal und ließ ansonsten keine Regung erkennen.

»Jambo«, sagte Kimathi. Die anderen Männer blieben stumm.

Während die anderen darauf warteten, daß das Gepäck von Bord gebracht wurde, ging Anton mit zwei Männern zur *Douane*, um mit einigen seiner kürzlich erlangten Reichtümer die Gewehre auszulösen. Die Zwillinge schlenderten in Gesellschaft von Kimathi im Hafen umher, während die Hitze immer mehr zunahm. Dschibuti war nicht ganz so hektisch wie Massawa und wirkte weniger europäisch. Außerdem war es hier heißer. Die Ankunft in einer afrikanischen Stadt gab Bernadette jedesmal aufs neue das Gefühl, kurz vor dem Ende der Veranstaltung auf einem Kostümfest einzutreffen: Von der Tür aus wirkte es noch immer lebhaft, farbenprächtig, laut und offenbar beschwingt, aber bei näherem Hinsehen ziemlich heruntergekommen und alles andere als fröhlich, weil einfach zu viele notleidende Menschen am Rande der Verzweiflung standen. In sicherer Entfernung von Kimathi folgten ihnen einige barfüßige Jungen, streckten bisweilen die Hände aus und deuteten auf ihre Münder.

Anton kam zurück und führte seine Kunden nach einem kurzen Spaziergang auf die säulenbestandene Veranda des Hôtel des Arcades, eines verfallenden zweistöckigen Gebäudes, das man am Stadtrand in Hanglage erbaut hatte. Die Tische und Stühle waren aus dem gleichen abblätternden grünen Metall wie in den Parkanlagen der Tuilerien. Er entschied sich für einen Tisch in der hinteren Reihe, wo das Dach und die bröckelnden Stuckpfeiler dafür sorgten, daß die Sonne den Gästen nicht direkt auf den Kopf scheinen konnte.

»Aua«, rief Bernadette, als sie im Vorbeigehen die Platte eines der vorderen Tische berührte. »Die ist heiß genug, um sich eine Zigarette daran anzuzünden.« Sie dachte bei sich, daß Anton ziemlich nervös wirkte, als er seinen Blick über die Terrasse schweifen ließ.

Sie ließen sich auf der Veranda frische warme Brioches und kleine Tassen starken Kaffees zum Frühstück servieren. Als sie bei ihrer zweiten Tasse saßen, stellte einer der Kellner, ein weißgekleideter Somali, einen gesprungenen Teller vor Anton auf den Tisch. Auf dem Teller lag ein Umschlag. Die Zwillinge konnten unwillkürlich erkennen, was in elegant geschwungener Handschrift darauf geschrieben stand: »Blauauge«.

Bernadette spürte, daß Harrys Neugier wie ein unsichtbares Gewicht über dem Tisch hing. Charlie war wie immer abgelenkt und zeichnete auf einem kleinen Block, den er in einer Seitentasche stets bei sich trug. Beide Mädchen taten so, als würden sie nicht hinschauen, als Anton den Umschlag öffnete, aber sie sahen den Zimmerschlüssel, den er ein Stück weit herauszog und dann wieder zurück in den Umschlag gleiten ließ. Bernadette blickte hoch und sah ihre Schwester an.

»Ich geh mal besser hinein und kümmere mich um die Zimmer«, sagte Anton und versuchte, seine Erregung zu verbergen. Es gelang ihm nicht besonders gut, dachte Bernadette. Er wirkte wie ein kleiner Junge am Weihnachtsabend. »Wir brechen morgen früh mit dem Schlafwagen in Richtung Dire Dawa und Addis auf.«

Die Zwillinge wurden nach oben in ein großes weißes Schlafzimmer mit Stuckverzierungen gebracht. An der Decke hing ein Ventilator, der sich jedoch nicht in Gang setzen ließ. Quer durch den Raum verliefen dunkle Holzbalken. In den Ecken sammelten sich Farbreste und Stuckbrocken. Ein hübsches Somali-Zimmermädchen brachte Handtücher und goß eimerweise heißes Wasser in eine große Blechwanne, die auf dem Boden stand. Auf dem Boden der Wanne wurde ein dicker schwarzer Käfer vom Wasser überrascht und verbrüht. Mit dem Bauch nach oben trieb er an die Wasseroberfläche, perfekt erhalten wie ein ägyptischer Skarabäus, die fünf Zentimeter langen Fühler vor sich im dampfenden Wasser ausgestreckt. Bernadette gab ein paar Tropfen Badeöl hinzu. Den Käfer überließ sie Harry.

Sie zogen sich beide aus. Während Bernadette in der Wanne saß und sich einseifte, musterte Harriet vor dem verspiegelten Schrank prüfend ihre Figur. Daneben an der Wand sah sie eine schlanke grüne Eidechse, die sich an eine Fliege heranpirschte. Einer muß es ja machen, dachte sie.

Harriet trug ein Handtuch um die Taille. Es war abgenutzt, aber sauber und mit dem doppelten M versehen, dem Monogramm der *Messageries Maritimes.* Mit ihrem flachen Bauch war sie zufrieden, und auch die babyweiche reine Haut an ihren Schultern gefiel ihr. Sie drehte sich auf einem Fuß zur Seite, bog ihren Rücken durch und streckte den Hintern raus. Sie zwickte sich ein paarmal in die rosafarbenen Brustwarzen, bis es wehtat. Dann hob sie ihre Brüste mit den Händen an und drückte sie zur Körpermitte.

»Arme Harry. Mach dir deswegen keine Gedanken.« Bernadette pustete ein paar parfümierte Seifenblasen in ihre Richtung. »Ich habe alles mögliche versucht. Ohne Erfolg. Du wirst immer eine Figur wie Tom Sawyer haben.«

Harriet sah ihre Schwester an und klimperte mit den Lidern. »Man sagt, Mädchen mit kleinen Brüsten müssen eben andere Qualitäten haben.« Sie machte einen runden Mund und zwinkerte.

Plötzlich legte sie einen Finger an die Lippen. »Psst, er ist da drüben!« Sie preßte ein Ohr an die verschlossene Tür, die zum Nebenraum führte. Sie hörte das Lachen einer Frau, warm und gelöst, dann ein paar Koseworte auf spanisch oder portugiesisch, wie ihr schien. Auch wenn Harriet die Sprache nicht verstand, der Tonfall war ihr vertraut. Bernadette schnappte die Seife, hüpfte tropfnaß aus der Wanne und spähte durchs Schlüsselloch.

Eine Dame mit olivfarbenem Teint saß auf dem Ende eines Betts und zog sich lange Haarnadeln aus der dunklen Frisur. Sie trug einen weichen seidenen Morgenmantel. Anton ging vor dem Schlüsselloch vorbei. Die Frau schob ihre rechte Hand unter den Mantel und streichelte ihre linke Brust.

»Schäm dich, Anunciata«, hörte Bernadette ihn sagen. Als er zum

Fuß des Betts zurückkehrte, stand er Bernadette einen Moment lang in der Sicht.

Mit dem Rücken zur Tür kniete Anton sich vor der Frau hin. Er sagte etwas, das die Zwillinge nicht hören konnten, und legte der Frau eine Hand aufs Knie. Bernadette hatte das Gefühl, sie würde der Frau mitten in die dunklen Augen blicken, als die Dame lächelte, nach unten griff und Antons Gesicht berührte.

»Du hast jedesmal wieder neue Narben«, sagte die Frau auf englisch. Ihre Stimme klang weich, sanft und südländisch, und die Augen, mit denen sie ihn ansah, waren braun wie Schokolade. Sie reckte ihr Kinn empor und schüttelte langsam den Kopf. Ihr dichtes Haar fiel über ihre Schultern zurück. Anton ergriff ihre Hüften und vergrub sein Gesicht in ihrem Schoß, während sie die Beine spreizte und die Augen schloß. Antons linke Hand verschwand unter ihrem Morgenmantel. Die Frau griff an ihre Seite und öffnete den Gürtel, der um ihre Taille lag. Antons Hand wanderte nach oben und schloß sich um eine ihrer Brüste. Als er sie streichelte, spürte Bernadette, wie ihre eigenen kleinen Brüste ganz warm wurden. Ihre Brustwarzen richteten sich auf.

Anton hob den Kopf und streckte seine rechte Hand den Lippen der Frau entgegen. Sie nahm nacheinander seinen Daumen und Mittelfinger in den Mund. Bernadette entfuhr ein leises Keuchen.

Harriet bemühte sich angestrengt, ihre Schwester möglichst leise vom Schlüsselloch wegzudrängen. Das Handtuch glitt von ihrer Taille. Bernadette, nackt und triefend naß, blickte mit rotem Gesicht hoch, verpaßte ihrer Schwester einen Schlag in den Magen und beschmierte sie dabei mit Seife. Die Zwillinge starrten einander schwer atmend und wortlos an. Aus ihren wütenden Blicken sprach jahrelang aufgestauter Zorn.

»Wir wechseln uns ab«, flüsterte Harriet aufgeregt. Sie legte ein Auge an das Schlüsselloch.

Die Frau war jetzt nackt bis auf ihre hochhackigen weißen Schuhe. Sie saß auf dem Bett und stützte sich mit einem Arm ab. Ihren Kopf hatte sie in den Nacken gelegt und zur Seite gewandt. Das lange, glänzende dunkle Haar hing ihr wie ein Vorhang aus Samt ins Gesicht. Die Finger ihrer anderen Hand wühlten in Antons Haar. Er war nach wie vor vollständig bekleidet. Als er seine rechte Hand zwischen ihre Beine und unter ihren Po bewegte, rückte die Frau ihm ein wenig entgegen.

Harriet war völlig fasziniert und zugleich eifersüchtig. Sie konnte sich vorstellen, was er gerade tat, und mußte an seine langen Finger denken.

Antons andere Hand streichelte und drückte die linke Brust der Frau. Sein Kopf bewegte sich langsam zwischen ihren Beinen. Einer der Schuhe fiel herab, dann der nächste. Die Muskeln in ihren Beinen spannten sich an, und sie beugte die Knie. Harriet sah, daß ihre Brüste voll und schwer waren, nicht so straff wie bei einer jungen Frau, aber noch immer prächtig anzuschauen, rutschig vom Schweiß, die dunklen Brustwarzen aufgerichtet. Die Frau war zwar nicht mehr jung an Jahren, aber das stand ihr sehr gut, vielleicht sogar besser als in früheren Tagen, räumte Harriet bewundernd ein. Die beiden Schwestern hatten sich jahrelang mit dem Gedanken getröstet, daß schlanke Frauen nicht so sichtbar altern würden wie ihre üppigen Rivalinnen. Vor sich sahen sie eine alarmierende Ausnahme von dieser Regel.

Harriet spürte, wie sie selbst feucht wurde. Sie trat von der Tür zurück, schloß die Augen und versuchte gar nicht erst, ihr schweres Atmen vor ihrer Schwester zu verbergen. Sie ging zur Seite, und Bernadette nahm ihren Platz ein.

Die Frau legte Anton die Beine auf die Schultern. Ihre Füße waren vor Anspannung verkrampft. Als ihre Zehen sich zusammenkrümmten, fielen Bernadette ihre scharlachrot lackierten Zehnägel auf. Durch den Türspalt drang ein lautes Stöhnen.

Anton stand auf und zog sich aus. O mein Gott, dachte Bernadette. Die Frau schob sich auf dem Bett zurück, bis ihr Kopf auf den Kissen lag. Sie rollte sich auf den Bauch und erhob sich auf die Knie, den Kopf gesenkt. Bernadette fiel auf, daß die Dame ein wenig zu rundliche Hüften hatte. Anton stieg hinter ihr aufs Bett und kniete sich hin. Keiner von beiden sprach ein Wort. Anton stützte sich auf seine Linke, griff mit der anderen Hand unter ihren Körper und nahm ihre rechte Brust. Die Frau griff zwischen ihre Beine und führte ihn ein. Die beiden müssen das schon mal gemacht haben, dachte Bernadette. Nach einer Weile schrie die Frau keuchend auf.

Bernadette lehnte sich zurück und preßte die Handflächen an die Schläfen. Sie stand auf und stieg wieder in das warme Seifenwasser.

»Zum Glück nimmt diese Schlampe nicht an unserer Safari teil«, stieß Harriet leise hervor.

Die Zwillinge sahen sich an und begannen zu lachen, wenngleich nicht aus vollem Herzen. Es war, als wären sie wieder sechzehn. Aber diesmal mischte sich weitaus mehr Frustration in die Erregung.

Sie zogen sich an und kämmten sich. In wortloser Übereinstimmung achteten sie sorgfältig darauf, sich so ähnlich wie möglich zurechtzumachen. Sie öffneten die Tür und gingen Arm in Arm den dunklen Flur hinunter.

Charlie und Anton erwarteten sie auf der Veranda. Sie rauchten kleine dunkle Zigarren, tranken Gin und Cassis und plauderten miteinander. Noch nie zuvor hatten die beiden Männer in Gegenwart des jeweils anderen so gelöst gewirkt. Die Hitze war verflogen. Nach Harriets Schätzung betrug die Temperatur nur noch etwas über dreißig Grad.

»Haben Sie ein erfrischendes Bad genommen?« fragte Anton die Zwillinge. Seine Augen funkelten leuchtend blau und lebendig. »Sie müssen durstig sein.«

Am nächsten Morgen stand ein Renault-Taxi für sie bereit. Bernadette fiel auf, daß die Windschutzscheibe und die Kofferraumtür fehlten. Die Reifen waren weich wie Ballons, und auf den Sitzen lagen schmutzige Decken. Der einohrige Fahrer rieb sich die Hände und verbeugte sich vor Anton. *»Bienvenue, Monsieur Reeder! Aha! Je vous embrasse, patron!«*

»Das hier ist Vincent«, sagte Anton. »Vincent hat von den Franzosen zweierlei gelernt: Gier und Geschwindigkeit.«

Charlie meldete sich zum erstenmal zu Wort. »Nach van Gogh benannt, schätze ich.«

Bernadette sah ihren Verlobten mit neuerlicher Bewunderung an und küßte ihn kurz auf die Lippen, als er ihr die Tür aufhielt.

»À cheval!« rief Vincent, als er den Motor anließ. Und schon ging

es los, so daß alle in die Sitze gepreßt wurden. Immer schneller sauste das Taxi den Hang hinab auf das Zentrum von Dschibuti zu.

Mit irrwitziger Geschwindigkeit rasten sie durch die Stadt. Ein Koffer wurde aus dem Stauraum geschleudert. Als Vincent bremste, brach der Wagen zur Seite aus. Er und Anton sprangen hinaus. Der Koffer Harriets, wie Bernadette erleichtert feststellte, war aufgeplatzt. Eine Traube von Somalis umgab ihn. Männer und Jungen grapschten nach Kosmetikartikeln, Unterwäsche, Schuhen.

Harriet sprang heraus, um Anton und Vincent zu helfen, ihre staubigen Besitztümer zurückzuerlangen. »Gib das her!« schrie sie und entriß einem barfüßigen schwarzen Kind Jungs *Aufsätze zur Analytischen Psychologie.*

»Was für eine schreckliche Stadt«, sagte Harriet mißmutig und schwang sich wieder auf die Rückbank, nachdem sie den Koffer endlich von neuem verstaut hatten.

»Sei nicht sauer, Harry.« Bernadette tätschelte ihrer Schwester das Knie. Sie ahnte, warum Harriet mürrisch war. »Es ist nicht so schlimm, wie man uns prophezeit hat. Und hier ist auch schon der Bahnhof. Meine Güte, der sieht aus wie ein Zirkus.«

Der Bahnhof wirkte wie eine grelle Mischung aus napoleonischer Ordnung und kolonialem Chaos. Schwarze Gendarmen mit blauen Käppis, an denen weiße Sonnenschutze hingen, schwangen ihre Schlagstöcke, drohten, brüllten *»Allez!«* und bliesen auf silbernen Pfeifen, um den Verkehr entlang des bevölkerten Gehwegs in Gang zu halten. Lepröse Bettler und europäische Ingenieure, Gepäckträger und Getränke-, Obst- und Nußverkäufer bevölkerten den langen Bahnsteig. Zwischen den großen Rädern der schwarzen Schweizer Lokomotive, mit der sie die dreitägige Reise nach Addis Abeba machen wollten, stieg Dampf auf und hüllte sie ein. Auf den Kohlenwagen und den Waggon mit dem Wasservorrat folgten mehrere kurze hölzerne Güterwagen, sechs Passagierwaggons, fünf graue und ein weißer, sowie ein kleiner Küchenwagen. Auf allen stand in großen Lettern CDE geschrieben, was für *Chemin de Fer Djibouti-Ethiopien* stand. Der weiße Wagen beherbergte die erste Klasse.

»Du bleibst mit den Kunden auf dem Bahnsteig, Haqim«, sagte

Anton aus Furcht, daß der Nubier gegen die Gepflogenheiten der französisch geschulten Zugmannschaft verstoßen würde. »Kimathi und zwei der Jungs können das Gepäck und die Ausrüstung verladen. Übrigens, meine Damen, sehr gut, daß Sie sich für Segeltuchgepäck entschieden haben«, fügte Anton hinzu, bevor er den weißen Wagen bestieg, um die Buchungen zu bestätigen. »Ich mag Kunden, die sich an die Anweisungen halten. Leder hätte Ameisen angelockt.«

Er kam auf den Bahnsteig zurück. »Alles in Ordnung. Ich zeige Ihnen Ihre Abteile.«

»Es ist wie auf einer Jacht«, sagte Bernadette, sobald sie eingestiegen waren, und bewunderte die gut ausgestatteten Kabinen, die zwar eng, aber mit hölzerner Täfelung und Messingarmaturen versehen waren. Ein Somali-Steward, der mit seinem Fez, der Schärpe und dem langen weißen Gewand frisch wie eine gestärkte Leinenserviette wirkte, staubte die Sitze und den Klapptisch mit einem Federwedel ab.

Bernadette ging mit Anton am Zug entlang zurück, während Harriet Gebrauch von dem winzigen Bad des Abteils machte. Im zweiten Gepäckwagen fanden sie einen von Antons Jungen vor, einen Kikuyu, der ihr Eigentum mit seinem Körper beschützte: Er hatte sich auf den khakifarbenen Segeltuchtaschen ausgestreckt und lag mit geschlossenen Augen da. Sein Mund stand offen, wie bei einem alten Mann, der in der Oper eingenickt war. Am Ende des Bahnsteigs sah Bernadette eine Gruppe Frauen, die Obst, Kürbisflaschen und Körbe verkauften.

»Afar«, sagte Anton. Im gleichen Moment gesellte sich Harriet wieder zu ihnen. »Die verheirateten Damen sind diejenigen mit den schwarzen Baumwolltüchern um Gesicht und Schultern.« Er blieb stehen und wandte sich zu den Zwillingen um. »Die anderen sind die Jungfrauen.« Die dunkeläugigen Mädchen waren barbusig, trugen geschwungene Schönheitsnarben auf den Wangen und hatten volle wohlgeformte Lippen, ähnlich wie die Zwillinge, bemerkte er.

»Ich mag gar nicht daran denken, wie die uns beide wohl ausstaffieren würden«, sagte Bernadette zu ihrer Schwester.

Nachdem der Zug Dschibuti verlassen hatte, war Bernadette überhaupt nicht angetan von dem schwarzen vulkanischen Gelände, das sie erwartete. Nicht einmal vereinzelte Kakteen zierten den trostlosen Ausblick. Hin und wieder hielt der Zug an Bahnniederlassungen inmitten der öden Landschaft. Am späten Vormittag überquerten sie bei Douenle die Grenze. Eine grüngelbrote Flagge hieß sie im Königreich Abessinien willkommen. Frauen in bunten Baumwollgewändern hielten Körbe voller Nüsse, Datteln und Orangen zu den Fenstern des Erste-Klasse-Wagens empor. Aus den anderen Waggons stiegen einheimische Passagiere aus, andere wiederum hinzu. Unterdessen wurden vorn an der Lokomotive Kohle und Wasser nachgeladen. Auf dem Dach des Waggons erklang das eilige Trappeln von Füßen. Dann zog wieder Afrika an ihnen vorbei, etwas langsamer, weil es jetzt bergauf ging. Das Land wurde brauner und grüner. Die Scheiben waren von Staub bedeckt, der in der hoch stehenden Sonne rötlich schimmerte.

Das Mittagessen wurde ihnen auf der überdachten Steinterrasse des *Buffet de Dewele* serviert, das am Rand der Strecke lag und eine kleine Insel des Komforts inmitten eines riesigen Buschmeers darstellte. Es war ein kleines Wunder aus abgenutztem weißen Leinen, *billi bi* und *gigìt d'agneau*, Passionsfrucht, *port salut* und Tavel.

»Die Franzosen sind so geschickt in solchen Dingen«, sagte Bernadette und knabberte an einem Petit four.

»Ich dachte, du haßt die Franzosen«, sagte Charlie.

»Jeder haßt die Franzosen«, sagten die Zwillinge gleichzeitig. »Aber sie wissen einfach, wie man gewisse Dinge macht.«

Während des Hauptgerichts bemerkte Bernadette eine Bewegung unter dem Tisch. Sie ertastete Harrys leeren Schuh, dann erkannte sie, daß ihre Schwester das Bein ausgestreckt hatte. Sie vermutete verärgert, daß Harrys nackter Fuß sich mit Anton beschäftigte. Harry war darin außerordentlich begabt. Die beiden Schwestern konnten mit ihren Zehen Murmeln spielen. Bernadette sah Anton an und war beeindruckt, daß er sich in völlig normalem Tonfall mit Charlie unterhielt. Sie fragte sich, ob er wohl wußte, wessen Fuß das war.

»Heute wird der Zug über Nacht auf einem Nebengleis halten, und am frühen Morgen werden wir dann zum Frühstück in Dire Dawa eintreffen«, sagte Anton. Er sprach ein wenig schneller als sonst. »Dort werden sich unser abessinischer Fährtensucher und ein paar andere Jungs zu uns gesellen.«

»Ich liebe Zugfahrten«, sagte Harriet, die sich sichtlich auf den Rest der Reise freute, vor allem weil sie das Schloß auf Antons Seite der Tür, die ihre beiden Kabinen voneinander trennte, bereits entriegelt hatte.

Er war ein ganz anderer Mann, erkannte Harriet, die Anton dabei zusah, wie er das Camp organisierte. Sie saß auf einem Klappstuhl aus Segeltuch, Carl Jung auf dem Schoß, mit einem Bleistift als Lesezeichen, während sie in ihrem Buch über afrikanische Vögel las. Ihre Brille ruhte auf ihrer Nasenspitze.

Als eine leichte Brise aufkam, sog sie den salbeiartigen Geruch des Dornbuschs und der wilden Kräuter ein, die neben ihr veilchenblau blühten. Sie hatten das Lager auf einer Anhöhe am Rand der Chercherhügel aufgeschlagen, die zur großen Hochebene Zentralabessiniens gehörten. Das Camp lag ein ganzes Stück entfernt von der Böschung, um Schutz vor den nächtlichen Winden zu bieten. Hinter sich hörte sie die beruhigenden Geräusche der grasenden Maultiere, Esel und Kamele.

Harriet hätte nicht gedacht, wie kompliziert der Ablauf einer Safari sein konnte. Wie in einem Orchester oder Hospital hatte jede Funktion ihren stolzen Spezialisten: Zeltjungen und Tierpfleger, Fährtensucher und Gewehrträger sowie Jungen, einige davon mit weißen Haaren, die sich um die Wäsche und die Latrinen, das Sammeln von Holz oder die Beschaffung von Wasser kümmerten. Sogar die Maultiere waren spezialisiert: Packtiere, robust und abgehärtet; Leittiere, mit sicherem Tritt und erfahren; und Reittiere, besser genährt, auf ihren langen Beinen schnell unterwegs und teuer in der Anschaffung.

Harriet stieg der blaue Rauch des Holzfeuers in die Nase. Sie sah Anton in seinen weiten Khakishorts und mit einem Gewehr in der Hand durch das Lager schreiten. Er beugte sich herunter, um an einem Zeltpflock die Zugkraft zu überprüfen, und winkte dann Kimathi zu.

»Laß diesen hier fester anziehen«, sagte er freundlich, aber bestimmt, wobei er ständig zwischen Englisch und Suaheli wechselte. »Die Feuerstätten werden da und dort errichtet, das Klo dort hinter diesen Büschen und die Dusche kommt über den Ast hinter den Zelten der Damen.«

Harriet verglich seine beiläufigen Anweisungen in Gedanken mit denen eines erfahrenen Regisseurs oder eines Meisterkochs in seiner Küche. All jene Dinge, die an ihm in Kairo und sogar auf dem Schiff etwas sonderbar gewirkt hatten, waren hier und jetzt genau am richtigen Platz: seine etwas zwanglose Kleidung, die Unrast, seine wettergegerbte Haut, seine strahlenden ruhelosen Augen, seine starken Hände. Er wirkte jetzt weder nachgiebig noch zögerlich, sondern professionell und selbstsicher. Sie bemerkte die Muskeln an seinen Beinen und dachte an einen Leoparden, den sie einmal in einem Zirkuskäfig gesehen hatte. Wieviel besser hätte dieses Tier wohl in seiner natürlichen Umgebung gewirkt?

Ihr war dies zuvor schon ein- oder zweimal bei Männern aufgefallen. Sie hatte oftmals gedacht, daß Frauen sich besser auf neue Gegebenheiten einstellen konnten, waren sie doch seit jeher dazu erzogen worden, sich an Männer anzupassen, an die Freunde, das Leben und den Beruf eines Mannes, ja sogar an seinen Namen. Wenn ein Mann also weniger anpassungsfähig war, schien er um so mehr auf die passenden Umstände angewiesen zu sein. Harriets Freunde hatten nie Spaß an Spielen gehabt, in denen sie nicht brillieren konnten, vor allem wenn das Mädchen gut darin war. Im allgemeinen war der Lebenszweck einer Frau ein Mann; für einen Mann trat das Leben selbst an diese Stelle. Immerhin gab es nichts Aufregenderes, dachte sie im stillen, als einen starken Mann in seinem Element zu sehen. Es spielte kaum eine Rolle, um welches Element es sich handelte.

Harriet biß sich auf die Lippe und grübelte über die Anordnung der Zelte nach. Das offene Eßzelt war bereits errichtet worden, und es sah so aus, als würde man zwischen dem Bach und dem Hauptfeuer vier Schlafzelte in einer Reihe aufstellen. Sie hoffte, daß die Zelte nicht zu dicht nebeneinander stehen würden, und dachte daran, was sie vor zwei Tagen im Hotel in Dschibuti beobachtet hatte.

Sie sah den Jungen dabei zu, wie sie Äste und Holzklötze herbeischleppten und mit einem Beil und einer Panga alles zu Feuerholz zerhackten. Andere holten Wasser vom Bach. Lapsam und sein Küchenjunge waren bei der Arbeit, fachten zwischen ein paar großen flachen Steinen ein Feuer an, füllten einen riesigen verbeulten schwarzen Kessel, rollten Teig aus und sichteten die Säcke und Dosen.

Ungefähr die Hälfte der Männer, darunter Kimathi, Diwani und Lapsam, schienen Kenianer zu sein, vermutlich Kikuyu, und Angehörige von Antons regulärem Safariteam. Alle anderen waren Somalis, außer einem der Treiber und einem abessinischen Fährtensucher. Sie waren anders als die Kenianer, schlanker und eleganter, ziemlich gutaussehend, dachte Harriet mit einem verträumten Blick.

Als sie bemerkte, daß Anton die Gewehrtaschen auf dem Klapptisch im Eßzelt auslegte, wischte Harriet sich das Gesicht mit einem Tuch ab und fuhr sich mit beiden Händen durchs Haar. Sie ließ die Bücher auf dem Stuhl liegen und ging zu ihm herüber. Sie erkannte sofort das Gewehr, das er abgestellt hatte. Es war die vielleicht beste Allzweckwaffe für großes Jagdwild: eine doppelläufige Holland & Holland .375 mit langem Nußbaumschaft. Sie war abgegriffen und kostbar wie eine heißgeliebte Tabakspfeife.

»Hübsch«, sagte sie.

Anton war sehr konzentriert, als er die Segeltuchhüllen zurückschlug und nacheinander alle Taschen öffnete. Er hielt die Läufe gen Himmel, überprüfte die Gewehre und wischte jedes mit einem ölgetränkten Lappen ab: zwei herrliche Woodward-Schrotflinten mit Unterhebel, Kaliber 12; eine .600er Nitro Express Elefantenbüchse von William Jeffery; zwei Rigby .303er, eine mit Doppellauf, die andere mit kurzem Einzellauf; eine .450er Gibbs; ein .45er Colt Revolver; und eine .22er Winchester, die sich neben den schweren Waffen wie ein Kinderspielzeug ausnahm. Unter dem Tisch waren grüne metallene Munitionskisten aufgestapelt. Genug für einen kleinen Krieg, dachte sie.

»Darf ich?« Sie berührte die doppelläufige Rigby.

»Natürlich.« Er hatte sich angewöhnt, möglichst keinen der Zwillinge mit Namen anzusprechen.

Harriet nahm das Gewehr, drehte sich zur offenen Seite des Zeltes, schulterte die Waffe, schwang sie wieder herunter und legte an.

»Paßt«, sagte sie vergnügt.

Anton nickte und öffnete die Lederriemen der letzten Tasche, eines abgewetzten Segeltuchfutterals, an dem eine Ledereckе fehlte. Er sah die Waffe an, ohne sie zu berühren. Am Ende des Laufs steckten zwei lange Messingpatronen in Schlitzen, die man in den Filz des Taschenfutters geschnitten hatte. »Schon mal so eine gesehen?«

Harriet nahm die schwere Waffe und wog die doppelläufige .450er in Händen. Sie öffnete sie, blickte durch die Läufe und schloß sie. Die Gängigkeit und Ausgewogenheit gefielen ihr. Sie las die Inschrift auf der Unterseite des stahlblauen Laufs: Gebrüder Merkel.

»Damit dürfte sich alles aufhalten lassen«, sagte sie. »Wo haben Sie die her?«

»Tanganyika, aus dem Plantagengebiet am Kilimandscharo, kurz nach dem Krieg. Von Ernsts Vater.«

»Oh«, sagte Harriet und versuchte, nicht allzu interessiert zu klingen. Der zähe Deutsche hatte ihr gefallen, und sie war neugierig, was sein Leben betraf. »Wie war sein Vater denn so?«

»Ein deutscher Sisalfarmer, ganz alte Schule, mutig wie kein zweiter«, sagte Anton voller Zuneigung. »Er hat mich für ein paar Monate bei sich aufgenommen, als ich zum erstenmal herkam. Hugo von Decken war sein Name. Einer der Pioniere. Er wollte mich nicht ohne dieses Gewehr nach Kenia lassen.«

»Wie alt waren Sie da?« fragte sie lächelnd.

»Neunzehn.«

»Warum hat er es Ihnen gegeben?«

»Er sagte, er wäre zu alt, um etwas damit anzufangen ...«

»War Ernst denn nicht neidisch?« unterbrach sie ihn eine Spur zu eifrig.

Anton bemerkte den seltsamen Unterton, ging aber nicht näher darauf ein. »Sollte man meinen, war er aber nicht.«

»Was sind das für zwei Patronen?«

».450er Uttendoerfer Nitro Express, aus der Zeit vor dem Krieg. Das sind die letzten von insgesamt drei Schachteln, die Mr. von Dekken mir mit auf den Marsch gegeben hat.«

»Marsch?« Sie warf ihren Kopf zurück und fuhr sich mit den Fingern durch die roten Locken, während sie Anton unverwandt ansah. »Wie weit sind Sie gelaufen?«

»Den ganzen Weg. Bis ins kenianische Hochland, nördlich von Nanyuki«, sagte er. Er hatte Spaß daran, von diesem Jugendabenteuer zu berichten. »Ich werde Ihnen demnächst mal abends ein paar der Geschichten des alten Mannes über die Anfangsjahre erzählen.«

»Bitte, erzählen Sie mir eine davon jetzt, bevor noch jemand kommt und uns stört.«

Anton sah sie an. Sie schien zum erstenmal aufrichtig interessiert zu sein.

»Tja«, sagte er und überlegte kurz, »er hat mit den alten Elefantenjägern gejagt, harten, exzentrischen, einsamen Männern, als alles noch unberührtes Afrika war, so um 1900 oder früher, in den 1890ern, schätze ich. Sie sind den ganzen Tag umhergerannt, bis die Dornen ihnen die Hemden von den Leibern rissen, immer auf der Suche nach den großen Bullen, die auf jeder Seite mehr als zwanzig Kilo Elfenbein trugen. Also habe ich von Decken eines Abends gefragt, welches sein bester Elefant gewesen sei.« Anton grinste.

»Ich kann ihn immer noch vor mir sehen. Er stand neben seiner Veranda im Schatten, hinter ihm der Sisal auf den Trockengestellen. Seine weißen Augenbrauen und das silberne Haar hoben sich deutlich gegen das dunkle ledrige Gesicht und den schwarzen Nachthimmel ab.«

»Was hat er geantwortet?« Harriet hatte Anton noch nie so aufgeregt erlebt. Sie wünschte, sie könnten mehr Zeit allein miteinander verbringen.

»›Junger Mann‹, hat er gesagt, ›Elefanten sind wie Frauen. Der nächste ist immer der beste.‹«

Anton sah, wie Harriet sich nachdenklich auf die Lippe biß und die Waffe wieder in ihr Futteral legte.

Er empfand ein vertrautes Kribbeln. Er wußte, daß Gwenn genau das immer an ihm gehaßt hatte – daß er sich so vollends im gegenwärtigen Moment verlor. Vielleicht war sie auch gerade in Äthiopien, wurde ihm klar. Womöglich hätte er sie vom Zugfenster aus sehen können, wenn er nur zum richtigen Zeitpunkt hinausgeschaut hätte.

Er runzelte die Stirn und schob den Gedanken beiseite. Sie würden sich hier niemals über den Weg laufen, und falls doch, was machte es schon aus? Gwenn hatte sich an ihm gerächt und ihn vor den Jungen mit ihrem verdammten italienischen Grafen erniedrigt. Sie würde schon bald dem Krieg hinterherjagen, und seine Safari würde tunlichst alle Kriegsschauplätze meiden. Er würde seine Frau auf dieser Tour ganz bestimmt nicht zu Gesicht bekommen.

Harriet lächelte und sah Anton erwartungsvoll in die Augen.

16

»In diesem Moment überschreiten die *Bersaglieri* und die *Valpusteria Alpini* die Grenze zu Abessinien«, sagte Hauptmann Uzielli, während hinter ihm die Sonne glutrot über Nefasit aufging.

»Nein, nein, Hauptmann«, sagte der Verbindungsoffizier der 1. Gruppe des Schwarzhemdenbataillons von Eritrea. »Es sind die Verbände unserer *Fascisti*, die den Angriff anführen.«

Der ehemalige Partei-*Squadriste* stand elegant und stolz in seinen bauschigen Hosen, dem gestärkten schwarzen Hemd und der quastengeschmückten Kappe da. Als er mit den Stiefeln aufstampfte, um sich zu wärmen, sah es fast so aus, als würde er auf der Stelle tanzen. Auf seinem Ärmelabzeichen stand das Motto seiner Einheit: ›Das Leben der Helden beginnt nach dem Tod.‹ Er trat von der großen Karte zurück, die man an einer der beiden rauhen Wände des Besprechungsraums angebracht hatte. Dann beugte er sich vor und schlug mit seinen Lederhandschuhen dagegen. »Die Division des 29. Juli wird an der Spitze marschieren.«

Oberst Grimaldi saß bei Kaffee und Zigaretten an einem Tisch am Rand des strohgedeckten Unterstands und versuchte, die bitteren Gedanken an Kairo und Gwenn Rider zu verdrängen. Die Rivalität der beiden Offiziere amüsierte ihn. Er wußte, wer als erster in der Luft sein würde.

»Es sind die Soldaten, die diesen Krieg führen werden«, sagte Uzielli schroff und machte einen Schritt nach vorn. Seine Miene verhärtete sich. In Gegenwart der Söhne des Duce, die mit anderen jungen Offizieren um das Radio versammelt saßen und hungrig die quadratischen Stücke ihrer Frühstückspizza verschlangen, wagte er nicht, noch deutlicher zu werden.

Das Schwarzhemd musterte ihn geringschätzig und erwiderte nichts.

War es bei den Legionären Julius Cäsars auch so gewesen? fragte sich Uzielli. Er war kein gebildeter Mann, und er würde nie zu einem höheren Offizier befördert werden, aber wie alle jungen Männer seiner Generation war er in der entbehrungsreichen Zeit des Großen Kriegs aufgewachsen und hatte die militärischen Heldentaten des alten Roms studiert. Er sah sich selbst am liebsten nicht als modernen Offizier, sondern als einen jener namenlosen kampferprobten Zenturionen aus der Zeit, als die Legionen von Londinium bis Alexandria marschierten und an den Außenposten des Imperiums gegen die Barbaren kämpften, so daß die Kurzschwerter kaum jemals trockneten.

Als junger Mann und manchmal heute noch träumte er davon, in den englischen Niederungen barfüßige behaarte Britannier abzustechen, Masada zu stürmen, um die Juden zu töten, und in Rom an einer Parade teilzunehmen, bei der Feinde aus einem Dutzend Stämmen und Nationen in ihren Ketten vor den Streitwagen einherstolperten, während das Rutenbündel und das Beil, die Faszes, seiner Legion vorangetragen wurden. Er war sich sicher, daß damals genauso wie heute den echten Soldaten niemals Gerechtigkeit widerfuhr und daß ihre unabdingbare Brutalität zwischen den Feldzügen nicht erwünscht war. Wenn ein Legionär oder ein *Bersagliere* Glück hatte, bestand seine Belohnung aus Plünderungen, Abenteuern und dem Gefühl der Brüderlichkeit sowie manchmal aus ein bißchen Sex mit den Einheimischen.

»Wo haben Sie in Libyen gedient, *Centurione*?« fragte Uzielli schließlich mit leiser Stimme und sprach ihn mit dem Dienstgrad der Faschisten an.

Der Mann zuckte zurück, als hätte man ihn ins Gesicht geschlagen.

»Wo waren Sie denn, *Bolognese*, als wir auf Rom marschiert sind?« fragte das Schwarzhemd herausfordernd. Seine dünne Stimme hob sich.

Uzielli öffnete den Mund, riß sich dann jedoch zusammen und wandte sich ab. Wie konnte er die Einheit lächerlich machen, die nach dem Geburtstag des Duce benannt war? Als er sich umdrehte, befand er sich unvermittelt Auge in Auge mit Oberst Grimaldi.

»Hauptmann, stellen Sie sicher, daß Ihre Leute vorbereitet sind«, sagte Grimaldi beiläufig. Er wußte, daß der Soldat verärgert war, weil dieser Streit vor Zeugen stattgefunden hatte.

»Jawohl, Sir«, sagte Uzielli, dem die Wut noch immer ins Gesicht geschrieben stand. »Meine Männer sind soweit.«

Grimaldi war erleichtert, daß die italienische Luftwaffe nicht so uneins war wie die Bodentruppen, bei denen stolze reguläre Einheiten wie die Savoyen-Grenadiere und die Gavinana Division sich mit den Legionen der Schwarzhemden, die jeweils nach einem bedeutenden Datum der faschistischen Historie benannt waren, um Vorräte, Männer und Ansehen stritten.

Der Oberst ging zu Bruno Mussolini hinüber, der unbeholfen hinter einer Schar seiner Pilotenkameraden stand.

»Haben Sie Ihre Caproni überprüft, Leutnant?« fragte Grimaldi den jungen Flieger in freundlichem Tonfall. Er wußte, daß Paolo sich die Maschine nach Abschluß der üblichen Wartungsarbeiten noch einmal höchstpersönlich vorgenommen hatte.

»Si, Colonnello«, sagte der Pilot und richtete sich auf. Seine Stimme klang nervös, und sein Blick wanderte unstet umher.

»Glänzend, Leutnant«, sagte Enzo und klopfte Bruno auf den Rükken. »Merken Sie sich diesen Tag: den dritten Oktober 1935. Endlich marschiert Rom wieder in Afrika! Wir werden uns heute auf einen Flug begeben, der Ihnen auf ewig unvergeßlich bleiben wird.«

Das Radio knisterte, und aus dem Lautsprecher ertönten die martialischen Klänge der faschistischen Hymne. Auf dieses Signal hatten sie alle gewartet. Alle Anwesenden erhoben sich, manche Arm in Arm, andere nahmen Haltung an. Gemeinsam sangen sie *»Giovinezza«*, das Lied der Jugend, während die Sonne über Afrika aufging.

»Meine Herren«, befahl Oberst Grimaldi, »zu Ihren Maschinen.«

Innerhalb weniger Minuten saßen die Männer in ihren Bombern. Mit donnernden Motoren rollten die neun Flugzeuge des *Disperata* Geschwaders hintereinander die staubige Startbahn entlang. Jede Maschine wendete langsam am Ende der Piste, brachte die Motoren nach einer kurzen Pause auf Touren und beschleunigte dann das Rollfeld hinunter, während das Bodenpersonal und die Beobachter jubelten und ihre Mützen schwenkten. Sie wurden in eine Staubwolke gehüllt, die im Licht des frühen Morgens rosarot funkelte.

»*La Disperata!*« ertönte ihr Gebrüll.

Nachdem alle abgehoben hatten, wandte Grimaldi sich um und blickte zurück, um die Formation zu überprüfen. Er selbst fungierte in der dreiköpfigen Besatzung als Kopilot. Bruno saß am Steuer und brachte die Maschine in niedriger Höhe auf Kurs. Enzo drehte seinen Kopf und sah nach rechts. Die Morgensonne schien ihm ins Gesicht und spiegelte sich in den weißen Unterseiten der Rümpfe und Tragflächen des Geschwaders. Während er die riesigen dreimotorigen Flugzeuge bewunderte, vergaß er seine Einsamkeit.

Die Capronis flogen in drei engen Schwärmen in einer Höhe von tausendzweihundert Metern. Enzo sah den Totenschädel und die gekreuzten Knochen, die man als Abzeichen auf die Seite der nächsten Maschine gemalt hatte. Vittorio Mussolini blickte aus seinem Cockpit zu Oberst Grimaldi hinab und salutierte. Dann streckte er die Faust aus und hob den Daumen. Enzo nickte befriedigt. Der junge Pilot wurde seiner Rolle gerecht. Durch das runde Fenster auf der linken Seite des Rumpfes sah Enzo, wie der Bombenschütze sich auf seinen Einsatz vorbereitete. Die Maschinengewehrkanzel auf der Oberseite des Rumpfes blieb vorerst unbesetzt. In wenigen Minuten würden die Bomber die Marschkolonnen überfliegen und sich ihrem Ziel nähern: Adua. Nach vierzig Jahren würde Italien sich endlich rächen. Grimaldi wurde bewußt, daß selbst Benito Mussolini zum Zeitpunkt von Italiens Demütigung bei Adua nur ein leicht zu beeindruckender, zwölfjähriger Junge gewesen war.

Allein an dieser Front stießen hunderttausend Mann aus Eritrea nach Abessinien vor. Sie marschierten in drei Kolonnen unter dem Befehl des alten General De Bono, eines Veteranen des italienischen Afrikafeldzugs von 1887. Im Süden würden Zehntausende unter Graziani aus Italienisch-Somaliland angreifen, unterstützt durch die große Basis in Mogadischu. Graziani war ein General, der wußte, wie man in Afrika zu kämpfen hatte, dachte Enzo und erinnerte sich an den geschickten Schachzug des Kommandeurs, in Libyen die Wüstenbrunnen der Feinde Italiens mit Zement zu verschließen.

»Etwas schneller, Leutnant«, rief Oberst Grimaldi durch den Lärm der Motoren und klopfte mit dem Knöchel gegen die Geschwindigkeitsanzeige. »Wir fallen zurück.« Der Bomber erzitterte, als Bruno dem Befehl zu übereifrig nachkam und die drei Motoren aus dem Gleichtakt gerieten. »Sachte, jawohl, jetzt stimmt's«, sagte Enzo beruhigend. Er war immer noch besorgt, wie der junge Pilot sich wohl im Einsatz bewähren würde. »Gut gemacht.«

Neidvoll erspähte Grimaldi die kleineren Maschinen, die unterhalb von ihnen in einiger Entfernung vorbeisausten. Es waren Bredas und Fiats, die als Vorhut der Armee das Gelände erkundeten und Bodenangriffe flogen.

Noch bevor sie die Grenze erreichten, überflogen die Capronis ein Bataillon regloser *Carri veloci*, Fiat-Ansaldos. Gestern hatte ein Jagdflieger berichtet, daß die engen kastenförmigen, drei Tonnen schweren Panzer am Tag vor der Invasion von ihren erschöpften Besatzungen aufgegeben worden waren, weil die Temperatur im Innern der stählernen Fahrzeuge fünfzig Grad erreichte und die 13mm-Panzerung so heiß wurde, daß man sie nicht mehr berühren konnte. Schlimmer als in Libyen, hatte Grimaldi bei dieser Neuigkeit gedacht.

Direkt hinter der Kante des ausgedehnten Plateaus überflogen sie die Ingenieurbrigaden, die auf abessinischem Gebiet bereits bei der Arbeit waren und die Straße verlängerten, die man vor Kriegsbeginn bis zur Grenze ausgebaut hatte. Vor den mit Spitzhacken und Schaufeln beladenen Lastwagen bildeten sich lange Reihen italienischer Arbeiter, die ihre Werkzeuge abholten. Enzo sah zwei Bulldozer sich schwerfällig ihren Weg bahnen, wie Elefanten mit gesenkten Köpfen.

Danach überflogen sie die Nachschubkolonnen, die zur Unterstützung der Kampftruppen Feldküchen und Vorräte an die Front brachten. Italiens Militärdoktrin besagte, daß in jedem Regiment drei verschiedene Speisenkategorien aufgetischt werden mußten, eine für Unteroffiziere und Mannschaften, eine für gewöhnliche Offiziere und eine für Offiziere mit Patent.

Auf Anweisung der Regierung in Rom und der faschistischen Agenten in allen Betrieben, war bei diesem Vormarsch nahezu jede Fabrik Italiens auf den afrikanischen Bergstraßen vertreten. Lancias und Spas, Isotta Fraschinis und Alfa Romeos quälten sich gemeinsam mit dieselbetriebenen Dreitonnern, den Bianchi Mediolanums, und sechsrädrigen 621ern von Fiat voran.

Der Oberst deutete nach unten, aber Bruno schien den Befehl nicht zu verstehen. »Tiefer, Leutnant!« schrie er und klopfte gegen den Höhenmesser. Er sah besorgt, daß die anderen Bomber unter ihre Flughöhe zu sinken schienen. Bruno nickte und ließ die Maschine dreißig Meter sacken, um wieder auf eine Höhe mit dem Geschwader zu kommen. Kalte Zugluft pfiff durch die Kabine, und Grimaldi fluchte leise.

Bald darauf erreichten die Capronis Einheiten der faschistischen Miliz, die geordnet entlang der unbefestigten Routen vorstießen und zweifellos ihr Lieblingslied schmetterten, *»Faccetta Nera«*, während ihr Marsch sie in die kühlere Luft des Hochlands führte. Ihre schwarzen Hemden hoben sich deutlich von den gelbbraunen Shorts ab, die zur Standardausstattung der italienischen Tropenuniform gehörten.

Schließlich stießen sie auf die eritreischen *Askaris*, die den Angriff mit Kundschaftern und kleinen vereinzelten Trupps von wenigen Dutzend Männern anführten, jeder unter der Führung eines italienischen Offiziers. Enzo sah das Aufblitzen von Mündungsfeuer: Die Bodenkämpfe hatten begonnen.

Bis zu den Bergen bei Enticcio, der letzten Stadt vor Adua, waren keine größeren Gefechte zu verzeichnen. Dann aber machte das *Disperata* Geschwader unter sich eine Kette CR-20er aus, die sich bereits im Kampf befanden. Sie unterstützten die eritreischen Einheiten, deren Aufgabe es war, die Gebirgspässe einzunehmen. Die äthiopischen Verteidiger waren aus der Luft deutlich zu erkennen. Sie hatten sich auf den steilen Abhängen hinter Felsen und Vorsprüngen verschanzt. Genau das richtige für die *Bersaglieri*, dachte Enzo. Was auf dem Trainingsgelände in den Dolomiten als schwierige Schlucht galt, war nach äthiopischen Verhältnissen allenfalls eine seichte Vertiefung. In dieser ausgedehnten, zerklüfteten Landschaft waren die Täler mitunter achtzig Kilometer breit und immer wieder von spitzen Gipfeln und bodenlosen Abgründen durchzogen. Die anderen Capronis ließen sich mehrere Dutzend Meter sinken.

Als die Bomber hereinkamen, stiegen die drei leichten Maschinen empor und flogen ihnen entgegen. Sie wippten grüßend mit den Tragflächen. Ihre Maschinengewehre waren bereits leer. Eine war vermutlich von Bodenfeuer getroffen worden und zog eine dunkle Rauchfahne hinter sich her. Ihr Pilot winkte, als wäre er ganz unbekümmert. Seine Kameraden nahmen die Positionen links und rechts von ihm ein und bereiteten sich darauf vor, ihn nach Hause zu eskortieren.

»Ich möchte nicht in seiner Haut stecken, falls er mitten zwischen den Abessiniern runterkommt«, entfuhr es Enzo. Er war sich nicht sicher, ob Bruno ihn gehört hatte. Hoffentlich nicht. Enzo fiel auf, daß der Pilot steif vornübergebeugt dasaß, wie eine ängstliche alte Dame am Steuer eines Automobils. Der Junge hielt den Steuerknüppel fest umklammert, so daß seine Knöchel weiß hervortraten.

Unter ihnen erspähte der Oberst eine dichte Ansammlung von Abessiniern auf dem Rückzug, vielleicht vier- oder fünfhundert Mann sowie zahlreiche Maultiere und Pferde, die sich allesamt in einer schmalen Schlucht eng nebeneinander drängten. Enzo spürte, wie sich sein Magen zusammenzog. Dies war der Moment, seinem Pferd die Sporen zu geben und die Lanze zu senken. Wie sehr wünschte er sich, er würde in seinem Jagdflugzeug sitzen und könnte jetzt in Sturzflug übergehen, um seine Pflicht zu erfüllen.

Enzo rief sich ins Gedächtnis, was man ihm über diese alten Feinde beigebracht hatte. Sie waren nicht wie die anderen Schwarzafrikaner. Sie hatten eine Schriftsprache und ein ausgeprägtes Rassen- und Geschichtsbewußtsein. Obwohl manche behaupteten, es gäbe kaum ein Dutzend Äthiopier, die in der Lage wären, eine Landkarte zu lesen, schrieb man ihnen administrative Fähigkeiten zu, ferner Disziplin und sogar ein Gespür für taktisches Vorgehen. Nach europäischen Begriffen waren sie durchaus ernstzunehmende Gegner.

Wie die italienischen Flieger feststellten, bestand die Stadt Adua aus ein paar zweigeschossigen Steinhäusern, zahlreichen Erd- und Strohhütten sowie Viehgehegen, Brunnen, mehreren Kirchen und Marktplätzen. Als die drei Ketten Capronis sich hintereinander in einer Höhe von ungefähr sechshundert Metern näherten, suchten zahlreiche Gestalten in langen Gewändern verzweifelt nach Deckung und ließen ihre Tiere und Marktstände schutzlos zurück.

Der Nachrichtendienst in Addis hatte gemeldet, daß die feindlichen Truppen in Erwartung des Angriffs die Stadt bereits verlassen hatten, um dem Völkerbund klar vor Augen zu führen, wer in diesem Krieg der Aggressor war. Das Geschwader kam nahezu mit Höchstgeschwindigkeit herein, rund zweihundert Kilometer pro Stunde. Es ärgerte den Oberst, daß sie nicht tiefer flogen.

»Langsamer und tiefer wäre besser«, murmelte er knurrend im dröhnenden Lärm der drei Motoren vor sich hin. Da er sich jedoch noch genau an Marschall Balbos Befehle erinnern konnte, unternahm er nichts. Er hatte Angst davor, was ihm bevorstehen würde, falls ein Zufallstreffer vom Boden ein Familienmitglied des Duce erwischte.

Die Stadt erinnerte den Oberst an ein Bergdorf in der Toskana. Grimaldi drehte sich auf seinem Sitz um und gab dem Bombenschützen ein Signal. Als der Mann die Luke unter den Bombenhalterungen öffnete, strömte kalte Luft herein. Enzo stieß Brunos Arm an und wies nach hinten. Er dachte, der Leutnant würde gern selbst den Angriffsbefehl geben. Aber Bruno starrte ihn nur ausdruckslos durch seine Fliegerbrille an. Er war völlig verängstigt und schaffte es kaum noch, das Flugzeug unter Kontrolle zu behalten. Angewidert hob Enzo den Arm, und die ersten Bomben fielen.

Überall um sie herum stürzten die Sprengkörper zu Boden. Enzo nippte an dem Kaffee aus seiner Thermosflasche und sah teilnahmslos dabei zu, als säße er auf dem Balkon eines Kinos. Um das Kind zu beruhigen, reichte er die Flasche an Bruno weiter.

Quer über einen der Marktplätze blitzte eine leuchtendrote Reihe von Explosionen auf, die sofort in dichten grauen Staubwolken verschwand. Kamele, Esel und Kühe rannten durcheinander und starben. Eine Frau und ein Kind verschwanden, als eine Bombe in die steinerne Einfassung des Brunnens einschlug, hinter der sie Schutz gesucht hatten. Die Einheimischen flohen aus der brennenden Stadt. Auch auf die felsigen Äcker der Umgegend gingen Bomben nieder. Brummend stiegen die Capronis langsam höher und schlugen den Rückweg ein. Die Stadt unter ihnen stand in Flammen.

Als sie sich dem Fliegerhorst von Nefasit näherten, war Enzo in Gedanken bei den kleinen Maschinen, die in den Bergen hinter ihnen nach wie vor in heftige Kämpfe verwickelt waren.

»Gut gemacht, Leutnant!« rief er nach einer Weile und streckte dem jungen Mussolini seine rechte Hand entgegen. »Die Feuertaufe!«

Bruno ignorierte die Geste, beugte sich vor und übergab sich auf das Armaturenbrett.

Das war schon vielen Piloten so ergangen, dachte Grimaldi gutgelaunt. Es freute ihn, daß sie fast wieder zu Hause waren.

Ihre Maschine landete als zweite. An der Luke reckten sich hilfreiche Hände zu ihnen empor.

»Wie war's, Oberst?« fragte Paolo mit leuchtenden Augen. Er war aufgeregt wie ein kleiner Junge.

»Einwandfrei«, sagte Grimaldi, streifte die Brille ab und klopfte dem alten Haudegen auf beide Schultern. »In jeder Hinsicht. Der Angriff ist planmäßig verlaufen. Keine Bomber verloren, keine Feindflugzeuge, und Leutnant Mussolini hier hat seine Pflicht getan.« Er lächelte den jungen Mann an, der sich gerade den Mund mit dem Ärmel abwischte. »Genau ins Ziel.«

»Die Bomben!« sagte Bruno erregt. Das Leben kehrte in ihn zurück. »Sie waren wie Blumen! Mit roten und gelben Blüten. Man kann sich gar nicht vorstellen, wie wunderschön sie ausgesehen haben.«

»Überprüfe meine Fiat, Paolo«, sagte Grimaldi und wechselte schnell das Thema. »Ich will so bald wie möglich in die Luft. Und besorg mir etwas Brot, Käse und Kaffee.«

Als Enzo allein zurück zur Front flog, überkam ihn ein Gefühl der Freiheit. Er genoß es, in einem offenen Cockpit zu sitzen, und holte alles aus der CR-20 heraus, als er mit fast zweihundertfünfzig Kilometern pro Stunde auf die Berge zuflog. Sein Treibstoff und die Munition würden nicht lange reichen, aber er war entschlossen, so nachhaltig wie möglich in einige der Gefechte einzugreifen.

Die Straße war dicht von Männern und Fahrzeugen bevölkert. Enzo ließ die Maschine sacken. Als er vorbeiflog, winkten ihm mehrere der Soldaten zu.

Zu beiden Seiten der Fahrbahn standen zahllose liegengebliebene Wagen. Grimaldi war besorgt. Er sah die Beine der arbeitenden Mechaniker unter den Karosserien hervorragen, während andere Männer sich zu ihnen hinunterbeugten, um sie bei ihren Reparaturen zu unterstützen. Dort standen Ambulanzen, Spähwagen, Befehlsfahrzeuge und Lastwagen aller Fabrikate, aus amerikanischer, britischer und italienischer Fertigung. Wie würde es erst sein, wenn sie ins Landesinnere kamen und die Nachschubkolonnen sich Hunderte von Kilometern durch feindliches Berggebiet schlängeln mußten? Er erinnerte sich, wie kraftvoll und überwältigend die italienischen Verbände gewirkt hatten, als er sie in Massen an Bord der Schiffe erblickte, später dann im Hafen von Massawa und in Reih und Glied auf den Flugplätzen. Aber aus der Luft, zwischen den unendlich fernen Linien des Horizonts, waren sie wie Ameisen, die sich in der unmenschlichen Landschaft verloren.

Die Front war nicht merklich vorgerückt. Sie hatte sich höchstens ausgeweitet und war stellenweise ausgefranst, dachte er, während er die Maschine in eine Rechtskurve legte. Er schlängelte sich durch eine Reihe schmaler, sich kreuzender Täler und Schluchten, vorbei an versprengten Einheiten der vorrückenden Truppen. Er stieg steil empor und wollte schon umkehren, als er eine dunkle Rauchsäule entdeckte. Vor ihm lag ein kleines Tal voller Abessinier, die durch ein Bergdorf in südliche Richtung unterwegs waren. Das Gelände war übersichtlich und einladend wie ein Weihnachtspaket voller Spielzeuge. Mehrere der Hütten brannten. Tausende weißgekleideter Krieger drängten voran, unter ihnen Reitergruppen, Kamele und Maultiere. Als er vorbeiflog, blitzte Gewehrfeuer auf.

Atemlos und voller Erregung legte Enzo die Maschine auf die Seite und flog in einem weiten Bogen zurück. Am Eingang des Tals bekreuzigte er sich und ging in Sturzflug über. Der Motor heulte auf, während die Fiat immer schneller fiel. Mit zunehmender Geschwindigkeit begannen die Tragflächen zu rütteln. In sechzig Metern Höhe fing er das Flugzeug ab und betätigte den Abzug seiner Maschinengewehre. Er schien ganz von allein zu fliegen. Das Gewehrfeuer schüttelte die Maschine durch und zog zwei Linien durch die Masse rennender Männer und Tiere, gerade und ordentlich wie Eisenbahnschienen.

Das Hochgefühl raubte ihm fast den Atem. Enzo zog die Maschine am Ende des Tals hoch und drehte zu einem zweiten Durchgang um. Der Geruch des lodernden Strohs stieg ihm in die Nase. Er tauchte durch den Rauch der brennenden Hütten und schoß seine Waffen leer. Das Blut rauschte ihm in den Ohren, und er schlug die Richtung zum Fliegerhorst ein, ohne sich noch einmal umzuwenden. Erst jetzt bemerkte er, daß beide Tragflächen der Maschine von Einschußlöchern durchsiebt waren.

Sogar für Ernst von Decken hielt Afrika noch so manche Überraschung bereit. Nachdem er in den Ausläufern des Kilimandscharo aufgewachsen war, sich mit seinen Massai-Spielgefährten an Löwen angeschlichen und mit Strohhalmen das warme Blut aus den Hälsen von Rindern getrunken hatte, nach vier Jahren in Diensten der Schutztruppe während des Weltkriegs und zahllosen abgeknallten Briten zwischen Tanga und Kasama, und nachdem er mit seinen *Askaris* geschmolzenes Nilpferdfett gesoffen hatte, glaubte Ernst, daß ihm kaum etwas mehr fremd war.

Aber Abessinien war eine andere Welt. Afrika war hier so außergewöhnlich wie in der Sahara und dem Kongo. Ernst stürzte den Rest seines warmen Biers herunter und wischte sich mit dem Handrücken den Schaum vom Mund. *Talla*, so hieß der örtliche Gerstensaft. Es war das erste Wort, das er in diesem höllischen Land gelernt hatte. Er war schon immer sehr sprachbegabt gewesen, wenn man die Grammatik mal außer acht ließ. Aber in Afrika war es wie in Belgien. Nachbarn sprachen grundsätzlich nicht dieselbe Sprache. In Äthiopien, so hatte man ihm versichert, gab es fast hundert verschiedene Dialekte.

Neben ihm auf der Terrasse des *Gibbi* ließ das Somali-Mädchen den dunklen Umhang von ihren Schultern gleiten. Nach der Kühle der Nacht wurde es hier morgens sehr schnell heiß. Lächelnd musterte er ihr glattes, elegantes Gesicht, obwohl dies normalerweise nicht zu den weiblichen Attributen gehörte, die ihn an einer Frau reizten.

Falls er mit dem Gedanken an eine Ehe spielen würde, könnte Gretel ihn durchaus in Versuchung führen.

»Du bist wie ein gekochtes Ei«, hatte er eines Morgens zu ihr gesagt. Das zarte, fragende Lächeln, mit dem sie auf diese Bemerkung reagierte, hatte ihm gefallen.

»Kühl für das Auge, heiß für die Zunge, genau wie ein gekochtes Ei«, hatte er erklärt und dabei ihren Schenkel gestreichelt. Normalerweise traf eine solche Beschreibung nur auf gewisse Blondinen zu, aber diese stolze Schwarze stellte, würdevoll und wild zugleich, eine Ausnahme dar. Sie würde nur schwer zu ersetzen sein, außer natürlich er gelangte zu Reichtum. Er setzte sich auf seinem Stuhl zurecht und rieb sich die roten Augen. Dann blickte er zwischen den mit Schnitzereien verzierten Pfosten der Terrasse auf den ausgedehnten Hof des bescheidenen hölzernen Palastes hinab. Wie alle *Gibbis*, stand auch dieses Herrenhaus stolz auf einem Hügel.

Heute herrschte auf dem Hof noch weitaus mehr hektischer Betrieb als sonst. Man rechnete jeden Moment mit dem Eintreffen von Ras Gugsas italienischen Verbündeten, oder Herren. Sie kamen im Auftrag von General De Bono höchstpersönlich und würden Neuigkeiten hinsichtlich der Belohnung des Duce überbringen. Der Prinz war der einzige abessinische Überläufer, der tatsächlich eine hohe Bezahlung wert war, denn er hatte eines der Tore zu seinem Land geöffnet, die Bergstraße, die nach Addis führte. Silbermünzen, dachte Ernst, die passende Entlohnung für einen Verrat im ältesten christlichen Königreich der Welt.

Für die Italiener war ein Verrat allemal so selbstverständlich wie die Oper. Von Decken wußte, daß sie im Grunde ihrer Herzen ausnahmslos Borgias und Macchiavellis waren und nicht etwa Cäsaren. Die meisten Europäer würden die Silbertaler als Bestechung begreifen. Die Äthiopier hingegen betrachteten die Zahlung als ein Zeichen des Respekts, als den Tribut eines ehrfürchtigen Alliierten. Wenn es um Bestechung und Betrug ging, fraßen die Itaker und die Kaffern aus demselben Trog.

»Noch ein Bier«, sagte er zu Gretel. Sie stand sofort mit ausdrucksloser Miene auf, während er sich darauf konzentrierte, zwei Dosen Sardinen zu öffnen. In Erwartung des Festmahls ließen sich einige Fliegen auf seinen Handgelenken nieder. Andere umschwärmten die offene Dose Pfirsichhälften, die bereits auf dem Tisch stand, und krabbelten über den Deckel.

Unten im Hof rannten Ras Gugsas Männer umher, schärften ihre Schwerter und brachten ihre Gewehre auf Hochglanz. Ernst grüßte den Hauptmann von Gugsas persönlicher Leibgarde mit einem Nikken und sah dabei zu, wie der falkengesichtige Offizier seine Leute in schiefen Reihen antreten ließ. Sie schlurften in ihren Sandalen über den staubigen Boden. Die dunklen Khakiuniformen hingen locker an ihren schmächtigen Körpern herab. Ernst war der Überzeugung, daß sie, wie die meisten Afrikaner, gut kämpfen würden, sofern man sie richtig führte. Ihre Fähigkeit, Boden gutzumachen, würde kaum zu übertreffen sein. Er sah einen bärtigen schwarzen Gefangenen, der hinter ihnen wie ein Hund an die Wand gekettet war. Der arme Teufel saß auf dem Boden und fummelte an seinen bloßen Füßen herum. Offenbar kaute er kleine Stücke Hornhaut und Nägel. Vermutlich seine Henkersmahlzeit.

Gretel kam gerade mit dem Bier für Ernst zurück, als ein laut knatterndes Motorrad mit hoher Geschwindigkeit in den Hof fuhr. Der Fahrer bremste in einer gewaltigen Staubwolke und schleuderte kunstvoll herum, wie ein römischer Playboy, der zu spät zu einer Party kam. Der italienische Kundschafter nahm seinen Lederhelm und die Schutzbrille ab. Er schüttelte den Kopf und spuckte aus. Dann klappte er den Ständer seiner Moto Guzzi herunter und zog seine Handschuhe aus. Ernst sah ihm angewidert zu und trank Pfirsichsaft aus der Dose. Gretel und er waren an die unbefestigten Straßen Afrikas gewöhnt und hatten die Strecke von Massawa nach Makalle problemlos bei gleichmäßiger Fahrt und ohne jeden Zwischenfall zurückgelegt.

Es ärgerte Ernst, mitansehen zu müssen, wie Italien, im letzten Krieg Deutschlands verhöhnter Feind, genau jenes afrikanische Reich errichtete, das sein eigenes Land 1918 verloren hatte. Das Hauptkontingent der Italiener war zweifellos noch einige Kilometer entfernt und schlängelte sich über die endlosen Gebirgsstraßen immer wieder neue Anhöhen hinauf, während sich unter den Rädern ihrer Lastwagen Felsbrocken lösten und Hunderte von Metern in die Tiefe stürzten. Genaugenommen würde das Terrain ihre einzige Herausforderung bleiben. Einen Moment lang dachte er zurück an das, was einmal Deutsch-Ostafrika gewesen war, und fragte sich, ob seine Leute jemals eine zweite Chance erhalten würden. Vielleicht, dachte er, und beim nächsten Mal werden wir es richtig machen.

Gretel lehnte die Pfirsiche ab, worauf Ernst die süßen Früchte am Stück verschlang. Sie waren glitschig wie Austern. Er war jetzt lange genug in Afrika, um sich nicht weiter um die Fliegen zu scheren, die um seine Mundwinkel schwirrten.

Ernsts eigener Lastwagen, ein breiter, kurzer Fiat, stand in einer Ecke des Hofs. Die Böden der acht nachgemachten hölzernen Geldkisten waren auf der Ladefläche des Wagens festgenagelt. In rund einer Stunde würde Ernst die Bretter losstemmen können und sie statt dessen mit den flachköpfigen Holzschrauben befestigen, die in einer Dose unter dem Fahrersitz lagen. Jede der Kisten war genau wie die Originale dafür bestimmt, acht Münzsäcke aufzunehmen, und würde dann fünfundzwanzig Kilogramm wiegen. Das entsprach dem Höchstgewicht für einen Träger und der Hälfte der optimalen Beladung eines Maultiers. In jeder der Kisten lag ein Brett, zur Zeit noch verkehrt herum, dessen schwarze Schablonenschrift mit jener des königlich italienischen Schatzamts übereinstimmte.

Die Bretter erinnerten Ernst daran, wie sein Vater das alte Jagdhaus der Familie aus dem Schwarzwald nach Arusha gebracht hatte. Man hatte es akribisch in Einzelteile zerlegt und jeden einzelnen deutschen Balken, jedes Brett auf beiden Seiten mit schwarzer Ölfarbe eindeutig numeriert, so daß die Ziffern einerseits nicht verwischt werden konnten und andererseits nach dem neuerlichen Zusammenbau nicht mehr sichtbar sein würden. Eines Tages würden diese neuen Bretter ihm ermöglichen, das alte Haus zurückzukaufen.

Ernst bot Gretel auf der Klinge seines Taschenmessers eine ölige Sardine an. Ein paar dicke Fliegen krabbelten langsam darauf herum. Gretel pustete sie beiseite und schob sich den schmalen Fisch geschickt zwischen ihre kleinen weißen Zähne, bevor die Insekten sich wieder darauf niederlassen konnten.

Als Ernst sein Bier austrank, fuhr ein hochrädriges Befehlsfahrzeug auf den Hof. Er bemerkte die neuen Beulen in den vorderen Kotflügeln des Alfa, wo das geschwungene Metall staubfreie Flecke aufwies. Einer der Scheinwerfer war zerbrochen. Am vorderen Ende der beiden Trittbretter war je ein Ersatzreifen festgeschnallt. Ein Leutnant sprang vom Vordersitz und öffnete die Tür des Fonds. Ein untersetzter Oberst stieg auf wackligen Beinen aus. Die holprige Fahrt hatte ihm sichtlich zugesetzt. Er schlug seine Mütze geschickt gegen den Unterarm, um den Staub abzuschütteln. Ras Gugsas Leibwache nahm Haltung an. Nicht schlecht für italienische Verhältnisse. Ernst mußte an seine eigenen *Askaris* denken, die am Ende des Kriegs zwar barfuß und in Lumpen, aber sehnig, tapfer und loyal wie Dobermänner gewesen waren. Sie hätten jeden beliebigen Preußen so lange drillen können, bis ihm das Blut aus den Stiefeln gelaufen wäre.

Ras Gugsa würde natürlich sein vermeintlich fürstliches Vorrecht in Anspruch nehmen und seine Zahlmeister warten lassen. Bestimmt war das verweichlichte Schwein gerade damit beschäftigt, aus dem Fenster zu spähen und seine neuen italienischen Uniformen anzuprobieren. Der Ras würde einen perfekten Faschistenoffizier abgeben: eitel, korrupt und feige, sobald es zur Sache ging. Wie dem auch sei, dachte von Decken, es würde am besten sein, diese Italiener zu meiden, um so wenige Komplikationen wie möglich heraufzubeschwören.

Ernst stand auf und ging zurück in sein Zimmer. Gretel folgte ihm. Sie zog den schweren bestickten Vorhang vor die Tür und streifte wortlos ihr Gewand ab. Er drehte sich um und sah sie an. Sie stellte sich auf die Zehenspitzen und biß ihn in die Oberlippe, bis es blutete. Sie ließ nicht los, sondern bewegte ihren Kopf mit kurzen abgehackten Bewegungen hin und her wie ein Terrier. Ihre dunklen Brustwarzen waren hart und aufgerichtet. Er schmeckte die Sardine auf ihrer Zunge. Dann setzte er sich ächzend aufs Bett. »Danke, Schätzchen«, sagte er, während Gretel ihm die Stiefel aufschnürte.

Als Ernst schließlich in den Hof des *Gibbi* hinunterkam, waren die Italiener bereits abgereist, um sich wieder der Marschkolonne anzuschließen, die weiter in südliche Richtung auf Makalle und Addis vorstieß. Ras Gugsas Berater Jesus, ein Mann, dem Dienstränge über alles gingen, wartete schon auf ihn und stolzierte derweil unbehaglich in seinen neuen italienischen Jodhpurhosen umher.

»Hier sind Ihre Anweisungen«, sagte Jesus langsam und nachdenklich. Er war sich offenbar nicht sicher, wieviel Respekt er dem Deutschen entgegenbringen mußte. »Und hier der italienische Passierschein.«

Ernst warf einen Blick auf die Papiere und stellte erleichtert fest, daß sich eine Zahlungsanweisung über fünfundfünfzigtausend Silbertaler darunter befand, unterzeichnet von General De Bono höchstpersönlich.

»Ich begleite Sie mit einem Trupp der Leibgarde des Fürsten nach Makalle, um die Geldkisten entgegenzunehmen«, fuhr der dünne, sehr dunkelhäutige Mann fort. »Ihre Frau bleibt hier im fürstlichen *Gibbi,* bis Sie mit dem Silber eintreffen.« Ernst hatte Gretel dem äthiopischen Fürsten als seine Verlobte vorgestellt. Einerseits war dies zu ihrem eigenen Schutz geschehen, andererseits sollte Ras Gugsa glauben, daß sie für Ernst einen sehr hohen Wert besaß.

Aus Sicht des Ras mußten diese Vorkehrungen raffiniert erscheinen, dachte der Deutsche, während er die Reservekanister überprüfte, aber das zeigte lediglich, wie wenig er Ernst von Decken kannte.

Auf der Fahrt nach Süden in Richtung Makalle, mit einem Dutzend von Ras Gugsas schlafenden Leibwächtern auf dem alten Ford-Laster, der ihm folgte, kam Ernst an den Lagern der italienischen Materialkolonne vorbei. Neben ihm rutschte Jesus nach vorn auf die Sitzkante, als würde er die Truppen inspizieren. Er war sichtlich aufgeregt, in einem Kraftfahrzeug zu sitzen.

Man hatte Seile gespannt und daran Hunderte von Maultieren festgebunden. Die Tiere waren nach dem eiligen Aufstieg auf zweitausendvierhundert Meter erschöpft, und auf ihren strapazierten Flanken zeichneten sich deutlich die Umrisse ihrer Packgestelle ab. Mit gesenkten Köpfen verschlangen sie Stroh und Gras. In der Nähe hatten sich die italienischen Maultiertreiber und der eritreische Begleittroß in getrennten Gruppen niedergelassen. Die Italiener kochten Wasser für ihre Makkaroni, und die Eritreer kauten Fladenbrot und Mais. Ein Fahrer stand fluchend und mit den Armen fuchtelnd über den dampfenden Motor seines schweren Lastwagens gebeugt. Auf dessen offener Ladefläche stand unter einer Plane ein kleiner italienischer Panzer, ungefähr dreieinhalb Meter lang. Ernst sah die zweiköpfige Mannschaft gegen die Plane gelehnt dasitzen. Die beiden Männer rauchten und lachten in der Sonne. Sie warteten zweifellos auf den Befehl, das Fahrzeug abzuladen und bei dem geringsten Anzeichen von Widerstand den Angriff entlang der Straße anzuführen.

Weiter vorn war Ernst gezwungen, den Wagen abzubremsen. Hier waren die Baukolonnen bei der Arbeit, füllten die Schlaglöcher in der ungepflasterten Straße und verbreiterten alle fünfhundert Meter die Fahrbahn, um eventuellen Gegenverkehr passieren lassen zu können. Er wußte, daß bald Planier- und Pflastertrupps folgen würden, um die römische Straße vom Roten Meer bis nach Addis Abeba voranzutreiben. Sogar in der Halbwüste der südlichen Front verwandelten die Italiener bei ihrem Vorstoß nach Norden Maultierpfade in Straßen für den Schwerlastverkehr, hatte ein italienischer Offizier sich vor ihm gebrüstet.

»Jedes Land kann zwei Dinge besonders gut«, hatte sein Vater eines Abends in Deutsch-Ostafrika zu ihm gesagt, während sie rauchten und den lachenden Jungen dabei zusahen, wie diese eine Elenantilope häuteten, ohne daß Blut floß. »Was ist mit uns?« hatte Ernst den alten Mann gefragt, als ihnen vom Grill der Duft der dicken Koteletts in die Nasen stieg, dem besten Fleisch der Welt. »Was die Deutschen besonders gut können?« Der alte von Decken zog die Pfeife zwischen seinen gelben Zähnen hervor. »Marschieren und Befehle erteilen.« Ernst fragte sich, was die Italiener wohl noch konnten, außer Straßen bauen.

Der italienische Kommandeur hatte sein vorgeschobenes Hauptquartier bereits im Verwaltungszentrum von Makalle aufgeschlagen. Als Ernst in die Stadt fuhr, führte ihn sein Weg über einen staubigen Marktplatz, der von grauen Eukalyptusblättern bedeckt war. Einige Verkäufer saßen mit übereinandergeschlagenen Beinen neben offenen Säcken voller Mais, getrockneter Erbsen und Hirse. Er fuhr weiter und kam durch Gassen kleiner quadratischer Häuser, auf deren Dächern braune Grassoden und Stücke gehämmerten Blechs lagen. Auf einem ummauerten Hof stand eine große, runde steinerne Kirche.

»Stinkende Priester«, murmelte Ernst leise vor sich hin. Er verachtete den Klerus und war wütend, daß sich ein Drittel Äthiopiens im Eigentum der orthodoxen Kirche befand.

Dank Ras Gugsa hatte Makalle sich kampflos ergeben. Die Stadt stand am Anfang der kaiserlichen Straße, die nach Addis führte. Ernst hatte gehört, daß eine siebzigtausend Mann starke äthiopische Armee von der Hauptstadt zur Front aufgebrochen war. Die Einheiten hatten vier Stunden gebraucht, um an Haile Selassie vorbeizumarschieren. Weitere einheimische Truppen wurden derzeit mobilisiert, um die Invasoren mit mehreren hunderttausend Soldaten einkreisen zu können. An der südlichen Front hatten die Italiener in der Ogaden-Region erste Siege errungen, worauf zahlreiche abessinische Offiziere, denen der Kaiser Feigheit vorwarf, ausgepeitscht, bajonettiert und erschossen wurden, *pour encourager les autres.*

Ernst zeigte den italienischen Wachen seinen Passierschein und fuhr auf den Hof des Hauptquartiers, einer rechteckigen Ansammlung von Ziegel- und weiß getünchten Lehmgebäuden. Jesus stieg aus und schloß sich wieder den Leibgardisten des Ras an. Während Ernst endlos lange im Büro des Quartiermeisters warten mußte, erlebte er zahlreiche medaillenbehangene Offiziere, die hysterisch nach Vorräten und Waffen verlangten.

»Was?« brüllte einer. »Kein Olivenöl, keine Decken? Wissen Sie, wo wir hier sind? Wie sollen meine Männer essen und schlafen?«

Von Decken mußte an seinen eigenen Kommandeur denken, von Lettow-Vorbeck, ausgemergelt von der Malaria und siebenmal verwundet. Jahr um Jahr hatte er überall in Ostafrika gekämpft und sich mit dem über Wasser gehalten, was der Busch hergab und was seine Männer in die Finger bekommen konnten. Vielleicht, dachte Ernst mürrisch, würden auch diese aufgeplusterten Stutzer eines Tages lernen, was es bedeutete, als Soldat zu dienen.

Schließlich durfte er seine Zahlungsanweisung für die Maria-Theresien-Taler vorlegen. Der Major zog angesichts der Summe und der Unterschrift die Augenbrauen hoch und verschwand dann in einem Hinterzimmer. »Fahren Sie morgen früh um Null-Fünfhundertdreißig mit ihrem Wagen rückwärts in den Garagenschuppen hinter diesem Gebäude«, sagte der Major leise, als er zurückkam. Er musterte Ernst verächtlich. »Ich nehme an, diese Bestechungssumme ist immer noch niedriger, als Pensionen für italienische Witwen zu zahlen.«

»Sie werden noch früh genug für beides aufkommen müssen«, entgegnete Ernst gereizt.

Er verließ das Büro und fuhr in seinem Lastwagen zu dem Fliegerhorst, der auf einem Hochplateau jenseits des Stadtrands lag. Eine kleine Vorausabteilung der *Regia Aeronautica* bereitete den Flugplatz vor. Die Männer hängten Windsäcke auf, verlegten Leitungen für Feldtelefone und vermaßen die beiden sich kreuzenden Graspisten. In der Nähe standen zwei kleine Tankwagen mit den Hoheitsabzeichen der italienischen Luftwaffe; sie hatten Flugzeugtreibstoff geladen. Hier und da hockten in kleinen Gruppen Männer aus Eritrea und Tigray herum und musterten sich gegenseitig argwöhnisch. Sie warteten darauf, daß sich bei den Italienern für sie die eine oder andere günstige Gelegenheit ergeben würde. Auf den Pisten liefen Esel und Ziegen frei herum und weideten das Gras ab. Sie waren vermutlich die einzigen, die hier nützliche Arbeit verrichteten, dachte Ernst.

Schließlich entdeckte er, worauf er gehofft hatte. Am Ende der längeren Rollbahn standen Tragfläche an Tragfläche zwei alte Flugzeuge im Schutz eines baufälligen Schuppens. Ernst stellte seinen Wagen ab. Er winkte den beschäftigten Italienern am entgegengesetzten Ende der Piste grüßend zu und ging zu dem strohgedeckten Hangar hinüber.

Zwei 25er Potez, erkannte er sogleich, französische Arbeitspferde, vielleicht acht oder neun Jahre alt und ideal für Aufklärungsflüge geeignet. Sie waren überall in Afrika in den verschiedensten Bereichen im Einsatz. Es handelte sich um offene zweisitzige Doppeldekker, die eine Geschwindigkeit von mehr als zweihundert Kilometern pro Stunde erreichten und mindestens eine Vierteltonne Bomben oder Fracht tragen konnten.

Auf den Rumpf der ersten Maschine hatte man den schwarzmähnigen Löwen von Juda gemalt. Das Flugzeug hatte ursprünglich vielleicht zu den Maschinen des Kaisers gehört, aber inzwischen war es ziemlich ramponiert und wurde vermutlich für Postflüge oder den Transport wichtiger Passagiere in Abessiniens entlegene Provinzen genutzt. Eine der Streben des Fahrgestells war gebrochen. Der zweiflüglige hölzerne Propeller lag auf dem Boden unter einer der unteren Tragflächen, die sehr viel kürzer als die oberen Tragflächen waren: Man fühlte sich unwillkürlich an das Gehörn eines Hartebeests erinnert. Ein Flügel des Propellers war gespalten und zersplittert. Alles in allem schien dieses Flugzeug zu viele langwierige Reparaturen nötig zu haben.

Die zweite Potez sah ein bißchen besser aus, wenngleich nicht völlig flugbereit. Wie bei ihrer Schwester, war auch hier das Leitwerk mit den grüngelbroten Streifen des alten koptischen Königreichs bemalt. Hinter dem Rücksitz hatte man ein englisches Maschinengewehr montiert, das nach hinten wies. Über der Munitionstrommel war ein großes metallenes Visierkreuz angebracht. Ernst bemerkte, daß an einem der beiden speichenlosen Räder eine Ölkanne mit langer gebogener Tülle lehnte. Die rechte Motorverkleidung war hochgeklappt. Jemand war gerade bei der Arbeit.

Ernst ging auf das Flugzeug zu. Er öffnete die Klappe des Stauraums im Rumpf und stöhnte auf, als er sah, wie knapp man den Platz dort bemessen hatte. Typisch französisch. Dann kletterte er auf die Holzkiste, die neben der Nase der Maschine stand. Er räumte einen öligen Lappen und einen langen Schraubenschlüssel beiseite und sah sich den Motor an. Der Deutsche war ein geübter Mechaniker und verstand sich auf jegliche Apparaturen. Der Lorraine-Dietrich-Zwölfzylinder wirkte überraschend sauber und nahezu einsatzbereit.

Plötzlich ertönte hinter Ernst eine schneidende Stimme, die wie mit einem sehr lauten Flüstern zu ihm sprach.

»Effendi?« Ein junger schmalgesichtiger Abessinier starrte mit wachen Augen zu ihm herauf. Der Mann war kleingewachsen und barfuß. Er trug die übliche grobe Bauern*shamma*, aber seine dunklen Hände schimmerten ölverschmiert. Als Ernst von der Kiste stieg, blickte er nach unten auf die Füße des Mannes. Sie waren weich und ohne Schwielen. Der rechte wies auf der Oberseite eine frische Schnittwunde auf. Das waren nicht die Füße eines Mannes, der häufig ohne Schuhe herumzulaufen pflegte.

»Ich bin kein Italiener«, sagte Ernst langsam, zuerst auf englisch, dann auf französisch. Er packte den dünnen rechten Arm des Mannes. »Sind Sie Mechaniker oder Pilot?«

Der Mann erwiderte nichts und versuchte sich loszumachen.

Geld, Gewalt oder der Versuch, ihn zu überreden? überlegte sich Ernst. Er legte die freie Hand auf seine Pistolentasche und stellte sich dem Mann in den Weg. Er entschied sich fast immer für die zweite der drei Möglichkeiten.

Der Mann zögerte. *»Je suis pilote.«*

»Wollen wir nicht nach Addis fliegen?« Ernst drängte den Mann nach hinten in den Schuppen. »Ich habe viel Geld. Ich werde den Motor inspizieren, und Sie fliegen.«

Die beiden sprachen eine Weile leise im Hangar miteinander. Ernst erfuhr, daß der Pilot, Ephraim war sein Name, von den belgischen Militärberatern in der Hauptstadt ausgebildet worden war. Er stammte aus Shoa und befand sich mindestens fünfhundert Kilometer von zu Hause entfernt. Um dorthin zurückzukehren, würde Ephraim an zahlreichen Feinden vorbeigelangen müssen: Tigray, Italiener und Galla, was am schlimmsten war, denn diese Krieger waren nach wie vor dafür berüchtigt, daß sie ihre Gegner verstümmelten. Jetzt, da sie sahen, daß die Macht des Kaisers abnahm, wurden sie zunehmend rebellischer. Es würde klüger sein, über all diese Widrigkeiten hinwegzufliegen. Ernst verabredete, sich im Morgengrauen mit Ephraim zu treffen.

»Alles muß bereit sein.« Von Decken drückte den schmalen Arm des Piloten. »Alles, und die Tanks gefüllt. Je geschickter Sie sich anstellen, desto reicher werden Sie sein.« Ernst sah sich verstohlen im Hangar um. »Zunächst mal nehmen Sie den Propeller ab, damit es so aussieht, als wäre die Maschine fluguntauglich.«

17

Als das riesige Flugboot über dem Nil zur Landung ansetzte und seinen Schatten aufs Wasser warf, starrte Olivio Fonseca Alavedo nach oben. Für den Bruchteil einer Sekunde dachte er daran, daß ihn dieser gigantische Fluß mit seinen Freunden verband, die sich jetzt irgendwo in Äthiopien befanden. Jeder Tropfen, der an ihm vorbeifloß, hatte eine Strecke von mehr als anderthalbtausend Kilometer zurückgelegt, war in den Tanasee im Hochland Abessiniens gelangt, dann nördlich durch die Moore und Sümpfe des Sudans, vorbei an den gespenstischen Ruinen am oberen Nil, die tosenden Katarakte hinunter und jetzt durch Kairo hindurch, bevor er Olivios Feldern im Delta Leben spendete.

Als das Flugzeug aufsetzte und sich mit seinem Schatten vereinigte, stützte der Zwerg seine Ellbogen auf den Tisch an Deck und setzte das Fernrohr an sein Auge. Ebenso wie Dr. Hänger, der berühmte Gelehrte der Achondroplasiologie, stammte auch dieses brillante Instrument aus Deutschland. Es war präzise, hatte eine hohe Reichweite und war wie kein anderes dazu geeignet, entfernte Objekte zu untersuchen. Clove stand neben dem Stuhl ihres Vaters, hatte ihm eine Hand leicht auf die Schulter gelegt und folgte der Richtung seines Blicks.

Der breite gewölbte Rumpf der *City of Khartoum* durchpflügte sanft das Wasser und erreichte das Dock auf der gegenüberliegenden Seite des Nils fünf Minuten vor der angekündigten Zeit. Die Maschine benötigte von Nizza bis Kairo siebzehn Stunden und fünfundzwanzig Minuten, mit Zwischenlandungen in Neapel, Athen und Alexandria. Die drei Jupitermotoren des Flugboots wurden abgeschaltet. Seine Bugwellen wogten über den Fluß und schlugen sanft gegen die Backbordseite des Cataract Cafés. Der Zwerg schob die drei Messingzylinder des Fernrohrs ein wenig zusammen, bis er die britische Flagge auf dem Dock scharf im Visier hatte.

Er sah dabei zu, wie das weißuniformierte Dockpersonal das Flugzeug an den hölzernen Pontonplattformen vertäute, die sich zu beiden Seiten erstreckten. Einer der Arbeiter stellte sich ungeschickt an und ließ die Schlinge einer der Fangleinen ins Wasser fallen.

»Sogar in einer makellosen gutsitzenden Uniform bleibt ein *Fellah* doch immer ein *Fellah*«, knurrte der Zwerg.

»Natürlich, Vater.«

Der ausladende Bug des Flugzeugs ragte über dem Dock empor. In der Mitte des Rumpfes öffnete sich eine Tür. Die mit Seilen gesicherte Gangway wurde hochgezogen und in den Boden der Türöffnung eingehängt. Ein Steward trat heraus und fegte die Gangway. Der silberbärtige Kapitän erschien. Unter dem linken Arm trug er eine mit Kordeln besetzte Schirmmütze. Olivio schlug ungeduldig seine beschuhten Füße gegeneinander.

Einer nach dem anderen stiegen die Passagiere aus. Einige hielten an der Ausstiegsluke, um ihren Blick über die Minarette und Kuppeln von Kairo schweifen zu lassen. Sie waren in Afrika. Am Fußende der Gangway wartete der Kapitän, kerzengerade wie ein Gardist, und gab jedem zum Abschied die Hand, sowohl den Erwachsenen als auch den Kindern. Warum nur mußten die Briten immer dieses militärische Gehabe an den Tag legen? Kein Wunder, daß sich alle Europäer über sie lustig machten – und sich andererseits oft genug wünschten, so wie sie zu sein.

Dr. August Hänger trat aus der Tür des Flugzeugs. Es kam kein anderer in Betracht. Dieser Mann würde über Olivios Zukunft entscheiden.

Clove freute sich für ihren Vater und sah ihm dabei zu, wie er die Brennweite des Fernrohrs justierte. Sie wußte, wie sehr er diesen Arzt brauchte. »Ist das dein Gast, Vater?«

»Das ist er«, sagte der Zwerg, ohne sich in seiner Konzentration stören zu lassen.

Olivio begann bei seinen Füßen. Der Doktor, ein hagerer, kleingewachsener Mann, trug schwarze polierte Schuhe, vielleicht ein bißchen zu schwer. Sein Anzug war perlmuttfarben und entsprach mit seinem eher kurzen Jackett der kontinentalen Fasson. »Oje«, sagte der Zwerg leise. Um den hohen Kragen seines weißen Hemdes hatte der Mann eine dunkelgraue Krawatte mit weißem Punktmuster geknotet. Der Kragen war steif wie Porzellan. Der Deutsche mußte sich an Bord des Flugzeugs umgezogen haben. Er trug einen Panamahut mit ausladender Krempe und einem viel zu breiten schwarzen Hutband. Die Jahre mit Lord Penfold hatten Olivio gelehrt, wie unverzeihlich solche kleinen modischen Verfehlungen waren. Und außer bei förmlicher Abendgarderobe war seine Lordschaft von der Farbe Perlmutt alles andere als angetan.

Olivio wußte, daß der Doktor unter seinem Hut kahl wie der Sphinx war. Lange weiße Koteletten erstreckten sich bis unter seine knolligen Wangenknochen. Über den gezackten dunklen Augenbrauen verliefen drei tiefe parallele Falten quer über seine Stirn. Sein Mund war breit und unregelmäßig, seine Lippen schmal wie Striche. Er hatte eine große vorspringende Nase, die an den Schnabel eines Papageis erinnerte. Seine beiden Gesichtshälften wirkten seltsam unausgewogen. Olivio musterte die reglose Miene des Mannes und hoffte, noch hinter weitere Geheimnisse Dr. Hängers zu kommen. Von vielen wußte er bereits.

Der Deutsche ging langsam die Gangway hinab, ohne sich an den Seilen festzuhalten, die als Geländer fungierten. Seine Bewegungen ließen zugleich auf Vorsicht und Stolz schließen. Mittels einer absolut strikten Diät und dank äußerster Disziplin hielt der Arzt die lähmenden Beschwerden einer schweren Arthritis unter Kontrolle. Jeden Morgen und jeden Mittag trank er ein Glas warmes Wasser, in das er drei Löffel Essig und einen Löffel Honig einrührte. Er ernährte sich von Gemüse, Obst und Fisch. Süßigkeiten, Alkohol und Fleisch ließen ihn erstarren, als hätte ihn eine *Rigor mortis* ereilt. Abends gab es leichte Gemüse- und Fruchtsuppen. Die Kälte und Nässe in der Schweiz mußten für diesen Mann eine schwere Bürde bedeuten. Morgen war der einundsiebzigste Geburtstag des Doktors, und Olivio hatte eine ganz besondere Feier vorbereitet.

Als wüßte er, daß man ihn beobachtete, blieb Hänger stehen, hob den Kopf und schaute quer über den Fluß. Er zuckte zusammen, als die Sonne in sein bleiches ausgezehrtes Gesicht fiel. Selbst auf diese Entfernung spürte der Zwerg die stechende Härte, die im Blick dieses Mannes lag. Seine Augen waren dunkel, zu dunkel, um die Farbe erkennen zu können, aber sie strahlten vor grimmiger Entschlossenheit.

Olivio setzte das Fernrohr ab. Dieser Mann würde eine echte Herausforderung für ihn darstellen. Der Zwerg rieb sich eines seiner Ohrläppchen und hob dann wieder die Linse vor sein Auge.

Ein halbes Dutzend Gepäckträger war damit beschäftigt, die Koffer zu entladen. Ein turbantragender Aufseher trieb sie zur Arbeit an.

»Ich frage mich, ob sie einhalten können, was Imperial Airways verspricht«, sagte Clove.

»Was denn, mein Kind?«

»Daß die Gepäckstücke noch vor den Gästen auf den Hotelzimmern sind.«

»Sie werden es schaffen«, sagte der Zwerg und bewunderte die Teakbarkasse von Shepheard's Hotel. »Was für ein Boot ist das?« fragte er.

»Es stammt aus italienischer Fertigung, Vater«, sagte Clove. »Eine Riva.«

Die *Lotus* wartete neben dem Dock, ebenso wie die etwas weniger eleganten Boote der anderen Hotels, des Semiramis und des Continental-Savoy. Ihr Messing und das Holz schimmerten. Der Doktor lehnte es ab, sich beim Einsteigen helfen zu lassen. Er tippte an seine Hutkrempe, deutete eine steife Verbeugung an und setzte sich neben eine elegante Dame. Einen Augenblick lang herrschte Hektik, als ein Dockjunge ein Seil fing und aufzuwickeln begann, während ein kleines Schnellboot mit dem Gepäck davonschoß.

Olivio sah eine Abgaswolke aufsteigen, als die Zwillingsmotoren angeworfen wurden. Die schwere Barkasse erzitterte kaum merklich. Der Bug der *Lotus* hob sich ein wenig, und dann schlug sie ihren Weg quer über den Nil ein, bis zu ihrem überdachten Anlegeplatz unterhalb des Grandhotels. Er hatte die Leute im Shepheard's prahlen hören, daß man an Bord bei einer Geschwindigkeit von dreißig Knoten noch problemlos eine Nadel einfädeln oder ein Glas Champagner auf das Deck stellen konnte, ohne daß ein Tropfen verschüttet wurde.

Olivio ließ das Fernrohr sinken und rieb sich das Auge.

»Woher hast du gewußt, daß er es war?« fragte Clove.

»Obwohl wir durch Wüste, Meer und Berge getrennt waren«, sagte der Zwerg, als würde er ihr eine Kindergeschichte erzählen, »hat dein Vater diesen Mann so genau studiert, wie er es auch mit einem Grundstück im Delta machen würde, bevor er es kauft.«

August Hänger stand auf dem kühlen Flur und hatte die Hände hinter dem Rücken verschränkt. Seine Knöchel waren steif und schmerzten. Der Flug hatte die Symptome verschlimmert. Nur Wärme und eine gründliche Massage würden ihm jetzt weiterhelfen, aber er hatte die Krankenschwester in Zürich zurückgelassen. Er sah dem stellvertretenden Hoteldirektor dabei zu, wie dieser den langen Schlüssel im Schloß der äußeren Tür herumdrehte. Der Mann machte einen Schritt nach vorn, öffnete die innere Tür, trat dann beiseite und verbeugte sich. Der Arzt hatte nicht an der Rezeption warten müssen.

»Mr. Alavedo hat bereits alle Vorkehrungen getroffen, Doktor«, hatte der stellvertretende Direktor leise und diskret gesagt, als er den Deutschen am Anlegeplatz begrüßte. »Wir werden nachher noch Ihren Paß benötigen, um das amtliche Meldeformular auszufüllen.«

Als Dr. Hänger das Wohnzimmer seiner Suite betrat, drehte sich an der gewölbten Decke ein dunkler hölzerner Ventilator. Hänger reichte dem stellvertretenden Direktor seinen Schweizer Paß, woraufhin dieser sich verbeugte und ging. Erleichtert stellte der Doktor fest, daß seine beiden Arztkoffer in der Eingangshalle standen. Er arbeitete grundsätzlich nur mit seinen eigenen Instrumenten. Jeder der beiden großen schweren Lederkoffer, deren Ecken mit stählernen Beschlägen verstärkt waren, trug in der Mitte des Deckels das aufgemalte Symbol des Äskulapstabs und der Schlange in einem kleinen weißen Kreis.

Der Doktor sah sich im Zimmer um. Es gab keine Blumen. Konnte dieser Zwerg wissen, daß er gegen bestimmte Blumen und Kräuter allergisch war? Er hörte, wie sich die Tür hinter ihm leise schloß. Auf einem runden Tisch stand ein überdimensionaler Früchtekorb, der wie gemalt aussah, und hinter dem Korb zwei Karaffen, die man mit Leinenservietten abgedeckt hatte. Vor dem Korb lag eine schwarze Lackschachtel auf dem Tisch. Es war keine Karte dabei. Er ahnte, was sich darin befand, denn er hatte schon einmal eine solche Schachtel erhalten.

Er trat an den Tisch und betrachtete mit großem Behagen, was sich ihm darbot: Mangos, Granatäpfel, Zitronen, Datteln, Weintrauben und Avocados, alle Früchte handverlesen und reif, genau zur richtigen Zeit gepflückt. Jede einzelne war ein Mittel gegen seine Krankheit. Seine dunklen Augen richteten sich auf die Schachtel. Er öffnete die Schließe und hob den Deckel.

Im Innern befand sich eine Kostbarkeit, die in einer mit Samt ausgeschlagenen Form ruhte: die zweite von insgesamt drei Elfenbeinfiguren aus der Zeit der XX. Dynastie. Genau wie bei der ersten Statuette handelte es sich auch bei dieser um einen nackten herumtollenden Zwerg, dessen Beine abscheulich verkrümmt waren. Unter seinen bloßen Füßen befand sich eine Elfenbeinspule, die in eines von drei Löchern des vierzig Zentimeter breiten elfenbeinernen Sockels passen würde. Der Sockel und die linke Figur waren vor zwei Monaten in Zürich eingetroffen. Sie waren zum Teil dafür verantwortlich, daß der Arzt nach Ägypten gereist war.

August Hänger stand schweigend da und untersuchte mit geübtem Medizinerblick das dreitausend Jahre alteBildnis. Es schien sich um eine Statue desselben Mannes zu handeln: buckliger Rücken, vorstehendes Hinterteil, das linke Bein sogar noch verkrümmter als das rechte. Der Kopf zeichnete sich durch breite, fledermausähnliche Ohren aus, eingefallene Wangen, große Mandelaugen und eine Hakennase. Allerdings schien diese Figur einen älteren Zwerg abzubilden. Das Gesicht war weniger lebhaft, der Bauch hing tiefer herab, der Penis war etwas kleiner. Diese Statuette trug keine Halskette. Wie hatte das Leben dieses kleinen Mannes ausgesehen? Hatte er all die grausamen Schmerzen durchlitten, die Zwerge in ihrem Dasein so häufig erdulden mußten?

Der Doktor wußte, daß dieser Schatz erst dann vollständig sein würde, wenn er die Behandlung seines Patienten abschloß und von Herrn Alavedo die dritte und geplagteste Figur erhielt. Dann konnte er die drei runden Elfenbeinspulen in ihren gemeinsamen

Sockel stecken, und das kleine unschätzbare Kunstwerk würde wiederhergestellt sein. Dieses uralte Spielzeug würde die Arbeit seines Lebens mit einer zeitlosen Zivilisation verbinden. Dann würde er in der Lage sein, eine Schnur um alle drei Spulen zu wickeln und die drei Zwerge herumwirbeln und tanzen zu lassen, wann immer er daran zog. Er verschloß die Schachtel. Wie war sein neuer Patient in den Besitz dieser Kostbarkeit gelangt? Welchen Wert besaß sie wohl?

Dr. Hänger wandte sich dem Korb zu, nahm eine Karaffe, in der sich eine ockergelbe Flüssigkeit befand, und hielt sie sich unter die Nase. Aprikosennektar. Als er die Karaffe an die Lippen hob und den ganzen Inhalt in einem Zug austrank, glaubte er, die Wärme der afrikanischen Sonne zu riechen, die noch immer in den Früchten enthalten zu sein schien. Er stellte die Flasche ab und versuchte das zweite, dunklere Getränk. Der Lakritzsaft verhalf ihm zu einem orangebraunen Schnurrbart.

Der Doktor wischte seinen Mund an einer Serviette ab und nahm eine Aprikose aus dem Korb, bevor er steifbeinig zur Tür des Schlafzimmers ging. Er fürchtete den Moment, in dem er sich hinunterbeugen mußte, um seine Schuhe auszuziehen. Im Türrahmen blieb er stehen und biß in die Frucht. Vor ihm stand ein großes Bett, über dem ein zusammengerafftes Moskitonetz von der Decke hing. Die dazugehörige Zugschnur reichte herab bis zu einem Kissen, auf dem der Kopf der hinreißendsten Frau ruhte, die er jemals gesehen hatte.

Der Saft der Aprikose rann warm und aromatisch aus Dr. Hängers Mundwinkeln. Er trat neben das Bett. Ein süßer Duft hieß ihn willkommen. Ächzend stellte er einen Fuß auf die weiße Leinendecke an der Bettkante. Als Jamila sich vorbeugte und den doppelten Knoten des schwarzen Schnürsenkels löste, klimperten die dünnen Goldmünzen an ihren Ohrringen. Ihre bernsteinfarbene Haut hob sich wie ein Honigquell von den weißen Laken ab. Als sie sich bewegte, rutschte die Bettdecke von ihren schweren Brüsten. Ihre Brustwarzen und Oberlider waren silbern bemalt.

Das war ganz gewiß keine Alpenblume.

Dr. Hänger saß aufrecht im Bett und war gerade im Begriff, mit Hilfe eines Skalpells eine Feige zu schälen. Auf den zerwühlten Laken lagen drei Schieblehren, ein Maßband und ein Satz Tabellen der verschiedensten Gliedermaße.

Der alte Arzt hatte das Moskitonetz zugezogen. Durch die Leisten der hölzernen Fensterläden fiel dämmriges Licht in Streifen auf seinen nackten Körper. In gleichmäßigem Abstand schnitt er vier exakte Linien in die dunkle weiche Schale, so daß nach seiner Schätzung jede der Linien mit höchstens ein oder zwei Grad Abweichung in einem Winkel von neunzig Grad zu ihren Nachbarn stand. Er fragte sich staunend, wie es möglich sein konnte, daß die äußere Schale einer Feige so trocken war, das Fruchtfleisch hingegen vor süßem Naß überquoll. Wie eine schwangere Frau, hatte auch diese Feige ein Stadium ihres Daseins erreicht, in dem sie fast von selbst aufgeplatzt wäre, weil ihre Lebenskraft sich nicht mehr im Zaum halten ließ. Aus jedem der Schnitte traten purpurner Saft und winzige schwarze Samenkörner hervor. Nachdem die Schale nicht mehr bis zum Bersten gespannt war, rollten sich die Spitzen der vier Abschnitte ein wenig zurück und enthüllten das dunkelrote Fruchtfleisch in all seiner köstlichen Perfektion.

Der Klang der Fingerzimbeln lenkte den Arzt von seiner Beschäftigung ab. Er blickte hoch und nahm seine eckige goldene Brille von der Nase. Jamila tanzte für ihn. Er spähte durch das Netz. O mein Gott, dachte er. Noch so ein Tanz würde ihn umbringen. Sie hatte ihm bereits mehr Vergnügen bereitet, als ihm je zuvor vergönnt gewesen war, nicht einmal in seinen wildesten Träumen. Um Mitternacht, genau zu Beginn seines Geburtstags, hatte er zum erstenmal seit neun Jahren einen Orgasmus gehabt. Aber damit noch nicht genug. Sie hatte ihn auch gelehrt, wie er sie zum Höhepunkt bringen konnte. Als das erste Licht auf die Fensterläden fiel, hatte Jamila ihrer Wollust in einem einzigen Schrei Luft gemacht, der vermutlich noch in den Küchen des Hotels zu hören gewesen war. Als Medizin gegen seine Arthritis war das hier wesentlich besser als Essig.

Obwohl er sie mehrfach selbst nachgemessen hatte, waren die Maße dieses Geschöpfes ein wahres Wunder. Wie so viele Ärzte, träumte auch Dr. Hänger davon, Patientinnen zu Geliebten und

Geliebte zu Patientinnen zu machen. Mitunter gelang es ihm, diesen Traum umzusetzen. Leider hatte sein spezielles Fachgebiet, der Zwergwuchs, zusammen mit seinen physischen und emotionalen Unzulänglichkeiten dazu geführt, daß ihm nur eine geringe Zahl möglicher Befriedigungen zur Verfügung stand.

Während der letzten beiden Stunden hatte er mittels der minuziösen Methoden seiner Wissenschaft jedoch nicht etwa Mißbildungen gemessen und dokumentiert, sondern der Perfektion der Natur gehuldigt. Abermals erstaunte ihn, welch jugendliche Gefühle Jamila in ihm geweckt hatte. Er sah dabei zu, wie ihr Körper sich zu der Musik zu wiegen begann. Er bemühte sich, sie unter wissenschaftlichen Aspekten zu betrachten.

Vom medizinischen Standpunkt war die Bandbreite ihrer Bewegungen höchst bemerkenswert. Während bei einem Zwerg und auch bei vielen Arthritikern im Vergleich mit normalen Personen des gleichen Alters jedes Glied und jedes Gelenk typischerweise zwanzig bis fünfundzwanzig Prozent weniger Spielraum besaß, verfügte diese Frau über ungefähr dreißig Prozent mehr Bewegungsfreiheit. Ihre Wirbelsäule war geschmeidiger als eine Schlange. Der Doktor mußte an die gequälte Kreatur in der Lackschachtel denken.

Jamila hatte ihre Muskulatur dermaßen unter Kontrolle, wie er es nie für möglich gehalten, geschweige denn je zuvor gesehen hätte. Sie schien jede komplexe Bewegung des Körpers in einzelne Phasen zu zerlegen, so daß jeder Muskel und jedes Körperteil, selbst die intimsten, zu einem von vielen unabhängigen Instrumenten wurde, die sich ganz nach ihrem Willen zu immer neuen Orchestern zusammenfügten. Während die Trommeln dröhnten, tremolierten die Geigen. Genaugenommen entsprach ihr Körper eher dem Kölner Domchor: Jeder Sänger, ob Junge, Mann oder Frau, war in der Lage, sowohl als Solist wie auch in der Gemeinschaft zu singen, manchmal langsam und zart, manchmal im vereinten Crescendo so kraftvoll, daß die Wände des Doms erzitterten.

Atemlos sah er, daß die Frau beim Tanzen den Mund öffnete und ihre Lippen bewegte. Er legte sein Skalpell auf den Nachttisch neben den leeren Teller Kaltschale, die er vorhin bereits genossen hatte. Sie hatte unaufgefordert hinter der äußeren Tür gestanden, inmitten eines größeren Gefäßes mit zerstoßenem Eis. Die kalte Fruchtsuppe, eine Mischung aus importierten Pflaumen und Kirschen, gehörte zu seinen absoluten Lieblingsgerichten und war eine Spezialität seiner Heimat Westfalen. Wie hatten sie das wissen können? Das tanzende Mädchen hatte ihn mit einem Löffel gefüttert, als wäre er ein Kleinkind, was in jenem Moment genau den Tatsachen entsprach.

Er blickte hinab auf die Frucht, die auf der gefalteten Serviette in seinem Schoß lag. Die Feige war bereit. Nur noch ein paar Minuten und die geschälte Frucht würde weich werden und ihre Form einbüßen. Er schnippte mit den Fingern, um seine körperliche Verfassung zu überprüfen.

»Liebchen«, rief er mit dünner Stimme. Sein Fingerschnippen klang laut wie ein Schuß.

Jamila hörte auf zu tanzen und hob das Netz. Sie setzte sich ihm gegenüber nackt auf das Bett. Ihr Duft umgab ihn, süß und natürlich. Sie hob ihre straffen Beine und legte sie ihm auf die Schultern. Dann rutschte sie auf ihn zu, bis ihre bemalten Zehen hinter ihm gegen das weiße gepolsterte Kopfteil drückten. Dr. Hänger schob sich unter sie und auf das Fußende des Betts zu, so daß sein Kopf nach unten wanderte.

Sie lehnte sich zurück und stützte sich mit den Händen ab. Ihr Rücken ruhte jetzt auf seinen dünnen bleichen Schenkeln, ihre Kehle wies nach oben, und ihr Kopf lag im Nacken. Jamila spannte ihre Brüste an, erst die eine, dann die andere. Die dunklen Brustwarzen richteten sich gehorsam auf. Ihr Bauch vollführte eine langsame Wellenbewegung, und ihre Vulva näherte sich der Feige. Der Duft der Frucht und der ihres Körpers vermischten sich, als ihre bebenden Schamlippen die Feige berührten. Hänger klappte die goldenen Bügel seiner Brille zusammen und legte sie auf den Nachttisch.

Jamilas Körper ergriff die Feige und hob sie von der Serviette. Sie versetzte ihren Unterleib in Bewegung, worauf die eingeklemmte Feige aufplatzte und das Fruchtfleisch hervorquoll. Der Doktor senkte sein Gesicht und kostete von der saftigen, fleischigen Frucht, die vor ihm tanzte und wogte.

Er war fast völlig überwältigt, und sein Herz klopfte wie rasend. Hänger wich ein Stückchen zurück und schnappte nach Luft. Nase und Kinn schimmerten feucht und waren voller winziger purpurner Samenkörner. Was würden seine Kollegen in Zürich wohl hiervon halten? Er beugte sich abermals vor und tauchte mit leicht geöffnetem Mund in die Frau ein. Saugend verfolgte er die Frucht, während die Feige sich langsam auflöste.

Zeit, an die Arbeit zu gehen, dachte Dr. Hänger und ließ seinen Blick durch die Scheiben des Daimler über den Nil schweifen. Er war ein Amateurdendrologe, der sich vor allem den exotischen Gewächsen verschrieben hatte, und so bewunderte er die Bäume, die das Ufer säumten und die Wege vor den Herrenhäusern am Fluß beschatteten. Die Vielfalt versetzte ihn in Erstaunen: Jakarandas, Leberwurstbäume, chinesische Maulbeerbäume und, falls er sich nicht irrte, afrikanische Tulpenbäume, Raffiapalmen, Baobabs und Banyanbäume, sogar australischer Eukalyptus und indischer Goldregen, alle Arten, die das Empire zu bieten hatte.

»Anhalten!«

Tariq lenkte den Wagen an den Straßenrand. Er sprang heraus und öffnete die hintere Tür. Der Deutsche stieg aus und ging am Ufer entlang zurück. Er war auf seinen schwarzen Spazierstock angewiesen und hielt sich steif und aufrecht, denn nach den ungewohnten fleischlichen Anstrengungen plagten ihn wieder grausame Schmerzen. Er blieb unter einem schattigen Baum stehen und blickte empor. Aus Indien importiert, vermutete er.

Über ihm erhob sich ein stattlicher Laubbaum mehr als neun Meter über den Gehweg. Seine langen waagerechten Äste breiteten sich gleichmäßig wie ein Schirm aus. Hänger streckte eine Hand aus und umschloß sanft eine der in Büscheln wachsenden rosaweißen Blüten des Hülsenfrüchtlers. Vor ihm auf dem Boden lagen ein paar Schoten und zahlreiche doppeltgefiederte ovale Blätter verstreut. Der Doktor zog ein Tuch aus seiner Brusttasche. Eine Hand um seinen Stock geklammert, beugte er sich hinunter und nahm eine der zylindrischen Hülsen auf. Er wickelte die Schote fest in sein Taschentuch ein und hoffte inständig, sie würde keinen Allergieanfall auslösen. Dann ging er zurück zu dem Daimler und warf einen prüfenden Blick auf die beiden Arztkoffer, die man fest an den verchromten Gepäckständer am Heck des Automobils geschnürt hatte. Sie fuhren weiter zum Cataract Café.

Jetzt mußte er sich sein Willkommensgeschenk verdienen.

Dr. Hänger empfand ein sonderbares Gefühl angespannter Ungewißheit, als er am oberen Ende der Rampe, die zu dem Hausboot führte, aus dem Wagen stieg. Fühlte er sich womöglich genauso wie sonst seine Patienten, wenn sie sich seiner Klinik näherten?

Der letzte Brief dieses Patienten hatte nachdrücklich betont, daß er sich auf keinen Fall in einer Klinik oder anderen medizinischen Einrichtung untersuchen lassen würde. Ein derart ausgeprägter Wunsch nach Intimsphäre und ein überaus starker Stolz waren bei solchen Patienten nicht ungewöhnlich. Der Doktor hatte Verständnis dafür, daß die Aufforderung, sich zu entkleiden, oftmals als Erniedrigung empfunden und mit Feindseligkeit beantwortet wurde.

Ein kurzgewachsener Diener in einer weißen *Gallabijjah* führte ihn die Gangway hinunter. Bevorzugte dieser Zwerg kleinwüchsiges Personal, um sich selbst größer zu fühlen?

Tariq folgte mit den Koffern. Das Deck des Cafés war leer. Der Diener führte den Arzt an einen Tisch neben dem Durchgang zur Bar. Dr. Hänger setzte sich, dann wurde ihm ein Glas Aprikosennektar angeboten. Er nippte an dem Getränk und sah, wie Tariq die Bar betrat und die Koffer durch die Tür zum Unterdeck trug. Der Fruchtsaft war schaumig, leicht süß und gehörte zum Besten, das er je getrunken hatte. Der Doktor spürte, wie er fast augenblicklich seine Gelenke besser bewegen konnte. Mit solchen Tränken vermochte er ewig zu leben.

Nachdem Hänger ausgetrunken hatte, bat Tariq den Deutschen, ihm zu folgen.

Erfrischt stieg August Hänger die Stufen ins Unterdeck hinab. Die Tür hinter ihm schloß sich. Er setzte in dem dämmrigen Licht sorgfältig einen Fuß vor den anderen. Am Ende der Treppe blieb er stehen, ließ seinen Blick durch den riesigen Raum schweifen und erschrak vor dem überwältigenden Abbild des Sphinx. Seine Arztkoffer standen in der Nähe der Vorderpfoten. Am entgegengesetzten Ende des Raums war es hell, weil hier durch vier offene Bullaugen auf der Steuerbordseite des Boots Licht hereinfiel. Inmitten dieses hellen

Flecks lag ein quadratisches weißes Laken auf dem Boden ausgebreitet.

Im Zentrum des Leinentuchs stand ein nackter Zwerg. Seine Haut war gelblich blaß, sein großer Bauch straff, und sein Hodensack hing tief herab. Er hatte das narbige Kinn erhoben und die Fäuste trotzig in die dicken Hüften gestemmt: ein wahrhaftiger Troll.

18

»Deshalb sind wir hier«, sagte Charlie und schaute vom Rand des Gebirgsmassivs hinab auf die abessinische Hochebene, die sich bis zum Horizont erstreckte. Er saß auf einem Felsen und öffnete seinen kleinen Kasten mit Wasserfarben. Einen Moment lang sagte niemand ein Wort.

»Ich habe noch nie so weit blicken können oder jemals so saubere Luft gerochen«, sagte Bernadette schwer atmend. Sie waren nur ein kurzes Stück vom Camp entfernt, doch hier in der Höhe war sogar solch ein Spaziergang beschwerlich.

Der Rand des Steilhangs war von tiefen Schluchten durchzogen und von grauen Dornbüschen gesäumt, die sich an das trockene felsige Gelände klammerten. Das Becken direkt unter ihnen war mit Flecken gelber Wildblumen gesprenkelt und ließ Bernadette an den Septemberregen denken, der erst kürzlich aufgehört hatte. Der Himmel war klar und strahlend, das Land unendlich weit, sogar noch mehr als in den westlichen Ebenen ihrer Heimat. Am Anfang hatte sie Schwierigkeiten damit, mittlere Entfernungen warzunehmen. Dann entdeckte sie grünere Flecke und vereinzelte runde Steinbehausungen mit Strohdächern, die in der Nähe von Ansammlungen hoher schlanker Bäume standen. An einigen steilen Hängen waren schmale Terrassen und ordentliche Ackerstreifen erkennbar.

»Hirse?« fragte Harriet und wies auf die Felder.

»Kaffee«, sagte Anton.

»Werden wir auf der Safari guten Kaffee bekommen?« fragte Bernadette. Sie sah das verschmitzte Funkeln in Antons Augen.

»Wir werden es versuchen«, sagte er. Dann, wie ein nachträglicher Einfall: »Kaffee wurde in Äthiopien erfunden, Miss.«

»Ich dachte, man hätte den Kaffee in New Orleans erfunden.« Harriet blickte durch ihr Fernglas und musterte das nach Nordosten abfallende Gelände. Sie richtete ihre Aufmerksamkeit auf die Bahnlinie von Dire Dawa nach Addis Abeba.

»Alles hat genau hier begonnen«, sagte Anton. »Ein Hirte hatte bemerkt, daß seine Ziegen immer nervös wurden, wenn sie bestimmte grüne Beeren gefressen hatten. Er versuchte selbst ein paar davon, und dann nahm er sie nach Hause und kochte sie.«

Bernadette setzte sich auf einen Felsen und zog einen Stiefel aus. Sie schüttelte ein Steinchen heraus und zupfte einige Dornen aus ihrer Socke. Sie sah, wie Charlie seine Wasserfarben verdünnte und mischte. Er ließ aus dem Deckel seiner Feldflasche einige Tropfen Wasser auf die kleinen Farbfelder rinnen und rührte dann mit einem hölzernen Streichholz darin herum. Auf diese Weise erweckte er die wirbelnden Farben zum Leben. Dann versuchte er, den Ton der lavendelfarbenen Schleier zu treffen, die über dem Horizont genau an jener Stelle schwebten, an der die entfernten Ausläufer des Gebirges und der Himmel aufeinandertrafen. Kimathi stand hinter ihr. Er hielt eine Rigby in der Hand, warf einen Blick auf das unfertige Gemälde und schüttelte den Kopf. Bernadette vermutete, daß er Fleisch für das Lager wollte. Die strengen Ausdünstungen seines Körpers stiegen ihr in die Nase, und sie fragte sich, wie sie wohl für Kimathi roch.

»Memsahib«, unterbrach er ihre Überlegungen. »Hartebeests!« Er wies mit dem Gewehr auf einen entlegenen Hang in einem Tal unterhalb von ihnen. »Gutes Fleisch.«

»Können wir uns eins holen?« fragte Harriet aufgeregt.

»Gute Idee.« Anton nahm die Waffe von Kimathi und war froh über die Gelegenheit, die Schießkünste der Zwillinge begutachten zu können. »Eine der Damen begleitet mich.«

Harriet und Bernadette standen beide auf und gingen ein paar Schritte hinter ihm her.

»Wir werfen eine Münze, Harry«, sagte Bernadette.

Harriet ließ ein Geldstück auf den Boden fallen.

»Zahl«, sagte ihre Schwester. Beide knieten sich hin.

»Hab ich's doch gewußt«, sagte Bernadette. »Zahl.« Sie drehte sich um und folgte Anton. Ihre Schwester blieb bei Charlie und Kimathi zurück.

»Stecken Sie die hier in die Tasche«, sagte Anton und gab ihr eine Handvoll .303er Patronen.

Kurz darauf blieb Anton stehen und deutete auf etwas. Bernadette sah genau hin. Sie erkannte nichts. Anton stellte sich hinter sie und wies über ihre Schulter hinweg. Sie hob ihr leichtes Fernglas an die Augen, stellte die Brennweite ein und suchte ungeduldig von links nach rechts das Gelände ab.

Endlich sah sie die Tiere. Erst vier, dann sechs, schließlich ein Dutzend Hartebeests, die im lockeren Buschbewuchs des Abhangs auf den dunkleren Grasfleckenästen. Sie waren hochbeinige Antilopen mit gebogenen, geringelten Hörnern und langen, beinahe häßlichen Gesichtern. Bernadette sah Anton an und lächelte. Einen Moment lang fühlte sie sich daran erinnert, wie sie einst mit einem alten Jäger entlang des Bitterroot in Montana auf die Pirsch gegangen war.

Anton legte einen Finger an die Lippen und fächelte sich dann mit beiden Händen Luft ins Gesicht. Der Wind stand günstig. Bernadette begann wie ein Jäger zu denken.

Anton reichte ihr die Rigby und begann, einen sanft abfallenden Hohlweg hinabzusteigen. Sie nahm zwei .303er aus der Tasche, lud das Gewehr, überprüfte den Sicherungshebel und folgte Anton.

Als sie vorsichtig zwischen dem scharfkantigen Geröll und den grauen Dornbüschen hinabkletterte, leisteten ihr ihre khakifarbenen Baumwollgamaschen gute Dienste. Von Zeit zu Zeit blickte Anton sich um und wartete auf sie, half ihr gelegentlich über eine Felsspalte oder ein steiles Hindernis. Sie erreichten einen riesigen Felsblock, der wie ein verlassenes Haus ganz für sich allein an einer Seite des Hohlwegs aufragte. Vorsichtig tasteten sie sich in seinem Schatten voran. Anton kauerte sich zwischen zwei ausladenden Kakteen nieder und deutete nach vorn.

Bernadette hob ihr Fernglas. Sie sah ein Hartebeest, ein junges Männchen, braun wie Kakao, nur der Steiß war von einer rötlichen Zimtfarbe. Er stand wie ein Wachposten neben einem großen Ameisenhaufen. Er schüttelte den Kopf, zuckte mit den langen ovalen Ohren und schnüffelte im Wind.

Anton blieb reglos sitzen, bis der junge Bock zu grasen begann. Dann winkte er Bernadette, ihm zu folgen, und bewegte sich vorsichtig seitwärts, um in die Flanke des Wächters zu gelangen. Falls sie sich zu weit in den Wind bewegten, würde das Tier ihre Witterung aufnehmen. Langsam arbeiteten sie sich von Busch zu Busch und Felsen zu Felsen vor. Bei jedem Halt spürte Bernadette ihr Herz bis zum Hals schlagen. Schließlich legten sie sich flach auf den Bauch und krochen einen schmalen ausgetrockneten Wasserlauf hinauf. Bernadette konnte den Staub riechen. Das hier war eine echte Safarijagd. Sie wußte, daß Harry fuchsteufelswild sein würde.

Bernadettes Kinn lag auf dem harten Kies des Flußbetts. Dicht vor ihrem Gesicht sah sie dunkle Kügelchen, die rund wie Perlen waren, vermutlich die Losung der Antilopen. Unmittelbar vor ihren Augen marschierte eine Kolonne Ameisen, rot und groß wie Straßenbahnwagen, auf das hohle Ende eines kurzen gelben Fangzahns zu – der eines Wildschweins, vermutete sie.

Anton rieb sich Staub ins Gesicht und hob seinen Kopf bis kurz über die Grasnarbe, die bis an den Rand des Wasserlaufs reichte. Sie tat es ihm nach und entdeckte links unterhalb von ihnen in einer Entfernung von rund sechzig Metern elf Hartebeests, einschließlich dreier Jungtiere. Anton sah zu ihr und nickte nach rechts. Bernadette hielt den Atem an und bemühte sich, ein aufgeregtes Zittern zu unterdrükken.

Dort stand er, der prächtige Leitbock des Rudels. Er war dunkler als die anderen, über sein Gesicht und seine Oberschenkel zogen sich schwarze Linien, der Rücken fiel stark zu den kurzen Hinterläufen ab, und seine schweren, doppelt gewundenen Hörner standen weit auseinander. Der Bock schüttelte kauend den Kopf und verscheuchte mit seinem schwarzen büscheligen Schwanz ein paar lästige Insekten. Um seine Schultern schimmerte eine silbrige Aura. Vielleicht wegen der weißen Haarspitzen, wie bei einem ausgewachsenen Grizzly, vermutete Bernadette.

Sie legte die Rigby an. Als sie einatmete und sich auf den Schuß konzentrierte, spürte sie eine Windbö. Sie sah, daß Anton nickte und eine Geste mit seinem Abzugsfinger machte. Mit dem Daumen legte sie den Sicherungshebel um, dann schloß sie ihr linkes Auge.

Plötzlich ertönte zu ihrer Linken ein schrilles nasales Schnauben. Der Wächter. Der Leitbock versteifte sich. Ein zweites Schnauben, und der Bock warf seinen Kopf zurück. Das Rudel setzte sich im selben Moment in Bewegung, in dem Bernadette den Abzug drückte. Der Knall des Schusses hallte von den felsigen Abhängen wider.

Anton und Bernadette rannten auf die fliehenden Hartebeests zu. Eines der Tiere lag auf dem Boden, der Kopf hing herab, und die Beine strampelten wild in der Luft. Sie hörte das Trommeln der Paarhufe, als die anderen in das dichtere Unterholz stürmten. Einen Moment lang stieg ihr der beißende Geruch der Tiere in die Nase.

»O mein Gott, das tut mir leid«, sagte Bernadette bestürzt und schlug eine Hand vor den Mund. Sie wußte, was passiert war, und spürte eine innere Leere.

»Da kann man nichts machen.« Anton zog sein Messer. Er verstand, wie sie sich fühlte. »Dieser scheue alte Bock ist blitzartig beiseite gesprungen, so daß Ihr Schuß dieses Weibchen hinter ihm getroffen hat.«

»Das ist mir schon mal passiert.« Bernadette rieb sich die Augen. »Als ich noch ein Mädchen war, auf der Jagd nach Wapitis.« Sie legte eine Hand auf seinen bloßen Unterarm.

Anton drückte dem Hartebeest sein Knie gegen die Schulter und zog mit seiner linken Hand eines der Hörner nach hinten. Das Tier leistete kaum noch Widerstand. Die dünnen Beine zuckten, und der Kopf hob sich zögernd. Bernadette sah ein riesiges braunes Auge, das sie hilflos anstarrte. Anton bog der Antilope den Kopf in den Nacken und zog ihr das Messer über die Kehle.

Er schnitt den Kopf ab. Dann fuhr er mit der Messerspitze vom Hals bis zum Anus durch die oberste Hautschicht. Bernadette lud den ersten Lauf des Gewehrs nach und lehnte die Rigby gegen die Astgabel eines kleinen Baums. Sie wollte auf keinen Fall zimperlich erscheinen und spreizte die Beine des Tiers, um Anton behilflich zu sein, als dieser entlang seines ersten Schnitts den Körper des Hartebeests aufbrach und danach den Bauch- und Brustraum ausweidete.

»Bernadette hat sich sehr gut gehalten«, sagte Anton später, als die anderen sich um ihn versammelten. »Ihre Feuertaufe, ein prachtvolles Hartebeest, wie sie sonst eigentlich im Kongo vorkommen.« Er kniete sich hin und zählte dreizehn vorstehende Ringe an den Hörnern des hellen kastanienbraunen Tiers. Anton warf Kimathi einen kurzen Blick zu. »Unten in Kenia gibt's die nicht. Früher kamen die bis oben nach Palästina vor. Die alten Ägypter haben sie für Tieropfer gezüchtet.«

Bernadette grinste stolz, als die hungrigen Männer sie anlächelten und aufgeregt zu plappern begannen. Charlie legte ihr gratulierend einen Arm um die Schultern. Harriet war wütend, weil man sie zurückgelassen hatte, und versuchte, sich ihre plötzliche Eifersucht nicht anmerken zu lassen. Sie starrte den stattlichen Rumpf böse an und sagte kein Wort. Sie beschloß, sich nicht die Mühe zu machen, die Szene mit ihrer neuen Filmkamera festzuhalten.

Der Abdecker schärfte sein Messer, und der Küchenjunge packte zwei der Beine und zerrte den Kadaver zum Kochfeuer. Antons Leute waren geschult darin, den Kunden zu schmeicheln, und so winkten, lächelten und verbeugten sie sich in Bernadettes Richtung, nachdem sie das Hartebeest in Augenschein genommen hatten.

»Hatten Sie nicht vor, ein Männchen zu schießen?« fragte Harriet.

»Ihre Schwester hat beinahe den Leitbock erlegt«, sagte Anton, als Bernadette verärgert herumfuhr. »Dieses Weibchen hat hinter ihm gegrast. Keine ganz so schöne Trophäe, aber dafür dürfte es wesentlich besser schmecken.«

»Gut gemacht, Schwesterlein.« Harriet bemühte sich, nicht allzu gekränkt zu klingen, wenngleich natürlich nicht Bernie zuliebe, sondern wegen all der anderen. Bernie würde schon genau Bescheid wissen. Harriet legte die schwere Bell & Howell Filmkamera zurück in ihr paßgenaues, mit rotem Filz ausgekleidetes Futteral und ließ die beiden Klammern an der Außenseite des schwarzen Kastens zuschnappen. Schließlich war es ihre Kamera, und sie hatte sie mitgebracht, um ihre eigenen Trophäen zu filmen. Falls Bernie Wert auf bewegte Bilder legte, hätte sie eben auch ihre Kamera mitnehmen müssen.

»Alle hier haben einen Bärenhunger«, sagte Harriet. »Und du siehst aus, als könntest du ein ausgiebiges Bad vertragen, Bernie. Beeil dich lieber.«

Bei Einbruch der Abenddämmerung saß Anton mit Charlie am Feuer und trank einen frühen Whisky. Die Zwillinge gingen in Pantoffeln und Baumwollbademänteln an ihnen vorbei zu der Duschkabine, die man unter dem Ast einer großen Akazie mit Hilfe einer

Segeltuchplane errichtet hatte. Sie hatten Seife und Handtücher dabei und flüsterten wütend miteinander. Was für ein Paar, dachte Anton. Bernadettes Durchhaltevermögen während der Jagd hatte ihn beeindruckt.

»Wie ist es mit dem Bild vorangegangen?« fragte er Charlie, obwohl ihn das Gekicher, das jetzt aus Richtung der Dusche an ihre Ohren drang, weitaus mehr interessierte.

»Es gab zu viel zu malen, und ich konnte die Farben nicht richtig hinbekommen. Alles hier ist durchdringender und leuchtender, irgendwie lebendiger.« Charlie trank sein Glas aus. »Ich befürchte, die Landschaft ist besser als ich.«

Plötzlich ertönten bei der Dusche spitze Schreie. Anton riß seinen Pistolengürtel von der Stuhllehne und rannte quer über den dunklen Lagerplatz.

Die Segeltuchwand lag auf der Seite. Aus dem Duschbehälter, den man an einem Ast über der Kabine festgezurrt hatte, tröpfelte Wasser. Beide Mädchen waren nackt.

»Irgendein Insekt hat Harry gebissen«, sagte Bernadette ruhig. Sie nahm einen der Bademäntel vom feuchten Boden auf.

»Ein Skorpion! Er hat mich gebissen!« Harriet stand vornübergebeugt da und untersuchte die Falte, an der ihr rechter Oberschenkel in den Unterleib überging.

Anton legte ihr den anderen Bademantel um die Schultern. »Kommen Sie besser mit hinüber ins Licht, und lassen Sie mich einen Blick darauf werfen.« Er führte sie an der Hand zu ihrem Zelt.

»Ist das tödlich?« Bernadette eilte ihnen hinterher.

»Unwahrscheinlich«, entgegnete Anton über die Schulter gewandt. »Hängt davon ab, welche Art es war. Hat eine von Ihnen das Tier gesehen? War der Skorpion hell oder dunkel? Wie lang waren die Scheren?«

»Gesehen? Wie hätte ich ihn sehen sollen?« schnappte Harriet. Am Eingang ihres Zeltes drehte sie sich um und sah Anton an. Ihr Haar war naß und dunkel. Ihr Gesicht war errötet, ihre Lippen geschwollen und rot. Sie sah aus wie sechzehn, dachte Anton, und zwar wie äußerst gefährliche sechzehn. Wenn Leute aus der Dusche kamen, wirkten sie stets jünger.

»Glauben Sie, ich hätte mich stechen lassen, falls ich ihn gesehen hätte? Er muß sich in meinem feuchten Handtuch verkrochen haben. Ich habe mir das Handtuch um die Taille geschlungen, und da fühlte ich auch schon diesen schrecklichen Biß. Daraufhin habe ich das Handtuch fallen gelassen, und der Skorpion ist davongehuscht. Er war so groß wie Ihre Hand, mit einem Schwanz wie eine Kutscherpeitsche.«

»Er war winzig«, sagte Bernadette und blickte zum Himmel empor. »Um Gottes willen. Vermutlich hat sich der arme Skorpion ganz fürchterlich erschrocken. Oh, was für ein wunderschöner Mond.«

Harriet musterte ihre Schwester mit verkniffenem Blick. Ihre Lippen waren fest zusammengepreßt.

»Gehen Sie in Ihr Zelt, und trocknen Sie sich ab, während ich meine Medizintasche hole«, sagte Anton in ruhigem Tonfall zu Harriet und versuchte, möglichst tröstend zu klingen. »Falls das einer jener gelben Killerskorpione gewesen wäre, wie sie häufig in Ägypten vorkommen, würden Sie bereits anschwellen und schreckliche Schmerzen verspüren.«

Er ging zum Kochfeuer und wusch sich die Hände mit heißem Wasser. Dann holte er seine Tasche und betrat Harriets Zelt. Sie saß auf ihrem Feldbett, hatte das rechte Bein ausgestreckt und den Bademantel hochgezogen, um die kleine Wunde freizulegen – und zwei außerordentlich hübsche Beine. Anton kniete sich neben die Lagerstatt und öffnete die Segeltuchtasche. Er wußte, daß Bernadette mit verschränkten Armen hinter ihm stand und sie beide beobachtete. Am Kopfende des Feldbetts stand auf einem kleinen Tisch eine zischende Öllampe.

»Bitte laß mich mit dem Doktor allein«, sagte Harriet zu ihrer Schwester, ohne aufzublicken.

Bernadette drehte sich in dem engen Zelt um und ging hinaus. Dann hob sie die Klappe und steckte noch einmal ihren Kopf herein. »Macht schnell«, sagte sie. »Ich verhungere.«

Der Wettstreit der Schwestern schmeichelte Anton. Er drückte zwei Finger gegen die kleine angeschwollene Stelle. »Tut das weh?«

»Natürlich, Doktor.« Harriet rückte sich auf dem Feldbett zurecht. »Aber wenn Sie es berühren, fühlt es sich schon viel besser an.«

Er beugte sich über sie und untersuchte den dunklen Punkt im Zentrum der Wunde, wo der Stachel des Skorpions vorgeschossen war und das Gift injiziert hatte. Der frische Duft ihres Körpers stieg ihm in die Nase.

»Nicht allzu schlimm. Vermutlich bloß einer dieser verflixten Wüstenskorpione. Es wird nicht so stark anschwellen, wenn Sie die Stelle ein wenig reiben und das Gift verteilen.«

»Wollen Sie die Wunde nicht küssen, damit sie ganz schnell heilt?«

Nach dieser Einladung ließ Anton eine Hand ihr Bein entlanggleiten. Er genoß es, ihre weiche Haut und den festen langen Wadenmuskel zu spüren. Er senkte seinen Kopf und leckte über die geschwollene Stelle. Ihre Finger fuhren durch sein Haar. Sie spreizte die Beine, und er versenkte sein Gesicht in ihrer Scham. Kurz darauf wurde sie feucht, so daß er ihr Geschlecht riechen konnte. Ihm fiel ein, daß rothaarige Frauen immer unterschiedlich rochen. Als er weitermachte, stöhnte sie und krallte sich in seinem Schopf fest.

»Beeilt euch, ihr beiden!« ertönte Bernadettes Stimme vom Lagerfeuer. »Komm her und trink einen Champagner, Harry, der wird dir guttun. Beeil dich! Wegen dir wird noch mein Fleisch anbrennen.«

Ihr erstes Abendessen auf dieser Safari war ein richtiges Festmahl. Es gab frisch gebackenes Brot, Hartebeestkoteletts und rotes Johannisbeergelee, Röstkartoffeln und Bratensaft, Karotten und Zwiebeln und zum Nachtisch Rhabarber aus der Dose und Karamelkuchen. Die Zwillinge gaben sich ausgesprochen lebhaft, vermieden es jedoch, direkt miteinander zu sprechen. Kellner in kurzen weißen Jacken traten aus dem Halbdunkel hervor und gossen Rotwein nach. Anton erzählte Jagdgeschichten und staunte, wie wenig man die Mädchen abends voneinander unterscheiden konnte. Es mußte Absicht dahinterstecken. Ihre Kleidung, ihr Schmuck und ihre Frisuren waren identisch. Falls Bernadette nicht Charlies Hand gehalten hätte, wäre Anton nicht in der Lage gewesen, die Zwillinge auseinanderzuhalten.

Am Rand des Lagers kam Unruhe auf. Es war Diwani, den er zum nächsten Dorf geschickt hatte, um einige Informationen über das hiesige Jagdwild einzuholen. Der Wakamba war außer Atem und schwitzte, als sei er gerannt. Zögernd blieb er ein paar Meter vom

Tisch entfernt stehen. In seiner Hand hielt er einen kleinen grauen Umschlag.

»Hmm, sonderbar.« Anton entschuldigte sich und stand auf. Diwani nahm einen Elfenbeinbehälter aus seinem Ohrläppchen und genehmigte sich eine Prise Schnupftabak. Dann begann er leise und aufgeregt zu reden.

Anton legte Diwani eine Hand auf die Schulter und sprach beruhigend auf ihn ein. Mit dem Rücken zum Tisch öffnete er den Umschlag und las das Telegramm der britischen Mission in Dschibuti, das man an ihn zu Händen des Stationsvorstehers von Dire Dawa geschickt hatte:

> KRIEGSAUSBRUCH GESTERN STOP ITALIEN AN ZWEI FRONTEN IN ABESSINIEN EINMARSCHIERT STOP ADUA UND BAHNLINIE BOMBARDIERT STOP VORSTOSS AUS OSTEN UND SÜDEN STOP REGIERUNG IHRER MAJESTÄT RÄT ALLEN AUSLÄNDISCHEN STAATSBÜRGERN ABESSINIEN SOFORT ZU VERLASSEN STOP EINZIGER AUSWEG ÜBER SUDAN ODER KENIA STOP

Antons Verstand arbeitete fieberhaft an einem Plan. Er faltete das Telegramm und steckte es in die Gesäßtasche seiner Hose. Gott sei Dank hatte er gute Landkarten dabei. Er drückte Diwanis Schulter und sprach den Mann auf Suaheli an.

»Bis morgen früh kein Wort zu den anderen, Diwani. Nichts, verstehst du? Nicht ein Wort.«

»Ndio, Bwana.« Diwani nieste und nickte respektvoll.

»Alles in Ordnung?« fragte Charlie, als Anton wieder Platz nahm.

»Nicht ganz«, erwiderte Anton. Lediglich der Beginn des nächsten Weltkriegs, dachte er.

»Es sieht so aus, als würde sich die Lage zwischen den Italienern und unseren Gastgebern, den Abessiniern, zuspitzen. Vielleicht fahre ich morgen nach Dire Dawa und überprüfe die Nachricht.« Er rollte seine Leinenserviette zusammen und steckte sie in einen mit Schnitzereien verzierten Holzring, bevor er abermals aufstand.

»Wir gehen am besten früh schlafen. Könnte morgen ein langer

Tag werden, falls wir das Lager verlegen müssen.« Anton brauchte Zeit zum Nachdenken. Während des letzten Kriegs war er noch zu jung gewesen. Er fragte sich, wie der nächste wohl sein würde.

Nachdem die anderen zu ihren Zelten gegangen waren, kehrte Anton zum Feuer zurück. Bei sich trug er eine Zigarre, zwei Landkarten und einen Emaillebecher mit Fonseca Portwein aus seinem Lieblingsjahrgang 1927. Der Wein erinnerte ihn immer an Anunciata. Fast eine Stunde lang rauchte und trank er und studierte dabei die sorgsam gefalteten Karten. Die Italiener hatten einen langen Weg vor sich. An der östlichen Front wurde Abessinien durch die Berge geschützt, und im Süden stellte die Wüste in der Ogaden-Region eine breite Barriere dar. Die Safarigruppe dürfte mehr als genug Zeit haben, das Land sicher zu verlassen. Um Gwenn hingegen machte er sich weitaus mehr Sorgen als um seine Kunden. Sie würde mit Sicherheit genau in die umkämpftesten Regionen vorstoßen, wo sie am meisten gebraucht wurde. Was auch zwischen ihm und Gwenn stehen mochte, er bewunderte ihren Mut und ihre Entschlossenheit. Und sie war trotz allem immer bei ihm. Warum hatten sie sich nicht in besserem Einvernehmen getrennt?

Kenia war jetzt die Lösung. Direkt nach Süden entlang der Seen im Ostafrikanischen Graben bis zum Stefanie- und Rudolfsee, wo sie dann in der nördlichen Grenzregion landen würden. Der gleiche Weg, den er Ernst für dessen Flucht empfohlen hatte. Bis zur Grenze dürften es ungefähr elfhundert Kilometer sein, vielleicht dreizehnoder vierzehnhundert, falls sie häufig zur Seite ausweichen mußten. Aber das Gebiet entlang der Strecke war zumeist freundlich und leicht zu bewältigen. Es gab jede Menge Gelegenheiten, ihre Vorräte aufzufrischen, und das Klima war gemäßigt. Man konnte aus der Reise trotzdem noch eine Art Safari machen, aber vermutlich war es am besten, ein paar Lastwagen zu kaufen und so schnell wie möglich zu verschwinden.

Anton stand auf, schlenderte durchs Lager und überprüfte auf seiner Runde die Tiere, Vorräte und Zelte. Normalerweise war dies einer seiner Lieblingsmomente des ganzen Tages. Die Jungen nickten ihm zu, als er am Kochfeuer vorbeikam. Charlie schnarchte lautstark in seinem Zelt. Anton sah Diwani an und hob einen Finger an seine

Lippen, bevor er seinen Becher nachfüllte und Kimathi zu sich heranwinkte.

»Ndio, Tlaga?« fragte der Afrikaner, als Anton ihm eine Hand auf die breiten Schultern legte. Die beiden Männer gingen nebeneinander durch das Lager und unterhielten sich leise auf Suaheli.

»Höchste Zeit, nach Hause zurückzukehren«, stimmte der Kikuyu ihm zu. »Wir müssen schneller als die anderen sein.«

Nachdem er Kimathi die Neuigkeiten mitgeteilt hatte, ging Anton zu seinem Zelt. Er hob die Segeltuchklappe, trat an den Tisch mit der Lampe und suchte in seiner Tasche nach einem Streichholz.

»Nicht«, flüsterte eine Stimme von seinem Feldbett.

Er gehorchte, sagte aber nichts.

Harriet war hergekommen, um zum Abschluß zu bringen, wobei sie vorhin unterbrochen worden waren, dachte er und setzte sich auf den Faltstuhl, um seine Stiefel aufzuschnüren. Und warum auch nicht? Es könnte lange dauern, bis einer von ihnen wieder Spaß haben würde. Er zog sich aus und ging nackt zum Feldbett hinüber.

»Ich rieche etwas Gutes«, flüsterte die Stimme.

»Portwein, Miss Harriet.« Er führte ihre Hand zu seinem Becher.

»Mmm.«

Er legte sich auf das Bett und war dankbar, daß es Überbreite hatte.

Sie näherte sich seinem Gesicht und küßte ihn gierig.

»Sie sind ganz kratzig«, kicherte sie ihm ins Ohr. Dann biß sie fest zu, so daß sein Ohrläppchen fast zu bluten anfing. Sie wußte, daß er nicht aufschreien konnte.

Er war zunehmend erregt und genoß es, ihren weichen schlanken Körper zu spüren. Viel zu hastig und egoistisch machte er weiter und stieß schon bald keuchend in sie. Er war auf sich selbst wütend, weil er sich nicht mehr Mühe gab.

»Vielen Dank«, sagte sie mürrisch, als sie nebeneinander dalagen. »Jetzt bin ich aber dran.« Sie nahm seine Hände und führte eine zwischen ihre Beine. Mit der anderen sollte er sie streicheln, bedeutete sie ihm.

Anton liebkoste sie, während sie sich bemühte, auch ihn langsam wieder zu erregen. Er fuhr ihr mit den Fingern sanft durch das Gesicht. Sie biß in seinen Daumen, und er ließ die Hand tiefer über ihren Hals und ihre kleinen Brüste gleiten. Sie nahm sein Ohr zwischen die Zähne, so daß er zusammenzuckte, denn sie achtete darauf, ihn an genau derselben Stelle wie zuvor zu zwicken. Er streichelte die empfindlichste Stelle ihres Körpers, worauf sie sich erneut rhythmisch zu bewegen begann. Seine Hand strich über ihre Oberschenkel, erst bei einem Bein, dann bei dem anderen, aber er fand die Beule nicht, wo der Skorpion sie gebissen hatte. Er suchte erneut.

»Bernadette!« stieß er flüsternd hervor und schreckte zurück. »Sie sind nicht Harriet!«

»Psst«, machte sie. »Womöglich nicht.«

19

Das Sheba Palace, einst ein blechgedecktes Rasthaus für Kaufleute und wohlhabende Reisende auf dem Weg nach Adua oder Gondar, war voller lautstarker, betrunkener italienischer Offiziere mit roten, schwitzenden Gesichtern und offenen Waffenröcken. Der griechische Besitzer hatte innerhalb kürzester Zeit mehr verdient als sonst in einem ganzen Jahr. Er wirkte überrascht, einen Europäer zu sehen, der nicht in einer Uniform steckte.

»*Jassu*«, rief er Ernst von Decken zu und wischte sich die Hände an seiner schmierigen Schürze ab, bevor er über die Theke langte, um dem Deutschen die Hand zu schütteln.

Ernst erkämpfte sich einen Platz an der Wand und schlang zwei Teller fettigen Ziegenschmortopf in sich hinein. Mehrere Stunden saß er auf einem Hocker, rauchte, trank Bier und beobachtete die Soldaten, einer jünger als der andere, wie sie Karten spielten, sich einhakten und zu den Klängen eines Akkordeons sangen, nicht etwa patriotische Parteimärsche, sondern traurige Liebeslieder, bei denen Ernst sich alt fühlte.

Ein einziges Mal sprach sein Sitznachbar ihn an. »Was machen Sie denn hier?« fragte der italienische Hauptmann mit langsamer, schwerer Stimme. Um seinen Mund zog sich ein angetrockneter Rotweinrand.

»Ich bin Händler«, sagte Ernst mürrisch und hustete in der rauchgeschwängerten Luft. »Aus Österreich.«

Weitere Gespräche fanden nicht statt.

In der Nähe murrten ein paar ältere Soldaten über den Krieg. Sie erzählten sich Geschichten von Versprengten, die von Dorfbewohnern niedergemetzelt wurden, und von einer Lastwagenkolonne voller Verwundeter, die sich auf einer Bergstraße verfahren hatte und steckengeblieben war, als plötzlich Horden von Afrikanern auftauchten, die Fahrzeuge umwarfen und in Brand steckten. Andere spekulierten, wie es wohl sein würde, falls die italienische Armee gezwungen wäre, sich mit siebzigtausend Mann und vierzehntausend Tieren bei Makalle durch die Berge zurückzuziehen.

Was hatten diese Italiener erwartet, als sie nach Afrika kamen? fragte sich Ernst ohne jegliches Mitleid. Während er trank, überdachte er seinen Plan und entschloß sich zu einigen Änderungen. Er spürte, wie er immer habgieriger wurde. Anstatt lediglich acht Geldkisten zu stehlen und Jesus mit zahlreichen vollen und acht falschen Kassetten zu Ras Gugsa zurückzuschicken, hatte Ernst beschlossen, mit so vielen Kisten davonzufliegen, wie die Potez tragen konnte. Er lachte in sich hinein, als er sich den harten Nachmittag vorstellte, der diesem Kriecher Jesus in den Kellern seines Herrn bevorstand.

Der Hauptmann sackte schließlich am Tresen in sich zusammen. Der Besitzer kam, um den Platz für neue Kundschaft freizumachen. Die jungen Soldaten sangen von neuem: »Amore, amore.«

»Ich kümmere mich um ihn.« Ernst legte sich einen Arm des Offiziers über die Schultern und zerrte ihn durch die Hintertür auf die hölzerne Toilettenbaracke zu. Die Stiefel des Mannes schleiften durch den Staub. Auf der Rückseite des stinkenden Schuppens ließ Ernst ihn hinter einen Dornbusch fallen.

»Die brauchst du nicht«, sagte Ernst, kniete sich hin und knöpfte die Feldjacke des Offiziers auf.

An der Hintertür des Rasthauses erschien ein Italiener, der einen Arm in einer Schlinge trug und in der anderen Hand eine Flasche hielt. Er sang ein fröhliches Faschistenlied und torkelte auf die Toilette zu. Ernst legte sich hin und stellte sich schlafend. Der Italiener stellte die Flasche ab und öffnete die Tür. Er stolperte hinein und brach rülpsend und singend zusammen.

Ernst erhob sich und zog dem Hauptmann die Jacke aus. Als er sie mit dem Futter nach außen zusammenlegte, entdeckte er eine abgenutzte Brieftasche voller Familienphotographien, alter Briefe und der üblichen Papiere. Nachdem Ernst die Brieftasche neben dem Hauptmann auf den Boden geworfen hatte, bückte er sich und hob sie wieder auf. Er nahm die Photos heraus. Die konnten gefährlich werden. Er stopfte dem Mann die Bilder in die Hosentasche und steckte die Brieftasche zurück in die Jacke, die er sich unter den Arm geklemmt hatte. Bevor er aufbrach, schnappte er sich noch die Weinflasche. Als er durch die Kälte der Nacht zu seinem Lastwagen ging, hörte er den Mann auf der Toilette schluchzen und weinen. Ernst trank einen großen Schluck Gattinara und ließ den Motor an.

Als Ernst der müden Wache am Hoftor seinen Passierschein zeigte, verfärbte der Himmel sich gerade von Schwarz nach Dunkelblau. Er war dreißig Minuten zu früh. Vor dem Gebäude des Hauptquartiers bremste er den Lastwagen ab, überlegte kurz und legte dann den Rückwärtsgang ein. Die Weinflasche lag neben ihm auf dem Sitz. Sie war inzwischen mit Sand gefüllt. Die acht Kisten befanden sich unter einer Plane auf der Ladefläche des Wagens.

Er fuhr rückwärts um das Gebäude herum. Der Lastwagen der Gardisten stand neben der Zufahrt zur Garage geparkt. Daneben schwelten die Überreste eines Feuers, um das Ras Gugsas Leute lagen und jetzt langsam anfingen, sich zu regen. Jesus, Ernsts Kindermädchen, war kein Frühaufsteher. Ernst stieg mit der Weinflasche aus. Auf der abgewandten Seite des Ford-Lasters hielt er an. Dann kam er ohne die Flasche wieder zum Vorschein und ging zu dem Feuer. Lauthals fluchend schaufelte er mit seinem Stiefel Sand über die Glut.

»Los! Los! Sofort aufstehen!« brüllte er Jesus an. »Du und zwei Männer bewachen den Eingang zur Garage. Befiel den anderen, mit ihren Waffen am Tor zu warten.« Der Mann kam schwankend auf die Beine.

Ich mache es am besten so, wie er mir gesagt hat, dachte Ernst bei sich und fuhr den Lastwagen rückwärts in die dunkle Garage. Er stieg aus und hämmerte an die Hintertür des Gebäudes. Ein italienischer Soldat öffnete ihm. Der junge Mann blinzelte und bemühte sich, seine Hosenträger hochzuziehen. Entlang der Wand des dämmrigen Korridors hinter ihm stand eine Reihe hölzerner Kisten. Als Ernst die schwarze Schablonenschrift der römischen Schatzkammer erkannte, schlug sein Herz sogleich schneller. Neben den Kisten lagen zwei Soldaten schlafend auf dem Boden. Ein weiterer starrte in Richtung der Tür. Er hatte ein Gewehr in der Hand.

»Beeilung, Sie haben Ihre Befehle, unterzeichnet vom alten Weißbart, General De Bono höchstpersönlich!« herrschte Ernst den Mann vor ihm an und überreichte ihm die gesiegelte Zahlungsanweisung. Der Leutnant zog seinen Waffenrock an und knöpfte den Kragen zu. Er war schlagartig wach geworden und schrie den Soldaten hinter ihm Befehle zu. Zwei der Männer begannen, die Kisten in die Garage zu tragen. Ernst nahm jede der Kassetten genau in Augenschein. Ein dritter Mann kam heraus und lud die Kisten in den Lastwagen.

Nachdem die ersten Kisten verladen waren, hielt Ernst einen der jungen Soldaten an. »Die werden nicht alle hier reinpassen. Zu verdammt schwer. Nehmen Sie die Kisten, die bereits hier drin sind, und laden Sie sie auf diesen alten Ford, während ich die restlichen überprüfe.« Ernst trat ein paar Schritte vor und schnauzte Jesus an.

»Beschütz diese Kassetten mit deinem Leben. Falls du auch nur eine Münze verlierst, wird der Ras dir deine Leber rausreißen.«

Schließlich waren alle Kisten verladen, sechzehn pro Lastwagen. Die acht falschen Kisten waren in dem Ford. Als Ernst den Erhalt der Münzen unten auf der Zahlungsanweisung quittierte, hellte der Himmel sich langsam auf. Er drehte den Zündschlüssel herum und drückte auf den Knopf des Anlassers.

Noch bevor er losfahren konnte, tauchte Jesus am Beifahrerfenster des Wagens auf. Der Äthiopier öffnete die Tür und stieg ein. Damit hatte Ernst nicht gerechnet. Er schaltete die Scheinwerfer ein. Er bemerkte, daß zwei der Gardisten auf die Ladefläche seines Lastwagens kletterten. Die anderen Männer saßen in dem Ford. Ernst fuhr langsam an, und der andere Wagen folgte ihm. Als er durch das Tor hinausfuhr und beschleunigte, merkte er deutlich das Gewicht des Silbers.

Drei Kilometer vor ihnen lag die Abzweigung zum Flugplatz. Ernst streckte seinen Ellbogen zum Fenster hinaus und behielt den gesprungenen Rückspiegel im Auge. Er wartete darauf, daß sein Plan aufgehen würde. Der Ford hinter ihm wurde abwechselnd langsamer und dann wieder schneller, wie ein alter Mann, der sich stolpernd bemühte, Schritt zu halten. Schließlich blieb der Wagen stehen, und der Fahrer betätigte die Hupe. Ernst bremste ab und hielt den Wagen an. Der Sand aus der Weinflasche hatte seine Aufgabe erfüllt.

Jesus, der dicht neben Ernst auf der schmalen Sitzbank saß, drehte sich um und beugte sich aus dem Fenster. Er gestikulierte in Richtung des Ford und hatte bereits eine Hand auf den Türgriff gelegt, als Ernst ihm auf die Schulter tippte. Jesus drehte sich zu ihm. Ernst schoß ihm in die Brust. Er wollte das Führerhaus nicht mit all dem Blut und den Knochensplittern besudeln, die ein Kopfschuß zwangsläufig mit sich brachte.

Der Knall des Schusses war in der engen Kabine laut wie eine Granate. Der Abessinier wurde von dem Treffer nach hinten geworfen. Er öffnete den Mund und starrte Ernst an. Mit einer Hand tastete er nach seiner Wunde, die andere streckte er nach der Kehle des Deutschen aus. Ernst schoß noch einmal und zielte diesmal etwas höher. Jesus stürzte gegen die Tür. Nach unten sickerte Blut zwischen seinen Beinen hindurch.

Die beiden Soldaten sprangen von der Ladefläche. Ernst legte den Rückwärtsgang ein und gab Gas. Er spürte den harten Schlag an der Rückwand des Wagens, als er die beiden erwischte. Die Männer schrien auf. Einer wurde von dem Lastwagen überrollt. Ernst bremste, legte den ersten Gang ein und überfuhr den Mann ein zweites Mal. Als er losfuhr, hob der zweite Soldat sein Gewehr. Durch das heftige Rucken des Wagens sackte Jesus' Leiche gegen Ernst und fiel mit dem Gesicht in seinen Schoß.

Gott sei Dank habe nicht ich diese Männer ausgebildet, dachte Ernst und beugte sich tief über das Lenkrad, so daß sein Kinn Jesus' Schulter berührte, während er auf das Gewehrfeuer wartete. Zwei ungezielte Schüsse peitschten auf. Er zuckte zusammen und stieß dann Jesus zu Boden, sobald er an Geschwindigkeit gewonnen hatte.

Er bog mit hoher Geschwindigkeit auf die Straße zum Flugplatz ein, hielt kurz an, schaltete das Licht aus und zog die Jacke des Hauptmanns an. Als er sich dem Fliegerhorst näherte, ließ er zweimal kurz die Scheinwerfer aufblitzen. Das war das Signal für Ephraim, sich darauf vorzubereiten, den Motor des Flugzeugs anzuwerfen. Um nicht die Aufmerksamkeit der Italiener am Flugplatz zu erregen, fuhr er langsam an den beiden Zelten der *Regia Aeronautica* vorbei, die neben den Tankwagen standen. Zwischen den Zelten stand ein Mann und urinierte. Ernst beugte sich im Vorbeifahren hinaus und winkte beiläufig. Der Mann ignorierte ihn im Halbdunkel und bückte sich, um in sein Zelt zu gehen.

Die 25er Potez wartete am entlegenen Ende der Piste. Vor ihren Rädern lagen die Hemmkeile. Ernst beschleunigte und bremste scharf neben dem Flugzeug. Er sprang heraus und packte mit beiden Händen den oberen Flügel des Propellers, um den Motor anzuwerfen. Der schwarze Pilot starrte durch die Gläser seiner Brille zu Ernst hinunter, schaltete die Magnetzündung ein und nickte. Ernst schwang den Propeller hinunter, aber der Motor sprang nicht an.

»Verflixt!« fluchte Ernst. Er unternahm einen zweiten Versuch und mußte schnell beiseite springen, als der erste Zylinder stotternd zum Leben erwachte. Der Propeller drehte sich, alle zwölf Zylinder zündeten, und aus den Abgasrohren stieg Rauch. Während der Motor warmlief, lud Ernst die erste Kiste in den kleinen Stauraum, dann noch eine und noch eine.

»Les Italiens!« Der Abessinier beugte sich heraus und brüllte zu ihm hinunter. *»Vas-y!«* Zwar verstand Ernst bei all dem Motorenlärm kaum, was der Mann sagte, aber ihm war klar, daß irgend etwas im Lager vor sich ging. Ächzend stopfte er sieben weitere Kisten in den Stauraum. Er schlug die Klappe zu und legte den Riegel vor. Sechs mußten zurückbleiben. Was für eine Verschwendung. Er nahm eine Kiste, stieg auf die Trittplatte des Piloten und ließ die Kassette in den Schoß des Mannes fallen. Überrascht keuchte Ephraim unter dem schweren Gewicht nach Luft.

Als Ernst sich hinunterbeugte und die Hemmkeile beiseite riß, sah er, wie einer der entfernten Tankwagen anfuhr. Das Flugzeug erzitterte und ruckte leicht nach vorn, während Ephraim auf die Bremspedale trat und die Drehzahl des Motors erhöhte. Ernst packte eine letzte Kiste und kletterte unbeholfen auf seinen Platz. Er saß nach hinten gewandt auf dem zusammengelegten Fallschirm. Er stieß den Schirm in den Fußraum hinunter und packte die beiden Griffe des Maschinengewehrs. Ein Vickers, stellte er zufrieden fest. »Ich wünschte nur, ich könnte sehen, wohin wir fliegen«, knurrte er. Dann legte er den Sicherungshebel um und ließ die Munitionstrommel einrasten.

Der Boden zog tödlich langsam unter ihm vorbei, während sie mit dem Wind im Rücken beschleunigten. Das schwerbeladene Heck scharrte über den Grund und zerrte das Hinterrad wie einen kleinen Pflug hinter sich her.

Als Ernst merkte, daß die Potez heftig von links nach rechts zu schwanken begann, drehte er sich um und starrte nach vorn. Ephraim manövrierte mit der Kiste auf seinem Schoß hin und her, um einem herannahenden Tankwagen auszuweichen, der in der Mitte der Startbahn direkt auf sie zuhielt.

Inzwischen lag deutlich mehr als die Hälfte der Piste hinter ihnen. Ephraim zog nach links herüber. Der Tanker donnerte an ihnen vorbei und verpaßte die untere rechte Tragfläche nur um Haaresbreite. Die obere, längere Tragfläche schoß dicht über dem Dach der Fahrerkabine entlang. Ein Mann lehnte sich aus dem Wagenfenster und eröffnete mit einer Pistole das Feuer. Ernst hörte die Schüsse aufpeitschen. Eine der vorderen Streben, die den Rumpf mit der oberen Tragfläche verbanden, wurde getroffen.

Das Flugzeug und der Tanker rasten in entgegengesetzte Richtungen davon, bis der Lastwagen bremste, umdrehte und die Verfolgung aufnahm. Als der Wagen bis auf gleiche Höhe aufgeholt hatte, richtete Ernst das Maschinengewehr auf die Flanke des Fahrzeugs und betätigte den Abzug. Er sah die Windschutzscheibe zersplittern und wie eine Handvoll Diamanten funkeln, die man ins Licht der aufgehenden Sonne geworfen hatte. Die Kugel trafen den Fahrer und stanzten eine Reihe Löcher in die Seite des Wagens.

Eine riesige purpurrote Explosion ließ den Boden erzittern. Die Wucht und die Hitze der Detonation warfen Ernst in seinen Sitz zurück. Ihm wurde einen Moment lang schwarz vor Augen.

Als er blinzelnd wieder zu sich kam, wußte er sofort, daß sie es nicht geschafft hatten.

»Scheißdreck!« schrie er. Der Geruch von verbranntem Öl stieg ihm in die Nase.

Ephraim erreichte die holprige Einfassung hinter dem Ende der Startbahn und wendete die überladene Potez. Sie rollten zum Ende der Buckelpiste zurück. Jetzt wehte der Wind ihnen entgegen. Mitten auf dem Flugplatz loderte eine Wand aus roten und orangefarbenen Flammen, von der ein riesiger schwarzer Rauchvorhang aufstieg.

Ephraim erhob sich von seinem Sitz und warf seine Kiste Silbertaler über Bord. Die Kassette zerbarst.

»Dummkopf!« brüllte Ernst.

Sie beschleunigten am Rand der Startbahn. Plötzlich sahen sie den zweiten Tanker. Neben dem Wagen kniete ein Mann in langer weißer Unterwäsche und feuerte mit beiden Händen eine Pistole auf sie ab. Ernst richtete das Maschinengewehr auf ihn. Gott sei gepriesen, daß Piloten lediglich Pistolen bei sich tragen, dachte er grimmig. Er zögerte kurz, dann gab er zwei Feuerstöße ab. Er sah den Mann fallen und spürte im gleichen Moment, wie der Feuerball ihm die Schultern versengte. Ihm wurde bewußt, daß sich überall um sie herum brennender Treibstoff befand. Wurde es heiß genug, um auch ihren eigenen Tank explodieren zu lassen?

Für einen Moment befanden sie sich inmitten einer Feuerhölle. Dann waren sie hindurch. Die Potez wurde schneller, ruckte heftig, erhob sich schon vom Boden, bis sie schließlich langsam in die aufgehende Sonne emporstieg, während der Gegenwind den Rauch hinter ihnen verteilte.

Der Deutsche schloß die Augen. Dann wandte er sich zu Ephraim um, klopfte ihm grinsend auf die Schulter und hob den Daumen. Er machte sich nicht die Mühe, ihm mitzuteilen, daß Ephraim seine Bezahlung eigenhändig über Bord geworfen hatte. Dann lehnte von Decken sich zurück und sah den Boden immer weiter unter ihnen zurückweichen.

Ernst hatte noch nie viel vom Fliegen gehalten. Dennoch war alles besser, als zu Fuß quer durch Afrika zu laufen, vor allem wenn man mehrere hundert Pfund italienisches Silber mit sich herumschleppte. Sogar ein französisches Flugzeug war besser als gar nichts. Aber wie sollte man auf die Konstruktionen der Franzosen und deren Verläßlichkeit vertrauen können, dachte er gereizt, wenn man in einem Flugzeug saß, das von diesen spitzgesichtigen Abbos gewartet wurde? Die enge Fliegerhaube war unbequem. Ernst starrte an dem runden Wellblech des Hecks vorbei auf die unendlich weite Landschaft der abessinischen Hochebene. Sein stoppeliges Gesicht fühlte sich strapaziert und gerötet an. Er hatte Durst und fragte sich angewidert, welcher Abessinier wohl zuletzt diese lederne Haube getragen haben mochte.

Zu seiner Linken verschwand das Band des Blauen Nils langsam in der Ferne und floß in nordwestliche Richtung auf den Tanasee zu, von wo aus der Fluß weiter nach Khartum und Kairo strömte. Ernst warf einen Blick nach rechts in die aufgehende Sonne. In ungefähr fünfundvierzig Minuten müßten sie den kleinen Flugplatz bei Awash ausmachen können, östlich von Addis an der Bahnlinie nach Dschibuti. Das dürfte sicherer sein, als mit einem Flugzeug voller Silbertaler in der belagerten Hauptstadt zu landen. In Awash konnten sie auftanken, oder er würde einen Lastwagen kaufen oder stehlen können, um in südwestlicher Richtung an den Seen vorbei nach Kenia zu entkommen.

Als Ernst seinen Blick von der Sonne abwandte, ließ ihn ein schwaches Glitzern am östlichen Himmel aufschrecken.

Ein anderes Flugzeug? Er drehte sich auf seinem engen Sitz um und klopfte Ephraim auf die Schulter. Der Narr wandte sich zur falschen Seite und starrte Ernst durch die Gläser seiner Brille an. Ernst deutete nach Osten, woraufhin Ephraim nach links schaute. Der Pilot fuhr zu ihm herum und plapperte wild drauflos, aber der Motor mit seinen vierhundertfünfzig Pferdestärken war zu laut, als daß Ernst etwas verstehen konnte. Der Mann griff unter das Armaturenbrett und reichte einen Feldstecher herüber. Er war voller Flugzeugschmiere, aber zumindest stammte er aus deutscher Produktion.

Ernst legte sich den Riemen um den Hals und hob die langen Zeiss-Gläser an die Augen. Seine Ellbogen ruhten auf der Münzkiste, und das Fernglas stützte er auf das Vickers-Maschinengewehr. Mit einer Hand schirmte er das gleißende Sonnenlicht ab.

Nach kurzer Suche entdeckte er drei Flugzeuge in enger militärischer Formation. Ernst hörte das Motorengeräusch schriller werden. Ephraim beschleunigte und ging in einen leichten Steigflug über. Er versuchte, den unbekannten Maschinen zu entkommen, und wandte sich südwärts, hin zu den Seen im Ostafrikanischen Graben. Bei zweihundertzwanzig Kilometern pro Stunde dürfte Schluß sein. Die maximale Flughöhe betrug ungefähr sechstausend Meter, obwohl sie ohne Sauerstoff nicht einmal annähernd so hoch kommen würden. Ernst fragte sich, was das wohl für Maschinen sein mochten. Falls die schwere Potez entweder schneller oder höher zu fliegen vermochte, war vielleicht alles in Ordnung. Er würde eher den Piloten über Bord werfen als das Silber. Wie sehr wünschte sich Ernst, er säße jetzt in einer nagelneuen haifischgrauen Heinkel 51. Das war eine echte Killermaschine, das beste Doppeldecker-Jagdflugzeug der Welt.

Wie die meisten Männer mit einer Vorliebe für die Jagd, war Ernst nicht gern die Beute. Er hatte im letzten Krieg genug davon gehabt. Zumindest waren diese Bluthunde keine Briten, überlegte er. Kein Italiener besaß diese wahnsinnige Hartnäckigkeit, jeden Schmerz zu überwinden und weiterzumachen, bis das Wild gestellt war.

Ernst besah sich das Vickers mit neuerlichem Interesse. Er klappte den Zuführungshebel um und nahm die Munitionstrommel ab. Die Kammer und der Lauf waren verdreckt, stellte er fest. Seine Miene wurde mürrischer. Was sollte man auch anderes erwarten? Das hier war nicht Solingen.

Grunzend zog er den Bauch ein und sein Hemd aus. Er riß einen Hemdzipfel ab. Für den Lauf konnte er nicht allzuviel tun, aber er säuberte den Verschluß und so viele Teile wie möglich. Unbeholfen beugte er sich über die hölzerne Münzkiste auf seinem Schoß, griff unter die hintere Kante des Rumpfes und entdeckte zwei Munitionstrommeln, die in ihren Klammern steckten. Eine war sehr leicht. Er überprüfte sie: leer. »Idioten!« schrie er und warf sie über Bord. Er setzte die schwere, gefüllte Trommel in das Gewehr ein.

Die drei Maschinen flogen tiefer als Ernst und Ephraim und schienen sich auf einem anderen Kurs zu befinden, mehr nach Westen, vielleicht mit Bomben für Addis beladen. Luftpost, so hatte Ernsts Vater dazu gesagt. Dann flogen die Maschinen eine Kurve auf sie zu, wendeten wie schlanke Kaperschiffe, die einen dicken Handelsfrachter entdeckt hatten, der tief im Wasser lag. Er dachte an die äthiopischen Farben auf dem Leitwerk des Flugzeugs, in dem er saß: eine Einladung zum Angriff.

Angst machte sich in seinem Magen breit wie ein Geschwür. Obwohl die Jäger nur wenig schneller zu sein schienen, mußte Ernst doch hilflos dabei zusehen, wie der Abstand immer mehr schrumpfte. Ephraim hatte die Potez noch längst nicht auf maximale Flughöhe gebracht, aber Ernst konnte sich anhand seiner eigenen Atemprobleme ausrechnen, daß sie sich in einer Höhe von ungefähr viereinhalbtausend Metern befinden mußten. Ihm wurde in der kalten dünnen Luft schwindlig. Als die Verfolger immer näher kamen, hob er den Feldstecher an die Augen.

Die vorderste Maschine füllte durch das Fernglas sein gesamtes Sichtfeld aus. Ihm stockte der Atem. Seine schlimmste Befürchtung. Fiat-Einsitzer. Das bedeutete vordere Zwillingsmaschinengewehre. Er betete, daß es sich nicht um die neuen CR-32er handelte. »Kann nicht sein, sonst würde ich bereits brennend abstürzen«, murmelte er nervös in den Wind. Ernst sah nach unten. Je weiter südlich sie gelangten und je mehr sie sich somit von den Frontlinien entfernten, desto näher rückte Kenia. Er wandte sich auf seinem Sitz um und warf einen Blick nach vorn. Immer noch kein Anzeichen der Seen zu entdecken.

Die Jäger würden sie in zehn Minuten erreicht haben. Als sich die Maschinen nur noch wenige hundert Meter entfernt und immer noch ein Stückchen unter ihnen befanden, ließ Ernst das Fernglas sinken und verfolgte die Bewegungen der vordersten Maschine durch das Visier des Vickers. Das Maschinengewehr ließ sich nur schwer in seiner Halterung bewegen. Mit einem Zeigefinger wischte er die Schmiere ab, die nach wie vor an dem Fernglas klebte. Er verstrich sie über das Scharnier der Halterung und schwenkte die Waffe. Besser als nichts. Weitaus schlimmer war, daß der waagerechte Stabilisator der Potez ihm nicht in vollem Umfang gestattete, auf tiefergelegene Objekte zu zielen. Er wollte keinen Teil seines eigenen Flugzeugs wegschießen.

Andererseits, überlegte er, würde seine Waffe aus größerer Höhe weiter tragen. Und er hatte noch einen Vorteil: Er würde in dem Luftkampf der einzige Schütze sein, der nicht gleichzeitig noch ein Flugzeug steuern mußte. Er wandte sich um, tippte Ephraim an und bedeutete ihm mit beiden Händen, was er tun sollte. Der schwarze Mann schaute ihn an und nickte mehrmals. Seine Augen weiteten sich vor Angst.

Ernst hob zum letztenmal sein Fernglas. Er konnte das Gesicht des italienischen Geschwaderführers erkennen, hohlwangig, mit einem sorgfältig gestutzten grauen Schnurrbart und grauem Haar, das unter seiner Pilotenhaube hervorschaute. Er hatte den ledernen Kragen seines Pilotenmantels wegen des kalten Windes hochgeschlagen.

Der Motor der Potez wurde plötzlich gedrosselt. Ihre Nase sackte ab. Ernsts Magen hob sich, als die Maschine in Sturzflug überging. Er starrte nach oben. Einer der italienischen Piloten erschien direkt über ihm. Die Fiat flog weiter geradeaus und konnte daher nicht mit ihren starr montierten Maschinengewehren auf das französische Flugzeug zielen.

Ernst betätigte den Abzug. Das Vickers ruckte und rauchte. Er sah, wie die Kugeln den weichen Bauch der Fiat öffneten, als würde eine Hyäne einem rennenden Kalb den Magen herausreißen.

Ephraim fing die Potez ab. Der Himmel vor Ernst war leer. Erheitert wandte er seinen Kopf und schaute nach vorn. Die verwundete Fiat stürzte zu Boden. Sie zog eine schwarze Rauchfahne hinter sich her.

»Vielleicht ist dieses Fliegerspielchen doch gar nicht so schlecht«, murmelte Ernst. In einiger Entfernung sah er einen annähernd runden See, der aus der Luft klein wie eine Untertasse wirkte. Schiefergrau hob er sich von den ungleichmäßigen Brauntönen des Hochlandbuschs ab. Er hoffte inständig, daß dieser See zu der Kette des Ostafrikanischen Grabens gehörte. Vielleicht war es der Zwaisee.

Die verbleibenden Fiats hatten die Potez überflogen und kehrten in einem weiten Bogen zurück. Ihre Tragflächen standen fast senkrecht bei diesem Manöver. Ihnen direkt entgegenzufliegen, wäre ein hoffnungsloses Unterfangen: Die Katzelmacher würden mit vier Maschinengewehren auf sie feuern, und er wäre nicht in der Lage, seine hinten angebrachte Waffe zu benutzen, bis ihre Wege sich gekreuzt hatten. »Bis dahin wärst du tot.« Sein Magen zog sich abermals zusammen. Er schaute auf seine Füße. Er hätte seinen Fallschirm anlegen sollen. Als er nach hinten blickte, sah er, wie die langen gebogenen Höhenruder der Potez sich so weit wie möglich nach oben neigten. Der Motor heulte auf. Langsam begann das Flugzeug zu steigen. Ephraim mußte erst versuchen, wieder an Höhe zu gewinnen, bevor er ein zweites Mal in Sturzflug übergehen konnte.

Die Fiats hatten zu schnell gewendet. Noch bevor sie ihre Kehre beendet hatten, würde die Potez an ihnen vorbeigezogen sein. Ernst hatte Angst. Ihm blieb zuviel Zeit zum Nachdenken. Er überprüfte seine Munitionstrommel und spuckte zur Seite aus. Die Fiats flogen die Wende enger, um hinter die Potez zu gelangen. Sie befanden sich vermutlich knapp außerhalb seiner Reichweite, aber es war dennoch einen Versuch wert, sobald sie seitlich versetzt auftauchten und bevor sie selbst feuern konnten. Die Italiener hatten sich noch nie einem Vickers gegenübergesehen und unterschätzten womöglich den Schußradius der Waffe.

Die Fiats hatten ihre Wende beendet und flogen jetzt nebeneinander. Ernst wartete, bis er das faschistische Abzeichen auf dem Rumpf des inneren Flugzeugs erkennen konnte. Er hielt beim Feuern etwas nach oben, so daß die Kugeln eine langgestreckte ballistische Kurve beschrieben. Die italienische Maschine erzitterte, als die Geschosse zwei der Streben zerschmetterten, die ihre linken Tragflächen miteinander verbanden. Die untere Tragfläche klappte weg, und das Flugzeug legte sich plötzlich in eine Kehre. Die linken Tragflächen bogen sich immer stärker, und die Maschine stürzte in einer Spirale ab. Noch bevor Ernst diesen Moment genießen konnte, sah er allerdings die verbliebene Fiat direkt hinter sich auftauchen. Voller Panik erkannte er, daß er nicht schießen konnte, ohne das Leitwerk der Potez zu treffen. Sein italienischer Verfolger würde sich deswegen wohl kaum Gedanken machen.

Die Fiat kam näher. Es war der grauhaarige Italiener. Die ersten Kugeln flogen an der Potez vorbei. Dann ließ eine die obere rechte Tragflächenspitze zersplittern.

Die Potez ging in Sturzflug über, aber Ernst wußte, daß dieses Manöver kein zweites Mal funktionieren würde. Er wollte schießen, aber das Vickers war leer. Wie er erwartet hatte, blieb die Fiat ihnen auf den Fersen und ging ebenfalls sofort in Sturzflug über. Er sah, wie sie mit feuernden Maschinengewehren immer näher und näher rückte. Ernst tastete im Fußraum umher und versuchte verzweifelt, eine weitere Munitionstrommel zu finden.

Eine Geschoßgarbe durchschlug den Rumpf unmittelbar vor Ernsts Maschinengewehrhalterung. Er hörte jeden einzelnen Einschlag: *tack tack tack*. Splitter flogen. Einer davon traf ihn direkt über seiner Brille. Sofort war das linke Glas mit Blut verschmiert. Es folgten weitere Splitter, und dann traf eine Kugel die Holzkiste auf seinem Schoß. Er schrie auf, als der Schlag ihn wie ein Hammer gegen die Brust traf.

Öliger Qualm hüllte ihn ein. Hustend hörte er, wie der Motor erst stotternd aussetzte und dann stehenblieb. Vermutlich die Treibstoffleitung durchtrennt, dachte er. Er begriff, daß keine Hoffnung mehr bestand, und fühlte sich auf einmal seltsam gelöst, obwohl er sicher war, sterben zu müssen. Zumindest würde der Italiener sie jetzt in Ruhe lassen: Der Ehrenkodex der Piloten verbot, auf ein abstürzendes Flugzeug zu feuern.

Trotzdem war die Fiat immer noch mit kreischendem Motor hinter ihm. Der Pilot schaute ihn wie über einen langen Tisch hinweg an und kam näher und näher. Durch den Rauch sah er die Maschinengewehre der Fiat aufblitzen. Irgend etwas schlug gegen seinen rechten Fuß.

Der Sturzflug der verwundeten Potez wurde ein wenig abgefangen, und die Maschine zog scharf nach links herüber. Der italienische Jäger blieb ihr dicht auf den Fersen, während sie weiter nach unten sackte. Ernst hatte den Kopf zur Seite gewandt und sah Felsen und verkümmerte Bäume auf sich zustürzen. Der Schweinehund schoß immer noch auf sie. Dann sah Ernst für den Bruchteil einer Sekunde eine weite Wasserfläche. Die Potez schlug auf und versank. Er verlor das Bewußtsein.

20

»Ein Weißer wäre daran gestorben. Sehen Sie sich nur diese Hüfte und die Leistengegend an«, sagte Dr. Fergus zu Gwenn und streifte seine engen feuchten Gummihandschuhe ab, während er zu ihr aufblickte.

»Das sollte ihn für eine Weile zusammenhalten«, sagte er beinahe fröhlich. Seine Augen hinter der Brille waren gerötet. »Keine Ahnung, wie die das machen. Kriegen eine Wunde ab, so daß sie eigentlich an Ort und Stelle zusammenbrechen müßten, humpeln dann kilometerweit durch die Berge und warten hier brav in einer Reihe, damit wir versuchen, sie wieder zusammenzuflicken.« Er warf die Handschuhe in ein dunkles Emaillebecken und schüttelte den Kopf. Dann ließ er sich erschöpft auf eine Medizintruhe fallen, die am Rand des Zeltes stand. »Entspricht das den Erfahrungen, die Sie im letzten Krieg gemacht haben?«

»Mehr oder weniger, Malcolm«, sagte Gwenn müde. »Aber diese Männer scheinen sich leichter damit abzufinden, und ihre Körper sind widerstandsfähiger. Ich weiß nicht, aber sie können anscheinend die Schmerzen besser ertragen.«

Die Mediziner hatten das Lazarett an einen Standpunkt nordwestlich von Harar verlegt. In einem langgestreckten Tal hatten sie neben einem Wasserlauf mit ihren Fahrzeugen eine Wagenburg errichtet. Sie wußten, daß die Kampflinie in ihre Richtung vorrückte. Die sechzehn Lastwagen und Ambulanzen formten ein geschlossenes Quadrat. In der Mitte lag ein rotes Kreuz aus Segeltuch auf dem Boden, jeder Balken neun Meter lang, um sie vor Luftangriffen zu schützen. Die beiden Operationszelte standen in gegenüberliegenden Ecken des Quadrats. Jedes hatte ein rotes Kreuz auf dem Dach.

Fast zweihundert Maultiere waren zwischen dem Lager und dem

Fluß angepflockt. Sie hatten die kleinen schwarzen Packtiere in Harar gekauft. Die Vierbeiner waren einen Tag nach den Lastwagen vor Ort eingetroffen und hatten Nahrungsmittel und jene medizinischen Vorräte mitgebracht, die man zuvor aus den Lastern ausgeladen hatte, um Platz für einige Schwerstverletzte zu schaffen.

Zunächst trafen nur wenige Verwundete im Lager ein, zumeist privilegierte Fälle: Offiziere und Stammesführer, die per Lastkraftwagen oder auf dem Rücken von Maultieren gebracht wurden. Dann folgten die Fußsoldaten, zähe Männer aus den afrikanischen Bergen, die sich nie beklagten.

Am dritten Tag wurde das Lazarett buchstäblich überrannt. Als Gwenn nach ein paar Stunden Schlaf in einer der Ambulanzen am frühen Morgen aufwachte, vernahm sie ein lautes Summen und Brummen, als würde irgendein großer Insektenschwarm vorbeifliegen. Sie krabbelte in der Ambulanz nach hinten, öffnete die Tür und schaute in das erste Licht des Tages hinaus, das langsam am östlichen Himmel aufstieg.

»O mein Gott«, sagte sie.

Der Talgrund war bedeckt von einer unüberschaubaren, langsam wogenden Menschenmenge. Ein Meer von Verwundeten strömte ihnen entgegen. Sie zog ihre niedrigen weißen Stiefel an, sprang aus dem Wagen und stolperte zu dem großen Operationszelt. Als sie eintrat, hörte sie das schabende Geräusch einer Knochensäge. Vermutlich ein Oberschenkel. An einem Kabel, das man entlang des Zeltdaches gespannt hatte, hingen einige Öllampen.

Der alte Schotte war bereits wieder bei der Arbeit. Sechs Krankenschwestern und Sanitäter, Europäer und Nordafrikaner, plagten sich mit ihm an den beiden Operationstischen ab. Als Gwenn die Leute erblickte, überkam sie ein Gefühl der Erregung. Gott sei Dank war sie hier. An den ersten beiden Tagen hatten Sanitäter die Aufgaben von voll ausgebildeten Krankenschwestern übernommen, und Krankenschwestern verrichteten die Arbeit der Ärzte. Sie hatte selbst einige Operationen durchgeführt, und zwar größtenteils erfolgreich, für die man in Kairo ein Team aus zwei erfahrenen Chirurgen eingesetzt hätte. Es gab keine Zeit für Ängste, Selbstzweifel oder die Einhaltung von Vorschriften.

Dr. Fergus schaute hoch. Seine alten Augen strahlten hell. Er richtete sich auf, nahm die Schultern zurück und sprach sie mit seiner sanften tiefen Stimme an.

»Sie werden im anderen Zelt benötigt, Mädchen. Heute sind Sie Chirurgin.«

Sie arbeiteten den ganzen Tag lang. Gwenn verlor sich völlig in all der verrückten Hektik. Ihre Ausbildung und ihre jahrelangen Beobachtungen verschmolzen mit dem Rest ihrer Person, während sie abtupfte, schnitt, herauszog, nähte und manchmal erst viel zu spät aufgab. Die Zahl der Verwundeten nahm immer weiter zu. Vor den Zelten summte eine riesige Menschenmenge. Zunächst versuchten zwei Krankenschwestern, die Neuankömmlinge zu sichten und jene auszusondern, die entweder nur leicht oder aber tödlich verletzt waren. Aber schon bald mußten die Ärzte erkennen, daß es gar nicht so leicht war, bei diesen barfüßigen Abessiniern die Unterschiede zwischen Leben und Tod festzustellen. Die vielen Verwundeten hatten den Eindruck, es würde eine willkürliche Auswahl getroffen, und so wurden sie unruhig und wütend. Also beschlossen sie, die Fälle so anzunehmen, wie sie hereinkamen, und je nach Grad der Verletzung entweder schnell oder mit mehr Sorgfalt zu behandeln.

Im Verlauf des Tages schienen wie durch ein Wunder immer mehr Helfer aufzutauchen. Einige Krankenträger blieben in den Zelten, um den Verwundeten auf die Tische und wieder herunter zu helfen. Sie blieben einfach da, lernten schnell und halfen stillschweigend, indem sie Leichen forttrugen, Tische abwischten, Eimer leerten, Patienten niederhielten, Wasser vom Fluß holten, Bandagen und Instrumente abwuschen und amputierte Arme und Beine beseitigten.

Nach den ersten paar Stunden, vielleicht waren es auch schon fünf oder sechs, wurde Gwenn schwindlig. Die schlechte Luft in dem Zelt schnürte ihr die Kehle zu. Sie blickte nicht länger nur auf die Wunden hinunter. Sie befand sich inzwischen selbst in einem riesigen verwundeten Körper. Das Blut und die schlüpfrigen verletzten Organe erhoben sich um sie, wie die Wände eines blutigen Gefängnisses.

Ihre Hände zitterten, so daß sie nicht mehr weitermachen konnte. Sie legte ihren Kopf auf die Unterarme und brach fast auf dem besudelten Tisch vor ihr zusammen. Schließlich brachte eine der Schwestern Dr. Fergus zu ihr.

»So, Mädchen«, sagte Malcolm, wie immer jünger und tatkräftiger, wenn er operierte, »Sie kommen jetzt mit.« Er half ihr in eine Ecke des Zeltes und zwang sie, ein paar seiner Mürbeplätzchen aus Dundee zu essen, von denen er immer ein paar Dosen dabeihatte. Dann drückte man ihr nacheinander zwei Tassen stark gezuckerten Tee in die schmutzigen Hände.

»Jetzt wird's Ihnen besser gehen, Gwennie«, sagte er. Diesen Kosenamen hatte sie nicht mehr gehört, seit damals alles zwischen ihr und Anton angefangen hatte.

Sie verspürte plötzlich einen Bärenhunger, wusch sich Hände und Gesicht und schlang vier hartgekochte Eier hinunter. Dann trat sie vor das Zelt, um tief durchzuatmen.

So weit ihr Auge reichte, lagen und standen in schiefen Reihen verwundete Männer. Hunderte, vielleicht Tausende, noch mehr, ein Tal voller Verwundeter. Manche, die ganz vorn waren, beugten sich hoffnungsvoll vor, als sie Gwenn sahen. Sie nickten, winkten und riefen ihr etwas zu, stützten sich auf ihre Kameraden, waren ganz eifrig und zuversichtlich, daß man ihnen helfen würde – umfassender helfen, als dies jemals möglich wäre.

Am Fluß scharten sich zahlreiche Männer und ein paar Frauen um mehrere Feuerstellen. Sie aßen *Enjara*, tranken aus Kürbisflaschen und Schalen und untersuchten ihre Wunden. Vereinzelt steckten mit Federn geschmückte Speere im Boden, die Sammelzeichen der Stammesführer. Ein Mann in Gwenns Nähe, dessen linker Beinstumpf mit dunklen Baumwollbandagen abgebunden war, saß da und reinigte hingebungsvoll und konzentriert eine lange alte Flinte. In der Nähe des Wasserlaufs stritten sich die räudigen Lagerhunde, allesamt drahtig und wild, um einen Haufen menschlicher Gliedmaßen.

Bei diesem Anblick schlug Gwenn eine Hand vor den Mund. Ihr stockte der Atem. Dann rieb sie sich mit beiden Händen das Gesicht, ließ ihren Blick noch einmal über das Tal schweifen und richtete sich auf. Sie nickte den Männern in ihrer Nähe unbestimmt zu, drehte sich um und ging wieder in das Zelt.

Dies war der Tag ihres Lebens, der sich am meisten gelohnt hatte.

Drei Tage und Nächte ging es so weiter, nur unterbrochen von kurzen Eß- und Trinkpausen sowie ein paar Stunden völlig erschöpften Schlafs, wenn die nächste Schicht die Arbeit der Ärzte und Schwestern übernahm. Am schlimmsten war das endlose meeresgleiche Murmeln der gequälten Massen, die das Lager und die Zelte umgaben. Manche Vorräte waren bereits erschreckend dezimiert, vor allem Verbände, Nahtmaterial und Anästhetika.

Als Gwenn sich in einer der Ambulanzen für ein paar Stunden ausruhte und keinen Schlaf finden konnte, fragte sie sich, was der Krieg wohl noch bereithalten würde.

Ernst von Decken warf sich wild hin und her, wie ein Tier in einer Schlinge. Er wußte nicht, wo er sich befand, aber er war unter Wasser, und irgend etwas hielt ihn auf seinem Platz fest. Er bemühte sich verzweifelt, aus dem versunkenen Flugzeug herauszukommen. Eines seiner Beine gehorchte ihm nicht. Sein Mund war voller Wasser, und er hatte das Gefühl, gleich ersticken zu müssen. Er packte die hölzerne Kiste auf seinem Schoß und hievte sie aus dem Cockpit. Dann stieß er sich kräftig mit seinem linken Bein ab und wand sich hin und her, um endlich freizukommen. Er drehte sich im Wasser um und blickte nun auf das Vorderteil der Potez. Er stieß sich ein weiteres Mal ab. Sein linker Fuß traf die Schulter des reglosen Körpers auf dem Pilotensitz.

Mit heftigen Bewegungen seines Beins und seiner beiden Arme ruderte er nach oben. Er brauchte jetzt sofort Luft. Seine Lunge platzte fast. Er glitt an der oberen Tragfläche vorbei und stieg durch das trübe Wasser empor. Hinter ihm breitete sich eine Wolke aus Blut aus.

Schließlich gelangte er an die Oberfläche. Die Sonne blendete ihn, und seine Lunge schmerzte. Er keuchte und spuckte. Seine Arme schlugen wie Dreschflegel und ließen das Wasser aufspritzen.

Er sog die Luft tief in sich hinein, warf den Kopf zurück auf die glatte Wasseroberfläche und blinzelte mehrfach in den blauen Himmel hinauf. Ein Gefühl der Ruhe und Erschöpfung breitete sich in ihm aus. Seine Atmung und sein Herzschlag wurden langsamer. Er bemerkte, daß seine Kleider und Stiefel in dem kühlen Wasser schwer an ihm hingen. Die Fliegerbrille baumelte um seinen Hals. Seine Beine waren steif wie Baumstämme, also paddelte er langsam mit beiden Armen.

Nach einer Weile hatte er sich wieder unter Kontrolle. Anscheinend war er nur dreißig oder vierzig Meter von einer Insel entfernt, die sich mitten in dem See befand. Er schwamm auf das Ufer der Insel zu. Dort lag ein umgedrehtes Schilfkanu. Einige Meter weiter stieß sein Fuß gegen irgendein Hindernis unter Wasser. Ein Krokodil? Er zuckte zusammen und paddelte wie wild. Dann spürte er es ein weiteres Mal: Er war auf Grund gestoßen. Er machte noch ein paar Schwimmzüge, so daß er zu einer Ansammlung grüner und gelbbrauner Schilfpflanzen gelangte.

Dann hielt er an, und versuchte, sich im flachen Wasser hinzustellen. Ein heftiger Schmerz durchzuckte ihn wie der Schlag einer Axt. Er schrie auf und starrte nach unten auf seine Füße.

»O mein Gott!« Er übergab sich und brach auf dem kiesigen grauen Sand der Insel zusammen.

Zunächst roch von Decken Rauch und grillenden Fisch. Dann hörte er wie aus großer Entfernung den bedächtigen Singsang zahlreicher männlicher Stimmen. Sein Bein pochte vor Schmerz. Er öffnete die Augen, aber er konnte nichts sehen. Mit getrübtem Blick starrte er in die Dunkelheit und wandte schließlich seinen Kopf in Richtung des Rauchs.

Er konnte eine Feuerstelle erkennen, die von drei langen Steinbänken umgeben wurde. Eine davon schien man direkt aus der felsigen Hügelflanke gehauen zu haben. Sie war gerade so weit bearbeitet worden, daß ihre natürliche Form für den Menschen nutzbar wurde.

Ernst stellte fest, daß er zwischen den Holzstangen einer Ledertrage lag. Unter seinem Kopf befand sich eine Rolle aus weißem Baumwollstoff. Vom rechten Fuß strahlte ein pulsierender Schmerz durch seinen ganzen Körper aus.

Er stützte sich auf die Ellbogen und schaute im Halbdunkel auf seine Füße hinab. Seine Stiefel standen neben ihm auf dem Boden. Das Fernglas lag bei ihm auf der Trage. Zumindest waren diese Primitiven keine Diebe.

Er nahm den rechten Stiefel. Der Schuh war noch immer durchnäßt. Man hatte ihn der Länge nach aufgeschnitten. Ernst stieg der Gestank von trocknendem Schweiß und Blut in die Nase. Er warf den Stiefel beiseite. Dann starrte er wieder auf seine Füße. Sie waren von einem weißen Tuch bedeckt, das zahllose Flecke aufwies.

Ernst bekam Angst. Er versuchte, seine Zehen zu bewegen. Die linken gehorchten ihm sofort. Die rechten konnte er nicht fühlen. Bestürzt fuhr er mit seiner rechten Hand an dem Bein entlang. Direkt unterhalb des Knies ertastete er ein fest zugezogenes Lederband: eine Aderpresse.

»*Kristiyani?*« fragte eine tiefe entschlossene Stimme hinter ihm.

Ernst wandte seinen Kopf. Er sah zwei Schwarze in weißen Gewändern. Ihre Gesichter konnte er in der Dunkelheit nicht genau erkennen. Hinter ihnen standen ungefähr noch zwölf weitere, die weder etwas sagten noch sich bewegten.

»*Kristiyani?*«

»Ja, ja, ja, Christ«, sagte er laut. Falls das auch Christen waren, hatten sie bestimmt etwas zu trinken für ihn, dachte er, als ein erneuter Schmerzschub ihm fast die Sinne raubte.

»*Talla, talla*«, sagte Ernst in der Hoffnung auf das örtliche Bier. Vielleicht hatten sie wenigstens etwas von dem süßen Honigwein, dem äthiopischen Met. »*Tajj? Tajj?*«

Einer der Männer kniete sich neben ihn und schüttelte den Kopf. Der große schlanke Mann stellte eine Öllampe neben der Trage auf den Boden. An einer Kette um seinen Hals hing ein silbernes koptisches Kreuz. Seine glänzenden Augen musterten Ernsts Gesicht. Der Mann trug einen grauen Baumwollumhang um seine Schultern, der vor seiner Brust von einer kreuzförmigen Spange zusammengehalten wurde. Seine ledernen Pantoffeln endeten in nach oben gebogenen Spitzen. Um eines seiner Handgelenke war ein Rosenkranz geschlungen. Die Elfenbeinkügelchen hingen zwischen seinen Fingern herab. Eine enge weiße Kappe reichte bis tief über seine gefurchte Stirn. Sein weißer Bart bestand aus vielen kleinen Locken. Er wies auf seine Brust und sagte: »Theodorus. *Szzwo man nau?*«

»Von Decken«, stöhnte Ernst. Der Mann war wohl irgendein Priester oder, schlimmer noch, ein Mönch. Zumindest mußten sie Wasser haben. Ernst versuchte, sich an das Wort zu erinnern. *»Weha, weha?«*

Der zweite Mönch reichte ihm eine Schale Wasser. Ernst trank sie gierig leer.

»Petros«, sagte der Mann, deutete auf sich selbst und nahm die Schale wieder entgegen.

Theodorus hob das Tuch auf Ernsts Beinen an. *»Szr krfu.«* Er schüttelte den Kopf, bekreuzigte sich und lies das Tuch wieder sinken. Ernst fragte sich angstvoll, was das wohl bedeuten mochte.

Petros kam mit einem geflochtenen Teller zurück, auf dem rundes Fladenbrot und ein ganzer gegrillter Fisch lagen. Der Duft der Speisen vermischte sich, als Petros den Teller in Ernsts Richtung hielt. *»Enjara, asa.«*

Ernst riß ein Stück von dem heißen Brot ab und stopfte es sich in den Mund.

Theodorus stieß einen Protestlaut aus und nahm den Teller weg.

»Verdammt, was soll das?« schrie Ernst und zuckte vor Schmerz zusammen, als er sich bewegen wollte.

Theodorus ignorierte ihn, beugte sich vor und segnete das Essen, bevor er es wieder vor ihn hinstellte.

Ein Tischgebet? dachte Ernst. Das war schlimmer als auf dem Gymnasium. Was glaubten diese Wilden, wo sie waren?

Er nahm den gestreiften glubschäugigen Fisch mit einem zusammengerollten Stück *Enjara* empor und riß mit den Zähnen etwas Fleisch heraus. Er aß gierig und spuckte die größeren Gräten einfach aus. Die beiden Männer standen neben ihm und ließen ihn nicht aus den Augen. Er aß alles auf. Als Petros den Teller wegnahm, drehte Ernst sich ein Stück auf der Trage herum. Unwillkürlich entfuhr ihm ein lauter Schmerzensschrei.

»Inglesi?« fragte Petros und berührte Ernst sorgenvoll an der Schulter. »Ich Englisch spreche!«

»Ja, ja«, sagte Ernst. »Ich spreche auch Englisch.«

»Wir Mönche«, sagte Petros. »Theodorus, Abt.«

Theodorus kam und brachte Ernst ein warmes Getränk in einem hölzernen Becher. *»Qwalqwal.«* Mißtrauisch beäugte Ernst die kleinen dunklen Samenkörner, die in der zähen milchigen Flüssigkeit schwammen. Vielleicht war dies genau das, was er brauchte. Sein Bein tat weh wie ein hämmernder Kolben. Ernst leerte den Becher, legte sich zurück und schloß die Augen. Vor lauter Schmerz verkrampften sich seine Hände um die Holzstangen der Trage. Bald würde selbst er anfangen zu beten. Was ist mit meinem Silber? fragte er sich benommen. Ihm wurde schwindlig. Die Stimmen der vielen Mönche beim Gebet drangen wie das Rauschen einer weit entfernten Brandung an sein Ohr.

Immer wenn er aufwachte, war die Nacht klar, kalt und voller Sterne, aber sein Bein schien in einem Backofen zu stecken. Zweimal glaubte er, sich beim Aufwachen selbst schreien zu hören. Jedesmal trat ein Mönch aus der Dunkelheit zu ihm und hielt ihm einen Becher an die gierigen Lippen. Manchmal, wenn er im Halbschlaf benebelt von den Schmerzen und dem seltsamen Getränk dalag, kehrte er in Gedanken zu seiner letzten Flucht quer durch Afrika zurück.

Er dachte an General von Lettow-Vorbeck, der mehrere Jahre lang vom Nachschub aus der Heimat abgeschnitten war wie Hannibal in Italien. Auf einer Seite quälten ihn die Rhodesier und Inder, auf der anderen ließen die kenianischen King's African Rifles nicht locker. Und die verdammten Briten verfolgten ihn unbarmherzig über vier Länder hinweg. Sie waren langsam und schwerer bewaffnet als die anderen, aber sogar wenn das Fieber sie heimsuchte, blieben sie hartnäckig wie Terrier. Obwohl er es mit einer mehr als zehnfachen Übermacht zu tun hatte, wurde der deutsche Kommandeur nie besiegt. Seine Männer der Schutztruppe, zumeist Schwarze, hatten seit vier Jahren keinen Sold mehr erhalten und folgten ihm dennoch bis zum Ende. Sie legten erst dann verbittert ihre Waffen nieder, als der Kaiser höchstpersönlich in sechstausend Kilometern Entfernung sein Schwert an die Briten übergeben hatte. Ernst stöhnte bei diesem Gedanken auf. Dann verlor er abermals das Bewußtsein.

Bei Tagesanbruch wurde es schlimmer. Die Wirkung des Tranks ließ nach, und die Schmerzen nahmen zu, je heller es wurde. Ernst von Decken hatte noch nie um irgend jemand anderen geweint, und er würde auch nicht um sich selbst weinen. Er nahm den Riemen der

Fliegerbrille zwischen die Zähne und spürte, wie ihm Tränen in die Augen stiegen.

Er versuchte nach Kräften, sich zu konzentrieren, als vor seinen Augen die ersten Sonnenstrahlen auf die Spitze des felsigen Hügels hinter dem Lagerfeuer fielen. Das Licht erhellte nach und nach die stachligen Arme zweier kandelaberförmiger Kakteen, bevor es die riesigen zusammengesunkenen Blätter in der Krone einer wilden Bananenstaude zum Leben erweckte, die allesamt schlapp herunterhingen wie die Ohren eines alten Elefanten. Von einem der Kakteen stammte vermutlich der milchige Saft, der als Grundlage für den Trank am gestrigen Abend gedient hatte. Dann sah er, wie das Licht auf die gelben Blüten einer *Kosso* fiel und das Muster der Blattadern eines Weihrauchbaums hervortreten ließ.

Er drehte sich um und erblickte eine Ansammlung von acht Rundhütten, die man in Form eines Kreuzes errichtet hatte. Jedes der kegelförmigen Strohdächer war peinlich genau gearbeitet und exakt kreisförmig. Auf jeder Hütte, außer der im Zentrum, steckte ein Holzkreuz. In Tigray hatte er sich danach erkundigt, welche Bedeutung man den verschiedenen merkwürdigen Gegenständen beimaß, mit denen die Abessinier ihre Behausungen krönten. Noch während er hinsah, fiel das aufsteigende Licht auf ein schimmerndes rundes Objekt, das auf der zentral gelegenen Hütte thronte: ein Straußenei, als Symbol für den Schutz des Heiligen Geistes. Das Ei glühte orangefarben auf wie eine Kerzenflamme.

In diesem Moment bemerkte Ernst, daß das blutige Tuch von seinen Beinen gerutscht war. Unterhalb der Aderpresse war sein rechtes Bein dunkel und geschwollen. Das Fleisch wölbte sich nach außen und wirkte weich und aufgedunsen wie bei einer faulenden Frucht. Würde er jemals wieder aufrecht wie ein Mann gehen können?

»Petros!« schrie er.

Von Decken hatte im Großen Krieg genug gesehen, um zu wissen, wann ein Mann am Ende war. Jeden Morgen hatten sie eine Gruppe von Männern am Wegesrand zurücklassen müssen, Deutsche und *Askaris*, manche tot und kaum verscharrt, andere noch am Leben und bewaffnet, nicht um die Afrikaner oder Briten zu töten, sondern um sich gegen die Löwen und Hyänen wehren zu können.

Er stützte sich auf einen Ellbogen. Zum erstenmal sah er seinen Fuß. Es war eine zerschmetterte, breiige Masse, die vom großen Zeh bis zum Knöchel gespalten war wie der Huf einer Ziege.

»Petros!«

Ernst mußte daran denken, wie er nach der Schlacht bei Tanga, dem ersten und größten deutschen Sieg ihres vierjährigen Kriegs, in einem Feldlazarett geholfen hatte. Der hagere Arzt hatte mit tiefliegenden Augen zu ihm aufgesehen und den Kopf geschüttelt. Seine Arme waren bis zu den Ellbogen mit Blut besudelt gewesen. »In den beiden Füßen befinden sich mehr Knochen als im ganzen Rest des menschlichen Körpers«, hatte der Chirurg resigniert gemurmelt.

Ernst schnüffelte und nahm in dem sanften Luftzug einen durchdringenden Geruch wahr. Es war noch nicht der Gestank einer Infektion, der Fäulnis und des Wundbrands, aber er wußte, daß es nicht mehr lange dauern würde. Dieser Geruch war irgendwie süßlicher und erinnerte an Moschus. Ernst mußte an Sex denken. Er legte sich zurück und schloß die Augen. Speichel floß am Riemen der Brille entlang, als er fest auf das Leder biß.

»Zndet adarh«, sagte Theodorus und tauschte dann ein paar leise Bemerkungen mit Petros aus.

»Guten Tag, Theo«, sagte der Deutsche. Es schien ihm am klügsten, diese Leute so zu behandeln, als wären sie zivilisiert, obwohl er sich unwillkürlich vor der Heimtücke der Pfaffen fürchtete.

»Theodorus sagt, du hast den Fuß des Teufels, gespalten«, sagte Petros ruhig, »und das darf nicht sein.«

Der Abt kniete sich hin und nahm Ernsts Fuß genauer in Augenschein. Er sagte wiederum etwas, aber diesmal wurden seine Worte nicht übersetzt. Er reichte Ernst eine Schale Wasser und dann einen kleinen Teller mit Kürbisbrei. Ernst trank, aber er bekam keinen Bissen herunter.

Theodorus stand auf und ging zu dem felsigen Abhang, gefolgt von acht oder neun Mönchen in einer Reihe. Fünfzehn oder zwanzig weitere warteten neben einem steinernen Altar, über den man ein weißes Tuch gebreitet hatte. Ernst hörte einen amharischen Singsang. Die Morgenandacht, dachte er. Warum unternahmen diese scheinheiligen Schweinehunde nichts gegen seine Schmerzen?

Theodorus kehrte in Begleitung eines kleinen stämmigen Mönchs zurück. Fünf andere traten hinzu. Alle verbeugten sich vor Theodorus. Einer der Mönche, vermutlich ein Bauer in dieser Gemeinschaft, trug in seinem Gürtel eine schwere Panga. Die Waffe war dazu geeignet, Zuckerrohr zu hacken oder Schilfpflanzen abzumähen. Die breite Klinge wirkte sauber und frisch geschärft. Ein anderer Mönch kniete sich in der Nähe hin und entfachte ein Feuer.

»Johan«, sagte Theodorus, *»yañña doktar.«* Der junge Mann lächelte bescheiden. Über seiner Schulter hing ein breiter Lederriemen. In der Mitte des Gurts schimmerten irgendwelche Metallsplitter. Um seine Taille hatte der Mann ein Seil geschlungen. Darin steckte ein dicker Pflock aus dunklem Holz, der sich zur Mitte hin verjüngte und etwas mehr als einen halben Meter lang war.

»Was habt ihr vor?« fragte Ernst verängstigt. Sein Bein zuckte.

Theodorus sagte etwas, woraufhin die Mönche anfingen zu wehklagen. Es klang fast wie ein Sprechchor.

Petros beugte sich zu Ernst.

»Wir müssen diesen Teufelsfuß vernichten«, sagte er bedächtig.

»Nein!« schrie Ernst und versuchte sich aufzusetzen. Aber Petros und Johan hielten ihn zurück.

Ein Mönch trat vor und reichte Johan einen Eimer trübes Wasser, das dieser langsam über Ernsts rechtes Bein und den Fuß ausgoß. Dann setzte Johan sich am Ende der Trage auf den Boden und musterte den verletzten Fuß, bevor er mit dem Abt einige Blicke austauschte.

Ein hochgewachsener Mönch verabreichte Ernst ein Getränk, das jenem vom Abend vorher glich, wenngleich es dickflüssiger war und bitterer schmeckte.

»Trink.« Theodorus forderte ihn auf, den großen Becher vollständig zu leeren. Ernst merkte, wie ihm schwindlig wurde. Der Mönch füllte den Becher nach. Ernst schloß die Augen und trank erneut.

»Szr!« rief der Abt. *»Bande!«*

Die fünf Mönche traten vor und packten Ernst an Beinen und Schultern. Johan schob den metallbesetzten Gurt unter Ernsts rechte Wade und rückte ihn dann nach unten, bis er direkt unter dem blutigen Knöchel verlief. Die scharfen silbrigen Splitter zeigten nach innen auf das Gelenk. Sanft nahm Johan die Enden des Riemens und formte aus ihnen über dem Fuß eine robuste Schlaufe. Dann steckte er den Pflock durch die Schlaufe. Der Mönch mit der Panga stand neben ihm. Johan drehte den Pflock Hand über Hand zweimal herum.

Als der Riemen in sein Fleisch einschnitt, zuckte Ernst zusammen und schrie auf. Der Deutsche bäumte sich auf und wehrte sich verzweifelt, während Theodorus und die anderen Mönche ihn nach unten drückten.

Johan drehte den Pflock weiter. Ernst brüllte und biß sich durch die Zunge. Für den Bruchteil einer Sekunde starrte er hoch und blickte genau in die funkelnden Augen des Abts. Er sah Anerkennung, als würde Theodorus etwas Tugendhaftes in seinem Leid wahrnehmen: Die Höllenqualen waren gut für ihn.

»Bastard!« schrie Ernst.

Blut lief aus von Deckens Mundwinkeln. Petros schob ihm ein Stück Leder zwischen die Zähne. Der metallbesetzte Ledergurt um seinen Knöchel zog sich immer fester zusammen und grub sich tief in die breiige Masse aus geschwollenem Fleisch und zersplitterten Knochen.

Ernst verlor das Bewußtsein, als Johan seine gesamte Kraft in diese Arbeit legte.

Er wachte kurz wieder auf, als der Mönch mit der Panga sein Werkzeug an einem flachen Stein schärfte. Dann hielt der Mann die Waffe in die Flammen und überprüfte danach die Schneide. Als der Abt die Klinge mit seinem Silberkreuz berührte, spiegelte sich in ihr funkelnd das Sonnenlicht.

Die Mönche verstärkten ihren Druck auf Ernst. Jede Faser seines Körpers spannte sich an, alle seine Sinne waren plötzlich bis aufs Äußerste geschärft. Er spürte die Klinge, noch bevor sie ihn berührte.

Johan schnitt und sägte sich durch seine Achillessehne. Ernst konnte das Geräusch genau hören. Es klang wie das Splittern der Knorpel, wenn ein Schlachter Fleisch zerteilt. Er roch eine brennende Fackel in unmittelbarer Nähe und spuckte das blutige Lederstück aus.

»Ooohh Gott!« schrie er. Die Panga sägte immer noch. Über seine Schreie hinweg hörte er, welchen Widerstand das Innere seines Knöchels leistete, wo die Knochen fest miteinander verbunden waren. Ein weiteres Mal brüllte Ernst und bäumte sich kurz auf. Sein Gesicht war voller Blut und Schleim, Tränen und Schweiß. Ein Mönch hielt die Fackel näher heran. Johan drehte den Pflock, und Ernst wurde im selben Moment ohnmächtig, in dem sein Fuß abfiel und er sein Fleisch verbrennen roch wie Schweinekoteletts auf einem Grill.

21

»Die Männer wollen wissen, wann die Luftwaffe das Gas einsetzt, Oberst«, sagte Hauptmann Uzielli laut und vernehmlich, während er seinen Blechteller mit einem dicken Stück Brot auswischte. »Die Kämpfe werden jeden Tag schlimmer. Vor allem für kleine Einheiten, die ganz auf sich allein gestellt sind. Da draußen in den Bergen sterben eine Menge *Bambini* für nichts und wieder nichts.«

Grimaldi wurde wütend, weil dieser *Bersagliere* die allgemeine Zwanglosigkeit am Eßtisch in der Offiziersmesse dazu benutzt hatte, ihn mit dieser indiskreten Frage herauszufordern.

»Erstens, Hauptmann, sterben die Männer für Italien. Zweitens, es gibt kein Gas. Der Duce selbst hat das verkündet«, behauptete Grimaldi in einer Lautstärke, daß man ihn noch am Ende des Tisches hören konnte. Als er fortfuhr, stellte er zufrieden fest, daß beide Mussolini-Söhne von ihrer Minestrone aufschauten, nachdem er ihren Vater erwähnt hatte.

»Und falls es Gas gäbe, Hauptmann, würden Ihre Worte eine Verletzung der militärischen Sicherheitsbestimmungen bedeuten.«

»Jeder weiß doch, daß es direkt da drüben gelagert wird, Sir«, beharrte Uzielli. Er kaute beim Sprechen, sein Mund war keine Sekunde geschlossen. »Die Hälfte dieser Schläger ist doch hier, um es zu bewachen.«

»Wir sollten dem Hauptmann gegenüber fair sein«, sagte ein Major des Nachrichtendienstes der Luftwaffe, der für einen Tag hergeflogen war, um den Stützpunkt über den Verlauf des Kriegs zu informieren. »Wir alle wissen, daß drei Ihrer Capronis, noch während wir hier reden, mit Vorrichtungen ausgestattet werden, um mittels dieser Düsen unter den Tragflächen das Versprühen aus der Luft zu testen. Sie können von hier aus sehen, wie die Leute drüben daran arbeiten.« Der Offizier drehte sich um und wies auf eine Seite des offenen Gebäudes.

»Das ist einer der Gründe, warum Sie hier so wenige Bomber haben.« Der Offizier stand auf, um die Lagebesprechung zu beginnen. Oberst Grimaldis Blick konnte ihm nicht entgehen. »Aber der Oberst hat natürlich recht. Ihr Wissen um diese Angelegenheit darf diesen Stützpunkt niemals verlassen.«

Der Major trat zu den neuen Karten, die man an der Wand befestigt hatte, zog sein Offiziersstöckchen aus dem Stiefel und schlug es klatschend in eine Handfläche. Grimaldi wußte, daß der Mann nicht einmal selbst am Steuer seiner eigenen Maschine gesessen hatte.

»Wie Sie wissen, meine Herren, ist bis jetzt alles gut verlaufen, vor allem aus der Luft. Marschall Badoglio stößt entlang der kaiserlichen Straße schonungslos von Aksum nach Addis Abeba vor. Vorauskommandos sind bereits bis hinter Makalle gelangt, hier.« Der Major klopfte mit seinem Stock gegen die Karte. Er zögerte kurz, als sein Blick auf die Madonna von Loretto fiel, die Patronin aller italienischen Flieger, deren traurig blickendes Abbild neben der Karte an der Wand hing.

»Im Süden ist Marschall Graziani, dessen Hauptquartier in Mogadischu liegt, von Italienisch-Somaliland vorgerückt und hat inzwischen eine zweite Front eröffnet. Von einer schlimmen Ausnahme abgesehen, hat es nur sehr wenige Verluste gegeben. Seine motorisierten Verbände durchqueren die Wüste der Ogaden-Region in Richtung auf Harar. Sie rücken von Oase zu Oase vor und werden von hinten durch die Division der im ›Ausland Aufgewachsenen Faschisten‹ unterstützt.«

Einer der Offiziere kicherte. Der Major pausierte und ließ seinen Blick über die Männer wandern, bevor er weiterredete.

»Wie Cäsars Legionen auf den Gebirgsfeldzügen gegen die Helvetier«, rief der Mann salbungsvoll, »so steigen auch unsere Divisionen in die Hochebenen hinauf, die herrlichste Landschaft des ganzen Kontinents. Überall stehen uns einheimische Truppen bei, begleichen alte Rechnungen und verkaufen ihre Dienste, um dabeizusein, wenn ihre Nachbarn abgeschlachtet werden. Genauso, wie ein paar

Alpenstämme Hannibal geholfen haben, als dieser Afrikaner in Italien eingefallen ist, wie Sie sich bestimmt erinnern werden. An der nördlichen Front helfen uns die Ereitreer in den Bergen; im Süden schließen sich uns die somalischen *Shifta*, die in *Bandas* organisiert sind, an.«

Es hieß, der Major sei ein Geschichtsprofessor von der Universität Pisa. Bei diesem Vortrag war er sichtlich in seinem Element. Grimaldi hingegen wollte endlich seine Aufklärungsmission fliegen und hoffte, daß der Mann jetzt keine akademische Vorlesung halten würde. Dieser Major flitzte zweifellos von Stützpunkt zu Stützpunkt und wiederholte seine Geschichte ein ums andere Mal, wie ein altes Weib, das seinen Klatsch beim Einkaufsbummel von einem Geschäft ins nächste trug.

»Das vermoderte abessinische Königreich fällt auseinander und enthüllt dabei seine natürlichen Sollbruchstellen wie ein Edelstein unter dem Hammer eines Juweliers: Shoa und Tigray, Fürsten und Priester, Moslems und Christen, Sklaven und Herren. Seine Soldaten sind zwar durchaus mutig, aber nur armselig geschult und ausgerüstet, so daß sie nur in großer Überzahl standhalten können. Und dann sehen sie sich den modernen Waffen gegenüber, mit denen der Duce uns ausgestattet hat: Maschinengewehre, Artillerie, Panzer und vor allem Flugzeuge. Ich bin stolz, Ihnen mitteilen zu können, daß die *Regia Aeronautica* den Feind mit ihren pausenlosen Bomben- und Maschinengewehrangriffen stets vernichtet hat, sobald ein Gefecht sich zu unseren Ungunsten zu wenden begann.« Der Major fügte eine inoffizielle Bemerkung hinzu. »Einer der Piloten sagte mir, daß es aus der Luft sogar noch besser als in Libyen laufen würde, eher wie bei einem Jagdausflug als in einem Krieg.«

Enzo mußte dem beipflichten. Kaum jemals hatte eine Luftwaffe so ungestört agieren können: kein Widerstand aus der Luft, perfektes Wetter, wirkungsloses Bodenfeuer. Der nächste Krieg in Europa würde anders aussehen. Er fragte sich, ob den Japanern in der Mandschurei wohl auch so viel Glück beschieden gewesen war. Aber er wußte, daß es hier auf dem Boden schwere Verluste gegeben hatte.

»In der letzten Zeit jedoch wird der Krieg immer härter, da unsere Linien sich immer tiefer von den Küsten ins Landesinnere erstrecken und unsere Streitkräfte immer mehr verstreut werden. Je erfolgreicher wir vorrücken, desto mehr wird diese Landschaft zu unserem Feind und desto größer wird der Verantwortungsbereich der Luftwaffe. Die abessinischen Armeen marschieren hauptsächlich nachts. Manche ihrer Männer lassen sich von Panzern nicht länger einschüchtern, und unsere Straßenbaukolonnen können mit dem Tempo des Vorstoßes nicht mithalten.« Der Major unterbrach sich, um eine Frage aus der Runde zuzulassen.

»Wir haben gehört, daß einige Regimenter völlig aufgerieben wurden oder in den Bergen verlorengegangen sind, Sir, und daß Gefangene gefoltert und sogar gekreuzigt werden.«

»Und was ist mit Leutnant Minetti?« rief ein anderer Pilot laut über den Tisch hinweg. »Nach einer Bruchlandung hat man ihn auf dem Viehmarkt von Daggahbur enthauptet, derselben Stadt, die er kurz zuvor noch bombardiert und mit den Bordwaffen beschossen hatte.« Bei diesen Worten murmelten einige der Männer beifällig.

Der Major beschloß, auf die Frage des ersten Mannes zu antworten.

»Eine verschwindend geringe Zahl von Einheiten, zumeist einheimische Truppen aus Eritrea sowie ein Bataillon aus Libyen, wurden überrannt, weil sie eigenmächtig aus der Formation ausgeschert sind. Und in Anale, hier, hat sich ein Panzerbataillon verirrt und ist auf einer engen Bergstraße steckengeblieben. Sie konnten nicht wenden und waren ohne Infanteriebegleitung, und so wurden sie von den Horden der Wilden überwältigt, die sich wie ein Ameisenschwarm auf sie gestürzt haben. Das größte Problem war, daß die Maschinengewehre der Panzer relativ starr montiert sind, verstehen Sie, und somit nur in einem kleinen Bereich geschwenkt werden können, maximal fünfzehn Grad, und daher konnten die Männer kaum etwas ausrichten, um sich zu verteidigen.« Der Major wußte, daß alle gebannt an seinen Lippen hingen. Eine seiner Aufgaben bestand darin, die Männer zu stärken und jeden Gedanken an eine Niederlage zu entkräften.

»Die Überlebenden, also jene, die nicht abgeschlachtet oder kastriert wurden, hat man gefangengenommen und in die Hauptstadt gebracht. Dort wurden sie in einem kaiserlichen Garten vor ausländischen Journalisten zur Schau gestellt wie Bären in einem Zoo. Man hat für diese Show sogar einen Panzer den ganzen Weg bis nach Addis gebracht.« Der Major holte tief Luft und trat einen Schritt näher an den Tisch heran, bevor er mit leiserer Stimme fortfuhr.

»Das bringt mich zu der delikaten Angelegenheit, die dieser Hauptmann hier angesprochen hat«, sagte der Offizier den Zuhörern und deutete mit seinem Stock auf Uzielli. »Wir müssen schnell siegen. Unser Land ist nicht reich. Der Krieg ist kostspielig. Wir müssen die Sache zu Ende bringen, bevor die Welt sich gegen uns wendet. Zu Hause versammeln sich jeden Abend wahre Menschenmassen um die Marconis in den Cafés und auf den Plätzen, um zu hören, wie *Il Duce* von Ihren Siegen berichtet und nach Rache und Gerechtigkeit in Afrika verlangt. Aber in so mancher neiderfüllten Hauptstadt, die uns nicht wohlwollend gegenübersteht, arbeitet man an unserer Niederlage. Wir kämpfen jetzt bereits seit fast einem Monat.«

Enzo hörte ungeduldig zu und fragte sich, wo dieser Professor wohl an den Kämpfen teilgenomen hatte. Vermutlich in den Offiziersbordellen von Asmara und Massawa. Es hieß, die Mädchen seien erstklassig, einige Kenner behaupteten sogar, sie seien die besten der Welt, wenngleich überarbeitet und ein wenig zu passiv. Grimaldi wußte, was jetzt kommen würde, und richtete seine Aufmerksamkeit auf die Gesichter der Zuhörer. Der Major fuhr fort.

»Um schnell zu siegen, müssen wir unsere Geheimwaffe einsetzen. Heute nachmittag, sobald Oberst Grimaldis Aufklärung ein geeignetes Ziel ausgemacht hat, werden einige von Ihnen einen entsprechenden Test durchführen.« An dem langen Tisch kam etwas Unruhe auf. Mehrere der Männer rutschten unbehaglich auf ihren Stühlen hin und her. Der Major schwieg für einen Moment.

»Diese Entscheidung«, sagte er dann etwas bedächtiger und ließ seinen Blick über die Anwesenden schweifen, »wurde in Rom getroffen, und zwar auf allerhöchster Ebene. Falls diese Waffe funktioniert, und das wird sie, muß Italien ihren Besitz leugnen und sie zugleich rücksichtslos einsetzen. Dieser eine Punkt könnte sich als ausschlaggebend für den gesamten Krieg erweisen. Fragen?«

Enzo hatte dem Gesuch der Armee, die Wirksamkeit von Giftgas zu erproben, bereits seine Unterstützung zugesagt, obwohl diese Waffe nach den Schrecken des Großen Kriegs geächtet worden war. In jenem Krieg hatten die Deutschen alle notwendigen Hausaufgaben erledigt und über den Schützengräben ihrer Feinde nacheinander Chlor-, Phosgen- und Senfgase getestet. Heute würde die *Regia Aeronautica* mit ihren eigenen Tests beginnen und zunächst einige Kanister abwerfen, in denen sich ein Verwandter des Senfgases befand, das 1917 zum erstenmal eingesetzt worden war. Man sagte, dieses Gas sei »schwerflüchtiger« als frühere Gase. Es war schwerer und hielt sich länger auf Bodenhöhe. Grimaldi hatte den Auftrag, einen Bericht über die Schlagkraft abzuliefern.

»Fragen?«

»Falls man in Genf erfährt, daß wir Gas einsetzen, wird man dann nicht ein Ölembargo über uns verhängen und den Kanal schließen? Wie sollen dann vierhunderttausend unserer Leute in den Bergen von Afrika ohne Treibstoff überleben?« fragte der Verbindungsoffizier der Schwarzhemden.

»Ganz zu schweigen von den hunderttausend Arbeitern und Farmern, die bereits hier oder auf dem Weg hierher sind«, fügte einer der Piloten hinzu. »Sogar die Straßenbauarbeiten müssen von Italienern durchgeführt werden. Diese Abbos sind zu nichts zu gebrauchen.«

»Was werden uns unsere neuen Straßen, Lastwagen, Panzer und Flugzeuge ohne Öl noch nützen?« rief das Schwarzhemd. »Der Völkerbund hat schon andere Wirtschaftssanktionen über uns verhängt.«

»Richtig, richtig«, sagte der Nachrichtenoffizier. »Bis jetzt hat der Völkerbund aber weder ein Embargo über Öl noch über Kohle und Stahl verhängt, und die anderen Sanktionen haben wir durch erhöhte Importe aus Deutschland und den Vereinigten Staaten ausgeglichen. Es darf dem Völkerbund daher kein Beweis vorgelegt werden, der ihn zu weiteren und kritischeren Maßnahmen zwingen würde. Verdächtigungen und Beschuldigungen sind nicht ausschlaggebend. Die Klagen der Abessinier werden keine Bedeutung haben.«

Er sah die Männer der Reihe nach an und senkte seine Stimme.

»Die Abgeordneten des Völkerbunds in Genf sind die größten Zyniker ihrer Generation. Kaiser Haile Selassie von Abessinien ist für sie bloß ein kleiner schwarzer Mann in einem dunklen Anzug und englischen Schuhen. Nein, nein, nur echte Beweise, zum Beispiel Augenzeugenberichte von Europäern, werden zu einem Embargo durch den Völkerbund führen.«

»Aber überall im Land befinden sich Ausländer!« protestierte das Schwarzhemd. »Missionare, Elfenbeinjäger, Journalisten, diese sogenannten Rote-Kreuz-Teams, die für den Feind arbeiten und denen Schweden, Engländer, Belgier, Ägypter und ich weiß nicht was angehören. Was machen wir mit denen?«

»Wir sind Soldaten«, sagte der Major. »Jeder gefährliche Zeuge muß wie ein Kriegsgegner behandelt und eliminiert werden.«

Ein junger Offizier hob die Hand. Massimo irgendwas. Grimaldi versuchte, sich an den Namen zu erinnern. Es war irgendeine alte Soldatenfamilie, vielleicht sogar adliger Abstammung.

»Sir, können wir denn nicht gewinnen, ohne diese Waffe einzusetzen?« fragte der Pilot. Er wirkte bleich und angespannt. Seine Stimme klang fahrig. »Unser Land hat versprochen, in keinem Krieg je wieder Gas zu benutzen. Sie sagen doch, unser Feldzug verläuft bis jetzt gut.« Ein merkwürdiges Schweigen legte sich über den Raum. Ein oder zwei Männer murmelten beifällig. Der junge Mann fuhr fort. »Mein Vater ist 1918 an Gas erblindet. Die nächsten sechs Jahre hat er damit verbracht, sich zu Tode zu husten.«

Der Major schlug seinen Stock nervös in die Handfläche und erwiderte zunächst nichts darauf.

»Junger Mann«, mischte Oberst Grimaldi sich ein und stand auf. Er gab dem wartenden Paolo mit einer Hand ein Signal und ließ seinen Zeigefinger wie einen Propeller rotieren. »Wir alle sind Soldaten. Eine Waffe ist eine Waffe. Was ist schon ein Hauch von Gas, verglichen mit den Höllenqualen eines verbrannten Piloten, der überlebt, obwohl sein Flugzeug in Flammen aufgegangen und abgestürzt ist?«

Niemand antwortete. Enzo spürte, wie die Stimmung am Tisch gegen den protestierenden Offizier umschlug. Er erhob seine Stimme.

»Haben Sie je gesehen, wie ein Pilotenkamerad bei lebendigem Leibe verbrennt?« Enzo hielt inne. »Sein Gesicht und die Hälfte seines Körpers sind von Blasen bedeckt. Seine Handschuhe haben sich in seine Hände eingebrannt. Wenn man ihm den verkohlten Helm abnimmt, reißt man ihm zugleich die schwarze Haut und das Fleisch von seinem Gesicht.«

Manche der Männer saßen starr und schweigend da. Andere brummten zustimmend, als Grimaldi fortfuhr.

»Dies ist ein Krieg, Leutnant, keine Debatte. Sie und ich werden den Befehlen gehorchen.«

Die Runde löste sich auf, und Enzo ging zu seiner Jagdmaschine. Teilweise respektierte er die Bedenken des jungen Offiziers, aber was spielte es letztlich schon für eine Rolle, auf welche Weise ein Mann starb?

»Hast du etwas davon mitbekommen, Paolo?« fragte Grimaldi, als er seine Brille aufsetzte und sich anschickte, in die Fiat zu klettern.

»Zuviel, Sir«, erwiderte sein Mechaniker in einem Tonfall, den der Oberst noch nie an ihm wahrgenommen hatte. War die Kontroverse dem alten Mann irgendwie nahegegangen?

Auf dem Weg zur Front dachte Enzo über andere Dinge nach. Er war erleichtert, allein zu fliegen. Ganz gleich, wie sie sich getrennt hatten, er vermißte das englische Mädchen und hoffte, daß sie in Sicherheit war. Wo befand sie sich jetzt wohl? Er öffnete einen Knopf seines Ledermantels und zog ihr Photo aus der Tasche. Sorgfältig achtete er darauf, es nicht zu hoch zu halten, damit es ihm nicht vom Wind entrissen werden konnte. Er küßte das Photo und steckte es wieder ein.

Aber wie konnte Gwenn sich um diese Abessinier sorgen, die sie nie zuvor gesehen hatte? Wie konnte sie ihre Söhne in Kairo zurücklassen, ihre eigene Ausbildung unterbrechen und sich sogar von ihm trennen? Vielleicht war das der Grund. Diese Mission mit dem Roten Kreuz stellte eine günstige Gelegenheit dar, seinem Haus und seinem Bett zu entfliehen. Er hatte es sofort gespürt, als dieser ungehobelte Bettler in Kairo aufgetaucht war, ihr Ehemann. Diese kleinen unmerklichen Rückzieher, die dem Ende einer Beziehung vorangingen. Berührungen, die ausblieben, Worte, die nicht ausgesprochen wurden, schließlich geplatzte Treffen und dieses schreckliche erste Zurückweichen, jenes leichte Zögern, das jeder sofort als das erkennen mußte, was es war: eine dunkle Schlange, die zwischen ihnen auf dem weißen Laken lag. Enzo hoffte inständig auf eine Gelegenheit, es dem Engländer heimzuzahlen.

Er dachte an die Potez, die er in dem See versenkt hatte. Letzte

Woche hatte er erfahren, daß sie mit Silber beladen war, welches die Armee auf jeden Fall bergen wollte. Kein Wunder, daß der arme Teufel mit einer solchen Ladung nicht manövrieren konnte. Aber der Schütze hatte sein Handwerk verstanden. Mußte ein Weißer gewesen sein. Enzo rechnete jeden Tag damit, die *Bersaglieri* zu dem Wrack führen zu müssen.

Grimaldi schaute nach unten und sah, wie vor ihm Kundschafter der *Valpusteria Alpini* eine zerklüftete Steilwand erklommen. Oben auf dem Plateau erblickte er eine gewaltige Menschenmenge, Scharen von Abessiniern, in schmutziges Weiß gekleidet, die sich auf den Rand des Steilabfalls zubewegten. Noch nie hatte er so viele von ihnen auf einem Haufen gesehen. Ob die *Alpini* wußten, was sie erwartete? Einen Moment lang war er geneigt, umzudrehen und im Sturzflug anzugreifen, aber dann sah er, daß sein Treibstoff knapp wurde. Er flog eine Kurve und kehrte zum Stützpunkt zurück.

Als er ausrollte, stellte er überrascht fest, daß Paolo diesmal nicht am Ende der Piste stand und ihn hereinwinkte. Statt dessen bemerkte er eine Traube von zwanzig oder mehr Männern, die sich vor der offenen Tür des Lagerhauses versammelt hatten, in dem das Giftgas untergebracht war. Andere befanden sich bei den Capronis an der Arbeit, verluden Kanister und überprüften die Maschinen.

Als Grimaldi aus seinem Flugzeug stieg, rannte Bruno Mussolini auf ihn zu. »Manche der Männer wollen keine Gaskanister an Bord nehmen, Oberst«, stieß er atemlos hervor. »Sie bitten darum, statt dessen Bomben laden zu dürfen.«

»Ich kümmere mich darum, Leutnant«, sagte Enzo beruhigend. Die Wichtigkeit des Augenblicks war ihm sofort bewußt. »Warten Sie ab, Sie werden schon sehen. Man darf so etwas gar nicht erst zulassen. Jeder Mann muß seine Pflicht erfüllen.«

Die aufgeregte Diskussion der Männer am Lagerhaus legte sich, als Grimaldi sich der Gruppe näherte. Nicht alle salutierten. Gemächlich knöpfte Enzo seinen Pilotenmantel auf und öffnete das Halfter seiner Beretta. Er hoffte, daß Paolo seine Pistole immer anständig gewartet hatte.

»Wer von Ihnen ist hier der Rangälteste?« fragte Grimaldi.

»Ich bin gebeten worden, für einige der Männer zu sprechen, Sir«, entgegnete der junge Massimo respektvoll mit leiser Stimme und in angespanntem Tonfall.

»Fassen Sie sich kurz, Leutnant«, sagte Grimaldi, »und denken Sie daran, daß Sie italienischer Offizier sind und sich im Kriegseinsatz befinden.«

»Wir bitten um Bomben, Sir, nicht um Gas. Wir fliegen so viele Einsätze, wie Sie wollen, Oberst, und auch so tief, wie Sie wollen«, sagte der Pilot vorsichtig. »*Il Duce* höchstpersönlich hat öffentlich versprochen, daß Italien kein Gas einsetzen wird.«

»Und ihr anderen?« fragte Grimaldi die versammelten Männer, darunter Soldaten, Bodenpersonal und ein Fluglotse. Er erinnerte sich an die warnenden Worte Marschall Balbos: »Dies alles wird Ihrer Karriere womöglich nicht zuträglich sein, Oberst, aber falls Sie versagen, ist Ihre Laufbahn auf jeden Fall beendet.« Enzo wußte, daß Leutnant Mussolini das Geschehen aus einiger Entfernung verfolgte und sich bemühte, ein wenig im Hintergrund zu bleiben.

»Wir haben uns geweigert, beim Verladen der Kanister behilflich zu sein, Oberst Grimaldi«, meldete sich aus dem Hintergrund Paolo mit jener rauhen Stimme, die Enzo so gut kannte.

Dieser persönliche Verrat verblüffte ihn. Enzo fiel ein, daß Paolo als Soldat im Großen Krieg selbst eine Gasverletzung erlitten hatte. Aber es war an der Zeit, ein Exempel zu statuieren. Der junge Pilot war zu wertvoll, dachte Grimaldi, und wer konnte wissen, welchen Einfluß Massimos Familie womöglich besaß? Die Männer wichen zur Seite, als der Oberst mit zusammengebissenen Zähnen auf seinen alten Mechaniker zuging. Er blieb vor ihm stehen.

»In diesem Moment verlassen sich viele tausend italienischer Soldaten darauf, daß jeder von Ihnen seine Pflicht erfüllt.« Grimaldis Stimme war streng und laut. Die Männer bildeten einen Kreis um ihn. »Ich habe gerade mitangesehen, wie ein Bataillon *Alpini* von einer Horde schwarzer Wilder überrannt wurde. Es waren Tausende. Diese Waffe wird italienische Leben retten und sogar die Leben der Abessinier, wenn sie dazu beiträgt, den Krieg zu beenden. Sie werden jetzt sofort diese Bomber überprüfen, danach das Gas aufladen und später wie befohlen abwerfen.«

»Das können wir nicht tun, Sir«, sagte Paolo langsam. Einige der anderen Männer nickten, murmelten und rückten ein Stück von dem alten Veteranen ab. »Für alle anderen Aufgaben stehen wir zur Verfügung.«

Grimaldi zog seine Beretta. Wortlos und ohne zu zögern schoß er Paolo schnell hintereinander dreimal in die linke Brustseite.

Mehrere Männer schrien auf und wichen zurück, als die kleinen Kugeln einschlugen. Im ersten Moment blieb Paolo regungslos stehen. Er sah Enzo an, wankte nach hinten, dann nach vorn auf ihn zu. Er seufzte und stieß ein Gurgeln aus, das tief aus seiner Lunge kam. Dann schlug er beide Hände vor die Brust. Schaumiges Blut quoll zwischen seinen Fingern hervor. Der Fluglotse sprang herbei, um ihn zu stützen, aber es war zu spät. Paolo torkelte einen Schritt nach vorn und streckte den Arm nach seinem Oberst aus. Dann brach er auf dem staubigen Boden zusammen. Seine offenen blutigen Hände glitten an Enzos Stiefeln ab.

»Ich werde keinen Verrat dulden.« Grimaldi trat zurück und steckte seine Pistole ein. »An die Arbeit, meine Herren.« Er drehte sich um und ging auf die Reihe Capronis zu. Die schweigenden Männer folgten ihm.

Eine Stunde später saß Enzo wieder in seiner Fiat. Er vermißte Paolo beim Start, aber er bedauerte nicht, was er getan hatte. Er befand sich bereits in der Luft, drehte langsame Kreise und sah dabei zu, wie die riesigen kastenförmigen Bomber sich zu ihrer Formation gruppierten, damit er sie zu dem Plateau führen konnte.

Enzo wußte jetzt schon, welche Empfehlung er in seinem Bericht über das Gas geben würde. Er lächelte bei dem Gedanken, was Gwenn wohl davon halten mochte. Wäre sie noch immer mit ihm zusammen, würde das allein genügen, um ihre Beziehung zu beenden. Ihre Naivität überraschte ihn immer wieder. Für eine Frau, die wußte, was Krieg, der Arztberuf und persönliche Verluste bedeuteten, war sie auf fast schon absurde Weise frei von Zynismus. Sie besaß nichts von dem, was seine Mutter als *»la lassitudine morale«* bezeichnete.

Unter ihm sammelte sich die Armee von Shoa, um das Hochland zu verteidigen. Er zog entferntes Bodenfeuer auf sich, ließ die Maschine sacken und flog auf der Suche nach den *Alpini* an der Steilkante weiter. Schließlich fand er sie. Sie hatten am oberen Rand einer zerklüfteten schüsselförmigen Anhöhe im Halbkreis Stellung bezogen. Dornbüsche und niedrige Bäume gaben ihnen Deckung. Die Anhöhe wirkte wie ein riesenhaftes Adlernest auf einer Klippe. Ein oder zwei weitere Bataillone schienen sich den *Alpini* angeschlossen zu haben. Er konnte nicht erkennen, ob es sich um reguläre Truppen oder um Schwarzhemden handelte, aber da sie die Bergpfade emporgestiegen waren, konnten sie keine schwere Ausrüstung mit sich führen, keine Artillerie und keine Panzer, obwohl die ihnen in ihrer mißlichen Lage sicherlich zupaß gekommen wären.

Zwischen der italienischen Streitmacht und den sich nähernden äthiopischen Massen schienen sich nur vereinzelte weißgekleidete Körper, reiterlose Tiere und ein paar Vorposten zu befinden. Die etwas geordneteren abessinischen Einheiten trugen Khaki. Sie waren zweifellos besser ausgerüstet und vermutlich Teil der Leibwache des Kaisers, seiner Gardetruppen, die von diesen verräterischen belgischen Söldnern ausgebildet wurden. Daneben entdeckte Grimaldi Hunderte verhüllter Reiter. Ihre Pferde tänzelten und brachen aus, als das Flugzeug herannahte. Hinter ihnen drängten sich die Fußsoldaten aus den Provinzen Abessiniens, Tausende von Männern in grauen *Gallabijjahs*, die in Scharen quer über die dornigen Felshänge und breiten braunen Flächen des Plateaus vorstießen.

Enzo löste die Sicherung seines Abzugsbügels. Es verlockte ihn, einen Sturzflugangriff zu fliegen, aber diesmal mußte er sich zurückhalten. Zuerst würde er die Wirkung der Bomber und des Gases beurteilen müssen. Dann mußte er dafür sorgen, daß alle europäischen Augenzeugen bombardiert, erschossen oder von der Front vertrieben wurden. Die afrikanischen Soldaten hinter ihm begannen zu laufen. Sie waren noch nicht in Panik ausgebrochen, sondern versuchten, den Schutz der Bäume zu erreichen, die an den Ufern eines Wasserlaufs standen.

Die neun Capronis nahten langsam in einer auseinandergezogenen V-Formation. Sie verringerten ihre Flughöhe um weitere dreihundert Meter und erinnerten dabei an riesige Gänse, die sich im Landeanflug auf einen See befanden. Ihr Gas würde verätzen und blind machen, aber es würde nicht weit tragen. Es war unbedingt erforderlich, daß es mitten zwischen den Abessiniern abgeworfen wurde, ein gutes Stück entfernt von den eigenen Leuten, wenngleich das Gas sich bald verflüchtigen würde. Zum Glück würde es von selbst in das tiefergelegene Flußtal sinken, wo die Äthiopier soeben Schutz suchten.

Enzo sah, wie die ersten langen Zylinder aus dem vordersten Bomber fielen, Vittorio Mussolinis Maschine. Das war zu früh. Die Kanister drehten sich wie große graue Würste um ihre Längsachsen, schlugen vor den vorrückenden Truppen auf und zerbarsten. Die Männer wußten nicht, was ihnen bevorstand, und marschierten in die unsichtbaren Gaswolken hinein.

Die anderen Capronis warteten noch einen Moment, bis sie sich direkt über den Massen befanden. Die Zylinder schlugen zwischen den Äthiopiern auf. Die Bomber flogen weiter in Richtung der majestätischen Bergfestung Amba Alagi, dem Ort großer historischer Belagerungen. Enzo tauchte ab und flog eine enge Kurve.

Die hüglige Bergebene hatte sich in ein Wirrwarr aus Pferden und Männern verwandelt, die in alle Richtungen flohen. Nur wenige Soldaten waren gefallen, aber überall lagen Waffen und Ausrüstungsgegenstände verstreut. Enzo stellte sich vor, er könnte die Schreie der verätzten Männer und Tiere hören. Er sah Soldaten torkeln und zusammenbrechen. Andere rollten sich auf dem Boden hin und her.

Er dachte an die Berichte über den ersten Gaseinsatz im Großen Krieg. Die Männer auf dem Boden waren an Maschinengewehre gewöhnt, an Stacheldraht und Minen, Artilleriefeuer, Ratten und Schlamm. Es hatte sie völlig überrascht, daß sich auf einmal ein Senfgeruch in den Schützengräben und Granattrichtern ausbreitete und die schwachen Gaswolken ihnen die Haut verätzten, die Lungen versengten und die Augen blind werden ließen, als hätte man ihnen einen Tropfen geschmolzenen Metalls hineingegossen. Aber in jenem Krieg hatten die Truppen Zeit gehabt, sich an jede neue Waffe zu gewöhnen und dann mit gleichen Mitteln zurückzuschlagen: Flugzeuge, Panzer und Gas. Enzo blickte den Capronis hinterher, die am Himmel immer kleiner wurden. Diese Abessinier würden sich heute zum ersten Mal allen drei Waffen zugleich gegenübersehen.

Voller Erregung ging Enzo in Sturzflug über und spürte, wie die Maschinengewehre der Fiat zu rucken begannen.

»Verdammt, Malcolm, wissen Sie, was die machen?« schrie Gwenn vom Zelteingang an Dr. Fergus gewandt. Sie keuchte, weil sie quer durch das offene Lager gerannt war, und fühlte sich zu wütend, um zu weinen, aber der Zorn brannte so heiß in ihr, als wäre sie selbst verwundet.

»Was denn, Doktor?« Er blickte von seiner Arbeit auf, während zwei schwarze Sanitäter den Körper wegschleppten, der vor ihm gelegen hatte.

»Die Italiener setzen Giftgas ein!«

»Woher wissen Sie das?« fragte Fergus erschrocken.

»Ich habe solche Wunden zuvor schon gesehen. Es ist vermutlich Yperit, das Senfgas, das erstmals bei Passchendale benutzt wurde.« Oder Ypern, wie die Franzosen es zu nennen pflegten, dachte sie. Im Verlauf dreier Schlachten hatten die Briten vierhunderttausend Mann verloren. Am Ende hatte es kaum noch einen Unterschied gemacht, wer lebte und wer tot war.

»Man hat gerade einen Mann in das andere Zelt getragen«, fügte Gwenn hinzu und dachte voller Entsetzen an den zuckenden Körper, der vor ihren Augen auf einem Stück Segeltuch auf den Operationstisch gehoben worden war. Dieser Fall unterschied sich von den bisherigen an jenem Tag. Die anderen waren klassische Kriegsverletzungen, hervorgerufen durch beschleunigtes Metall, das auf Fleisch und Knochen traf. Tausend kunstvoll erdachte Wunden, die Kugeln, Bajonette, Schrapnelle und Sprengstoffe dem menschlichen Körper zufügen konnten. Aber nicht dieser Mann.

»Er sieht aus, als hätte man ihn in siedendes Öl getaucht«, sagte sie. »Kommen Sie mit, und sehen Sie sich das an.« Sie eilten zu dem anderen Zelt.

Jeder sichtbare Zentimeter Haut des Abessiniers brodelte und warf Blasen, als würde er über offenem Feuer geröstet. Hände, Unterarme, Hals und Gesicht waren eine einzige gewaltige Brandwunde.

»Es ist hoffnungslos«, sagte sie und verharrte zögernd und voller Verzweiflung neben dem Tisch. Sie mußte an die langen, furchtbaren Qualen denken, die jedes Verbrennungsopfer durchlitt. »Es werden Tausende, sogar Zehntausende sein.«

Gwenn wischte sich mit ihrem Ärmel den Schweiß aus dem Gesicht und vergaß dabei, daß ihr Operationskittel über und über besudelt war. Sie roch das trocknende Blut. Plötzlich fühlte sie sich unendlich müde und schwach. Ihr wurde deutlich bewußt, daß sie längst nicht mehr jenes Mädchen war, das 1915 Wales verlassen hatte, um in Frankreich und Belgien als freiwillige Ambulanzfahrerin zu dienen.

Als Malcolm den Körper untersuchte, der zitternd zwischen ihnen lag, wandte Gwenn ihren Blick ab. 1918, nachdem alles vorbei gewesen war, hatte sie gebetet, niemals wieder solche Wunden und solches Leid sehen zu müssen. Ihr war inzwischen klar, daß der »Krieg, der alle Kriege beenden wird,« völlig umsonst geführt worden war.

»Es geht endlos so weiter«, sagte sie leise. »Der Völkerbund ist nutzlos. Sogar diese schrecklichen Waffen sind nicht abgeschafft worden.«

Malcolm erwiderte nichts, sondern machte sich an die Arbeit. Er badete das Gesicht des Afrikaners, untersuchte dessen Augen, zog die Lider hoch und wischte die trübe Flüssigkeit ab, die aus den Augenwinkeln rann. Er legte einen Streifen feuchter gefalteter Gaze über die Augen des Mannes und knotete den Verband ordentlich hinter einem Ohr zusammen. Bevor er weitermachte, schaute Malcolm zu Gwenn herüber und lächelte. In seinem Blick lag weder Erschöpfung noch Ekel.

Gwenn schob eine Haarlocke unter ihre weiße Haube zurück und sah auf den Abessinier hinunter. Im schlimmsten Fall hatten die Opfer zuviel von dem Gas eingeatmet. Ihre Lungen waren verätzt. Nur wenige überlebten. Dieser Mann schien Glück gehabt zu haben. Zwar war er vermutlich blind, aber seine Atmung funktionierte gut. Nach einer Weile würden sich seine Verbrennungen und Blasen zu knotigen Geschwülsten zurückbilden.

Sie nahm eine Schere und schlitzte das graue Baumwollgewand des schwarzen Kriegers auf. Der Rest seines schlanken Körpers schien verschont geblieben zu sein, abgesehen von einem angeschwollenen Streifen verletzter Haut unmittelbar neben den freiliegenden Körperpartien. Unter den Säumen des Kleidungsstücks fanden sich ungleichmäßig verteilte Verbrennungen zweiten Grades.

»Mehr können wir im Augenblick nicht tun«, sagte Malcolm wenig später. »Ich kehre am besten ins andere Zelt zurück.«

Gwenn ging zu einer Schale Wasser, um sich die Hände zu waschen, während der nächste Verletzte hereingetragen wurde. Alles verschwamm vor ihren Augen. Sie fühlte sich völlig benommen. Sogar die Geräusche, die durch die Zeltwände drangen, schienen sich zu verändern. Das Tier dort draußen regte sich. Das Summen und Stöhnen hatte sich in etwas Schrilleres verwandelt. Es war das Geräusch des Schreckens, die Laute zahlloser Männer, die vor Angst und Panik aufschrien.

Sie schüttelte den Kopf und trat an die Zeltöffnung. Ihr Blick fiel zwischen einem Lastwagen und einer Ambulanz hindurch auf das Heer der Verwundeten. Die Leute drängten sich verzweifelt aneinander und deuteten nach oben. Dann hörte sie ein anderes, dröhnendes Geräusch das Tal hinaufschallen: die Motoren von Flugzeugen in Bodennähe. Maultiere und Pferde trabten schnaubend durch die Menge. Was konnten die Flugzeuge hier wollen?

Als die ersten drei Maschinen in Sicht kamen, hörte Gwenn vom Flußufer Gewehrfeuer ertönen. Völlig gebannt ging sie nach draußen und blickte den Flugzeugen entgegen, als würde sie ein entferntes Schauspiel verfolgen. Drei gelbbraune Doppeldecker, seltsam schön anzusehen, näherten sich in perfekter V- Formation. Ihre Maschinengewehre blitzten auf wie Glühwürmchen.

Ob das wohl Lorenzo war? lautete ihr erster Gedanke. Sie erinnerte sich, wieviel Freude er daran zu haben schien, Kriegseinsätze zu fliegen. Während sie dort stand und zuschaute, stieg plötzlich kalte Wut in ihr auf.

Sie sah zwischen dem Lazarett und dem Wasserlauf mehrere Geschoßgarben wie die Zinken einer riesigen Harke durch die Menschenmassen fahren. Kleine Bomben, vermutlich Granaten, fielen von den Flugzeugen nach unten. Das Tal verwandelte sich in ein tobendes Chaos von unvorstellbarer Panik. Entsetzt und schockiert erkannte sie, daß all ihre Arbeit umsonst gewesen war. Das Lazarett diente als Sammelpunkt der Opfer und verursachte auf diese Weise noch mehr Leid, anstatt es zu lindern.

Nach den ersten drei Maschinen folgten noch zwei weitere Ketten. Als die Flugzeuge sich näherten, erkannte Gwenn die Farben und Abzeichen des faschistischen Italien.

Sie rannte auf das Operationszelt zu. Eine zweireihige Geschoßgarbe traf eine Ambulanz und lief dann quer über das rote Kreuz in der Mitte des offenen Platzes. Aus den kleinen Löchern, die so plötzlich in das Segeltuch gestanzt wurden, stiegen Staubfahnen auf. Zwei ägyptische Krankenschwestern liefen Gwenn entgegen. Der offene Lastwagen neben der Ambulanz war mit Benzinkanistern beladen. Auch er wurde getroffen und explodierte, als eine Bombe neben ihm aufschlug. Die beiden Krankenschwestern verschwanden in dem Feuerball. Ein Sanitäter stolperte an ihr vorbei. Sein Haar brannte.

Als sie das Zelt erreichte, sah Gwenn, wie sich brennendes Benzin über das Dach und eine Seite des anderen Operationszeltes ergoß. Die Flammen umhüllten es wie ein Verbrennungsofen. Sie zögerte und sah Sanitäter, Schwestern und Patienten aus dem lodernden Segeltucheingang rennen und torkeln. Schließlich stolperte auch Malcolm heraus. Eine Schulter seines Kittels schwelte, und er trug einen nackten Schwarzen auf den Armen.

Gwenn lief zu ihm. Er stürzte. Der verwundete Patient regte sich kraftlos und blieb dort liegen, wo Malcolm ihn fallengelassen hatte. Der Mann lag rücklings auf dem felsigen Boden, aus seiner Brust quoll Blut hervor, und er bewegte seine Arme und Beine wie eine Krabbe. Malcolm versuchte aufzustehen. Dann hatte sie ihn erreicht. Er kämpfte sich auf die Knie und streckte hilfesuchend den Arm nach ihr aus. Seine Hände waren blutig. Über ihnen flog die dritte Kette heran. Plötzlich war auch Gwenn vor Angst wie gelähmt. Hinter sich hörte sie das Hämmern der Maschinengewehre und das Prasseln der Geschoßgarben. Der Boden neben ihr explodierte. Etwas schlug gegen ihre Schulter und ihr Gesicht. Dann brach sie zusammen.

22

»Wie aufregend, unseren großen Jäger mal wieder auf dem Rücken liegen zu sehen«, sagte eine amerikanische Stimme. »Es ist schon so lange her.

Anton drehte seinen Kopf und warf zwischen den Vorderrädern des Oldsmobile hindurch einen Blick auf die langen schlanken Beine. Sie wirkten brauner und straffer als noch vor vierzehn Tagen. Aber weder die Stimme noch die wohlgeformten Waden verrieten ihm, um welchen der beiden Zwillinge es sich handelte.

»Gib mir den großen Schraubenschlüssel, Kimathi«, sagte er schlechtgelaunt. »Dieses verdammte Ding fällt auseinander.« Er schaute zu der beschädigten Achse hoch, zu den Federn und der Ölwanne und wischte sich etwas Schmiere vom Kinn. Diwani lag neben Anton auf dem Rücken und verstrich mit bloßen Fingern Bratfett auf einigen Teilen.

»Und sag Lapsam, er soll einige Vorräte aussortieren und eine Kiste Dosen zurücklassen«, fügte Anton für Kimathi hinzu.

»Oh, und Miss, Sie und Ihre Schwester bereiten sich bitte darauf vor, einen weiteren Koffer rauszuschmeißen, und zwar diesmal den größten. Der Lastwagen muß leichter werden. Lassen Sie am besten auch einen Teil der Photoausrüstung hier. Es wird kaum Zeit für solche Spielereien bleiben, verstehen Sie?«

»Meine Bell und Howell ist kein Spielzeug«, schnappte Harriet. »Sie ist für Profis gedacht. Brandneu, sechzehn Millimeter. Die gleichen werden für die Wochenschauen benutzt. Und hören Sie auf, uns mit ›Miss‹ anzusprechen. Wir haben Namen, Mr. Rider.«

»Sie entscheiden«, sagte Anton und freute sich, daß er sie geärgert hatte. »Sorgen Sie nur dafür, daß dieser große Koffer hierbleibt, falls Sie so nett wären. Das hier ist eine Safari und nicht die *Queen Mary.*«

»Ich sage Bernie, daß sie einen Teil von ihrem alten Plunder rauswerfen soll«, erwiderte Harriet mürrisch. »Und Charlie ist hoffnungslos mit diesem ganzen Zeichenkrempel überladen. Aber von meinen Sachen ist kaum noch etwas übrig, seit wir mit diesen Leuten um den dämlichen Laster hier gefeilscht haben.« Sie trat kräftig gegen die Sohle von Antons Stiefel. »Was für eine Safari ist das denn Ihrer Meinung nach?«

»Sie haben schon recht. Genaugenommen ist es ein Krieg. Dürfte für Sie sogar noch aufregender sein. Und alles ohne zusätzliche Kosten.« Er sah ihre Knöchel, als sie wütend mit einem Fuß aufstampfte. »Bitte machen Sie sich gleich an die Arbeit. Wir brechen im Morgengrauen auf.«

»Hätten Sie uns nicht einen besseren Lastwagen besorgen können?«

»Falls Sie uns Ihren Vergrößerungsspiegel und ein paar andere Kleinigkeiten überlassen hätten«, fügte er halblaut hinzu, »hätten wir sie gegen einen anständigen Wagen tauschen können, anstatt diesen nutzlosen amerikanischen Schrotthaufen zu kaufen.« Er drehte den Schraubenschlüssel und grunzte.

»Hallo!« rief eine andere ausländische Stimme von der anderen Seite des Führerhauses. Anton drehte seinen Kopf im Staub und erblickte ein Paar sehr hoher, blankgeputzter schwarzer Stiefel. »Guten Tag.«

»Oh, Ihnen auch einen guten Tag, Sir«, hörte er Harriet mit heiserer Stimme zu dem Fremden sagen.

Anton zog den Schraubenschlüssel noch mehrere Male an und kroch dann unter dem Wagen hervor. Unterdessen fuhr der Mann in gewähltem fehlerfreien Englisch fort. Irgendein Skandinavier, wahrscheinlich ein Schwede, nach dem Klang der Stimme zu urteilen, schätzte Anton und dachte dabei an einen seiner früheren Kunden von adliger Abstammung. Anton war immer leicht verärgert, wenn Fremde ihn ohne Einladung in seinem Lager überraschten. Er stand auf und ging auf den Mann zu, wobei er sich zwischen ihn und Harriet stellte.

»Anton Rider«, sagte er und packte die Hand des Offiziers fester, als dieser gewöhnt war. »Das ist meine Kundin, Miss Mills, und das hier ist Kimathi, unser Führer.«

»Hauptmann Larsen«, sagte der stattliche blonde Offizier und ignorierte Kimathi, während er Harriet über Antons Schulter hinweg jungenhaft angrinste. »Königlich schwedische Beratungsmission.« Dann blickte er auf seine rechte Hand hinab, die jetzt mit schwarzer öliger Schmiere beschmutzt war.

»Willkommen in Afrika, Major.« Anton drehte sich um und reichte Kimathi lächelnd und mit einem Nicken den Schraubenschlüssel. Er griff in das Führerhaus des Lastwagens und wischte sich die Hände an einem Lappen ab. Dann zog er seine .375er hervor.

»Hauptmann«, verbesserte ihn der Offizier. Er war ungefähr vierundzwanzig oder fünfundzwanzig Jahre alt, schlank und sogar noch größer als Anton. Seine Bewegungen wirkten äußerst elegant. Der selbstbewußte junge Mann rief bei Anton eine Mischung aus Ärger und widerwilligem Neid hervor. Die Augen des Soldaten leuchteten auf. Er starrte an Antons Schulter vorbei dem zweiten Zwilling entgegen.

»Der *Dejazmatch*, unser äthiopischer Kommandeur Ras Timoun, hat mir befohlen, Sie und Ihre Safarikunden einzuladen, seiner Exzellenz bei Einbruch der Dunkelheit zum Abendessen Gesellschaft zu leisten.«

»Vielen Dank«, sagte Harriet, ohne ihre Schwester vorzustellen, »wir kommen sehr…«

»Sie werden uns heute abend entschuldigen müssen, Hauptmann«, fiel Anton ihr ins Wort, obwohl er wußte, wie sehr sie sich ärgern würde. Er wollte auf keinen Fall in die Angelegenheiten und Probleme der abessinischen Armee verwickelt werden.

»Genaugenommen haben wir vor, heute abend früh zu essen, in ein paar Minuten. Der Koch hat den Topf schon über dem Feuer.« Anton zog eine verbeulte Zigarettendose aus einer Tasche seiner Shorts. Er ließ mit dem Daumen den Deckel hochschnellen und bot dem Offizier eine Zigarette an.

Harriet spürte die angespannte Haltung der beiden Männer und versuchte es ein zweites Mal. »Vielleicht könnten wir…«, setzte sie an.

»Meine Kunden haben einen verflucht langen Tag hinter sich«, sagte Anton und warf ihr einen finsteren Blick zu, »und morgen brechen wir beim ersten Tageslicht auf und fahren weiter nach Süden.«

Der Hauptmann ignorierte die Zigaretten, richtete sich kerzengerade auf und ergriff dann langsam und bedächtig das Wort, als würde er zu einem Zug unausgebildeter einheimischer Milizionäre sprechen.

»Dies ist keine gewöhnliche Einladung, Monsieur Reader…« Sein Blick richtete sich auf die sorgsam gepflegte Waffe, die der ältere Mann in seiner anderen Hand hielt.

»Rider.« Anton hielt seinen Ärger im Zaum. Er hatte diese jungen Militärberater zuvor schon kennengelernt, zumeist Belgier und Schweden, und ein paar Froschfresser waren auch darunter. Voreilige Beförderungen und eine Machtbefugnis, die sie in diesem Ausmaß zu Hause niemals haben würden, hatten sie hochnäsig gemacht. Ganz zu schweigen von den Dienern, dem Luxus und dem Einfluß, der in Europa jenseits ihrer kühnsten Träume gelegen hätte. Und so hatten sie sich schnell daran gewöhnt, daß alles nach ihrem Willen verlief. Zudem waren die Frauen in Abessinien und Somalia äußerst attraktiv und zugänglich. Dieser junge Krieger hatte von allem zweifellos einen überreichlichen Anteil genossen.

»Der Ras und seine Armee mögen sich heute zwar auf dem Rückzug befinden, Mr. Rider, aber Sie und ich sind im Königreich Abessinien nach wie vor Gäste.« Der Schwede zog eine steife Ledergerte aus seinem rechten Stiefel. »Sie mögen vielleicht im Urlaub sein, aber diese Nation befindet sich im Krieg.«

Wann haben Schwedens Soldaten denn zum letztenmal in einem Krieg gekämpft? hätte Anton beinahe gefragt. Den Einheimischen Waffen verkaufen und aufgedonnert in der Hauptstadt herumlaufen konnten sie schon ganz gut. Vielleicht würde dieser Feldzug zeigen, was diese Stutzer unter Soldatentum verstanden.

»Haben wir euch Jungs nicht schon mal in der Hauptstadt gesehen, wie ihr kurz vor der Cocktailstunde mit euren Leuten exerziert habt?« fragte Anton in neutralem Tonfall.

Der Hauptmann deutete mit der Gerte nach rechts.

»Im nächsten Tal lagern viertausend Bewaffnete, direkt auf Ihrem Weg. Die gesamte Provinz steht unter Militärgewalt«, fügte der junge

Offzier hinzu, ließ die Gerte gegen seinen Stiefel klatschen und sah Anton herausfordernd an.

»Sie werden einen Passierschein benötigen, um mit Ihrer Ausrüstung und Ihren Tieren weiterreisen zu können.«

Anton zögerte, bevor er reagierte.

»Werden Sie hier in Stellung gehen?« Er wußte, er sollte es nicht sagen. »Sie könnten feststellen, daß es mehr Spaß macht, Zivilisten zu schikanieren, als gegen die Italiener zu kämpfen.«

Über dem hohen blaugrauen Kragen traten die Adern am Hals des Hauptmanns hervor. Das jungenhafte Gesicht lief rot an.

»Ich werde eine Eskorte schicken, um Sie zum Kriegszelt des Ras zu geleiten. Sie werden Ihre Pässe und eine Aufstellung Ihrer Waffen und Munition mitbringen. Und, das kann ich Ihnen jetzt schon mitteilen, es wird Ihnen vielleicht nicht gestattet werden, Ihre Bewaffnung weiterhin mitzuführen.« Er schlug die Hacken zusammen und nickte in Richtung der Damen. Dann drehte er sich um und ging.

»Vielleicht hätten Sie Soldat werden sollen«, sagte Harriet zu Anton, nicht ohne eine gewisse Bewunderung. »Los, Bernie, wir motzen uns lieber für die Party auf, und außerdem mußt du deine Sachen rauswerfen.«

Diese amerikanischen Mädchen waren für solche Anlässe wie geschaffen, wurde Anton zwei Stunden später klar, als die Zwillinge zum Abendessen erschienen. Sie wußten, wie man Probleme löste, oder zumindest, wie sie bekamen, was sie wollten.

Harriet und Bernadette schimmerten in ihren hautengen Lamékleidern wie Leuchtkäfer. Sie ließen den Hauptmann links liegen und machten Ras Timoun schöne Augen, schmeichelten dem alten Haudegen und wichen keinen Moment von seiner Seite. Die Zwillinge hatten ihre Aufgabe eindeutig verstanden: dem *Dejazmatch* die Erlaubnis abzuringen, daß die Safari am nächsten Morgen nach Süden weiterreisen durfte.

»Was für ein wunderbares juwelenbesetztes Schwert!« rief Bernadette, schlug die Hände zusammen und sah dem Ras in die Augen. Er war ein stämmiger, sehr dunkelhäutiger grauhaariger Mann und trug unter seiner Brokatweste ein weites besticktes Hemd, das an der Taille von einem europäischen Militärgürtel zusammengehalten wurde.

Der Ras lächelte die junge Frau an.

»Dieses Schwert hat Kaiser Menelik meinem Vater überreicht, als er nach der Schlacht von Adua im Sterben lag. Ich werde diesem Benito damit den Kopf abschlagen.«

»Was für eine glänzende Idee«, sagte Bernadette. »Und woraus ist Ihre Landkarte hier gefertigt? Pergament, oder?«

»Das ist die Haut eines sehr jungen Lamms.« Der Mann drehte die Karte um und zeigte ihr den alten amharischen Kalender, der auf die Rückseite gemalt war. Auf der Karte war jede der abessinischen Provinzen mit primitiven farbigen Symbolen bebildert: Löwen für die Ogaden-Region, Kaffeepflanzen und eine Gazelle für den Arussi-Distrikt, ein dickes Flußpferd für das Boran-Gebiet.

»Hier sind jetzt die Italiener mit all den Hunden, die um ihre Lager scharwenzeln, und kommen durch diese Täler auf uns zu.« Während der Äthiopier die Marschwege seiner Feinde mit langen knorrigen Fingern nachfuhr, zog er Bernadette mit der anderen Hand näher an sich heran. »Aber sobald sie im Nachbartal sind, befinden sie sich in der Höhle des Löwen«, sagte der falkengesichtige Krieger, und Anton schätzte, daß er tatsächlich einer war.

»Bitte gestatten Sie uns, Ihnen ein paar Kleinigkeiten als Geschenke für Ihr Heerlager zu überreichen«, sagte Anton salbungsvoll und breitete die Arme aus. Laboso erschien an einer Ecke des großen offenen Zeltes, gefolgt von drei Lagerjungen, die Kisten schleppten. Zumindest konnten sie auf diese Weise nicht nur die Beladung ihres Lastwagens verringern, sondern auch noch einen zusätzlichen Nutzen daraus ziehen. Das war genau die Art von Tauschgeschäft, die sein Freund Olivio so vollendet beherrschte, dachte Anton. Er versuchte, sich auch weiterhin ganz im Sinne des Zwergs zu verhalten.

»Wir sind stolz, Ihnen Delikatessenkonserven aus Paris und London darreichen zu können, Exzellenz, ferner einige elegante Kleidungsstücke für Ihre Frauen, eine schmiedeeiserne Axt aus den Vereinigten Staaten von Amerika und ein paar andere bescheidene Gaben.« Anton sah, wie Hauptmann Larsen Ärger, ja sogar nackte Wut ins Gesicht stieg, aber er wußte, was er tat. Er war hier der alte Fuchs, was Afrika betraf, nicht dieser Junge.

Der *Dejazmatch* nickte beifällig und sah sich dann die Kisten eine nach der anderen an. Er schüttete den Inhalt auf den Teppich aus und drehte manche der Gegenstände mit der Spitze seines Pantoffels um. Zu seinen Füßen lagen zahlreiche Dosen Foie gras, Trüffel, Kirschen, Kapern, Backpflaumen und Schiffszwieback. Aber nur die Spitzenunterwäsche, hochhackigen Schuhe und schwarzen Seidenstrümpfe schienen seine Aufmerksamkeit zu erregen.

»Keine Gewehre?« fragte der alte Ras.

»Hätten wir vorher von diesem besonderen Abend gewußt, hätten wir mehr Geschenke mitgebracht«, sagte Harriet und versuchte, den Mann abzulenken. »Ihre Gewehre sind aber auch wirklich besonders schön.«

Auf einem Teppich hinter dem *Dejazmatch* lagen seine persönlichen Waffen: eine alte Mauser mit neuem verchromten Schloß, ein tschechoslowakisches Maschinengewehr und eine Enfield, die auf einem Segeltuchfutteral lag, das mit ledernen Riemen und breiten, brokatverzierten und mit Goldfäden durchwirkten Bändern besetzt war. Daneben lagen mehrere Patronengurte und ein .32er Revolver in einem rehbraunen Lederhalfter.

Der Ras bemerkte, daß Anton sich für die Waffen interessierte, und lud ihn ein, sie sich genauer anzusehen.

»Oberndorf, 1913«, las Anton mit einem Blick auf den Prägestempel der Mauser. Er zog den Verschluß zurück und schaute in den Lauf. Das deutsche Gewehr machte einen ziemlich heruntergekommenen Eindruck; die Rillen der Züge wurden zur Mündung hin immer schwächer. Das war eine äußerst seltene Abnutzungserscheinung und rührte vermutlich von einem falschen Gebrauch her. Er verzog das Gesicht, und der Ras nickte zustimmend.

»Aber das hier ist eine sehr schöne Arbeit«, sagte Anton und bewunderte die Enfield, die man zu einem Jagdgewehr umgerüstet hatte. In den gekürzten Lauf war der Name einer Waffenschmiede aus Birmingham eingeprägt. Der Walnußschaft war sorgfältig ausgearbeitet und mit Schnitzereien verziert. Anton hob mit einiger Anstrengung das Maschinengewehr an. Der luftgekühlte Gasdrucklader interessierte ihn, vor allem wegen der gewundenen Kühlrippe entlang des Laufs.

»*Mitrailleuse*«, sagte der Kommandeur, ging zu Anton und nahm ihm die schwere Waffe mühelos aus der Hand. Stolz wies er auf ein Wort, das in den Lauf eingraviert war. »Brno!« rief er. »Brünn»!

Der Abessinier zerlegte die Waffe in eine Ansammlung von Federn, Führungen und Bolzen, stets darauf bedacht, daß seine Gäste ihm aufmerksam zuschauten. Dann setzte er das Maschinengewehr mit beachtlicher Geschwindigkeit wieder zusammen, hob es problemlos an die Schulter und folgte mit seiner linken Hand in weiten Bögen der Flugbahn eines imaginären italienischen Flugzeugs. »*Tat! Tat! Tat!*« sagte er.

»Ach, wie aufregend!« rief Bernadette in treuer Pflichterfüllung.

Lauthals lachend legte der *Dejazmatch* das Gewehr zurück und lächelte seine weiblichen Gäste an. Er zog sein langes Krummschwert aus der Scheide. Das silbern ziselierte Heft war aus dem polierten Huf eines Ochsen gefertigt. In der Nähe des Griffs war die ausbalancierte Klinge dick und stumpf. Sie wurde entlang der Biegung schärfer. Der leichte Hohlschliff endete in einer silbrig glänzenden, rasiermesserfeinen Spitze. Der Ras nahm eine Mandarine in seine linke Hand und warf sie ein paarmal empor. Dann lächelte er Bernadette an und reichte ihr die Frucht. Sie sah ihm in die Augen und warf die Mandarine hoch. Die Klinge pfiff durch die Luft und teilte die Frucht in zwei Hälften. Der Ras beugte sich vor und bot jeder der Frauen ein Stück auf seiner Schwertspitze an.

Charlie, der auf einem Stapel Kissen saß, hielt sich auch ganz gut. Sein Porträt des abessinischen Kommandeurs sah recht ansehnlich aus. Anton warf einen Blick auf die schmeichelhafte Zeichnung und war beeindruckt. Charlie schien über die nützliche Gabe zu verfügen, sich mit Bleistift und Zeichenkohle anbiedern zu können. Das prächtige Kriegszelt des Ras und sein grauer Hengst gaben einen stattlichen Hintergrund für seine erhabene Miene ab. Die Pockennarben auf den Wangen waren verschwunden, ebenso die Falten und Furchen, die sich um Augen und Mund des Anführers zogen. Aus dem durchdringenden Blick sprachen Intelligenz und Mut. Die hohe Stirn und die vorstehenden Wangenknochen rahmten die Augen würdevoll ein.

»Gut gemacht, Charlie. Hervorragend«, sagte Anton sehr leise.

»Das ist der Kopf eines jungen Fürsten, eines schwarzen Alexander.«

Sie folgten der Einladung des Ras und begaben sich nach draußen zu einer Reihe Kissen, die vor dem großen Zelt auf Teppichen neben einem Feuer lagen. Ein kleines Stück entfernt hing in einem Gestell aus Holz und Leder ein riesiger kupferner Gong, der wie ein gewaltiges Tamburin geformt war. Hinter dem Feuer fiel das Gelände ab. Mehrere große Speere steckten im Boden und markierten offenbar die Grenzen des privaten Lagers, das der *Dejazmatch* für sich beanspruchte. Dahinter waren zahllose Feuerstellen zu sehen. Das Geräusch vieler Männer, das Klimpern von Saiteninstrumenten und der Geruch von Kamelen, Maultieren und Pferden stieg zu ihnen auf. Auf einer Seite waren drei Männer damit beschäftigt, eine Kuh zu schlachten. Sie hatten ihr die Kehle durchgeschnitten, und die lange blutige Wamme hing lose herab. Das Tier stürzte auf die Knie, als wollte es beten. Kaum hatte der Körper den Boden berührt, als ihm auch schon lange Streifen Fleisch aus den Flanken geschnitten und in bereitstehende Schalen und Pfannen geworfen wurden.

Ein weißgekleideter Sklave näherte sich mit einem Tablett, auf dem sechs silberne Pokale standen. Er verbeugte sich. Der Status des Mannes ging aus einem schlichten schwarzen eisernen Armreif hervor, der an seinem rechten Handgelenk hing und an dem ein einzelnes schweres Kettenglied baumelte. Ein zweiter Sklave folgte mit einem Krug.

Hauptmann Larsen griff nach dem letzten Becher und erhob sich. Er sah in seinen langtailligen Hosen und dem himmelblauen Ausgehwaffenrock stattlich und elegant aus, als wäre er zu einem Ball im Königlichen Palast von Stockholm eingeladen. Er nahm seine blaue Schirmmütze ab. Sein pomadiges blondes Haar glänzte und war ordentlich in der Mitte gescheitelt. Verärgert bemerkte Anton, daß sich die Aufmerksamkeit der beiden Zwillinge sofort auf den jungen Mann richtete, noch bevor der auch nur ein Wort gesprochen hatte.

»Auf Seine Kaiserliche Hoheit Haile Selassie, Kaiser von Abessinien, König der Könige, Negus Negesti, Löwe von Juda – und auf den Sieg über seine Feinde!« Sie alle taten es dem Ras nach, der seinen Becher leerte, und tranken den *Tajj*.

»Mmm, ist das lecker.« Bernadette leckte sich den Schaum von den Lippen, während ihr Pokal sogleich wieder mit dem aromatischen Met aufgefüllt wurde. »Ist das sehr stark?« flüsterte sie dem Schweden unschuldig zu und berührte sein Handgelenk mit ihren rotlackierten Fingerspitzen.

»Man gewöhnt sich daran.« Der Hauptmann lachte und lächelte sie mit funkelnden Augen an. Im Licht des Feuers funkelte sein silberner abessinischer Orden, der Stern von Salomon.

Diener brachten *Enjara*, heiß und rund wie Pfannkuchen. Unter die Hirse hatte man vor dem Backen Zwiebelstückchen gemischt. Eine riesige Schüssel mit rohem Rindfleisch wurde unter den Gästen herumgereicht. Das Fleisch schwamm in seinem eigenen warmen Saft, und jedes Stück war groß wie ein Lachs. Platten mit dicken Bohnen und geschmortem Kürbis wurden vor sie hingestellt.

Der *Dejazmatch* war Bernie behilflich und suchte mit flinken schwarzen Fingern in der Fleischschüssel herum, so daß seine rechte Hand bis zum Gelenk im Blut verschwand. Er nahm ein schweres dunkles Organ, nicht das Herz, vielleicht die halbe Leber des Tiers, und schlug laut und vernehmlich mit seiner anderen Hand dagegen. Der Hauptmann wollte Harriet in gleicher Weise zu Diensten sein, aber er besudelte sich den Ärmelaufschlag seines Waffenrocks mit Blut.

Wirklich tolle Mädchen, dachte Anton, als die Zwillinge kurze Blicke austauschten und dann an den feuchten hervorstehenden Enden der Fleischstücke zu knabbern begannen.

Der Ras klatschte in die Hände, woraufhin Diener zum Abschluß des Mahls mit stark gezuckerten Früchten erschienen. Nachdem sie aufgegessen hatten, stand Charlie auf und überreichte ihrem Gastgeber das Porträt.

»Larsen«, sagte der Ras sichtlich erfreut und schnippte mit den Fingern, »stellen Sie einen Passierschein für meine Gäste aus.«

Nach zahlreichen Versuchen, sich zu verabschieden, wurden Anton und seine Gefährten am Ende vom *Dejazmatch* höchstpersönlich zum Rand des Feldlagers begleitet. Vier Fackelträger eskortierten sie quer durch das rauhe Gelände. Unzählige Gestalten wichen in die Schatten der Feuerstellen zurück. Als sie schließlich stehenblieben, verbeugte der Ras sich vor den Damen und händigte Charles das Dokument aus. »Mit diesem Passierschein werden Sie sicher durch meine Berge gelangen.«

Am besten früh aufbrechen, rief Anton sich am nächsten Morgen ins Gedächtnis, als er in der Dunkelheit allein in seinem Zelt lag. Sein Mund war trocken wie das Ogaden. Nach reichlich Arrak und *Tajj* am Vorabend pochten seine Schläfen. Das rohe Fleisch lag ihm wie ein Ziegel im Magen. Er fühlte sich aufgebläht wie eine Python, die ein Zicklein verschlungen hatte. Am schlimmsten aber war, daß er sich über seine Eifersucht ärgerte. Erst vor einer Stunde war der Schwede aus Harriets Zelt gewankt. Anton hatte die beiden kichern gehört. Er war wütend und gereizt. Ein weiterer Grund, sich mit dieser Safari so schnell wie möglich auf den Weg zu machen. Anton erkannte, daß er ziemlich verwöhnt war. Es wäre ihm nie in den Sinn gekommen, daß er die Freuden seines Lagers jemals mit anderen würde teilen müssen.

Er zog sich an und ging zum Feuer der Jungen herüber. Nur Kimathi war wach und saß dort, eine grobe Decke um Kopf und Schultern geschlungen. Er stand auf und nickte. Anton warf ihm eine Packung Senior Service zu und kniete sich hin, um einen glühenden Zweig aus dem Feuer zu ziehen und ihre Zigaretten anzuzünden.

»Folgender Ablauf, Kimathi.« Er warf den Zweig ins Feuer zurück. »Weck die Jungs möglichst schnell. Wir brechen ohne Frühstück sofort auf. Nur die Kunden bekommen Tee und Kekse, während wir die Tiere und diesen verfluchten Laster beladen.«

»Ndio, Tlaga.«

Anton schob mit seiner Stiefelspitze den großen schwarzen Kessel in die Glut. Dann überprüfte er, ob sich der Passierschein noch immer in der Tasche seiner Shorts befand. »Danach geht's direkt durch das Lager der Abessinier und weiter nach Süden in Richtung Zwaisee, dem ersten in der Kette des Ostafrikanischen Grabens, bevor dieser alte *Dejazmatch* es sich womöglich noch anders überlegt und uns nicht durchläßt.« Er zog den Passierschein hervor, der die Unterschrift des Schweden und das Siegel Ras Timouns trug. Hiermit konnte sie niemand aufhalten.

Während Anton seine Zigarette aufrauchte, regten sich die ersten seiner schlafenden Männer. Laboso trat ein oder zwei von ihnen, schnalzte mit der Zunge, eilte mit seiner Stabkeule in der Hand quer durch das Lager und erteilte Anweisungen.

»Der *Chai* ist fertig!« rief Lapsam ein paar Minuten später und servierte den Kunden in ihren Zelten dunklen Morgentee mit Dosenmilch und braunem Kristallzucker. Anton folgte ihm, klatschte in die Hände und mahnte zur Eile.

»Morgen, Charlie. Aufstehen und los. Keine Zeit zum Rasieren. Wir müssen von diesen Soldaten weg.«

Der Himmel hatte sich bereits aufgehellt. In weiter Entfernung vernahm Anton das Summen eines kleinen Flugzeugs. Es klang wie ein lästiger Moskito. Vermutlich ein italienischer Kundschafter auf einem Aufklärungsflug. Es war höchste Zeit, aufzubrechen und dieses Pack loszuwerden.

Nicht schlecht, dachte Anton, als er in das Oldsmobile stieg. Fünfundfünfzig Minuten vom Wecken bis zum Abmarsch. Es dürfte jeden Morgen ein wenig schneller gehen. Er war froh, daß der alte Lastwagen keine Fahrertür hatte. Der Wagen lief warm, rasselte und bebte unter ihm. Dieser verdammte amerikanische Motor versuchte, sich aus seiner Aufhängung zu rütteln. Anton steckte seine Holland in ihr Futteral neben sich auf dem Wagenboden. Dann drehte er sich um und warf durch die fensterlose Öffnung in der Rückwand der Fahrerkabine einen Blick auf Harriet.

Harriet war guter Laune und saß auf einem zusammengelegten Zelt am Ende der Ladefläche. Sie fingerte an ihrer Bell & Howell herum.

»Denken Sie dran!« rief sie Anton herrisch zu. »Fahren Sie nicht so unruhig. Ich will unsere Safarikolonne und dieses wunderschöne abessinische Lager filmen.«

Sie öffnete eine quadratische gelbe Pappschachtel, nahm ein neue Rolle aus dem Blechbehälter, der sich darin befand, und legte den Film in das achtförmige Gehäuse der schweren Kamera ein. Sie klappte den silbernen Griff aus, der flach an der Seite der Kamera anlag, und drehte ihn so lange im Uhrzeigersinn, bis der Antriebsmechanismus der Filmspulen bis zum Anschlag aufgezogen war.

»Fertig, *Tlaga*«, sagte Kimathi, stellte einen Fuß auf das Trittbrett des Wagens und nahm mit einer Hand den Kinnriemen seines Ponys. Hinter dem Laster folgten in einer geschlossenen Reihe zehn weitere Pferde, achtzehn Kamele und eine Maultierkolonne. Die meisten von Antons Männern, knapp zwanzig insgesamt, trugen Speere und Schwerter oder Pangas.

»Achte darauf, daß alle dicht beieinander bleiben«, sagte Anton zu Kimathi. Er machte sich Sorgen um ihre Passage durch das ungeordnete abessinische Lager, das bis ans Ende des Tals reichte. Er beugte sich aus dem Lastwagen und winkte dem alten Haqim zu. Der Nubier war häßlich wie immer und zum Glück nicht in der Lage, sich mit den anderen Jungs zu verständigen. Er würde die Nachhut bilden, um eventuelle Nachzügler anzutreiben und Verfolger abzuschrecken.

»Festhalten«, rief Anton an Harriet gewandt und legte den ersten Gang ein.

Der Espresso und der Grappa hatten ihn aufgewärmt. Enzo Grimaldi schraubte den Deckel auf seine Thermoskanne. Er dachte an den Einsatz der Capronis vom Vortag. Gegen massiert auftretende Infanterie hatten weder Bomben noch Gas die gleichen zuverlässig tödlichen Auswirkungen wie Artillerie und Maschinengewehre, aber vereint hatten sie die Formationen des Feindes zerstreut und ihnen erhebliche Schäden zugefügt. Im Verlauf eines langen und schwierigen Feldzugs leistete jede Waffe ihren Beitrag, aber um einen ungebildeten Feind so in Angst und Schrecken zu versetzen, daß er sich unverzüglich unterwarf, bedurfte es eines gewissen magischen Entsetzens. Und ein unsichtbares Gas war in dieser Hinsicht besonders wirkungsvoll. Sobald ein Feind sich auf der Flucht befand, gab es nichts Besseres als Tiefflugbombardements und Maschinengewehrbeschuß aus der Luft. Er war einen Moment unsicher und fragte sich, ob Gwenn wohl in dem Rote-Kreuz-Lager gewesen sein könnte, das er am Tag zuvor angegriffen hatte.

Er schaute nach beiden Seiten zu seinen Staffelkameraden und hob den Daumen. Ein ganzes Stück links von ihnen legte das unbewaffnete Kundschafterflugzeug sich in die Kurve und schlug den Rückweg zum Stützpunkt ein. Es handelte sich um eine schnelle wolkengraue Breda 25, die ursprünglich als Schulflugzeug gebaut worden war. Enzo bedauerte, daß er das Rattern der zweihundert Pferdestärken ihrer Alfa-Lynx-Maschine nicht hören konnte. Seine Fiat, die über die doppelte Motorleistung verfügte, brummte stetig weiter. Das würde einer jener Tage werden, wie Enzo sie mochte. Mit etwas Glück würden sie heute viele italienische Leben retten können.

Amüsiert dachte er an die Aufregung zurück, die gestern abend am Flugplatz geherrscht hatte. Die Mussolini-Söhne fühlten sich inzwischen etwas mehr zu Hause. Es wurden langsam richtige Flieger aus ihnen. Sie kosteten ihre Abende in der Offiziersmesse aus, tranken Campari mit ihren Pilotenkameraden und erzählten neugierigen Journalisten Kriegsgeschichten.

»Wie war die Bombardierung Aduas?« fragte der Reporter des *Corriere della Sera.* »Wissen Sie, Leutnant Mussolini, die Leute zu Hause können gar nicht genug davon bekommen.«

»Miracolo!« sagte Bruno ein weiteres Mal. Er hatte seine Erzählung ein wenig ausgeschmückt. Seine rechte Hand schwebte wie eine Caproni über der Bar. »Unsere Bomben sind wie blühende rote Rosen zwischen den Afrikanern explodiert.«

»Man kann nicht behaupten, daß es überall so einfach gelaufen ist«, sagte der leicht angetrunkene Militärkorrespondent des vom Vatikan herausgegebenen *Osservatore.* »Drüben in Wollo haben sie eine Fiat abgeschossen und den Piloten ohne Kopf auf einem Pfahl aufgespießt.« Enzo lächelte, als er daran dachte, wie diese hilfreiche Anmerkung jegliche rührselige humanitäre Gesinnung im Keim erstickt hatte, die bis dahin unter den geschockten Fliegern vereinzelt vorgeherrscht haben mochte.

Jetzt stand die aufgehende Sonne in seinem Rücken. Die neun Capronis befanden sich vierhundertfünfzig Meter über und ungefähr anderthalb Kilometer hinter ihm und flogen in drei engen V-Formationen. Die Piloten hatten sich mittlerweile an Afrika gewöhnt. Enzo war stolz auf die jungen Flieger. Sie flogen nicht mehr zu hoch und warfen Bomben und Gas nicht länger überhastet und wirkungslos beim ersten aufflackernden Bodenfeuer ab. Und auch ihre Ladung hatte sich verbessert. Anstatt weniger großer Bomben, die nur dann effektiv waren, wenn sie genau ins Ziel trafen, trug jede der Capronis inzwischen meistens fünfhundert Zwei-Pfund-Bomben an Bord, eine leichter einsetzbare und durchschlagendere Fracht.

Manchmal staunte Enzo über diesen Krieg und über die neue Kraft, die Europas größte Zivilisation auf diesem Afrikafeldzug erfuhr. Jeder der geschmeidigen Motoren, die von den Könnern aus Mailand gefertigt wurden, jedes Maschinengewehr, das die Hände der Kunsthandwerker in Turin zusammensetzten und einfetteten, jeder Kanister Gas, der von den Wissenschaftlern zu Hause liebevoll befüllt wurde – all diese Dinge wurden von Italiens Männern in dieser zerklüfteten Wildnis ihrer Bestimmung zugeführt. Zum Glück war Haile Selassie, dieser Ras Tafari, dieser sogenannte König der Könige kein Hannibal.

An diesem Morgen trugen sechs der Capronis die herkömmlichen schweren wurstförmigen Senfgaszylinder. Die letzten drei würden ein Experiment durchführen: Sie würden die neuen Spritzdüsen testen, die man unter ihre Tragflächen montiert hatte. Im Innern dieser lärmenden Bomber, die von ihren Besatzungen *Docce volanti,* »fliegende Duschen«, genannt wurden, würden die Bombenschützen die Pumpen bemannen und das Gas durch die metallenen Düsen herausdrükken.

Enzos Staffel CR-20er hatte zwei Aufgaben zu erfüllen: Zunächst mußten sie das Bodenfeuer weitgehend ausschalten, damit die Capronis tief und langsam genug angreifen konnten, um eine größtmögliche Wirkung des Senfgases zu garantieren. Dann mußten sie nach dem Angriff die Effizienz des Gases beurteilen.

Die Fiats gingen auf zweihundert Meter hinunter, dann noch tiefer. Das übervölkerte Tal lag direkt vor ihnen. Erstaunlich, daß diese Abbos noch immer nicht gelernt hatten, nicht so dicht nebeneinander zu lagern, dachte Enzo angewidert. Hinter den CR-20ern waren die Capronis bis auf vierhundertfünfzig Meter gesackt. Das war hoch genug, um nicht durch Gewehrfeuer gefährdet zu sein.

Enzo spürte, wie sich sein Magen vor Erregung zusammenzog. Das Armeelager in dem Tal unter ihm wurde aus seiner morgendlichen

Trägheit gerissen und verwandelte sich in einen panischen Hexenkessel. Er bekreuzigte sich. Alle seine Sinne waren angespannt. Unter ihm schreckten Männer auf und stürzten aus ihren Zelten. Einige von ihnen, stellte Enzo bewundernd fest, eröffneten sogleich das Feuer auf die herannahenden Fiats.

Als er den Wasserlauf am Eingang des Tals überquerte, betätigte er den Abzug seiner Maschinengewehre. Hunderte von Männern sprangen vor ihm auf, als würden sie direkt dem Erdboden entsteigen. Viele wurden von den Geschoßgarben der Fiats niedergestreckt. Während er das Tal entlangflog, kam es Enzo so vor, als würde er nur unglaublich langsam vorankommen, obwohl seine Geschwindigkeit bestimmt mehr als hundertdreißig Kilometer pro Stunde betrug. Doch das Getümmel unter ihm wirkte so schnell und hektisch.

Enzo dachte an seinen begrenzten Munitionsvorrat und sah sich nach besonders wichtigen Zielen um: moderne Waffen, Anführer, heftiger Widerstand, europäische Zeugen. Direkt vor ihm, in der Nähe der Talmitte, standen zwei Lastwagen, auf denen Zwillingsmaschinengewehre oder leichte Flugabwehrkanonen montiert waren, vermutlich Schweizer Oerlikons. Zwischen den beiden Wagen standen ein khakifarbenes Zelt und ein Mast, an dem die blaugelbe Flagge Schwedens hing. Als Grimaldi näher kam, rannte ein Europäer mit freiem Oberkörper aus dem Zelt.

Der Weiße, der in dem Meer der schwarzen Gestalten hell wie Milch hervorstach, kletterte auf einen der Lastwagen und richtete die Gewehre auf das angreifende Flugzeug. Enzo hörte das *Pop-pop Pop-pop* der Oerlikons und verspürte einen heftigen Schlag. *»Dannazione!«* rief er. Diese modernen Waffen jagten ihm Angst ein. Sein Magen verkrampfte sich. Er erwiderte das Feuer. Die Garben liefen auf den großen Schweden zu und kletterten seine Brust zu den Schultern hoch wie ein Paar rote Hosenträger.

Grimaldi flog so tief, kaum mehr als dreißig Meter über dem Boden, daß er die himmelblaue Hose und das blonde Haar des Mannes erkennen konnte, als dieser fiel. Enzo war mit seiner Treffsicherheit zufrieden. Er sah zu, wie der Lastwagen explodierte, als die Kugeln in die Munitionskisten und den Treibstofftank einschlugen. Zu beiden Seiten fielen Männer und Tiere den Maschinengewehren von Enzos

Kameraden zum Opfer. Einige wurden niedergemäht, als sie versuchten, über den Fluß zu entkommen.

Auf dem Hang zu seiner Rechten sah Enzo auf gleicher Höhe eine Ansammlung von großen abessinischen Zelten. Die würde er sich beim zweiten Überflug holen. Unter sich entdeckte er inmitten einer Meute panischer Tiere einen einzelnen offenen Lastwagen, der zum Ausgang des Tals zu entkommen versuchte. Grimaldi war bereits zu weit geflogen, um das Feuer auf den Wagen eröffnen zu können.

Enzo ging in Steigflug über und drehte nach links ab, so daß er einen weiten Kreis beschrieb, der ihm hinter den Capronis einen zweiten Überflug ermöglichen würde. Seine Kameraden folgten ihm in geschlossener Formation. Die CR-20 an Steuerbord zog an einer Tragfläche eine leichte Rauchfahne hinter sich her. Der Pilot sah Oberst Grimaldi an und hob den Daumen.

Als er sich hinter den neun Capronis befand, sah Enzo die ersten beiden Bomberketten ihre Gaszylinder abwerfen. Die walzenförmigen Metallbehälter taumelten wie Spielzeugzigarren durch die Luft. Der Abwurf gelang perfekt. Die Behälter landeten mitten zwischen den Männern, Maultieren und Kamelen. Einige zersplitterten beim Aufschlag in kleine Stücke, andere trafen auf weicheres Terrain, schnellten hoch und platzten dann auf.

Unmittelbar vor ihm flogen die drei *Docce volanti* gefährlich tief ins Tal hinein. Zum Glück war es windstill. Enzo hatte bei seinem ersten Durchflug auf die Flaggen und Wimpel im Lager geachtet. Er konnte die Gasschwaden nicht sehen, die jetzt aus den Tragflächen abgelassen wurden. Nur die Reaktionen der Opfer verrieten ihm, was dort geschah.

Er überprüfte die Treibstoffanzeige und konzentrierte sich wieder auf seine Mission. Dann scherte er aus und hielt auf die Zelte des feindlichen Kommandeurs zu. Er sah, wie ein Abessinier einen metallenen Gong schlug, der neben dem höchstgelegenen Zelt stand, zweifellos, um diesen Pöbelhaufen von einer Armee zur Ordnung zu rufen. Enzo fing an zu schießen. Zwei parallele Geschoßgarben schlugen Löcher in das Zelt. Einen Moment lang konnte Enzo nichts sehen, weil sich die aufgehende Sonne in dem gewaltigen Kupfergong spiegelte und ihn blendete. Die Kugeln des Maschinengewehrs trafen den Mann und ließen den Gong laut erschallen.

Plötzlich war Enzo von öligem Rauch eingehüllt. Die linke Caproni brannte. Einer der Motoren war eine lodernde Fackel und zog eine dichte schwarze Qualmwolke hinter sich her. Der Pilot versuchte, an Höhe zu gewinnen, aber die Maschine reagierte nicht. Ihre Nase hob sich, und ihr Hinterteil sackte ab, wie bei einer Ente, die sich auf einem See niederließ. Bevor sie am entlegenen Ende des Tals aus seiner Sicht verschwand, erspähte Grimaldi unter ihr den fliehenden Lastwagen, der nur langsam vorankam. Enzo selbst flog inzwischen wieder so tief, daß er eine Gestalt auf der Ladefläche des Wagens ausmachen konnte, die sich irgendeinen schwarzen Gegenstand vor das Gesicht hielt. Als Enzo sie überflog, erkannte er, daß es keine Waffe war. Er fragte sich, was das wohl sein könnte.

Vor ihm, im nächsten engen Tal, berührte das Heck der abstürzenden Caproni schließlich den Boden. Für einen kurzen Moment erhob sich die große Maschine wieder, als würde sie abprallen oder als wäre sie ein verwundetes Tier, das sich wieder auf die Beine kämpfte. Dann schlug das Heck abermals auf und schleifte über den Boden, bevor es gegen einen großen Felsblock prallte. Das brennende Flugzeug überschlug sich und landete krachend auf dem Rücken. Enzo war erschrocken und zugleich erleichtert, daß keiner der beiden Mussolinis sich an Bord befanden. Er stieg über dem Rauch empor.

Erneut überquerten Enzo und sein linker Staffelkamerad im Tiefflug das abessinische Lager. Sie hatten beide ihre Munition verschossen, und der Treibstoff ging zur Neige. Die beschädigte CR-20 hatte in Begleitung des vierten Fliegers bereits den Rückflug angetreten.

Das Giftgas hatte seine Aufgabe erfüllt. Unter ihm rissen sich die Männer ihre Kleidung vom Leib, krallten sich die Hände in die Brust und warfen sich auf dem Boden hin und her. Enzo Grimaldi stellte sich vor, er könnte ihre Schreie hören. Verwundete Maultiere und Pferde humpelten schwerfällig umher. Waffen, Gepäckstücke und Ausrüstungsgegenstände lagen überall verstreut. Zahlreiche Verbrannte hatten sich in den Fluß geworfen. Sie trieben dort zuckend zwischen den Leichen. Andere torkelten blind durch die Überreste des Gemetzels. Beide Lastwagen und ihre Maschinengewehre waren zerstört. Die großen Zelte standen in Flammen. Nur die abgestürzte rauchende Caproni im nächsten Tal bot keinen schönen Anblick. Ihr Bauch wies nach oben, und die zwei Reihen Gasdüsen sahen aus wie die Zitzen eines toten Mutterschweins. Von ihrer Besatzung war nichts zu entdecken.

Neben der Caproni stand der Lastwagen, den er hatte fliehen sehen. Er war am Rand einer Felsverwerfung offenbar liegengeblieben. Enzo flog darüber hinweg. Er starrte entsetzt nach unten.

Was Oberst Grimaldi dort sah, konnte Italien den Krieg kosten.

Eine Frau, eine Europäerin, stand auf der Ladefläche des Wagens und hielt eine große schwarze Kamera in der Hand, mit der sie den abgestürzten Bomber samt dessen Gassprühvorrichtung filmte. Enzo überprüfte seine Waffen. Leer. In diesem Augenblick durchschlug eine Kugel den Rumpf neben ihm. Splitter prasselten gegen seinen Oberschenkel. Erschrocken drehte er sich um. Ein weißer Mann in Shorts stand kerzengerade und ruhig zwischen den Felsen und verfolgte mit einem angelegten Gewehr unbeirrt Enzos Flugbahn. Er wirkte gelassen wie ein Entenjäger. Der zweite Schuß hieb eine Kerbe in den Propeller des Flugzeugs. Eilig zog Enzo die Maschine hoch und flog zurück zum Stützpunkt.

23

Ernst von Decken spürte die dickleibige weiche Kreatur wie einen Fötus zwischen seinen gewölbten Handflächen zappeln. Die Schwimmfüße strampelten verzweifelt, so daß der Kopf nach oben gegen seine Finger drückte, während die Lider sich schützend über die vorstehenden Augen legten. Der Frosch urinierte auf seine Hand. Vielleicht ahnte das Tier, was ihm bevorstand.

In dem Inselkloster im Zwaisee war es Zeit für die Fütterung und somit auch für die Aufgabe, die Ernst hier seit mehr als einer Woche täglich verrichtete.

Neben Ernsts Trage blickte eine hungrige Zibetkatze gierig zu ihm herüber. Sie stieß ein tiefes Fauchen aus und machte einen Buckel wie eine Hauskatze, während sie in dem langen schmalen Rattankäfig herumfuhr. Sie maß von der Schnauze bis zur Schwanzspitze einen Meter zwanzig und hatte einen kräftigen Körperbau. Der schwarzweiße nachtaktive Jäger hieb mit seinen kurzen Krallen wuchtig gegen die Holzstäbe.

»Frühstück, Klaus.« Der stämmige Mann machte ein Kußgeräusch, setzte sich auf die Kante der Trage und streckte seine Hände dem Käfig entgegen. »Ein großer Frosch, Klausi.« Einen Moment lang verspürte er ein irritierendes Kribbeln im rechten Fuß, obwohl er gar keinen rechten Fuß mehr hatte. Er schob sein Bein herum und störte sich nicht an dem intensiven, beinahe ekelerregenden süßlichen Gestank, der von den Analdrüsen der eingesperrten Katze herrührte.

»Gute Jagd!« Ernst nahm die Hände auseinander. Der Frosch nutzte die vermeintliche Freiheit und sprang nach vorn zwischen die Gitterstäbe. Noch bevor er den Boden des Käfigs berührte, traf die

Zibetkatze ihn mit einer Pfote und schlitzte seinen Körper seitlich auf. Er fiel auf das getrocknete Schilfrohr, aus dem der Boden des Käfigs gefertigt war.

Die Katze senkte ihren breiten Kopf bis dicht über den Boden und musterte reglos den zitternden Frosch. Ihre struppige schwarze Rükkenmähne richtete sich vor Erregung auf und stand steil von ihrem gewölbten Rückgrat ab. Ihre Augen verengten sich und leuchteten wie kleine glühende Lichter in der schwarzen Streifenzeichnung, die quer über ihr Gesichtsfell verlief. Ernst spürte, wie wütend und wild sich die eingesperrte Katze mit allen Sinnen gegen ihr Gefängnis sträubte, wie sehr sich die Frustration des Jägers angestaut hatte und durch die grausame Haft nur noch intensiver wurde. Auch er selbst wünschte sich, er könnte von dieser Insel entfliehen.

Der verletzte Frosch hüpfte zum letzten Mal.

Die Katze fing ihn in der Luft. Als sie den Körper des Frosches mit beiden Vorderpfoten packte, blähte sich sein grüner Kopf auf. Sie hob ihn dicht vor ihr Gesicht. Ihre schwarze Nase zuckte. Sie biß den Kopf ab und ließ den blutenden Körper auf den Boden des Käfigs fallen. Ihre langen Schnurrhaare und die spitze weiße Schnauze schimmerten jetzt rot. Die Zibetkatze spielte mit dem zitternden Körper, biß hinein, nagte daran herum und schubste die triefenden Überreste immer wieder vor sich her. Ihr Käfig schaukelte heftig. Er hing an einem waagerechten Pfahl, der auf zwei hölzernen Gabeln ruhte, die man in den Boden gesteckt hatte.

Ernst drehte sich stöhnend auf seiner Trage um. Er griff in einen breiten Tonkrug und nahm die nächsten Frühstücksbissen für die Katzen heraus: eine dicke braune Nacktschnecke und zwei kleinere Artverwandten. Er wußte, daß die kleineren Tiere etwas behäbiger waren und sich scheu in die Füllhörner ihrer eleganten weißen Festungen zurückziehen würden. Also warf er zunächst die runzlige Nacktschnecke in den Käfig.

»Großwild, Hänsel!«

Ernsts tägliche Aufgabe bestand darin, den öligen Moschus einzusammeln, der aus den Sekretdrüsen in membranähnliche Beutel am Anus der Katzen gelangte. Im dichten Busch und in der offenen Savanne, dem bevorzugten Lebensraum dieser Tiere, diente dieses wie ranzige Butter aussehende Sekret dazu, das Territorium zu markieren und Rivalen abzuschrecken. Aber hier auf der Insel wurde die kostbare Flüssigkeit in steinernen Gefäßen gesammelt, dann von Theodorus höchstpersönlich zum Markt gebracht und dort verkauft oder gegen Werkzeuge und Stoffballen eingetauscht, manchmal auch gegen Arzneimittel für die Leprakranken, die auf einer Nachbarinsel lebten. Nur der Abt bekam das Geld zu Gesicht.

Diese Analsekrete dienten als Grundlage für höchst kostspielige Parfums, um so unzähligen Damen in Afrika und Europa zu der Magie der Verführung zu verhelfen. Für manch alte Schachtel waren diese Analdrüsen ein echter Jungbrunnen, vermutete Ernst. Generationen von Kindern würden in seiner Schuld stehen.

Hänsel war eine ältere, langsamere Zibetkatze von mindestens zehn Jahren und sonderte nicht mehr ganz so viel Moschus ab. Ihr buschiger gestreifter Schwanz strich hin und her. Sie kam mit kurzen, präzisen Schritten näher wie ein Matador. Die Katze starrte auf den zusammengerollten runden Körper hinunter und leckte die Nacktschnecke mit ihrer schmalen rosafarbenen Zunge ab. Sie drehte ihren Kopf zur Seite, um die wenigen verbliebenen scharfen Hinterzähne zum Einsatz zu bringen, öffnete ihre schwarzen Lippen und biß den saftigen Gastropoden in zwei Teile.

Ernsts sechs Schützlinge hatten in letzter Zeit kaum Fleisch bekommen, weil Bruder Petros nicht genug Ratten und Schlangen gebracht hatte. Die Mönche waren echte Duftgelehrte, und sie hatten Ernst beigebracht, daß der Speiseplan einer Zibetkatze den Geruch ihrer Drüsen beeinflußte und damit auch die Menge und den Wert des Parfums: zu viele Eidechsen oder Skorpione und der Moschus wurde bitter; zu viele Beeren oder Pflaumen und das Öl geriet zu kraftlos. Er lernte gerade, das Menu so sorgfältig auszubalancieren wie der *Chef de clinique* von Baden-Baden.

Zunächst hatte er sich geärgert, als Bruder Theodorus ihm die Aufgabe zuwies, aber inzwischen hatte Ernst Gefallen daran gefunden, auf diese Art und Weise seinen Tag zu beginnen. Er konnte sich kaum bewegen und mußte abwarten, bis sein verkohlter Beinstumpf verheilt war. Es langweilte ihn, rastlos auf der Trage zu liegen, sich eine Krücke zu schnitzen und einen Plan zu ersinnen, wie er sein Silber bergen und abtransportieren würde. Das war mal wieder typisch, dachte er. Warum gab es hier nicht Nonnen anstatt Mönche? Nur die Zibetkatzen und sein Sprachunterricht bereiteten ihm Vergnügen.

Was Theo anging, so hatte der geschäftige Abt keinerlei Verständnis für Müßiggang. Er wußte alles zu schätzen, was Ernst tat, aber wenn sein Patient nachlässig wurde, gab es keinen *Tajj*. Dank des deutschen Katzenaufsehers stand einer von Theos Mönchen für andere Aufgaben zur Verfügung.

Ernst hingegen hatte besorgt festgestellt, daß der Inselabt einen gnadenlosen Herrschaftsanspruch wahrte. Diese Machtgier ließ Ernst an seine preußischen Cousins denken.

Theodorus versüßte sich den Tag mit einer Vielzahl winziger Tyranneien. Zweifellos würde er den Verlust eines jeden Anwesenden als Verkleinerung seines Geltungsbereichs begreifen. Ernst war inzwischen überzeugt davon, daß der weißbärtige Despot seine Abreise nicht gutheißen und womöglich sogar behindern würde, anstatt ihm zu helfen. Aber vielleicht konnte er den alten Halunken mit ein paar Münzen bestechen. Der Mann hielt sich selbst für einen Christen; dreißig Silberstücke sollten genügen. Oder würde der Anblick von Maria Theresias metallenen Brüsten Theos Appetit steigern und seine Säfte so sehr in Fahrt bringen, daß er, wie die Päpste, gar nicht mehr genug davon bekommen konnte?

Immerhin war sich von Decken sicher, daß der Abt ihm nicht überlegen sein würde, sofern die Angelegenheit sich zuspitzte und Gewaltanwendung nötig war.

Ernst sah der alten Zibetkatze dabei zu, wie sie eine der kleineren Schnecken quälte. Er mußte an den Piloten denken, der ihn um seinen Fuß und vielleicht auch um sein Silber gebracht hatte. Er dachte an die Kugeln, die ihm bis zuletzt um die Ohren geflogen waren, weil der Italiener den Ehrenkodex der Flieger verletzt und weiterhin auf Ernsts Flugzeug geschossen hatte, obwohl es bereits brennend abstürzte. Von Decken erinnerte sich an die Grundregeln eines Duells, wie er sie als Student in Heidelberg gelernt hatte: Sobald du deinem Gegner einen Schmiß im Gesicht beigebracht hast, steckst du dein Schwert ein. Vielleicht würde er diesem Italiener eines Tages beibringen können, wie man focht.

Ernst beschloß, daß er dem Abt an diesem Nachmittag, sobald er seinen Moschus eingesammelt hatte, anbieten würde, beim Fischen behilflich zu sein. Er hatte Theo gegenüber bereits angedeutet, daß er sich darauf besonders gut verstand. Sobald er erst mal Zugang zu den Kanus hatte, wäre er seiner Freiheit doch schon näher

Ernst hatte sich zwei grüne Heuschrecken in die Hemdtasche gesteckt. Mit etwas Glück würden die Grashüpfer noch am Leben sein, wenn er sie brauchte. Sie würden den Köder darstellen, mit dessen Hilfe er seine Prahlerei zu untermauern gedachte. In einer anderen Tasche trug er eine lange Baumwollschnur bei sich, die er aus verschiedenen Fetzen und Kleidungsstücken angefertigt hatte. An dieser Schnur würde er einen Stein in den See hinablassen, um so zu erkunden, wie tief sein Schatzflugzeug unter Wasser lag.

Die Mönche gingen nicht schwimmen und wuschen sich nur selten. Von Decken jedoch, der nach einer weiteren Woche wesentlich kräftiger geworden war, gewöhnte sich an, täglich im flachen Wasser am Südrand der Insel zu baden. Hier, mitten im Schilf, hatten sich Alaun und andere Minerale im Wasser abgelagert. Es gab hier keine Krokodile, und die Potez lag nur zwanzig Meter entfernt.

Oft legte er sich nackt auf den Rücken, stützte sich mit den Händen vom weichen Untergrund ab und paddelte mit den Beinen. Diese Übung und die blutstillende Wirkung des Seewassers schienen die Heilung seiner Wunde zu beschleunigen. Jeden Tag fühlte Ernst sich stärker und rastloser. Sogar sein Bauch war etwas kleiner geworden. Hin und wieder teilte er sich mit den höckerschnäbligen Enten ein paar Krümel *Enjara*.

Von Decken fragte sich, was wohl die Damen, vor allem Harriet, von ihm halten würden, da er nur noch einen Fuß hatte. Einige könnten sich vielleicht sogar davon angezogen fühlen. Die meisten Frauen würden natürlich eher sein Silber zählen als seine Zehen. Während er darüber nachdachte, hörte er einen einsamen Laut, ein schwaches kreischendes Pfeifen aus dem Schilf zu seiner Linken. Eine große Ente schwamm in sein Sichtfeld. Erneut hallte der Paarungsruf des Erpels seufzend über das Wasser. Der Vogel war sechzig Zentimeter lang, mit kupfergrünen Schwingen und Schwanzfedern über einem weißen Bauch. Sein gefleckter Kopf wurde von einer schmalen dunklen Haube gekrönt. Nur eines an diesem prächigen Tier war häßlich: der für seine Art typische große, fleischige Höcker, der sich wie ein Kropf zwischen seinen Augen erhob. Kein Wunder, daß er ganz allein schwamm.

Gelegentlich, wenn Wind aufkam, wurde am Grund des Sees feine graue Asche aufgewirbelt und stieg wie ein Ungeheuer in großen Wolken empor – ein Überbleibsel der vulkanischen Vergangenheit des Ostafrikanischen Grabens. Ernst wußte, daß es sich bei dem riesigen Tal, in dem diese Seen lagen, um das größte offene tektonische Grabensystem der Erde handelte. Die steile Senke zwischen zwei kontinentalen Verwerfungen besaß die Form einer gewaltigen Grabstätte und war durch das Auseinanderdriften der Erdkruste entstanden. Weite Bereiche Abessiniens waren von fruchtbarer Vulkanasche bedeckt, und viel davon war in diese Seen gespült worden. Um unter Wasser klare Sicht zu haben, mußte er einen Tag mit absoluter Windstille abwarten.

Wann immer Ernst fischen ging, behielt Theo, der das Wasser nicht ausstehen konnte, ihn vom Ufer aus im Auge. Manchmal hockte der Abt stundenlang mit seinem silbernen Kruzifix in der Hand da. Erst wenn er sah, daß Ernst wieder in Richtung Ufer stakte, kehrte er zu der Ansiedlung zurück. Anfangs hatte der finster blikkende Priester Ernst nur mit einem spitzen Ast ausgestattet, so daß der Deutsche gezwungen war, wie ein Reiher oder ein anderer der langbeinigen Stelzvögel zu fischen, die sich ihr Futter zwischen den Schilfrohren und Lilien im flachen Wasser suchten. Aber schon bald fand der Abt Gefallen an Ernsts Beute, wartete begierig auf sein Abendessen und schnupperte hungrig den Duft, wenn Bruder Josef die Brassen mit wilden Zwiebeln und Kräutern schmorte.

An diesem Morgen sah Theodurus dabei zu, wie Ernst unbeholfen in sein *Tanqwa* stieg, ohne das tiefliegende Boot zum Kentern zu bringen oder mit Wasser zu füllen. Auch für einen geschickten abessinischen Fährmann war dies keine einfache Aufgabe, ganz zu schweigen von einem massigen Deutschen mit nur einem Fuß. Meistens steckte Ernst als erstes seine Krücke in den Sand unter Wasser, um sich dann daran festzuhalten und sich in das schmale, spitz zulaufende Gefährt hinabgleiten zu lassen, das aus Papyrusstauden gefertigt war. Nach einigen Tagen hatte Ernst sich angewöhnt, die Krücke an Ort und Stelle zu lassen, damit er bei seiner Rückkehr ebenso sicher wieder aussteigen konnte.

Der Abt folgte ihm ins seichte Wasser, so daß der Saum seines Gewandes naß wurde, und reichte von Decken ein langes Paddel, sobald dieser in dem Staudenkanu saß. Jetzt würde es ihm möglich sein, wie ein gelbschnäbliger Storch oder ein rosagefiederter Pelikan im tiefen Wasser zu fischen und jeden Ort anzusteuern, den er sich aussuchte. Ernst wollte diesmal mit einem besonders guten Fang zurückkehren. Er hatte gelernt, jeder Heuschrecke zunächst den Rücken zu brechen, bevor er sie auf dem Haken aufspießte. Auf diese Weise bewegte der Grashüpfer sich stark genug, um die Fische anzulocken, aber nicht so heftig, daß er sie verschreckte.

Zum erstenmal war Ernst in der Lage, weiter nach draußen zu paddeln, fünfzig oder sechzig Meter vom Ufer entfernt. Er paddelte ein Stück zurück, legte sich auf die Seite, so daß er die Sonne im Rücken hatte, und warf seine Angelschnur aus. Zugleich nahm er das Wasser genau in Augenschein.

Atemlos vor Konzentration und erregt, als würde er sein eigenes Grab öffnen, entdeckte Ernst es schließlich: ein großes graues Kreuz tief unter ihm, fast fünfzehn Meter breit. Als die Wolken am Himmel weiterzogen, schienen die breiten Schwingen in den wandernden Schatten zu wogen und zu fließen wie bei einem riesigen Rochen oder Manta. Sein Flugzeug und sein Vermögen. Ernst paddelte noch ein kleines Stück weiter, bis er sich in dem ruhigen Wasser direkt über der Potez befand.

Er nahm die beschwerte Schnur aus seiner Tasche und ließ sie langsam über die Bordwand hinab, bis das Seil schlaff wurde. Er machte einen Knoten und holte die Leine Hand über Hand wieder ein. Nachdem die Schnur wieder im Boot lag, maß er das nasse Stück zwischen Stein und Knoten ab: siebeneinhalb Meter, vielleicht etwas weniger.

Nach dem Abendessen nahm Ernst den Abt beiseite.

»Asa, tru, dahna asa«, sagte Theo und bedankte sich für den Fisch. Er legte Ernst bei diesen Worten eine Hand auf die Schulter. Dann bat

er von Decken, ihm zu folgen, und machte sich auf den Weg, um gemeinsam mit einem straffällig gewordenen Mönch zu beten, der in einer Zelle eingesperrt war, einer schmalen, höhlenähnlichen Kammer, die man in den felsigen Abhang gehauen hatte. In einer Nische am hinteren Ende der Zelle befand sich ein verziertes koptisches Kreuz, das direkt aus der felsigen Wand herausgemeißelt war. Dieses Kreuz, so hatte Theodorus ihm erklärt, war schon immer dort gewesen. Gott hatte es dort im Stein hinterlassen, bis jemand es schließlich freilegte.

Neun oder zehn Mönche saßen an ihren Feuern und grüßten den Abt, als er an ihnen vorbeiging.

Bruder Markus, einer der jüngeren Mönche, war an Ernsts fünftem Tag auf der Insel in die Zelle geschickt worden. Sobald er sich darin befand, wurden vier robuste Pfähle in entsprechende Aussparungen an der Oberkante des Eingangs gesteckt. Um den Fuß der Pfähle schüttete man körbeweise feuchten Schlamm aus und klopfte ihn fest. Am nächsten Morgen war der Schlamm getrocknet, und die Pfähle saßen fest. Ernst sah Theo die Arbeit überprüfen, indem er nacheinander an jedem der Pfähle zerrte.

Der Anlaß für die Einkerkerung von Bruder Markus war ihm nicht ganz klar. Ernst glaubte, daß er für irgendeinen Verstoß während seiner täglichen Pflichten bestraft wurde. Vielleicht war er ungehorsam gewesen, hatte etwas zu essen gestohlen oder nicht genug meditiert. Manchmal, wenn Markus' Brüder gemeinsam mit ihm auf Knien neben der Zelle beteten, fragte er sich, ob dies nicht lediglich ein weiteres ihrer Sakramente war, eine routinemäßige Buße, der sich alle Mönche nacheinander unterziehen mußten, ähnlich wie eine Geißelung, ein Aufenthalt in der Wildnis, das Knien auf spitzen Steinen oder die Stationen des Kreuzweges. Welchen Grund es auch gab, Ernst stellte fest, daß der Abt Befriedigung empfand, wenn er den eingesperrten Bruder betrachtete.

Markus machte sich hin und wieder nützlich, indem er Fledermäuse für die Zibetkatzen fing. Er erwischte sie am Ende der Nacht in den Ecken seiner Zelle, griff sie mit dem Schoß seines Gewandes und brach ihnen eine Schwinge, damit sie nicht fliehen konnten. Am Morgen packte er sie dann an ihren spitzen Ohren und reichte sie Ernst stolz durch die Gitter, während die kleinen zusammengefalteten Tiere schrill zirpten. Hatten die Zibetkatzen jemals so fürstlich diniert? fragte sich Ernst. Welcher Moschus konnte sich mit seinen messen?

Als Ernst und der Abt sich näherten, kniete Markus nieder. Er streckte seine hohlen Hände zwischen den Stäben hindurch, als erwarte er eine heilige Hostie. Theo reichte ihm drei Fischköpfe in einem Stück *Enjara*. Ernst wußte, daß dem Mönch jeden zweiten Tag eine kleine Schale Wasser gestattet war, vorausgesetzt, er bat nicht ausdrücklich darum oder trank zu gierig.

Nachdem er ihm das Essen gebracht und kurz mit ihm gebetet hatte, ging der Abt zu der Steinbank in der Hügelflanke. Ernst humpelte ihm hinterher und setzte sich.

Von Decken, der das entsprechende amharische Wort nicht kannte, beugte sich nach unten und zeichnete ein Bild seines Flugzeugs in den Staub. Dann hob er zwei Finger. *»And«*, sagte er, »zwei«, wies dabei auf sich und zeigte noch einen weiteren Mann an. Er versuchte klarzumachen, daß der zweite Mann mit dem Flugzeug untergegangen und gestorben war. Der Abt fuhr sich durch die dichten weißen Locken und nickte.

Ernst nahm seine Krücke, beugte sich vor und berührte mit ihr den Boden, als würde er schaufeln. Er deutete nach unten und legte die Hände wie zum Gebet aneinander. Dieser tote Christ mußte bestattet werden.

Theodorus verstand. »Mit Christus«, sagte er.

Am nächsten Morgen wurden alle drei Boote bereitgemacht. Jedes der Staudenkanus konnte nur ein oder zwei Männer tragen. Bruder Petros wurde zum Leiter der Expedition ernannt. In seinem Kanu lag ein schweres Seil, an dessen einem Ende ein Lederriemen befestigt war, den Ernst vorbereitet hatte. Der Riemen war in Form eines Geschirrs mit zwei Schlaufen gebunden. Ernst zog sich aus und humpelte mit seiner Krücke ins flache Wasser. Sorgfältig achtete er darauf, seine Behinderung zu übertreiben.

Als die drei Boote ablegten, stand der Abt mit verschränkten Armen am Ufer. Vor seiner Brust hing Ernsts Fernglas.

Ernst täuschte Unwissenheit vor und ließ die *Tanqwas* suchen. Auf der ruhigen Wasseroberfläche spiegelten sich vereinzelte Wolken.

»Na!« rief Petros nach einer Weile. Er wirkte aufgeregt. *»Na!«*

Ernst und der Mann im dritten Boot, Gregoreyos, paddelten zu ihm. Unter ihnen zeichnete sich der schattenhafte Umriß des Flugzeugs ab. Petros hielt eine Seite von Ernsts Boot fest, während der Deutsche sich über die andere Bordwand ins Wasser gleiten ließ. Ernst wußte, daß Theo und die anderen Mönche vom Ufer aus aufmerksam zusahen. Im Wasser fühlte er sich frisch, stark und frei. Er holte tief Luft und tauchte.

Der See war nicht so klar, wie es im ersten Moment schien. Das Sonnenlicht ließ winzige Stückchen der Mineralablagerungen aufblitzen, die wie Fragmente von Blütenstaubfäden im Wasser schwebten. Ernst schwamm nach unten. Schließlich erreichte er die obere Tragfläche. Er packte sie mit beiden Händen und merkte, daß sich eine feine Sandschicht darauf angesammelt hatte. Die Beerdigung des Flugzeugs hatte bereits begonnen. Seine Hände führten ihn die Kante entlang, bis er zu der großen Aussparung über dem Cockpit gelangte. Seine Augen brannten von dem Sediment, und er bemühte sich, etwas in dem dunklen Schatten unter der Tragfläche zu erkennen.

Er tastete sich nach unten und bekam die Rückenlehne des Pilotensitzes zu fassen. Ernst streckte seine Hand in die Dunkelheit. Sie fand Ephraims Kopf, der noch immer von dem Flughelm und der Brille geschützt wurde. Als erstes würde er versuchen, dem Toten die Pistole abzunehmen.

Ernst hing kopfüber im Wasser, und sein Gesicht berührte fast den Kopf des Piloten. Er suchte nach Ephraims Gurtschloß. Seine Hand glitt unter das Hemd des Mannes. Einen Moment lang hatte er den Eindruck, daß Ephraims Leiche auf merkwürdige Weise zurückwich und sich öffnete, als hätte sie irgendwie ihre Form verloren. Plötzlich bewegte sich etwas sehr heftig und schlug gegen Ernsts Arm. Irgendein Tier versuchte, aus dem Hemd des Toten zu entkommen.

Ein riesiger dicker Aal mit stumpfem Kopf tauchte aus Ephraims Bauchhöhle auf. Stücke der Lunge und einige Darmschlingen lösten sich aus dem Maul der Kreatur. Der gefleckte, schlangenähnliche Fisch wand sich wie ein gewaltiger Wurm, glitt an Ernsts Körper entlang nach oben und biß ihm dabei in die Schulter. Unter Wasser fühlte sich das eher wie ein Schlag an, nicht wie ein Stich durch die Haut. Ernst schwamm mit kraftvollen Zügen empor.

Als er die Wasseroberfläche durchbrach, durchzuckte ein heftiger Schmerz seine Schulter. Sein Kopf schlug gegen eines der Kanus. Er keuchte und warf beide Arme über die Bordwand des *Tanqwa*, während Petros das Boot festhielt. Ernst würgte und erbrach sich in das Kanu. Nachdem der Anfall abgeklungen war, wusch er sich das Gesicht und untersuchte die beiden punktförmigen Wunden in seiner Schulter. Nichts Ernstes, solange es nicht die Krokodile anlockte.

Er mußte wieder nach unten. Bis jetzt hatte er noch nichts erreicht. Er blickte zum Ufer und sah, daß Theodorus ihn mit dem Feldstecher beobachtete. Ernst war sich sicher, daß der alte Priester mehr Wert auf das Silber legen würde als auf seinen Gast.

Der Deutsche tauchte mit langsamen Zügen zum Grund. Er packte die Seitenwand des Cockpits und zog sich nah an das Flugzeug heran. Bevor er wieder an die Oberfläche stieg, nahm er Ephraims Pistolengürtel an sich. Während er oben tief ein- und ausatmete, legte er sich den Gürtel um die Taille. Dann nahm er das Seilende mit dem Ledergeschirr, steckte einen Arm durch die Schlingen und tauchte wieder nach unten.

Er zwängte Ephraims Arme durch die beiden Schlaufen und zog das Geschirr über den Schultern des Piloten zusammen. Dann untersuchte er die Klappe des Stauraums. Sie war eingedellt und klemmte fest. Ernst stemmte sein gesundes Bein gegen den Rumpf und zerrte an dem Griff der Klappe. Ohne Erfolg. Er würde irgendein Werkzeug benötigen, um sie aufzubrechen.

Als er wieder in seinem *Tanqwa* saß, schaute Ernst dabei zu, wie Petros die sterblichen Überreste nach oben hievte. Ephraims behelmter Kopf durchbrach die Wasseroberfläche. Seine Arme waren zu den Seiten ausgestreckt, als hinge er an einem Kreuz. Amüsiert verfolgte Ernst, mit welchem Entsetzen die beiden Mönche auf die Leiche reagierten. Verzweifelt bemühten sie sich, den Körper in Petros' Kanu zu heben. Für einen Moment hing der zerfetzte Leichnam mit den Beinen voran über der Bootskante, so daß der Kopf sich noch unter Wasser befand. Das *Tanqwa* neigte sich gefährlich zu einer Seite. Dann nahmen sie das Geschirr ab und klemmten den Körper bäuchlings zwischen Petros' Beine.

Ernsts Kanu befand sich direkt daneben, und so sah er, daß Petros seine nackten Füße hob, um den kleinen weißen Süßwasserkrebsen zu entgehen, die aus Hosenaufschlägen, Helm und Hemdkragen der Leiche krabbelten. Die flinken langbeinigen Tiere verkrochen sich auf dem Boden des Boots zwischen den Schilfrohren. Die Zibetkatzen würden ganz wild auf diese Leckerbissen sein, vermutete Ernst.

Mit absichtlicher Beiläufigkeit, um die Mönche zu schockieren, griff er in Petros' Kanu und hob Ephraims Kopf an, um ihm die Fliegerbrille abzunehmen. Der Pilot hatte keine Augen. Die Krebse hatten sie von innen aufgefressen. Von Decken war nackt bis auf den Pistolengürtel. Er spülte die Brille aus und hängte sie sich selbst um den Hals. Sie könnte sich beim nächsten Tauchgang als nützlich erweisen.

Das nächste Mal, so hoffte Ernst, würde für ihn die Freiheit bedeuten.

24

»Wir haben ihn, Daddy!« sagte Clove und trat an den Tisch ihres Vaters. Tariq befand sich direkt hinter ihr. Der Nubier trug drei silberne Filmdosen, die mit einem Riemen zusammengebunden waren. »Ein bißchen alt, aber er wird dir gefallen. *The Thief of Baghdad*, mit Douglas Fairbanks.«

Ein Barjunge am Nebentisch warf einen Blick auf Cloves Brüste, während er die Aschenbecher auswischte und den Taubenkot entfernte, für den die Terrasse des Hotels berüchtigt war. Das Mädchen liebte Vögel, und so schaute sie zu den fetten grauen Tauben, die auf dem eisernen Gitter hockten, das über dem Café hing. Hoch am Himmel erspähte sie eine schwarze Gabelweihe, einen Greifvogel, der mit langen gespreizten Schwanzfedern und leicht angewinkelten, schmalen kräftigen Schwingen über die Straße und die Terrasse hinwegschwebte.

»Wunderbar, mein Schatz«, sagte der Zwerg. Er war stolz auf sein Kind. Falls es nur einen einzigen Grund gab, sich ein wohlhabenderes und längeres Leben zu wünschen, so stand er in Gestalt seiner Tochter gerade vor ihm. Trotz seiner Angst vor Dr. Hängers nahe bevorstehender Diagnose, die ihm schon jetzt das Herz zusammenschnürte, musterte er aufmerksam das Gesicht und die Gestalt seiner Tochter, um festzustellen, ob sie Anzeichen seiner eigenen Gebrechen aufwies.

»Und als nächstes kaufen wir *Reaching for the Moon*«, sagte Clove und hoffte, ihr Vater würde sie zu einem Eis einladen. Er lächelte sie an, aber er erwiderte nichts.

»Warum bekommst du immer den besten Tisch?« fragte sie und sah, daß die Gabelweihe in Sturzflug überging, einen Moment in der Luft zu hängen schien und dann wieder emporzusteigen begann. Als der Raubvogel sich mit leuchtend hellgelbem Schnabel und großen rotfunkelnden Augen von dem Gitterwerk einer Terrassenlampe in die Luft erhob, flatterten in seinen Fängen noch ein paar der weichen hellen Federn der kleinen Taube.

»Hier im Shepheard's weiß man eben, was sich gehört«, sagte der Zwerg und berührte seine Tochter an der Schulter, damit sie sich wieder ihm zuwandte, obwohl auch er bewunderte, wie gut diese Wüstenvögel in der hektischen Stadt zurechtkamen. Sie besaßen weder die tödliche Geschwindigkeit der Falken noch die Stärke und Größe von Adlern. Diese scharfsinnigen Raubvögel überlebten dank ihres Verstands. Sie jagten und fraßen mit gutem Geschmack und suchten sich ihre Reviere sorgfältig aus. Der Zwerg war froh, daß er und seine Tochter diese kleine Zerstreuung in stillem Einvernehmen miteinander teilen konnten. Je älter sie wurde, desto mehr stimmten ihrer beider Ansichten und Empfindungen überein.

»Ich warte auf Dr. Hänger, mein Kind.«

»Kommt er mit zu uns nach Hause?« fragte sie und versuchte zu ergründen, was ihren Vater beunruhigte.

»Nein.« Olivio schüttelte den Kopf und wünschte, er hätte diesen Mann niemals konsultieren müssen. Er hatte sich bemüht, den Anlaß für die Reise des Doktors nach Kairo vor Clove geheimzuhalten, aber das Mädchen war zu intelligent und zu feinfühlig, um nichts davon mitzubekommen. Sie war der einzige Mensch, dem gegenüber er fast immer aufrichtig gewesen war, manchmal sogar völlig unverblümt.

»Er hat mich heute hergebeten, um mir seine Diagnose mitzuteilen«, fügte der Zwerg hinzu und hoffte, daß Clove nicht merkte, wie ängstlich er war.

»Natürlich, Daddy«, sagte sie unbekümmert. »Hoffentlich bist du zum Tee zu Hause. Vergiß nicht, daß wir heute Denbys Geburtstag feiern.« Clove küßte ihren Vater auf die Wange und ging mit offenkundiger Sorglosigkeit quer über die Terrasse zur Treppe. Tariq nickte seinem Herrn zu und folgte ihr.

Der Zwerg sah den beiden hinterher. Er war sich sicher, daß niemand außer ihm und vielleicht noch Dr. Hänger erkennen konnte, daß Cloves Gang ein winziges bißchen unbeholfen wirkte.

Olivio hatte inzwischen gelernt, daß der deutsche Arzt immer pünktlich kam, aber nie zu früh. Der Zwerg hingegen achtete sorgfältig darauf, auf dieser vornehmen Bühne keinesfalls einen tolpatschigen Eindruck zu hinterlassen. Er befürchtete, daß irgendein riesiger Fremder ihn anrempeln oder erniedrigen würde, und so traf er grundsätzlich als erster ein, um allen Eventualitäten vorzubeugen und die Lage immer unter Kontrolle zu haben.

An diesem Morgen war Olivio Fonseca Alavedo besonders früh dran. Der *Chef du terrasse* höchstpersönlich hatte sich vor ihm verneigt und ihn an den großen eingetopften Palmen vorbei zu Tisch Nummer zwei geführt. Tisch Nummer eins, der in der hinteren Reihe des Terrassencafés ganz in der Ecke stand, wurde immer für den Fall freigehalten, daß plötzlich Prinz Faruk erschien, um eine Kleinigkeit zu sich zu nehmen.

Der *Chef du terrasse*, dessen Wohlwollen darüber entschied, wer welchen Status in der Kairoer Oberschicht erlangte, führte in Gedanken stets umfassend und detailliert Buch. Da er bereits wußte, daß sein kleiner Gast zu Besuch kommen würde, und er Olivio mit den notwendigen Vorkehrungen nicht in eine peinliche Lage bringen wollte, hatte er zwei passende Brokatkissen auf den Rattanstuhl des Zwergs gelegt und eigenhändig diskret dafür gesorgt, daß sich zu Olivios Füßen ein Schemel befand. An der Wand des Hotels standen die Oberkellner aufgereiht und wachten mit verschränkten Armen eifersüchtig über ihre Reviere. Die Männer trugen lange weiße Gewänder, dunkle Schärpen und passende Tarbusche.

Es war noch vor elf Uhr, zu früh am Morgen für die eleganten Mätressen und kostspieligen Kurtisanen, die das Café später mit Leben erfüllen würden. Ein paar Europäer tranken Kaffee, lasen Zeitung und zündeten sich Zigarren an.

Während er wartete, richtete Olivio seine Aufmerksamkeit auf die *Egyptian Gazette*. Er hatte sich an diese morgendliche Lektüre mit Lord Penfold gewöhnt, und er dachte an ihre gemeinsamen Freunde, die jetzt irgendwo in der Wildnis von Abessinien umherirrten. Der kleine Mann machte sich jeden Tag mehr Sorgen um sein Verwalteramt. Seine eigene Zukunft war mit der seiner Freunde untrennbar verknüpft. Beide Männer und vielleicht auch Gwenn verließen sich inzwischen darauf, daß er ihre lumpigen paar Pfund in ein Vermögen verwandelte. Das war zwar noch nicht unmöglich, aber es wurde zunehmend schwieriger. Der Weg dorthin war mit Bosheit, Gier und Intrigen gepflastert. Er hatte nie damit gerechnet, daß es ihm selbst einmal an solcherlei Talenten mangeln könnte.

Penfold Partners Estates besaß mittlerweile Grundstücke entlang des Verlaufs, den der geplante neue Bewässerungskanal am Wadi al-Sum nehmen würde. Darüber hinaus verfügten sie unter verschiedenen Namen auch an anderen vielversprechenden Orten über vereinzelte hektargroße Besitztümer in den Flanken des Niltals. Immer wenn sich für eine dieser Parzellen Kaufinteressenten meldeten, nahmen Olivios Bevollmächtigte sie genau unter die Lupe, um festzustellen, ob sich hinter ihnen eine Gruppe verbarg, die Zugang zu den Bewässerungsplänen des Ministeriums hatte. In diesen Fällen verfolgte der Zwerg die Fährten wie ein Frettchen in einem Tunnellabyrinth, drang tiefer und tiefer vor, ließ sich weder von Dunkelheit noch von komplizierten Umständen abschrecken, und brachte jeden rotäugigen Maulwurf zur Strecke. Auf diese und andere Weise deckte er die Pläne seiner Feinde auf und paßte sein eigenes Vorgehen immer differenzierter daran an. Schon bald würde er den einflußreichen geheimen Rivalen identifizieren können, der ihm Grundstücke und Wasser streitig machen wollte.

ITALIENISCHE LUFTWAFFE SCHIESST LEIBGARDE DES KAISERS ZUSAMMEN. GRAZIANI STÖSST AN DER SÜDLICHEN FRONT VOR, las er beiläufig. Ihn interessierten nur die Nachrichten, die seine eigenen Absichten betrafen. TAUSENDE FLIEHEN AUS ADDIS. HARAR WIRD BELAGERT. WELTWEITE PROTESTE. Dieser Blödsinn wäre ihm völlig egal, falls seine Freunde sich nicht dort aufhalten würden. Wenn der Völkerbund sich keine Gedanken darum machte, warum sollte ausgerechnet er sich sorgen?

FRANZOSEN VERHANDELN MIT HERRN HITLER. HMS AGAMEMNON STÖSST ZUR MITTELMEERFLOTTE. Er überblätterte die Sportseiten, von denen seine Lordschaft immer so angetan war: Regimentspolo und die Kricketmeisterschaften. Die Engländer blieben wirklich ewige Schuljungen. Er schlug die nächste Seite auf. Noch mehr Unsinn. 200 000 HUNGERNDE IN ILLINOIS. HILFSDEPOTS GESCHLOSSEN. DEMONSTRANTEN REICHEN BITTSCHRIFT BEIM PARLAMENT DES BUNDESSTAATES EIN. Seine Aufmerksamkeit nahm zu, als er zu den Wechselkursen und der Baumwollbörse gelangte. BAUMWOLLTERMINGESCHÄFTE SCHNELLEN IN DIE HÖHE. RUSSISCHE ERNTE FÄLLT GERING AUS. DÜRRE IN INDIEN. Vielleicht bestand für einen ehrbaren Mann doch noch Hoffnung. Er mußte um Wasser auf seinen Feldern und Trockenheit in jenen fernen Ländern beten.

»Guten Morgen, Herr Alavedo.« August Hänger stand vor seinem Tisch und verbeugte sich mit dem Kopf. Sein Körper blieb kerzengerade aufgerichtet, während er seinen Patienten begrüßte. Der Arzt begann jedes ihrer Treffen mit ein paar deutschen Worten, nur um klarzustellen, daß er die Leitung zu übernehmen gedachte.

»Ihnen auch, Doktor.« Der Zwerg streckte seine Hand aus. »Sie haben hier in Kairo tüchtig Farbe bekommen«, sagte Olivio und freute sich, daß es ihm gelang, als erster etwas über den Zustand des anderen zu sagen.

Die dunkle Kleidung des Deutschen war nach wie vor hochgeschlossen und makellos. Sie wirkte fast schon zerbrechlich, so scharf waren die Bügelfalten. Aber der Arzt selbst wirkte gelöster und vitaler. Ägypten hatte seiner Arthritis gutgetan. Nach einer solchen Nacht war er gewiß hungrig. Olivio wandte den Kopf und schaute zum Oberkellner herüber. Der Ägypter flüsterte einem der Tischjungen etwas ins Ohr.

»Ich komme sogleich auf den Punkt zu sprechen.« Hänger legte eine schwarze Ledermappe auf die Tischplatte aus Zinkblech. Er lächelte einmal kurz mit der Geschwindigkeit und der mechanischen Präzision einer Kamerablende. Olivios Nachforschungen hatten ergeben, daß Hängers Kollegen ihn aufgrund dieser Angewohnheit oder Technik hinter vorgehaltener Hand »Dr. Leica« nannten.

Der Arzt öffnete die Mappe und blickte auf ein Blatt Papier herab. Darauf waren sechs kleine Gestalten abgebildet, jede mit ausgestreckten Armen und Beinen wie eine Ausschneidefigur. Jede der Gestalten war von kleinen ordentlichen Notizen in schwarzer Tinte umgeben, als steckte sie in einem Käfig: Maße in Zentimetern, Notizen auf deutsch, Zitate aus Texten über Kleinwuchs. Einige Punkte waren zur Betonung doppelt unterstrichen. Olivio musterte die Diagramme verkehrt herum und stellte überrascht fest, daß einer der Kommentare korrigiert worden war.

»Ihre Füße, Ihre Wirbelsäule, Ihre Gelenke – alles ist bereits in Mitleidenschaft gezogen.« Bei diesen Worten wies der Deutsche mit der Spitze seines Tafelmessers jeweils auf die entsprechende Zeichnung. »Alles ist in Mitleidenschaft gezogen.«

Olivio verlor, was sonst kaum jemals vorkam, die Kontrolle über sich. Ein kalter Schauder durchzuckte ihn. Schon bald würde dieser Mann ihn in einem Regal verstauen. Er würde in einer Flasche Formaldehyd schweben, und sein eines Auge würde für alle Zeiten ins Leere starren.

»Zunächst müssen Sie begreifen, daß wir alle sterben. Ausnahmslos alle.« Hänger lächelte brüderlich und klopfte mit der Messerspitze aufs Papier. Dann klappte er die Mappe zu.

»Sobald der Körper ausgewachsen ist, beginnt der Verfall.« Die beinahe schwarzen Augen des Doktors wurden durch seine runde Brille vergrößert. Sie sahen Olivio an, wie sie auch eine Amöbe auf einem Objektträger durch ein Mikroskop mustern würden: mit Interesse, sogar großem Interesse, aber ohne Mitgefühl.

»Wir alle werden eines Tages sterben«, sagte Hänger. Olivios Blick war unverwandt auf ihn gerichtet. Der Arzt wies mit einer Hand auf die Terrasse und zur Straße hin. Er zögerte, als seine Finger auf die Menschenmassen zeigten, die unterhalb vorbeiströmten. »Nun ja, einige werden sicherlich früher und schmerzvoller sterben als andere.«

Olivio erwiderte nichts. Vor ihnen begannen sich die Tische des Grand Cafés mit eleganten Gästen zu füllen.

»Sie sind auf Ihre Weise eine Ausnahme. Die meisten kleinen Leute Ihrer Art, und die medizinische Wissenschaft weiß nicht von allzu vielen, sterben im Alter von dreißig oder vierzig Jahren, weil ihre Organe, ihre Gestalt und ihre Körperfunktionen hoffnungslos mißgebildet sind und der Verfall ihrer Körper immer weiter fortschreitet. Ohne jede Rettungsmöglichkeit. Ihre Wirbelsäulen, ihre Gelenke, ihre Lebern, Lungen und Herzen sind allesamt furchtbar deformiert und geschädigt. Aus diesem Grund glaube ich, daß wir sehr viel aus der Untersuchung der kleinen Leute lernen können.«

Olivio bemühte sich, das Gefühl der Wut und Erniedrigung zu unterdrücken, das in ihm aufstieg. Wo fand Deutschland nur solche Ärzte? Gab es andere, die genau wie er waren?

Hänger schaute zu dem *Suffragi*, der in diesem Moment an den Tisch trat. Er behielt den Diener sorgfältig im Auge und beeilte sich, seine Ausführungen fortzusetzen, während er sich eine Leinenserviette in den hohen steifen weißen Kragen steckte. Genau wie der Zwerg war auch der Doktor daran gewöhnt, alles um sich herum unter Kontrolle zu behalten.

»Jeder, verzeihen Sie, mein Herr, jeder, sogar Sie, ist ein kostbares Laboratorium.«

Der Kellner stellte ein Glas warmes abgekochtes Wasser und das Fleisch eines Nilbarsches vor den Doktor hin. Man hatte alle Gräten entfernt und das Fleisch in Form eines kleineren Fisches wieder auf dem Teller angerichtet. Das Wasser war rosa gefärbt, weil man drei Löffel Essig hineingerührt hatte, die erste Waffe des Tages, die Hänger im Kampf gegen seine Arthritis einsetzte. Der Deutsche beugte sich vor. Seine lange gebogene Nase hing über dem Tisch wie ein Rauchfang über einem Kamin. Seine Nasenlöcher weiteten sich und sogen den Duft des Fisches ein. Der Diener stellte zwei kleine Teller mit geschmorten Rüben und geschnetzeltem Rotkohl daneben.

Olivio sah, daß sein Arzt nicht zufrieden war. Etwas fehlte. Er ließ seinen Blick über den Tisch schweifen. Natürlich.

»Wo ist meine Zitrone?« fragte Hänger leise und erbost, ohne den Kellner eines Blicks zu würdigen.

Der Zwerg hob eine Hand. Einer der Oberkellner eilte herbei. Olivio sagte nur zwei Worte.

Der Kaffeejunge, ein stattlicher, sehr dunkelhäutiger nubischer Jugendlicher in einem langen weißen Gewand und passendem Turban verbeugte sich und brachte einen Teller mit geviertelten Zitronen. Jedes der Stücke war in Gaze gewickelt, so daß die Früchte nicht spritzen konnten und die Kerne zurückgehalten wurden.

Der Doktor nickte. »Ah.« Er entspannte sich ein wenig und sprach weiter, während er die Zitronen über seinem Glas auspreßte.

»Sie sind das, was eine abergläubische oder religiöse Person gewissermaßen als ein Wunder bezeichnen würde. Sie haben anscheinend sowohl früher als auch heute so intensiv gelebt wie die meisten kleinen Leute, als wüßten Sie, daß Ihnen nicht viel Zeit bleibt. Aus diesem Grund sind Menschen wie Sie so verwegen, so gehetzt, so sexuell aktiv, wenn ich das anmerken darf. Wir wissen das. Es ist Fatalismus, oder?« Der Doktor zögerte und musterte das runde Ende der ansehnlichen Gewürzgurke, die er mit seiner Gabel aufgespießt hatte. »Ah!«

Der Zwerg sagte nichts. Er fühlte sich kleiner und herabgesetzt.

»Aber bei Ihnen, kein Fatalismus. Sie sorgen sich um die Zukunft.« Dr. Hänger wischte sich Sahne von seinem breiten schmallippigen Mund, bevor er in die Gurke biß.

»Ihr Körper oder Ihr Wille hat dem Verfall, von dem ich spreche, auf vielerlei Weise widerstanden. Sie haben ein halbes Jahrhundert vollendet. Ich gratuliere Ihnen.«

Olivio Alavedo erkannte Schmeichelei, wenn er sie sah. Der Doktor dachte an sein Honorar, an alle Bestandteile. Der Zwerg hatte dem Arzt bereits zu mehr Lebensqualität verholfen, und zwar in gleicher Weise, wie ein Festmahl den Bauch eines Verhungernden anschwellen ließ und ihm völlig unbekannte Erfahrungen verschaffte, so daß er danach eher mit Übersättigung als mit Hungergefühlen zu kämpfen hatte. Olivio erwartete keinen Dank, aber zusätzliche Dienste. Hängers Elfenbeinsockel war noch nicht vollständig bestückt. Einer der Zwerge fehlte noch.

Olivio roch den Gestank eines lautlosen Rülpsens. Er mußte daran denken, was Lord Penfold über gebildete Deutsche gesagt hatte: »Weißt du, sie sind das Gegenteil von Austern: weich von außen, aber im Innern grob.«

Der Mann kaute auf der Gurke herum, bevor er weiterredete. »Ihr Körper schreit nach einem Ende. Stellen Sie sich ihn als eine verwundete Kreatur vor, die in Ihnen gefangen ist und entfliehen will.« Er blickte quer über den Tisch. Der Zwerg verzog keine Miene.

»Vor Ihnen liegen Schmerz und Erschöpfung, immer mehr und immer schneller. Ihr Siechtum wird interessant sein. Sie müssen sich angewöhnen, etwas Abstand zu gewinnen und die Sache fasziniert zu verfolgen.«

»Was kann ich tun?« fragte Olivio in kaltem, distanziertem Tonfall. Er war entschlossen, sich nichts anmerken zu lassen. »Was können Sie tun?«

»Wir haben drei Möglichkeiten. Erstens, Sie können nichts tun, oder fast nichts. Machen Sie so gut wie möglich weiter. Ihr Zustand wird sich mehr und mehr verschlimmern, ungefähr noch zwei oder drei Jahre lang.«

Olivio nickte und hielt zwei kleine Finger hoch.

»Zweitens, eine Reihe von Operationen, ein Feldzug, eine Schlacht nach der nächsten. Sie würden den Feind angreifen. Schmerzhaft und sehr teuer, aber interessant und in mancherlei Hinsicht hilfreich. Ort des Schlachtfelds wäre Zürich. Dort haben wir alles, was benötigt wird: Skalpelle und Sägen aus Solingen, Fäden und Nähte aus Basel, junge Krankenschwestern aus Heidelberg, alles, was Sie wollen.« Der Deutsche schaute auf seine vier Teller. Sie waren leer bis auf ein paar Scheiben Rübe, die er jetzt zusammenschob. Bevor er sie zerschnitt und aß, klopfte er mit dem Messergriff auf den Tisch, um die Aufmerksamkeit seines Gastgebers nach unten zu lenken.

»Alles benötigt ein Fundament, auch ein Zwerg. Wir nehmen diese Wölbungen auseinander und bauen die Füße neu auf, einen nach dem anderen, falls es nicht so gut klappen sollte. Ein oder zwei der schlimmsten Zehen werden ganz wegkommen. Nichts hält für immer. Dann arbeiten wir uns nach oben vor. Knie, Hüften und so weiter und so weiter. Jedesmal sorgen wir für bessere Balance und Proportionen.« Beim Sprechen vollführte der Arzt kleine abgehackte Bewegungen mit seinem Messer.

»Nach einer Weile gibt August Hänger Ihnen etwas, das Gott Ihnen nicht gegeben hat. Ich kann Sie nicht größer machen, aber ich kann Sie verbessern. Die Schultern straffen, die Schulterblätter begradigen und angleichen. Dann den Rücken, sogar die Wirbelsäule.«

Die Stimme des Doktors wurde lauter. Sogar im Moment höchster Lust und Leidenschaft, so hatte man Olivio berichtet, wenn das Herz jedes anderen Mannes entweder stehenbleiben oder platzen würde, gab August Hänger keinen Laut von sich, nicht den allergeringsten, außer einem gelegentlichen »Ah!« Jetzt beugte er sich vor und nahm die Brille ab.

»Wir öffnen das Rückgrat!« Die schwarzen Augen waren jetzt kleiner und schienen fast zu lächeln. Er machte Olivio ein großes Versprechen. »Letzten Endes hängt alles von Ihrer Schmerztoleranz ab. Das Ausmaß der Eingriffe wird von Ihnen selbst bestimmt.«

Olivio hielt drei Finger hoch. Die Todesangst schnürte ihm die Kehle zu, aber seine Stimme klang teilnahmslos. »Drittens?«

»Aggressive Therapie. Weniger schmerzhaft, nicht ganz so wirksam, aber es würde den Feind aufhalten und für eine gewisse Zeit vielleicht sogar zurückschlagen. Man würde Sie dehnen, kneten und verrenken, anspannen und lockern wie eine Armbrust. Wo Sie jetzt noch steif und verspannt sind, würden Sie gelenkig wie ein junger Hund werden. Aber das würde konstant harte Arbeit bedeuten, wie bei einem großen Boxer, verstehen Sie? Als würde Max Schmeling für einen Meisterschaftskampf trainieren, der nie stattfindet.« Er faltete seine Serviette zusammen und starrte auf den Zwerg hinunter.

»Und sollten Sie je mit dem Programm aufhören, würde Ihr Körper zusammenschnellen wie eine Bärenfalle.« Hänger klatschte in die Hände.

»Könnte ich das hier in Kairo durchführen?«

»Mit meiner Hilfe vielleicht. Aber wir würden einen kräftigen Spezialisten brauchen, der weiß, wozu man den Körper zwingen muß. Jemand, der Ihren Körper dazu bringt, die eigenen Grenzen zu überschreiten. Einen Experten, der Ihren Schreien keine Beachtung schenkt. Die geeignetste Person befindet sich in Zürich.«

»Wer ist er?«

»In der Klinik nennen wir sie ›Knöchel‹. Sie kann in vier Tagen hiersein.«

Die vier boten einen merkwürdigen Anblick, sogar nach den Maßstäben der belebten Seitengassen von Khan al-Khalili. Alte Männer blickten von ihrem Kaffee auf, und Straßenkehrer lehnten sich auf ihre Besen, als die Gruppe um den Zwerg durch die schmalen Gassen des großen verwinkelten Basars schritt. Nur die hartgesottensten und gierigsten Marktschreier ließen sich nicht beeindrucken und priesen weiterhin lautstark ihre Waren an, als Tariq sich an ihnen vorbei einen Weg durch die Menge bahnte.

»Platz da, Platz da«, rief der Nubier mit lauter tiefer Stimme und führte seinen Herrn an den Gewürzläden vorbei zum Lederbasar.

Hinter ihnen folgten Adam Penfold und Ilsa Koch. In der rechten

Hand trug Penfold seinen Gehstock. Als sie den Markt erreichten, hatte er der Schweizer Krankenschwester seinen linken Arm angeboten. Sie hatte akzeptiert und sich bei ihm eingehakt, nicht etwa sanft und zurückhaltend, sondern fest und entschieden. Sie bestimmte jetzt das Tempo und zwang den Engländer, mit ihr mitzuhalten. Hin und wieder erregten manche Waren oder Verkäufer Penfolds Aufmerksamkeit. Aber immer wenn er in eine Gasse mit antiken Waffen abbiegen oder schnuppernd über den kupfernen Waagschalen eines Tabakhändlers verharren wollte, zog ihn Ilsa Koch eisern an seinem Arm weiter.

Seit die Krankenschwester vor zwei Tagen in Kairo eingetroffen war, sah Olivio ihrer ersten Behandlung mit einer ungewöhnlichen Mischung aus großer Angst und überschwenglicher Neugier entgegen. Diese Gefühle waren so widersprüchlich wie die beiden Hälften ihres Körpers.

»Bevor ich mit Ihnen anfange«, hatte sie gesagt, »müssen wir alles vorbereiten und für Sie spezielle Schuhe anfertigen lassen.«

Während er und Tariq sich nach einem bestimmten Verkaufsstand umsahen, mußte Olivio an ihre beunruhigenden Hände denken: quadratisch und hart wie Schaufeln. Die derben dicken Finger hatten alle die gleiche Länge. Ihre groben Daumen schienen keine Gelenke zu besitzen. Er fürchtete, sie würde ihn zerbrechen, so wie ein hungriger Tischgast die Scheren eines Hummers abreißt.

»Ihre Hände sind Gold wert«, hatte Dr. Hänger geschwärmt. »Wissen Sie, Ilsa stammt aus einer Bergarbeiterfamilie.« Der Zwerg fragte sich, was diese Werkzeuge wohl mit ihm anstellen würden.

»Hier, Herr«, sagte Tariq, blieb vor einer Marktbude stehen und starrte auf zwei alte Männer hinab, die an einer Schusterbank arbeiteten. »Diese Brüder sind die besten Lederhandwerker von Kairo. Mit einer Nadel und etwas Garn können sie eine Haut zusammennähen und das Tier wieder zum Laufen bringen.« Zu beiden Seiten hingen noch nicht zugeschnittene Häute aus getrocknetem Leder. Sie waren dicht zusammengeschoben wie die gerafften Vorhänge in einem Theater: Kälber und Ziegen, Schlangen und Krokodile.

»Kann ich etwas für Euch tun, *Effendi*?« fragte einer der Brüder, legte seine Ahle nieder und erhob sich steifbeinig. Der andere Handwerker stand ebenfalls auf und begann, Kaffee für die neuen Kunden zuzubereiten.

Olivio nickte, dann drehte er sich um und sah seinem Freund und Ilsa Koch entgegen.

Die Beine dieser Frau waren so verwirrend. Nicht nur lang und schlank, sondern mit zierlichen Knöcheln, wohlgeformten, aber nicht zu muskulösen Waden und langen verheißungsvollen Schenkeln mit jener schwachen Einbuchtung entlang des Knochens, die auf eine beunruhigende Fitneß schließen ließ. Beine, die das Herz eines Mannes brechen konnten – oder sein Rückgrat. Sogar die Füße, ganz im Gegensatz zu seinen eigenen, waren anmutig geschwungen, besaßen lange Zehen und wirkten perfekt proportioniert.

Aber von der Hüfte an aufwärts war Ilsa Koch eine furchterregende Kreatur. Die Hüften trafen vorne und hinten wie zwei Hälften eines Apfels aufeinander. Darüber erhob sich ihr Leib wie ein Faß: Bauch, Brüste und Schultern ließen sich kaum auseinanderhalten, sie alle waren dick, fest und bildeten eine kompakte Masse. Ihr kurzer Hals war stämmig und überraschend weich, als gehörte er zu einer älteren und korpulenteren Frau. Ihr außergewöhnlich runder Kopf wurde von kurzem glatten dunklen Haar bedeckt. Die blasse Haut, die so vielen Damen zur Zierde gereichte, wirkte bei ihr wie eine alarmierende Fahlheit, als wäre sie ein Geschöpf, das nie ans Tageslicht gelangte.

»Wie herrlich«, sagte Penfold, als er mit ihr bei dem Lederstand eintraf. »Möchte wissen, ob diese Jungs auch Juchten haben.« Ilsa Koch gab seinen Arm frei, nahm ihre Umhängetasche von der Schulter und holte ein Notizbuch hervor.

»Juchten, mein Lord?« fragte der Zwerg verwirrt. Er wollte schnellstmöglich die Einkäufe erledigen und dann diesem scheußlichen Basar entfliehen. »Hier gibt es nur Schuhe.« Er sah, wie die Krankenschwester zwei Seiten aufschlug, auf denen sich detaillierte Zeichnungen von merkwürdigen Sandalen und anderer Fußbekleidung mit langen Riemen befanden. Im Moment hatte er wenig Lust, sich mit den komischen Einfällen seiner Lordschaft zu befassen. Auf einer der nächsten Seiten erblickte er voller Entsetzen die Zeichnung eines Stützkorsetts.

»Ich weiß, ich weiß, mein Freund«, erklärte Penfold geduldig. »Juchten ist eine Ledersorte, die auf der Innenseite mit Birkenrindensaft gegerbt wurde. Daraus lassen sich nämlich die allerbesten Schuhe fertigen.« Der Engländer blickte auf, musterte mit offenem Mund die verschiedenen Waren und nahm das glänzende Ende einer langen Krokodilhaut zwischen die Finger. »Hält ewig.« Er warf einen Blick auf seine eigenen Schuhe. »Der alte Joseph Box benutzt niemals etwas anderes.«

Der Zwerg starrte erstaunt zu seinem Freund empor. Tariq wischte mit dem Ärmel seines Gewandes die Sitzfläche eines Hockers ab, so daß Olivio Platz nehmen konnte. Einer der Ägypter kniete nieder, zog dem kleinen Mann die Pantoffeln aus und legte ein Blatt Papier vor ihn hin. Penfold vermied es, die nackten Füße seines Freundes anzustarren. Ilsa Koch riß die beiden Seiten aus ihrem Notizbuch und reichte sie dem Schuster.

Olivio stellte sich auf das Papier und verschränkte die Arme. Der Schuster zog mit einem Stück Holzkohle die Umrisse seiner deformierten Füße nach und stellte dann mit einem Bandmaß den jeweiligen Umfang von Ballen, Spann und Knöchel fest. Danach zog der Mann Olivio die Pantoffeln sanft wieder an.

»Mein Herr benötigt diese Sandalen sofort«, sagte Tariq und zog eine Geldbörse aus seiner *Gallabijjah* hervor.

»In zwei Tagen«, sagte der Mann.

Tariq beugte sich vor und legte dem älteren Mann dicht neben dem Hals eine Hand auf die Schulter. »Ich werde heute abend herkommen, um sie abzuholen«, sagte er.

Der Schuster nickte. »Heute abend«, sagte der Mann und verbeugte sich vor Olivio Alavedo. »Welches Leder wünscht Ihr, *Effendi*?«

»Natürlich Juchten.« Der Zwerg drehte sich um und ging.

Zehn Tage später hing Olivio kopfüber in seiner Koch-Schlinge. Seine Füße steckten sicher in den winzigen knöchelhohen Sandalen, und er schwang im Luftzug wie eine schlafende Fledermaus vor und zurück.

Während sein Körper gedehnt wurde und sich hin- und herbewegte, wackelte er mit den Zehen und dachte über die neuesten Konstruktionspläne nach. Er hatte sie von einem französischen Ingenieur erhalten, der sich um das Kanalprojekt beworben hatte. Nach einer Intervention des Palastes hatte man sich zugunsten des italienischen Angebots für die Schleusentore entschieden, obwohl die Scharniere und Flutschrauben, mittels derer die Tore geöffnet und geschlossen wurden, überaus fragil wirkten. Um wenigstens etwas Profit aus ihrer hinfälligen Arbeit zu schlagen, hatten die französischen Ingenieure ihre Pläne und Karten bedenkenlos verkauft. Für den Zwerg waren das keine schlechten Neuigkeiten: Die ersten Tore waren für den geplanten Kanal am Wadi al-Sum gedacht.

Olivio sackte das Blut in den Kopf. Die Zirkulation hatte sich verbessert. Manchmal fühlte er sich nach diesen Sitzungen hungrig und vital, aufgeregt wie ein Junge.

»Die ersten beiden Zentimeter, etwas weniger als ein Zoll«, hatte Dr. Hänger am ersten Tag beruhigend gesagt und zwei Finger hochgehalten, »sind der einfache Teil. Hier ein bißchen, da ein bißchen. Es ist eher ein Aufrichten als ein Strecken, der Kampf gegen ein halbes Jahrhundert Gravitation. Sie erlangen lediglich Ihre natürliche Größe zurück, als würde man einen Schuljungen kerzengerade aufstehen lassen, die Größe, die Sie vor zehn oder fünfzehn Jahren gehabt haben. Wir nutzen diesen Abschnitt, um Sie an unsere Methoden zu gewöhnen. Manches davon wird Ihnen sogar Spaß machen, anderes weniger. Eine Zeitlang werden Sie Ilsas sanfte Seite kennenlernen, dann wird es interessanter. Sie darf dann nicht mehr nachsichtig sein, sondern muß, sagen wir mal, etwas schweizerischer werden, vielleicht sogar etwas deutscher. Verstehen Sie, was ich sagen will?«

So wie ein fetter Mann sich auf die Waage stellen mußte, begannen Olivios Tage ab jetzt mit Vermessungen. Anstatt sich in der Nacht zu entspannen, zog sein Körper sich im Schlaf zusammen und nahm seine bisherige, kompaktere Form ein. Ob nun mit Greifzierkeln, Bandmaßen oder Meßlatten, die Zahlen wurden in Zentimetern notiert. Aber der Zwerg war daran gewöhnt, seine Körpergröße in Zoll zu messen. Er war fast vierundvierzig Zoll groß, rund hundertzehn Zentimeter, und das einzige Zugeständnis des Doktors hatte darin bestanden, in Gesprächen mit ihm die englischen Maße zu benutzen.

Die Teile seines Körpers waren einer nach dem anderen behandelt worden, dann alle zusammen, dann wieder getrennt. Tagelang wurde jeder Arm, jedes Bein, jede Zehe und jeder Finger massiert, in kochendheißes Selterswasser und Eukalyptusbäder getaucht, in dampfende Kampfertücher gewickelt und dann gezogen und gestreckt wie ein Klumpen Teig, der zu einem langen Laib ausgerollt wurde, so lange, bis er merkte, daß seine Gelenke sich gelöst hatten. Während dieser Periode richtete Ilsa Koch ihre Station am flußabwärts gelegenen Ende des Privatraums unter dem Cataract Café ein, neben dem Fuß des Sphinx. Der Arbeitstisch, das Vogelscheuchengestell und das elastische Geschirr wurden an Boden, Wand und Decke befestigt. Der Zwerg fragte sich, was sie wohl mit seiner Wirbelsäule anstellen würden.

Anfangs schien alles zu funktionieren.

Olivio wußte, daß die Zeit für diese Übung bald abgelaufen sein würde, und so begann er, etwas langsamer zu schwingen. Er fürchtete den nächsten Schritt. Es war an der Zeit für Ilsas Kirsche – Test und Belohnung für jede Übung in der Knöchelschlinge. Jeden Tag hingen seine Füße ein Stückchen näher an der Decke. Er mußte sich nach unten recken und mit den Zähnen eine Kirsche vom Boden aufnehmen.

Er sah ihre Beine, als die Krankenschwester auf ihn zukam. Zwischen den Fingern hielt sie eine Kirsche am Stiel. Sie packte den schaukelnden Zwerg am Gürtel seiner weißen kurzen Trainingshose und hielt ihn fest, bis er sich nicht mehr bewegte. Dann nahm sie seine Handgelenke und steckte seine Daumen hinter den Gürtel, damit seine Arme nicht herabhingen. Sie ließ ihn hinunter, bis sein Gesicht unmittelbar über dem Holzboden schwebte, legte danach die Kirsche auf die Planke unter seinem Kopf und stieß ihn an, so daß er zu schwingen begann.

Olivio streckte sich und legte den Kopf in den Nacken, damit sein Mund dem Boden so nah wie möglich kam. Am ersten Tag, noch nicht so gelenkig, war der Scheitel seines kahlen Schädels über die Planke geschrammt. Ein langer Splitter hatte sich durch seine Kopfhaut gebohrt wie eine Stricknadel durch einen Pullover, woraufhin die Krankenschwester ihn ausgeschimpft hatte. Sie hatte sein Gesicht zwischen ihre plumpen Brüste gezwängt, seinen runden Kopf unter ihrem Kinn festgeklemmt und mit beiden Händen den Splitter herausgeholt.

Sein Gesicht war jetzt genauso rot wie die Kirsche. Als Olivio nach unten schwang, machte er den Mund auf. Der Sphinx huschte durch sein Sichtfeld. Olivio berührte die Kirsche gerade so eben mit seiner dicken spitzen Zunge. Auch beim nächsten Mal verpaßte er die Frucht. Die Angst vor Ilsas Ungeduld lenkte ihn ab. Es wäre einfacher, falls er zwei Augen hätte. Einen Moment lang mußte der Zwerg an die flammendroten Augen der Gabelweihe denken, als diese über der Terrasse des Shepheard's die Taube erlegt hatte. Er beugte seine Knie und holte wieder Schwung. Elegant wie ein Schwan streckte er seinen Rücken. Mit der Kirsche im Mund schwang er sich empor.

»Gut!« Ilsa hielt den kleinen Mann mit einer Hand fest, während sie mit der anderen die Riemen seiner Sandalen öffnete. Lobend drückte sie ihn einmal kräftig an sich. Die Krankenschwester hatte schnell gemerkt, was ihrem reichen Patienten gefiel.

Olivios Beine waren in der Hölle – gegen ihren Busen gepreßt, aber sein Oberkörper und sein Gesicht waren im Himmel – zwischen ihren Beinen, seine zweite kurze Belohnung. Er streichelte mit beiden Händen ihre Knöchel und bedeckte die linke Wade mit kleinen feuchten Küssen. Ilsa trug bei der Arbeit weder Strümpfe noch Unterwäsche.

Seine Nasenlöcher zuckten und weiteten sich. Sein wie immer scharfer Geruchssinn nahm ihren aufsteigenden Duft wahr. Er ließ seine Hände unter ihrem weißen Rock so weit nach oben wandern, wie er sich traute, und genoß die geheimnisvolle Erforschung und die babyweiche Haut der Innenseite ihrer Schenkel. Er wußte, daß sie jetzt feucht wie ein angestoßener Pfirsich war, aber er hatte Angst, sie vollständig zu erregen und dadurch herauszufordern, daß der Oberkörper an den Freuden des Unterleibs teilhaben wollte. Einen Moment lang war er versucht, die linke Hand höhergleiten zu lassen und mit seinen magischen Fingern in sie einzudringen, aber er fürchtete die explosiven Konsequenzen. Was sollte ein Gentleman da tun? Sogar ihre Haut schien zwei verschiedene Geschöpfe zu bedecken. Je höher am Körper, desto rauher wurde sie, und dort, wo sie aus dem

Kragen und den Ärmeln hervortrat, war sie rot und scheckig. Er fragte sich, wo genau ihre beiden Teile sich zusammenfügten.

Ilsa Koch gab vor, seine Aufmerksamkeiten zu ignorieren, aber ihr Hals und ihre Wangen liefen rot an. Sie richtete den Zwerg auf, klemmte ihn unter den Arm und trug ihn wie einen Sack Mehl zum Tisch. Als sie an einem der Bullaugen vorbeikamen, spuckte Olivio den Kirschkern in den Nil.

25

»Die Italiener haben da hinten Giftgas eingesetzt, nicht wahr?« fragte Bernadette erneut. Sie war noch immer völlig empört.

»Ich habe Ihnen schon gesagt, daß ich mir nicht sicher bin, Miss, aber es hat danach ausgesehen.« Anton blickte von der hochgeklappten Haube auf, die oberhalb des erschöpften Motors des Oldmobiles an einem Akazienzweig lehnte. Unter dem Wagen schauten Diwanis nackte Beine hervor.

»Selbstverständlich war das Gas«, beharrte sie wütend. »Was sonst hätte all diese armen Leute verbrennen und erblinden lassen, an denen wir in den beiden Tälern vorbeigekommen sind? Ich habe gelesen, welche Auswirkungen Gas im Weltkrieg hatte. Und was ist mit diesem abgestürzten Flugzeug, das Harriet gefilmt hat? Es hatte komische Düsen unter den Tragfächen.«

»Was auch immer die Italiener benutzt haben, Miss Mills, und ich hoffe, daß es sich nicht um Gas gehandelt hat, am wichtigsten ist, daß diese Safari in Bewegung bleibt«, entgegnete Anton ruhig. Er hatte gelernt, sich einem Kunden gegenüber niemals Angst oder Beunruhigung anmerken zu lassen. »Falls es Gas gewesen ist, haben wir Glück gehabt, daß es sich so schnell verflüchtigt.«

»Wie können die nur solche Feiglinge sein?« sagte Harriet und gesellte sich zu ihnen. »Giftgas aus Flugzeugen gegen barfüßige Speerträger?«

Anton hatte nicht vor, die Italiener in Schutz zu nehmen, griff ins Führerhaus und wischte sich Hände und Gesicht an einem Lappen ab.

»Die anderen warten alle auf Sie«, sagte er zu Bernadette. »Bitte. Begeben Sie sich umgehend zu ihnen. Kimathi hat die Aufsicht, und die meisten der Jungs sind bewaffnet. Wir können in diesem Lastwagen nur drei Leute mitnehmen. Falls wir ihn nicht in Gang bekommen, stoßen wir so schnell wie möglich im nächsten Camp zu euch.«

»Bis später, Bernie«, sagte Harriet unbekümmert, als ihre Schwester sich zu Fuß auf den Weg zu den anderen machte.

Nach zwei weiteren Stunden Arbeit sprang der Motor an und lief geräuschvoll im Leerlauf. Wie jedes Fahrzeug zwischen Kairo und Kapstadt, war auch dieser Lastwagen alt, heruntergekommen und überladen. Das Motoröl war körnig wie Sandpapier. Eigentlich war der Wagen verhältnismäßig robust, aber die Hinterachse war ziemlich mitgenommen, die Hydraulikbremse lechzte nach Bremsflüssigkeit, und die vierundachtzig Pferdestärken wurden nur ungleichmäßig auf das Getriebe übertragen. An die Außenseite der Holzplanken, die den kastenförmigen Aufsatz des Lastwagens bildeten, waren sechs Benzinkanister geschnallt. Anton wußte nicht, was sie als Treibstoff benutzen sollten, sobald dieser Vorrat aufgebraucht war.

»Wir fahren am besten los, solange der Motor noch freundlich klingt«, sagte Anton, als Harriet neben ihm einstieg und Diwani sich auf der Ladefläche niederließ. Eine Weile fuhren sie schweigend in südwestliche Richtung, während Anton sich auf den holprigen Pfad konzentrierte. Er sah die frischen Baumkennzeichnungen und Felsmarkierungen, die Kimathi entlang der Strecke hinterlassen hatte. Er schätzte, daß sie reichliches Glück hatten, dem Krieg so einfach zu entkommen. Die Fahrt durch das abessinische Lager war nicht glatt verlaufen. Sie hatten an das italienische Flugzeug drei Männer, viel zuviel Ausrüstung und ein halbes Dutzend Maultiere und Pferde verloren. Anton wußte, daß er die Jagdmaschine angekratzt hatte. Es tat ihm leid, daß ihm kein besserer Treffer geglückt war.

»Ich hoffe, Sie wissen, wie man diese langen Beine benutzt, Miss«, sagte er. Das Oldsmobile zitterte und bockte, als er den zweiten Gang einlegte.

»Was glauben Sie, wozu die da sind?« Harriet drehte einen Fuß an seinem zierlichen Gelenk.

»Sie werden sie brauchen«, fuhr er fort. »Es sind noch elfhundert Kilometer bis zur kenianischen Grenze, und dieses alte Mädchen hier wird es nicht schaffen.«

Diwani schlug hinter Antons Kopf zweimal gegen die Wand der Führerkabine. Harriet, die dicht neben ihm saß und gerade an der Kamera auf ihrem Schoß herumhantierte, legte eine Hand auf Antons nacktes Bein, als sie sich nach hinten umwandte. Bestimmt wußte sie, daß er noch immer wegen des Schweden verärgert war. Einen Moment lang trafen sich ihre Blicke. Langsam kannten sie einander. Ihre Nägel kratzten ihn ein bißchen. Die Aufforderung kam ihm bekannt vor. Jede Frau hatte ihre eigene Masche.

»Ich glaube, hinter uns nähert sich irgendein Fahrzeug. Da ist eine große Staubwolke.« Sie ließ ihre warme Hand auf dem Saum von Antons Shorts und bewegte sie sanft und beiläufig, als wäre ihr gar nicht bewußt, was sie da tat. »Vielleicht ein anderer Lastwagen.«

Anton fürchtete, es könnte sich um Italiener handeln, und konzentrierte sich auf den Weg vor ihnen. Seine .375er lag in ihrem Futteral zu seinen Füßen. Er hatte fünf Patronen in die Schlaufen an seinem Hemd gesteckt. Wer auch immer sich hinter ihm befand, es war vermutlich nicht die italienische Armee, zumindest noch nicht, obwohl der Schwede erwähnt hatte, daß wesentlich früher als erwartet einige Späher aufgetaucht waren. Auf dem Grund des schmalen Tals vor ihm sah er einen breiten Fluß die Straße kreuzen. Die Ufer und das Flußbett schienen zwischen den Felsen weich und matschig zu sein. An einigen Stellen tranken ein paar Ziegen und Kamele und verteilten ihren Dung. Besser etwas schneller, mahnte er sich zur Eile.

»Packen Sie die Kamera lieber ein«, sagte er, ohne zu Harriet hinüberzuschauen. Er wußte, daß sie auf gute Ratschläge im allgemeinen aufbrausend reagierte.

»Das hatte ich vor.« Als das Oldsmobile bergab immer schneller wurde, hielt Harriet sich am eingebeulten Armaturenbrett fest. Anton nahm den Gang heraus, um das Getriebe zu schonen und Treibstoff zu sparen.

Der Lastwagen raste nach unten. Anton blickte hektisch nach links und rechts und bemühte sich, wenigstens eines der Vorderräder auf festem Untergrund zu halten. Immer wieder riß er das Lenkrad herum, um Felsen, Schlaglöchern und Büschen auszuweichen, während der Fluß immer näher kam. Vor ihnen am Ufer entdeckte er vereinzelte Afrikaner. Als sie fast schon am Wasser waren, und er keinen deutlichen Weg ausmachen konnte, der zumindest Wagenbreite besaß, entschied er sich für ein Stück felsigen Untergrund statt für eine Schlammfläche.

Kurz bevor das Oldsmobile mit seinem linken Vorderrad den nassen Fels erreichte, legte Anton den zweiten Gang ein. Der Wagen geriet außer Kontrolle, rutschte nach vorn und schleuderte halb herum, so daß jetzt die rechte Flanke in Fahrtrichtung wies. Als der Laster in den Fluß glitt, schleuderten die Reifen kleine Steine hoch. Wasser spritzte auf, als würden sich an der Seite der Karosserie Wellen brechen. Anton hörte eine Frau aufschreien und sah sie zu ihrem Kind rennen. Einen Moment lang glaubte er, der Wagen würde sich überschlagen. Er trat aufs Gas und bekam das Fahrzeug ein wenig unter Kontrolle. Er wollte es aus dem Fluß steuern, bevor sie an Fahrt verloren, aber es war zu spät. Die Seite des Lasters prallte gegen hohe Felsen am gegenüberliegenden Ufer. Diwani wurde von der Ladefläche geschleudert. Anton hob kurz seinen Fuß und gab dann noch mehr Gas. Die Hinterräder drehten durch und fraßen sich im Untergrund fest.

Anton stellte den Motor ab. Das Oldsmobile zitterte und hustete noch einen Moment weiter wie ein alter Mann am Morgen. Der Ausstieg auf der Fahrerseite war ihm durch die Felsen versperrt. Anton schaute zu Harriet herüber.

»Tut mir leid. Alles in Ordnung?« fragte er. Ihre Augen strahlten. Du lieber Gott, begriff er, ihr machte das Spaß.

»Sie fahren wie meine Schwester.« Harriet sprang hinaus in das nur wenige Zentimeter tiefe Wasser. »Was ist mit Ihrem Freund?«

Anton folgte ihr mit dem Gewehr in der Hand. Sie halfen Diwani auf die Beine. Eine Schar Abessinier versammelte sich. Die Leute riefen und plapperten aufgeregt. Junge Viehhirten trieben ihre Tiere zusammen, stießen sie mit langen Stöcken und Speeren an und schnalzten mit den Zungen. Frauen ließen ihre Wäsche auf den Steinen liegen und eilten herbei. An beiden Ufern tauchten Männer auf. Einige trugen Gewehre oder Speere bei sich. Anton legte seine Waffe auf den Sitz des Wagens. Er winkte den Abessiniern zu und lächelte. Dann kletterte er auf die Ladefläche und öffnete einen Sack Yams.

»Sie sind alle so hübsch«, sagte Harriet und griff nach ihrer Bell & Howell. Die unbefangene Eleganz dieser abessinischen Männer verblüffte sie. Alle waren schlank und sehr dunkelhäutig, mit schmalen Wangen, großen gebogenen Nasen und enganliegendem Haar. Einige trugen beim Gehen die langen Säume ihrer Gewänder über dem Arm. Die Frauen hatten ihr Haar in ordentlichen dichten Reihen frisiert. Einige von ihnen trugen silberne Armreife und abgegriffene Maria-Theresien-Taler an schwarzen Schnüren um den Hals.

»Da kommt er!« sagte Harriet.

Anton drehte sich um und legte eine Hand auf sein Gewehr. Ein schwerer Lastwagen kam langsam den Weg hinunter auf sie zu. Im letzten Moment entschied er sich für eine andere Route und beschleunigte, noch bevor er im Wasser war. Der Bedford überquerte den Fluß problemlos. Als er vorbeifuhr, bemerkte Anton einen staubigen roten Halbmond, der auf die Fahrertür gemalt war. In der Mitte der zerrissenen grauen Segeltuchplane, die auf einem Metallgestänge die Ladefläche des schweren Lastwagens überdachte, befand sich ein riesiges rotes Kreuz. Antons Magen zog sich zusammen.

Der Bedford hielt oberhalb von ihnen am Ufer. Unter der Motorhaube stieg Dampf hervor.

Ein älterer Europäer in einem blutbefleckten Arztkittel kletterte aus dem Führerhaus. Aus der anderen Tür stiegen zwei Soldaten, Abessinier in der Khakiuniform der europäisch ausgebildeten Verbände. Einer trug einen Armeegürtel, an dem eine Pistole hing.

»*Tenáy!*« Anton salutierte förmlich vor den Soldaten.

Sie nahmen Haltung an und erwiderten den Gruß. »*Abati!*«

Der Weiße starrte Anton und Harriet an.

»Kann ich helfen?« rief er mit sanftem schottischen Akzent. Seine Stimme klang müde und angespannt.

»Falls Sie Ersatzteile für ein Oldsmobile dabeihaben.« Anton kletterte ans Ufer und streckte die Hand aus. Aus dem Blick des Mannes sprachen Entsetzen und Erschöpfung. Beide Hände des Schotten waren blut- und staubverkrustet. Eine seiner Schultern war bandagiert.

»Anton Rider. Ich bin mit einigen amerikanischen Kunden auf Safari unterwegs. Anscheinend sind wir irgendwie in diesen verfluchten Krieg geraten.« Harriet gesellte sich zu ihnen und tauschte ebenfalls einen Händedruck mit dem Schotten aus. »Das hier sind Harriet Mills und Diwani.«

»Malcolm Fergus. Chefchirurg. Wie geht es Ihnen? Bitte entschuldigen Sie meine Hände. Die Flugzeuge haben mich mitten bei der Arbeit gestört. Das hier ist alles, was von unserem ägyptischen Rote-Kreuz-Team übrig geblieben ist. Die Italiener haben uns ausgebombt. Diese beiden Soldaten haben darauf bestanden, mich auf dem Weg zu begleiten. Keine üblen Kerle.«

»Ägyptisches Rotes Kreuz?« Anton stockte der Atem. »Haben Sie als einziger überlebt?«

»Fast. Zwei weitere sind noch da drin.« Fergus deutete auf den Lastwagen. »Ich habe sie unterwegs eilig zusammengeflickt, ein halbtoter Sanitäter und eine verwundete Krankenschwester – oder besser Ärztin, und was für eine gute Ärztin sie geworden wäre...«

Der Doktor sprach immer langsamer und hörte fast zu sprechen auf, als ihm endlich trotz aller Erschöpfung Antons Nachname bewußt wurde. »Sie liegen auf der Ladefläche festgeschnallt...«

Anton rannte zur Rückseite des Lastwagens. Er hob die Segeltuchklappe und kletterte zwischen den beiden gesicherten Tragen hinauf.

»Doktor!« rief er.

Der Großteil von Gwenns Gesicht wurde von einer breiten Bandage bedeckt. Sie war nicht bei Bewußtsein. An ihrem linken Auge und der Schläfe war der Verband dunkel vom Blut. Ihre Kehle und ihre linke Schulter waren ebenfalls grob bandagiert. Ihre Arme und Unterschenkel waren von kleinen Schnittwunden übersät.

Anton kniete sich neben sie. Er strich ihr gelbbraunes, verfilztes Haar beiseite und berührte mit einer Hand ihre Stirn. Ihre Haut war kühl, aber feucht. Für ihn war sie schön, aber so dünn und bleich. Er sah den dunklen Schatten unter ihrem rechten Auge und neue Falten um ihren Mund. Er wußte, daß sie lebte, aber er legte ein Ohr an ihre Brust, um ihren Herzschlag zu hören. Er ließ seinen Kopf leicht auf ihrer Brust ruhen und nahm ihre rechte Hand. Tränen rannen über sein staubiges Gesicht.

Schließlich hob Anton den Kopf und wischte sich über die Augen. Er mußte daran denken, welche Opfer Gwenns Mut ihr stets abverlangte. Er küßte sie auf die Wange und schmeckte ihren salzigen

Schweiß. Nach wie vor auf Knien, blickte er über die Ladekante des Lastwagens nach draußen. Drei Gesichter schauten wortlos durch das geteilte Segeltuch zu ihm empor: Dr. Fergus, Diwani und Harriet.

»Was wird mit ihr geschehen, Doktor?« Der Klang seiner Stimme überraschte ihn. Er riß sich zusammen. Langsam wurde ihm klar, für wie viele Menschen er mittlerweile die Verantwortung trug und wie schwierig der Rest der Safari sein würde.

»Sie wird vermutlich überleben, aber ich muß unbedingt einige Behandlungen vornehmen, sobald wir unser Lager aufschlagen. Ist sie...«

»Sie ist meine Frau.«

Harriet starrte ihn an und trat zur Seite. Ihre Lippen wurden schmal. Einen Moment später drehte sie sich wieder um und fragte: »Kann ich helfen, Doktor?«

»Ich fürchte, nicht, zumindest nicht jetzt«, erwiderte Fergus. »Haben Sie medizinische Vorräte?« wandte er sich an Anton.

»Nicht auf dem Lastwagen, aber weiter vorn bei meiner Safari haben wir eine ganze Maultierladung.« Anton sprang hinunter. Langsam konnte er wieder klar denken. Er übernahm die Führung.

»Sagen Sie Ihren Soldaten, sie möchten diese Leute bitten, unseren Wagen aufs Ufer zu schieben. Dann fahren wir weiter und schließen zu unserer Safari auf. Inzwischen dürften sie ein Lager errichtet haben, irgendwo in der Nähe des Zwaisees.« Er warf einen Blick zurück auf den Lastwagen. »Los. Lassen Sie uns aufbrechen.«

Anton saß auf dem geborstenen Trittbrett des Bedford und reinigte im Halbdunkel seinen alten Colt. Zwei Lagerfeuer und der schwache Lichtschein aus dem großen Zelt ließen die Sterne etwas weniger hell strahlen. Er zog einen öligen Lappen durch jede der sechs Kammern. Der Geruch der Feuer und der zischenden wilden Zwiebeln stieg ihm in die Nase, aber er empfand diesmal keine Freude. Er machte sich Sorgen, weil Gwenn noch immer nicht bei Bewußtsein war. Er ließ die Trommel rotieren. Das leise Klicken des Mechanismus war ein beruhigendes Geräusch. Er dachte an seinen längst verstorbenen Freund, dem dieser .45er einst gehört hatte. »Braucht man in Carolina eine Waffe?« hatte die Geschichte des Amerikaners begonnen.

»Junge, man braucht sie vielleicht nicht im ersten Jahr und mit etwas Glück auch nicht im zweiten«, hatte der alte Hase erzählt. »Aber wenn man sie dann braucht, dann sollte sie schon einiges wegputzen können.«

Anton bemühte sich, nicht ständig auf das Zelt zu starren. Er mußte ihre Lage überdenken und einen Plan ausarbeiten. Einschließlich seiner Kunden und Angestellten, mußte er sich, außer um Gwenn, um insgesamt zwanzig Leute kümmern. Allein bis zur Grenze waren es noch rund tausend harte Kilometer, und sie verfügten weder über adäquate Transportmittel noch über ausreichende Bewaffnung, Verpflegung oder Ausrüstung. Selbst ohne zusätzliche Probleme mit den Italienern würde es schwierig genug werden. Er wischte jede der Patronen ab und lud den Revolver.

Laboso und Diwani würden bald von ihrer Aufklärungsmission zurückkehren. Mit etwas Glück hatten sie jagdbares Wild entdeckt oder waren, sofern es einen Gott gab, auf ein Dorf gestoßen, in dem Benzin oder irgendeine Transportmöglichkeit erhältlich wären. Sie würden den Rote-Kreuz-Laster zurücklassen müssen. Der Bedford war schwerer und durstiger als das Oldsmobile – und sogar noch mehr in Mitleidenschaft gezogen. Falls das Oldsmobile zusammenbrach oder das Benzin zur Neige ging, würden sie mehr Pferde, Maultiere oder Kamele benötigen. Hier im Landesinnern war ihr Papiergeld wertlos. Irgendwie würden sie es schaffen müssen.

Das größte Problem war Gwenn, und zum Teil war er selbst dafür verantwortlich. »Falls ich mir nur mehr Mühe gegeben hätte, wäre nichts von all dem passiert«, warf er sich immer wieder vor.

Jetzt befand sie sich in dem Zelt und lag im gelben Licht dreier Gaslampen nackt und mit offenen Wunden auf dem großen Klapptisch, den er und seine Kunden sonst zum Abendessen benutzt hatten. Dr. Fergus hatte ihn gewarnt, was alles passieren konnte, und es für das Beste gehalten, daß er nicht dabeiblieb. Ihr Schlüsselbein war gebrochen, in ihrer Schulter steckten Bombensplitter, und ihr Gesicht hatte ebenfalls Verletzungen davongetragen. Der arme Sanitäter war gestorben, noch bevor sie ihn von der Ladefläche heben konnten. Ein Schrapnellsplitter hatte ihm die Brust aufgerissen, und er war in seinem eigenen Blut ertrunken. Seine Lunge war rot und schwammig wie eine rohe Blutwurst. Sie hatten ihn am Wegesrand unter ein paar Steinen begraben. Die beiden abessinischen Soldaten hatten sich um seine Stiefel gestritten.

Fergus müßte bald fertig sein, schätzte Anton. Die Zwillinge hatten ihm mehr als zwei Stunden lang assistiert. Zweimal hatte Harriet am Zelteingang um kochendes Wasser und saubere Verbände gebeten. Seine Hilfe hatte sie beide Male abgelehnt. Die alten Bandagen hingen gewaschen an einigen Zweigen neben einem der Feuer und trockneten.

Harriet hatte sich die Stirn abgewischt, in leisem ruhigen Tonfall gesprochen und dabei vermieden, Anton in die Augen zu sehen. Er fragte sich, was sie von all dem wohl halten mochte und wieviel sie verstand. In einem unangenehmen Moment der Erkenntnis begriff er, daß sie ihn ein bißchen an die Gwenn erinnerte, die er damals kennengelernt hatte: hübsch, tüchtig und temperamentvoll, optimistisch, wenn Schwiergkeiten drohten, und alles in allem eine nahezu eigenständige Persönlichkeit. Harriet fehlten lediglich die prägenden Erfahrungen von Elend und Leid. Manche Frauen gingen erschöpft und verbittert daraus hervor; andere, wie Gwenn, blieben warmherzig, weise und verständnisvoll.

Anton sah Bernadette und Harriet aus dem Zelt treten. Ihre Ärmel und Hemden waren mit dem Blut seiner Frau befleckt. Harriet guckte zum Lagerfeuer. Dann folgte sie ihrer Schwester, um sich zu waschen und umzuziehen. Anton kam es vor, als hätte sie geweint.

Er ging zum Zelt und hatte Angst davor, was er erfahren würde.

Fergus kam ihm entgegen. Der Doktor ließ sich auf einen Baumstumpf sacken und rieb sich das Gesicht. Einer der Jungen goß ihm Wasser über die Hände. Anton zügelte seine Ungeduld, während der Arzt sich wusch.

»Wie geht es ihr, Doktor?« Er reichte Fergus einen Whisky.

»Sie ist schwach. Sie braucht Ruhe und Pflege. Wir können sie nicht transportieren. Das Schlüsselbein muß etwas abheilen. In ihrer Schulter stecken vielleicht immer noch Splitter. Sie hat zu stark geblutet, als daß ich hätte weitersuchen können, und das Chloroform war alle. Erstaunlich, daß das Mädchen noch so viel Blut hatte.« Fergus trocknete sich Hände und Gesicht ab.

»Ich habe mir mit den Nähten so viel Mühe wie möglich gegeben, aber sie wird vielleicht nie mehr so wie früher aussehen.« Fergus' rote Augen sahen Anton über den Rand des Handtuchs hinweg an. »Für einen alten Mann habe ich schon zu lange herumgedoktert. Diese letzte Sache hätte ich ohne Ihre Zwillinge nicht geschafft. Gute Hände.«

»Darf ich sie sehen?« Anton glaubte, daß Dr. Fergus beim Trinken versuchte, das Zittern seiner Hände zu verbergen.

»Seien Sie leise, wenn Sie hineingehen«, sagte der Arzt. »Lassen Sie eine der Lampen auf kleiner Flamme brennen, damit Gwenn nicht erschreckt, wenn sie aufwacht.«

Anton saß auf einer Kiste neben dem Feldbett. Im Lager wurde es ruhig. Der Teller, den Lapsam ihm gebracht hatte, stand unberührt auf dem kleinen Klapptisch neben ihm. Die Lampe brannte aus, und er blieb im Dunkeln dort sitzen und hielt die Hand seiner Frau. Als die Nachtkälte hereindrang, zündete er die nächste Lampe an und deckte Gwenn vorsichtig mit einer zweiten Decke zu.

Irgendwann sackte er im Halbschlaf nach vorn und zuckte dann plötzlich zusammen. Er war sich nicht sicher, ob er gerade ihre Stimme gehört hatte.

»Ich wußte, daß du es bist«, flüsterte Gwenn wie aus großer Entfernung.

Er küßte ihre Hand. »Möchtest du etwas Wasser?« fragte er leise. Besorgt sah er, daß sie eine Hand langsam zu ihrem bandagierten Gesicht hob. »Fergus hat gesagt, du solltest am besten weder deinen Kopf bewegen noch dein Gesicht anfassen. Du hast dort einen Verband, genau wie an der Schulter. Aber er sagt, daß du wieder in Ordnung kommst.«

Er steckte eine Hand unter die gefaltete Decke, auf der ihr Kopf ruhte, und hob sie an, so daß sie aus der Tasse trinken konnte, die er an ihre Lippen hielt.

Sie trank einen Schluck und sackte dann erschöpft in sich zusammen, als er ihren Kopf wieder sinken ließ.

»Was ist mit dem Lazarett passiert?« fragte sie mit dünner Stimme.

Er zögerte, brachte es aber nicht fertig, sie anzulügen.

»Der Doktor sagt, daß es zerstört wurde. Meine Safari ist heute morgen auf euch gestoßen, in einem eurer Lastwagen.«

»O mein Gott, all diese Leute.« Gwenn wandte ihr Gesicht ab.

»Wir sind auf dem Weg nach Süden, heim nach Kenia, aber Fergus sagt, daß du für einige Zeit nicht bewegt werden darfst.«

Eine Weile schwiegen beide.

»Hat er dir erzählt, was die Italiener machen?« fragte sie stockend.

»Nein«, sagte er. Dieser verdammte Krieg war ihm egal. »Aber wir haben selbst etwas davon mitbekommen.«

»Sie setzen Giftgas ein, von Flugzeugen aus. Die Abessinier haben keine Masken. Es ist schlimmer als beim letztenmal.« Sie biß sich plötzlich auf die Lippen und unterdrückte ein Stöhnen. Dann fuhr sie kraftlos fort. »Wie wird es sein, falls nach diesem Krieg noch ein weiterer stattfindet? Was könnte schlimmer sein als das hier?« Sie stöhnte erneut. »Jemand wird sie aufhalten müssen.«

»Hast du starke Schmerzen?« Anton griff in dem trüben Licht nach den Tabletten. »Fergus hat mir etwas für dich zum Einnehmen gegeben.«

Gwenn nickte wortlos, und er hob ihren Kopf an. Lange Zeit lag sie schweigend und mit geschlossenen Augen da. Er wußte, daß sie wach war, aber er spürte auch, daß sie etwas Ruhe wollte, und so nahm er nicht ihre Hand.

»Ich hoffe, mit den Jungs ist alles in Ordnung«, sagte sie unvermittelt und versuchte, ihren Kopf in Antons Richtung zu drehen. Langsam hob sie die rechte Hand. »Ich habe sie bei Olivio gelassen, in der Villa.«

»Ich bin sicher, den beiden geht's hervorragend«, sagte er, ergriff ihre Finger mit beiden Händen und rieb sie sanft, als er merkte, wie kalt sie waren. »Du bist diejenige, um die wir uns jetzt Sorgen machen müssen.«

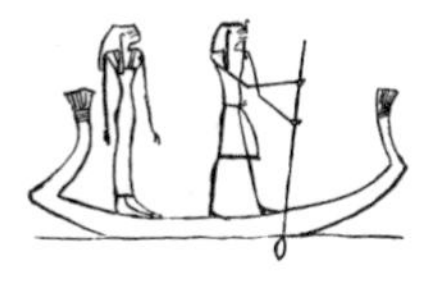

26

Während des Buschfeldzugs mit von Lettow-Vorbeck hatte er vor allem eines gelernt: Improvisation. 1918 schien hundert Jahre zurückzuliegen, aber Ernst von Decken sah den General noch immer vor sich. Am Ende waren die Füße des alten Soldaten zu krank und geschwollen gewesen, um Stiefel tragen zu können. Sie hatten die Zehnägel entfernt, damit der Koch die sich einnistenden Insekten herausschneiden konnte. Blinzelnd hatte von Lettow-Vorbeck vornübergebeugt auf seinem Klappstuhl am Feuer gesessen, das eine Auge vom Elefantengras zerschnitten, das andere von einer Infektion befallen, und sich aus der Haut eines Buschbocks eigenhändig Sandalen zurechtgeschnitten und -genäht. Die zusammengewürfelte Armee aus Deutschen, Arabern und *Askaris* hatte sich Antennen aus Fahrradspeichen gebastelt und Brot aus Reis und Wildkörnern gebacken. In Tanganyika hatten sie Leder gekaut, wenn sie hungrig waren. In Mosambik hatten sie Kiesel gelutscht, wenn sie Durst verspürten. In Kenia, auf der Flucht nach einem Angriff auf die britische Eisenbahn, hatten die Männer ihren eigenen Urin und Vogelblut getrunken.

Am schlimmsten war die medizinische Lage. Die Männer hatten keine Vorräte, waren ausgehungert und befanden sich ständig auf der Flucht. Sie wußten, daß eine mittelschwere Verletzung den Tod bedeutete. Sogar geringfügige Wunden waren bedenklich. Sie hatten weder Morphium noch Antiseptika und konnten sich niemals ausruhen. Verletzte wurden in Gruppen entlang des Wegs zurückgelassen. Manche starben von eigener Hand. Andere wurden gefangengenommen oder von Tieren getötet. Deutsche Chirurgen, die eine Ausbildung in Stuttgart oder Düsseldorf genossen hatten, sammelten Kräuter im Wald und mischten Tränke und Breiumschläge, als wären sie einheimische Medizinmänner. Den Toten wurden die Verbände abgenommen, in schlammigen Tümpeln ausgespült und wieder an die Lebenden verteilt. Schließlich hatten die *Askaris* und der Begleittroß sich darauf verlegt, Rindenstreifen zu kauen, bis diese weich und biegsam genug waren, um damit Wunden zu verbinden.

Ernst hatte gute Lehrmeister gehabt. Jetzt saß er auf der Steinbank der Mönche und streckte sein verletztes Bein aus. Seine rechte Schulter lehnte an der rauhen Felswand, aus der man die Bank herausgemeißelt hatte. Theodorus, der selbst sehr viel von Medizin verstand, saß am anderen Ende der Bank und befingerte sein silbernes Kreuz.

»Vorsichtig, du alter Hexer!« Ernst schenkte dem Abt ein verkniffenes Lächeln. »Sonst wirst du merken, wie gefährlich es ist, einem Deutschen wehzutun.« Er war zu oft allein und hatte sich angewöhnt, Selbstgespräche zu führen. Manchmal sprach er auch mit den Mönchen, obwohl er wußte, daß sie ihn nicht verstehen konnten.

Der Abt plapperte auf amharisch vor sich hin und wickelte vorsichtig die Baumwollbandage ab. Ernst schloß die Augen und preßte die Lippen zusammen, als würde er Schmerzen verspüren.

»Ich weiß, daß dein Interesse einer tieferen Ursache entspringt als Nächstenliebe«, sagte Ernst. Er vermutete, daß der Abt herausfinden wollte, wie es wirklich um seinen Gast bestellt war, damit er Ernsts Grenzen kannte und abzuschätzen vermochte, ob der Deutsche fähig wäre, zu fliehen oder anderweitig Unheil zu stiften.

Der Stumpf sah heute recht gut aus. Ernst zuckte zusammen, als der Mönch das Bein ablegte. Das Ende des Unterschenkelknochens hatte sich in ein Grübchen mit runzligem Fleisch zurückgezogen, stellenweise leuchtendrot und ein bißchen entzündet, aber größtenteils glatt vernarbt. Die Wunde hatte sich geschlossen, war aber nach wie vor kaum belastbar und empfindlich. Ernst hatte so etwas schon früher gesehen und schätzte sich glücklich. Jetzt mußte er darauf warten, daß sich eine schützende ledrige Schwiele bilden und verhärten würde. Insgeheim hatte er für seinen Stumpf bereits einen Schutz aus Zibetkatzenhaut angefertigt. Am oberen Ende besaß diese Hülle mehrere Löcher, um eine Zugschnur hindurchfädeln und fest um das Bein zusammenziehen zu können wie die Öffnung eines ledernen

Geldbeutels voller Silbermünzen. Der Schutz hing an einem Riemen unter seinem Hemd.

Theodorus deutete auf den See und hob tadelnd den Zeigefinger. »Du mußt dich vom Wasser fernhalten«, schien er auf amharisch zu sagen.

Beide Männer wußten, daß die gegenwärtige Situation nicht andauern würde. Am vorigen Morgen war in ein paar hundert Metern Höhe ein Flugzeug unschuldig wie ein Kolibri aus Richtung Osten brummend auf sie zugeflogen. Beim ersten Geräusch hatte der Abt alle Mönche zusammengerufen und sich mit ihnen unter die dichtesten Bäume begeben, wo man sie nicht sehen konnte. Als das Flugzeug den See erreichte, hatte es die Richtung gewechselt und war nach Süden weitergeflogen, auf die anderen Seen des Ostafrikanischen Grabens zu. Ernst hatte es nicht aus den Augen gelassen. Er fürchtete, daß man den Umriß seiner Potez aus der Luft entdecken würde, ein geisterhaftes Kreuz im trüben Wasser.

Nach zwanzig Minuten war das Flugzeug zurückgekehrt. Es flog jetzt tiefer, vielleicht noch hundertfünzig oder zweihundert Meter über dem Boden. Ernst wartete bereits mit seinem Feldstecher. Er folgte ihm zwischen den Zweigen. Es war ein einmotoriger Doppeldecker, die obere Tragfläche länger als die untere, italienisch, die gleiche Art Jagdmaschine, die ihn abgeschossen hatte, vermutlich sogar dasselbe Flugzeug.

»Es ist dieser Bastard«, sagte Ernst laut. »Niemand sonst weiß, wo ich abgestürzt bin.«

Das kleine Flugzeug flog eine Kurve und kam zurück, noch tiefer, langsamer. Es schwebte fast über dem See, und die linke Tragfläche neigte sich zur Seite, um dem Piloten freie Sicht aufs Wasser zu gewähren. Dann drehte es erneut um und schlug den Heimweg ein. Abermals flog es über sie hinweg, dann wurde es schneller und gewann an Höhe, als hätte der Pilot gefunden, was er gesucht hatte.

Es war an der Zeit, das Silber zu bergen, dachte von Decken wütend. Und er würde Hilfe brauchen.

»Komm her, mein lieber Abt«, sagte Ernst zu Theodorus und winkte ihn mit dem Zeigefinger zu sich heran. Der Deutsche knöpfte eine Hüfttasche seiner verschlissenen abgeschnittenen Khakihose auf.

Er holte einige zerknitterte Banknoten und ein paar Münzen hervor. Eine war ein Maria-Theresien-Taler. Er legte die fünf Geldstücke in einer Reihe neben seinem Bein aus. Theodorus sah sich die Münzen genau an. Seine dunkelbraunen Augen glitzerten plötzlich. Dann entnahm er einer Hornampulle, die an seiner Taille hing, einen Klecks wächserner Salbe. Ernst erkannte den Geruch der Zibetkatzen, vermischt mit irgendwelchen Kräutern.

Der Deutsche klopfte auf die fünf Münzen. Dann machte er das Geräusch eines Flugzeugmotors nach, deutete auf sich selbst und auf den See. Seine ausgestreckte Hand vollführte eine Bewegung nach unten, als würde ein Flugzeug abstürzen. Der Abt nickte und verschmierte die Salbe auf Ernsts Beinstumpf.

Ernst zeigte auf den Silbertaler und auf den See. Der Abt nickte erneut.

»Viele, viele. *Brzu! Brzu!*« Ernst hielt seine linke Hand hoch über den Boden, dann deutete er wieder auf den Taler. Theo verrieb die Salbe ungewöhnlich sanft. Der heilige Mann verstand: Sie würden ihn brauchen. Keiner der Mönche konnte schwimmen.

Von Decken gestikulierte in Richtung des Flugzeugs und des Silbers. Er schob eine Münze näher an den Abt heran und zog die anderen vier zurück. Theodorus schüttelte den Kopf und zog eine zweite Münze zu sich herüber.

Wie priesterlich, dachte Ernst und erinnerte sich an die Dorfpfarrer in Deutschland, die den gebeugten alten Weibern die steinernen Stufen hinaufhalfen und dabei nichts anderes im Sinn hatten, als auch noch der ärmsten Bauernwitwe den letzten Pfennig aus der Tasche zu ziehen.

Ernst zögerte und bedeckte die zweite Münze mit seiner Hand, dann nickte er und streckte die Hand aus. Der schwarze Abt ergriff sie. Sie waren sich über die Aufteilung einig. Theodorus stand auf und versammelte die jüngeren Mönche um sich. Erst später merkte Ernst, daß der alte Abt die beiden Münzen in der Faust behalten hatte.

Am Abend war das Floß fertig. Es bestand aus zwei überkreuzten Lagen unbearbeiteter Baumstämme und schwerer Äste, die man mit groben Sisalschnüren zusammengebunden und mit einer doppelten Schicht schwimmfähigen Schilfs versehen hatte. Es lag wartend im flachen Wasser. Eine Ecke hing etwas tiefer als die drei anderen.

»Nicht schlecht, Jungs«, brummte Ernst, als er die Arbeit inspizierte. Er machte sich Sorgen wegen des Gewichts der Truhen, und so drückte er das Floß mit beiden Händen nach unten. Es schien für die Aufgabe geeignet zu sein.

Der Mond, nahezu voll, hing wie eine gelbe Laterne über ihnen. Sie würden versuchen, bei Nacht zu arbeiten, damit nicht irgendein Flugzeug sie dabei überraschen konnte.

Direkt über der Oberfläche des Sees glomm ein fahlblaues Licht. Das glatte Wasser reflektierte jeden Stern und jeden Planeten. Ernst stand an einer Seite und sah dem Abt dabei zu, wie er seine Mönche betend zum Ufer geleitete. »Ich hätte nicht gedacht, daß mein Silber gesegnet wird«, murmelte er.

»Wir helfen dir«, rief Bruder Petros aufgeregt und setzte sich mit übereinandergeschlagenen Beinen auf das Floß. Vor ihm lagen zwei lange aufgerollte Seile. Vier weitere Mönche schoben zwei der spitzen Schilfkanus ins Wasser. Sie kletterten hinein und begannen zu paddeln. Das schwere Floß zogen sie hinter sich her.

Barfuß stieg Ernst in das dritte *Tanqwa*. Er forderte Theo auf, sich ihm anzuschließen, denn er wußte genau, daß der Mann das Wasser verabscheute. Der Abt schüttelte ernst den Kopf und rieb sein Kreuz zwischen den Fingern.

Ernst paddelte auf die Potez zu. Das Wasser wurde dabei kaum aufgewühlt. Jeder Stich des fächerförmigen Blatts hinterließ beim Herausziehen lediglich einen winzigen Strudel. Er hörte auf und glitt voran zur Absturzstelle, deren Position er inzwischen genau wie seine Westentasche kannte. Als er dort ankam, paddelte er einmal entgegen der Fahrtrichtung, und das Kanu schwang herum. Er legte das Paddel ins Boot, nahm die Pilotenbrille aus seiner Hemdtasche, tauchte die Gläser ins Wasser und reinigte sie so gut er konnte. Dann streifte er sich die Brille über. Er hatte die Belüftungsschlitze der Brille mit Bienenwachs verstrichen und sie dadurch wasserdicht gemacht.

Die Kanus und das Floß glitten im Mondlicht auf ihn zu wie Boote bei einem fackelbeschienenen Wikingerbegräbnis. Theodorus starrte ihnen vom Strand aus hinterher, reglos und kerzengerade in seinem grauen Gewand wie die steinernen Monolithen seiner Kultur.

Ernst machte sein *Tanqwa* am Floß fest. Er zog sein Hemd aus und rollte sich über die Bordwand ins Wasser. In der kühlen Nachtluft wirkte der See seltsam warm.

»Gib mir das Seil, Petros, das Seil.«

»Ja, Seil«, sagte der freundliche Mönch und reichte ihm ein Ende. Ernst band es sich mit einem lockeren Knoten um die Taille. Dann nahm er einen großen flachen Stein vom Boden seines Kanus. Er holte tief Luft und tauchte mit dem Stein in seiner linken Hand hinab.

Vor ihm tauchte der vertraute Schatten in der fast vollständigen Finsternis auf. Als er sich mit seiner freien Hand die obere linke Tragfläche entlangzog, fühlte er das abgelagerte Sediment. Er zog sich an einer Strebe zur unteren Tragfläche hinunter und von dort aus weiter zum Rumpf. In der trüben Dunkelheit konnte er kaum zwischen den Umrissen und den Schatten unterscheiden. Er hatte Angst davor, erneut auf einen Aal zu stoßen.

Die Klappe zum Stauraum klemmte nach wie vor fest. Ernst schlug mit dem Stein heftig in die Delle in ihrer Mitte. Dann tastete er sich mit seiner linken Hand so weit vor, bis er die schmale Kante des Steins in den Spalt zwischen Klappe und Rumpf stecken konnte. Er stemmte sich mit aller Kraft gegen den Stein. Luftblasen entwichen seinem Mund. Schließlich sprang die Klappe auf.

Aufgeregt griff Ernst in den Stauraum und berührte die erste Holzkiste. Seine Luft war fast aufgebraucht. Er öffnete den Knoten des Seils und legte es vorn im Stauraum aus. Benommen zerrte er die Kiste auf das Seil, aber dann mußte er aufhören. Mit schmerzender Lunge stieß er sich nach oben ab.

Sobald er die Wasseroberfläche durchbrach, riß er den Mund auf und schaute hoch. Fünf schwarze Gesichter starrten zu ihm hinunter. Über ihren Köpfen schien der Mond. Vier der Mönche fingen gleichzeitig an, enttäuscht auf ihn einzureden. Wo waren die Münzen? Das mußte die einzige Frage sein, die diese gierigen Teufel interessierte. Nur einer der Mönche schien sich um ihn zu sorgen.

»Ich helfe dir.« Petros beugte sich vor und streckte Ernst eine Hand entgegen, um ihm aufs Floß zu helfen. Barsch lehnte Ernst ab. Einen Moment lang hielt er sich an der Kante fest, die Arme unter dem Kinn verschränkt. Dann tauchte er erneut, mit dem zweiten Seil um seiner Taille. Die Mönche würden die Seile einholen, sobald sie sich strafften.

Er band das erste Seil um die Kiste, die bereits darauf stand. Das zweite Seil befestigte er so, daß es sich mit dem ersten kreuzte. Dann zog er die Kiste aus der Öffnung. Sie sank auf den pulvrigen Seegrund und wurde dann emporgezogen. Auch Ernst machte sich auf den Weg nach oben. Als er sich abstieß, schlug sein Beinstumpf gegen die Kante einer Tragfläche. Er war vor Schmerz wie gelähmt, und nach Luft schnappend schluckte er Wasser.

Voller Panik und mit verzweifelten Schwimmzügen arbeitete er sich durch das endlose Wasser zur Oberfläche empor. Endlich erreichte er das Floß, klammerte sich am Rand fest und atmete würgend in schnellen tiefen Zügen.

»Ich hole dich rauf«, sagte Petros und half ihm hoch. Hustend und spuckend lag Ernst auf dem Schilf des Floßes. Er nahm seine Brille ab. Seine Augen tränten, und er versuchte, nicht zu schreien. Er hatte seinen Lederschutz nicht angelegt, sondern die Pistole und den Feldstecher darin eingewickelt und das Päckchen im hohlen spitzen Bug seines *Tanqwa* versteckt. Zuvor hatte er die Waffe und jede einzelne Patrone abgetrocknet und gereinigt. Allerdings hatte er keine Gelegenheit gehabt, sie zu testen.

Die anderen Mönche hievten die Kiste nach oben und holten sie unbeholfen samt eines Seilknäuels an Bord des Floßes. Eine Ecke des Gefährts sackte ein Stück nach unten. Als Ernst sah, wie die Mönche sich bei dieser einfachen Aufgabe abmühten, fiel ihm ein, daß diese Männer Gewohnheitstiere waren, ohne jede Eigeninitiative. Jeder von ihnen erfüllte ausschließlich die klar abgegrenzte Funktion, die Theodorus ihm zugewiesen hatte. Obwohl sein Bein immer noch pochte, fühlte Ernst sich langsam besser, sobald er seine erste Kiste sicher an Bord wußte. Er nickte aufmunternd und schaute Petros dabei zu, wie dieser die Seile für die nächste Bergung vorbereitete.

Schließlich setzte Ernst sich auf. Zögernd blickte er an sich herab. Er fühlte, daß die Wunde aufgeplatzt war. Blut sickerte durch das

Schilf. Wenn ihm die Italiener doch nur ein paar weitere Tage zur Heilung gelassen hätten.

Während er sich langsam aufraffte, machten zwei der Mönche ungeduldige Gesten in seine Richtung. Wütend setzte Ernst die Brille auf. Noch neun Kisten, plus eine, die auf dem Boden des Sees lag. Er packte eines der Seile und tauchte unter. Der Mond stand inzwischen höher. Seine Größe hatte etwas abgenommen, und er strahlte nicht mehr ganz so hell. Ein dünner Blutschleier breitete sich hinter Ernst aus.

Bei jedem Tauchgang fiel ihm der Umgang mit Kiste und Seil etwas leichter. Dennoch ließen seine Kräfte vor Erschöpfung und vielleicht auch infolge des Blutverlusts zunehmend nach. Je tiefer die Kisten im Stauraum lagen, desto schwieriger war es, sie zu bergen. Ernst wußte, daß er einen Teil seiner Kraft aufsparen und vor den Mönchen sogar noch schwächer tun mußte, als er in Wirklichkeit war. Sein Beinstumpf war abwechselnd taub und von hämmernden Schmerzen erfüllt.

Ernst steckte gerade mit Kopf und Oberkörper in dem langen engen Stauraum und zerrte in vollständiger Dunkelheit an der fünften Kiste herum, als er ein merkwürdiges Kitzeln an seinem Stumpf verspürte. Er erstarrte. Irgendein Tier, vielleicht sogar mehr als eins, war von dem Blut angelockt worden und knabberte jetzt an seiner offenen Wunde. Heftiger Schmerz durchzuckte ihn, als ein Stück Fleisch herausgerissen wurde. Er trat wild um sich und schlug beim Herauskriechen mit der Stirn gegen die Kante der Klappe. Ein langer Aal glitt über seinen Bauch. Die Berührung jagte ihm Angst und Abscheu zugleich ein. Ernst stieß sich nach oben ab.

»Hilf mir, Petros«, keuchte er, als er das Floß erreichte. Der junge Mönch packte ihn unter den Achseln und zerrte ihn an Bord. Einige Minuten lang lag Ernst schnaufend auf dem Floß. Ihm war klar, daß er wieder nach unten mußte.

»Leg dich hier an die Kante, Petros, so daß dein Kopf über dem Wasser hängt«, sagte er und legte dem Mönch einen Arm um die Schultern. »Wir werden ab jetzt versuchen, bei jedem Tauchgang zwei Kisten zu heben.«

»Ja, ja«, sagte der Mönch und legte sich auf den Bauch.

»Nimm in jede Hand ein Seil, und hol es ein, sobald ich daran zupfe. Deine Brüder sollen dir helfen.«

Zweimal funktionierte es. Er tauchte abermals und fand die Kiste auf dem Seegrund, die er nach dem Absturz über Bord geworfen hatte. Er stellte die nächste Kiste darauf und schwamm empor, um Luft zu holen. Inzwischen fühlte er sich stärker. Er tauchte wieder hinab, band die beiden Kisten aneinander und zupfte an den Seilen. Er hatte das Gefühl, seine Luft würde ausreichen, um auch noch die letzte Kiste herauszuziehen, und so kroch er in den Stauraum.

Ein Aal strich an seinem nackten Bein entlang und berührte seinen Stumpf. Das breite flache Maul vegrub sich in der Wunde. Nicht schon wieder! dachte er verzweifelt. Ernst packte den schlangenähnlichen Fisch mit beiden Händen.

Das Tier schien nur aus Muskeln zu bestehen. Es wand sich und zappelte, und der flossenbewehrte Schwanz schlug ihm ins Gesicht. Ernst ging die Luft aus. Er stieß sich vom Boden ab, den Aal noch immer fest im Griff. Während er aufstieg, sank eine strampelnde schwarze Masse an ihm vorbei. Er begriff sofort, worum es sich handeln mußte: ein Mann, Petros, der sich in die Seile und Kisten verheddert hatte und jetzt vom Gewicht des Silbers nach unten gezogen wurde.

Ernst durchbrach die Wasseroberfläche und schleuderte den Aal in ein Kanu vor die Füße eines der Mönche. Der Mann schrie auf und zog ein Messer. Zwei der Mönche mühten sich mit den Enden der Seile ab. Der vierte Mann versuchte gerade, eine der Kisten aufzustemmen. Ernst versetzte ihm einen Hieb und forderte alle vier auf, die Seile einzuholen. Sie zerrten mit vereinten Kräften, aber ohne Erfolg.

»Blöde Mönche!« schrie Ernst. Dann atmete er tief ein und tauchte.

Es war mittlerweile dunkler, und das vom Boden aufgewirbelte Sediment tat ein übriges, um Petros und seine Last im Wasser zu verbergen. Blind folgte Ernst einem der Seile Hand über Hand nach unten. Er stellte fest, daß es sich um einen der Propellerflügel des Flugzeugs gewickelt hatte. Ernst machte es los und folgte ihm weiter. Er konnte noch immer nichts sehen, aber er tastete so lange herum, bis er Petros' Kopf zu packen bekam. Die Seile hatten sich um den Hals des Mannes und eines seiner Handgelenke geschlungen und ihn so an die beiden schweren Kisten gefesselt. Verzweifelt versuchte Ernst, ihn zu befreien. Er spürte, wie der rutschige Körper sich währenddessen langsam im Wasser drehte. Die Luft wurde knapp. Frustriert gab er auf und schwamm nach oben. Er klammerte sich an die Bordwand des Kanus.

»Gib mir dein Messer«, brüllte er dem Mönch mit der Waffe zu. Der Mann zuckte zurück und sah den Deutschen wortlos an. Zwischen seinen Füßen wand sich der verletzte Aal. Ernst packte das rechte Handgelenk des Mannes und entwand ihm das Messer. Er tauchte, befreite Petros und stieg mit dem Körper in seinen Armen zum Floß empor. Die Mönche holten die Seile ein und hoben die beiden Kisten an Bord. Ernst wunderte sich, daß die Schlinge hielt, obwohl er eines der Seile zerschnitten hatte. Dann zählte er die Kisten auf dem Floß. Zehn. Er hatte es geschafft. Die letzte Kiste im Stauraum würde er wohl oder übel zurücklassen müssen.

Unter Wehklagen und lauten Gebeten hoben die Mönche ihren leblosen Bruder unbeholfen aus dem See. Das überladene Floß stand jetzt vollständig unter Wasser. Nur Petros' Brust, Gesicht und Füße waren zu sehen. Die Mönche bekreuzigten sich und knieten auf dem versunkenen Schilf nieder. Sie jammerten und schrien Theodorus etwas zu, der inzwischen im Dunkel der Nacht ihren Blicken entschwunden war.

»Tatanakkaka!« brüllte die Stimme des Abts vom Strand. *»Na!«* Die vier Mönche krabbelten in ihren nassen Gewändern schwerfällig auf ihre Kanus zu. Ernst bemerkte zufrieden, daß zwei von ihnen ihre Paddel auf dem Floß liegengelassen hatten. Er riß einem der Männer das Paddel aus den Händen und schleuderte es weit auf den See hinaus. Ohne Kanus würden die Mönche auf der Insel festsitzen.

Einer der Mönche hob das letzte Paddel, um nach dem Deutschen zu schlagen. Aber Ernst entwand es dem Mann und stach damit zweimal durch den Boden des Kanus. Wasser strömte ein, woraufhin das kleine Gefährt Schlagseite bekam und umschlug. Ernst schwang das Paddel nach den Köpfen der Mönche. Vom Ufer hörte er Theodorus toben. Schreiend versuchten die Mönche, sich von dem Floß zu entfernen. Zwei klammerten sich an ihr umgekipptes *Tanqwa.* Die anderen beiden benutzten panisch statt ihrer Paddel die Hände, um mit ihrem Boot zu fliehen.

Ernst kniete sich auf dem Floß hin, hob Petros' Leiche auf die Arme und zögerte einen Moment.

»Auf Wiedersehen, Bruder«, sagte er dann und ließ den Körper ins Wasser gleiten. Er stieg in sein Kanu. Nachdem alle Leute das Floß verlassen hatten, hob es sich wieder so weit aus dem Wasser, daß der Schilfbelag zu sehen war. Erschöpft und zugleich amüsiert paddelte Ernst mit dem Floß im Schlepptau langsam auf das Festland zu.

27

Das Macchi-Amphibienflugzeug umkreiste den Zwaisee in neunhundert Metern Höhe. Mit einer Höchstgeschwindigkeit von knapp zweihundertfünfzig Kilometern pro Stunde war es deutlich schneller als die drei Capronis, die ihm folgten. Wenn die Sonne in seinem Rücken stand, konnte Oberst Grimaldi das gespenstische graue Kreuz der Potez unter Wasser ausmachen. Er war überzeugt, daß sie für geübte Taucher nicht zu tief lag.

Um die Reichweite seiner Maschine zu erhöhen, war Enzo vom vorgeschobenen Stützpunkt Geblilu aus gestartet, nicht von der Küste. Es handelte sich um eine Stadt mitten im Hochlandbusch, eindeutig eher Sparta als Rom. Die kleinen Annehmlichkeiten, die Anzeichen der Zivilisation, die fünfzig Jahre italienischer Besetzung in Eritrea hinterlassen hatten, waren in der äthiopischen Provinz Wollo völlig unbekannt. Vorräte waren wertvoll. Die Lastwagen und Versorgungsflüge brachten Öl statt Chianti, Vergaser und Zündkerzen statt große Parmesanräder.

Die Rollbahn dort war ein planiertes Stück der alten ungepflasterten Straße, die nach Adigala und Dire Dawa führte. Die primitive Piste hatte den leichten Rädern, die der Macchi neben ihren Schwimmern zur Verfügung standen, heftig zugesetzt. Geblilus alte Festung, einst die Bastion des Verrückten Mullahs, war durch zwanzig Tonnen Bomben dem Erdboden gleichgemacht worden. Jetzt wurden in den Überresten des Bauwerks Flugzeugtreibstoff und Bomben gelagert. Dank der nächsten Basis in Adigala würden Harar und die im Süden und Westen gelegenen abessinischen Brunnen und Verteidigungsanlagen in den Aktionsradius der italienischen Jagdflugzeuge rücken. Wie die Lager der Legionäre in der Wildnis von Gallien und Iberien, würden diese Basen zu Stützpunkten für den Vormarsch der römischen Zivilisation werden.

Enzo freute sich nicht darauf, mit dem arroganten Hauptmann Uzielli und den *Bersaglieri* zusammenzuarbeiten, aber er wußte, daß ihm nichts anderes übrigblieb. Seine beiden Missionen machten es erforderlich. Obwohl es nicht so wichtig war, hatte der General das gestohlene Silber zur Chefsache ernannt. Zweifellos wußte er, daß Rom ihm niemals glauben würde, irgendein Unbekannter habe es gestohlen. Was die Filmaufnahmen betraf, waren seine Befehle eindeutig: »Zerstören Sie den Film, und beerdigen Sie die Photographin. Unsere Nation befindet sich im Krieg.«

Beide Ziele befanden sich nach wie vor ein ganzes Stück jenseits der italienischen Linien. Der eigentliche Frontverlauf veränderte sich ständig und war ungewiß. Die Invasionsarmeen verloren sich in der riesigen wilden Landschaft der äthiopischen Hochebene. Auch nach dem Durchmarsch der Truppen durchstreiften abessinische Freischärler das Land hinter ihnen wie Hyänenrudel. Für diese Mission war eine Luftlandeoperation der einzige Weg. Jetzt würde Enzo erfahren, wie gut diese *Bersaglieri* tatsächlich springen und laufen konnten.

Allerdings mußte die *Regia Aeronautica* bereits mehr als dreihunderttausend Mann an zwei Fronten unterstützen. Die Transportkapazitäten waren äußerst knapp bemessen, und so konnte die Luftwaffe für dieses Unternehmen nicht mehr als drei Capronis erübrigen. Die Bomber hatten nur wenig Raum für menschliche Fracht. Jedes der Flugzeuge konnte bloß fünfhundert zusätzliche Kilogramm tragen, was bedeutete, daß Enzo am ersten Tag der Mission lediglich dreizehn Männer und zwei Schlauchboote zur Verfügung standen. Die Capronis würden am nächsten Tag mit weiteren Fallschirmjägern zurückkehren. Eventuell stand sogar eine vierte Maschine bereit, so daß er bestenfalls mit rund zwanzig Mann Verstärkung rechnen durfte. Sobald sie das Silber geborgen hatten, konnte er, falls notwendig, zusätzliche Soldaten anfordern, um die Photographin auf dem Lastwagen zu beseitigen.

Drei der dreizehn Männer, die heute absprangen, waren weder Fallschirmjäger noch *Bersaglieri.* Bei zweien handelte es sich um Marinesoldaten vom Stützpunkt in Massawa, die auf einem neuen

Spezialgebiet ausgebildet waren. Sie waren Taucher, die sich auf den nächsten europäischen Krieg vorbereiteten, vermutlich gegen die Briten. Dort würde man sie brauchen, um jene Großkampfschiffe des Feindes, denen die italienische Marine im offenen Seegefecht nichts entgegenzusetzen hatte, bereits im Hafen zu sabotieren. Der dritte Mann, ihr Dolmetscher, war ein patriotischer übergewichtiger Gastwirt aus Mogadischu, dessen Vater als Chefkoch der italienischen Botschaft in Addis gearbeitet hatte. Enzo freute sich schon darauf, daß der Mann ihnen im Lager seine Kochkünste demonstrieren würde. Erstaunlich, wozu die Leute in Kriegszeiten nützlich sein konnten, dachte Enzo. Alle drei würden heute ihren ersten Fallschirmsprung absolvieren.

Als die drei Bomber in einer Reihe über dem Zielgebiet eintrafen, sah er die Startspringer bereits in den offenen Ausstiegsluken kauern. Die ersten fünf Männer sprangen unmittelbar nacheinander ab. Die blaßgrauen Seidenschirme schnellten empor und füllten sich zu ausladenden Ballons. Unter ihnen erstreckte sich die felsige braune Landschaft endlos bis zu den entfernten Schluchten und Klippen der großen Ebene, unterbrochen nur von dem hell schimmernden See, vereinzelten Geröllblöcken und Wolfsmilchgewächsen sowie Palmen und Kakteen. Die Männer schwebten in den Seilen baumelnd nach unten und steuerten mit den Fangleinen ein Gesteinsfeld westlich des Sees an. Die Landung verlief einwandfrei. Jeder der Soldaten rollte sich fehlerlos ab. Aus der nächsten Maschine sprangen vier Fallschirmjäger, jedoch ein wenig zu spät. Hinter ihnen stieß ein Besatzungsmitglied das verpackte Boot hinaus. Es war leichter als die schwerbeladenen Soldaten und schwebte unkontrolliert zu Boden, so daß es an seinem Schirm abgetrieben wurde und fast im Wasser gelandet wäre.

Die dritte Gruppe landete sogar noch weiter abseits. Zwei der Männer wurden gegen einen zerklüfteten Abhang jenseits des Felds getrieben. Dem zweiten Boot erging es genauso. Einer der beiden letzten Männer verhedderte sich irgendwie in seine Gurte und öffnete den Fallschirm zu spät. Er kam viel zu schnell herunter. Enzo sah, wie er rücklings zwischen den Felsen aufschlug und dann reglos neben seinem zerknitterten Fallschirm liegenblieb. Schade, daß es nicht Uzielli war. Die Soldaten aus der ersten Caproni hatten sich bereits ihrer Fallschirme entledigt und sich um den Hauptmann versammelt.

Obwohl er wußte, daß er eigentlich warten sollte, bis die *Bersaglieri* das Seeufer gesichert hatten, war Enzo ungeduldig und bereitete sich auf die Landung vor. Er überprüfte Treibstoffvorrat und Flughöhe. Am Armaturenbrett hatte er mit einem Stück schwarzen Klebeband ein Photo seines englischen Mädchens befestigt. Ein Glücksbringer, wie er hoffte. Er hatte seine Anflugschneise sorgfältig ausgewählt und dabei sowohl die wechselnden Winde als auch die Notwendigkeit eines sicheren Liegeplatzes für die Macchi bedacht. Er würde im Tiefflug über die kahle Nordspitze des Sees hereinkommen, die Insel nahe des Westufers meiden und am schmalen Südende in eine dicht bewachsene kleine Bucht gleiten. Dort dürfte er in aller Ruhe festmachen und so viel Silber einladen können, wie die Maschine zu tragen imstande ist. Dann konnte er entweder noch einmal zurückkehren, um die verbleibenden Kisten abzuholen, oder er ließ den Rest bei den *Bersaglieri*, die sich später mit der vorrückenden Armee vereinigen würden.

Das elegante Amphibienflugzeug drehte sich in den Wind. Es war schwerer als seine CR-20, wurde aber ebenfalls von einem Zwölfzylinder-Fiat-Motor angetrieben und war mit den gleichen beiden 8mm-Maschinengewehren ausgestattet. Dank eines breiten Bugs aus Balsaholz und eines kleinen spitzen Schwimmers unter jeder Doppeltragfläche tauchte die Macchi kaum ins Wasser ein und neigte zu Hüpfern und Sprüngen, wenn die Oberfläche zu aufgewühlt war. Der Motor leistete vierhundertzwanzig Pferdestärken und war an der Rückseite der oberen Tragfläche montiert. Der Propeller wies nach hinten, so daß Schwerpunkt und Schubkraft zentriert waren und nicht wie bei Landflugzeugen am vorderen Ende saßen. Enzo war sich der Tatsache bewußt, daß Uzielli und die *Bersaglieri* ihn nicht aus den Augen lassen würden. Er reduzierte die Drehzahl so weit wie möglich. Die Macchi schwebte wie ein Engel hinab.

Die glatte Wasserfläche zerbarst funkelnd wie ein Spiegel, als das Flugzeug sie berührte. Die Maschine hüpfte einmal wie ein flacher Stein, dann war sie gelandet und glitt anmutig voran. Als der Motor in den Leerlauf schaltete, wurde das schmale Flugzeug rasch durch den Wasserwiderstand gebremst. Die Macchi glitt durch das Schilf, das überall am Ufer der kleinen Bucht wuchs, und Grimaldi schaltete den Motor ab. Seine kleine Darbietung war äußerst erfreulich verlaufen.

Enzo legte seine Jacke und den Fliegerhelm auf den Pilotensitz und überprüfte seine Beretta. Die geschmeidige Bewegung des Schlittens war beruhigend. Er stieg hinaus auf die Trittplatte und hielt sich mit einer Hand an den Streben fest, während die Macchi weiterhin durch das Schilf voranglitt. In der anderen Hand hielt er ein Seil. Mit einem scharrenden Geräusch und einem Ruck lief die Nase auf Grund. Er sprang ins flache Wasser und befestigte das Seil an der Hecköse. Dann drehte er das Flugzeug herum, bis es hinaus auf den See zeigte. Wenn man sich in fremder Umgebung befindet, hatte sein Großvater in seinem Tagebuch vermerkt, muß man immer auf die Abreise gefaßt sein.

Enzo Grimaldi packte das Seil und watete durch das Dickicht aus Wurzeln und Büschen ans Ufer. Der schlammige Untergrund sog sich an seinen Stiefeln fest, so daß Enzo nur schwerfällig vorankam. Bloß nicht vor Uziellis Augen ins Stolpern kommen, dachte er.

Das beladene Floß, das rund vierzig Meter zu seiner Linken im Schilf verborgen lag, konnte er nicht sehen. Man hatte Steine auf das Floß geschichtet, bis es auf dem Seeboden aufsetzte. Darüber versperrten Schilfrohr und Kletterpflanzen die Sicht.

Ganz in der Nähe Grimaldis, im sumpfigen Dickicht, beobachtete ein alter Soldat den Oberst durch ein Fernglas. Er erkannte seinen Feind an dessen grauem Schnurrbart. Das war der Mann, der ihn seinen Fuß gekostet hatte, stellte Ernst von Decken befriedigt fest. Er freute sich darauf, die offene Rechnung zu begleichen.

Oberst Grimaldi wischte sich die Stiefelspitzen an der Hose ab und richtete sich kerzengerade auf, bevor er aus dem kleinen Waldstück hervortrat, das sich am Ufer erhob. Das Flugzeug war an einem Baumstamm hinter ihm vertäut. Er ignorierte die Soldaten, die sich in der Nähe versammelten, und ging langsam am Seeufer entlang, während er darauf wartete, daß Hauptmann Uzielli zu ihm kommen würde.

Enzo hatte sich verpflichtet gefühlt, den Hauptmann anzuweisen, seinen Männern nicht zu gestatten, daß sie den Dolmetscher und die Marinetaucher verächtlich behandelten. Ohne die Taucher war die Mission zum Scheitern verurteilt. Es beunruhigte Enzo, daß der heißblütige Uzielli unbedingt darauf drang, einen jungen Kundschafter der *Bersaglieri* zu rächen, der vor einiger Zeit in die Hände der Abbos geraten und verstümmelt worden war.

»Der *Bambino* wurde oberhalb eines Bergpfads an einem Abhang gefunden«, hatte er Uzielli seine Männer anknurren gehört. »Er war nackt, und man hatte ihn wie Jesus Christus höchstpersönlich an ein grobes Kreuz genagelt.« Bevor er weitersprach, hatte Uzielli aus einer Tasche seines Waffenrocks einen verbogenen rostigen Nagel gezogen und ihn seinen Männern auf der breiten Fläche seiner linken Hand entgegengestreckt. »Der erste Mann, den wir in die Finger bekommen, wird diese drei Nägel auffressen.«

Die Fallschirmjäger waren in die neueste gelbbraune und khakigrüne Kolonialuniform gekleidet, die hier in Afrika einem ersten praktischen Versuch unterzogen wurde. Allerdings hatten die Männer darauf bestanden, ein Element ihrer traditionellen Sonderausstattung beibehalten zu dürfen. Jeder der Soldaten hatte vor dem Absprung seinen breitkrempigen schwarzen Lederhut mit dem Kinnriemen am Marschgepäck befestigt. Jetzt zogen die Männer die schwarzgrünen Federkokarden unter ihren Hemden hervor und befestigten die Hahnenfedern an den rechten Seiten ihrer Hüte.

»Sie beide sammeln den Mann ein, der zwischen die Felsen abgestürzt ist«, befahl Uzielli, während er seine Leute einen nach dem anderen inspizierte. Die beiden Soldaten machten sich im leichtschrittigen *Bersaglieri*-Trab auf den Weg. Zwei weitere Männer halfen einem Kameraden, der sich bei dem Absprung ein Bein gebrochen hatte. »Der Rest schlägt da drüben ein Lager auf.«

Enzo blieb am See stehen und verschränkte die Hände hinter dem Rücken. Nach wenigen Minuten trafen die beiden Taucher ein. Einer, ein runzliger Schwammtaucher aus Taormina, war kein junger Mann mehr, aber es hieß, er könne länger und tiefer unter Wasser bleiben als ein Wal. Der andere, ein Junge, hatte helles Haar und eine breitschultrige, stämmige Statur. Er erinnerte Enzo an die nördlichen

Bergbauern seiner Heimat. Die beiden stellten eines der Boote ab und salutierten.

»Sind Sie Lombarde?« fragte Enzo den jungen Taucher.

»Aus Casteggio, Sir.« Der Junge grinste.

»Guter Bursche.« Enzo freute sich über den vertrauten Akzent, lächelte und klopfte ihm auf die Schulter. »Wenn Sie nach Hause kommen, trinken Sie mit Ihrem Mädchen eine Flasche Barbacarlo und erzählen ihr vom heutigen Abenteuer. Jetzt machen Sie die Boote bereit.«

»*Capitano!*« rief Enzo laut, ohne den Offizier anzusehen. »Wären Sie so freundlich?«

Uzielli kam zu ihm und salutierte schroff. Die beiden *Bersaglieri* schleppten die Leiche des Dolmetschers an Armen und Beinen herbei. Sie versuchten, ihre Anstrengung zu verbergen, und legten den schweren Körper ihrem Hauptmann zu Füßen. Wie eine Katze, die ihrem Herrn einen toten Vogel präsentiert, dachte Enzo.

»Durchsuchen Sie seine Taschen nach allem, was nützlich sein könnte, und beerdigen Sie ihn dann.« Uzielli warf einen angewiderten Blick auf den Leichnam des Zivilisten. »Eine flache Grube genügt.« Oberst Grimaldi sah den hellen Streifen Haut am sonnengebräunten Handgelenk des Toten.

»Sobald das erste Boot fertig ist, Hauptmann, nehmen Sie vier Männer und paddeln zur Insel. Ich habe aus der Luft irgendeine Bewegung gesehen. Lassen Sie sich von den Abessiniern nichts gefallen. Ich will, daß dieser See gesichert wird.«

»Natürlich, Sir«, entgegnete Uzielli harsch.

»Als erstes«, sagte Grimaldi, »werden Sie Ihren Männern befehlen, die Stiefel auszuziehen, damit sie das Schlauchboot nicht beschädigen.«

Uzielli starrte den Oberst mit sichtlichem Unmut an.

»Und Sie ziehen Ihre Stiefel auch aus«, sagte Grimaldi. »Es sei denn, Sie alle möchten auf dem Rückweg schwimmen. In der Zwischenzeit werde ich mit den Tauchern im zweiten Boot aufbrechen und das Wrack überprüfen. Lassen Sie einen Mann mein Flugzeug bewachen.«

Der Oberst überlegte, an welche Hunderasse Uzielli ihn erinnerte.

Dann deutete er auf den Toten und sah dem stämmigen Offizier in die Augen.

»Dieser Dolmetscher war ein Freiwilliger, Hauptmann. Holen Sie sich seine Armbanduhr von Ihren Männern zurück, und sammeln Sie auch die anderen persönlichen Wertgegenstände für seine Familie ein.«

»Jawohl, Sir«, murrte Uzielli.

Nach dreißig Minuten war Grimaldis Boot ausgepackt und bereit. Das dicke schwarze Gummi war aufgepumpt. Die Doppelpaddel waren zusammengesteckt. Die beiden Taucher zogen das Boot ins flache Wasser und sahen Grimaldi fragend an.

»Legen Sie das Stroh und diese Holzleisten der Verpackung auf den Boden des Boots, damit die Kisten ihn nicht beschädigen können«, sagte Enzo. »Und dann werden wir mal einen Blick auf die Potez werfen.«

Ernst von Decken sah durch das Fernglas. Der getrocknete graue Schlamm des Seeufers bedeckte sein Gesicht und hing in seinem Bart. Sein Oberkörper und der Kopf waren unter dem hohlen gewölbten Wurzeldach einer alten Mimose verborgen, die sich aus dem sumpfigen Ufergrund erhob. Für Ernst war dieser Hohlraum unter dem Baum ein besseres Versteck als ein Sarg. Er saß bequem im Morast und Schlick. Seine Beine hatte er nach hinten ins Wasser ausgestreckt. Die Pistole lag in einer Spalte des Wurzelwerks.

Ernst stellte die Schärfe nach und spähte zwischen den verschlungenen Zweigen und Ranken hindurch, die seinen Oberkörper abschirmten. Er sah, daß der Pilot sich auf einen Felsen setzte und seine Stiefel und Socken auszog. Er musterte das Gesicht des Offiziers. Kein junger Mann, aber eine stattliche südländische Erscheinung, selbstbewußt, ein Mann, der wußte, wer er war. Dieser Italiener schuldete Ernst einen rechten Fuß. »Und jetzt bist du auch noch hinter meinem Silber her«, murmelte er.

Zwei Männer, deren Uniformen sich von denen der anderen unterschieden, pumpten das zweite Boot auf. Ein Offizier und vier Soldaten befanden sich bereits auf dem See. Drei der Männer trugen kurze Gewehre auf dem Rücken. Der vierte hielt ein leichtes Maschinengewehr im Schoß. Langsam paddelten sie in ihrem schwerbeladenen Boot auf die Insel zu.

Als das zweite Boot bereit war, hielten die beiden Männer es fest, damit der Pilot einsteigen konnte. Einer warf ein Seil hinein. Dann kletterten die beiden Unbewaffneten ebenfalls in das Boot. Sie hatten ihre Oberkörper frei gemacht und brachten die Paddel mit. Ernst bemerkte, daß der Pilot eine Pistole mit sich führte.

Somit blieben vier einsatzfähige Soldaten und ein Verwundeter zurück. Einer der Männer machte sich mit seiner Waffe in Richtung des Flugzeugs auf den Weg. Zwei der anderen begannen mit kurzen Klappspaten zu graben. Harte Arbeit, wie Ernst wußte. Er hatte in Afrika noch nie ein Grab gesehen, das tief genug ausgehoben worden war.

Falls er gezwungen war zu kämpfen, war dies womöglich der beste Moment, rechnete er sich aus. Die kleine italienische Streitmacht hatte sich in drei Gruppen aufgeteilt. Außerdem bezweifelte er, daß der Abt, Markus, Johan und die anderen Mönche gut mit diesen Soldaten auskommen würden.

Ernst beobachtete, wie der einzelne *Bersagliere* auf das vertäute Flugzeug zuhielt. Der Deutsche wandte langsam den Kopf und griff nach seiner Pistole. Er sah, daß im kühlen Schatten unmittelbar neben dem Kolben der Waffe eine schmale Schlange aufgetaucht war und sich soeben in zwei perfekten Kreisen zusammenrollte. Sie besaß einen flachen Kopf und war an beiden Enden gräulich gefärbt. Dazwischen wies ihr Körper zartgrüne und braune rautenförmige Markierungen auf. Die Schlange bewegte sich äußerst gemächlich, wie ein langer Zug, der in einen Bahnhof einfuhr. Vermutlich giftig, aber aller Voraussicht nach nicht tödlich. Sie dürfte sich hauptsächlich von Vogeleiern, Fröschen und Schnecken ernähren. Ernst fragte sich, wie es seinen Zibetkatzen wohl ohne ihn erging.

Da er nicht wußte, ob die Waffe überhaupt funktionieren würde, und weil er die Heimlichkeit vorzog, beschloß Ernst, seine Pistole der Schlange zu überlassen. Er drückte sich tief in den Schatten des Baums. Er hörte das Knacken der Zweige, als der Soldat, ein ziemlich kleiner schlanker Mann, das Dickicht durchquerte. Als der junge *Bersagliere* nur ein kurzes Stück von dem Deutschen entfernt die Ankerleine erreichte, rutschte er aus und stolperte. Ein Stadtjunge, dachte Ernst zufrieden.

Der Soldat nahm sein Gewehr ab und setzte sich mit dem Rücken gegen eine Sykomore. Mit einer Hand spielte er träge an dem Seil herum und zog das Flugzeug ein Stück näher ans Ufer. Nach einer Weile holte der Italiener eine Zigarette aus seiner Hemdtasche. Der Rauch trieb auf Ernst zu. Der Deutsche schloß die Augen und holte neidisch tief Luft. Die beiden Männer teilten sich den Tabak. Nachdem er aufgeraucht hatte, erhob sich der Italiener und knöpfte seine Hose auf. Er machte ein paar Schritte in Ernsts Richtung und wollte sich offenbar ins Wasser erleichtern.

Von der Insel schallte ein einzelner Schuß herüber. Die Italiener hatten wohl die Geduld mit Theodorus verloren, vermutete Ernst. Er schaute auf den See hinaus und sah, daß einer der Taucher zurück in das zweite Boot kletterte. Sofort steuerte auch dieses auf die Insel zu. Im gleichen Moment drehte der Soldat neben Ernst sich in Richtung des Geräuschs um. Er rutschte aus und stolperte direkt neben Ernst ins Wasser.

Auf der Insel wurde ein kurzer Feuerstoß aus einer automatischen Waffe abgegeben. Der *Bersagliere* neben Ernst sackte noch tiefer nach vorn. *»Porca Madonna!«* fluchte er. Ein Fuß hatte sich irgendwie verhakt, und so beugte er sich vor und packte eine Wurzel, um etwas Halt zu gewinnen. Von Decken erkannte seine Chance. Er stand auf und warf sich auf den Rücken des Mannes. Sie stürzten beide vornüber in den See.

Ernst drückte mit einer Hand den Kopf des Soldaten unter Wasser und zog mit der anderen den breiten ledernen Kinnriemen um den Hals des Mannes zusammen. Der Italiener wand sich und zappelte. Er stemmte sich nach oben, aber es gelang ihm nicht, den Kopf zu heben. Ernst war zu schwer für ihn. Ein tiefer Schluck, und er wäre verloren.

Ernst saß rittlings auf ihm und lockerte den Riemen. Der Mann rang nach Luft und öffnete unter Wasser den Weg in seine Lunge. Dann zog Ernst den Riemen mit einer schnellen Drehung wieder fest zusammen und drückte den Kopf mit seiner anderen Hand noch tiefer nach unten. Der Mann sträubte sich noch, aber es war vorbei. Mit seinem letzten heftigen Aufbäumen gelang es ihm jedoch, Ernsts Beinstumpf gegen eine Baumwurzel zu schlagen. Gelähmt vor Schmerz kippte Ernst vom Rücken des Mannes. Nur wenige Zentimeter vor sich sah er das Gesicht des anderen auftauchen. Die Augen starrten Ernst an, und aus dem offenen Mund rann Wasser, wie bei einem Kind, das mit Medizin gurgeln mußte. Ernst packte den Mann bei den Ohren und zog seinen Kopf unter Wasser, bis er sich nicht mehr rührte. Weit entfernt hörte er zwei weitere Schüsse.

Von Decken zog sich eine Weile zurück und verharrte keuchend in seinem Schlupfwinkel. Sein Beinstumpf blutete und pochte vor Schmerz. Er fragte sich, wie viele *Bersaglieri* wohl schon mit ihren eigenen Kinnriemen erdrosselt worden waren. Dann glitt er wieder in den See, entkleidete den Italiener und klemmte die Leiche unter Wasser zwischen einige Wurzeln.

»Nimm dich vor Krokodilen in acht«, sagte er leise zu dem Toten, weil er daran denken mußte, wie diese Tiere ihre Beute unter versunkenen Baumstämmen aufzubewahren pflegten, bis das Fleisch reif genug zum Verzehr war.

Er stieg aus dem Wasser und nahm interessiert das herrenlose Gewehr in Augenschein. Es handelte sich um einen gepflegten Carcano-Karabiner, Kaliber 6,5mm, mit Munitionszuführung per Ladestreifen. Die Waffe war berühmt für das ungewöhnliche Muster der Züge in ihrem Lauf, die der Patrone zusätzlichen Drall und damit eine höhere Zielgenauigkeit verliehen. Ernst erkannte, daß es sich um eine verbesserte kurzläufige Version des klassischen Modells von 1891 handelte. Der Verschluß und das Magazin waren immerhin vom österreichischen Mannlicher-Karabiner abgeleitet. Ernst zog sich aus und streifte sich dann die nasse italienische Uniform über. »Eng, aber ziemlich heroisch«, sagte er vergnügt.

Er lehnte sich gegen seine Mimose und beobachtete durch das schützende Dach aus gefiederten Blättern die drei *Bersaglieri*, die mit ihren Waffen am offenen Seeufer standen und in Richtung der Insel blickten. Er spuckte ins Wasser und runzelte die Stirn. Er mußte diese drei unschädlich machen, solange sie noch allein waren.

Ein ganzes Stück hinter den drei Soldaten setzte der verwundete Fallschirmjäger sich auf und stützte sich mit den Händen ab. Einer der Männer trat zur Seite und lehnte sein Gewehr an einen Felsen. Dann hob er ein Fernglas an die Augen. Ernst legte den Karabiner an und schoß einen der Bewaffneten in die Brust. Er lud sofort wieder durch, visierte sein nächstes Ziel an und schoß erneut. Ein zweiter *Bersaglieri* fiel. Der Mann mit dem Feldstecher warf sich zu Boden und suchte nach dem Ursprung der Schüsse.

Ernst lud die Waffe nach und setzte sich den Lederhut auf, um den Soldaten zu täuschen. Er mußte handeln, bevor die anderen Italiener aufgrund der Schüsse von der Insel herbeieilen würden. Die Sonne stand in seinem Rücken. Vielleicht würde der Italiener seinen Bart und den fehlenden Fuß im ersten Moment übersehen. Ernst humpelte ins Freie und winkte dem *Bersagliere* zu.

»Ma che succede?« rief der Soldat ihm zu und stand auf. Plötzlich veränderte sich sein Gesichtsausdruck, und er beugte sich flink hinunter und griff nach seinem Gewehr. Ernst schoß zweimal. Der Mann brach bäuchlings über seiner Waffe zusammen.

Ernst fuhr herum und sah, daß beide Boote von der Insel ablegten. Er hatte den Eindruck, daß im Boot des Piloten auch einer der Mönche saß. In wenigen Minuten würden acht Bewaffnete Jagd auf ihn machen. Vielleicht konnte er die Maschinengewehre der Macchi gegen sie einsetzen, bevor sie festen Boden erreichten. Mit schmerzendem Beinstumpf ließ Ernst den Karabiner fallen und hüpfte ins Wasser.

Er schwamm zu dem Amphibienflugzeug und zog sich ins Cockpit. Am Armaturenbrett klebte eine kleine Photographie, aber er hatte keine Zeit, genauer hinzusehen. Ernst legte den Sicherungshebel um und ließ die Maschinengewehre aus ihrer starren Schußposition ausrasten. Er überprüfte, wie weit er die Waffen in alle Richtungen schwenken konnte. Mit etwas Glück würden die schwarzen Boote gerade so eben in seine Schußlinie fahren.

Der Deutsche schaute nach unten und sah erschrocken, daß sich Blut auf dem Boden der Macchi sammelte. Er beugte sich vor und zog den Riemen seines Lederschutzes fester an. Der Wind nahm ein wenig zu, und das Flugzeug drehte sich ein paar Grad nach Steuerbord. Es war an der Zeit, auszuprobieren, ob er immer noch so gut war, wie er glaubte.

Das Boot mit dem jungen Offizier fuhr voran. Ernst zielte auf einen Punkt in Fahrtrichtung, so daß er über das Boot hinwegschwenken und mit der gleichen Bewegung das zweite Fahrzeug erfassen konnte, bevor es den Kurs änderte.

Das erste Boot erreichte seine Schußlinie. Die heftigen, ungleichmäßigen Paddelbewegungen ließen es unbeholfen hin- und herschaukeln. »Großwild!« Ernst zog den Abzug durch und schwenkte die Gewehre langsam herum, um beide Boote nacheinander zu treffen.

Das erste Boot schien mitten im See zu explodieren. Er war sicher, daß die vorderen drei Männer tot sein mußten. Aber dann bewegte sich das Flugzeug noch während des Feuerns ein wenig zur Seite, so daß er die Maschinengewehre nicht wie geplant einsetzen konnte.

»Verdammt!« rief er frustriert, schoß aber weiter. Er sah das zweite Boot platzen. Ein Paddel wurde in der Luft zerschmettert. Der vordere Soldat schien verwundet zu sein. Die anderen schwammen panisch. Ernst zählte fünf Männer im Wasser, die zurück zur Insel schwammen. Er schätzte, daß nur der Pilot noch bewaffnet war, und mußte daran denken, wie der Flieger nicht von ihm abgelassen hatte, als die Potez abstürzte. Ernst biß die Zähne zusammen und ließ zwei Geschoßgarben das Wasser aufwühlen. Einer der Männer sprang wie ein Fisch aus dem See, als die Kugeln seinen Rücken trafen.

»Das wär's«, sagte Ernst. »Und jetzt schauen wir mal, wie dich deine Freunde, die Mönche, willkommen heißen werden.«

Bevor er ausstieg, fiel sein Blick erneut auf das Photo am Armaturenbrett. Eine schlanke Frau mit schönen langen Beinen, das Gesicht zum Teil von einem Strohhut beschattet, stand in der Wüste neben dem Sphinx. Verblüfft zog er das schwarze Klebeband ab und steckte das Bild in seine Hemdtasche. Was hatte ein Photo von Riders Frau in diesem Flugzeug zu suchen? fragte er sich, als ihm plötzlich der unglaubliche Zufall klar wurde. Der Mann, der ihn abgeschossen hatte, mußte ihr italienischer Liebhaber sein.

Von Decken stützte sich mit seinem linken Fuß ab und verließ das Cockpit. Er hatte die Gelegenheit, seinem Feind ein paar Unannehmlichkeiten zu bereiten und ihm ebenfalls zu einem Absturz zu verhelfen. Ernst hielt sich mit einer Hand an den Streben fest, kniete sich auf den hinteren Teil des Rumpfs und erleichterte sich in den

Treibstofftank. Dann ließ er sich ins Wasser hinunter. Er holte Schlick vom Seegrund empor und ließ einige Handvoll in den Tank fallen, bevor er ans Ufer hüpfte.

Oberst Grimaldis linke Schulter blutete aus einer langen oberflächlichen Schnittwunde. Er zog sich durch das dichte Schilf auf die Insel zu. Wer hatte aus der Macchi auf sie geschossen? War einer der *Bersaglieri* durchgedreht?

Zu seiner Rechten hörte Enzo Schreie und das Geräusch von Schlägen. Der junge Taucher hatte vor ihm den Strand erreicht. Nach dem, was dieses Untier Uzielli den Mönchen angetan hatte, die ihnen hier auf der Insel begegnet waren, wäre jegliche Art der Vergeltung keine große Überraschung. Der italienische Nachrichtendienst hatte bereits in den ersten Wochen der Invasion herausgefunden, daß der Klerus der äthiopischen Kirche eine einflußreiche Macht im Zentrum des abessinischen Widerstands darstellte. Da beide Seiten von Erinnerungen an den Feldzug des Jahres 1896 verfolgt wurden, hatte sich schnell eine Folge von gegenseitigen Greueltaten und Vergeltungsmaßnahmen aufgeschaukelt. Wenn die römische Kirche sich viele Jahrhunderte lang gewaltsam und mit ausgesuchter Grausamkeit verteidigt hatte, wie konnte man dann erwarten, daß diese schwarzen Kopten sich nicht genauso verhalten würden?

Enzo robbte im flachen Wasser langsam vorwärts. Er schob mit einer Hand das Schilfrohr beiseite.

Ein verwundeter älterer Mönch saß mit hängenden Schultern vor einem groben steinernen Altar. Der Schmerz und die Erschöpfung waren seinem faltigen schwarzen Gesicht deutlich anzusehen. Das silberne Kreuz, das er um den Hals trug, hob sich funkelnd von den dunkelroten Flecken ab, die sein Gewand von der Taille abwärts verunzierten. Er mußte eine von Uziellis Kugeln abbekommen haben, vermutete Enzo. Dennoch hielt der weißhaarige Priester einen großen Stein in den Händen. Zwei junge Mönche zerrten den bewußtlosen Taucher an seine Seite, als handelte es sich um eine Opfergabe. Der ältere Mönch schien ihr Anführer zu sein.

Langsam hob der Abt den Stein und ließ ihn auf die Schläfe des Jungen aus Casteggio herabsausen. Enzo hörte die Knochen brechen und biß die Zähne zusammen. Die Hände des Abts blieben samt des blutigen Steins auf der Wange des Jungen liegen. Der Körper bewegte sich nicht. Der alte Abt legte den Stein in seinen Schoß, packte den Italiener bei den Haaren und drehte dessen verletzten Kopf, so daß die andere Wange oben lag. Dann hob der Abt unter großer Anstrengung den Stein und schlug abermals zu.

Wütend zog Enzo unter Wasser seine Beretta. Ein Stück entfernt gab es am Ufer einigen Aufruhr, und die beiden Mönche rannten los, um ihren Brüdern beizustehen. Enzo hielt die Pistole in beiden Händen und zielte durch das Schilf auf den sitzenden Abt. Er drückte den Abzug. Die Waffe funktionierte nicht. Er überprüfte den Schlitten und versuchte es erneut. Wieder ohne Erfolg. Er hob den Kopf und sah zwei *Bersaglieri* an Land torkeln, die sofort mit Schlägen traktiert und überwältigt wurden. Einer von ihnen, Hauptmann Uzielli, schien bereits verwundet zu sein, aber setzte sich zunächst noch mit seinem Messer zu Wehr, bevor er niedergeknüppelt und gefesselt wurde. Ein dritter Soldat trieb mit dem Gesicht nach unten im Wasser. Vielleicht hatte er von den dreien sogar noch am meisten Glück gehabt.

Enzo mahnte sich zur Geduld. Er drückte sich tief ins Wasser und schob sich zurück in den See. Die Schulterverletzung war zwar schmerzhaft, aber – die Heilige Mutter sei gepriesen – nur oberflächlich. Er schwamm auf einen entlegenen Teil der Insel zu.

Sobald er am Ufer war, würde er sich ein wenig ausruhen und dann die Lage auf der Insel auskundschaften. Bei Einbruch der Nacht würde er zu der Macchi zurückschwimmen und herausfinden, wer vom Flugzeug aus auf ihn geschossen hatte. Morgen um diese Zeit dürften die Capronis mit den restlichen *Bersaglieri*-Fallschirmjägern eintreffen. Dann würden sie ihre Schulden eintreiben.

Mit dem kurzen Bajonett des Soldaten, den er ertränkt hatte, schnitzte Ernst von Decken sich aus einem dicken Ast eine Krücke. Er hatte das Lager der *Bersaglieri* bereits nach medizinischen Vorräten, Essen und Munition durchsucht. Der verletzte schmerzgeplagte Soldat hatte keinen Widerstand geleistet. Ernst schulterte eines der italienischen Gewehre und begann, sich humpelnd vom Zwaisee zu entfernen. In seiner Proviantttasche trug er auch einen kleinen Beutel Münzen bei sich. Vor zwanzig Jahren hatte General von Lettow-Vorbeck seinen Offizieren beigebracht, sich stets zu entfernen, solange noch die Möglichkeit zur Flucht bestand. Die Nachmittagshitze ließ langsam nach. Es war Zeit für den Aufbruch.

Nach drei Stunden und vielen Pausen hatte er ungefähr fünf oder sechs Kilometer zurückgelegt. Der Weg, der entlang der Seen des Ostafrikanischen Grabens verlief, konnte nicht mehr als ein paar Kilometer in westlicher Richtung liegen. Das dürfte der Route entsprechen, die Rider ihm empfohlen hatte. Es war fast dunkel. Mit etwas Glück würde er irgendeine Transportmöglichkeit auftreiben, zum See zurückkehren, das Silber holen und sich dann in südlicher Richtung nach Kenia absetzen.

Ernst umging jede Senke im Gelände, denn er konnte weder bergauf noch bergab gehen, ohne auszurutschen und hinzufallen. Jedes Straucheln kostete ihn Kraft. Die afrikanische Landschaft war nie so flach und mühelos zu bewältigen, wie man aus der Entfernung annehmen könnte. Aber nach nur wenigen hundert Metern verfiel er in den rhythmischen Trott, der auch vielen Verwundeten während des Weltkriegs lange Märsche ermöglicht hatte. Während er sich vorankämpfte, wurde Ernst klar, daß er vermutlich der erste Deutsche war, der in diesen neuen Afrikafeldzug verwickelt wurde. Soweit ihm zuletzt zu Ohren gekommen war, hatte Reichskanzler Hitler sich gegen das befürchtete italienische Wagnis in Abessinien ausgesprochen, weil er nicht wollte, daß andere Staaten sich zur Wiederaufrüstung gezwungen sehen würden.

Schon bald bereitete ihm seine Achsel größere Schwierigkeiten als der Beinstumpf. Bei jedem Schritt schnitt das obere Ende der Behelfskrücke in seine Achselhöhle ein, obwohl er es mit dem besudelten Hemd eines der toten *Bersaglieri* umwickelt hatte. In der Nähe des Gipfels einer kleinen Anhöhe stellte er schließlich sein Gewehr zwischen ein paar Felsen ab. Er mußte eine Pause einlegen und seine Pläne überdenken. Er schnürte den Rucksack auf und nahm ein Päckchen Hartkäse und eine italienische Wurst heraus. Auch seine anderen Vorräte breitete er vor sich aus: Feldflasche, Patronengurt, Fernglas, Messer, Silber. Gott sei Dank auch Zigaretten. Er lehnte sich gegen einen flachen Felsen, so daß die untergehende Sonne in seinem Rücken stand.

Ihre Strahlen reichten gerade noch bis zum entlegenen Ufer des Zwaisees. Ihm war so, als hätte er auf der Oberfläche des Sees eine Bewegung wahrgenommen. Ein dunkler Schatten überquerte das Wasser. Beunruhigt hob Ernst den Feldstecher an die Augen.

Nach wenigen Minuten drehte das Amphibienflugzeug am Ende des Sees um. Die Macchi kam kurz zum Stillstand und drehte sich ein Stück, um möglichst großen Vorteil aus dem Wind zu ziehen. Ihr Propeller verwandelte sich in einen huschenden Schatten. Das Flugzeug schoß quer über den See und hob kurz vor dem Mimosenwäldchen elegant ab. Ernst grinste und fragte sich, wie lange sie wohl in der Luft bleiben würde. Er sah die Macchi emporsteigen, zunächst weiterhin in Richtung Westnordwest. Dann kehrte sie in einem weiten Bogen um und schwang sich zur Sonne empor, die an ihrem Heck glitzerte.

In ungefähr sechshundert Metern Höhe hörte sie auf zu steigen. Ernst stellte die Schärfe nach, kletterte auf einen Felsen und blickte ihr hinterher. Er hielt den Atem an und wartete auf das, was kommen mußte. Die Maschine verlor an Höhe. Nach einer weiteren Minute konnte er die beiden einzelnen Flügel ihres Propellers ausmachen. Dann verschwammen sie wieder, und das Flugzeug wurde erneut schneller. »Wie kann das sein?« stöhnte Ernst und spuckte aus. Der Propeller wurde abermals langsamer. Diesmal blieb er stehen.

Schwankend stand Ernst auf seinem linken Bein da und sah das Flugzeug hinunterschweben. Elegant, fast mit der Leichtigkeit eines Segelflugzeugs, glitt die Macchi nach unten. Das Gewicht des Motors sorgte für eine perfekte Balance, und ihre doppelten Tragflächen nutzten auch noch den kleinsten Windhauch. Schließlich landete sie im Busch. Die Schwimmer wurden von ein paar Felsen weggerissen, und die Maschine kippte etwas nach rechts, bis die untere rechte Tragfläche an einem Ameisenhügel hängenblieb und nach hinten gerissen wurde. Dieser Teufel konnte wirklich fliegen.

Ernst war nicht ganz zufrieden. Er setzte das Fernglas ab und humpelte von dem Felsen herunter. Mit dem Bajonett schnitt er das Wurstende ab. Er leckte an der groben Salami und schmeckte die fettige Würze und die groben Pfefferkörner. Er trank aus der Feldflasche und schnitt sich dann eine dicke Scheibe Wurst ab. Während er aß, brach die Dämmerung so plötzlich herein, wie es nur in Afrika geschieht. Er zündete sich eine Zigarette an und schloß die Augen. Ein Brummen und Rumpeln hallte den Hang hinauf. Ernst griff nach seinem Karabiner und senkte den Kopf dicht über den Boden, um den entfernten Lärm besser hören zu können.

28

Ernst von Decken wachte auf, als irgend etwas schmerzhaft in seine Herzgegend stach. Im ersten Moment dachte er, man hätte auf ihn geschossen. Er riß die Augen auf und blinzelte ins Dämmerlicht. Die Spitze seiner Krücke drückte mitten in seine Brust. Ein großer Schwarzer in Shorts und einem europäischen Hemd lehnte sich mit aller Kraft auf den Stock und preßte ihn zu Boden. Ernst kam sich wie ein Käfer auf einer Nadel vor. Er packte die Krücke mit einer Hand und versuchte, sich seitlich darunter hervorzuwinden. Der Mann trat ihm kräftig in die Rippen und drückte noch stärker zu.

Ernst würgte und keuchte und sah sich den Mann etwas genauer an. Das war kein schlanker eleganter Abessinier, wie sonst üblich. Der Mann war stämmig und untersetzt, mit einem offenen breiten Gesicht. Er mußte aus dem Süden stammen. Könnte ein Bantu sein, vielleicht Ngoni oder sogar Kikuyu.

»*Jambo!*« Ernst rang sich ein Lächeln ab. Er deutete auf seinen Beinstumpf.

Der Druck auf der Krücke ließ nach. Ernst war über diese Reaktion des Mannes erleichtert. Er hustete, atmete übertrieben heftig ein und aus und wartete auf eine Gelegenheit. Das Gewicht auf dem Stock ließ noch mehr nach.

Ernst schlug mit dem rechten Arm so heftig wie möglich von der Seite gegen die Krücke. Der Schwarze verlor den Halt, stolperte und stürzte nach vorn. Als der große Afrikaner quer über Ernst zu Boden fiel, rollte der Deutsche sich auf die Seite und griff nach dem Gewehr. Er merkte, wie schwer und kräftig der andere war. Der Afrikaner versuchte, wieder auf die Beine zu kommen, und traf Ernst mit den

Füßen am Kopf. Ernst packte den Lauf des Gewehrs und schwang die schwere Waffe wie eine Sense.

Der Schwarze hatte sich gerade auf Hände und Knie aufgerappelt, als der Schaft des Gewehrs ihn seitlich am Kopf traf. Der Bolzen schlug gegen seinen Wangenknochen. Er brach bewußtlos zusammen.

»Jetzt bin ich an der Reihe«, sagte Ernst. Er nahm dem Mann den Gürtel ab und band ihm damit die Handgelenke fest auf dem Rücken zusammen. Dann drehte er ihn auf die Seite. Die rechte Schläfe und Wange des Afrikaners waren geschwollen und bluteten. Ernst setzte sich auf einen Felsen und sah seinen Gefangenen an. Hungrig aß er ein Stück Wurst und rauchte eine Zigarette, während es langsam heller wurde.

Nachdem er aufgeraucht hatte, beugte Ernst sich vor und schlug den Mann kräftig auf die linke Wange. Der Schwarze blinzelte und kam zu sich.

»Jambo«, sagte von Decken erneut.

Der große Mann sträubte sich gegen die Fessel und setzte sich auf. Seine Miene war verschlossen und düster.

Ernst war froh, daß der Mann keine Hand frei hatte. Er erinnerte den Deutschen an die *Askaris*, die im Krieg an seiner Seite gekämpft hatten. Die besten waren Manyemwesis gewesen. Er kannte die Sorte: gefährlich, zuverlässig. Dann bemerkte von Decken im aufsteigenden Licht des Tages die drei Initialen, die auf die verblaßte grüne Hemdtasche des Afrikaners gestickt waren: ›A. R. S.‹ Anton Rider Safaris. Er lachte laut auf. »Mein Engländer!«

Anton saß mit einem Becher Tee auf einem Felsen und plante die Strecke für ihre weitere Flucht, als er vom Rand des Lagers plötzlich Unruhe und aufgeregte Stimmen hörte. *»Bwana Mzee!«* Er hoffte, daß alles in Ordnung war, steckte den Colt ein und ging nachsehen.

Der Koch und die Lagerjungen drängten sich dicht nebeneinander. Auf einer Seite standen die beiden abessinischen Soldaten, ausgemergelt und unsicher, mit Gewehren in der Hand. Vor ihnen stand Kimathi und schaute wütend drein. Seine Hände waren auf den Rükken gefesselt, und eine große Schwellung am Wangenknochen hatte sein linkes Auge fast vollständig geschlossen. Haqim drängte sich durch die Männer. Er wollte Kimathi befreien, blieb dann aber zögernd vor der Mündung des Gewehrs stehen, das ein schmutziger bärtiger Weißer auf ihn richtete. Der Mann lehnte auf einer Krücke und trug eine zerlumpte italienische Uniform.

»Ernst!« sagte Anton. Er war verblüfft und erfreut, seinen Freund zu sehen, und wußte doch im selben Moment, daß noch ein weiteres Problem soeben sein Lager betreten hatte. Ernst ließ sich von ihm fast widerstandslos die Waffe aus der Hand nehmen.

»Wir lassen die für dich reinigen«, sagte Anton beruhigend. Als er einen Blick nach unten auf das Gewehr warf, stellte er erschrocken fest, daß sein Freund keinen rechten Fuß mehr hatte.

»Was ist mit deinem Fuß passiert?« fragte Anton und reichte die Waffe an den Gewehrträger weiter.

»Ich habe ihn gegen ein bißchen Silber eingetauscht.« Ernst ließ seinen Blick über das Lager schweifen. »Gib mir einen Drink, Engländer.« Inzwischen war ihm wieder eingefallen, daß auch das amerikanische Mädchen an dieser Safari teilnahm.

»Du mußt lernen, auf dich aufzupassen, wenn dein Bwana nicht dabei ist«, sagte Anton zu Kimathi und band ihn los.

»Das werde ich«, sagte Kimathi verärgert. Seine Gefangennahme war ihm peinlich. Er rieb sich die Handgelenke und starrte über Antons Schulter hinweg auf von Decken. »Wir haben noch einen weiten Weg vor uns.«

Anton wies auf den geschwollenen Wangenknochen des Kikuyu. »Mein Freund hat dein schwarzes Gesicht nicht gerade verschönert, Kimathi. Laß besser Fergus einen Blick darauf werfen. Könnte ein oder zwei Stiche vertragen und ein bißchen von der Medizin des weißen Mannes.«

»Ich werde mir selbst das Gesicht säubern, *Tlaga*«, sagte Kimathi und lächelte fast.

»Zeit, daß du etwas zu trinken bekommst.« Anton führte Ernst zu dem großen Feuer. Sie setzten sich auf eine Kiste und einen Klappstuhl.

Ernst stürzte seinen ersten Whisky hinunter. »Ich habe einen

Schnappschuß für dich.« Er reichte Anton die kleine Photographie von Gwenn.

Anton starrte das Bild an. »Woher hast du das?«

»Aus dem Cockpit eines italienischen Amphibienflugzeugs. Drüben im Zwaisee.«

»Grimaldi«, sagte Anton sofort. Eifersucht und Haß brandeten in ihm hoch. Eines dieser italienischen Flugzeuge, ob Grimaldi oder nicht, hatte seine Frau verwundet. Die Wut ließ ihn erstarren. Seine Finger verkrampften sich um sein Whiskyglas.

»Wir haben viel zu erledigen.« Ernst trank langsam und schätzte die Reaktion seines Freundes ein. Dann ließ er seine Hand auf Antons Knie fallen. »Mein Silber wartet auf uns, Junge«, sagte der Deutsche. »Nur ein paar Kilometer von hier, im See. Wir sollten uns besser beeilen, bevor unser italienischer Freund zurückkehrt und es sich holt.«

Anton erwiderte nichts. Es war ein verlockender Gedanke, auf diese Weise vielleicht die Gelegenheit zu erhalten, sich an Grimaldi zu rächen. Dann sah er Bernadette und Harriet aus dem Zelt treten. Seit Gwenn im Lager war, hatte Harriet sich deutlich zurückhaltender gegeben, obwohl sie weiterhin hilfsbereit blieb. Die Zwillinge waren nicht voneinander zu unterscheiden. Sie kamen auf die Männer am Feuer zu.

»Guten Abend, meine Engel!« rief Ernst und starrte den Mädchen in der Dunkelheit entgegen. Dann sagte er merklich leiser zu Anton: »Echte Engel!«

»Die beiden sind bestimmt keine Engel.«

»Wie hältst du sie auseinander?«

»Gar nicht. Sprich sie einfach mit ›Miss‹ an.«

Ernst schaute kurz zu den Mädchen.

»Wie machst du das nur? Wo findest du die immer?« schnaubte Ernst und schüttelte den Kopf. »Vielleicht sollte ich mich rasieren und mir zum Abendessen dein bestes Hemd ausleihen. Ich wette, die beiden haben noch nie mit einem echten deutschen Gentleman im Busch diniert.«

»Wer hat das schon?« sagte Anton, der immer noch vollauf damit beschäftigt war, seine gerechte Rache an Grimaldi zu planen.

Die Zwillinge eilten zu von Decken und umarmten ihn. Anton sah, wie sehr Harriet erschrak, als sie erkannte, daß der Deutsche seinen Fuß verloren hatte. Sie zögerte für den Bruchteil einer Sekunde, dann nahm sie seinen Arm und ging mit ihm zum Feuer.

»Erzählen Sie mir, was passiert ist«, sagte sie, nachdem sie beide Platz genommen hatten.

Kurz darauf gesellten sich Fergus und Charlie zu ihnen. Malcolm stellte sich vor, und Ernst reichte ihm die Flasche. Der Schotte versuchte, nicht zu neugierig auf den Beinstumpf des Mannes zu starren.

»Sind Sie ein Chirurg, Doktor?« fragte der Deutsche und streckte seine Hand wieder nach der Whiskyflasche aus.

»Ja«, sagte der Arzt und ergab sich in sein Schicksal. »Kann ich Ihnen helfen?«

»Ich werde mich jetzt waschen gehen, Doktor.« Ernst stand auf. »Dann wird Hauptmann von Decken zur Untersuchung bei Ihnen und den Damen vorstellig werden.«

»Bevor Sie Ihre Zeit mit diesem Deutschen verschwenden«, sagte Anton, »werfen Sie bitte einen Blick auf Kimathi, Doc. Wir brauchen ihn noch.«

Anton ging zum Kochfeuer und goß aus dem großen Kessel eine Tasse Tee ein. Er rührte viel Zucker und die verbleibende Milch aus ihrer letzten Dose hinein und ging dann zu Gwenns Zelt. Er wollte ihr erzählen, daß Grimaldi sich ganz in der Nähe befand und daß er den Italiener für ihr Leid zur Verantwortung ziehen würde, aber er wußte, daß sie zu schwach war und daß dieser Wunsch nur seiner eigenen Rachsucht entsprang. Er würde sich besser fühlen, nicht sie.

»Du wirst kleckern«, sagte sie mit schwacher Stimme, als er ihr die Tasse an die Lippen halten wollte. Sie nahm die Blechtasse und beugte sich so weit vor, wie sie konnte.

Hastig legte er ihr die Decke unter den Kopf. »Möchtest du gern, daß ich dir vorlese, während die anderen das Abendessen zubereiten?« Er drehte die Öllampe hoch. »Ich habe *Oliver* dabei.«

»Ja, bitte.« Ihre Stimme klang etwas fröhlicher. »Lies einfach da weiter, wo du gerade bist.«

»Fast am Anfang«, sagte er. Er öffnete die Munitionskiste, holte das Buch heraus und setzte sich.

»Jener Junge, der auf den Namen Oliver Twist getauft wurde, ist heute neun Jahre alt geworden«, sagte der Kirchendiener. »Trotz der allergrößten und – so muß ich wirklich sagen – beinahe übermenschlichen Anstrengungen seitens dieser Gemeinde ist es uns nicht gelungen, seinen Vater zu finden oder festzustellen, wie der Name seiner Mutter gelautet hat.«

Gwenn begann zu lächeln, hielt dann aber inne, weil sie daran denken mußte, daß auch Anton seinen Vater nie gekannt hatte. Sie nippte langsam an ihrem Tee, während Anton weiterlas.

»Wie kommt es dann, daß er überhaupt einen Namen hat?« fragte Mrs. Mann. »Ich habe ihn erfunden«, sagte der Kirchendiener voller Stolz. »Wir geben unseren Schützlingen die Namen nach dem Alphabet. Der letzte war ein S – ich habe ihn Swubble genannt. Dieser war ein T – also habe ich ihn Twist genannt. Der nächste wird Unwin heißen.«

Gwenn schloß die Augen und schlief kurz darauf ein, während Anton mit leiser Stimme fortfuhr und nur gelegentlich aufhörte, um sie anzusehen. Nach einer Weile klappte er das Buch zu und vergewisserte sich sanft, daß sie gut zugedeckt war.

Als Anton aus dem Zelt trat, blieb er stehen und ließ seinen Blick über das Lager wandern. Für einen Moment waren der Krieg und ihre Flucht vergessen. Vor dem tiefen, sternübersäten blauschwarzen Nachthimmel brannten die Feuer. Funken stoben empor. Die kahlen Äste eines alten Banyanbaums wirkten in der Dunkelheit wie Galgen oder die Flügel einer verlassenen Windmühle. Er hörte Lachen und Geplauder und im Hintergrund die nächtlichen Geräusche des umliegenden Buschlands, wie schon in tausend Safarinächten zuvor.

Manchmal kam Anton sich wie der Kapitän eines Schiffs vor und war stolz darauf, wie gut seine Mannschaft zusammenarbeitete. Bislang hatte sich das Safariteam stets gut bewährt, auch während der kritischen Situationen, die sie seit einiger Zeit zu bewältigen hatten.

Der Mechaniker, der Wäschejunge, der Koch, der Gewehrträger, die Diener – alle gaben auf dieser Flucht ihr Bestes. Das Essen wurde nach wie vor sorgfältig zubereitet, das Personal blieb respektvoll, und das Lager war sauber.

Einige Änderungen waren jedoch unumgänglich. Das Essen war einfacher, und es gab auch keine Dosenfrüchte und Nachspeisen mehr. Sie hatten alle bis auf drei Zelte ausrangiert: ein niedriges Einmannzelt, ein kleines Doppelzelt für die Zwillinge und das Eßzelt, das jetzt als Krankenzelt diente. Die Duschkabine und das Latrinenzelt hatten sie gegen zwei Ziegen eingetauscht. Seine Kunden zeigten ausnahmsweise Verständnis. Amerikaner waren wenigstens anpassungsfähig.

Die ältere Ziege, die es kaum mehr geschafft hatte, mit den anderen Tieren Schritt zu halten, war in dem Eintopf gelandet, den sie jetzt von ihren emaillierten Blechtellern aßen. Lapsam servierte Anton eine große Portion, sobald er neben den anderen Platz genommen hatte. Der Tisch stand zwischen dem Feuer und zwei riesigen Palmen. Nach der Operation hatten sie ihn mit Sand und Wasser blankgescheuert.

»Mmm, wirklich bemerkenswert, euer englischer Bauerneintopf.« Ernst sprach mit vollem Mund. Er war beinahe glatt rasiert.

»In England gibt es keine Bauern«, sagte Anton. »Du denkst wohl eher an deine bayerische Heimat.« Er hatte Ernst wirklich nur selten so adrett gesehen. Sein dichtes silbriges Haar war in der Mitte gescheitelt und glattgestrichen.

Ernst klopfte mit dem Messer gegen seinen Teller, um eine zweite Portion kommen zu lassen. Er sah aufmerksam zu, wie ihm nachgefüllt wurde, und deutete auf die Fleischstücke, die er haben wollte. Dann beugte er sich an Charlie vorbei und sprach Harriet an.

»Lager wie dieses erinnern mich an den Krieg«, sagte der Deutsche.

»Den Krieg?« fragte Harriet. Charlie erhob sich von seinem Platz und setzte sich in paar Metern Entfernung wieder hin, um die Szenerie zu zeichnen.

»Der letzte, der Große Krieg.« Ernst schob sich auf den freien Stuhl neben Harriet. »In Tanganyika, Deutsch-Ostafrika. Wissen Sie, wir Deutschen haben gegen den Rest der Welt gekämpft: Inder, Australier, Schwarze, Briten.« Er nahm einen dicken Knochen von seinem Teller und sog das Mark aus. »Ich zeige Ihnen meine Narben, falls Sie möchten«, sagte er leise.

»Bevor du von jenem Krieg anfängst, alter Krautfresser, sollten wir lieber über diesen hier reden«, unterbrach ihn Anton. Obwohl sein Interesse an Harriet im selben Moment erloschen war, in dem Gwenn auftauchte, ärgerte es ihn dennoch, daß sie so mühelos zu dem Deutschen überwechselte.

»Leiste mir bei einer Zigarre Gesellschaft.« Anton stand auf. »Sie sind im Lastwagen.«

»Warte auf mich, Schatz«, flüsterte der Deutsche Harriet vernehmlich zu. »Ich muß diesem Jungen hier nur mal kurz behilflich sein.« Murrend hinkte er Anton zum Oldsmobile hinterher. Charlie setzte sich mit seinem Skizzenblock neben dem Feuer auf den Boden.

»Das ist unsere Gelegenheit, Junge.« Ernst stützte sich an einem Trittbrett ab und nahm die Streichhölzer, die Anton ihm reichte. »Unser Silber wartet im See, aber nicht mehr lange. Wir müssen es holen, und zwar heute nacht.«

»Wir könnten auf dem weiteren Weg nach Süden ein wenig Silber bestimmt ganz gut gebrauchen«, sagte Anton, ohne ein Wort über seine anderen Absichten zu verlieren. »Erzähl mir, was uns erwartet.«

Die beiden Männer rauchten und berieten sich. Dann überprüfte Anton den Lastwagen und erteilte seinen Leuten Anweisungen.

Sie hatten die Scheibe des einzigen Scheinwerfers mit Schlamm eingerieben, und so erhellte das gedämpfte Licht kaum den holprigen Pfad vor ihnen, während sie in südöstlicher Richtung rumpelnd auf den See zufuhren. Anton fuhr. Ernst saß neben ihm, zeigte ihm den Weg und stellte lästige Fragen über Harriet. Kimathi, Haqim und Antons zweiter Gewehrträger Clarence, ein verläßlicher Mann, befanden sich auf der Ladefläche. Alle waren bewaffnet. Haqim, der im Umgang mit Schußwaffen ungeübt war, trug eine kurzläufige Zwölfer-Schrotflinte bei sich, Antons Stopper.

Als der dunkel schimmernde Zwaisee vor ihnen auftauchte, verringerte Anton die Geschwindigkeit.

»Vorsicht, Engländer. Wir sollten das letzte Stück besser ohne Licht fahren.«

Anton hielt an und sprach mit Kimathi. Dann fuhren sie langsam im Sternenlicht weiter. Kimathi klopfte auf das Dach, um anzuzeigen, wenn sie nach links oder rechts ausweichen mußten.

Der Boden in der Nähe der Seespitze war weich und matschig. »Bis hier und nicht weiter.« Anton schaltete den Motor ab. Dann ließ er den Wagen wieder an und wendete, damit sie schnell aufbrechen konnten.

Humpelnd führte Ernst sie zu dem Mimosenwäldchen. Auf der Insel im See konnten sie den Schein eines Feuers ausmachen.

»Was ist auf dieser Insel?« flüsterte Anton. Er befürchtete, daß Ernst ihm vielleicht nicht alles erzählt hatte, was wichtig war.

»Einige schwarze Mönche, vielleicht auch ein paar verwundete Itaker. Und mein rechter Fuß.« Sein Beinstumpf blieb an einer Wurzel hängen. Ernst stolperte und fluchte.

»Wo sind die Italiener?« fragte Anton besorgt und dachte an Grimaldi.

»Mach dir keine Sorgen«, erwiderte Ernst. »Falls sie in der Nähe wären, würdest du ihre Feuer sehen. Geh einfach hier vorn ins Wasser, Junge, und dann hast du mein Floß auch schon gefunden.«

Anton legte seinen Patronengurt am Ufer ab. Dann stieg er in den See und hielt sich dabei an einer Schlingpflanze fest. Alles hier war schleimig und roch modrig nach verrottender Vegetation in einem stehenden Gewässer.

»Etwas tiefer«, sagte Ernst ermutigend vom Ufer aus. »Links von dir.«

Etwas Großes bewegte sich im Wasser gegen Antons Bein. »Ruhig«, ermahnte er sich selbst. »Das war nicht schnell und heftig genug für ein Krokodil.« Er zog sein Messer und machte einen Schritt nach vorn. Die Kreatur blieb bei ihm und drückte sich unterhalb der Shorts an seine nackten Beine. Durch diese Beharrlichkeit nervös geworden, stach er mit dem Messer ins Wasser. Die Klinge steckte fest. Etwas Schweres und Unbewegliches hing daran.

Argwöhnisch griff Anton mit der linken Hand ins Wasser. Er beugte sich vor und tastete sich voran. Er fühlte Zähne, eine Nase, das

Gesicht eines Mannes. Er atmete tief ein und stemmte seine linke Hand gegen die nackte Brust. Dann riß er das Messer aus der Leiche. Das reglose Gesicht durchbrach die Oberfläche. Wasser rann aus seinem Mund. Dann sank der Körper wieder zurück.

»Dürfte mein erster Italiener sein.« Ernst spähte nach unten. »Ich habe doch gesagt, noch ein kleines Stück nach links, Dummkopf!«

Anton merkte, wie die aufgedunsene Leiche unter Wasser von ihm wegtrieb. Er bewegte sich vorsichtig weiter, beugte sich nach unten und tastete mit beiden Händen umher. Schließlich stieß er gegen die splitterige Kante einer hölzernen Packkiste. Daneben befanden sich noch weitere Kisten, wie er feststellte. Auf den Kisten lagen schwere Steine.

»Ich hab's gefunden«, sagte er leise und tastete sich an der Kante des versunkenen Floßes entlang. Er bedeutete Kimathi und Haqim, ihm zu helfen. Er führte sie zu dem Floß, und dann begannen die drei Männer, die Steine zu entfernen, mit denen es beschwert war. Das Floß hob sich langsam. Die hölzernen Deckel der oberen Kisten stiegen aus dem Wasser empor.

»Genau, wie ich euch gesagt habe!« rief Ernst den Männern zu, die dort vor ihm arbeiteten.

Kimathi und Anton reichten die Kisten an Haqim und Clarence am Ufer weiter. Als sie damit fertig waren, schleppten sie die Kisten nacheinander zum Wagen, wobei sie mit der sperrigen Last häufig ins Stolpern kamen. Ernst wartete im Führerhaus auf sie und zählte die Kisten. Die Schrotflinte lag auf seinem Schoß. »Zehn! Das sind alle!« rief er schließlich. Aufgeregt stieg er aus, umarmte Anton und legte den Afrikanern seinen Arm um die Schultern.

Das abgehackte Geräusch des startenden Motors hallte durch die Nacht. Dann wurde es leiser und regelmäßiger, als sie ohne Licht langsam losfuhren.

Sie hatten noch nicht einmal hundert Meter zurückgelegt, als hinter ihnen ein einzelner Gewehrschuß aufpeitschte, gefolgt von zwei weiteren. Einer der Afrikaner schrie auf und stürzte gegen die Öffnung in der Rückwand der Fahrerhauses. Anton fühlte, wie die Anspannung von ihm Besitz ergriff. Hört sich an wie ein einzelner Schütze, dachte er und beugte sich tiefer über das Lenkrad.

Anton dachte an Gwenn und gab mehr Gas. Er wollte unbedingt vermeiden, daß ihnen jemand zum Lager folgte. Der Lastwagen wurde kräftig durchgeschüttelt. Dann wurde noch ein Schuß auf sie abgegeben.

»Vermutlich dein Pilotenfreund«, sagte Ernst. »Er dürfte als einziger übrig sein.« Auf der Ladefläche feuerte Kimathi donnernd seine Schrotflinte ab.

Das Oldsmobile holperte über Steine und durch die Dornbüsche. Anton erwägte umzukehren und sich den Schützen eigenhändig vorzunehmen. In der Nacht wäre dies sicherlich am einfachsten möglich, und zudem war es gefährlich, einen Feind hinter sich zurückzulassen. Aber er hatte zu viele Verpflichtungen im Lager, und er wollte nicht, daß Gwenn glaubte, er habe deswegen umgedreht und einen Italiener ermordet, weil er hoffte, daß es sich um ihren Liebhaber handelte.

Neben dem Lastwagen gab es ein polterndes Geräusch.

»Was war das?« Anton verringerte das Tempo. »Ist eine der Kisten runtergefallen?«

»Nur dein toter Junge. Haqim hat ihn rausgeworfen«, sagte Ernst. »Fahr weiter.«

Anton war beunruhigt. Das brachte Unglück. Er hielt den Wagen an. Dann lief er den Pfad zurück, bis er die Leiche fand: Clarence. Er kniete sich hin, nahm Clarences Kopf zwischen die Hände und schloß ihm mit den Daumen die Lider. Einen Moment lang legte er dem Mann eine Hand auf die Wange. Er hob den Körper des Kikuyu auf die Schultern und trug ihn zum Lastwagen. Kimathi half ihm, die Leiche auf die Ladefläche zu legen. Er war froh, daß sein Freund nicht einfach liegengelassen wurde.

»Er war die letzten neun Jahre bei mir«, sagte Anton, als sie weiterfuhren. Es tat ihm leid, daß er die Verantwortung für den Tod des Mannes trug. Verbittert fragte er sich, wer noch sterben und wer am Ende überleben würde. Er machte sich Sorgen um Gwenn und den Zeitpunkt, an dem sie wieder transportfähig sein würde. Jede Verzögerung war gefährlich für die anderen, aber sicherer für seine Frau. Er fuhr im Licht des aufgehenden Monds so schnell er konnte, dachte an Gwenn und seine Kunden und grübelte über einem Plan für ihre weitere Flucht. Er mußte Mittel und Wege finden, vom Gejagten zum Jäger zu werden.

Mit der Ankunft des Silbers veränderte sich die Stimmung im Lager. Anton versuchte, darüber hinwegzusehen. Er ließ den Lastwagen nicht bewachen und leitete das Lager wie gewöhnlich. Die Afrikaner schienen das Silber zu meiden und ließen immer einen gehörigen Abstand zwischen sich und dem Wagen. Ernst führte sich als Besitzer auf, als wäre er jetzt ein anderer, vermögenderer Mann. Sogar Charlie und Dr. Fergus schienen sich davon beeinflussen zu lassen, als trügen sie eine zusätzliche Verantwortung. Nur die Frauen kümmerten sich nicht darum. Wahrscheinlich selbst zu reich, vermutete Anton.

Am Morgen hielten sie eine Andacht für Clarence ab. Anton schaufelte als erster Erde ins Grab. Sie hatten die Grube tief ausgehoben, damit die Tiere nicht an Clarence herankommen würden, und oben auf das Grab schichteten sie einen Berg Steine. Das ganze Lager versammelte sich dort, während Anton und Dr. Fergus aus einem Gebetbuch vorlasen.

»Und mein Blick wird sich zu den Hügeln erheben«, las Anton und mußte an andere Gottesdienste zurückdenken.

»Verzeihung«, sagte Ernst zu Harriet, nachdem die Andacht vorbei war. »Dieses verdammte Bein wird schnell steif, wenn ich es nicht bewege, und diese verfluchte Krücke scheuert mir ein Loch in die Achsel. Glauben Sie, Sie könnten mir bei einem kleinen Spaziergang behilflich sein?«

»Sie scheinen ziemlich gut zurechtzukommen«, sagte Harriet bewundernd. Sie wußte, daß Bernie zuhörte. »Aber ich werde Ihnen sehr gern helfen, wenn ich kann«, fügte sie hinzu und stellte sich dichter neben den Deutschen.

»Vielleicht könnte ich ja den Stock hierlassen und mich ein bißchen auf Ihrer Schulter abstützen«, sagte Ernst. Er reichte die Krücke an Charlie weiter und legte Harriet einen Arm um die Schultern. »Ah, das ist besser«, ächzte er, als sie losgingen. »Wissen Sie, das erinnert mich an 1917.«

Obwohl er wußte, daß alle anderen so schnell wie möglich aufbrechen wollten, verbrachte Anton den größten Teil des Tages im Zelt bei seiner Frau. Er saß neben ihrem Feldbett auf einer grünen metallenen Munitionskiste, studierte seine Karten, hielt ihre Hand und verscheuchte die Fliegen von ihren Wunden, während sie schlief. Mehrmals wachte sie auf, blinzelte und kniff dann die Augen zusammen, als habe sie Schmerzen. Sie wurde nicht ganz wach, aber sie wußte, daß er da war, dessen war er sich sicher.

Daneben hatte Fergus sich in seinem Bettzeug zusammengerollt und schlief tief und ruhig. Er war schwach und erschöpft wie ein Patient nach einer Operation. Anton hatte Diwani und einen der abessinischen Soldaten auf Patrouille ausgeschickt.

Einmal wachte Gwenn auf und wandte ihren Kopf in Antons Richtung. »Ihr anderen müßt weiterfahren«, sagte sie langsam.

»Wenn es dir ein bißchen besser geht, Gwennie, werden wir beide zusammen weiterreisen«, erwiderte er.

»Aber du mußt weiter und dich um deine Kunden kümmern und allen von dem Gas erzählen. Die Welt muß es erfahren. Es würde alles verändern.«

»Weißt du denn nicht mehr, daß du immer die Chefin auf der Farm gewesen bist und ich der Chef auf den Safaris?« fragte er tadelnd. Sie ließ sich aufs Bett zurücksinken. »Außerdem glaube ich, daß Fergus die Ruhe noch nötiger hat als du.« Er fragte sich, ob sie kräftig genug war, um dickköpfig zu sein.

»Abendessen, Bwana«, rief Lapsam vom Zelteingang. Bei diesen Worten wurde der Doktor wach und setzte sich auf. Anton legte das Gebetbuch zurück in die Munitionskiste, damit es vor Feuchtigkeit und Insekten geschützt war. Er blickte auf seinen Dickens und schloß den Deckel.

Nach dem Abendessen war es an der Zeit, die anderen von seinen Plänen zu unterrichten, hatte er beschlossen. Whisky, Ziege mit Currysoße und Kartoffeln würden ein prächtiges Mahl ergeben.

Seine Kunden versammelten sich mit Ernst und Fergus beim Feuer. Sie waren hungrig, aber auch jeden Tag ein bißchen dankbarer. Die Zwillinge schienen zu verstehen, ein Gespür dafür zu haben, als hätte sich endlich etwas gefunden, das mehr als nur einen kleinen Teil ihrer Aufmerksamkeit in Anspruch nahm. In gewisser Hinsicht wurde die Safari besser, je härter sie wurde. Das brachte sie näher an Afrika heran.

Ernst setzte sich zwischen die Zwillinge und wandte sich fröhlich an Bernadette.

»Haben Sie viele Photos gemacht, Fräulein?«

»Ein paar, aber meine Schwester Harry hat mit ihrer neuen Bell und Howell jede Menge Filmmaterial verschwendet«, sagte Bernadette.

»Gut für sie, Miss«, sagte Ernst. Verwirrt blickte er von einem Mädchen zum anderen. Sie hatten sich vor dem Abendessen beide gewaschen und umgezogen. Inzwischen trugen sie die gleichen dunkelgrünen Hemden und lange plissierte Khakishorts. »Wunderbar, ihr Amerikaner. Immer die neuesten Sachen.«

»Nicht nur Safaribilder.« Harriet war wütend über den gönnerhaften Tonfall von Ernsts Bemerkung. »Der Krieg. Ich habe gefilmt, wie die Italiener das abessinische Lager bombardiert haben, das Giftgas, die Flugzeuge und auch sonst alles. Ich kann gar nicht abwarten ...«

»Gas?« Fergus beugte sich vor. Jegliche Müdigkeit war verschwunden. Er wandte sich an Harriet. »Sie haben die Italiener beim Einsatz von Giftgas gefilmt?« Die Freude war ihm deutlich anzusehen.

»Das könnte den Völkerbund auf den Plan rufen. Die Welt wartet doch nur auf einen Beweis. Man würde den Suezkanal für alle italienischen Schiffe schließen!«

»Ja«, sagte Bernadette und ließ sich von seiner Begeisterung anstekken. »Harry hat alles von der Ladefläche des Lastwagens aus gefilmt. Die Flugzeuge mit dem Gas, alles. Eine der Maschinen ist abgestürzt und lag mit dem Rücken auf dem Boden, so daß man die Gasdüsen sehen konnte.« Dann sprach sie langsamer. Zweifel schlichen sich in ihre Stimme. »Aber der Wagen ist die ganze Zeit hin und her gehüpft. Wer weiß, was letztendlich dabei herauskommen wird.«

»Deshalb bombardieren sie unsere Rote-Kreuz-Teams, damit wir aus der Kampfzone verschwinden und es keine ausländischen Zeugen für die Gasangriffe gibt«, sagte Fergus hastig. »Deshalb wurde Gwenn verwundet. Falls die Italiener wüßten, daß Sie diesen Film haben, würden sie uns alle töten.«

Niemand sprach. Anton hörte das Feuer prasseln. Beide Zwillinge waren von den Worten des Doktors völlig gefesselt. Schmal und steif wie ein Brett stand Dr. Fergus auf. Mit dem Rücken zum Feuer sah er Anton an.

»Wir müssen diesen Film außer Landes bekommen. Er könnte den Krieg beenden und Tausende, Zehntausende Leben retten.« Sein Atem ging schnell. Seine bleichen ausgemergelten Wangen sanken noch tiefer ein. »Alles andere ist unwichtig.«

»Er hat recht«, hörte Bernadette sich selbst in die Stille sagen. Sie erschauerte und sah ihrer Schwester in die Augen.

»Sie müssen es tun«, sagte der Arzt zu Anton. Er zitterte unmerklich und erhob seine Stimme. »Sie wären allein sehr viel schneller unterwegs. Man würde Sie niemals einholen. Wir anderen kommen zurecht. Sie sollten das beste Pferd nehmen und mit dem Film so schnell wie möglich zur kenianischen Grenze reiten.«

»Das kann ich nicht tun«, sagte Anton mit leiser, ruhiger Stimme. Alle Augen richteten sich auf ihn. »Tut mir leid, Doktor, aber ich kann nicht.« Niemand sonst sagte ein Wort.

Anton schaute an Fergus vorbei ins Feuer. Zum erstenmal in seinem Leben hielt sogar der Busch keinen Ausweg für ihn bereit. Dieser verdammte Krieg wuchs ihnen allen über den Kopf.

29

Olivio Fonseca Alavedo hatte sich auf seltsame Weise an seine Koch-Schlinge gewöhnt. Wenn der Teufel in seinem Rücken ihn nicht schlafen ließ oder wenn er unbedingt Ruhe zum Nachdenken brauchte, erhob er sich manchmal von dem riesigen Himmelbett seiner Frau. Er duschte, zog sich an und rüttelte dann Tariq oder einen der anderen Diener wach, damit dieser ihn zum Cataract Café fuhr. Er zog es vor, die Schlinge im Dunkeln anzulegen, weil er so besser überlegen und Pläne schmieden konnte, während sein Rücken sich dehnte und der Schmerz nachließ.

Heute nacht hatte er mehr als seine Pflicht getan, so daß Kina seiner Meinung nach zutiefst befriedigt und ermattet zurücksank und sich schwarz und üppig von den weichen Leinenlaken abhob. Welche andere Frau hatte solche Brüste? Wenn Kina schwanger war, fand er sie sogar noch erregender. Ihr Körper war dann voller Leben, und ihre Brüste schwollen an und wurden fest. Würde das Kind, das sie jetzt in sich trug, endlich ein stattlicher Sohn werden und sich von diesen prachtvollen Brüsten stillen lassen? fragte er sich flehentlich.

Er stand nackt neben dem Bett, hielt sein Auge in der Hand und schaute zu ihr hoch. Das Dämmerlicht fiel auf ihre Haut. Er bewunderte ihre Ähnlichkeit, ja sogar ihre überlegene Schönheit, verglichen mit den gelangweilten nackten weißen Damen auf den dekadenten Pariser Gemälden, die er vor vielen Jahren betrachtet hatte, während seine Frau entlang des Faubourg Einkäufe erledigte und der kriecherische Panhard ihr mit ihren Päckchen und Hutschachteln folgte.

Er war schon im Aufbruch begriffen, aber dann ließ er sich hinreißen und kehrte doch wieder ins Bett zurück. Es war ein Nachbau des Betts, das Ismail Pascha der Kaiserin Eugénie bei ihrem Besuch in Kairo im Jahre 1869 zum Geschenk gemacht hatte. Olivios Nase, empfindlich wie immer, genoß den Duft, der vom Geschlecht seiner Frau aufstieg, als er sich dem Altar der Lust näherte.

Er nahm eine Flasche hellgrünes Agavenöl zur Hand, kletterte auf eines der runden arabischen Lederkissen, die den Rand des hohen Betts säumten, und schob den seidenbespannten Dromedarsattel beiseite, der noch immer in einer Ecke lag. Dann ließ er sich neben seiner Frau nieder. Seine Rückenschmerzen quälten ihn. Er ölte seine Finger ein und nahm je eine der langen aufgerichteten Brustwarzen in seine kleinen Hände. Er schloß die Augen und küßte das dunkle feste Fleisch, erforschte die kleine Vertiefung an der Spitze der Warzen mit seiner Zunge und lockte die verborgene Pracht hervor.

Kinas Körper erkannte das Vorspiel. Sie regte sich und drehte sich zu ihm. Einen Moment lang wurde der Zwerg zwischen ihren Brüsten fast erstickt. Stöhnend befreite er seinen Kopf. Bei dieser Bewegung spürte er einen heftigen Schmerz in seinem Rücken. Er gab sein Vorhaben auf und verließ das Bett. Der Zustand seiner Wirbelsäule verschlechterte sich immer mehr. Er wusch sein Auge und bereitete sich darauf vor, zum Café aufzubrechen. Der Zwerg genoß es stets, bei Nacht im Wagen unterwegs zu sein.

»Komm am frühen Morgen zurück und hol mich wieder ab«, wies er Tariq an, nachdem sie beim Café angekommen waren.

»Wenn ich Miss Clove zum Zoo fahre?« fragte der Nubier, während er seinem Herrn vorsichtig aus dem Daimler half.

»Ja, sehr gut.« Die Fahrt im Morgengrauen würde dem Zwerg ermöglichen, sich in aller Ruhe mit seinem Lieblingskind zu unterhalten. Es war an der Zeit, daß er dem Mädchen gewisse Richtlinien in Erinnerung rief, die für eine junge Dame aus gutem Hause unabdingbar waren, nämlich eine gewisse abweisende Haltung und, falls das nicht gelang, zumindest Diskretion. Cloves Mutter war nicht geeignet dazu, ihr diese Lektion beizubringen, war sie selbst dem Zwerg doch im Alter von dreizehn Jahren verfallen.

Olivio stand jetzt allein im trüben Licht der Laternen am Kai. Er betrat die Gangway zum Boot und ließ auf der Suche nach dem Nachtwächter seinen Blick über das Deck schweifen. Als Folge des Regenwassers aus Äthiopien und dem Sudan war der Pegel des Nils gestiegen. Das überdachte Fallreep fiel daher nicht mehr ganz so steil ab und war für ihn etwas bequemer zu bewältigen. Die ansteigenden Fluten ließen ihn an seine Freunde denken, die sich in Abessinien in Gefahr befanden. Die Sorgen lenkten ihn einen Moment lang ab. Dennoch hielt der kleine Mann sich vorsichtig an dem geflochtenen Seil fest, während er mit kleinen Schritten nach unten stieg.

Er entdeckte den Nachtwächter auf einem der Stühle an Deck. Der Mann schlief und hatte seinen Kopf auf einen der runden Tische des Cafés gelegt. Wie ein Jäger, der sich im Busch anpirscht, schlich Olivio sich leise an den faulen Gauner heran. Er hob den hölzernen Knüppel des Mannes mit beiden Händen über den Kopf und wollte den schweren Schlagstock dicht neben dem Ohr des Wächters auf die metallene Tischplatte sausen lassen. Das und der Anblick des wütenden Gesichts seines Herrn sollten ausreichen, um diesen Hund Gehorsam zu lehren. Dann besann der Zwerg sich eines Besseren und ließ den Mann schlafen. So blieb er selbst ungestörter. Er würde sich später um eine geeignete Bestrafung kümmern.

Olivio öffnete die Tür zum Unterdeck und regulierte die Helligkeit einer trüben Lampe am oberen Ende der Treppe. Dann zog er seine *Gallabijjah* aus, damit sie ihm nicht über das Gesicht fallen konnte, sobald er kopfüber hing. Für den Fall, daß Ilsa Koch nicht anwesend war, hatte er sich eine eigene Methode erdacht, um sich in die Schlinge einzuhängen. Er schob das Sphinxmodell an einen Punkt unterhalb des aufgehängten Geschirrs und kletterte dann mittels eines der Steigbügel auf den Rücken der Statue. Einen Moment lang verharrte er in dem alten Sattel. Es verbanden sich für ihn damit unzählige Erinnerungen, manche zärtlich, andere überaus aktiver Natur.

Dank der Beweglichkeit, die ihm nach Dr. Hängers Therapie inzwischen zu eigen war, stellte der Zwerg sich auf den Schultern des Sphinx auf Kopf und Unterarme. Er fühlte sich zu Hause. Danach schob er erst seinen rechten und dann den linken Fuß in die ledernen Sandalen. Wenn er das Gewicht von den Armen auf die Füße verlagerte, zogen die Riemen sich von selbst zusammen und er stieß die Sphinx beiseite. Nun hing er frei wie eine Fledermaus. Er trotzte der Schwerkraft und merkte, wie sein Körper sich entspannte.

Der Zwerg hatte Gefallen daran gefunden, sich mit Fledermäusen zu vergleichen. Mochten andere die vampirgesichtigen Chiroptera auch abscheulich finden, er teilte diese Gefühle nicht. Diese Nachtlebewesen waren so leise, klein und scharfsinnig, daß keine andere Kreatur ihrem Jagdgeschick nacheifern konnte. Olivio verschränkte die Arme vor der Brust und folgte den sanft schaukelnden Bewegungen des Boots, bis ihm die Augen zufielen.

Olivio war gerade in einen wilden Traum versunken, in dem riesige Baumwollkapselkäfer über Jamila und ihn selbst hinwegkrochen, als ein Klopfen ihn aufschrecken ließ. Im ersten Moment war er sich nicht sicher, in welche der beiden Welten das Geräusch gehörte. Irgend etwas schlug gegen die Steuerbordseite des Cafés. Die Müdigkeit fiel von ihm ab. Ein Baumstamm, irgendwelcher Abfall oder ein kleines Boot? Sein Instinkt verriet ihm, daß er nicht allein war.

Er lauschte angestrengt. Hörte er auf dem Deck über sich Schritte? Durch die Bullaugen drang das gedämpfte Licht des frühen Morgens hinein. Er hörte, wie neben dem Boot etwas klatschend ins Wasser fiel. Der nackte Körper des Zwergs zitterte im Dunst der Morgendämmerung. Seine empfindliche Nase nahm einen eigentümlichen, öligen Geruch wahr.

Olivio beugte die Knie, holte Schwung und streckte die Arme nach dem gesattelten Sphinx aus, um die Statue wieder zu sich heranzuziehen und hinabzuklettern. Plötzlich traf ihn die Erkenntnis wie ein Schlag.

Er kannte diesen üblen Geruch, von damals, vor fünfzehn Jahren: Lampenöl. Das Strohdach war mit Öl getränkt gewesen. Eine Fackel hatte es entzündet, und sein Anwesen in Nanyuki war in Flammen aufgegangen.

Olivio war zu schnell und unvorsichtig. Sein rechter Arm stieß gegen den Sphinx. Er hörte, wie der Sattel herunterfiel.

»Maldito seja!« fluchte er. Es überraschte ihn nicht, daß ihm erste Rauchfetzen in die Nase stiegen. Er bekam Angst. Auf dem Deck über seinem Kopf hörte er jemanden rennen, gefolgt von den scharrenden Geräuschen eines Mannes, der sich außen am Boot hinunterließ.

Der Zwerg starrte auf das nächste Bullauge, das sich nur ein kleines Stück von ihm entfernt befand. Die Öffnung verdunkelte sich, und ein Gesicht schaute herein. Olivio nahm einen zweiten durchdringenden Geruch wahr, der vom Fenster herüberwehte. Es roch so ähnlich wie ein vage vertrautes Tier.

Da das Licht sich hinter dem Gesicht befand, konnte Olivio nicht erkennen, wie die Person aussah, aber er spürte die Augen des anderen auf sich und seiner Nacktheit ruhen. Der Zwerg hing reglos da und erwiderte den Blick herausfordernd. Der Fremde zog seinen Kopf zurück. Für den Bruchteil einer Sekunde wurde er vom Tageslicht erhellt. Der Zwerg erkannte ein langes, schmales, dunkles, zerfurchtes Gesicht mit großen Augen. Der Kopf war genauso kahl wie sein eigener. Erneut bemerkte Olivio den intensiven Geruch.

»Wer sind Sie?« rief der Zwerg so laut er konnte. Er erhielt keine Antwort.

Als das Gesicht nach unten verschwand, sah er eine diagonale Einbuchtung, die quer über den Kopf verlief. Dann stieß ein Ruder sich von der Seite des Cafés ab. Der Schurke war verschwunden.

Schniefend und hustend versuchte Olivio, mit den Händen an seine Füße zu gelangen, um sich zu befreien. Er hatte Angst, zum zweiten Mal in einer Feuersbrunst gefangen zu werden. Als er seinen Körper zwang, sich nach oben zu beugen, ließen der Schmerz in seinem Rücken und der plötzliche Blutstau im Kopf alles vor seinen Augen verschwimmen. Seine Hände bekamen sein linkes Knie zu fassen und arbeiteten sich dann seine kurze Wade entlang zum Knöchel vor. Er packte seinen Knöchel und hielt sich daran fest, um kurz zu verschnaufen. Er war qualvoll zu einer Seite verdreht und hatte das Gefühl, seine knotige Wirbelsäule würde durch die Haut seines Rükkens platzen. Er bemühte sich, sein ganzes Gewicht auf das andere Bein zu verlagern, und löste mit der linken Hand den Riemen um seinen Knöchel. Er krümmte die winzigen Zehen seines linken Fußes und wand und drehte sich wie ein Aal, bis der Fuß schließlich aus der Schlinge rutschte.

Er keuchte und hustete. Sein Körper sackte herab, streckte sich zu seiner vollen Länge und schwang unkontrolliert an der rechten Sandale hin und her. Er sah, wie die gegenüberliegende Dachecke des Unterdecks von Flammen erhellt wurde. Sie wirkten seltsam schön. Das Licht, das durch die Bullaugen hereindrang, durchschnitt den sich verdichtenden Qualm wie Suchscheinwerfer einen Nebel. Voller Angst und Entsetzen spürte er die Hitze, die von der brennenden Steuerbordwand ausging.

Der Zwerg hing immer noch kopfüber da. Er war wütend über seine eigene Hilflosigkeit und versuchte verzweifelt, seinen rechten Fuß zu erreichen, aber es gelang ihm nicht. Er schnappte nach Luft und glaubte, an Deck Schritte zu hören. Er mußte würgen. Ihm wurde schwindlig vom Rauch.

Tariq fuhr langsam die Shari al-Nil entlang. Hin und wieder warf er einen Blick auf Miss Clove, die auf der Rückbank des Daimler saß. Er war ein gottesfürchtiger Moslem, und sein ungebührliches Interesse irritierte ihn. Er schüttelte den Kopf und atmete tief ein. Waren diese Schuluniformen mit Absicht so geschnitten? Er sah, wie das Mädchen an einem Gebäckstück knabberte und die Blätterteigkrümel von ihrer engen Bluse und dem Notizbuch auf ihrem Schoß sammelte.

Zu Tariqs rechter Seite ging die Sonne auf und ließ die Minarette, Kuppeln und schmalen Mondsicheln lange Schatten auf die heller werdende Oberfläche des Nils werfen. Als der Wagen im sanften Bogen um die Spitze von Garden City herumfuhr, stellte er bestürzt fest, daß schwarze Rauchschwaden über dem Ufer hingen.

»Da ist ein Feuer!« schrie Clove vom Rücksitz und hämmerte gegen die Trennscheibe. Angst und sogar Schmerz schwangen in ihrer Stimme mit. »Schneller, Tariq, schneller! Mein Vater ist dort!«

»Ja, Miss«, erwiderte er entsetzt und trat aufs Gas. Die Tochter seines Herrn trommelte gegen die Scheibe hinter seinem Kopf. Ihr Gesicht berührte fast das Glas.

»Schneller!« schrie sie erneut.

Tariq erreichte das Cataract Café und hielt den Daimler mit quietschenden Reifen auf der Uferstraße an. Er sprang aus dem Wagen, ließ die Tür hinter sich offenstehen und lief die Gangway hinab. Teile des Decks standen in Flammen. Schwarzer Rauch stieg von den kleinen Öllachen auf, die sich an den Bordwänden gesammelt hatten. Die Tür zum Unterdeck schwelte.

»Daddy!« schrie Clove und stürzte ebenfalls aus dem Auto. Sie rannte die Gangway hinunter und folgte Tariq über das Deck.

»Such meinen Vater!« rief sie dem riesigen Nubier zu, während er bereits zu der Tür eilte, die nach unten führte. Sie sah, wie er sich mit einer Schulter dagegenwarf und den Durchgang aufbrach. Eine Wand aus Hitze und Qualm schlug ihm entgegen, und er prallte zurück.

Als Clove ihn einholte, sprang Tariq voran und stieg nach unten. Das Mädchen zögerte hustend. Ihre Augen tränten.

Sie begann, sich die Stufen hinabzutasten, das Schultaschentuch dicht vor den Mund gepreßt. Als sie den Boden des Unterdecks erreichte, stellte sie erleichtert fest, daß Tariq ihren Vater soeben aus einem seltsamen Hängegeschirr befreite. Sie sah, daß Olivio Arme und Beine bewegte, aber sie konnte über dem Prasseln des Feuers seine Stimme nicht hören. Tariq zerriß das Geschirr mit einer Hand und drückte ihren nackten Vater mit der anderen Hand an seine Brust.

Außer ihrem Vater gab es nur eines, um das sie sich Sorgen machte: ihre Filmsammlung in den großen Blechdosen. Sie befanden sich in dem Schrank unter der Treppe. Als Clove sah, daß Tariq sich um Olivio kümmerte, versuchte sie verzweifelt, die verzogenen Holztüren des Filmschranks aufzureißen. Das Holz war bereits fast zu heiß zum Anfassen.

Sie wußte, wie leicht entflammbar der Nitratfilm war. Sogar bei der Vorführung mußte der Film stets in Bewegung bleiben. Falls ein und dasselbe Bild auch nur wenige Sekunden der Hitze der Projektionslampe ausgesetzt war, konnte das die gesamte Filmrolle entzünden. Je älter die Filme waren, so hatte man sie gewarnt, desto instabiler und brennbarer waren sie. Es kam gelegentlich vor, daß sich Filmrollen nach zehn oder mehr Jahren durch eine spontane Selbstentzündung zerstörten, wenn sich in den luftdichten Dosen genügend Gase des zerfallenden Filmmaterials angesammelt hatten.

»Unsere Filme!« schrie sie, stemmte einen Fuß gegen die linke Tür und packte mit beiden Händen den Messinggriff des anderen Türflügels. Der Schrank sprang auf.

Im Innern war es heiß wie in einem Ofen. Eine Woge heißer Luft schlug ihr aus dem Schrank ins Gesicht. Sie schreckte zurück, wandte sich um und sah Tariq zur Treppe eilen.

»Kommen Sie, Miss!« rief der Nubier ihr zu.

»Clove! Lauf weg! Lauf weg!« brüllte ihr Vater, als Tariq ihn vorbeitrug. Kurz bevor sie die Stufen erreichten, streckte ihr Vater die Hände nach ihr aus, um sie zum Mitkommen zu nötigen. Seine winzigen Finger strichen an ihrer Schulter entlang.

»Clove! Clove!« schrie der kleine Mann.

»Ich komme!« rief sie ihm hinterher. Das Mädchen blinzelte durch den Rauch, aber sie konnte die Etiketten auf den Kanten der schweren Blechdosen nicht erkennen. Sie wußte, an welcher Stelle ihre Lieblingsfilme auf dem obersten Schrankboden lagen. Mit tränenden Augen griff sie empor und fuhr mit den Fingern die Dosen entlang. Das Blech war so heiß, daß sie sich fast daran verbrannte.

Tariq eilte unmittelbar über dem Schrank die Stufen hinauf. Ihr Vater war in den Schoß der *Gallabijjah* des Nubiers gewickelt und brüllte mit schwarzem Gesicht noch immer zu ihr nach unten.

»Halt an, Tariq. Hol meine Tochter«, hörte sie ihn rufen, während er verzweifelt mit den Beinen strampelte. An einem seiner Knöchel baumelte ein Lederriemen.

Ihre Finger fuhren über die Kanten der fünf Dosen von *Captain Blood* und der sechs Behälter, in denen *Flesh and the Devil* steckte, der Liebesfilm mit Greta Garbo, den Clove am nächsten Abend hatte vorführen wollen. Sie wußte, daß sie nicht mehr als einen Film tragen konnte, und sie verweilte kurz, um einen auszuwählen.

In der anderen Ecke des obersten Schrankbodens ertasteten ihre Fingerspitzen ihre Lieblingsfilme mit Douglas Fairbanks. Diese Dosen waren älter. Sie stammten aus den Jahren 1922 und 1924 und besaßen eine etwas andere Form, mit schmalen Graten am äußeren Rand. Clove spürte, wie es hinter ihr immer heißer wurde. Sie zögerte immer noch. Hustend fragte sie sich, ob sie *The Thief of Baghdad* oder *Robin Hood* retten sollte.

Fairbanks. Sie stellte sich auf Zehenspitzen und griff nach oben, um die sieben Dosen von *The Thief of Baghdad* nach vorn zu ziehen. Zu ihrer Linken war es so heiß, daß sie befürchtete, ihre Schuluniform würde Feuer fangen.

Die ersten zwei Behälter ließen sich einfach herunternehmen, und Clove stellte sie ab. Die nächsten beiden schienen sich allerdings verklemmt zu haben. Das Feuer kam ihr prasselnd immer näher. Es streckte sich nach ihr, sog Luft durch die Bullaugen und wurde dadurch immer weiter angefacht. Eine Hitzewelle stieg die Treppe empor.

Clove hustete und konnte kaum noch etwas erkennen. Verzweifelt zerrte sie an den heißen Filmdosen. Die Behälter lösten sich und rollten auf sie zu. Clove versuchte, sie zu fangen, aber die Dosen entglitten ihr. Im Fallen schlugen sie gegen ihre Brust, krachten dann zu Boden und explodierten in einer Stichflamme. Clove stieß einen einzigen gequälten langen Schrei aus.

Ihr Vater lag rücklings auf der Uferseite an Deck, während Tariq ihm mit der flachen Hand ins Gesicht schlug und auf seinen Brustkasten drückte. Er erbrach sich ausgiebig. Schwarzer Schleim rann aus seinen Nasenlöchern.

»Wir müssen zurück und sie holen!« forderte Olivio und setzte sich inmitten der Rauchschwaden auf. Er stützte sich keuchend mit den Händen ab und sammelte all seine Kraft, um aufzustehen. Tariq beugte sich herunter und wischte seinem Herrn mit dem Ärmel seines Gewandes die Nase ab. Dann hob er den protestierenden Zwerg empor, rannte die schwelende Gangway hoch und legte Olivio neben Cloves Notizbuch auf die Rückbank des Daimler.

»Nein!« schrie Olivio und mußte immer wieder husten und würgen. »Nein! Wir müssen sie retten!«

Tariq ließ ihn dort liegen und rannte zurück zum Café.

Der Zwerg nahm die mit seinem Monogramm versehene Kamelhaarreisedecke, die quer hinter den Vordersitzen an einem geflochtenen Seil hing. Er wickelte sich in die Decke und humpelte zurück nach unten auf das qualmende Deck. Das Ende der Decke zog er wie eine Brautschleppe hinter sich her. Die Planken versengten seine nackten Füße, woraufhin er einen Schritt zurück auf die mit Teppich belegte Gangway trat. Er kam sich überflüssig vor. Noch nie hatten die physischen Einschränkungen, die sein Leben bestimmten, ihn so sehr geschmerzt wie in diesem Moment.

»Rette sie!« rief der Zwerg und stolperte vorwärts über das glühendheiße Deck. »Rette sie!«

Er sah Tariq am flammenden Durchgang zum Unterdeck zögern.

Auf dem Deck hinter dem Nubier brannten funkensprühend Stühle und Sonnenschirme wie bengalisches Feuer. Clove war irgendwo in dem höllischen Glutofen unter ihnen.

Der Zwerg zog sich die Decke wie eine Henkerkapuze über den Kopf und schloß zu seinem Diener auf. Tariq machte einen Schritt nach vorn und stürzte beinahe ins Unterdeck, als die Treppe vor ihm in sich zusammenfiel. Hitze schlug ihm entgegen. Der stämmige Schwarze riß die Hände vor das Gesicht. Flammen loderten empor. Die Planken unter den Füßen des Mannes schienen sich nach oben zu wölben. Tariq schrie. Seine *Gallabijjah* brannte, und seine Lunge war versengt. Er sprang zur Seite und stürzte über die jenseitige Bordwand in den Fluß.

Olivio hörte die Glocken der Löschfahrzeuge, die gegen den Verkehrsstrom die Shari al-Nil hinaufbrausten.

»Clove! Clove!« schrie er. Tränen rannen über sein geschwärztes Gesicht. Er hielt den Atem an, drängte blindlings vorwärts, stolperte und schlug der Länge nach hin. Sein Kopf hing an der Stelle, wo die oberste Stufe gewesen war. Er fühlte, wie ihn jemand von hinten packte, während er schluchzend den Namen seines Kindes hervorstieß.

Zwei Stunden lang sah er den Männern beim Kampf gegen das Feuer zu, während das Cataract Café zu einem flammenden Mausoleum für seine Tochter wurde. Der englische Kommandeur von Kairos Feuerwehr, Hauptmann Sanderson, ein gelegentlicher Gast im Café, kam höchstpersönlich, um den Einsatz zu leiten. Nachdem es ihm zweimal nicht gelungen war, ins Unterdeck vorzustoßen, kam der Offizier mit rußgeschwärztem Gesicht zu Olivio und sprach mit ihm. Es wurden zwei Körper aus dem Wasser geborgen: der Nachtwächter, dem man die Kehle durchgeschnitten und dabei fast den Kopf abgetrennt hatte, und Tariq, bewußtlos, aber am Leben.

Lange Zeit hielt Hauptmann Sanderson den Zwerg eigenhändig zurück und umklammerte den zuckenden, schluchzenden kleinen Mann, wie eine Mutter ihr weinendes Kind trösten würde. »Wir werden den Verantwortlichen finden«, versprach der Kommandeur, ohne dabei überzeugend zu klingen.

Am Ende saß Olivio in seine Decke gehüllt am Ufer, wiegte sich langsam vor und zurück und starrte sein Boot an, während das Feuer weiterhin wütete. Das Cataract Café bot sogar im Todeskampf einen prächtigen Anblick.

Auf dem Dach über der Bar waren Cloves Tauben in den schwelenden Käfigen gefangen. Flammen leckten über das Dach. Die Stäbe der hölzernen Käfige brannten wie Zunder. Er sah die fetten grauen Vögel flattern und in den verqualmten Ecken ihrer Boxen zusammensacken. Die Tiere in der oberen Käfigreihe schlugen aufgeregt mit den Flügeln, während ihr Federkleid Feuer fing.

Olivio starrte in den Morgenhimmel, als eine der Tauben den brennenden Käfigen entkam und sich in die Luft emporschwang. Sie stieg hoch über den Nil und zog an einer Flügelspitze eine Rauchfahne hinter sich her, genau wie der Motor eines Flugboots.

Der Zwerg schaute vom gepflasterten Ufer auf die verkohlten Überreste seines Boots hinab, die im Fluß versanken. Das letzte, woran er sich erinnerte, waren die abgespulten Nitratfilmrollen, die wild peitschend auch dann noch brannten, als sie in der Tiefe des Nils verschwanden.

30

Lorenzo Grimaldi wartete nach wie vor am See auf die Ankunft der zweiten Gruppe *Bersaglieri*. Mit ihnen würde es ihm gelingen, eventuelle Überlebende auf der Insel zu befreien, um sich dann wieder seinen Missionszielen zuzuwenden. Es mußte irgendeinen wichtigen Grund für ihre Verspätung geben. Das Problem lag bestimmt bei den Flugzeugen, nicht bei den Männern. Es gab nie genug Frachtflieger oder Bomber für die Aufträge. Die Capronis waren praktisch ständig in der Luft. Er hoffte, die Fallschirmjäger würden ein oder zwei Dubat-Fährtensucher mitbringen. Die dunklen schweigsamen Somalis, deren nackte Fußsohlen härter als Panzerketten waren, konnten jede Beute zur Strecke bringen. Sie würden sich auf der Jagd als nützlich erweisen.

Nachdem die Macchi einen Motorschaden erlitten hatte und abgestürzt war, hatte Grimaldi die Nacht auf dem harten unebenen Boden neben dem Flugzeug verbracht. Er hatte sich mit seinem Fliegermantel zugedeckt und geschlafen so gut es ging. Vor Einbruch der Nacht hatte er ein Stück Stoff an einen Stock gebunden und in den Treibstofftank gesteckt. Dann hatte er mit dem Stock auf dem Boden des Tanks herumgerührt. Als er den Stoffetzen wieder herauszog, klebte Sand daran. Enzo war nicht überrascht. Er vermutete, daß er den Absturz demselben Mann verdankte, der vom Flugzeug aus auf die Boote geschossen hatte.

In der Nacht wachte er immer wieder auf. Ihm war kalt, und er hatte Angst. Wenn er seine Lage überdachte, so graute ihm am meisten davor, sich ganz allein im Busch wiederzufinden, umgeben von Feinden, hungrig und gehetzt.

Enzo mußte immer öfter an seinen Großvater und den Feldzug von 1896 denken. Er fand sich tiefer in Afrika wieder, als er je beabsichtigt hatte. Er fragte sich, ob es dem alten Grafen genauso ergangen war.

Sein Großvater wäre vom Umfang der italienischen Expedition und von den Kosten zur Wiederherstellung der Ehre seines Landes verblüfft gewesen. Allein die nördliche Front war fast zweihundertfünfzig Kilometer breit und erstreckte sich von Adua bis Makalle. Sie war der Alptraum eines jeden Soldaten, senkrechte Bergschluchten wechselten sich mit endlos gewundenen Tälern ab. An jener Front, und zwar hauptsächlich vor Makalle, hatte Italien dreihundertfünfzig Kanonen aufgeboten, mehr als zweitausend Maschinengewehre, fast hundert Panzer, fünfunddreißigtausend Packtiere, zehntausend Lastwagen und mehr als hunderttausend Männer, allesamt unter dem Schutz von hundertsiebzig Flugzeugen. Welche Opfer mußten für diesen Feldzug in der Heimat gebracht werden? Wie hatten diese Faschisten eine solche Tatkraft mobilisieren können?

Kurz vor Tagesanbruch weckte ihn ein unheimliches bellendes Geräusch, hoch, barsch und streitsüchtig. Beunruhigt hörte er, wie das Geräusch immer wieder seine Position veränderte. Er setzte sich auf und lehnte sich an den Rumpf seines Flugzeugs. Die Pistole lag in seinem Schoß, und er nippte an dem körnigen Rest kalten Kaffees aus seiner Thermoskanne.

Welche Tiere gaben solch ein Geschrei von sich?

Als es heller wurde, entdeckte er direkt vor dem Hintergrund der aufgehenden Sonne eine aufgerichtete dunkle Gestalt. Ihr langer Schatten berührte seine Füße. Im ersten Moment dachte er, es wäre ein sitzender, etwas verwahrloster Mann, der einen Umhang um die Schultern trug. Hin und wieder wiegte sich die Gestalt vor und zurück, als würde sie beten. Sie befand sich nicht mehr als fünfunddreißig Meter entfernt und starrte Enzo an, während die Morgensonne ihr den Rücken wärmte. Die aufsteigende Sonne verlieh der Gestalt einen seltsamen orangefarbenen Lichthof, aber das Gesicht und der Körper lagen für Enzo nach wie vor im tiefen Schatten. Er mußte an einen geheimnisvollen Heiligen denken, den er zu Hause auf mehreren Kirchenmosaiken gesehen hatte: das Bild eines Mannes, der von einer goldenen Aura oder einem hellen Glorienschein umgeben war.

Die Kreatur hob zwei lange haarige Arme, und Enzo sah, wie das Sonnenlicht zwischen ihren gekrümmten Fingern hindurchfiel. Die Arme streckten sich weit nach hinten. Das runde dunkle Gesicht öffnete sich und gähnte. Das Licht fiel auf die langen gelben Eckzähne. Das Vieh trug keinen Umhang, sondern einen Mantel oder eine Mähne aus graubraunem Haar, die von seinem Nacken und den Schultern bis fast auf den Boden hing. Enzo entspannte sich und senkte die Beretta. Das da vor ihm war ein Affe.

Links von Enzo kamen zwei andere Paviane um das Heck des Flugzeugs herum. Sie waren etwas kleiner und ihr Fell etwas heller, aber sie besaßen eine kräftige Statur und wirkten lebhafter als ihr Artgenosse. Sie näherten sich ihm langsam und vorsichtig wie Guerillas. Die beiden jüngeren Tiere liefen auf allen vieren über den Boden, blieben stehen, richteten sich auf und beäugten ihn, bevor sie sich mit kleinen Sprüngen nach links und rechts weiter auf ihn zu bewegten. Sie bellten und husteten, als würden sie sich mit ihren Kameraden besprechen und sich gegenseitig Mut machen, um ihn genauer zu untersuchen.

Die Primaten verwirrten ihn. Es überraschte, wie unterschiedlich ihre Rufe klangen. Als sie sich in seine Richtung wandten und aufstanden, bemerkte er zwei hellrote haarlose Dreiecke auf ihrer Brust. Wahrscheinlich handelte es sich um Dschelada-Paviane, die nur im abessinischen Hochland vorkamen, was seine Offizierskameraden zu äußerst rassistischen Witzen verleitet hatte.

Das ältere, schwerere Tier verharrte an Ort und Stelle und drehte nur gelegentlich mit kurzen abgehackten Bewegungen den Kopf. Hinter ihm versammelten sich zahlreiche Artgenossen: Jungtiere, Weibchen und ein oder zwei dunkle ausgewachsene Männchen, die fast so groß waren wie ihr Anführer. Alle hatten vorstehende Nüstern, die ihre Schnauzen merklich überragten. Mehrere Säuglinge nuckelten an den hellroten Brüsten ihrer Mütter. Die beiden jungen vorlauten Männchen näherten sich Enzo immer wieder, als wollten sie ihn testen. Erst hüpften und schnellten sie auf ihn zu, dann zogen sie sich wieder ein kleines Stück zurück.

Grimaldi war beunruhigt und verärgert über diese Scheinangriffe. Er stand auf und streckte sich. Die Affen verstummten und musterten ihn wachsam. Enzo nahm eine kleine Schere und einen Spiegel mit Metallrücken aus seinem Fluggepäck. Er lehnte den Spiegel gegen eine der Streben zwischen den Tragflächen und stutzte seinen Schnurrbart. Die beiden jüngeren Männchen zogen sich ein wenig zurück und beobachteten ihn. Er goß den letzten Rest Kaffee über sein Gesicht und rasierte sich.

Die Tiere störten und faszinierten ihn zugleich. Enzo hob den Spiegel und drehte ihn in die aufgehende Sonne, bis er ein blendendes Rechteck aus Licht genau in die Augen des großen Pavians reflektierte. Das Tier bellte wütend und rieb sich mit den Knöcheln einer Hand über die hundeähnliche Schnauze. Als Enzo nicht aufhörte, ihn mit dem blendenden Licht zu schikanieren, versteifte sich der Pavian, richtete sich auf und drehte sich ein Stück zur Seite. Jetzt konnte man deutlich erkennen, daß sein Kopf beinahe schwarz war. Seine Augen und der Mund wurden von einer tief gerunzelten Maske aus grauen und weißen Haaren umgeben. Neben seinen Mundwinkeln hingen lange Barthaare. Zwei Weibchen näherten sich ihm und stocherten in seinem Fell herum. Das alte Männchen beachtete sie gar nicht, während sie ihn lausten. Ein drittes Weibchen gesellte sich dazu. Sie beschäftigte sich mit dem langen, büscheligen löwenähnlichen Schwanz, der sich neben dem Patriarchen auf dem Boden ringelte. Oberst Grimaldi hatte genug von seinem Zeitvertreib und steckte den Spiegel weg.

Als er sich erleichtern wollte, fühlte er sich seltsam verlegen. Er drehte sich zur Seite und urinierte. Die Affen starrten ihn an und begannen zu plappern. Ihre Anzahl nahm stetig zu, bis es rund einhundert Tiere waren.

Grimaldi wartete hungrig und ungeduldig auf das Geräusch der Flugzeuge. Er beobachtete eine Gruppe Jungtiere dabei, wie sie ein Vogelnest aus einem Dornbusch schlugen. Die jungen Paviane verfolgten die hüpfenden Küken, fingen sie und schlugen auf sie ein, während die Jungvögel verzweifelt versuchten, sich in die Luft zu erheben. Schließlich packte der Größte aus der Affengruppe die Vögel bei ihren zuckenden Flügeln und fraß die winzigen Körper.

Grimaldi beschloß, die paar Kilometer zum Lager der *Bersaglieri* am See zu gehen. Dort würde er zumindest Essen und ein Gewehr finden. Er schnürte seine leichten Fliegerstiefel zu und machte sich auf den Weg.

Die Paviane um ihn herum begleiteten Enzo. Die beiden jungen männlichen Kundschafter liefen voran, die anderen hielten sich zu beiden Seiten. Der alte Anführer stöhnte, als wollte er sich beschweren, und folgte dann schwerfällig in einiger Entfernung. Manchmal hüpfte er mit weiten seitlichen Sprüngen voran. Die Weibchen und Jungen hielten sich in der Mitte des Rudels. Mehrere kleine Säuglinge hingen unter den Bäuchen ihrer Mütter. Andere, schon etwas größer, thronten auf den Rücken der Weibchen.

Eines der größeren dunkleren Männchen, das zuvor den Anführer begleitet hatte, folgte Grimaldi dicht. Der große Pavian, der aufgerichtet ungefähr einen Meter zwanzig maß, plapperte schnell vor sich hin. Er wurde lauter, als sei er aufgeregt. Ein zweites Männchen schloß sich ihm an. Sie rückten Enzo immer näher, als würden sie ihn herausfordern. Ihr Verhalten war selbstsicherer und aggressiver als das der beiden jüngeren Männchen.

Ein großer Dorn bohrte sich durch die Sohle von Enzos Stiefel. Grimaldi blieb stehen, um ihn zu entfernen. Mit nacktem Fuß fühlte er sich verwundbar. Er mußte sich konzentrieren, um die Spitze des Dorns mit seinem Taschenmesser aus dem Fußballen zu entfernen. Währenddessen hörte er die Tiere herumlaufen und laut plappern. Die Geräusche kamen immer näher. Als er aufblickte, hatte das ganze Rudel ihn dicht eingekreist.

»*Basta!*« schrie er sie an. Er wurde nervös.

Er hatte Geschichten über männliche Paviane gehört, die angeblich Frauen verfolgten, vor allem während ihrer Periode, weil der Geruch die Affen anlockte, aber hiermit hatte er nicht gerechnet.

Der Italiener drehte sich um und stellte sich seinen Verfolgern entgegen.

»*Buongiorno!*« rief er, zog seine Beretta und zielte auf das aggressivste Männchen. Der große Pavian zögerte einen Moment und starrte Enzo ins Gesicht. Sein Maul stand offen, so daß die langen Zähne freilagen. Grimaldi feuerte zweimal. Das große Männchen schrie wie ein Kind und sprang in die Luft. Dann fiel es auf die Seite und blieb hustend und seufzend liegen, beide Hände gegen den Unterleib gepreßt.

Grimaldi sah, wie das andere Männchen sich über seinen Kameraden beugte und dessen Wunden betastete. Das unverletzte Tier richtete sich auf und brüllte. Dann machte es ein paar Schritte nach vorn. Seine dunklen Brauen hoben sich und enthüllten ein zorniges rotes Dreieck über jedem Auge. Enzo hob den Arm, um erneut zu schießen. Der Pavian blieb stehen und sprang auf einem Fleck hin und her. Dann setzte das Tier sich hin, wiegte sich vor und zurück und starrte den italienischen Offizier zitternd und blinzelnd an. Der Affe hob die Oberlippe und zeigte seine langen gelben Zähne und das rote Zahnfleisch, als würde er lächelnd ein Friedensangebot unterbreiten. Grimaldi zögerte und beschloß dann, keine weiteren Kugeln zu verschwenden.

Enzo ging weiter, und das Rudel versammelte sich um das sterbende Tier. Im ersten Moment waren die Affen fast lautlos, dann brachen sie in hohes Bellen und Geplapper aus. Als Grimaldi sich nach ihnen umschaute, hatten die Tiere sich zu einer Art Ansiedlung oder Lager formiert. Er fühlte sich, als hätte er soeben sein erstes Gefecht im Busch hinter sich gebracht.

Als Grimaldi sich dem See näherte, entdeckte er den auf dem Bauch liegenden jungen Soldaten, der sich beim Absprung verletzt hatte. Die Vorräte waren neben ihm unsortiert in ihren Abwurfbehältern aufgeschichtet.

»*Soldato!*« rief Enzo dem Fallschirmjäger zu. Nach der absonderlichen Begegnung mit den Pavianen freute er sich, jemanden zu treffen, mit dem er reden konnte. »*Soldato!*« Er erhielt keine Antwort.

Bevor er den Mann erreichte, stieß Enzo auf die Leichen dreier anderer Soldaten. Zwei von ihnen hatte man einmal in die Brust geschossen. Der dritte Mann war zweimal getroffen worden. Die beiden Einschußlöcher lagen sehr dicht beieinander.

»Guter Schütze«, murmelte er. Der Mann mußte Jäger sein.

Die Leichen waren in der Nacht übel zugerichtet und teilweise aufgefressen worden. Er schätzte, daß es sich nicht um ein großes Tier, wie einen Löwen, Leopard oder auch nur eine Hyäne gehandelt hatte, sondern um etwas Kleineres, vielleicht um einen Schakal oder einen Fuchs. Nur das freiliegende Fleisch war gefressen worden, hauptsächlich um Nacken und Schultern. Es war eine saubere Arbeit. Enzo mußte an eine wählerische, verwöhnte Hauskatze denken, die sich auch immer nur die besten Stücke herausfischte. Auf seltsame Weise blieb Enzo völlig unberührt, als ob man hier mit nichts anderem rechnen könnte.

Der verwundete Soldat war ebenfalls tot. Grimaldi kniete sich hin und drehte ihn um. Eine Kugel war unter dem Kinn des Mannes eingetreten. Seine Stirn und die Augen waren weggerissen worden. Schwarze Ameisen und ein paar große Käfer, dunkel und schimmernd wie Skarabäen, waren rund um seinen Kopf an der Arbeit. Der Soldat hielt noch immer ein Gewehr umklammert: Selbstmord. Enzo schloß die Augen und bekreuzigte sich. Er fragte sich, wie sehr der Mann wohl gelitten haben mochte. Dann zerrte er die anderen drei an ihren Stiefeln herüber und legte die vier Männer nebeneinander hin. Es waren zu viele für ihn, um sie in diesem felsigen Untergrund zu begraben. Laß die *Bersaglieri* ihre Toten selbst bestatten, dachte er. Die meisten Gedanken machte er sich darüber, welchen Einfluß diese Verluste auf seine Mission nehmen würden. Uzielli hätte besser auf seine Männer aufpassen müssen.

Grimaldi wollte nicht noch eine Nacht allein verbringen. Falls die neue Gruppe Fallschirmjäger bei Einbruch der Dunkelheit noch nicht eingetroffen war, würde er zur Insel zurückschwimmen und sich nach Kräften um die Rettung der Männer dort bemühen. Enzo beschloß, ein kleines getarntes Floß anzufertigen, das er vor sich herschieben konnte, um sich dahinter zu verstecken sowie die Beretta und ein Gewehr trocken über das Wasser zu befördern. Ein Karabiner würde ihm bei dem zähen harten Nahkampf, den er auf der Insel erwartete, gute Dienste leisten. Er würde es diesem verwundeten Mönch heimzahlen, der den Kopf des Jungen mit einem Stein zertrümmert hatte.

Enzo sammelte die vier Gewehre ein, reinigte und kontrollierte sie. Drei waren kurzläufige Karabiner, gut geeignet für leichte Infanterie. Das vierte war eine etwas feinere Waffe, ein *Assassino*, die neue Scharfschützenausführung des Carcano, mit extra langem Lauf für eine größere Schußweite und Zielgenauigkeit. Jetzt war es an der Zeit, sie im Feld zu erproben. Enzo wog die Waffe in Händen, bevor er sie lud und das Zielfernrohr anbrachte. Anschließend setzte er sich und trank etwas von dem herben Rotwein, den er in der Feldflasche eines der Toten gefunden hatte. Es war einfacher *Vino scarso*, wie ihn die Bauernfamilien für sich selbst zu machen pflegten. Dennoch war er dankbar dafür.

Bald würde es dunkel sein, und er erkannte, daß er sich weiter von den Leichen entfernen sollte, da sie Löwen oder Hyänen anlocken könnten. Er ging zu dem Mimosenwäldchen und begann mit der Arbeit an einem kleinen Floß. Zum Verschnüren des Schilfrohrs und der Zweige benutzte er die Schnürsenkel von zwei der toten Soldaten.

Plötzlich kribbelte sein Nacken. Er erstarrte. Als er in die Macchi gestiegen war, um vom See abzuheben, hatte etwas im Cockpit gefehlt: der Schnappschuß von seinem englischen Mädchen. Gwenns Photographie war gestohlen worden. Jemand hatte sie vom Armaturenbrett gerissen. Es gab nur einen anderen Mann, der an dem Bild interessiert sein könnte. Auch er hatte nach Äthiopien aufbrechen wollen, und der Bastard konnte mit einem Gewehr umgehen. Mochte er auch sonst nicht viel darstellen, im Busch war Rider vermutlich ein gefährlicher Gegner. Aber falls es tatsächlich Rider war, wieso war er dann hier an diesem See aufgetaucht? Enzo wußte keine Antwort darauf.

Nachdem er das Floß fertiggebaut hatte, wartete Enzo auf den Einbruch der Dunkelheit. Widerwillig stieg er am Rand des Wäldchens ins Wasser und schob das Floß vor sich her. Darauf lagen seine Stiefel, der Karabiner und seine Beretta. Er hoffte, daß seine Bewegungen keine Krokodile anlocken würden. Beim Gedanken an diese Tiere verspürte er ein starkes Entsetzen. Das Schilf erstreckte sich weiter nach draußen, als er ursprünglich vermutet hatte. Er hatte das Dikkicht noch nicht verlassen, als er plötzlich das Geräusch eines Motors über die glatte Oberfläche des Zwaisees hallen hörte.

Zuerst glaubte er, es müßte sich um die Capronis handeln. Aber die würden mit Sicherheit nicht mitten in der Nacht ankommen. Er schwamm zurück ins dichte Schilf. Das Geräusch wurde lauter und deutlicher. Es war ein Kraftfahrzeug, vielleicht ein Lastwagen. Er entdeckte ein einzelnes Licht, das über einen gewundenen Pfad langsam zum See hinabholperte. Er bezweifelte, daß dieses Gefährt zu den Italienern gehörte.

Enzo verkroch sich in der dichten Vegetation. Im selben Moment fuhr der Lastwagen ganz in der Nähe an den See heran und wendete. Grimaldi stand bis zur Hüfte im Wasser. Er watete in ein dichtes Schilfgestrüpp unter dem dunklen Baldachin einer Mimosenwurzel. Das Floß war direkt vor seinem Gesicht. Die Waffen waren noch trocken. Er machte sich seinen Platz zurecht und legte eine Hand auf das Gewehr. Mehrere Stimmen näherten sich. Sie unterhielten sich auf englisch und in mehreren afrikanischen Sprachen.

Das Schilf und die Dunkelheit verwehrten ihm eine klare Sicht, aber er bemerkte, daß mehrere Männer in seiner Nähe in den See stiegen. Man hörte Wasser spritzen und die Männer stöhnen, während sie irgend etwas im und am Wasser bewegten. Es schien sich um fünf oder sechs Männer verschiedener Nationalitäten zu handeln. Er hörte einen Europäer mit gutturaler Stimme fluchen, dann den Ausruf: »Das Silber!«

»Ladet die Silberkisten in den Lastwagen«, befahl ein Mann auf englisch.

Enzo erkannte in der Stimme Gwenns Ehemann, den Jäger Anton Rider.

Grimaldi schob das Floß beiseite und nahm das Gewehr. Falls er jetzt durchlud, würden sie ihn hören, und er konnte nicht gegen alle auf einmal kämpfen. Er wartete, bis sie in den Lastwagen einstiegen. Dann stapfte er steifbeinig aus dem Wasser und kroch barfuß mit dem Gewehr durch das Unterholz. Der Motor sprang an. Er hob den Karabiner und gab mehrere Schüsse ab. Ein Schrei verschaffte ihm die befriedigende Gewißheit, daß zumindest sein erster Schuß getroffen hatte.

Grimaldi sah ein, daß er bereits jetzt die Kontrolle über die Mission verloren hatte. Sowohl seine Karriere als auch sein Leben waren in Gefahr. Der Feind hatte das Silber geborgen. Die überlebenden *Bersaglieri* befanden sich irgendwo auf der Insel im See, und es war keine Verstärkung eingetroffen. Er mußte die *Bersaglieri* selbst retten, um noch eine Aussicht auf Erfolg zu haben. Während die Mondsichel aufstieg, packte er die Kante des Floßes mit beiden Händen und begann, sich mit den Füßen kräftig durchs Wasser voranzuschieben.

Kurz darauf hörte Enzo hinter sich am Ufer zuerst ein Fauchen und dann ein wütendes Brüllen. Obwohl er es noch nie zuvor gehört hatte, war das Geräusch unverkennbar. Er hörte auf zu schwimmen, verschränkte die Arme auf dem Floß und dachte an den Löwen, den er aus der Luft erschossen hatte. Der ganze See schien von dem Gebrüll zu erzittern, das über das Wasser hallte. Zweifellos war ein Löwe gerade damit beschäftigt, eine Hyäne von den Leichen zu vertreiben.

Enzo mied das Ufer, an dem die Mönche seine Männer mit Schlägen in Empfang genommen hatten, und schwamm zur rückwärtigen Seite der Insel. Nachdem er angekommen war, kniete er sich nahe am Wasser inmitten einer Ansammlung verkümmerter Palmen nieder und ruhte sich ein wenig aus. Er zog seine Stiefel an und überprüfte das Gewehr und die Pistole. Dann huschte er so leise wie möglich von Baum zu Baum und Busch zu Busch.

Auf einer Lichtung vor sich entdeckte Enzo ein dunkles steinernes Monument, eine kleinere und primitivere Ausgabe des Obelisken der Kleopatra. Jenseits der Säule, hinter einigen Büschen und Kakteen, sah er die Überreste eines Feuers im Dunkeln glühen, aber noch immer kein Lebenszeichen und keine Bewegung. Wo waren seine Männer und die Mönche? fragte er sich.

Grimaldi schlich am Rand der Lichtung entlang. Ein durchdringender Geruch stieg ihm in die Nase, eine Mischung aus verfaultem Fleisch und süßlichem Moschus. Zu seiner Rechten hörte er ein leises Fauchen, ein gedämpftes defensives Knurren. Er blieb stehen und starrte in die Dunkelheit. Er erkannte einen niedrigen Käfig, der über dem Boden hing, dann noch weitere Zwinger. In den meisten befanden sich irgendwelche mittelgroßen Tiere, die er nicht genau ausmachen konnte. Er schlich weiter. Die katzenartigen Kreaturen liefen aufgeregt in ihren Käfigen hin und her, als er vorbeiging.

Am Ende der Lichtung stand ein größerer Käfig, der vielleicht für zwei Tiere gebaut worden war, wie er vermutete. Der Zuchtkäfig? Aber es befand sich etwas anderes darin. Er hatte den Eindruck, es könnte sich um einen Menschen handeln, und kam vorsichtig näher.

Es war tatsächlich ein Mann, nackt und vornübergebeugt wie ein geschlossenes Scharnier. Seine Beine waren auf dem Käfigboden nach vorn ausgestreckt. Sein Kopf hing tief zwischen seinen Knien. Sein

Rücken wölbte sich wie ein Bogen gegen das Dach des Käfigs. Grimaldi schlich näher heran. Er hörte ein Stöhnen und tiefe langsame Atemzüge. Der Geruch der Tiere hing drückend überall um sie herum in der Luft. Enzo hielt seinen Kopf nah an das Ende des Käfigs und versuchte, den bewußtlosen Gefangenen zu identifizieren. Er konnte lediglich wahrnehmen, daß es einer seiner Männer war.

Er bewegte sich weiter, sorgsam darauf bedacht, keinerlei Aufsehen zu erregen. Es überraschte ihn, wie gut seine Augen sich an die Dunkelheit angepaßt hatten. In Afrika benutzte er seine Ohren, Nase und Augen wie niemals zuvor.

Genau in diesem Moment stolperte er über einen Hügel frischer Erde. Er fiel nach vorn und klammerte sich an einem steinernen Kreuz fest. Auch sein Knie schlug heftig dagegen. Er unterdrückte einen Aufschrei und kauerte sich neben dem Kreuz zusammen. Dann betastete er den Grabstein mit einer Hand. Er spürte die Bögen und zusätzlichen Winkel. Es war das koptische Kreuz von Äthiopien. Daneben befanden sich noch zwei weitere. Abgesehen von den Steinen wirkten die Gräber frisch, sogar hastig zugeschüttet. Die Erdhügel gaben unter seinen Füßen nach. Waren das die Mönche, die dieser Narr Uzielli bei seinem ersten Besuch auf der Insel getötet hatte? Er versuchte sich vorzustellen, auf welche Weise die Mönche sich wohl an Uzielli gerächt haben mochten.

Weiter vorn sah er ein langgestrecktes niedriges Gebäude, ein einfacher Stall oder eine primitive Hütte. Durch die Risse in den groben Wänden drang schwach der Schein eines Feuers nach draußen. Es gab keine Fenster. Als Enzo sich der breiten offenen Türöffnung am entlegenen Ende näherte, hörte er mehrere Männer schnarchen.

Grimaldi wußte, daß er die Mönche töten mußte, um seine Männer und sich selbst retten zu können. Er bekreuzigte sich, bevor er aufstand. Er lehnte das Gewehr neben der Tür an die Wand und zog seine Beretta. Dann zögerte er. Dies waren immerhin christliche Mönche. Er war ein italienischer Offizier. Oberst Grimaldi steckte die Pistole zurück in den Gürtel.

Die Hütte kam ihm vor wie Dantes Eingang zur Hölle. Er trat ein. Der Raum war stickig: niedrig, dunkel und von Rauch erfüllt. Es roch süßlich nach Rauschmittel oder Weihrauch. Ein kleines Feuer brannte am anderen Ende. Die Überreste eines halb verzehrten Tiers lagen am Boden, vermutlich eine Ziege oder ein Hund. An Stangen, die quer unter der Decke verliefen, hingen einfache Körbe und büschelweise vermoderndes Gemüse. An einer der Wände war ein Stapel Feuerholz aufgeschichtet. Enzo brannten die Augen.

Neben dem Feuer lagen bäuchlings zwei nackte weiße Männer. Man hatte ihnen die Hand- und Fußgelenke auf dem Rücken zusammengefesselt, und zwar so fest, daß ihre Schultern und Knie nicht den Boden berührten. Sieben oder acht andere Gestalten, weißgekleidete schwarze Mönche, lagen auf ein paar verstreuten Matten. Einer der Männer saß an die Wand gelehnt da. Sein Kinn war ihm auf die Brust gesunken, und in seinem Schoß lag ein schimmerndes Kreuz. Grimaldi glaubte den weißhaarigen verwundeten Mönch oder Abt wiederzuerkennen, der den Schädel des Jungen aus Casteggio zertrümmert hatte. Das Blut aus der Bauchwunde des Abts war auf seinem Gewand getrocknet, so daß er jetzt eine steife schwarze Schürze zu tragen schien.

Enzo zog die Beretta und hockte sich hin, um auf diese Weise besser auf jeden schießen zu können, dessen Umriß sich beim Aufstehen vor dem Feuerschein abzeichnen würde.

Der Mönch direkt vor Enzo hob den Kopf. Er schrie und richtete sich auf.

Grimaldi feuerte zweimal. Der Mann brach zusammen. Andere Mönche sprangen auf, und Enzo leerte sein Magazin in das Durcheinander aus wirbelnden weißen Gewändern. Die Schüsse hallten ohrenbetäubend laut durch den engen Raum. Einer der Mönche fiel um. Zwei oder drei wurden verwundet. Enzo stieß die leichte Beretta in seinen Gürtel, trat zurück zur Türöffnung und nahm den Karabiner in beide Hände.

Einmal, zweimal, wieder und wieder feuerte Grimaldi in das kopflose Chaos. Schmerzensschreie waren die Antwort. Die Mönche torkelten auf das Feuer zu. Mehrere von ihnen lagen reglos da. Die meisten waren verletzt.

Enzo sah, daß der verwundete weißhaarige Mönch ihn von seinem Platz an der Wand aus beobachtete. Der Abt packte sein Kreuz mit beiden Händen und stand auf. Er lehnte sich gegen die Wand. Die untere Hälfte seines Gewandes war dunkel vom Blut. Schwankend ging der Priester mit langsamen, ungleichmäßigen Schritten auf Grimaldi zu. Einen halben Meter vor ihm blieb er stehen und hob das silberne Kreuz. Vom Saum seines Gewandes tropfte frisches Blut. Als Enzo zögerte, holte der Abt weit aus und schlug den italienischen Offizier ins Gesicht. Enzo verspürte eine kurzen stechenden Schmerz, als das blutige Kreuz ihm die Haut über dem Wangenknochen zerschnitt.

Er wich zurück, als würde er fechten. Er drehte den Karabiner um und stieß den Kolben in den verletzten Bauch des Abts. Der Äthiopier brüllte auf und stolperte zurück. Neben ihm fiel ein unverwundeter Mönch auf die Knie, faltete die Hände und brach in lautes Wehklagen aus.

»Teufel!« schrie Enzo und schlug dem Abt die Waffe zum zweitenmal in den Magen. Der alte Mann stürzte kreischend ins Feuer.

Enzo drehte sich um und prügelte den knienden Mönch mit dem Schaft des Gewehrs zu Boden. Als er sah, daß ihn niemand mehr bedrohte, kniete er sich hin und durchschnitt die Fesseln der beiden Italiener mit seinem Messer. Einer von ihnen bewegte sich. Der Rükken des Mannes war von Haaren bedeckt, dicht und schwarz wie der Pelz eines Bären. Als der Soldat sich auf den Rücken rollte und nach oben starrte, erkannte Grimaldi verblüfft Hauptmann Uzielli. Enzo drehte den anderen Mann um. Er war ebenfalls am Leben. Beide Soldaten hatten Blut und irgendein Mal auf ihrer rechten Wange. Uzielli begann fluchend, seine Füße zu bewegen und sich die Handgelenke und Knöchel zu reiben.

Der Abt kämpfte sich auf die Knie. Sein Gewand brannte. Er nahm einen brennenden Ast und warf ihn nach den drei Italienern. Der Ast überschlug sich funkensprühend, verfehlte sein Ziel und prallte gegen die jenseitige Wand. Flammen züngelten empor wie ein scharlachroter Vorhang.

Enzo mußte in dem dichten Qualm husten und zerrte den schwächeren der beiden Italiener zur Tür.

»Los, Uzielli, auf die Beine!« schrie Grimaldi. Der Hauptmann krabbelte schwankend hinter ihm her. Die Wand stand in Flammen.

Enzo blieb ein paar Meter vom Eingang entfernt stehen. Keiner der beiden *Bersaglieri* konnte seine Beine benutzen. Jeder trug ein Brandmal in Form eines Kreuzes auf der Wange. Grimaldi sah, daß in Uziellis Blick keinerlei Dankbarkeit lag. Damit war auch nicht zu rechnen gewesen, dachte er gereizt.

»Nehmen Sie das hier«, befahl Grimaldi und reichte dem knienden Hauptmann das Gewehr und eine Handvoll Patronen, bevor er seine Beretta nachlud. Jetzt mußte er den Soldaten aus dem Käfig befreien. Rauchschwaden drangen aus der Tür der Hütte. Die ersten Flammen schlugen durch das Dach. Zwei Mönche torkelten aus dem Qualm nach draußen. Einer der beiden war verwundet und stützte sich auf die Schulter des anderen.

»Porcile!« schrie Uzielli heiser und gab aus seiner knienden Position vier Schüsse ab.

Die beiden Mönche fielen aneinandergeklammert zu Boden. Flammen züngelten die Seiten des Eingangs empor und rahmten die schwelende Gestalt ein, die wie eine menschliche Laterne in der Türöffnung erschien. Das weiße Haar des Mannes stand in Flammen. Grimaldi und Uzielli schossen beide. Der Abt schrie einmal auf und torkelte zurück in die brennende Hütte. Er brüllte ein einziges Wort: *»Iyyasus!«*

31

Anton mußte an früher denken. Gwenn lag schlafend im Zelt. Er war zufrieden, aber wußte nicht, wie er sich ihr gegenüber verhalten sollte. Im Moment waren sie allein, abgesehen von den sechs Maultieren und Pferden. So hatte er das Lager am liebsten: klein, fast unsichtbar, unter ein paar Eukalyptusbäumen in einer U-förmigen Biegung des Flusses. Und keine Kunden. Man konnte das Wasser vorbeirauschen hören.

Dr. Fergus war zu einem Spaziergang am Fluß aufgebrochen und hatte die Angelschnur samt Ködern und Fliegen mitgenommen, die er aus dem Rote-Kreuz-Laster gerettet hatte. Vielleicht begriff er, daß das Paar allein sein wollte. Diwani und Laboso waren auf der Jagd. Die anderen hatten sich drei Tage zuvor mit dem Lastwagen, dem Silber und den meisten Tieren auf den Weg gemacht. Die unerschrockene Harriet würde bestimmt darauf bestehen, ihren wertvollen Film selbst zu tragen.

Falls sie keinen Treibstoff organisieren konnten, würde der Lastwagen ohnehin nutzlos sein, außerdem gab er aus der Luft ein einfaches Ziel ab. Aber der Transport des Silbers war ohne den Wagen kaum zu bewerkstelligen. Die Amerikaner hatten immerhin für die Safari bezahlt, und er war ihnen eine möglichst schnelle Reise zur Grenze schuldig. Kimathi würde die Gruppe zusammenhalten, und Ernst würde dafür sorgen, daß sie vorankamen. Ernst hatte angenommen, daß man ihm die Leitung übertragen würde, aber Anton hatte allen klargemacht, daß Kimathi als Leiter fungierte, solange er selbst nicht wieder zu ihnen aufgeschlossen hatte. »Du bist unser Gast, Ernst. Du brauchst nicht zu arbeiten.« Anton hatte seinen deutschen Freund angelächelt. Er kannte dessen anmaßende Art. »Kimathi ist mein Stellvertreter.« Ernst hatte zur Antwort lediglich ein mißbilligendes Grunzen von sich gegeben.

Das erste Zusammentreffen war in Bulbula geplant, dem Dorf am Fuße des Langanasees, dem nächsten in der Kette des Ostafrikanischen Grabens. Falls alles gutging, würde Kimathi ihnen vielleicht mit dem Lastwagen entgegenfahren. Andernfalls würden sie wegen Gwenn nur langsam vorankommen. Anton fragte sich, wieviel Zeit ihnen noch blieb, bis die italienische Armee hinter ihnen her sein würde.

Er ging mit zwei Segeltucheimern zum Fluß. Dort zog er sich aus, setzte sich ins kühle Wasser und wusch sich und sein Hemd. Sein Waffengürtel lag auf einem flachen Felsen in der Nähe. Anton legte sich mit geschlossenen Augen auf die abgeschliffenen Flußsteine und ließ das Wasser sein Gesicht überspülen. Er rieb die Beule auf seinem Brustkasten, wo ihn in den Aberdares ein alter Ochse erwischt hatte.

Anton zog seine Khakishorts an, kehrte ins Lager zurück und leerte die Eimer in den schwarzen Topf aus, der in der Glut stand. Während das Wasser sich erwärmte und sein Hemd am Feuer trocknete, drückte er die letzten beiden Zitronen über einem Blechbecher aus. Er goß einen Schuß Whisky hinzu und rührte einen großen Löffel zähen dunklen Wildhonig unter, das Geschenk der *Apis mellifera,* jener kleinen emsigen Biene, die seinen Lieblingssüßstoff hervorbrachte. Er trank zwei große Schlucke Whisky aus der Flasche, füllte den Becher mit heißem Wasser auf, rührte das Gebräu um und ging zum Zelt.

Gwenn lag auf dem schmalen Feldbett und sah ihn mit ihrem nicht bandagierten Auge an. Neben ihr auf dem Boden stand eine Schale mit leuchtendgelben Wildblumen. Seine Rigby lag geladen auf der Medizinkiste. Die linke Seite von Gwenns Gesicht war mit einem frischen, kleineren Verband versehen, und ihre linke Schulter war eingegipst. Sie hatte etwas Farbe bekommen, war aber schmaler, als er sie je in Erinnerung hatte. Ihre Arme waren dünne blasse Röhren.

»Hast du Hunger?« fragte er, setzte sich neben ihrem Feldbett auf den Boden und rührte den dampfenden Grog um.

»Nein«, sagte sie. »Durst.«

»Ihr Ärzte seid immer ganz fürchterliche Patienten.« Er verabreichte ihr etwas von dem Grog mit einem Holzlöffel, damit sie sich nicht den Mund verbrannte.

»Ich bin kein Arzt.«

»Fergus behauptet etwas anderes. Er hat mir erzählt, er würde sich von dir operieren lassen.«

Trotz ihres Zustands fühlte Gwenn sich geschmeichelt. Sie war sehr froh, daß er wieder da war, lächelte und trank noch einen Löffel. »Das ist gut.« Sie half ihm, den abkühlenden Becher an ihre Lippen zu heben.

»Was für ein wunderbarer Honig«, sagte sie und blickte über den Rand des Bechers auf seinen freien Oberkörper.

»Später wirst du etwas von dem Eintopf essen«, sagte Anton resolut. Er merkte, wie sie seinen Körper musterte.

Nachdem sie ausgetrunken hatte, lächelte sie ihn an. Ihr grünes Auge funkelte. Sie hatte das hübscheste Gesicht, das er je gesehen hatte. Ihre Lippen waren jetzt ein wenig geschwollen, aber noch immer wohlgeformt, ihr Knochenbau ebenmäßig, mit Charakter und doch feminin, sanft und gerundet.

»Woher hast du diese neuen Narben?« fragte sie und berührte eines der Leopardenmale auf seiner Schulter. »Sie sind immer noch ein wenig rot und weich.«

Trotz ihrer natürlichen Zurückhaltung ertappte Gwenn sich dabei, wie sie ihre Liebhaber miteinander verglich. Lorenzos Körper war nicht schlecht, dachte sie, aber er war nicht kräftig genug. Die Muskeln seiner Arme waren nicht definiert, und das weiße Haar auf seiner Brust hatte sie nie gemocht. Antons Körper war sogar noch besser, als sie ihn in Erinnerung hatte, mit langen Muskeln, aber sehnig und hart.

Anton fühlte sich von ihrem abschätzenden Blick erregt. »Eine Katze hat mich im Din-Din-Wald erwischt, ein schwarzer Leopard.«

»Schade, daß du nicht sofort richtig behandelt worden bist«, sagte sie gelassen und dachte, wie gelöst er wirkte, trotz all der Gefahren im Busch. Ihre Fingerspitzen strichen über die langen parallelen Narben. »Die werden bald dick und wulstig wie ein Gartenschlauch sein.«

»Ich habe so schon Glück genug gehabt«, sagte er und versuchte, sich daran zu erinnern, wie lange es her war, daß sie zum letztenmal miteinander geschlafen hatten. »Ohne Kimathi hätte ich es nicht geschafft.«

»Würdest du mich waschen?« Gwenn legte ihm eine Hand auf die nackte Brust. »Ich fühle mich so nicht besonders wohl.«

Anton zog das Laken und die grüne Lagerdecke zurück. Sie war nackt. Einen Moment lang fühlte er sich unglaublich verlegen. Er war verblüfft, wie unverändert sie aussah. Ihre Figur war noch immer jung und schlank, fast mädchenhaft. Die Folgen der Geburten waren durch ihr aktives Leben auf der Farm und ihre kürzlichen Entbehrungen wieder ausgeglichen worden.

Er ging nach draußen zum Feuer und tauchte sein Hemd in den Topf. Dann wrang er es aus, nahm ein Stück Seife und einen Eimer Wasser und kehrte ins Zelt zurück.

Ihre Füße hingen über die Kante des Feldbetts. Er badete sie langsam in dem warmen Seifenwasser. Dann spülte er sie ab und beugte jeden Fuß, um die Sehnen an ihren Knöcheln zu dehnen. Langsam drückte und beugte er die Zehen und Fußrücken in alle Richtungen vor und zurück wie die beiden Teile einer Pfeffermühle.

»Das hast du noch nie gemacht«, sagte sie leise und genoß den Moment, bevor sie sich fragte, wer es ihm beigebracht hatte.

»Du warst auch noch nie verletzt«, erwiderte er. Er merkte, wie sich ihr Tonfall verändert hatte. »Das gehört zu deinem Heilprogramm.«

Er drückte jeden Fuß fest mit dem heißen nassen Hemd, Gwenn gab sich ganz dem Gefühl hin und überließ sich seiner Berührung. Sie stöhnte und dachte an das erste Mal, daß sie miteinander geschlafen hatten, auf einem Hügelrücken nördlich der Farm. Begehrte ihr junger Ehemann sie noch? Sie fragte sich, wieviel der Altersunterschied wirklich ausmachte. Sie wußte, daß sie sich glücklich schätzen konnte, wie jugendlich ihr Körper noch war, aber sie fürchtete, daß ihre Verletzungen, vor allem die im Gesicht, sie weniger attraktiv machen würden.

Anton bewunderte ihre perfekten schlanken Beine, während er sie mit dem Hemd wusch. Sogar die Beine der amerikanischen Mädchen konnten sich nicht mit diesen vergleichen, mit diesen langen Schenkeln und gerade Muskulatur genug, um die Waden zu formen und die Knöchel schmal wirken zu lassen.

Ihre Rippen hatten sich schon immer zu merklich abgezeichnet, und waren inzwischen noch ausgeprägter zu erkennen. In den unteren Ecken ragten die Knochen auf beiden Seiten deutlich hervor. Sie hatte noch immer die Haut eines Schulmädchens und kleine hohe Brüste, aber die Brustwarzen waren größer, seit sie die Jungen bekommen hatte. Ihm gefiel die Veränderung.

Er war sich nicht sicher, was sie jetzt wollte. Mit Rücksicht auf die verletzte Schulter wusch er behutsam ihre Brüste, erst mit den Händen, bis sich die Brustwarzen aufrichteten, dann sanft mit dem Hemd. Er wollte nicht den Anschein erwecken, länger als nötig dort zu verharren, damit sie nicht dachte, er würde das alles nur für sich selbst tun. Trotzdem verweilte er lange genug, um ihr Vergnügen zu bereiten. Sie schloß die Augen, drehte den Kopf und drückte ihre rechte Wange ins Kissen. Er sah, wie sie sich auf die Unterlippe biß, als die Erinnerung an seine Berührungen in ihr wach wurde.

»Schlaf mit mir«, flüsterte sie. Ihre Füße am Ende des Feldbetts rückten auseinander.

Anton kniete sich neben sie und küßte sie zart zwischen den Beinen. Er wußte, daß sein unrasiertes Gesicht bei jeder Bewegung über ihre weichen Oberschenkel kratzte.

»Was machst du da?« murmelte sie.

»Bloß eine Erkundung«, sagte er leise und blickte zu ihr hoch, bevor er mit seiner Zunge in sie eintauchte. Langsam verstrich er ihre Feuchtigkeit nach oben und ließ mehrmals von ihr ab, bevor er sie wieder zu lecken begann. Er liebte ihren Geruch.

»Du mußt ruhig liegenbleiben«, sagte er nach einer Weile, als ihr Körper zu zittern begann und ihre Knie sich sacht hin- und herwiegten. Inzwischen war Anton sich seiner selbst wieder sicher und entspannt. Er freute sich über ihre Hingabe. Dann spürte er, wie sie ihm eine Hand auf den Nacken legte und mit den Fingern durch das Haar an seinem Hinterkopf fuhr.

»Beweg dich nicht«, sagte er erneut und hob den Kopf.

»Ich bin hier die Ärztin«, murmelte Gwenn. »Und paß auf die Blumen auf. Oh.«

Sie fühlte, wie er sie mit gewohnter Vertrautheit kunstvoll langsamer berührte. Seine Zunge erkundete sie, bis sie naß war. Sein Daumen und die langen Finger drangen nacheinander in sie ein, zwickten und rieben sie, um sie dann wieder sanft zu necken und sie entlang ihrer Scham zu streicheln, bis ihr Körper sich weit öffnete und unter jeder leisen Liebkosung erzitterte. Dann ließ er kurz von ihr ab, während ihr Körper erregt und sehnsüchtig nach neuen Aufmerksamkeiten gierte.

Sie wußte, daß er sie neckte und daß er nicht vergessen hatte, was ihr gefiel. Schon vor langer Zeit hatte er gelernt, wie er sie dazu bringen konnte, ihn zu begehren, aber diesmal wirkte er anders, vielleicht eher besonnen als hungrig. Dennoch war dies nicht die Besonnenheit eines allzu erfahrenen Mannes, wie es ihr manchmal bei Lorenzo vorgekommen war, sondern eher die Sorgfalt eines Mannes, der wieder zu ihrem Liebhaber werden wollte und der sich ihr durch ihren Körper zu nähern versuchte.

Oberst Grimaldi sah die *Bersaglieri* wie Engel vom Himmel schweben. Er hätte nie gedacht, daß er die Armee jemals als einen solch willkommenen Anblick empfinden würde.

Drei Tage lang hatten er und Hauptmann Uzielli sich um die beiden kampfunfähigen *Bersaglieri* gekümmert. Einer der Männer war inzwischen auf den Beinen. Sie waren in dem einzigen unbeschädigten Schilfkanu, das sie auf der Insel gefunden hatten, zum Festland gepaddelt, immer nur zwei Männer auf einmal.

Der Soldat aus dem Käfig, der es noch geschafft hatte, einen der Mönche zu verwunden, bevor man ihn überwältigte, würde vielleicht nie wieder gehen können. Sein nackter Körper war so eng in den Käfig gestopft worden, daß Enzo es nicht geschafft hatte, ihn an Füßen und Händen herauszuziehen. Während Enzo die Bambusbolzen entfernte, um den Boden des Käfigs abnehmen zu können, hörte er hinter sich immer wieder Schüsse. Uzielli erledigte die verwundeten Mönche und brachte auch einige andere zur Strecke, die aus einer zweiten Hütte geflohen waren.

»Hauptmann«, sagte Grimaldi, als Uzielli sich atemlos beim Käfig zu ihm gesellte, »helfen Sie mir, diesen Mann herauszuholen.«

Uzielli lud den Karabiner nach und wischte sein kurzes Bajonett am Gras ab. Dann half er dem Oberst dabei, die Gitterstäbe herauszubrechen und den jungen Fallschirmjäger zu befreien.

»Der wird kaum noch zu etwas nütze sein«, sagte Uzielli mürrisch, als sie den Mann auf dem Boden langsam auseinanderklappten. »Die Wirbelsäule ist hinüber. Sehen Sie sich doch nur diese Knochen auf seinem Rücken an. Die stehen hervor wie die Knöchel meiner Faust.«

Sobald sie wieder auf dem Festland waren, fanden sie die vier toten *Bersaglieri* in der Nähe des ursprünglichen Lagers zwischen ein paar Felsen und Dornbüschen verstreut.

»Sieht so aus, als hätten die Löwen ihren Anteil an diesen *Bambini* gehabt, angefangen mit ihren Hinterbacken und Schenkeln«, sagte Uzielli, kniete sich hin und untersuchte die Leichen eine nach der anderen. »Aber sie wurden alle erschossen, Oberst.« Er schaute mit dunklen argwöhnischen Augen zu Grimaldi hoch. »Wer hat das getan? Wer hat meine Männer getötet?«

Enzo erkannte, daß der Offizier ihn irgendwie für diese Tode verantwortlich machte.

»Muß derselbe Mann gewesen sein, der von meinem Flugzeug aus auf uns geschossen hat«, sagte Grimaldi. »Wir bringen die Leichen nach da drüben«, fügte er hinzu und wies auf ein Stück weniger felsigen Bodens. »Dann können Sie anfangen zu graben. Na los.« Er hob jeden der Männer unter den Armen empor, während Uzielli sie bei den Füßen packte. Dann legten sie die Toten ordentlich nebeneinander.

Uzielli benötigte fast einen ganzen Tag, um für die vier Männer ein einziges tiefes Grab auszuheben. Er erwartete nicht, daß der Oberst ihm helfen würde, und er bat auch nicht darum. Hin und wieder machte er eine Zigarettenpause, setzte sich auf den Rand des Gemeinschaftsgrabs und ließ die Beine hinunterbaumeln. Er dachte an die Männer, die er bei der Befriedung von Tripolitanien und der Cyrenaika verloren hatte: der Hinterhalt in der Oase Al Jufrah, als eine zerbröckelnde Sandsteinmauer, die einen bewässerten Palmengarten umgab, sich in eine Reihe feuernder Gewehre verwandelte, während seine durstigen Männer in der Abenddämmerung näher kamen; die verstümmelten Leichen der Garnison bei Bir al-Harash, wo jeder mißhandelte nackte Körper sein eigenes Muster von Verbrennungen und Schnittwunden aufwies; und der enthauptete Italiener, wie üblich ein halbes Kind, den sie in einem liegengebliebenen

Lastwagen auf einer Straße im Sandmeer bei Sarir fanden, mit seinem verkohlten Kopf zwischen den Beinen auf der Sitzbank und den Photos seines Dorfs und seiner Familie noch immer am Armaturenbrett des Fahrzeugs.

Uzielli hatte im Einsatz ständig Hunger, und je tiefer er sich in den harten Boden scharrte und grub, desto hungriger wurde er. Wenn andere Männer an Frauen dachten, dachte er oftmals ans Essen.

Enzo sah Uzielli beim Graben zu und musterte das dunkle schorfverkrustete Kreuz auf der Wange des Hauptmanns. Die übliche Serie der Greueltaten hatte begonnen. Wieder einmal würde auch Enzo sich gezwungen sehen, seinen Teil dazu beizutragen. Aber sogar in Libyen hatten seine Landsleute kein Giftgas eingesetzt. Er fragte sich, ob Afrika irgend etwas an sich hatte, das die schlimmsten Charakterzüge der Europäer zum Vorschein brachte, sobald es zu kriegerischen Auseinandersetzungen kam. Was die italienische Seite betraf, führten hier womöglich die Überlieferungen von afrikanischen Grausamkeiten zu einer brutalisierenden Angst? Und lag dies zum Teil daran, daß diese dunklen Feinde eine ganz andere Art Mensch zu sein schienen?

Letztendlich würden die Gründe natürlich keine Rolle spielen. Er hatte noch nie dermaßen strenge und bedingungslose Befehle erhalten. Die Filme und die Safarigruppe, die diese Bilder aufgenommen hatte, mußten vernichtet werden. Nichts anderes war von Belang: nicht das Silber, nicht das Leben der *Bersaglieri* und mit Sicherheit nicht die Grundsätze der Kriegführung.

Während der Hauptmann sich mit dem Spaten abmühte, stellte Oberst Grimaldi sich vor die Füße der Toten und verglich deren Schuhgrößen mit seiner eigenen.

Der Hauptmann war von körnigem roten Staub bedeckt und stand mit dem kurzen Klappspaten in Händen am anderen Ende des breiten felsigen Grabs. Als er den Oberst bemerkte, hörte er auf zu graben und wischte sich das Gesicht ab. Er blickte wortlos und wütend zu Grimaldi hoch, als dieser ein Taschenmesser aufklappte und einen Streifen Stoff vom Hemd eines der toten Soldaten abschnitt. Dann beugte der Luftwaffenoffizier sich vor und öffnete einem der verstorbenen Kameraden Uziellis die Feldstiefel. Enzo wußte, daß der

Hauptmann ihn anstarrte und daß Uziellis Augäpfel hervorstanden wie die eines Tiefseefisches, der an hohen Druck und Dunkelheit gewöhnt war.

»Oberst«, rief Uzielli und bemühte sich, seine Stimme im Zaum zu halten, »Sie können doch nicht ...«

»Graben Sie tiefer, Hauptmann, oder die Löwen werden zurückkommen.« Grimaldi schaute dem Soldaten ins Gesicht.

Uzielli wünschte, er könnte dem Oberst nur einen einzigen Hieb mit dem Spaten verpassen oder wenigstens einen kräftigen Schlag mit der Handkante.

Der Oberst nahm die Stiefel und eine leere Wurstdose und ging zum See. Langsam fand er Gefallen an der frischen Luft des Hochlands. Er wußte, daß Uzielli ihn beobachtete. Zunächst wusch er den Dreck und das Blut von den Stiefeln des Toten, dann rieb er sie mit dem Stoffstück und dem Fett aus der Dose ein. Er war gerade damit fertig, als die neuen Fallschirmjäger sich in hundert Meter Entfernung auf dem Boden sammelten.

Zu den zweiundzwanzig Männern gehörten ein Leutnant und ein Dubat-Fährtensucher, ein kleiner, dünner runzliger Schwarzer, der soeben seinen ersten Fallschirmsprung absolviert hatte: Die Soldaten hatten ihn einfach aus dem Flugzeug gestoßen. Er wirkte beunruhigt und zurückhaltend; das Erlebnis schien ihm noch in den Knochen zu stecken. Auf seinen Rücken hatte der Fährtensucher sich ein uraltes Gewehr gebunden, fast so lang wie er selbst. Der Mann knotete einen Turban von der grünen Schärpe los, die er um seine Taille trug, senkte das Kinn und plazierte die Kopfbedeckung sorgfältig auf seinem Haupt.

»*Colonnello!*« sagte der neue Offizier und salutierte schneidig. »Leutnant Calandro, zu Ihrem Befehl, Sir.«

Grimaldi musterte ihn sorgfältig. Der Leutnant war ein kleiner, aufrichtig wirkender Mann mit beginnender Glatze. Anscheinend bemühte er sich, seine äußerliche Ähnlichkeit mit dem Duce noch zu forcieren. Enzo kannte diese Sorte. Die faschistische Vorsehung lastete schwer auf den Schultern des jungen Mannes. Der Traum des Duce hatte ihm zu einem Daseinszweck verholfen.

Leutnant Calandro ignorierte Uzielli und ließ seine Männer zur

Inspektion durch den Oberst antreten. Mit auf dem Rücken verschränkten Händen nahm Grimaldi einen nach dem anderen in Augenschein.

»Woher stammt dieser Dubat?« fragte Grimaldi, als er die betagte Waffe des Afrikaners untersuchte. Der dicke Lauf des Gewehrs war mit Metallbändern und Lederriemen am Schaft befestigt.

»Wir haben ihn von einer unserer *Bandas* ausgeliehen, die im Ogaden gegen die Äthiopier kämpfen, Sir«, erläuterte Calandro diensteifrig. »Man sagt, er könne einer Spur folgen wie ein ausgehungerter Hund einem Kaninchen.«

»Könnte nützlich sein«, sagte Grimaldi und warf einen Blick auf die knorrigen Füße des Dubats, die in primitiven Ledersandalen steckten. »Und bringen Sie auch Neuigkeiten von unserer Beute, Leutnant?«

»Ein Pilot Ihres Geschwaders, Sir, der an Ihrer Seite den Angriff auf das Feindeslager geflogen hat, hat den Lastwagen entdeckt, auf dem die Photographin ...«

»Wie weit von hier entfernt?« unterbrach ihn Grimaldi.

»In südlicher Richtung, Sir, unterhalb des Zwaisees.«

»Hat er den Wagen zerstört?« fragte der Oberst. »Hat er die Leute getötet?«

»Nein, Sir. Sein Treibstoff war fast alle. Er hat nur einen einzigen Angriff auf den Lastwagen fliegen können. Er sagte, er habe den Wagen beschädigt und qualmend am Ufer eines Flusses zurückgelassen. Er weiß nicht, ob er jemanden getötet ...«

»Wo?« wollte Grimaldi wissen. »Wo genau befand sich der Lastwagen?«

Leutnant Calandro machte sich nicht die Mühe, seine Genugtuung zu verbergen. Er zog eine Landkarte und einen Umschlag aus seinem Rucksack und überreichte sie dem Oberst.

Enzo studierte die Karte schweigend und entdeckte ein großes X, das mit Bleistift über einen Fluß im Süden gezeichnet war. Daneben hatte sein Kamerad geschrieben: *»Buona caccia, Colonnello!«*

»Der Pilot sagt, ihm sei heftiges Bodenfeuer entgegengeschlagen«, warf der Leutnant in skeptischem Tonfall ein und zuckte die Achseln. Offenbar war er von der Rolle der *Regia Aeronautica* nicht besonders beeindruckt. »Die Armee bemüht sich jedoch nach Kräften, uns eine kleine Eilkolonne hinterherzuschicken. Die Männer dürften mit ihren Fahrzeugen in zwei Tagen hier eintreffen.«

»Was gibt es für Neuigkeiten vom Krieg, Leutnant?« fragte Enzo, während er den stabilen Umschlag auftrennte.

»Wir rücken an allen Fronten vor, Sir! *Sempre avanti!*«, sagte Calandro und zitierte damit einen der Wahlsprüche des Duce. Während er seinen Bericht ablieferte, unterstützte er seine Schilderungen mit eifrigen Gesten beider Hände. »Allerdings haben die Wilden uns bei einem Bergpaß namens Abbi Addi eine tüchtige Tracht Prügel verabreicht. Sie haben unsere Eritreer eingekesselt und allesamt abgeschlachtet. Bei Amba Alagi haben wir es ihnen dann heimgezahlt. Das ist eine alte Festung in den Bergen ...«

»Ich weiß, wo Amba Alagi ist, Leutnant. Mein Großvater war dort«, unterbrach Grimaldi ungeduldig. »Fahren Sie fort.«

»Der letzte der Generäle des früheren Kaisers Menelik, irgendein Ras, hatte sich dort mit zehntausend Mann verschanzt, Oberst. Wir haben sie alle mit Gas aus ihren Stellungen vertrieben. Dann ist über sie das größte Luftbombardement der Geschichte hereingebrochen. Zweihundertfünfzig Flugzeuge. Der alte General und seine beiden Söhne wurden getötet. Man sagt, seine Leibwache habe ihn auf demselben Nashornschild vom Schlachtfeld getragen, den er auch schon 1896 bei Adua dabeihatte. Dann haben sich unsere Männer zum Gipfel durchgekämpft und die Savoyen-Flagge gehißt.«

»Sehr gut, Calandro. Sonst noch etwas?«

»Es heißt, die größten Probleme gebe es in Genf, Sir. Gerede über Ölsanktionen, aber bislang ist nichts passiert. Die haben alle Angst vor dem Duce. Die Franzosen und die Briten haben einen Friedensplan vorgeschlagen, nach dem wir den größten Teil dessen erhalten, was wir inzwischen in der Ogaden-Region und in Tigray besetzt haben, sowie irgendein Wirtschaftsprotektorat über den größten Teil des Rests. Äthiopien soll allerdings einen Zugang zum Roten Meer erhalten und auch noch den einen oder anderen Korridor ...«

»Und was ist passiert?« unterbrach Grimaldi ihn besorgt. Er fürchtete, der Krieg könnte ohne einen vollständigen Sieg enden.

»Dieser schwarze Kaiser hat die ganze Sache abgelehnt und gesagt, das würde sein Land zerstören und einen Verrat am Völkerbund bedeuten. Gab viel Wirbel in Europa. Ich glaube, der britische Außenminister ist zurückgetreten.«

Enzo nickte und las seine Botschaft. »Ihre Befehle lauten unverändert: Bergen Sie das Silber, und eliminieren Sie die Gruppe um die Photographin. Es darf keinen Film und keine Zeugen geben. Wir schicken so bald wie möglich Nachschub und Transportmittel, aber die Armee ist inzwischen vollständig im Einsatz. Wir erobern ein Land, das viermal so groß wie Italien ist, und der Feldzug gestaltet sich von Tag zu Tag schwieriger.«

Die Männer hielten einen kurzen Gottesdienst ab, um ihre vier *Bersaglieri*-Kameraden zu bestatten. Sie wirkten bedrückt. Am Abend errichteten sie leise ihr Lager, stellten Wachposten auf und vertieften sich an zwei Feuern in Gespräche. Enzo bemerkte, daß Leutnant Calandro versuchte, Uzielli aus dem Weg zu gehen, nachdem er den beiden vorgesetzten Offizieren deutlich gemacht hatte, daß sein Befehl lautete, vordringlich dem Luftwaffenoberst Bericht zu erstatten und nicht dem Hauptmann. Zweifellos wußte Calandro mehr über Uzielli als er, dachte Enzo beim Einschlafen.

Sie brachen im Morgengrauen auf, nachdem sie zum Frühstück etwas Kaffee, altes Pizzabrot und Salami zu sich genommen hatten. Orabi, der Fährtensucher, verschmähte den Kaffee und aß eine Handvoll getrockneter Erbsen und sein eigenes *Enjara*, das er in einem kleinen Sack an einem Lederriemen um den Hals trug.

»Uzielli, Calandro!« rief Grimaldi. Die beiden Männer eilten zu ihm, während der Oberst seine Karte zusammenfaltete. »Wir lassen den Mann, der sich am Knöchel verletzt hat, und den Soldaten mit der Rückenverletzung hier im Lager zurück. Wir anderen werden zum Ende des Sees marschieren und uns an die Spur des Lastwagens halten, den ich mit dem Silber habe abfahren sehen. Uzielli, Sie und Ihr Mann kennen die Gegend und übernehmen die Spitze.« Dann fügte er den Befehl hinzu, von dem er wußte, daß Uzielli sich darüber ärgern würde. »Volles Gepäck, leiser Marsch, kein Laufschritt.«

Enzo führte die anderen zum Ende des Sees. Von dort aus folgten sie der Spur des Lastwagens, was sich zunächst als einfache Aufgabe erwies. Orabis Fähigkeiten wurden vorerst nicht benötigt.

Hauptmann Uzielli war ungeduldig und wütend. Der Befehl paßte ihm nicht. Er wollte am liebsten in den *Bersaglieri*-Trab verfallen, um sowohl Calandros Einheit als auch den Oberst zu testen. Außer Grimaldi und Orabi trug jeder der Männer mehr als zwanzig Kilo Gewicht bei sich.

Vom Gipfel eines Hügels aus gab Uzielli ein dringliches Signal. Die Kolonne eilte vorwärts.

An einem alten Lagerplatz erwartete sie ein verlassener Lastwagen. Das Camp war gut angelegt und trug alle Anzeichen eines hastigen Aufbruchs. Auf flachen Felsen neben einem Wasserlauf lag ein Stapel Wäsche. Im Boden steckten noch mehrere Zeltpflöcke. Neben einer kleinen quadratischen Abfallgrube lagen ein paar nicht verscharrte leere Dosen und Flaschen. Einer der Männer sah die Wäsche durch und hielt einige der Stücke in die Luft: zwei Laken, eines davon blutbefleckt, ein Handtuch, Socken und die Unterwäsche einer Frau.

»Una vacca sanguinosa!« rief der *Bersagliere*. Die anderen Männer lachten. Ein Soldat brachte Grimaldi und Calandro die leeren Behälter. Ovaltine, Chivers Limonenmarmelade, Senior Service Zigaretten, Col. Truscott's Rangoon Chutney: all die widerlichen Überreste eines englischen Lagers, das britische Empire in allen häuslichen Einzelheiten. Enzo fühlte sich an die schlimmsten Seiten von Kairo erinnert.

Der verbeulte Lastwagen war ein schwerer Bedford und mit den Symbolen des Roten Kreuzes und des Roten Halbmonds versehen. Enzo mußte sofort an Gwenn Rider denken und war zugleich ärgerlich und reumütig. Sie hatte sich über ihn hinweggesetzt, sich dieses Unheil selbst ausgesucht und auf diese Weise seine Großzügigkeit mit Treulosigkeit vergolten. Sie hatte ihre Wahl getroffen. Was auch immer es sie kosten mochte, es würde nicht seine Schuld sein.

Der Tank des Bedford war leer. Der Kühler war geplatzt. Man hatte die Zündkerzen entfernt. Zwei der Reifen waren aufgeschlitzt worden.

»Die Schweinehunde wollten sichergehen, daß wir laufen müssen«, sagte Uzielli.

»Was denn, sind Ihre Männer schon müde?« fragte Grimaldi. »Noch ein oder zwei Tage, und wir haben unsere eigenen Lastwagen.«

»Wir müssen eine Aufgabe erfüllen, Sir«, sagte Uzielli. »Transportmittel wären hilfreich.«

Orabi wies auf das Profil der Reifen und auf die Spur, der sie gefolgt waren. Er schüttelte den Kopf und deutete nach Süden.

»Zwei Fahrzeuge«, sagte Grimaldi. »Der Wagen, hinter dem wir her sind, ist weitergefahren.«

Enzo, Orabi und die beiden Offiziere schritten langsam die Grenzen des Lagers ab. Sie fanden Fußspuren und Tierfährten, die in einer etwas anderen Richtung als die Spuren des Lastwagens nach Westen verliefen. »Sie haben sich in zwei Gruppen aufgeteilt«, sagte Grimaldi und fragte sich, zu welcher von beiden Rider gehörte. Es würde ihn nicht überraschen, falls der englische Jäger zu Fuß unterwegs wäre.

»Calandro, Sie und Ihre Leute kommen mit mir. Der Lastwagen ist einfach genug zu verfolgen, und er kann nicht mehr weit gekommen sein, nachdem er aus der Luft getroffen wurde.«

Dann ging der Oberst zu Uzielli. Nach dem Zwischenfall mit den Mönchen konnte Grimaldi getrost davon ausgehen, daß der Hauptmann äußerst gründlich zu arbeiten pflegte.

»Uzielli, Sie nehmen vier Männer und Orabi und folgen der kleinen Gruppe, die sich zu Fuß von dem Fahrzeug getrennt hat. Sie wissen, was zu tun ist, sobald Sie die Leute eingeholt haben.«

Diwani entdeckte sie zuerst: fünf Männer, die in gleichmäßigem Tempo den Pfad entlangtrabten, den er und Laboso eingeschlagen hatten, nachdem sie vom Lager des Bwana aufgebrochen waren. Er tippte Laboso auf die Schulter und zeigte in die entsprechende Richtung. Sofort duckten die beiden Afrikaner sich hinter einige Felsen. Dann sahen sie einen sechsten Mann.

Ein schlanker Schwarzer befand sich vor den anderen und lief gebeugt mit einer Hand am Boden voran. Ein *Shifta*-Fährtensucher, der die weißen Soldaten führte. Der Dubat trug einen breiten weißen Turban, dessen loses Ende an seiner rechten Wange hinabhing. Seine Brust war nackt, abgesehen von einer zusammengelegten grünen Schärpe, die diagonal unter dem Riemen seines Gewehrs verlief. Sein weißer Hosenrock wurde an der Taille von einem breiten ledernen Patronengurt gehalten.

»Laboso«, sagte Diwani, »lauf ins Lager und sag Rider Bescheid.« Diwani war langsamer, aber der bessere Schütze, und so wußte er, wer von ihnen welche Aufgabe übernehmen würde. »Ich werde ein wenig auf die Jagd gehen, einen oder zwei töten und sie ablenken.«

»Weißt du, welchen der Männer du zuerst töten solltest?« sagte Laboso lächelnd. »Den da, der sich für einen Fährtensucher hält. Schau dir nur mal diesen dreckigen Dubat an. Er folgt der Fährte wie ein Schakal, mit der Nase am Boden. Seine Augen können nur so weit sehen, wie er riechen kann.«

»Lauf, du dämlicher Luo«, sagte Diwani und verpaßte Laboso einen Hieb auf die Schulter, der ihn fast umwarf. *»Haraka!«*

Laboso machte sich auf den Weg. Diwani wußte, welchen Pfad die Italiener nehmen würden, und machte sich zu einer Furt auf, die sie durchqueren mußten. Er überprüfte sein Gewehr, eine alte doppelläufige .425er Westley Richards. Die Waffe war zu stark für kleines Wild und ursprünglich dafür gedacht, Büffel oder Nashörner zu erlegen. Er trug dieses Gewehr jetzt seit mehr als zehn Jahren bei sich. Was es an Reichweite vermissen ließ, machte es an Durchschlagskraft wieder wett. Zwischen zwei Akazien ging er in Stellung.

Der Fährtensucher kam als erster in Sicht. Ein typischer Somali, dachte Diwani. Diese schmierigen *Shifta* waren alle gleich.

Der Dubat lief bergab, erreichte den Wasserlauf und verweilte kurz. Dann schaute er am Ufer entlang. Vorsichtig legte er sein langes Gewehr ab, ließ sich auf die Knie sinken, beugte seinen Kopf zum Wasser hinunter und trank wie ein Hund.

Die Kugel traf ihn genau im Nacken. Sein Körper wurde hochgerissen und sank dann ins flache fließende Wasser. Sein Kopf war ihm fast abgetrennt worden, gab jetzt der Strömung nach und trieb ein kleines Stück flußabwärts.

In diesem Moment kam der erste Italiener über den Hügel und kauerte sich nieder. Diwani feuerte ein zweites Mal und verfehlte sein Ziel. Als er nachlud, hörte er eine Stimme in einer merkwürdigen Sprache Befehle schreien. Die vier anderen Männer folgten. Mit schnellen Schritten wichen sie zu den Seiten aus und formierten sich zu einer auseinandergezogenen Linie. Während die Männer vorstürmten und Deckung suchten, beugten sie sich vor und streiften ihre Rucksäcke ab. Diwani sah, wie das Sonnenlicht von den kurzen aufgesteckten Bajonetten reflektiert wurde.

Er drehte sich um und begann zu laufen. Zwei Kugeln prallten von den Felsen neben ihm ab. Plötzlich begriff Diwani, daß er jetzt die Jagdbeute war. Er rannte weiter. Seine Lunge schmerzte. Er war sich sicher, daß er sterben würde. Immer wieder pfiffen ihm Kugeln um die Ohren, während seine Verfolger abwechselnd feuerten und vorstürmten. Er war erstaunt, daß diese Weißen mit ihm Schritt halten konnten. Er erinnerte sich, wie er als Junge immer mit seinen Altersgenossen um die Wette gelaufen war. Er hatte das Gefühl, alle Läufe, die er je absolviert hatte, wären zu einem großen Lauf aneinandergefügt worden, und jetzt, da er älter war, beendete er das Rennen schließlich. Zum erstenmal fürchtete er sich im Busch nicht vor einem Tier, sondern vor anderen Menschen.

Diwani blieb an einer Akazie stehen und versteckte sich dahinter. Dann drehte er sich um und versuchte, so ruhig wie möglich zu atmen. Er schoß zweimal. Der vordere Italiener fiel mit einem Bauchschuß zu Boden. Blieben noch vier. Er wußte, daß er nicht entkommen würde. Aber er hatte seine Pflicht getan. Schnell, aber gleichmäßig stieß er die leeren Messinghülsen aus und begann nachzuladen. Er war überzeugt davon, daß Rider ihn rächen würde.

Direkt neben Diwanis Kopf traf eine Kugel die Akazie. Splitter flogen ihm in die Augen. Der Schmerz überwältigte ihn. Er ließ das Gewehr fallen und schlug die Hände vor das Gesicht. Blut rann über seine Finger, als er einen langen Holzspan aus seinem rechten Auge zog. Er wußte, daß es nicht der einzige war. Er taumelte zurück. Zwei Kugeln trafen seine Unterschenkel und zerschmetterten die Knochen.

Er fiel auf die Seite. Er konnte nichts mehr sehen. Dann waren die Italiener über ihm. Diwani wehrte sich gegen die Männer und packte einen von ihnen an der Kehle. Ein Soldat hieb den Kolben seines Gewehrs gegen Diwanis verwundete Beine, aber der Afrikaner drückte nur noch fester zu. Er spürte, wie der Mann erschlaffte, während die anderen versuchten, ihren Kameraden der Umklammerung zu entreißen. Seine Daumen gruben sich tief in die Kehle des Italieners. Er hörte einen anderen Mann Befehle schreien. Er ließ nicht locker. Ein Gewehr wurde in seinen Bauch gerammt, und das Bajonett verschwand bis hin zum Griff in ihm. Ein anderes zerschnitt sein Gesicht. Diwanis Welt explodierte.

Laboso hörte die Schüsse in der Ferne und blieb am Rand eines Felsgrats stehen. Er drehte sich um und blinzelte in das blendende Sonnenlicht. Es kam ihm so vor, als sei einer von Diwanis Verfolgern zu Boden gegangen. Als Laboso weiterlief, wußte er, daß er den alten Wakamba nicht mehr lebend sehen würde. Immerhin war dies ein Tod, wie ihn der alte Jäger sich gewünscht hätte. Am Grund der nächsten Schlucht verfing sich Labosos Fuß in einer toten Wurzel, so daß er stürzte. Als er wieder aufstand, hörte er einen einzelnen Schuß, der nicht von dem schweren Jagdgewehr stammte. Dann herrschte Stille.

»Sechs Männer!« stieß Laboso schließlich keuchend hervor und ließ sich im Lager erschöpft auf die Knie fallen. »Soldaten, Italiener!«

Anton lief herbei und sah Laboso an.

»Wo ist Diwani?« Er packte Labosos Schulter. Dr. Fergus trat steifbeinig aus Gwenns Zelt und gesellte sich zu ihnen.

»Diwani ist heimgekehrt, Bwana. *Ngai* hat ihn zu sich gerufen. Sie müssen ihn getötet haben.«

Anton schloß die Augen. Trauer stieg in ihm auf. Noch ein Freund tot. »Was ist passiert?«

»Ich sollte hierherlaufen, und Diwani wollte sie ablenken. Sie hatten einen Dubat-Hund dabei, der sich für einen Fährtensucher hielt.« Laboso spuckte aus. »Diwani wollte ihn töten.«

»Hat er?«

»Natürlich, und noch ein oder zwei weitere.« Laboso grinste. »Er hat sie für Sie getötet, Bwana. Ich habe es vom nächsten Hügel aus gesehen. Ich glaube, jetzt trägt ihr Anführer Diwanis Waffe bei sich.«

»Nicht lange.« Antons Gesicht war starr. Sein kalter Blick war fest auf Laboso geheftet. »Wie weit sind sie entfernt?«

»Fünf Kilometer, vielleicht sechs. Aber jetzt werden sie langsamer vorankommen.« Laboso rang sich ein Lächeln ab. »Ihr Dubat kann sie nicht mehr führen.«

Anton wandte sich zu dem schottischen Arzt um. »Könnte Gwenn auf einem Pferd oder Maultier reiten, Doktor?«

»Sie ist noch nicht soweit, und falls wir aufbrechen müssen, wäre es besser, wenn wir eine Trage für sie hätten.« Fergus schüttelte müde den Kopf. »Aber wir drei werden sie nicht allzuweit schleppen können. Ich muß selbst fast getragen werden.«

Anton wußte, daß er die Italiener aufhalten mußte, bevor sie das Lager fanden.

»Bleiben Sie hier bei ihr, Fergus.« Anton kniete sich hin und zog die Schnürsenkel an seinen Stiefeln nach. Er haßte es, außer einem Gewehr noch zusätzliche Last zu tragen. Er würde fröhlich bis zum Umfallen marschieren und Hunger und Kälte in Kauf nehmen, aber er konnte Gepäck nicht ausstehen. »Schnapp dir ein Gewehr, Laboso. Wir werden diesen Italienern zeigen, wie wir hier in Afrika jagen.«

Laboso stopfte sich eine Handvoll Datteln in den Mund, lud eines der Gewehre und folgte Anton aus dem Lager.

Zuerst fanden sie den Dubat.

Während Laboso das Gewehr und die Armbänder des Toten einsammelte, stand Anton am Ufer und hielt nach Diwanis vermutlicher Schußposition Ausschau. Er wußte, daß ein solcher Treffer mit der Westley nur aus geringer Entfernung möglich war.

»Diese Bäume da, schätze ich«, sagte Anton und eilte den Hügel zu den Akazien empor, hinter denen Diwani Stellung bezogen hatte. Er fand zwei .425er Hülsen und warf wie zuvor sein Freund einen Blick nach unten auf den Fluß. »Guter Schuß«, sagte Anton laut. Der Verlust schmerzte ihn.

Laboso schloß sich ihm an. Dann folgten die beiden Männer der Spur von Diwani und seinen Verfolgern.

»Hier, *Tlaga*«, sagte Laboso ruhig, nachdem sie einige hundert Meter weit gekommen waren. »Diwani.«

Der schlanke Afrikaner lag auf dem Rücken. Ein Bajonett steckte in seinem Auge und nagelte ihn am Boden fest. Sein Körper war vom Unterleib bis zum Brustbein aufgeschlitzt worden.

Anton kniete neben ihm nieder. Er zitterte vor Wut. »Fünf Kugeln«, sagte er und schleuderte das Bajonett ins Unterholz. »Das Messer war nur zum Spaß.«

»Hier ist einer, den er getötet hat«, rief Laboso aus fünfzig Metern Entfernung.

Anton kam zu ihm. »Sieht so aus, als hätte Diwani ihn mitten im

Bauch erwischt. Häßlich, als würde man eine Dose Pflaumen mit einem dieser Bajonette öffnen. Dann müssen seine Kameraden der Sache ein Ende bereitet und ihn mit einem kleineren Kaliber in den Kopf geschossen haben. Du nimmst die Fährte auf, während ich den alten Diwani begrabe.«

Anton scharrte schnell eine Mulde in den Boden, sprach ein Gebet für seinen Freund und bedeckte die Leiche mit großen Steinen. Er war tieftraurig. Nachdem er die Arbeit beendet hatte, sah er, daß Laboso ihm von einem fernen Hang aus zuwinkte.

»Ohne ihren *Shifta* haben sie sich verirrt«, flüsterte Laboso, als Anton bei ihm eintraf. Der Afrikaner kniete sich hin und deutete zwischen den Zweigen eines Akazienbuschs hindurch auf drei Männer, die sich an einem Fluß niedergelassen hatten und aßen oder ihre Waffen überprüften, während ein vierter den Horizont mit einem Fernglas absuchte. »Ihre Spur verläuft im Kreis. Derjenige, der sich den Hals hält, ist von den anderen gestützt worden.«

»Wir legen uns besser vor ihnen auf die Lauer, anstatt ihnen zu folgen«, sagte Anton nach einer Weile. »Sie werden vermutlich am Flußlauf entlanggehen und versuchen, irgendwo beim Zwaisee wieder zu ihren Kameraden zu stoßen.«

Er führte Laboso in geduckter Haltung in ein schmales *Donga*. Dann liefen die beiden Männer schweigend den gewundenen sandigen Graben entlang und scheuchten dabei einen Schwarm Geierperlhühner auf. *»Kak! Kak! Kak!«* ertönte das Gackern der plumpen blaugrauen Vögel, die sich sofort in das Dornengestrüpp flüchteten, das auf den Abhängen wuchs.

Nach ungefähr zwei Kilometern kletterten die Männer aus dem *Donga* heraus und stießen wieder bis zum Fluß vor. Dort versteckten sie sich schließlich zwischen einigen kleinen wilden Feigenbäumen, die oberhalb des Ufers wuchsen. Unmittelbar links neben ihnen erstreckte sich eine schmale grasbedeckte Lichtung sanft zum Wasser hinunter.

Sie konnten die Soldaten hören, noch bevor sie in Sicht kamen. Die vier Italiener stritten offenbar miteinander und kamen langsam das Ufer entlang. Drei von ihnen trugen Rucksäcke, Karabiner und Bajonette. Einer aus dieser Gruppe war zusätzlich mit einer Pistole bewaffnet. Der Offizier, vermutete Anton. Der vierte Mann war leicht verletzt und trug nur ein Gewehr.

Der stämmige Offizier wies auf die Lichtung und gab einen lautstarken Befehl. Dann setzte er seinen Rucksack ab und lehnte sein Gewehr dagegen. Er und ein weiterer Mann gingen zum Wasser und knieten sich hin, um ihre Feldflaschen zu füllen.

»Gewehre fallen lassen!« rief Anton und trat nur ein paar Meter entfernt zwischen den Bäumen hervor. Laboso lief zum Ufer und nahm die knienden Männer ins Visier.

Einer der anderen beiden Italiener ließ seinen Rucksack und den Karabiner fallen und hob die Hände. Der Verletzte schien sich anschließen zu wollen, riß dann aber plötzlich sein Gewehr hoch.

Anton feuerte einen Lauf ab und zielte sofort danach auf den anderen Stehenden.

Der erste Mann wurde von dem schweren Jagdgeschoß in die Brust getroffen und stürzte nach hinten, als hätte man ihm einen Fausthieb versetzt. Obwohl Uzielli nach wie vor kniete, wollte er die Situation ausnutzen und griff nach seiner Pistole. Laboso schmetterte dem Hauptmann mit voller Wucht das Gewehr auf den Arm. Uzielli stöhnte vor Schmerz. Seine Hand öffnete sich, und die Pistole fiel ins Wasser.

»Nicht schießen!« sagte Uzielli. Er warf einen schnellen Blick in die Runde, hob beide Hände und stand auf.

»Fessle ihre Hände, Laboso«, sagte Anton und bezwang seine Wut über die vorgetäuschte Kapitulation. »Ich sammle die Waffen ein. Dann sollten wir einen Schluck trinken und die Gefangenen in unser Lager bringen. Wir können ein paar Träger gut gebrauchen.« Er warf die Karabiner auf einen Haufen und beugte sich herunter, um den Sterbenden zu untersuchen. Dem Soldaten trat schaumiges Blut aus Brust und Mund. Der Mann tat Anton leid, und so schob er ihm einen Rucksack unter den Kopf und öffnete eine Feldflasche.

»*Tlaga!*« schrie Laboso hinter ihm.

Anton fuhr herum und sah, daß Laboso am Fluß mit einem der Italiener kämpfte. Als Anton sich aufrichtete, sprang der kräftige Offizier auf ihn zu und schlug mit einem Bajonett nach ihm. Der Hieb verfehlte Antons Brust nur um wenige Zentimeter. Sofort hatte

Anton sein *Choori* in der Hand. Uzielli kam näher und hob den Arm, um erneut zuzuschlagen. Anton wollte den Mann außer Gefecht setzen, aber nicht töten, also versetzte er ihm mit dem schmalen Messer einen flachen Schnitt quer über den Bauch.

Uzielli stieß einen Fluch aus und ließ das Bajonett fallen. Im selben Moment sprang Anton ihn an und stürzte mit ihm in das felsige Flußbett. Die beiden Männer rollten durchs Wasser. Vom Ufer hörte Anton einen Schuß. Er war überrascht, wie stark der Mann war, und er begriff, daß er jetzt um sein Leben kämpfen mußte. Er versuchte, noch einmal sein Messer zu benutzen. Uzielli tobte vor Wut. Da er gerade keine Hand frei hatte, vergrub er seine Zähne wie eine Bulldogge in Antons Unterarm. Es gelang Anton nicht, seinen Arm zu befreien, und so spürte er, wie die Zähne des Mannes seine Haut durchbohrten und sich in die Sehnen und Muskeln zwischen den Knochen seines Handgelenks vergruben. Ein stechender Schmerz durchzuckte ihn, und sein Messer fiel auf den Kies des Flußbetts. Dann erst gab Uzielli seinen Arm frei. Wütend packte Anton mit beiden Händen Uziellis dicken Hals und zwang den Kopf des Italieners unter Wasser. Er drückte seine Daumen aneinander und versuchte, dem Mann den Adamsapfel zu zerquetschen.

Der Italiener lag rücklings auf den Flußsteinen, schlug um sich und schluckte Wasser. Dann stieß er Antons Körper mit beiden Beinen kraftvoll von sich weg. Nachdem sein Hals wieder frei war, erhob Uzielli sich auf die Knie und starrte wütend um sich. Anton hob einen schweren Stein vom Flußgrund. Als Uzielli sich auf ihn stürzte, schwang Anton den Stein mit beiden Händen herum und traf den *Bersagliere* genau in den Mund. Anton hörte, wie die Zähne des Mannes zersplitterten. Der Soldat fiel mit dem Gesicht voran ins Wasser, und Anton kniete sich hin, um sein Messer zu suchen.

»Tot?« rief Laboso vom Ufer.

Nach dem heftigen Kampf kam es Anton so vor, als würde Labosos Stimme aus dem Nichts ertönen. Zur Antwort schüttelte er den Kopf. Dann wusch er sich das Gesicht. Mit zitternden Fingern rieb er die Bißwunde an seinem linken Handgelenk mit etwas Sand ab.

Laboso watete ins Wasser und zerrte den schweren italienischen Offizier am Gürtel heraus. Das Gesicht und die Füße des Mannes schleiften über die Steine und Kiesel, bis Laboso ihn am grasbewachsenen Ufer fallen ließ. Einer der Soldaten stand schweigend mit erhobenen Händen da.

Anton rappelte sich auf und sah sich um. Zwei der Italiener lagen tot am Boden.

»Wir schnappen uns diese beiden Schweinehunde und treiben sie im Eilmarsch in unser Lager«, sagte er. Jegliches Gefühl von Reue oder Mitleid war verschwunden. Er klappte Diwanis Westley Richards auf und schaute durch die Läufe zum Himmel empor. Der Offizier zu seinen Füßen begann sich stöhnend zu regen.

Als Anton eine Stunde später mit Laboso und ihren beiden Gefangenen das Lager erreichte, stieg ihm der Geruch des Kochfeuers in die Nase.

»Was ist mit den übrigen passiert?« fragte Dr. Fergus. »Ich dachte, es wären sechs.«

Die beiden Italiener in ihren dreckigen Uniformshorts und verbeulten schwarzen Lederhüten standen mit vor dem Bauch gefesselten Händen daneben. Auf dem Rücken trugen sie je einen vollgestopften Rucksack. Die zwei Männer wirkten mürrisch und erschöpft. Der größere von beiden, ein Hauptmann mit den glühenden schwarzen Augen eines verwundeten Bären, hatte ein kreuzförmiges Mal auf einer Wange. Sein Hemd war einmal quer aufgeschlitzt worden. Seine Lippen waren aufgeplatzt und geschwollen, und vier oder fünf seiner Vorderzähne waren abgebrochen oder fehlten. Sein stoppeliges Kinn war von geronnenem Blut bedeckt. Der untere Fetzen seines Hemdes klebte an dem getrockneten Blut der Fleischwunde.

»Hübscher Kerl«, sagte der Arzt. »War bestimmt eine tolle Party. Was ist mit den anderen?«

»Die haben's nicht geschafft«, erwiderte Anton lakonisch. Er reichte zwei Gewehre an Laboso weiter, der jetzt einen schwarzen federgeschmückten Lederhut schräg auf dem Kopf trug. »Diwani hat zweieinhalb von ihnen erwischt. Dieser Hauptmann hat anscheinend einen der Verwundeten selbst erledigt, anstatt ihn den Hyänen zu überlassen.« Mit finsterer Miene deutete Anton mit dem Daumen auf Uzielli. »Laboso und ich mußten auch einige töten, um ihre Aufmerksamkeit zu erregen. Am Ende war dann nur noch dieses Pärchen übrig.«

»Was ist mit dem Bauch dieses Mannes passiert?« fragte Fergus. »Außerdem sieht er aus, als müßte er dringend mal zum Zahnarzt.«

»Nachdem sie sich ergeben hatten, zog der Hauptmann ein Messer, als wir alle gerade ein Schlückchen trinken wollten. Vielleicht eine alte italienische Sitte.« Zum Glück hatten die Zigeuner Anton gelehrt, wie man mit einem Messer umging. »Flicken Sie die beiden ein wenig zusammen, Doc, aber bandagieren Sie ihnen nicht die Arme. Die Jungs werden unsere Trage schleppen.«

Auf dem Weg zu Gwenns Zelt drehte Anton sich um und erklärte Fergus: »Bitte durchsuchen Sie das Gepäck der beiden nach allem, was uns nützlich sein könnte. Sie sind jetzt unser Quartiermeister.« Wenigstens hatte er die Italiener vorerst ausschalten können. Er freute sich darauf, seine Frau zu sehen. Anton hob eine Klappe und trat ins Zelt.

»Willkommen zu Hause«, sagte Gwenn, als er sich hinkniete, um sie zu küssen. Sie hob eine Hand und berührte seine Wange. »Anscheinend hat es wieder Ärger gegeben.« Ihre Stimme wirkte kräftiger.

»Ist nicht so schlimm, außer für den alten Diwani«, sagte Anton und versuchte, ruhig zu bleiben. Er war nach den Vorfällen dieses Tages noch immer sehr angespannt. »Er wird uns fehlen. Aber wir müssen weiter, und du mußt jetzt etwas essen, Gwennie. Das ist vielleicht unsere letzte warme Mahlzeit, und du wirst bei Kräften sein müssen.«

»Warum sind die Gefangenen barfuß?« fragte Gwenn etwas später, nachdem man ihre Trage neben das Feuer gestellt hatte. Sie fragte aus Neugier, nicht aus Mitleid. Sie war noch immer wütend, weil die Italiener Giftgas einsetzten. Ihr Blick ruhte auf Anton, während dieser mit einem Ast das Feuer anschürte.

»Das ist das beste Mittel, um Weiße in Afrika am Weglaufen zu hindern«, sagte er und schaute zu ihr. Er war froh darüber, wie gelöst sie wirkte. Ihre Farbe war zurückgekehrt. Sie war die einzige Frau im Lager. »Laboso wird direkt neben ihren Stiefeln schlafen.«

Anton setzte sich mit übereinandergeschlagenen Beinen neben sie und hielt ihren Teller, während Gwenn ihren unverletzten Arm benutzte, um zu essen. Es freute ihn, daß ihr die Makkaroni schmeckten, ein Geschenk der italienischen Armee. Während die anderen sich unterhielten, dachte er darüber nach, wie das Geplauder am Lagerfeuer sich immer noch um die Ereignisse des Tages drehte, nur daß auf dieser Safari inzwischen gekämpft und nicht mehr gejagt wurde und daß die Gegner Menschen waren, nicht Tiere.

»Wir sind offenbar bis über beide Ohren in diesen Krieg verstrickt«, sagte er plötzlich, »und daher glaube ich, daß wir schleunigst die Spielregeln lernen sollten.«

32

Olivio Alavado lag auf dem Rücken, kaute auf einem Mangokern herum und schaute aus dem großen Fenster. Er war in einem Privatzimmer des Victoria Hospitals untergebracht und hatte eine lange Woche hinter sich. Seine Beine hingen in einem Traktionsgestell, so daß er nicht vermeiden konnte, ständig den Kirchturm von St. Andrews vor Augen zu haben, der sich zwischen seinen Füßen erhob. Er war es leid, auf die Presbyterianer hinunterzublicken.

Tariq lag auf der überfüllten Station eine Etage tiefer und erholte sich schnell. Sogar seine Gesichtsverbrennungen schienen nicht allzu schlimm zu sein, weil er sofort danach ins Wasser eingetaucht war. Er würde bald wieder auf den Beinen sein und wartete schon ungeduldig darauf, den Mann zur Strecke zu bringen, der Clove getötet hatte. Seine Verletzungen würden ihn nur noch mehr anstacheln.

Olivio lauschte den marschähnlichen Schritten der deutschen Diakonissen, die auf den Fluren und Stationen dieses protestantischen Krankenhauses patrouillierten. Dr. Hänger und Fräulein Koch hielten diese Frauen zweifellos für verläßliche Hilfskräfte, aber dem Zwerg bereiteten sie wenig Vergnügen.

Während die Tage vergingen und sein Körper heilte, erkannte Olivio, daß Hänger das Feuer als eine Gelegenheit benutzte, seinen Patienten in ein Programm einzuspannen, das der Zwerg hatte vermeiden wollen: die Einkerkerung in ein Krankenhaus, in dem der deutsche Spezialist Zugriff auf die Instrumente der etwas traditionelleren Wirbelsäulentherapie hatte. Der Doktor bedrohte ihn sogar mit einem Rückenstützband, einem der heftigsten Foltergeräte der Achondroplasiologen. Dann wäre Olivio tatsächlich ein Gefangener, der seinen Stahlkäfig am eigenen Leibe trug, angekettet wie der Affe eines Bettlers. Eines Tages würde er dem Mediziner diese Unverschämtheiten heimzahlen. Er hatte richtig gehandelt, als er nicht nach Zürich gefahren war.

Der Zwerg legte den Mangokern beiseite und blickte nach oben in August Hängers Gesicht. Er fühlte sich wie ein Insekt unter dem Mikroskop. Der deutsche Arzt war an Leid gewöhnt und schaute ausdruckslos auf ihn hinunter.

»Keine weiteren Verbrennungen, Gott sei Dank. Nicht noch mehr wildes Fleisch«, sagte Hänger zu Ilsa Koch. »Aber der Rücken! Der Rücken ist schlimmer. Wie bei all diesen kleinen Leuten.«

Während der Arzt die Diagnose und seine Anweisungen auf den neuesten Stand brachte, nahm die Schwester Eintragungen in einem schwarzen Notizbuch vor. In den letzten Tagen hatte Ilsa ihren Patienten verstimmt. Sehr zu Olivios Ärger schloß sie sich gelegentlich im Nebenzimmer ein. Dort lag irgendein ägyptischer Adliger, ein Cousin von Prinz Faruk, und leistete sich ihre kostspielige Behandlung. War es möglich, daß dieser verhätschelte Narr mehr als den Anblick ihrer Beine genoß? Der Mann war zweifellos zutiefst verdorben, wenngleich etwas einfältig, und so hatte der dunkelhäutige Kerl hier im Krankenhaus die unaussprechlichen Gepflogenheiten des Abdin-Palastes eingeführt. Was konnte ein Gentleman schon von solchen Leuten erwarten?

»Der Rückenmarkskanal, das ist unser Schlachtfeld«, sagte der Arzt. Sein Tonfall lag irgendwo zwischen Resignation und Enthusiasmus. Er formte aus Daumen und Zeigefinger einen sich verkleinernden Kreis.

»Anstatt die Nervenstränge zu schützen, die durch die Wirbelsäule verlaufen, verengt sich dieser Kanal, so, so, und zieht sich mit dem Alter immer mehr zusammen. Er klemmt die ventralen und dorsalen Nerven ein und verursacht dadurch eine Kontraktion der umliegenden Muskulatur sowie eine weiterhin zunehmende Verzerrung des Rückens.« Der Arzt ballte seine Finger zur Faust.

Ilsa verstärkte die Traktion an seinem linken Bein. Olivio schloß die Augen. Er war entschlossen, sich während dieser Prozedur nicht aufzugeben, und so zwang er sich, an angenehmere Dinge zu denken: Wollust und Rache.

Dr. Hänger fuhr fort und sprach mit seiner Krankenschwester, als würde er eine Vorlesung in Heidelberg halten. Olivio fürchtete, daß er in Wahrheit seinen Patienten auf die bevorstehende brutale Therapie vorbereiten wollte.

Immerhin ließ der Doktor, soweit er dazu in der Lage war, Anzeichen von Sympathie erkennen.

»Der Druck auf das Rückenmark«, erklärte Hänger, warf ihm ein kurzes Lächeln zu und wies auf die jeweiligen Körperstellen, während er fortfuhr, »wirkt lebensverkürzend, weil er Atmungs-, Herz- und Nervenprobleme hervorruft, ganz zu schweigen von den schmerzhaften, aber weniger verhängnisvollen Begleiterscheinungen in den Gelenken, hier und hier, an Leber, Milz und anderen Stellen.« Seine schwarzen Augen zwinkerten verschmitzt, und er drohte seinem Patienten mit beiden Zeigefingern. »Manche bösen Zwerge fordern uns Ärzte gleich mit einer ganzen Symphonie von Komplikationen heraus.

Für Zwerge, die an der Morquio-Krankheit leiden, sind vierzig Jahre normalerweise die Grenze, beim Hurler-Syndrom sogar noch weniger. Aber das hier«, sagte er zu Ilsa Koch und wies mit einer Hand beiläufig auf seinen Patienten, »ist kein Hurler, o nein. Diese Erkrankten verfügen nur über eine verminderte Intelligenz.« Der Doktor hatte bereits erklärt, daß ein Pott-Buckel sowie diastrophischer und metatrophischer Kleinwuchs mit anderen klinischen Herausforderungen verbunden waren.

»Ist es ein Wunder, daß nur so wenige von uns sich diesem Gebiet gewidmet haben?« Er zuckte die Achseln. »Wir tun es für die Wissenschaft.«

Olivio fragte sich, ob es nötig sein würde, Dr. Hänger mit der dritten antiken Elfenbeinstatuette zu bestechen, um das Krankenhaus verlassen zu können. Diese edelste der drei Figuren sollte offenbar die kleine Person in älteren Jahren abbilden. Die Miniatur zeigte einen Mann, dessen Beine und Rücken stärker gebeugt waren und dessen Gesicht noch tiefer vom Schmerz gezeichnet war. Wie sehr dieser Deutsche es lieben würde, an dem Faden zu ziehen, so daß die kleinen Kreaturen sich drehten und tanzten! Würde der Arzt sie alle in dieselbe oder schwindelerregend in entgegengesetzte Richtungen wirbeln lassen?

Der Zwerg sah, wie der Spezialist seinen Koffer schloß und sich zum Gehen wandte. Dann nahm August Hänger seine Brille ab und putzte sie. Ohne Brille wirkte er irgendwie unnatürlich. Die beiden tiefen Druckstellen auf seinem Nasenrücken leuchteten rot wie die Essen eines Schmieds. Der Arzt setzte die Brille wieder auf und verließ das Zimmer. Ilsa Koch hielt ihm die Tür auf.

Als Olivio wieder allein war, versuchte er, seine Gedanken nicht zu dem Feuer abschweifen zu lassen, sondern sich statt dessen auf die Zukunft zu konzentrieren. Er ärgerte sich über seine Hilflosigkeit, und er hatte beschlossen, daß sein Verstand tun würde, was seinem Körper verwehrt war: über die Grenzen des Krankenhauses hinauszugreifen, um sein Kind zu rächen.

Aber er weinte jede Nacht. Der Verlust seiner Tochter brannte wie flüssiges Metall in ihm. In guten Nächten lag er reglos in der Dunkelheit und schmiedete Pläne für eine prächtige Gedenkfeier, um das Leben seiner Clove zu ehren. Danach würde er einen Empfang für ganz Kairo geben. Er würde ein Fest für Clove organisieren, das all die Feste aufwiegen sollte, die sie niemals mehr würde feiern können: ihre Geburtstage, ihre Volljährigkeit und ihre Hochzeit. Man würde all ihre Lieblingsspeisen servieren. Während er wachlag, überlegte er sich jedes einzelne Gericht und alle Zutaten, die sich in herrlichem Prunk entfalten sollten. Manchmal lief ihm vor lauter Vorfreude das Wasser im Mund zusammen.

Im Garten hinter seiner Villa würde man Zelte zwischen den Königspalmen errichten. Seine Köche würden tagelang arbeiten und europäische Kanapees sowie die *Mazzah* der Levante zubereiten, jene kleinen Appetithäppchen, die man in vornehmen Häusern zu den Drinks reichte oder als Beilagen servierte. Noch nie zuvor würden seine Gäste so gut gegessen haben. Alle Zutaten wären auf seinen eigenen Feldern gewachsen und in denselben Bussen in die Stadt transportiert worden, mit denen auch die Trauernden aus seinen Dörfern gebracht wurden. Bohnenkuchen und Zucchinipastetchen, bei denen das Mark des jungen Gemüses immer wieder auf niedriger Flamme gerührt wurde, bis es die kräftige Ockerfarbe eines Dachziegels aus Goa angenommen hatte; *Beid mahschi,* die frischen Eier seiner eigenen Hennen, gefüllt mit schwarzen Oliven, Gewürzgurken, Zwiebeln und Joghurt; trockene Blätterteigstreifen, gefüllt mit Petersilie und Rahmkäse; Tauben, bis zum Platzen gefüllt mit getrockneten Aprikosen; Spinat*samosas* und gebratene süße Paprikaschoten und eingelegte Limonen und Okra und Rüben; ein kleiner Schwarm kalter gefüllter Seebarsche; und, ein Lieblingsgericht seines toten Kindes, wenngleich nur selten außer Haus gegessen, *Kebda najja*, frische rohe Kalbsleber, weich und saftig, gewürfelt und in Minzsaft und geraspelten Zwiebeln mariniert; und noch weitere Gerichte, zwanzig, dreißig weitere, alle dampfend und aromatisch. Tranchierer würden hinter ihren Braten stehen wie mächtige Janitscharen und ihre Klingen beim Schärfen zum Singen bringen über all den kalten Truthähnen und *Börek* und Bergen von kaltem Roastbeef. Plaudernde Gäste würden an ihrem Pommery nippen und an den Tischen voller verzierter Torten und Puddinge und allerlei Zuckerwerk vorbeischlendern. Auf einer Seite würde eine Platte mit *Tavuk gölesi* stehen, das so gut für die Herzen alter Männer war: zartes weißes Fleisch von Olivios Hähnchen, mit Eiweiß zu einem Brei zerstampft, dann langsam gekocht und kalt serviert. Daneben vielleicht eine Platte »Damenschenkel«, die doppelt gekochten Lammrouladen mit reichlich sämiger Zitronensoße, von der Clove immer so gern mit zwei Fingern genascht hatte. Wäre das nicht perfekt? Welcher übersättigte Gaumen würde sich nicht in Versuchung gebracht fühlen?

Für besondere, kultivierte Gäste würde sogar noch mehr geboten werden: ein Tisch mit den Gaben von Goa, dem sprudelnden Cashewnektar; *Oriste recha* aus dem Meer; und seinem eigenen Lieblingsessen, Hühnchen in zarter, aromatischer Kokossoße, *Murg xaccuti*.

Das traurige Personal des Cafés, das seit der Brandkatastrophe arbeitslos war, würde kochen, servieren und auftragen wie noch nie zuvor. Einige von ihnen hatten ihn bereits im Krankenhaus besucht, ihm ihr Beileid wegen seines Kindes ausgesprochen und ihm angeboten, bei der Wiederherstellung des Boots behilflich zu sein. Zwei hatten sogar ihre wenigen Shillings für den Neubau spenden wollen. Er hatte die Geschenke voller Dankbarkeit angenommen. Aber Geld war nicht das Problem. Konnte er es übers Herz bringen?

Es klopfte an der Tür, und Olivio rief: »Herein!«

»Bonjour, patron.« Ein Franzose trat leichtfüßig mit einem großen Schritt ins Zimmer und verbeugte sich am Fußende des Betts.

Es war *Maître* Aristide, der Kunstlehrer seiner Töchter, der inzwischen zu einer höheren Aufgabe als der Lehre berufen worden war. Er war ein talentierter, affektierter Mann von wenigen Worten. Er rollte eine weiß lackierte Krankenhaustrage zu der Wand gegenüber des Fensters und achtete nicht auf die beiden Pyramiden aus riesigen Zitronen und makellosen Mangos, die in einem flachen Korb auf der Rolltrage standen und als nützliche Belohnungen für das Krankenhauspersonal dienten. Eine Mango fiel zu Boden und rollte in die Ecke. Der Franzose traf keinerlei Anstalten, die Frucht wieder aufzuheben. Sie war jetzt ohnehin hoffnungslos angestoßen, bemerkte der Zwerg verärgert.

Aristide legte seine große Mappe auf die Trage und lehnte sie gegen die Wand. Dann öffnete er das Band, mit dem die Mappe verschnürt war. Mit der feierlichen Geste eines Mannes, der in einem Opernhaus den Vorhang zurückzieht, enthüllte er ein mit Kohle gezeichnetes Porträt. Er drehte sich zu Olivio um, hob die dichten schwarzen Augenbrauen, strich sich über den Schnurrbart und öffnete leicht den Mund, während er erwartungsvoll auf die Reaktion des Zwergs lauerte.

Olivio schüttelte den Kopf.

»Zut!« stieß der Mann leise hervor, zerriß das Bild und legte eine zweite Zeichnung vor. Erneut wies Olivio die Arbeit zurück. Mit verkniffenem Mund präsentierte der Künstler seinen letzten Entwurf.

»Aha«, murmelte der Zwerg begeistert, »nur die Augen sind falsch, *Monsieur* Aristide. Seine sind größer, sehr viel größer.« Olivio riß die eigenen Lider auseinander, bis sein künstliches Auge fast herausfiel. »Aber der Rest stimmt.«

Aristide strich sich entzückt den Schnurrbart. Dann rieb er mit einem großen rosafarbenen Radiergummi über das Papier. Er fegte die Kautschukkrümel mit einem feinen Pinsel beiseite, zog einen Kohlestift hervor und machte sich mit dem Rücken zum Bett an die Arbeit. Schließlich verharrte er mit gefalteten Händen und starrte das korrigierte Porträt an. Er fügte noch ein oder zwei Striche hinzu, trat dann zurück und hob die Augenbrauen.

»Stellen Sie das Bild auf den Kopf«, sagte der Zwerg. Der Künstler gehorchte.

Aus dem langen zerfurchten Gesicht unterhalb der kahlen eingebeulten Schädeldecke erwiderten die Augen des Brandstifters Olivio Alavedos Blick.

Das war der Mörder seines Kindes.

»Ich gratuliere Ihnen, *Maître*«, sagte der Zwerg leise. »Sie haben soeben das Schicksal dieses Mannes besiegelt.« Olivio war endlich zufrieden und lehnte sich in die mit seinem Monogramm versehenen Kissen zurück. Seine Stimme klang fröhlich.

»Fertigen Sie noch zwanzig identische Exemplare dieses Porträts an, allerdings in halber Größe. Und nehmen Sie den Umschlag dort vom Tisch. Sobald dieser Mann nicht mehr am Leben ist, werden Sie einen weiteren Umschlag erhalten.«

Aristide zog sich zurück. Olivio schloß die Augen und dachte an seine Widersacher. Gewalt war für sie eine legitime Waffe, wenngleich zu scharf, um sie selbst zu berühren. Sie waren schlau, aber verweichlicht, und sie besaßen jenen verschwenderischen Instinkt für Macht und Korruption, der den Osmanen zu eigen war. Was Arglist und Gier betraf, konnten sie sich vielleicht mit ihm messen. Aber wenn es um Rache ging, waren sie Chorknaben. Diese Männer waren nicht durch die gleiche harte Schule gegangen wie er.

Sobald sein Verstand erst einmal arbeitete, ließ er Olivio nicht mehr zur Ruhe kommen. Er wußte, daß da noch etwas war. Was kannte er von diesem Mörder, das nicht auf dem Porträt zu sehen war?

Nur eines noch: die intensive Ausdünstung irgendeines Tiers, die mit dem Gesicht am Bullauge gekommen und verschwunden war. Was war das für ein Geruch?

Der Zwerg schloß die Augen, erinnerte sich zurück und schnüffelte, um sein Gedächtnis anzuregen. Er döste ein und fing an zu schnarchen. Sein Geist wanderte zu jenem Nachmittag, an dem er und seine Freunde mit der *Felucca* und den Kamelkarren seine Grundstücke besucht hatten. Da plötzlich schnaubte er und wachte auf. Kamele! Der Schurke hatte nach diesen Höckertieren gestunken.

Vier Tage später stand Tariq vor seinem Herrn am Fußende des Betts. Sein Körper wirkte unverändert massig und breitschultrig, aber sein unbewegtes Gesicht war über den tiefliegenden Augen zerfurcht und zeugte von den Schmerzen, die er erlitten hatte. Auf der linken Gesichtshälfte wölbte sich das wilde Fleisch seiner Brandnarben. Zweifellos verschaffte auch Tariq sich soeben einen Eindruck davon, wie gut sein Herr sich erholt hatte.

Irgend etwas schlug kräftig gegen die andere Seite der Wand hinter Olivios Kopf. Er stellte sich angewidert vor, was Ilsa Koch wohl in diesem Moment mit dem armen Teufel im Nebenzimmer anstellte. Dann schob er diesen Gedanken beiseite und richtete seinen Blick auf die Wand hinter Tariq. Aus dem schwarzen Rahmen, der dort hing, starrte ihm das dunkeläugige Porträt des Mörders quer über sein Krankenbett entgegen. Daneben hing an einem Haken das Versuchsmodell eines Rückenstützbands, das extra von einem italienischen Handwerker in Alexandria angefertigt worden war. Die breiten Lederriemen und das gegossene Metall erinnerten den Zwerg an die Werkzeuge, die einst so erfolgreich in den Kerkern der Inquisition zur Anwendung gekommen waren. Würde dieses Instrument ihm ebenfalls so treue Dienste leisten?

»Euer Exzellenz?« fragte der Nubier und senkte seinen klobigen Kopf. »Was muß ich tun?«

»Wir haben unseren Feind zu lange in Ruhe gelassen«, sagte der Zwerg.

»Er wird nicht mehr zur Ruhe kommen, sobald wir ihn kennen, Herr.«

Olivio nahm eine dünne Segeltuchtasche von dem Tisch neben seinem Bett. »Dreh dich um, Tariq, und du wirst ihn sehen.«

Tariq wandte seinem Herrn den Rücken zu und musterte das aufgehängte Porträt, als würde er eine saftige Lammkeule betrachten. Olivio respektierte Tariqs Konzentration und ließ den Nubier eine Weile gewähren. Er wußte, wie sehr sein Diener Clove gemocht hatte. Während Olivio ihn beobachtete, bemerkte er, wie Tariq die Schultern hochzog und den Kopf vorstreckte, so daß der Zwerg sich in Gedanken vormerkte, den Nubier im entscheidenden Moment zurückzuhalten, damit der Hund den Fuchs nicht in Stükke riß. Tariqs Rache durfte die seines Herrn nicht in den Schatten stellen.

Als der große Mann sich umdrehte und ihn ansah, ergriff Olivio erneut das Wort.

»In dieser Tasche sind zwanzig weitere Exemplare der Zeichnung, die dort an der Wand hängt.« Tariq nickte, und Olivio sprach weiter. »Du wirst dieses Bild überall in Kairo herumzeigen, in jedem Kaffeehaus, jedem *Suk* und jeder dreckigen Gasse, von den rauchverhangenen Cafés des Bab al-Sha'riya bis zu den Lehmziegelschuppen in der Stadt der Toten. Hin und wieder werde ich dir bei dieser Aufgabe Gesellschaft leisten.«

Er wußte jedoch, daß er hauptsächlich daran arbeiten mußte, den Organisator zu identifizieren, den Intellekt hinter der Tat. Tariq verfolgte nur den Handlanger, das Instrument. Ein Nachteil der komplexen Geschäfte des Zwergs bestand darin, daß mit jedem seiner Erfolge die Schar seiner Feinde, die unter diesen Erfolgen zu leiden hatten, unvermeidlich wuchs. Wie sollte er aus dieser wimmelnden Schlangengrube eine einzelne Viper herausfinden?

Zum Glück war er mit einem sechsten Sinn für Unheil gesegnet, und er hatte den Eindruck, daß der Angriff seinem Boot gegolten hatte, nicht ihm. Das Feuer war als Warnung gedacht gewesen, nicht als Bestrafung. Demnach war das Verbrechen nicht die Tat eines früheren Feindes, sondern eines zukünftigen. Das engte die Gruppe der Verdächtigen schon wesentlich ein. Er rieb sich eines seiner durchbohrten Ohrläppchen und überlegte, welche seiner gegenwärtigen Projekte eine solche Gegenwehr herausgefordert haben könnten. Sein Verdacht wies in eine ganz bestimmte Richtung, aber noch zögerte er, sich darauf festzulegen.

Tariq hängte sich den Lederriemen der Tasche quer über die Brust. Als er gerade zur Tür ging, klopfte es.

»Hallo, Tariq. Guten Morgen, Olivio«, sagte Adam Penfold fröhlich und betrat das Zimmer mit einem Strauß gelber Rosen in der Hand. »Die habe ich unterwegs gepflückt. Ich dachte, sie könnten dir vielleicht bei den Krankenschwestern nützlich sein.«

»Danke, danke«, sagte Olivio und war froh, das Thema wechseln zu können.

»Werden Sie mir helfen, die Vorbereitungen für Cloves Gedenkfeier abzuschließen?« fragte er. Er war sorgsam darauf bedacht, jede Einzelheit ganz im Sinne seiner Tochter zu gestalten und sicherzustellen, daß das elegante Kairo an dieser Alavedo-Zeremonie keinerlei Makel finden würde. »Und auch für den Empfang, der darauf folgt?«

»Natürlich«, sagte Penfold, dem das Leid seines Freundes sehr naheging. »Und am Freitag kommen Tariq und ich und holen dich mit dem Wagen ab. Es wird langsam Zeit, daß du wieder auf andere Gedanken kommst.«

Nach ein paar Tagen zu Hause und ohne Café, das ihm als Zuflucht vor seiner Familie dienen konnte, war Olivio Alavedo unruhig. Er bestellte Tariq zu sich auf die Terrasse der Villa.

»Wie viele Zeichnungen hast du noch?« fragte der Zwerg.

»Sechs, Herr.« Der Nubier klopfte auf die Tasche, die an seiner Seite hing. »Die meisten werden von meinen Cousins aus dem Sudd überall in der Stadt herumgezeigt. Sie wissen auch von dem stechenden Geruch, der diesem Mann anhaftet.«

»Haben sie schon etwas darüber herausgefunden?«

»Noch nicht, obwohl sie jeden Tag die Straßen und *Suks* durchstreifen. Wenn es dunkel wird, folgen sie den Ratten und Straßenkehrern, die sich nachts die Gossen von Kairo teilen.«

»Denk dran, falls er gefunden wird, gibt es eine Belohnung für die Gefangennahme und Befragung. Die Hinrichtung obliegt allein deinem Herrn.«

»Wie Ihr wünscht, Herr.«

»Ach, da kommt ja Lord Penfold«, sagte der Zwerg mit fröhlicherer Stimme und quälte sich mühsam auf die Beine. »Tariq, wir werden uns dir gleich anschließen, wenn du die verbleibenden Porträts verteilst.«

»Guten Abend, alter Junge«, sagte Adam Penfold. »Besteht Aussicht auf einen Drink, bevor wir aufbrechen?«

»Sie sollen Ihren Drink bekommen, mein Lord, und Ihre Lieblings*samosas*, zum Bersten gefüllt mit dunklen französischen Pilzen und jungen Erbsen, bevor wir mit Tariq in die Nacht eintauchen. Aber zunächst möchte ich Ihnen ein bescheidenes Geschenk überreichen.« Der Zwerg nahm einen schwarzen Gehstock, der neben ihm auf dem Sofa lag, und gab ihn seinem Freund.

»Wie aufmerksam! Wie überaus aufmerksam!« sagte Penfold. »Und genau die richtige Länge«, fügte er hinzu und pochte mit dem Stock auf den Boden. In diesem Moment entdeckte er einen silbernen Knopf am oberen Ende des Stocks und drückte darauf. Der Schaft trennte sich vom Griff, und Penfold zog die beiden Teile auseinander. In seiner rechten Hand lag eine schmale Klinge, länger als ein Messer, aber kürzer als ein Schwert. »Ach, du meine Güte!«

Der kleine Mann lächelte, als er sah, wie sehr sein Freund sich freute. Dann runzelte er die Stirn. »Kairo kann eine gefährliche Stadt sein, mein Lord, vor allem dort, wo wir heute abend vielleicht hingehen werden.«

»Ja, ich erinnere mich.« Penfold dachte an die Prügel, die er in der Nähe der Pyramiden bezogen hatte. »Das hier dürfte genau das richtige sein.« Er beugte sein rechtes Knie, hob den linken Arm über den Kopf und drehte sich zur Seite.

»Ich nehme an, Sie haben früher gefochten, mein Lord?«

»In der Schule. Und zwar Florett.« Penfold stöhnte und machte einen schnellen Ausfallschritt. »Säbel fand ich immer so plump und Degen zu französisch und kompliziert.« Er richtete sich auf und steckte die Klinge wieder zurück. Sein Gesicht war rot angelaufen.

Als der Himmel sich verdunkelte und Kairo begann, sich hell aus der Finsternis abzuheben, stiegen sie in den Wagen und fuhren den großen Fluß entlang.

»Denk an die Barbiere«, ermahnte Olivio seinen Fahrer.

»*Aiwa*, Herr.«

»Der Kopf dieses Teufels war rasiert und glatt wie ein Flußkiesel«, sagte der Zwerg mit leiserer Stimme zu Penfold.

Zwei Stunden lang saßen Penfold und Olivio im Dunkeln auf der Rückbank des Rover und sahen Tariq dabei zu, wie er aus dem Wagen ausstieg und mit Wasserträgern und Imbißverkäufern redete, mit Kameltreibern und Hausierern. Meistens suchte er sich die Sudanesen unter ihnen heraus und erkaufte ihre Aufmerksamkeit häufig mit einer Silbermünze. Immer wenn ein Straßenbarbier sich das vorgelegte Porträt anschaute, wartete Tariq mit besonderer Geduld.

»Wäre es nicht am besten, solche Sachen der Polizei zu überlassen?« fragte Penfold bei einem Zwischenhalt und blickte zwei Straßenkindern entgegen, die sich dem Wagen näherten.

»Leider nicht, mein Lord«, sagte sein Freund. »Wenn ich nicht selbst etwas unternehme, wird gar nichts passieren.«

Die beiden Kinder achteten darauf, Tariq nicht zu nahe zu kommen, und preßten ihre Hände und Nasen an eines der Seitenfenster. *»Bakschisch!«* rief einer der beiden und klopfte unverschämt an die Scheibe. Der Zwerg lehnte sich dicht neben das Fenster und nahm sein Auge heraus. Voller Entsetzen sprangen die beiden zurück.

Nachdem sie sich mit dem Rover in eine schmutzige Gasse gezwängt hatten, die kaum breiter als der Wagen war und in der sich über ihnen die zerrissenen Markisen altersschwacher Verkaufsstände wölbten, sahen die beiden Männer, wie Tariq in die Hocke ging, um mit einem alten *Rammal* zu sprechen, der mit übereinandergeschlagenen Beinen auf einer Matte aus Palmblättern saß. Der turbantragende Wahrsager nahm den Rial, den Tariq ihm anbot, und küßte die Münze, bevor er die Augen schloß und schnell auf den Sudanesen einsprach. Der Zwerg spürte, daß etwas Interessantes passierte, packte das geflochtene Seil vor sich und zog sich langsam nach vorn auf die Sitzkante.

»Er bittet uns, in einer Stunde wiederzukommen. Dann will er noch einmal mit mir sprechen«, berichtete Tariq, nachdem Lord Penfold sein Fenster heruntergekurbelt hatte. »Wir haben uns über Kamele und deren Geruch unterhalten.«

»Vielleicht können wir ja irgendwo einen Gin zu uns nehmen, während wir auf diesen alten Swami warten«, sagte Penfold klagend. »Warum nicht in der *Mahroussa* Bar oder im alten Groppi?«

»Laß uns dorthin zurückfahren, wo du die anderen Bilder gelassen hast«, sagte Olivio zu Tariq. »Bitte haben Sie Verständnis, mein Lord.«

»Hier müssen wir den Wagen verlassen, Herr, falls Ihr mich zu begleiten wünscht«, sagte Tariq nach einer kurzen Fahrt. Er bezahlte einen Jungen dafür, den Rover zu bewachen, und hielt Penfold die Tür auf, bevor er seinem Herrn auf die staubige Straße half, die an einer schmalen Gasse endete. Der Zwerg trug einen dunklen Fez und seine einfachste graue *Gallabijjah*. Er folgte seinem Diener mit vorsichtigen Schritten. Auch wenn er normalerweise Situationen und Bedingungen zu meiden pflegte, die er nicht kontrollieren konnte, so hatte er für diese Jagd beschlossen, seine Bedenken beiseite zu schieben. Sie folgten der gewundenen Gasse unter zahlreichen vorspringenden hölzernen Balkonen hindurch, bis sie auf einen kleinen *Midan* stießen.

Tariq führte sie quer über den Platz zu einem niedrigen Kaffeehaus, dessen Holzfassade von drei gewölbten Eingängen durchbrochen wurde. Aus den Öffnungen trieben Rauchwolken ins Freie. Mit einer für ihn ungewohnten Behendigkeit stieg der Zwerg die beiden Stufen in das Café hinab. Vor ihm auf einer niedrigen Ziegelbank saßen Männer auf Matten und nippten an ihrem Tee oder sogen an den langen Stielen blubbernder Wasserpfeifen. In den Duft des starken Tabaks, der in den Köpfen mancher der Pfeifen glühte, mischte sich der Geruch von Hanf. Der Lärm der Backgammonspiele und der Gespräche hörte auf.

Der Zwerg stellte überrascht fest, daß die vielen Gesichter nicht auf Lord Penfold oder ihn gerichtet waren, sondern auf Tariq. Er wußte, daß die Männer den Nubier für seine tiefschwarze Haut verachteten, aber respektierten, daß er gefährlich werden konnte. Was ihn selbst betraf, so hatte der Zwerg festgestellt, daß Ägypter ihn im allgemeinen freundlich und ohne Angst musterten, die Kinder sogar häufig mit offener Freude.

»Möge Eure Nacht glücklich sein«, sagte ein Kellner und verneigte sich vor Olivio. Er führte die drei Männer zu einem kleinen runden Tisch und stellte Kaffee und ein hölzernes Backgammonbrett vor sie hin. Die anderen Gäste nahmen ihre Gespräche wieder auf, allerdings leiser als zuvor.

Tariq winkte den fetten Eigentümer zu sich heran, der hinter einem schmalen Holztresen stand, Münzen aufschichtete und eine Schale mit Bonbons anrichtete. Der Mann mit dem teigigen Gesicht schien den Nubier nicht zu bemerken. Penfold nahm die beiden Würfel und rollte sie über das Brett. Wie bei den Arabern üblich, schnappte Olivio die Würfel sofort und rollte sie ebenfalls, noch bevor Penfold seinen Zug beendet hatte.

Tariq stand auf und ging zu dem Mann, während die anderen beiden ihr Spiel fortsetzten.

»Es-salam aleikum«, sagte Tariq und legte seine Hände auf den Tresen.

»Gottes Gnade und Segen für dich«, erwiderte der Wirt mit leiser argwöhnischer Stimme. »Friede sei mit dir.«

»Ich habe dich dafür bezahlt, daß ein bestimmtes Bild ständig auf diesem Tresen liegen sollte. Wo ist es?« verlangte Tariq zu wissen. Hinter ihm rollte Penfold die Würfel und machte seinen Zug. Er konnte mit Olivios Spieltempo kaum Schritt halten und war zudem froh, daß er seinen neuen Gehstock mitgenommen hatte. Auch der Zwerg schien nur Augen für das Spiel zu haben.

»Wo ist das Bild?« wiederholte Tariq verärgert.

»Es ist nicht hier«, flüsterte der Wirt achselzuckend.

Tariq packte die dünnen Handgelenke des Mannes mit seinen riesigen schwarzen Händen und drückte sie flach auf den Tresen, so daß die anderen Gäste nichts davon sehen konnten.

»Wo ist mein Bild?« Tariq drückte fester zu und drehte die Arme des Mannes, so daß die Handflächen direkt nach oben wiesen.

»Falls du lügst, werde ich dir die Arme brechen und deine Hände zerschmettern, als wären es Taubenbrüste, *Wallâhi.*«

»Es ist weg«, keuchte der Mann, stellte sich auf Zehenspitzen und beugte sich über den Tresen, um dem Druck nachzugeben, der seine Unterarme zu brechen drohte. »Verbrannt.«

»Wer hat es verbrannt?« Tariq drückte seinen dicken Daumen in die Innenseite des rechten Handgelenks des Mannes, bis er die langen Knochen zu beiden Seiten spürte. »Ich frage dich ins Gesicht: Wer hat es verbrannt?« Er drehte mit mehr Kraft.

»Ich war nicht hier.« Das Gesicht des Mannes bekam Runzeln wie eine getrocknete Dattel, während er versuchte, nicht zu schreien. »Ich war nicht hier. Es war nachts. Am Morgen habe ich dann hier auf dem Tresen die Asche gefunden, wo das Bild die ganze Zeit gelegen hat, während ich den Eingang im Auge behalten habe.«

Der Wirt schnellte wie ein abgefeuerter Bogen empor, als Tariq ihn losließ. Dann zog der Schwarze ein weiteres Porträt aus seiner Tasche und drehte sich zu den Gästen des Kaffeehauses um.

»Ich habe Geld für den Mann, der diesen Hund gesehen hat«, verkündete er und hielt die Zeichnung nacheinander jedem Gast vors Gesicht. Die bleichen wulstigen Narben auf Tariqs Gesicht pochten, während er jedem der Männer tief in die Augen sah. Niemand bewegte sich oder sagte ein Wort. Die Stille schien endlos zu dauern.

Tariq klatschte das Bild gegen die Front des Tresens. Mit seiner anderen Hand nahm er ein Messer von der Theke und nagelte die Zeichnung damit fest. Die Klinge steckte mitten im Gesicht des Porträts, so daß alle es sehen konnten.

»Doppeltes Spiel, mein Lord«, sagte Olivio zu Penfold und nahm seinen letzten Spielstein vom Brett. »Die Runde geht auf Sie, schätze ich. Ich würde zwei Piaster hierlassen.«

»Das war lustig«, sagte Penfold, als er wenig später in den Rover einstieg.

»Unser Fisch nähert sich dem Haken«, murmelte der Zwerg in der Dunkelheit. »Der Mörder versucht, die Arbeit meines Dieners zu behindern.«

Sie hielten erneut in der Nähe der Gewürzhändler. Tariq stellte den Motor ab und wandte auf Zuruf seines Herrn den Kopf nach hinten.

»Bezahl diesen Wahrsager gut«, sagte der Zwerg.

Kurz darauf kam Tariq zum Wagen zurück, und Penfold kurbelte das Fenster herunter.

»Was hat er dir erzählt?« fragte Olivio harsch.

»Er hat gesagt, Kamele seien reinliche Tiere, Herr, mit einem angenehmen Geruch, wenn sie gesund sind. Wenn ein Kamel so intensiv und anhaltend stinkt, muß das Tier tot sein, nicht lebendig. Daher sollten wir dort nachsehen, wo die Kamele getötet und geschlachtet werden, im Schlachthaus *al-Madbah*.«

Die Tauben hätten ihr gefallen, dachte Olivio am nächsten Tag und blickte hinauf in das Giebelgewölbe der Basilique d'Heliopolis. Auf dem steinernen Rand der großen Fensterrosette nisteten Vögel. Andere flatterten und schwebten durch das hohe steinerne Hauptschiff und den Altarraum. Die emporstrebenden geriffelten Pfeiler waren von weißen Flecken übersät.

Es freute ihn, daß in dieser Kirche solches Leben herrschte, eine

Vitalität, die Cloves Gedenkfeier mit seiner eigenen Kindheit in Goa zu verbinden schien. Die Basilika war zwar nicht so prunkvoll wie die iberischen Kolonialmonumente, aber dennoch eine echte Kirche Roms. Sie war von einem belgischen Baron finanziert und von einem Franzosen entworfen worden und sollte einen viermal kleineren Nachbau der Hagia Sophia in Konstantinopel darstellen. Kairos anglikanische Kirche, ein strenges Werkzeug des Empire und so englisch wie ein steifer weißer Kragen oder eine Reihe polierter Bajonette, wirkte angemessen steril. Aber die Kirchen seines Glaubens waren lebendig, wenn auch jetzt in Kairo nicht so wie Goas Kathedrale in seiner Jugend. Warum war sogar die Luft anders in diesen Gotteshäusern, eine ganz eigene Luft, unvergleichlich belebend, beruhigend und kühler, zugleich aber immer warm genug, als entstamme sie einem anderen Himmel als die Luft draußen?

In Goas Kathedrale hatten Babys unter den Bänken gestrampelt, während ihre Mütter miteinander schwatzten und ihre Beichte ablegten. Sittiche flogen in dem steinernen Gemäuer aus dem sechzehnten Jahrhundert ein und aus. Alte Männer in Schwarz verbrachten ihre Vormittage hier und stützten sich auf ihre Rattanstöcke zwischen den Knien. Liebende flüsterten und flirteten. Priester intrigierten und handelten mit den Sakramenten. Hunde hockten in den Durchgängen und kratzten sich. Kaufleute feilschten in den Schatten neben dem Kasten für die Armenkollekte. Als Junge hatte er selbst auf dem abgewetzten Steinboden der Kathedrale San Beatrice nach verlorenem Kleingeld gesucht. Wie heiß der Nachmittag in Goa auch sein mochte, wie verzweifelt das Leben draußen, das wandlungsfähige Heiligtum war immer kühl und dunkel und tröstlich. Welche Sünden seine Kirche auch begangen haben mochte, welche Gier, Grausamkeit und Heimtücke sie beherrscht haben mochten, ihre anderen Kathedralen waren genauso, da war er sich sicher, ob in Guadalajara oder Oporto, São Paulo oder Lourenço Marques.

Heute würde die Mutter Kirche ihn für seine loyalen Gaben entlohnen. Dreißig Jahre der Anstrengung würden durch einen Gottesdienst bestätigt werden, auf den seine Tochter stolz gewesen wäre. Große Männer würden niederknien und für Clove Fonseca Alavedo beten.

Er dachte an seinen leiblichen Großvater, Dom Tiago de Castanheda y Fonseca, der einstige Erzbischof von Goa höchstpersönlich. Wie stolz dieser große Seelenhirt sein würde!

Eine flaumige grauweiße Feder senkte sich auf die schwarzgestreifte Hose von Olivios Anzug. Der Zwerg ließ sie dort liegen und schaute empor.

Die wilden grauen Vögel waren schwerer als Cloves geschmeidige Tauben es gewesen waren. Genau wie seine Tochter waren sie inzwischen alle tot, bei lebendigem Leibe verbrannt oder erstickt. Bis auf eine, vielleicht.

Olivio wischte sich mit dem Rücken eines Daumens über das Auge, drehte seinen Kopf zur Seite und blickte die vorderste Bankreihe entlang auf die fünf Töchter, die zwischen seiner Frau und ihm saßen. Die Mädchen trugen alle schwarze Kleider und schwarze Schleiertücher. Nur zwei, Cinnamon und Cayenne, waren noch kleiner als er. Ihre Knie schlugen aneinander, und sie stupsten sich gegenseitig, dort am anderen Ende neben ihrer Mutter. Er bewunderte Kina in ihrem Trauerkleid, dem Schleier und den langen Handschuhen. Ihre fortgeschrittene Schwangerschaft war nicht zu übersehen. Seine Frau spürte den Blick und schaute zu ihm. Er wußte, daß sie sich ohne jeden Vorwurf darüber im klaren war, daß Clove sein Lieblingskind gewesen war. Lächelte Kina ihn an wie so oft, oder weinte sie hinter ihrem Schleier noch immer? Obwohl sie inzwischen manchmal wie eine europäische Dame war, vertraut mit den Pariser Moden und den Londoner Gepflogenheiten, hatte er sie vor langer Zeit der Kikuyu-Kultur entrissen, in der Frauen damit rechneten, viele Kinder zu bekommen und einige zu verlieren.

Er fragte sich, ob eines Tages ein Sohn neben ihm sitzen würde. Er dachte daran, was er seinem kleinen Jungen alles beibringen könnte. Es würde viele geben, die ihn Rechtschaffenheit und vielleicht sogar sittliche Werte lehren konnten. Aber wer sonst außer ihm vermochte einem solchen Burschen zu echter Weisheit zu verhelfen und ihn in den Fragen des Lebens zu unterweisen, den großen wie den kleinen? Vorausschauend zu denken, scharfsinnig und diskret zu sein, sich die Nägel zu schneiden, bevor man mit einer Frau ins Bett ging.

Der Zwerg war stolz, daß Lord Penfold auf dem ihm angemessenen Platz saß, direkt auf der anderen Seite des Mittelgangs, würdevoll wie ein alter Löwe mit grauer Mähne. Seine Lordschaft saß kerzengerade aufgerichtet da, steif und nüchtern. Die Freundschaft zwischen ihnen war nicht zu übersehen. Als hätte er Olivio gehört, wandte Penfold den Kopf und nickte ihm freundlich lächelnd zu. Seine Trauer um das tote Mädchen wurde nur noch von dem Mitgefühl für seinen Freund übertroffen.

Olivio hatte gelernt, daß Freundschaft der eine große Charakterzug war, in dem die Engländer von niemandem übertroffen wurden. Zur Romantik fehlte ihnen die lockere Eingebung, zur Vergeltung die Gehässigkeit, aber für einen Schulkameraden würde ein Engländer den Nil durchschwimmen oder die Sahara durchwandern.

Die Plätze neben Lord Penfold, auf denen seine anderen echten Freunde gesessen hätten, blieben leer. Obwohl er sie vermißte, wußte er, daß sowohl Anton als auch Miss Gwenn jetzt in Wahrheit dort saßen.

Der Zwerg hörte die Musik beginnen und langsam anschwellen. Sie glich einem Rinnsal, das zu einem reißenden Strom wurde, wie der Nil selbst. Bald würde die Orgel die Steine zum Beben bringen. Mit Musik kannte er sich nicht besonders gut aus, aber er respektierte ihre ineinandergreifende deutsche Komplexität, die das Zarte mit dem Kraftvollen vereinte. Das verstand er. Ein Mann namens Bach, hatte Monsignore Lazaroni ihm versprochen. Der kleine Mann schloß die Augen und ließ sich von den Orgelklängen forttragen.

Er würde Clove nie vergessen, nicht für einen einzigen Tag, aber heute war der letzte Tag, an dem er Tränen vergießen würde. Es galt, eine Aufgabe zu erfüllen, und er mußte damit hier in der Kirche beginnen. Das Requiem und die Rache würden verschmelzen. Er war überzeugt davon, daß der einflußreiche Feind, den er suchte, heute herkommen würde, um mit ihm zu beten. So war der Lauf der Dinge. Der Mann würde Angst haben, sich durch seine Abwesenheit zu verraten.

Sehr gut, dachte der Zwerg: heute die Kirche; morgen der Schlachthof.

Da er ganz vorn saß, konnte Olivio nicht allzuviel tun. Aber draußen auf der Straße würden Tariq und seine Nubier die Augen offenhalten, während sie den Trauernden die Stufen hinaufhalfen, sich um die Wagen kümmerten und die Bettler und die unvermeidliche ägyptische Menschenmenge zurückdrängten. Sie waren alle mit Porträts ausgerüstet und auf die Belohnung versessen, die Olivio auf den Kopf des Mörders ausgesetzt hatte. Würde der Täter auftauchen? Würde der Teufel sich von den Opfern seiner Taten angezogen fühlen?

Maître Aristide hatte an einer Seite des Querschiffs Position bezogen. Er würde das ein oder andere Gesicht zeichnen und Skizzen für das Gemälde des Gottesdienstes anfertigen, das bald in Cloves ehemaligem Zimmer hängen würde. Am Ende, wenn die Trauernden nacheinander die Kirche verließen, um zum Empfang in der Villa zu fahren, würde jeder sich als Zeichen des Respekts in das ausliegende Buch eintragen. Für einen der Männer würde die Unterschrift den eigenen Tod besiegeln.

Olivio war entschlossen, sich nicht auf seinem Sitz umzuwenden. Er hörte, wie die Trauernden hinter ihm die Bankreihen füllten, und versuchte, sich ihre Gesichter und ihre Kleidung vorzustellen. Von den Steinen hallte wider, was die Musik zum Teil zu übertönen vermochte: die Schritte und Stimmen der Lebenden.

Tariq stand draußen auf der obersten Stufe dieses fremden Gotteshauses und beobachtete seine sudanesischen Landsleute bei der Arbeit. Die dunkelhäutigen Männer trugen Turbane und Sandalen und waren größer als die allermeisten Ägypter. Diese Nubier waren in der Tat die Diener Allahs. Kutschen und Automobile wurden von mehreren Polizisten mit Schlagstöcken und weißen Handschuhen eingewiesen und hielten vor der Basilika. Tariq erkannte viele Freunde, Kunden und Mitarbeiter seines Herrn. Zwei Photographen machten Blitzlichtaufnahmen, während die Trauernden die Treppe hinaufstiegen. Einer der beiden, ein bekannter Mann, war hier im Auftrag einer Illustrierten, die in gewissen Kairoer Kreisen gelesen wurde. Der andere war von Mr. Alavedo engagiert worden. Er war genauso ausgestattet wie sein Kollege und trug ebenfalls einen europäischen Anzug, der abgenutzt und ursprünglich für jemand anderen angefertigt worden war. Hin und wieder schaute dieser Photograph fragend zu Tariq hinüber und wartete auf Anweisungen. Die Kirchgänger täuschten Verärgerung vor, während sie an den Kameras vorbeigingen, und taten so, als würden sie sich nicht extra in Pose werfen. Aber die meisten zögerten für den Bruchteil einer Sekunde, richteten sich auf und lächelten, bevor sie eintraten.

Die leeren Automobile wurden in mehreren Reihen auf dem gepflasterten Hof neben der Kirche abgestellt. Die staubigen Karren, mit denen man die *Fellahin* hergebracht hatte, parkten in einer nahen Gasse. Einige der uniformierten Fahrer waren in die Seitenstraße auf der anderen Seite des Platzes gegangen und hatten sich in ein Café gesetzt. Ein paar ihrer Kollegen schliefen auf ihren Sitzen. Andere säuberten ihre Fahrzeuge mit Lappen oder Staubwedeln. Mehrere Nubier hielten Straßenjungen sowie Getränke- und Nußverkäufer von den geparkten Wagen fern.

Olivio saß auf seinem Platz und fühlte sich durch die Rückenschmerzen an seinen Arzt erinnert. Mit flüchtigem Lächeln fragte er sich, ob Dr. Hänger wohl neben Jamila Platz nehmen würde. Würde die Begierde stärker sein als die Diskretion?

Er war überzeugt, daß alle kommen würden: einflußreiche Mitglieder der weltlichen moslemischen Elite, die Minister und die Funktionäre, die Botschafter, Bankiers und Großgrundbesitzer, die Kopten, die Briten, die Weißrussen und Armenier, griechische Baumwollhändler aus Alexandria, Italiener aus dem Abdin-Palast, seine eigenen *Fournisseurs*, Anwälte, Buchhalter, Diener und Farmarbeiter, sogar ein paar der entstellten kleinen Leute, die er so freigebig unterstützte, jedoch nie zu treffen hoffte. Die Zwerge würden natürlich hinten und an den Seiten sitzen. Ein Teil der Plätze würde von Neugierigen eingenommen werden – und natürlich von dem Kader der professionellen Kirchgänger, deren Lebenszweck darin bestand, den Taufen, Hochzeiten und Beerdigungen anderer Leute beizuwohnen. Dennoch würde es nicht möglich sein, die hiesige Basilika zu füllen, aber die eindrucksvolle Menschenmenge würde dieser Feier einen würdigen Rahmen verleihen.

Was dachten sie alle über ihn, während sie ihm auf den runden kahlen Hinterkopf starrten? Er saß so aufrecht da, wie seine Gestalt es zuließ. Da er befürchtet hatte, man könnte sein Stützband durch den Rücken seiner Anzugjacke erkennen, weil die Schnallen der Riemen kleine Ausbuchtungen verursachten, hatte er das monströse Geschirr zu Hause gelassen. Ilsa Koch würde bestimmt mit ihm schimpfen. Trotz des Brokatkissens, auf dem er saß, überragte der Scheitel seines leicht eingeölten Kopfes kaum die Rückenlehne der dunklen hölzernen Bankreihe.

Hielten die Anwesenden ihn für ein Unikum, eine Schreckgestalt oder Witzfigur, dessen Wünschen sich einige von ihnen beugen mußten, aber den die meisten allenfalls als ein ekelerregendes Kuriosum betrachteten? Oder erkannten einige von ihnen, daß in ihm ein kluger Riese gefangen war? Sahen sie die Energie, den Einfallsreichtum, das Gespür fürs Wesentliche, die hungrige Zielstrebigkeit, vielleicht sogar die vielschichtigen Emotionen?

Tariq schaute am oberen Ende der Treppe zwei älteren europäischen Damen dabei zu, wie sie sich anschickten, aus ihrem bescheidenen Hillman auszusteigen. Hinter ihnen wartete bereits ein blauer Bentley. Der prächtige Wagen trug den Wimpel und das Nummernschild eines Staatssekretärs des Ministeriums für Öffentliche Arbeiten. Der Fahrer lehnte sich ungeduldig aus dem Fenster. Der Schirm seiner schwarzen Mütze beschattete ein langes, schmales, zerfurchtes Gesicht. Die großen, tiefliegenden Augen des Mannes blinzelten ins Licht.

Tariq starrte den Fahrer an und nickte, woraufhin der Photograph ein Bild schoß. Der Nubier drehte sich um und eilte in die Kirche.

»Herr«, flüsterte Tariq und beugte sich tief herab, als er die vorderste Reihe erreichte. »Ihr habt wichtige Gäste.«

Olivio bekreuzigte sich und stand zögernd auf. Als er langsam durch den Mittelgang schritt, war er sich seiner Körpergröße schmerzlich bewußt. Er hielt seinen Kopf nach vorn geneigt und wich allen Blicken und Beileidsbekundungen aus. Am oberen Ende der Stufen stellte er sich in den Schatten eines Nebeneingangs.

Der Bentley fuhr vor und hielt an. Der Fahrer rückte die Mütze auf seinem kahlen Schädel zurecht. Noch bevor ein anderer Nubier herbeieilen konnte, kam Tariq höchstpersönlich die Treppe hinunter und öffnete die Tür. Würdevoll und perfekt *à l'Anglais* gekleidet, stieg Musa Bey Halaib langsam aus seinem Wagen. Seine Miene zeigte Trauer und Respekt. Er überprüfte den Sitz seiner roten Nelke und wartete, daß seine Frau und seine beleibte Tochter ihm folgen würden.

»Euer Exzellenz«, sagte Tariq mit einer Verbeugung. Er begleitete den Staatssekretär zur Treppe und ließ mit Absicht die Wagentür hinter sich offen. Der große, schmalgesichtige Fahrer war gezwungen, murrend aus dem Bentley auszusteigen, um die Tür des Fonds zu schließen. Olivio starrte mit distanziertem Blick zu ihm herab; seine Seele war kalt wie der Tod. Er nickte. Ein Blitzlicht zuckte auf.

Während sie die Stufen hinaufgingen, unterhielten Musa Bey Halaib und seine Familie sich auf französisch und englisch und vertieften sich in ein angeregtes heiteres Gespräch, das sie kurz vor dem Eingang noch einmal zögern ließ. Olivio trat ihnen an der mittleren Tür entgegen. Er verneigte sich und gab den Frauen die Hand, wobei ihm auffiel, daß sich das mit Edelsteinen besetzte Armband viel zu eng um Yasmins dralles Handgelenk spannte.

»Ihre Anwesenheit bedeutet meiner Familie sehr viel«, sagte der Zwerg feierlich zu dem Bey und meinte es auch so. Erfolglos versuchte er, dem Staatssekretär in die Augen zu schauen. Dann drehte der kleine Mann sich um und trat wieder in die Kühle der Basilika ein.

Olivio setzte sich auf seinen Platz. Sein Verstand arbeitete fieberhaft. Dann begann die lange Zeremonie. Meßdiener und Sargträger, Kreuz- und Kerzenhalter, Chorknaben, Fahnen- und Weihrauchschwenker – sie alle gingen langsam zu den Klängen der Musik vor den Priestern und Monsignore Lazaroni einher. Der prächtig gekleidete Geistliche schritt wie ein Gardist voran.

Am Ende ließ das heilige Sakrament des Abendmahls Olivios Tochter mit dem Gott der Christen eins werden.

Clove hatte Frieden gefunden. Seinen Feinden würde es anders ergehen.

33

»Sie sind der einzige, dem das hier leichtfällt, junger Mann«, klagte Malcolm Fergus und klammerte sich mit beiden Händen an dem harten abessinischen Holzsattel fest, während er hin- und herschwankte.

»Ich werde versuchen, es wiedergutzumachen, Doc«, sagte Anton und sah, wie die beiden italienischen Gefangenen sich den Pfad hinaufquälten. Zwischen ihnen schaukelte Gwenns Trage.

Er fragte sich, wie es Laboso wohl erging. Der Afrikaner eilte ihnen voraus und folgte der Spur von Ernst und dem Lastwagen, während er gleichzeitig nach italienischen Fallschirmjägern Ausschau hielt. Gwenn und Fergus waren zu schwach für irgendwelche längeren Reisen, und die italienischen Gefangenen konnten ihre Trage immer nur wenige Kilometer weit schleppen. Jemand mußte den Weg vor ihnen erkunden, damit sie die kürzeste und sicherste Route wählen konnten.

»Wie weit müssen wir noch?« Fergus verlagerte sein Gewicht auf der ausgefransten roten Satteldecke und versuchte, sein Pferd zu lenken, ohne die wundgeriebenen Innenseiten seiner Knie weiter aufzuscheuern.

»Fünfundzwanzig Kilometer wären eine gute Strecke für heute. Falls wir Glück haben, werden wir bis in Sichtweite des Langanasees gelangen.« Anton drehte sich im Sattel um und überprüfte die Maultiere mit den Vorräten, die an einem Seil hinter ihm hertrotteten. »Für afrikanische Verhältnisse sind die Bedingungen recht gut.«

Hier im Hochland war es nicht heiß. Der Himmel war klar und hell. Je weiter sie nach Süden gelangten, desto lichter und spärlicher wurde der Bewuchs des Akazienwaldes. Die Hochlandsavanne wich Dornbüschen und Felsen. Felsvorsprünge, Wolfsmilchgewächse und

Dornengestrüpp erschwerten ihr Vorankommen, aber die Hindernisse waren nie unüberwindbar oder wirklich zu steil.

»Sträuße!« Fergus deutete nach vorn. Er wirkte überraschend interessiert.

»Die Vögel verraten einem immer, was kommt.« Anton bemerkte den harten trockenen Boden, der vor ihnen anstieg und mit losem Geröll und Kieseln übersät war. Vereinzelte Sandflecke ließen erkennen, was im Südwesten vor ihnen lag.

Die kleine Marschkolonne hatte einen See umgangen und trockenes Gelände betreten. An die Stelle der Baumenten, schwarzköpfigen Reiher und Ibisse waren Zwergfalken und karminrote Bienenfresser getreten. Jetzt hingen vor ihnen die kugelförmigen Behausungen zahlloser bunter Webervögel an den Zweigen. Anton sah einen Weber wie einen Kolibri in der Luft schweben, bevor der Vogel seine gelbgrünen Schwingen anlegte und in dem kleinen runden Zugang seines hängenden Heims verschwand. Einen Augenblick lang wünschte Anton sich, er könnte auch solch ein perfektes Zuhause errichten – oder überhaupt irgendein Zuhause.

Uzielli hatte genug davon, die sperrige Trage zu schleppen. Mario, der vorne ging, hatte die leichtere Aufgabe. Da Uzielli den Boden vor seinen Füßen nicht sehen konnte, stolperte er ein ums andere Mal. Wütend starrte er auf die magere englische Schlampe hinunter, die auf dem schaukelnden Stück Segeltuch vor ihm lag. Er stellte sich vor, er wäre mit ihr allein. Hin und wieder versuchte die Frau, ihren zerrissenen Rock etwas tiefer über die Beine zu ziehen, aber die bergauf gerichtete Bewegung der Trage sorgte stets dafür, daß der Stoff zu ihren Schenkeln hochrutschte. Sogar bandagiert und zerlumpt sah sie so aus, als wäre sie ein paar Schläge wert.

Auf jeden Fall besser als seine eigene Frau, Gina. Uzielli fragte sich, was sie zu Hause wohl anstellte. Gina wurde aus den üblichen Gründen alt und fett, aber für solch eine Frau gab es immer jemanden. Zuerst hatte sie sich beschwert, als er zur Armee gegangen war. Dann hatte sie gelernt, sich lächelnd von ihm zu verabschieden, nicht weinend. Wer wußte schon, welche der Kinder von ihm stammten? Spielte es eine Rolle? Sie war bloß eine alte *capra*, eine der gelbzahnigen Ziegen, die auf den felsigen Hängen Siziliens nach Nahrung suchten, von Busch zu Busch schlichen und nahmen, was sie kriegen konnten. Mit genug Silber konnte er sich ein Café an der Küste kaufen und sich eine neue Gina suchen. Diesmal würde er eine nehmen, die kochen konnte. Gott, hatte er Hunger.

Uzielli war abgelenkt und stolperte erneut. Als er sich taumelnd bemühte, nicht das Gleichgewicht zu verlieren, rutschte dem Italiener für einen Moment der linke Griff der improvisierten Bambus- und Segeltuchtrage aus der Hand.

Anton hörte Gwenn aufschreien, als sie beinahe auf den felsigen Hang stürzte. Er sah, was passiert war, ließ das Seil fallen und preschte zur Spitze der Kolonne. Er versuchte, seine Wut zu bezwingen, sprang vom Pferd und stellte sich Uzielli in den Weg. Er nahm an, daß der froschäugige Hauptmann wußte, daß sie eine Krankenschwester war und daß seine Landsmänner sie verwundet hatten, während sie sich um die Äthiopier kümmerte.

»Halten wir an?« fragte der italienische Soldat desinteressiert.

»Alles in Ordnung, Anton«, warf Gwenn eilig ein. Sie fürchtete seinen Zorn. »Es ist nichts passiert.« Als sie sich zurücklehnte, spürte sie einen stechenden Schmerz in der Schulter.

Anton sprach langsam, damit der ungehobelte Offizier ihn verstehen würde.

»Falls Sie stürzen und sie verletzt wird, Hauptmann, werden Sie nie wieder aufstehen.«

Anton wandte sich abrupt von dem Mann ab, holte eine Feldflasche und säuberte Gwenns Gesicht mit seinem befeuchteten Taschentuch. »Möchtest du gern anhalten?« fragte er, sorgsam darauf bedacht, ruhig zu wirken.

»Nein«, sagte sie und lächelte ihn an. »Mir geht's gut.«

Er war sicher, daß sie Schmerzen hatte. »Wir errichten bald unser Lager«, sagte er. »Dann mache ich mich auf den Weg und versuche, zu den anderen aufzuschließen. Ich hole dich mit dem Lastwagen ab.«

Nach seiner Rechnung waren der nächste See und Bulbula nicht mehr weit entfernt, und er beabsichtigte, bei Mondlicht das Gelände zu erkunden, dann ins Lager zurückzukehren und alle früh zu wekken, so daß sie bei Morgengrauen aufbrechen konnten. Sobald Gwenn in dem Lastwagen lag, dürfte alles etwas einfacher werden.

Nach einer weiteren Stunde trafen sie auf Laboso, der sie in einer Senke erwartete. Er kniete an einem Bach und häutete einen jungen Antilopenbock. Da er wußte, wer sich ihm dort näherte, schaute er nur kurz auf. Ein Stapel Feuerholz lag in der Nähe bereit.

»Mach jetzt ein kleines Feuer, Laboso«, sagte Anton sofort. »Ich möchte, daß es bei Einbruch der Dunkelheit wieder aus ist.« Dann half er Malcolm von seinem Pferd und sagte den Italienern, wo sie Gwenn abstellen sollten.

Nachdem sie die Trage mit Gwenn niederlegt hatten, wollten die Gefangenen zum Wasser laufen. Anton ließ sie stehenbleiben.

»Schuhe aus«, sagte er und hoffte, Uzielli würde ihn herausfordern, damit er dem Mann ein zweite Lektion erteilen konnte. »Dann die Pferde absatteln und die Maultiere von ihrer Last befreien. Wenn Sie den Tieren Wasser gegeben haben, können Sie auch was trinken.«

Er stellte Gwenns kleines Zelt auf, während Laboso ein paar wilde Zwiebeln hervorholte und das Fleisch auf Stöcken röstete. Bevor sie aßen, reinigte Anton sein Gewehr und studierte die Karte. Als der Himmel sich zu verdunkeln begann, stand er auf und trat das Feuer aus, anstatt es mit Wasser zu löschen, damit nicht noch mehr Rauch entstand. Sogar Gwenn aß hungrig, während sie alle schweigend auf dem halbgaren Fleisch herumkauten.

»Non c'e pane?« murrte der zweite Italiener und warf einen Knochen in die Asche.

»Ma stai zitto, Mario«, sagte Uzielli harsch.

Anton wollte nach dem Essen aufbrechen. Er ging zu den beiden italienischen Gefangenen hinüber, die mit ausgestreckten Beinen neben dem Feuer saßen, die Hände auf den Rücken gefesselt. Er hatte nicht vergessen, daß Uzielli sich zwar zunächst ergeben, dann aber versucht hatte, ihn zu erstechen. Die Italiener hatten genauso gut gegessen wie die anderen, aber sie waren mürrisch und unzufrieden. Die beiden Soldaten blickten geringschätzig auf ihre zivilen Gegner herab und gaben sich zuversichtlich und respektlos, wie Männer, die damit rechneten, wieder die Oberhand zu gewinnen.

»Auf!« Anton schlug Uzielli kräftig auf die Schulter. »Auf die Füße. Hier rüber.«

Der Hauptmann spuckte aus und stand auf. Er folgte Anton zu

einer dicken Akazie am Rand des Lagers. Anton wickelte ein Paar lederne Zügel um den Baum. Er band je einen davon um Uziellis Knöchel, so daß die gespreizten Beine des Gefangenen um den Stamm lagen. Jede heftige Bewegung würde dazu führen, daß der Italiener Bekanntschaft mit den stachligen Dornen des Baums machte. Mario wurde auf gleiche Weise an einen anderen Baum gefesselt.

Fergus hatte sich bereits in seine Decke gewickelt und sich hingelegt. Er schlief beinahe schon, und die Müdigkeit war seinem Gesicht deutlich anzusehen. Das Feuer war erloschen. Die Vorderbeine der Maultiere und Pferde waren locker aneinandergefesselt.

Anton legte sein Gewehr draußen ab und beugte sich hinunter, um das niedrige Schlafzelt zu betreten. Gwenn hob ihren unverletzten Arm und berührte sein Gesicht. Dann küßte sie ihn. Er versuchte, die Hektik des Tages beiseite zu schieben und seine Wut zu verdrängen. Er setzte sich neben ihr auf den Boden, nahm ihre Hand und lehnte seinen Kopf sanft gegen den ihren. Ihre Finger zogen die Konturen seines Gesichts nach. Sie dachte vermutlich an die Vergangenheit und vielleicht auch an die Zeit, die sie beide verloren hatten. Die gleichen Gedanken gingen auch ihm immer häufiger durch den Kopf.

»Ich bin bald mit dem Oldsmobile zurück«, sagte er und stand auf.

»Verlauf dich nicht«, sagte sie unbekümmert, obwohl sie beunruhigt war, zurückgelassen zu werden. »Malcolm und ich wollen nicht von den Italienern geschnappt werden. Sie wissen, daß wir die Gasopfer gesehen haben.«

»Keine Angst«, sagte er. »Italiener kommen grundsätzlich zu spät.«

Anton küßte sie auf die Wange und schmeckte ihre salzigen Tränen auf seinen Lippen.

Er verließ das Zelt und überprüfte noch mal das Lager. Während er seine Runde drehte, erklang zwischen den Akazien ein leiser klagender Eulenschrei. Laboso stand in der Dunkelheit am Rand des Lagers Wache. Zuerst sah Anton ihn nicht. Nach einem langen Tag im Gelände stand der schlanke Afrikaner gegen einen Baum gelehnt da und hatte wie ein Storch einen Fuß gehoben, um so leichter wach zu bleiben.

»Halt die Augen offen, Laboso«, sagte Anton. Er wußte, daß der Mann erschöpft war. »Ich gehe jetzt.« Er legte dem Freund eine Hand auf die Schulter und gab ihm ein paar Zigaretten. »Paß auf diese Gefangenen auf. Sie werden dir die Kehle durchschneiden, falls du ihnen Gelegenheit dazu gibst.«

»*Ndio,* Bwana.« Laboso grinste. »Sie gehen zu Fuß, wie ein schwarzer Mann?«

Anton ließ sich nicht ködern. »In diesem Gelände bin ich nachts zu Fuß schneller«, sagte er, »und wir wollen doch, daß die Pferde morgen frisch sind. Falls ich morgen mittag noch nicht zurück bin, brecht ohne mich nach Süden auf.« Laboso nickte.

Die beiden Männer rauchten zusammen eine Zigarette und sahen den Vollmond zwischen den Büschen hinter dem Lager aufgehen. Anton war froh, jetzt nicht reden zu müssen.

Zum Abschied winkte er Laboso zu und machte sich mit dem Gewehr in der Hand auf den Weg. Im gleichen Moment erhob sich ein massiger Vogel mit großem quadratischen Kopf in die Luft, vermutlich ein gescheckter Uhu. Für ein oder zwei Sekunden erschien im Mondlicht der geflügelte Schatten des Vogels vor ihm auf dem Pfad. Er grinste, denn für einen Zigeuner war dies ein gutes Omen. Der Vogel setzte seinen niedrigen, lautlosen Flug fort. Anton ermahnte sich, ebenfalls so leise wie möglich zu sein.

Er freute sich darauf, allein zu sein. Obwohl diese Expedition eine andere Wendung genommen hatte, war das Schlimmste am Leben eines Safarijägers, daß man sich ständig in Gesellschaft befand und immer zu viele Leute im Lager waren. Inzwischen ließ diese Safari zwar jeglichen Komfort vermissen, aber dafür hatte sie wenigstens an Spannung gewonnen.

Wegen der Kriegsgeschehnisse war er längst nicht so beunruhigt, wie er sein sollte. Die Italiener, der Film, die Sicherheit seiner Kunden und seines Personals, die Entfernung bis nach Kenia, die Pflicht, alles im Griff zu behalten und sie alle ans Ziel zu bringen – das alles waren bodenständige physische Anstrengungen, auf die er sich gut verstand, ob nun alles glatt verlief oder nicht. Wirkliche Sorgen machte er sich um Gwenn. Würde sie es schaffen? Wie würden sie miteinander auskommen? Was war mit ihrer Zukunft und den Jungen? Er hoffte inständig, daß Olivio und Adam in Kairo Erfolg hatten und seine paar Guineen in eine Zukunft verwandelten.

Während er in einen Trab fiel, spürte er seinen Körper atmen und sich lockern. Zweimal hörte er, wie zwischen einigen entfernten Felsen ein Leopard fauchte. Vermutlich auf Pavianjagd. Nach zwei Stunden stieg der Weg vor ihm sanft an und endete schließlich auf einem kleinen felsigen Plateau. Der Mond stand jetzt direkt über ihm. Anton setzte sich unter dem weiten funkelnden Himmel auf einen Felsen, um seine Stiefel auszuschütteln. Er hielt den Atem an und starrte auf ein blauschwarzes Afrika hinunter, das er so noch nie gesehen hatte.

Unter ihm schimmerte der Langanasee wie eine riesige Silbermünze. Der Shalasee, der als Schwestergewässer fast unmittelbar daran angrenzte, glitzerte in westlicher Richtung im Mondlicht. Dahinter erhob sich ein zerklüftetes schwarzes Gebirgsmassiv wie der Zahn eines Drachen und fiel dann ab, bis es auf den unteren Rand der Steilwand traf, die sich am Horizont wie eine zinnenbewehrte Burgmauer erhob. Er wußte, daß hinter diesen Zwillingsseen noch drei weitere der Großen Seen im äthiopischen Teil des Ostafrikanischen Grabens folgten. Zwischen ihm und dem Langanasee fiel das Gelände in einer Reihe von schrägen Felsstufen ab. Ein Fluß verlief von Osten nach Westen. Hier und da ließen dunkle Flecke auf das Vorhandensein von Bäumen, hohen Büschen und möglicherweise auch Wasser schließen. Auf dem höhergelegenen Land am anderen Ende des Langanasees glaubte er eine kreisförmige Ansammlung strohgedeckter Steinhütten zu erkennen. Das mußte Bulbula sein, hoffentlich ein typischer Marktflecken, wie es sie häufig im Ostafrikanischen Graben gab. Hier tauschte man Hühner, Gewürze und Getreide aus den Hügeln gegen Vieh, *Ghee* und Steinsalzriegel vom Talgrund.

Aufgeregt stieg Anton schnell zum Fluß hinunter. Er ging am Ufer entlang und suchte nach einer einfachen Furt. Plötzlich erhob sich vor ihm am Rand des Wassers ein großer grauer Schatten. Die Vorderräder des Oldsmobile steckten tief in der weichen Erde des Flußufers, so daß der Wagen wie ein verwundeter Elefant aussah, der an einem Wasserloch auf die vorderen Knie gesunken war. Als Anton näher kam, hörte er hinter dem Laster ein Geräusch aus dem Busch.

Die Beifahrertür stand offen. Die hochgeklappte Motorhaube lehnte an einem dicken Ast. Es war zu dunkel, um den Motor genauer in Augenschein zu nehmen, aber in der Haube waren Einschußlöcher erkennbar. Außerdem wußte er, daß Ernst niemals gelaufen wäre, wenn er hätte fahren können. Vier Vorratskisten und Ausrüstungsgegenstände lagen auf der Ladefläche des Lastwagens durcheinander. Einiges davon könnte man auf die Maultiere laden, dachte Anton und stieg ins Führerhaus. Die Windschutzscheibe war geborsten. Durch zwei Löcher im Dach fiel Mondlicht herein. Ein Angriff aus der Luft, vermutete er und hoffte, daß niemand getroffen worden war. Ohne Fahrzeug würde alles noch sehr viel schwieriger werden, vor allem für Gwenn.

Er stieg aus und hörte Knochen knirschen, gefolgt von dem Scharren und Kauen großer Tiere, sehr wahrscheinlich Hyänen. Er warf einen Stein in die Richtung und ging mit dem Gewehr im Anschlag einige Schritte auf sie zu.

Zwischen ein paar großen Felsen sah er einen zerfetzten Stiefel und ein Stück eines Beins. Daneben lagen die Überreste eines der abessinischen Soldaten, die Dr. Fergus begleitet hatten. Fünf oder sechs Hyänen knurrten in den Büschen. Anscheinend hatten sie die Leiche aus einem flachen Grab gescharrt. Mit lauten Schreien und ein paar Steinwürfen vertrieb Anton die Tiere. Dann überprüfte er das Grab und die umliegenden Büsche, ohne jedoch weitere Leichen zu finden. Die anderen müssen den Luftangriff überlebt haben, dachte er. Er war erleichtert und zuversichtlich, daß Ernst und Kimathi den Rest der Gruppe weiterführen konnten.

Nachdem Anton am Ufer keine weiteren Spuren entdecken konnte, stieg er in den Fluß. Das Wasser war eisig und erinnerte ihn an die betäubend kalten Ströme in den Aberdares. Er schaute sich nach Krokodilen um und arbeitete sich so schnell wie möglich voran. Zeitweise reichte das Wasser ihm bis über die Taille. Nur einmal wäre er beinahe ausgerutscht, dann hatte er das andere Ufer erreicht und beugte sich herab, um nach Spuren Ausschau zu halten. Der Boden war fester, und er konnte im Mondlicht keinerlei Fußabdrücke erkennen. Er ging in beiden Richtungen ein Stück am Ufer entlang, fand aber lediglich eine Vielzahl ausgetretener Tierpfade, auf denen das einheimische Vieh zum Wasser gekommen war. Er setzte sich und zündete sich eine Zigarette an. Dann schlug er den Weg ein, den er selbst genommen hätte. Er hatte schon so oft gemeinsam mit Kimathi Lagerplätze ausgesucht, daß er wußte, er würde seine Freunde finden.

Gwenn empfand die leisen Geräusche im Lager als beruhigend, vor allem Malcolms vertrautes Schnarchen und das vereinzelte Schnauben und Trampeln der Maultiere und Pferde. Dennoch fühlte Gwenn sich verängstigt und allein. Sie konnte nicht schlafen, lag mit offenen Augen in dem dunklen Zelt und wünschte, Anton hätte sie nicht zurückgelassen. Ab und zu döste sie ein und wachte wieder auf, wenn ihre Schulter sich verkrampfte und zu schmerzen begann. Dann lag sie jedesmal erneut da und wartete auf das Tageslicht oder auf das Geräusch seiner Rückkehr.

Abermals wachte sie auf und hörte einen dumpfen Schlag, als jemand am Rand des Lagers eine schwere Last absetzte. Vermutlich Anton, der seinen Rucksack hinwarf, dachte sie. Sie sehnte sich danach, daß er zu ihr kommen würde.

Die Zeltklappen hinter ihrem Kopf teilten sich. Ein Stück des glitzernden Nachthimmels war kurz sichtbar, dann wurde es von einer Gestalt verdeckt, die ins Zelt trat.

»Anton«, flüsterte sie und streckte einen Arm nach ihm aus.

Aber die Hand, die sie ergriff, war eine andere, wenngleich ebenfalls vertraut.

»Amore«, sagte die wohlbekannte Stimme.

Sie wollte aufschreien, aber die andere Hand des Mannes legte sich über ihren Mund.

»Bleib ruhig«, sagte Lorenzo. »Du weißt, ich werde dir nicht wehtun.« Er nahm die Hand von ihren Lippen.

»›Anton‹, sagst du? Ist dein Engländer hier?«

»Anton? Du siehst doch, daß er nicht da ist«, erwiderte Gwenn. Ihr Herz klopfte wie wild, aber sie bemühte sich, möglichst ruhig zu klingen. »Ich habe geträumt. Du weißt, daß ich geschlafen habe, als du hereingekommen bist.«

»Bist du verletzt?« fragte er und streichelte ihre Wange. »Verwundet?«

Sie zuckte zurück und wandte ihr Gesicht von ihm ab. »Deine

Luftwaffe hat uns bombardiert, das Rote-Kreuz-Lazarett, und alle im Lager getötet ...«

»Du wolltest doch unbedingt in den Krieg ziehen«, unterbrach er sie und nahm erneut eine ihrer Hände. »Ich habe versucht, dir das auszureden.«

»Warst du das?« fragte sie. Ihre Finger und ihr Körper wurden starr. Sie war wütend, weil sie sich so schwach und ausgeliefert vorkam. »Hast du uns bombardiert, Lorenzo?« fragte sie anklagend und so eindringlich wie möglich. »Hast du? Warst du das?«

»Ich bin Soldat und Angehöriger der Luftwaffe. Du weißt das.« Er streichelte ihre Wange und ihren Hals. Es war erregend, sie in seiner Gewalt zu haben.

»Soldat? Und schlachtest Verwundete, Krankenschwestern und Ärzte ab? Du bist ein Soldat? Bist du das wirklich?« fragte sie. Seine Finger jagten ihr einen Schauder über den Rücken.

»Ich tue meine Pflicht.« Er ließ seine freie Hand langsam ihren anderen Arm hinaufwandern und begann, sie zu streicheln. »Ich tue, was ich tun muß. Du solltest stolz darauf sein, was wir erreicht haben. *Il Duce* hat das Ende der Sklaverei in Abessinien verkündet.«

Sie zwang sich, seine Berührung zu ignorieren. »Hast du all diese Verwundeten getötet?«

»Wo bist du verletzt?«

Sie spürte, wie seine Hand über ihren Hals und ihr Gesicht bis zu den Bandagen wanderte

»Genau dort. Am Hals und im Gesicht.« Sie drehte ihren Kopf. »Du hast es getan, nicht wahr? Du hast unser Lazarett bombardiert.«

Er bewegte seine Hand zurück zu ihrer unverletzten Schulter und seitlich an ihrem Körper entlang.

»Sag mir die Wahrheit«, rief sie wütend, als er sein Gesicht senkte. »Warst du das?«

Sein Mund preßte sich auf ihre Lippen.

Gwenn wand sich auf ihrem Feldbett hin und her, während Lorenzo versuchte, sie zu umarmen. Er legte ihr eine Hand auf die Brust und näherte sein Gesicht dem ihren. Sie trat nach ihm und warf sich gegen ihn. Ein Schmerz durchzuckte ihre Schulter.

»Wie können Sie es wagen!« Fergus hob die Zeltklappe und

schaute herein. Hinter ihm zeichnete sich das erste Licht des Tages ab. »Lassen Sie sie in Ruhe!«

Gwenn merkte, daß Enzo nach der Waffe an seinem Gürtel griff.

»Nein! Lorenzo!« schrie sie. Der Knall war ohrenbetäubend und der Mündungsblitz blendete sie, als die Pistole dicht neben ihrem Kopf abgefeuert wurde.

»O Gott!« rief Fergus. Dann brach er über ihr zusammen.

Gwenn schrie vor Schmerz auf. Als der erste Schock sich legte, fühlte sie, wie das warme Blut des Doktors ihr Laken durchtränkte.

»Hilf ihm, Lorenzo!« rief sie. »Bitte, sag mir, daß er nicht tot ist.«

»Capitano!« rief Oberst Grimaldi und trat aus dem Zelt. Uzielli kniete an dem Bach, wusch sein Gesicht und befühlte die lange verschorfte Wunde auf seinem Bauch. Im Schatten hinter ihm lagen ein toter Afrikaner und ein blutiger Stein. Der Schädel des Mannes war eingeschlagen.

»Pronto!« schrie Grimaldi und deutete auf Dr. Fergus. »Zerren Sie diesen Engländer hier weg, bevor der alte Bastard verblutet ist. Vorher müssen wir noch erfahren, ob sie den Film oder das gestohlene Silber haben und in welche Richtung sie unterwegs sind. Schnell. Lassen Sie ihn von einem der Männer befragen, die Englisch sprechen.«

»Wollen Sie, daß er am Leben bleibt?« fragte Uzielli und knöpfte sein Hemd zu, während er auf das Zelt zuging.

»Tun Sie, was Sie tun müssen, Hauptmann, ganz egal, was«, sagte Grimaldi leise, »aber machen Sie nicht zu viel Lärm. Ich möchte nicht, daß das Mädchen ihn hört. Haben Sie mich verstanden?«

Uzielli salutierte folgsam und befahl zwei *Bersaglieri*, ihm mit dem Arzt zu folgen. Als er am Lagerfeuer vorbeikam, zog er einen schwelenden Ast aus der Asche.

»Das gibt eine gerade Haltung«, sagte Uzielli grinsend zu dem Doktor, der stöhnte und kraftlos aufbegehrte, als er am Feuer vorbeigetragen wurde.

Enzo beugte sich hinunter und trat in Gwenns Zelt. Es gefiel ihm, daß sie beinahe hilflos war.

»Amore«, sagte er sanft. Er erhielt keine Antwort. Er hockte sich neben ihr Feldbett und griff mit einer Hand unter die Decke, um ihren starren Körper zu streicheln.

»Laß mich in Ruhe!« protestierte sie. Er ignorierte ihre kläglichen Versuche, seine Hand wegzustoßen.

Eine Stunde später kniete Grimaldi halbwegs zufrieden neben dem Feuer und studierte eine Landkarte. Seine Männer saßen in der Nähe, reinigten ihre Waffen und aßen. Er war froh, daß Gwenn die Schreie des Arztes nicht gehört hatte. Sie war schon jetzt unkooperativ genug, ohne ihm vorwerfen zu können, daß er einen Verwundeten foltern ließ. Uzielli kam zu ihm und salutierte.

»Capitano?«

»Der alte Mann ist gestorben, Oberst«, sagte Uzielli leise, kniete sich hin und wischte seine Hände in dem körnigen Sand ab. »Das war nicht allzu schwierig. Es gibt nichts Besseres als etwas Feuer im Hintern.«

»Was haben Sie in Erfahrung gebracht?«

»Es sind ungefähr zehn oder zwölf Leute, leicht bewaffnet, mit zwei Frauen, Amerikanerinnen. Sie haben zahlreiche Silberkisten ...«

»Was ist mit dem Film?« unterbrach ihn Grimaldi.

»Ja, Oberst. Es scheint, als hätten sie Filmaufnahmen von dem Gasangriff, den Opfern und einem Giftgasbomber am Boden.« Uzielli zuckte die Achseln. *»Tutto.«*

Grimaldis schlimmste Befürchtung bewahrheitete sich. Er fühlte, wie sein Magen sich zusammenzog. Er fröstelte. »Die Männer können drei Stunden schlafen. Dann lassen wir das Mädchen mit Ihrem verwundeten Soldaten und zwei weiteren Männern am See zurück, während wir die anderen verfolgen.« Enzos eigene Zukunft würde davon abhängen.

»Darf ich einen Vorschlag machen, Sir?«

Oberst Grimaldi war überrascht, daß der Mann Initiative zeigte. Er nickte und hörte zu. Der Vorschlag gefiel ihm, und er mußte daran denken, welches Ansehen Uzielli für die Ausrottung schwierig zu fassender Rebellen genoß. Sie würden erst einmal abwarten und seinen Feinden Gelegenheit geben, einander zu finden.

Anton wollte nicht das ganze Safarilager aufschrecken, und so verlangsamte er seine hastige Atmung und hockte sich neben Birru, dem äthiopischen Wachposten, auf den Boden. Das belgische Gewehr des

Mannes lag quer auf seinem Schoß. Sein Rücken war gegen einen Eukalyptusbaum gelehnt und der Kopf zur Seite geneigt. Der Mann schlief.

Anton kräuselte die Lippen und ließ die Zunge flattern, um den trällernden Morgenruf eines tropischen Uhus wiederzugeben. Niemand antwortete. Als es heller wurde, konnte Anton die Umrisse des Lagers erkennen. Auf zwei Seiten war eine Segeltuchplane über ein Seil gespannt, das man zwischen zwei Bäume gebunden hatte. So entstanden zwei niedrige Behelfszelte, von denen eines vermutlich von Charlie und Bernadette, das andere von Harriet benutzt wurde. Er stieß noch einmal den Vogelruf aus. Der Abessinier bewegte sich, wachte aber nicht auf.

Direkt hinter Anton ertönte die Antwort auf das Trällern. Er drehte sich um und sah, daß Kimathi mit dem Gewehr in der Hand nur wenige Meter hinter ihm kniete und grinsend den Ruf wiederholte.

»Mein Bwana muß im Busch vorsichtiger sein«, sagte Kimathi.

Anton erwiderte das Lächeln. Er wußte, wie schwierig es war, Kimathi zu überrumpeln. »Irgendein Anzeichen von den Italienern?« fragte er und ließ sich etwas weiter vom Lager entfernt auf einem Felsvorsprung nieder.

»Noch nicht«, sagte Kimathi. »Abgesehen von dem Flugzeug, das unseren Lastwagen angegriffen hat. Also wissen sie jetzt, wo wir uns ungefähr befinden. Sie haben einen unserer Abbos erwischt. Der Mann konnte seinen Kopf nicht unten halten.«

»Danach haben ihn die Hyänen in die Mangel genommen.« Anton nickte. »Wie sieht's mit unseren Vorräten und Tieren aus?«

»Für Silber würden diese Leute alles verkaufen.« Kimathi rieb Daumen und Zeigefinger aneinander. »Wir haben in Bulbula Eier, Fleisch, Bohnen und sechs weitere Packtiere gekauft. Wir hätten uns auch ein paar Mädchen kaufen können«, sagte Kimathi bedauernd. »Aber es gibt auch eine Überraschung für dich, *Tlaga.*«

Die beiden Männer gingen zum Lager und machten Feuer, bevor die anderen erwachten. Ausgehungert stellte Anton einen Eimer Wasser ins Feuer. Er sah ein halbes Wildschwein, das mit einem Seil an einem Ast aufgehängt war, schnitt eine Handvoll Fett ab und ließ es in eine Pfanne fallen, die in der Glut stand. Dann schnitt er einige Lendenstücke aus dem Tier und legte sie in das zischende Fett. Mit einer Gabel verrührte er ein paar Eier in einer Tasse und wartete darauf, daß das Fleisch gar werden würde.

»Anton!« begrüßte Charles herzlich und gähnte und streckte sich, nachdem er mit Bernadette unter einer der Zeltplanen hervorgekrochen war. »Wie geht es Gwenn?«

»Etwas besser, danke.« Anton reichte jedem von ihnen einen Blechteller. »Aber der Transport auf einer Trage ist fast noch anstrengender für sie, als zu Fuß zu gehen. Ich hoffe, sie wird heute in der Lage sein, ein wenig zu reiten.«

Ernst von Decken tauchte ächzend aus dem anderen Zelt auf und sprach über seine Schulter gewandt mit jemandem hinter ihm. Der Deutsche stopfte eines von Antons Safarihemden in seinen Gürtel.

»Engländer!« Ernst grinste und setzte sich auf eine Silberkiste. Er legte den ledernen Schutz um seinen Beinstumpf an, schnüffelte ein paarmal und schaute zu Anton empor. »Du klaust gerade mein Schwein!«

»Ich sehe, daß du meinem Oldsmobile den Gnadenstoß verpaßt hast«, entgegnete Anton. Er warf zwei Handvoll Kaffee ins kochende Wasser und sah die dunklen Körner in der brodelnden Flüssigkeit tanzen.

Eine zweite Gestalt regte sich unter Ernsts Zeltplane. Harriet krabbelte hervor und stellte sich neben den Deutschen. Die kleine gelbe Filmdose hing an einem Lederriemen um ihren Hals.

»Uuuhh, ist das kalt!« Sie lächelte Anton ohne jede Verlegenheit an und zog sich einen Pullover über. »Willkommen zu Hause, Bwana. Wir haben Sie vermißt.« Sie küßte ihn schamlos auf die Wange. »Wie geht es Ihrer Frau?«

Anton versuchte, sich seinen Ärger nicht anmerken zu lassen. Er ließ zwei Eierschalen in den Kaffee fallen.

»Besser, danke«, sagte er zurückhaltend und rief sich ins Gedächtnis, daß er hier mit einer Kundin sprach. »Ein paar der Jungs und ich müssen gleich wieder los, um sie zu holen. Falls die Italiener nicht Ihrer Gruppe gefolgt sind, müssen sie uns gefolgt sein.« Er rührte den Kaffee mit einem langen Stock um und sah dabei zu, wie die Körner sich wieder etwas setzten. »Ich nehme Haqim und euren ausgeruhten Wachposten mit.« Er goß den Kaffee ein. »Weck die beiden, Kimathi, in zehn Minuten geht's los.«

»Warum schmeckt der Kaffee zu Hause nie so gut?« fragte Harriet und reichte ihren Becher an Ernst weiter. Anton wußte, daß er sich deswegen keine Gedanken machen sollte, aber er ärgerte sich trotzdem über diese kleine Vertrautheit. Der Deutsche trank geräuschvoll.

»Versuchen Sie Ihr Bestes hiermit.« Anton rührte die Tasse mit den Eiern ein letztes Mal um und gab sie dann Harriet.

»*Ndio*, Bwana.« Sie hockte sich hin und goß die Eier in eine Pfanne. »Du magst sie locker, nicht wahr?« fragte sie und schaute zu Ernst.

»Ja, Liebling, natürlich.«

»Ich erwarte, daß dieses Lager am Mittag abgebaut und marschbereit ist«, sagte Anton kurz darauf und schnürte sich die Stiefel fester zu. »In der Zwischenzeit holt ihr alles, was wir noch gebrauchen können, vom Lastwagen und kauft in Bulbula weitere Vorräte und noch ein paar Tiere. Ein paar Kamele wären hilfreich. Falls wir in eine trockene Gegend kommen, sind sie besser als Maultiere. Dieser deutsche Invalide wird Wache halten, bis ich wieder zurück bin.« Er pikste von Decken kräftig mit der Eiergabel und reichte sie dann Harriet. »Versuch dich an deine Soldatenzeit zu erinnern, Ernst. Die Jagd ist eröffnet.«

34

Das kernige Frühstück hatte sie gestärkt. Anton und die beiden Afrikaner eilten durch die kühle Morgenluft, um Gwenn und Dr. Fergus aus dem anderen Lager abzuholen. Die Safari konnte lediglich zwei Männer entbehren, da bereits sieben der Leute über Nacht aus dem Lager verschwunden waren. Anton konnte es ihnen nicht wirklich verübeln, sie wollten ihr Leben retten.

Er war enttäuscht, daß der äthiopische Soldat, ein schlanker Mann aus Shoa, der inzwischen hohe italienische Militärstiefel trug, sich im Busch nicht allzu geschickt aufführte. Wie sich herausstellte, war Birru der Sohn eines Ladenbesitzers aus Ankober. Anton war unzufrieden und ärgerlich, als er den Mann hinter sich herstolpern hörte. Sogar Haqim, der jahrelang in Kairo gelebt hatte, trat auf weniger trockene Zweige und brachte weniger Geröllbrocken ins Rutschen.

Als sie sich dem Lager näherten, stand die Sonne schon hoch am Himmel, und sie hatten Durst. Sie erreichten ein Stück stromabwärts den Bach, der durch das Camp verlief. Als Anton sich zum Trinken niederhockte, sah er eine riesige Blindmaus auf der anderen Seite des Wasserlaufs aus ihrem Bau kriechen. Der reißende Bach mußte das Geräusch seiner Ankunft übertönt haben, dachte Anton, duckte sich und wartete darauf, daß Haqim und Birru zu ihm aufschließen würden.

Das große Nagetier hob seine stumpfe Grabschnauze und schnüffelte in alle Richtungen, bevor es zum Wasser lief. Als es an einem Ameisenhügel vorbeikam, sprang eine rotbraune hundeähnliche Kreatur mit der Geschwindigkeit einer Kobra aus ihrem Versteck und packte die Blindmaus im Genick. Das leuchtende Fell und der buschige schwarze Schweif des Jägers glänzten in der Sonne, während er die Blindmaus heftig hin- und herschüttelte und seine Zähne tief in den Nacken seiner Beute vergrub.

Anton erkannte in dem Räuber einen weiblichen Simenfuchs, ein nur in Abessinien vorkommendes Geschöpf, das halb wie ein Schakal, halb wie ein Wolf wirkte. Als die Blindmaus sich nicht mehr bewegte, ließ der Fuchs sie fallen und wischte sich mit den Vorderpfoten sorgfältig die lange schmale Schnauze und die verklebten Barthaare sauber. Dann stieß er einen hohen Schrei aus, *»uiiah-uiiah«*. Anton sah, wie einige Meter weiter zwei rote Jungen vorsichtig aus einem Dickicht hervorkrochen. Als seine Begleiter sich näherten, hob Anton eine Hand, damit sie sich still verhielten, aber es war zwecklos.

»Sind wir bald da?« fragte Birru und stolperte vorwärts.

»Yiip-yiip«, stieß das Weibchen einen Alarmruf aus. Sie packte die Blindmaus, rannte zu ihren Jungen und scheuchte sie vor sich her. Die drei verschwanden im Dickicht.

Haqim traf ebenfalls ein, und die drei gingen weiter. Kurz vor dem Lager zögerte Anton einen Moment. Ein Frösteln überkam ihn, und er hob eine Hand, um seine Kameraden anzuhalten. Gwenns Zelt war hinter dem Eukalyptusbaum gerade so eben zu erkennen. Sein Instinkt warnte ihn, daß etwas nicht stimmte. Birru ignorierte Antons Geste und ging weiter. *»Tenáy!«* rief er zur Begrüßung. *»Tenáy!«*

Zwei Gewehrschüsse peitschten auf, und Birru fiel um. Anton ließ sich hinter einigen Felsen in Deckung fallen. Haqim verschwand im Busch zu seiner Linken. Birru, der offenbar in den Bauch getroffen worden war, lag schreiend und stöhnend am Boden. Der Äthiopier legte eine Hand auf den Schaft seines Gewehrs. Vom Boden neben ihm spritzten Erde und einige Gesteinssplitter auf. Birru wurde ein weiteres Mal getroffen. Dann rührte er sich nicht mehr.

Haqim gab zwei Schüsse aus seinem Jagdgewehr ab. Das Donnern der schweren Büchse ließ sich leicht von dem hellen peitschenden Knall der italienischen Militärgewehre unterscheiden. Gestalten bewegten sich durch das dichte Buschwerk zwischen Anton und dem Zelt. Anton hatte Angst, Gwenn zu treffen, und schoß nicht. Er fürchtete sich vor dem, was er im Lager vorfinden würde, nachdem die Italiener dort gewesen waren.

Er hörte, wie mehrere Männer durch das Dickicht und über den Bach wegliefen. Haqim stieß aus Richtung des Lagers zwei Pfiffe aus, das Signal für »Wild voraus«. Anton erhob sich auf ein Knie.

Ein schwarzer Militärhut bewegte sich durch das Laub, blieb schließlich rund fünfzig Meter von Anton entfernt stehen und drehte sich um. Die Nachhut, die sich nach etwaigen Verfolgern umschaut, bevor sie zu den anderen aufschließt, vermutete er. Anton sah die gebogenen dunklen Federn an dem italienischen Hut wippen und zittern, als wären es die Schwanzfedern eines Hahns. Nachdem er sich vergewissert hatte, daß dies tatsächlich der letzte Soldat war, hob er sein Gewehr und schoß. Er hörte, wie die Kugel traf, und sah eine Bewegung zwischen den Zweigen. Er feuerte noch einmal, diesmal ein kleines Stück tiefer. Dann verharrte er einen Moment, aber er konnte in einiger Entfernung lediglich das Geräusch einer größeren Gruppe hören, die sich weiter zurückzog.

Anton stand auf und ging zu der Leiche des Abessiniers. Er verzog das Gesicht, nahm Birrus Gewehr und ging zu dem Zelt. Haqim durchsuchte gerade das Lager. Er hatte durch die umherfliegenden Gesteinsplitter an einem Arm eine leichte Fleischwunde erlitten.

Anton sah, daß auf einem Felsen neben dem Feuer ein Stück Papier lag, das man mit einem Stein beschwert hatte. Es war ein alter Umschlag, adressiert an einen italienischen Soldaten. Jemand hatte ihn auseinandergefaltet und glattgestrichen, um so ein Stück Schreibpapier zu erhalten. Anton drehte es um und las die Nachricht.

> *Signore Rider,*
> *für den Fall, daß Sie es zurück zum Lager schaffen, möchte ich Ihnen einen Vorschlag machen.*
> *Sie übergeben mir die Kamera und den Film, den Ihre Safarigruppe mit sich führt, zusammen mit dem Silber, das meiner Regierung gehört und von dem deutschen Banditen gestohlen wurde, der sich in Ihrer Begleitung befindet.*
> *Sie haben das Wort eines italienischen Offiziers, daß ich*

Ihnen dann Ihre Frau übergeben werde, falls sie das wünscht. Sie benötigt medizinische Versorgung.
Hauptmann Uzielli wird morgen früh als Parlamentär in dieses Lager zurückkehren, um Ihre Antwort zu erfahren und die Einzelheiten zu besprechen.
Meine Empfehlung
Oberst Lorenzo Grimaldi

Anton erstarrte. Seine Frau war wieder bei Grimaldi? Er blickte auf und sah, daß Haqim mit einer Leiche auf dem Arm zurückkehrte. Der Körper war in eine dreckige Lagerdecke gewickelt. Haqim legte die steife Gestalt vor Antons Füßen ab und schlug die Decke auf.

Bei dem blutigen Anblick wich Antons Wut auf die Italiener einer tiefen Abscheu. Ihm wurde übel, und er schlug eine Hand vor den Mund. Mit der anderen Hand hielt er das Stück Papier umklammert.

Der dünne bleiche Körper von Dr. Fergus lag entblößt und bäuchlings da. Die Rückseite seiner Beine war zum größten Teil von Brandwunden und geronnenem Blut bedeckt. Der Bereich um seinen Anus war zerfetzt und verkohlt, als hätte man ihn auf einem glühenden Schürhaken aufgespießt.

»So kämpfen diese weißen Soldaten gegen einen alten Mann?« fragte Haqim voller Verachtung.

Haqim führte Anton zu der Leiche Labosos, der mit einem Stein erschlagen worden war. Anton war zugleich traurig und wütend und gab sich die Schuld an den Morden und der Entführung. Er kniete sich hin und bedeckte Gwenns toten Freund. Der Gedanke an die Schmerzen, die Fergus erlitten haben mußte, jagte ihm größeres Entsetzen ein als der Anblick der eigentlichen Wunden. Er ging zu dem Bach und wusch sich das Gesicht in dem frischen Wasser. Er überlegte, was er jetzt tun sollte. Dann suchte er das Lager ab, bis er eine Schaufel gefunden hatte. Plötzlich fiel ihm ein besserer Plan ein. Er zögerte und ließ die Schaufel an ihrem Platz liegen.

Er war kein Soldat, rief er sich in Erinnerung, er war ein Jäger.

»Leg die Leiche des Doktors dorthin zurück, wo du sie gefunden hast, Haqim, und zwar an dieselbe Stelle und in derselben Haltung, und laß auch Laboso unverändert.« Er wußte, daß Moslems ihre Toten möglichst sofort beerdigten, und spürte, wie überrascht und angewidert Haqim von diesem Befehl war. »Leg die Leiche zurück, Haqim.« Anton brauchte Zeit zum Nachdenken. Er ging wieder zum Bach, zog sich aus, legte sich flach auf die Steine und ließ sich vom kalten Wasser überspülen.

Er spürte, wie er sich innerlich verhärtete. Er machte sich keine Gedanken um die Filmbilder von dem Gasangriff oder über das Silber oder sogar darüber, ob Hyänen die Leiche des guten Doktors auffressen würden. Zum erstenmal in seinem Dasein als professioneller Jäger würden seine Kunden nicht an erster Stelle stehen.

»Haqim«, sagte Anton, während er sein Gewehr reinigte. »Du wirst jetzt gehen, und zwar zurück zur Safari. Sag ihnen, daß du meine Anweisungen weitergibst. Sie sollen alles auf die Packtiere laden und sofort nach Kenia aufbrechen, zunächst in Richtung Abayasee. Ich werde dort zu ihnen stoßen. Falls ich, von heute an gerechnet, in vier Tagen noch nicht da bin, sollen sie ohne mich weiterreisen.«

Überrascht zögerte Haqim einen Moment, bevor er den Befehl bestätigte. *»Saywa, Effendi.«*

»Dann mußt du hierher zurückkehren. Du triffst mich an dem umgestürzten Baum stromabwärts. Wir werden Dr. Fergus begraben, wenn du wieder da bist. Und bring mir eine Schachtel .375er mit. Sei vorsichtig. Ich werde dich brauchen.« Anton vergewisserte sich, ob der italienische Soldat auch wirklich tot war.

Haqim, der inzwischen seine Wunde versorgt hatte, wollte so schnell wie möglich aufbrechen und wieder zurückkommen. Er nickte und machte sich auf den Weg.

Anton stand auf, sein Gewehr in einer Hand, die Nachricht von Oberst Grimaldi in der anderen. Dann fiel ihm noch etwas ein. Er ging zu dem Felsen neben dem erloschenen Feuer. Sorgfältig strich er den Umschlag glatt und legte ihn genauso hin, wie er ihn vorgefunden hatte, an exakt dieselbe Stelle und mit demselben Stein darauf. Er ging rückwärts in das angrenzende Waldstück und verwischte dabei seine frischen Fußspuren mit einem Ast.

Der italienische Soldat bewegte sich vorsichtig am Rand von Antons Lager entlang. Er wußte nicht, daß der Gesang der Vögel sich verändert und dadurch sein Kommen bereits angekündigt hatte. Der Mann verfügte über die ausdauernde Fitneß eines athletischen Bauern, aber er bewegte sich nicht so leichtfüßig und geräuschlos wie ein Förster oder Jäger. Einmal, als er vom Bach heraufkam, schwappte Wasser aus seinen Stiefeln, und er scheuchte zwei Perlhühner auf. Er ging so dicht an Anton vorbei, daß dieser ihn nicht nur gut erkennen, sondern sogar den Gestank nach altem Schweiß und Tabak riechen konnte. Uzielli hatte sich zweifellos nach Anzeichen für einen Hinterhalt umgesehen und erwartete jetzt Antons Reaktion auf die Nachricht seines Obersts.

Der *Bersagliere* kauerte sich am Rand der Lichtung unter einen verdorrten wilden Feigenbaum. Er trug weder Hut noch Rucksack und hielt seinen Karabiner quer über den Knien bereit. Die dunkle Rinde des Baumstamms hinter ihm war aufgehellt und glattgescheuert. Eine kleine Antilope hatte sich daran gerieben, vermutlich ein Ducker oder Buschbock. Der Soldat verharrte und wartete auf Anton, während es langsam heller wurde.

Anton lag bequem in einer schmalen Furche, die er zwischen zwei dichten Dornbüschen gescharrt hatte. Die ausgehobene Erde und einige leichte Zweige tarnten seinen Körper. Zufrieden beobachtete er den Italiener. Haqim hatte sich auf der anderen Seite des Lagers versteckt. Mit der Geduld eines Jägers lauerte Anton darauf, dem *Bersagliere* zurück zum italienischen Lager folgen zu können. Es freute ihn, daß Grimaldi beschlossen hatte, Uzielli mit dieser Mission zu betrauen.

Der Italiener im Schatten des Feigenbaums gähnte und stand auf. Anton musterte den Soldaten wie eine Antilope oder ein Nashorn, das er für seine Kunden als Trophäe auserkoren hatte. Der Mann fand sich im Busch bereits besser zurecht, als es den meisten Europäern je gelingen würden. Er schien überhaupt keine Angst davor zu haben, allein zu sein. Als Uzielli durch das Lager schlenderte, waren unter seinen dunklen gelbbraunen Shorts die dicken Schenkel und muskulösen Waden seiner kraftvollen Beine sichtbar. Seinen Karabiner trug er sorglos in einer Hand.

Der Soldat ging zu dem niedrigen Zelt, das Gwenn und Anton sich geteilt hatten. Er kam mit Antons kleiner Metallkiste wieder zum Vorschein, kniete sich hin, schüttete den Behälter vor sich aus und warf Antons Buch in die Asche des erloschenen Feuers. Dann zog der Mann die sechs Zeltpflöcke aus dem Boden, legte sie samt den Schnüren auf die Segeltuchplane und rollte das Ganze zu einem festen Bündel zusammen. Der Italiener schaute auf den Körper von Dr. Fergus, ging dann zu ihm herüber, verpaßte der steifen halbnackten Leiche einen Tritt mit dem Stiefel und drehte sie mit dem linken Fuß auf den Rücken. Anton war außer sich vor Wut. Nur der Gedanke an Gwenn hielt ihn zurück. Er sah, wie der Mann seine Hose aufknöpfte und sich auf den Körper erleichterte.

Schließlich ging Uzielli zu dem Felsen, auf dem die Lösegeldforderung lag, die Oberst Grimaldi für Anton hinterlassen hatte. Anton vermutete, daß der Soldat verwirrt war, denn Uzielli starrte den Stein an, der das Stück Papier nach wie vor an seinem Platz hielt. Der Hauptmann nahm den Brief, faltete ihn zusammen und steckte ihn in seine Hemdtasche. Sorgfältig ließ er seinen Blick noch einmal über das Lager schweifen und kratzte sich am kahl werdenden Kopf. Er nahm seinen Karabiner in die rechte Hand, steckte sich das zusammengerollte Zelt unter den Arm und machte sich auf den Weg. Schon bald verfiel er in den *Bersaglieri*-Trab.

Anton wartete, bis er den laufenden Soldaten nicht mehr hören konnte. Dann rollte er sich aus seiner Deckung, nahm sein Gewehr und schnalzte zweimal mit der Zunge, bevor er zu der Leiche von Malcolm Fergus ging und sich neben ihr hinkniete.

Haqim gesellte sich von der anderen Seite des Lagers zu ihm.

»Bitte beerdige unsere Freunde sorgfältig.« Anton reichte Haqim die Schaufel. »Dann folge mir leise zum Lager der italienischen Soldaten. Du wirst meine Spur erkennen.«

Haqim nickte und machte sich an die Arbeit. Er war erleichtert, daß sein Herr kein Unmensch war.

Anton mußte immer wieder daran denken, was zwischen ihm und Gwenn in dem Zelt vorgefallen war. Er ging zu der Feuerstelle und nahm *Oliver Twist* aus der Asche. Dann wischte er das Buch mit seinem *Diklo* ab und steckte es in eine Tasche seiner Buschjakke. Er wusch das Halstuch in dem Bach aus, wischte sich das Gesicht ab und knotete sich den roten Stoff um seinen Hals. Jetzt würde er die Fährte aufnehmen. Aufmerksam, aber entspannt lief er los und überlegte, was er tun würde. Sollte er ein Gentleman wie Adam Penfold sein oder wirkungsvoll wie Olivio der Zwerg vorgehen?

Da Gwenn sich in der Gewalt der Italiener befand, konnte er unmöglich den offenen Kampf gegen die Gruppe schwerbewaffneter Männer aufnehmen. Selbst wenn es ihm gelingen würde, seine verwundete Frau zu befreien, müßte er sich mit ihr zu Fuß duchschlagen und könnte die Soldaten nie und nimmer abhängen. Um mit ihr zu entkommen, mußte er Grimaldi gegen seine eigenen Männer einsetzen. Er mußte den Oberst zwingen, ihm bei der Flucht behilflich zu sein.

Anton folgte dem *Bersagliere* fast eine Stunde lang, hielt dabei ausreichend Abstand und konzentrierte sich ganz auf seine Aufgabe. Schließlich hörte er vor sich die Geräusche eines Lagers im Busch. Er blieb stehen.

Anton war versucht, Uzielli zu überwältigen, sobald der Soldat ihn bis auf Sichtweite an den kleinen italienischen Stützpunkt herangeführt hatte, aber er fürchtete, zuviel Lärm zu verursachen. Also kniete er sich hinter einige Felsblöcke und beobachtete, wie der Mann in das Lager trabte.

Er suchte sich ein sicheres Versteck und hob seinen Feldstecher an die Augen. Der Hauptmann blieb inmitten einer Gruppe von Männern stehen. In der Nähe hatte man einen Pfosten in den Boden gesteckt, an dem eine kleine italienische Flagge hing. Noch während Anton zuschaute, errichteten zwei der Männer das Zelt, das Uzielli mitgebracht hatte. Oberst Grimaldi kam und nahm Hauptmann Uzielli beiseite. Als Anton seinen Rivalen sah, erstarrte er. Er suchte das Lager sorgfältig nach Gwenn ab. Da war sie. Sie saß mit dem Rücken zu ihm am entlegenen Ende des Lagers neben einer Trage. Ihr Kopf ruhte auf ihren Knien. Grimaldi ging zu Gwenn herüber und half ihr zu dem Zelt, wobei er sich nicht darum kümmerte, daß sie versuchte, seinen Arm abzuschütteln. Anton war erleichtert, daß sie dem Mann Widerstand entgegensetzte. Er war entschlossen, sie zu retten, und so atmete er tief ein und zwang sich, jeden Anflug von Wut aus seinen Gedanken zu verdrängen.

Bis Mittag wußte er über die Abläufe im Lager Bescheid. Außer Uzielli gab es noch einen anderen Offizier und zudem einen Sanitäter, der eine Rote-Kreuz-Binde um den Arm trug. Die neunzehn Männer legten eine größere Disziplin und bessere Organisation an den Tag, als Anton erwartet hätte, nachdem er in Kairo Zeuge der hämischen Kritik an den Italienern geworden war. Die Waffen, Feuerstellen, Vorräte und Wachposten waren ordentlich eingerichtet und aufgestellt worden. Er wußte nicht, ob dies dem Oberst zu verdanken war oder ob es einfach als Anzeichen eines tief verwurzelten militärischen Drills gedeutet werden konnte, aber er stellte zufrieden fest, daß die Fallschirmjäger Befehle befolgten. Schließlich hing sein Plan von diesem Umstand ab. Er sah, daß die Müllgrube und die Latrine ein ganzes Stück entfernt vom Lager errichtet worden waren, ungefähr vierzig oder fünfzig Meter vor Antons Felsen und damit etwa auf halber Strecke zwischen ihm und dem Camp. Lediglich eines schien bei den Italienern nicht nach Plan zu verlaufen: Am Nachmittag kehrten zwei zur Jagd ausgeschickte Soldaten mit leeren Händen zurück. Den jungen *Bersaglieri* mangelte es zum Glück an jeglicher Erfahrung im Busch, und so wurden sie von ihren Kameraden mit lautem Spott empfangen.

Als die Schatten länger wurden, erschien Haqim bei dem Versteck zwischen den Felsen. Er und Anton unterhielten sich leise. Ausgehungert teilten sie sich das getrocknete Fleisch und die Datteln, die der Nubier mitgebracht hatte, und warteten darauf, daß es dunkel wurde.

Bei Einbruch der Nacht rückte Anton bis zu den Büschen vor, die rund um die italienische Latrine wuchsen. Die Soldaten kamen unbewaffnet einzeln oder zu zweit vom Lager her, machten Witze und spuckten aus, während sie die Einrichtung benutzten. Als es ruhiger wurde, die Feuer ein Stück heruntergebrannt waren und nur noch die beiden Posten wach zu sein schienen, kroch Anton näher heran. Er hörte Gwenn in dem niedrigen Zelt einen Protestschrei ausstoßen. Grimaldi mußte sich zu ihr gesellt haben. Anton umklammerte sein Gewehr und zwang sich, ruhig liegenzubleiben. Sie schrie noch ein- oder zweimal. Die Laute fuhren ihm durch Mark und Bein. Anton zitterte und bändigte seine Wut, als würde er grammweise Schwarzpulver in eine Patronenhülse füllen. Nach einer Weile kroch Anton zurück und verharrte abermals reglos hinter der Latrine. Haqim lag wie ein Felsblock neben ihm.

Mehrere Stunden harrte Anton dort neben dem Sudanesen aus. Schließlich ließ ein Wortwechsel ihn aufschrecken. Er hörte, wie Grimaldi einen unachtsamen Wachposten beschimpfte und dann auf den Abort zuging. Anton konnte sehen, daß der bewaffnete Soldat dem Offizier folgte und mit dem Rücken zur Latrine in der Nähe auf ihn wartete.

Anton tippte Haqim auf die Schulter. Sie erhoben sich gleichzeitig wie ein einziger Schatten.

Grimaldi stand auf und zog die Hose hoch. Ein paar Meter entfernt ächzte jemand laut. Anton legte Enzo einen Arm um die Kehle und drückte ihm die Spitze seines Messers in die Haut hinter dem rechten Ohr.

»Ruhe«, flüsterte Anton barsch. Es war ein erregendes Gefühl, Grimaldi in seiner Gewalt zu haben. Bei dem Gedanken daran, was Gwenn durchleiden mußte, war er versucht, das Messer bis zum Heft in den Italiener zu versenken, vor allem, als der Mann versuchte, sich zu befreien.

Anton verstärkte seinen Griff und wartete darauf, daß Grimaldi schwächer werden würde. Der Italiener wehrte sich nach Kräften und versuchte, seinen Körper aus der Umklammerung zu winden. Anton war beeindruckt, wie hartnäckig der ältere Mann Widerstand leistete, und ermahnte sich, den Offizier nicht zu unterschätzen. Haqim ging schweigend an ihnen vorbei zu den Felsen zurück. Er trug eine große Gestalt auf den Armen. Anton verzichtete auf nutzlose Gewaltanwendung und zwang den Oberst, ihm zu folgen.

Kurz darauf lagen die beiden Italiener bäuchlings auf dem steinigen Grund zwischen den Felsen. Ihre Hände waren ihnen mit den eigenen Schnürsenkeln auf den Rücken gefesselt worden, und sie bekamen eine Socke in den Mund gestopft. Haqim kniete sich zwischen die beiden Männer und zerrte ihre Köpfe an den Haaren empor, als wären sie zwei Ochsen in einem Joch. Anton bemerkte, daß das erste Tageslicht den Busch erhellte.

»Ich stelle fest, Oberst, daß Sie sich nicht an die Grundregeln des Krieges halten. Sie bekämpfen Zivilisten.« Anton hielt Grimaldi das Messer vors Gesicht. »Sie haben Lazarette bombardiert. Sie haben meine Frau verstümmelt. Sie haben Dr. Fergus gefoltert und ermordet.« Er sah den teilnahmslosen grauhaarigen Mann genau an, bevor er fortfuhr. Er wußte, falls er Gwenn und die anderen retten wollte, mußte er den Stolz und die Arroganz des Offiziers brechen. Ohne Grimaldis Hilfe konnte er Gwenn nicht befreien und gleichzeitig dafür sorgen, daß die *Bersaglieri* sich bei ihrer Flucht kooperativ verhielten. Die einzige Alternative bestand darin, Grimaldi und jeden anderen Italiener in dem Lager zu töten.

»Mein Freund Haqim und ich haben von Ihnen gelernt. Wir werden so kämpfen wie Sie.« Er sah, daß Grimaldi versuchte, den Mann zu ignorieren, der mit regloser Miene seinen Kopf hielt. »Ich werde jetzt Ihren Knebel herausnehmen, und Sie werden nur flüstern.« Er zog dem Italiener mit der Spitze des *Choori* die dreckige Socke aus dem Mund. Wie zufällig fügte er dem Offizier bei dieser Bewegung einen tiefen, rasiermesserfeinen Schnitt entlang der Oberlippe zu.

»Wir beide müssen uns überlegen, wie Sie meine Frau befreien und unsere Flucht vor Ihren Männern sicherstellen werden«, sagte Anton.

Enzo hustete und spuckte aus. Er merkte gar nicht, daß er geschnitten worden war. Blut lief über seine Zähne.

»Gwenn und ich sind wieder zusammen«, sagte der Italiener eifrig, blickte nach unten und sah sein eigenes Blut. Erschrocken versuchte er vergeblich, eine Hand zum Mund zu heben. Dann spuckte er erneut aus und fuhr fort. »Sie wird niemals mit Ihnen gehen.«

»Sie haben mir nicht zugehört, Oberst.« Anton nickte Haqim zu. »Sie werden meine Frau befreien und unsere Flucht vor Ihren Männern sicherstellen.«

Der Nubier schmetterte das Gesicht des anderen Soldaten nach unten auf den Boden und riß es sogleich wieder brutal zurück.

»Nein, Haqim!« rief Anton, aber es war zu spät. Das breite Genick brach mit dem Knacken eines dicken Astes. Enzo fuhr bei dem Geräusch zusammen. Der Körper des *Bersagliere* zuckte einmal und lag dann still. Haqim ließ den Kopf des Toten los und drehte ihn dann auf eine Wange, so daß das Gesicht mit der gebrochenen Nase und den offenen Augen zu Grimaldi wies.

Anton hörte Enzo nach Luft ringen, dann husten und schlucken. Als der Italiener wieder das Wort ergriff, klang er anders, weniger selbstgefällig.

»Dieser Mann war zum Sterben ausgebildet. Er war bloß ein Bauer in Uniform.« Enzo sprach langsam und versuchte seine Fassung wiederzuerlangen. »Sie können mit mir nicht das gleiche machen. Und falls doch, was sollte meine Männer dann noch davon abhalten, Sie beide zu töten?«

»Sie und ich werden jetzt absprechen, wie Sie bei der Befreiung meiner Frau und der Vorbereitung unserer Flucht behilflich sein werden.« Die Renitenz des Mannes ärgerte ihn. Andererseits war er beinahe erfreut darüber, wozu er selbst sich gezwungen sehen könnte. Anton hielt dem Gefangenen das Messer dichter vor das Gesicht. Er war nicht überrascht, daß der Tod des Soldaten nicht ausgereicht hatte. Aber falls Grimaldis Widerstand anhielt, wären Gwenn, seine Kunden und er selbst verloren.

»Sie werden anordnen, daß zwei unbewaffnete Männer meine Frau auf einer Trage herbringen. Zuvor jedoch bringen uns die beiden alle siebzehn Paar Stiefel Ihrer Soldaten sowie vier Feldflaschen und zwei Rucksäcke mit Vorräten, Arzneimitteln und Verbandmaterial.«

»Lächerlich, Rider«, sagte Enzo langsam. Seine Zähne schimmerten blutrot. Er räusperte sich, legte den Kopf so weit wie möglich in den Nacken und sprach sorgfältig und voller Verachtung.

»Sie sind ein Versager, Engländer. Bloß einer von diesen nutzlosen Kolonialstutzern oder jemand, der versucht, so zu tun. Und auch hier werden Sie versagen.«

»Ich bin vielleicht nicht die Art Engländer, für die Sie mich halten.«

Mit einer schnellen Bewegung stach Anton die Spitze seines *Choori* durch die Haut über Grimaldis linkem Wangenknochen.

Das Gesicht des Italieners zuckte vor Schmerz zusammen. »Gwenn würde dir niemals verzeihen, Zigeunerjunge, falls du mir...« Anton stopfte Enzo die Socke zurück in den Mund, woraufhin das Gesicht des Italieners rot anlief. Haqim drückte dem Gefangenen ein Knie in den Rücken und legte ihm eine Hand auf den Nacken. Die andere Hand hielt nach wie vor das Haar des Mannes gepackt. Der Nubier sah Anton fragend an.

Anton zögerte. Er war sicher, daß Gwenn ihn hierfür hassen würde, aber er wußte auch, daß er riskieren mußte, sie zu verlieren, wenn er sie retten wollte.

Dann stach er die Spitze des Messers durch das untere Lid von Grimaldis linkem Auge und hebelte den Augapfel aus seiner Höhle. Das Auge fiel wie eine Auster ohne Schale zwischen ihnen in den Staub.

Enzos Körper bäumte sich unter dem Gewicht von Haqim heftig auf. Der Italiener zitterte und schwitzte, trotz der morgendlichen Kälte. Blut lief die linke Wange des Obersts hinunter in seinen Schnurrbart. Zwischen den beiden eingesunkenen Schnittkanten des Unterlids zuckten ein kleines Stück des Augenmuskels und das weiße Ende des Sehnervs. Lange Zeit herrschte Schweigen. Dann ergriff Anton erneut das Wort.

»Dies wird ein langer dunkler Tag werden, Oberst, besonders wenn Sie alle beide verlieren.«

Anton dachte an Gwenns verletztes Gesicht und daran, was es für die Jungen und ihn bedeuten würde, wenn sie starb. Er stellte fest, daß er dem Italiener völlig gleichgültig gegenüberstand, als würde er ein Tier häuten oder wäre auf eine Hyäne gestoßen, die von einem Fangeisen verkrüppelt worden war.

»Wie schade, daß Dr. Fergus nicht bei uns ist, um sich um Ihre Wunden zu kümmern. Es wird schwierig für Sie werden, Lazarette zu bombardieren, falls Sie blind sind.« Anton setzte die Spitze seines Messer direkt unter Grimaldis anderem Auge an. »Werden Sie uns jetzt bei der Befreiung meiner Frau und der Vorbereitung unserer Flucht behilflich sein?«

Der Italiener nickte zweimal.

Anton wandte sich an den knienden Nubier und sagte: »Würdest du bitte ein Feuer entzünden, Haqim? Oberst Grimaldi und ich gehen inzwischen zu seinem Lager, um ein paar Befehle zu erteilen.«

Dann packte Anton den Italiener an den gefesselten Handgelenken und zerrte ihn auf die Füße. Sie gingen gemeinsam auf das Lager der

Bersaglieri zu, bis die Stimme Grimaldis dort klar und deutlich zu hören war. Er befahl seinen Männern, Antons Anweisungen zu befolgen. Dann übergab Anton den Oberst wieder in Haqims Obhut. Der Nubier packte den Gefangenen grob.

Anton fragte sich besorgt, ob sein Plan wohl funktionieren würde. Er versuchte, sich seine Nervosität nicht anmerken zu lassen. Eine halbe Stunde später stand er allein und ohne sein Gewehr im Freien neben der Latrine und schaute zwei Italienern entgegen, die vom Lager auf ihn zukamen. Die barfüßigen Soldaten suchten sich vorsichtig ihren Weg zwischen den Steinen und Dornen. Sie brachten Gwenn auf einer Trage. Er sah, wie Gwenn den Kopf hob, als sie ihn erkannte. Anton war bemüht, sich nicht von ihrem Anblick ablenken zu lassen.

Die anderen fünfzehn Fallschirmjäger lagen im Camp auf ihren Bäuchen, so daß sie Anton nicht sehen konnten. Ein Stück von ihnen entfernt lagen ihre entladenen Waffen. Da Anton nur ein zweischüssiges Gewehr zur Verfügung gehabt hatte, um sie in Schach zu halten, hatte er sich auf Oberst Grimaldis Autorität verlassen müssen, um die *Bersaglieri* zur Mitarbeit zu bewegen. Er vermutete, daß der Versuch, sie mitten in Äthiopien ohne Waffen zurückzulassen, zu einer unkontrollierbaren Rebellion geführt hätte.

In dem vorderen der beiden Träger erkannte Anton seinen früheren Gefangenen, Mario. Grimaldi saß wieder gefesselt hinter den Felsen, den Kopf notdürftig mit dem eigenen Hemd verbunden. Daneben stieg dichter schwarzer Rauch von dem Feuer auf, in dem die Stiefel der *Bersaglieri* verbrannten.

Anton schaute Mario entgegen und hob beide Hände bis über die Schultern, so daß die Handrücken in Richtung der sich nähernden Italiener wiesen. Die Finger seiner rechten Hand waren nach unten zum Gelenk gebeugt.

Gwenn hob den Kopf von der Trage. »Er hat eine Pistole im Gürtel!« rief sie.

Mario ließ das Fußende der Trage fallen und griff hinter sich.

Mit einer flüssigen Bewegung schwang Anton den rechten Arm nach vorn. Das *Choori* flog aus seinem Ärmel.

Das Messer drang am unteren Ende von Marios Hals ein. Einen

Moment lang war kein Blut zu sehen. Das Heft lag unter Marios Adamsapfel so dicht an der Haut seiner Kehle an, daß es wie ein Zigeunerhalsband wirkte.

Haqim schoß aus dreißig Metern Entfernung. Das schwere Jagdgeschoß traf den zweiten Italiener in die Nase und spaltete sein Gesicht. Gwenn wurde von Blut, Knochen und Gewebe bespritzt, während auch das Kopfende der Trage zu Boden fiel.

Mario stand noch immer schwankend da, eine Hand an der Kehle, die andere nach wie vor um die Pistole verkrampft.

Dann hatte Anton ihn erreicht, packte die Beretta mit seiner Rechten und zog das Messer mit der linken Hand heraus. Er gab zwei Warnschüsse über die Köpfe der *Bersaglieri* ab, die zwar mit den Gesichtern nach unten lagen, aber sich zu regen begannen. Dann steckte er beide Waffen in seinen Gürtel.

Mario sank nach vorn auf die Knie, als hätte man ihn plötzlich zum Gebet gerufen. Er gab ein gurgelndes Geräusch von sich, und Blut rann aus seinem Mund. Haqim eilte in seinen neuen Stiefeln herbei und half Anton, die Trage anzuheben.

Die beiden Männer trugen Gwenn an den Felsen vorbei, hinter denen der gefesselte Oberst saß. Genau in dem Moment stöhnte Grimaldi laut auf. Schließlich stellten Anton und Haqim die Trage ab. Anton zog die Beretta und drehte sich um.

»Nicht!« rief Gwenn ihm zu. Sie konnte Lorenzo nicht sehen und fürchtete sich davor, was Anton tun würde. »Bitte nicht. Anton!«

Rider sah seinen Gefangenen an. Er hatte nicht vor, einen rachsüchtigen und verwundeten Feind hier zurückzulassen, dem fünfzehn ausgebildete Soldaten zur Verfügung standen – vor allem nicht einen Mann wie Oberst Grimaldi. Er dachte daran, was dieser Italiener Malcom Fergus angetan hatte und was er jetzt tun würde, falls er die Gelegenheit dazu erhielt. Anton spannte den Hahn der Pistole und ließ den geknebelten Grimaldi mit verbundenen Augen in die Stille lauschen.

»Anton, nein«, rief die helle Stimme nachdrücklich. Gwenn setzte sich auf, schwang die Füße von der Trage und stand mühsam auf.

»Denk an die Jungen!« Sie packte Haqims Arm und machte einen Schritt auf die Felsen zu. »Erinnere dich daran, wieviel Lorenzo für sie getan hat, als du nicht bei mir warst und ich ganz allein dastand, mit nichts in der Hand.«

Anton versuchte, nicht auf sie zu achten. Er sah Grimaldi zittern, als der Mann sich bemühte, etwas Würde zu bewahren, und sich im Sitzen kerzengerade aufrichtete. Sein Rücken war gegen die Felsen gelehnt.

Gewalt und Tod waren nicht neu für Anton, aber das hier würde sein erster wehrloser Mann sein, sein erster Mord. Dennoch wußte er, daß er es tun mußte, falls sie entkommen wollten. Sie waren zu Fuß, und es lagen noch viele hundert Kilometer vor ihnen. Grimaldi würde sie unerbittlich verfolgen.

»Vor allem für Denby, unseren Sohn«, rief sie Anton zu. Sie war nicht nah genug, um Lorenzo sehen zu können. Sie sprach jetzt lauter und langsamer.

»Anton, die Jungen würden ohne ihn ausgehungert, zerlumpt und ungebildet sein. Bitte, du kannst nicht…«

»Glaubst du wirklich, es ist ihm um die Jungen gegangen?« erwiderte Anton und drehte sich zu ihr um. Er ließ die Beretta sinken, nicht wegen seiner Söhne, sondern um Gwenn zu behalten. Er durfte nichts tun, was sie ihm nie verzeihen könnte.

Er ging zu Grimaldi und riß ihm Knebel und Augenbinde herunter.

»Habe ich Ihr Ehrenwort, Oberst, daß Sie und Ihre Männer uns nicht verfolgen werden, falls ich Sie am Leben lasse?«

»Sie haben gar nichts.« Grimaldi preßte die Worte leise zwischen den schwarzen Lippen hervor. *»Niente.«* Er blinzelte und schaute zu seinem Gegner empor. Ein wenig Blut lief seine linke Wange hinunter.

Gwenn ließ sich erschöpft auf die Trage zurücksinken. Sie konnte nicht hören, was die beiden Männer beredeten. Das alles war ihr verhaßt. Sie wollte keine weiteren Gewalttaten, und sie fürchtete Antons Zorn, auch wenn sie ihn verstehen konnte. Immerhin wußte sie, daß sich der italienische Sanitäter um Lorenzo kümmern würde, sobald sie aufgebrochen waren.

Anton kniete sich dicht neben den Oberst. Er wollte den Mann töten, und er wog in Gedanken ihrer aller Sicherheit gegen Gwenns Meinung ab, welche Art Mensch ihr Ehemann sein sollte.

»Falls ich Sie noch einmal zu Gesicht bekomme, Grimaldi, werde ich Sie töten«, sagte er ruhig und steckte die Pistole in seine Tasche. »Darauf haben Sie mein Wort als Engländer.«

Enzo wollte in den Staub ausspucken, aber ihm rann lediglich etwas Speichel das Kinn herunter. Mit zitternder Brust lehnte er sich gegen den Felsen zurück und schloß das Auge. Anton schaute ein letztes Mal auf ihn herab.

Dann hoben Anton und Haqim die Trage an und machten sich in Richtung der südlichen Hügel und Seen auf den Weg. Die Rucksäcke und ihre Gewehre trugen sie auf dem Rücken. Anton spürte, daß der Nubier ihn für seine Schwäche verachtete.

»Bist du nicht müde?« fragte Gwenn viele Stunden später. Sie saß am Ufer eines kleinen Flusses gegen einen Baumstamm gelehnt, während Haqim stromabwärts die Gegend erkundete und Anton die Gewehre und die Beretta reinigte. Ein kleines Stück unterhalb von ihnen teilte der Fluß sich in zwei Arme. Früher hatte sie es geliebt, so wie jetzt mit ihm allein zu sein, oder fast allein, aber inzwischen war sie sich nicht mehr so sicher. Es war so viel passiert. Im Moment konnte sie es nicht ertragen, von einem Mann angefaßt zu werden, egal von wem. »Ihr beide habt mich kilometerweit getragen.«

»Ja, ein bißchen erschöpft«, räumte Anton ein und beugte sich zu ihr. »Wir haben knapp zwanzig Kilometer geschafft. Aber es liegt noch eine beträchtliche Strecke vor uns.« Er befürchtete, daß die Italiener bereits hinter ihnen her waren, und er wußte, daß sie alle dafür bezahlen würden, daß er Grimaldi am Leben gelassen hatte.

Sie stand auf. Er wandte seinen Kopf und schaute mit dem Blick eines kleinen Jungen zu ihr empor.

»Ich gehe zurück zu diesem Teich, um mich zu waschen.« Gwenn empfand das dringende Bedürfnis, sich zu säubern. »Ich fühle mich schmutzig.«

»Gwenn«, sagte Anton, »ich muß dich etwas fragen.«

Sie blieb stehen und erstarrte. Sie ahnte die Frage schon.

»Hast du mit ihm geschlafen?«

»Nein«, sagte sie und sah ihn an. Einerseits war sie verärgert, andererseits beinahe erleichtert über die Frage. Sie wollte nicht, daß Anton an ihr zweifelte. Er sollte begreifen, was geschehen war. Ihr wurde klar, daß sie vergessen hatte, wie direkt Anton war.

»Ich war so schwach. Er hat mich gezwungen und mich vergewaltigt, wirklich. Einmal in unserem alten Lager, einmal in ihrem Camp.« Sie war auf beide Männer wütend, verstummte und schaute den an, der vor ihr saß.

»Du wolltest ihn töten, nicht wahr?« fragte sie. Ihre Stimme klang herausfordernd, und sie wußte, daß sie besser nicht davon anfangen sollte.

»Vielleicht. Vermutlich. Ich weiß es wirklich nicht.« Seine Stimme klang kalt. »Würdest du erwarten, daß ich einen verwundeten Leoparden oder eine Hyäne in die Nähe unseres Lagers lasse?«

»Lorenzo ist kein Tier.« Gwenn wußte, daß sie ihn provozierte.

»Du hast mir gerade eben erzählt, er habe dich vergewaltigt. Was ist mit Malcolm? Hast du ihn gefragt, was er Malcolm angetan hat? Schau dir nur an, was du seinem Bombardement zu verdanken hast. Was ist mit dem Gas?«

»Ich spreche von dir, nicht von ihm. Ich möchte nicht, daß du so ein Mensch wirst. Kannst du das denn nicht verstehen? Es gibt gewisse Dinge, die anständige Menschen nun mal nicht tun, wie Gas einzusetzen und Lazarette zu bombardieren. Wie wird die Welt aussehen, falls jeder sich so verhält? Stell dir mal den nächsten Krieg vor!« Sie sah ihn argwöhnisch an, als wollte sie herausfinden, wer er war.

»Sag mir, was du ihm dort hinten angetan hast.«

Anton zögerte. Er war entschlossen, aufrichtig zu sein, aber er wollte sie nicht verlieren.

»Sag es.«

»Ich habe ihm ein Auge ausgestochen, um dein Leben zu retten.«

»Wie ... wie konntest du das tun? Das kannst du doch nicht einfach machen. Damit lädst du auch mir Schuld auf. Verstehst du das denn nicht? Das ist wie der Bombenangriff auf das Lazarett und all die übrigen ...«

»Ich habe es für dich getan, für uns alle – und für Malcolm und die anderen ...«

»Hattest du noch einen Grund dafür, Anton? War da noch etwas anderes?«

»Falls ich es nicht getan hätte, wärst du jetzt nicht frei.«

»Das war es nicht wert«, sagte sie und begriff, wie furchtbar ihre Worte für ihn klingen mußten und daß sie versuchte, ihn zu verletzen. Trotzdem war ihre Zeit mit Lorenzo kein Geheimnis und mußte verarbeitet werden, und zwar sowohl von Anton als auch von ihr selbst. Sie sprach leise weiter.

»Hast du es getan, weil du eifersüchtig warst?«

»Nein.« Er zögerte, um etwas Abstand zu gewinnen. Langsam spürte auch er, worum dieser Streit sich drehte. »Er war unser Feind. Er hätte uns beide getötet, genau wie unsere Freunde. Vielleicht wird er das noch tun. Was glaubst du, wie das für die Jungen wäre?«

»Wenn du ihn für so gefährlich hältst, warum hast du ihn dann nicht getötet?«

»Weil du mich darum gebeten hast.«

Sie wußte, daß er die Wahrheit sagte, und sie wußte auch, was er als seine Schwäche betrachtete.

»Wie hättest du es je über dich bringen können, ihn zu töten, wo du doch wußtest, was er für die Kinder getan hat, während von dir überhaupt nichts kam?«

»Ich habe dir bereits gesagt, daß es ihm nicht um die Jungen gegangen ist.«

»Das ›Warum‹ spielt keine Rolle. Ich war völlig verzweifelt, als wir nach Kairo gekommen sind«, sagte sie. Sie fühlte sich erleichtert, den alten Groll loszuwerden, und empfand diese Offenheit als befreiend. »Ich war allein. Kannst du das denn nicht begreifen?«

»Vielleicht hast du noch einen anderen Grund.«

Gwenn wandte sich ab. Ihre Unterlippe zitterte. »Keinen, den du verstehen würdest.« Sie ging auf den Fluß zu.

»Hast du ihn je geliebt?« rief er hinter ihr her.

Sie fuhr herum und sah ihn an. »Hast du all diese Frauen geliebt, mit denen du zusammengewesen bist?« schrie sie.

»Bin ich je mit einer anderen Frau im gleichen Zelt wie unsere Kinder gewesen?« Er war sicher, daß er sie damit getroffen hatte, und fuhr fort. »Hat er dich jedesmal gezwungen? Oder ging es immer nur ums Geld?«

Gwenn drehte sich um und ging weiter, während sie versuchte, ihren aufgewühlten Körper unter Kontrolle zu behalten. Am Fluß kniete sie sich hin und schöpfte sich kaltes Wasser ins Gesicht. Ihre Hände zitterten. Dann setzte sie sich auf einen Felsen und vergrub das Gesicht in den Händen. Warum machten sie beide es sich so schwer?

Bevor sie ihr Bad nahm, stand Gwenn auf und streckte den verkrampften Rücken. Sie stellte erleichtert fest, daß ihre Schulter weniger steif war und daß die Bewegungen ihr nicht mehr so weh taten. Als sie zurückkam, überraschte es sie nicht, daß Anton so ruhig und distanziert mit ihr sprach, als würde er einem Kunden den Plan für den nächsten Tag mitteilen. Sie wußten beide, daß sie mit all dem aufhören mußten. Es blieb ihnen nichts anderes übrig, als weiterzumachen und sich so gut wie möglich durchzuschlagen.

»Nachdem wir gegessen haben, wird Haqim mir helfen, dich zu der westlichen Gabel dieses Flusses zu tragen«, sagte Anton. »Nach Einbruch der Dunkelheit wird er uns verlassen, hierher zurückkehren, ein Feuer anzünden und dann dem anderen Flußarm bis zum nächsten See folgen, geradewegs in Richtung Kenia. Und er wird darauf achten, Spuren zu hinterlassen. Falls die Italiener uns überhaupt verfolgen, dürften sie sich an seine Fersen heften. Wir beide werden ein ganzes Stück abseits der Strecke sein und an irgendeinem sicheren Ort so lange lagern, bis du mehr Kraft gesammelt hast.«

35

»Ich fürchte, es gibt keine allzu guten Neuigkeiten aus Abessinien zu vermelden«, sagte Adam Penfold und hoffte, seinen Freund damit aus den düsteren Gedanken zu reißen, in die der kleine Mann versunken war. »Wie es aussieht, gelingt es den schwarzen Jungs manchmal, die eine oder andere kleine Einheit abzusondern und zu überwältigen. Aber meistens schlagen die Itaker sie in die Flucht und nehmen eine große Stadt nach der anderen ein. Aksum, Goba und zig weitere. Erst kürzlich haben sie eine heftige Schlacht bei einem Ort namens Makalle gewonnen. Die Afrikaner hatten sich dort gesammelt und sind dann schwer unter Beschuß genommen worden. Maschinengewehre, Kanonen, Panzer und so weiter. Furchtbare Verluste, aber der Kaiser sagt, sie kämpfen weiter. Hier ist ein Photo von ihm, wie er höchstpersönlich an einer Flak steht.« Penfold faltete die *Gazette* und hielt sie hoch, aber Olivio reagierte nicht. Also fuhr er fort.

»Harter kleiner Kerl, dieser Selassie. Sie behaupten, er habe ein italienisches Jagdflugzeug abgeschossen. Keine der beiden Seiten verschwendet ihre Zeit mit Gefangenen. Hier steht, daß Italien leugnet, Gas einzusetzen. Das würden sie auch nicht wagen, glaube ich.«

»Ich bete, daß unsere Freunde nicht mit hineingezogen werden«, sagte der Zwerg geistesabwesend.

Die beiden Männer saßen an Deck eines schäbigen Hausboots. Olivio hatte das Boot gekauft und am alten Liegeplatz des Cataract Cafés vertäut. Auf diese Weise erhielt er den Anspruch auf die Anlegestelle aufrecht, und er verfügte dadurch über ein provisorisches Flaggschiff. Um seinen linken Ärmel trug der kleine Mann eine breite schwarze Binde. Der Zwerg saß auf einem fächerförmigen Rattansessel und verlor sich fast zwischen den zahlreichen Kissen.

Er wirkte älter und müder, als Penfold ihn je gesehen hatte. Auf dem mit Elfenbeinintarsien geschmückten Tisch lag eine lederne Mappe.

Hin und wieder kletterte einer der Taucher in Unterhosen die Strickleiter zum Deck des Boots nach oben. Es waren allesamt Griechen, die man in Suez angeheuert hatte. Tropfnaß, glitschig wie ein Meeraal und mit heftig wogendem Brustkorb stellte ihr Anführer die Gegenstände, die sie aus dem versunkenen Boot geborgen hatten, neben dem Zwerg auf einigen ausgelegten Matten ab. Ein kleiner Alabastersphinx stand neben der Mappe auf dem Tisch. Der Cheftaucher war taub und hatte gelernt, auf die durchdachten Gesten seines Auftraggebers zu reagieren.

»Das Problem ist nur, daß zwar die ganze Welt über diese Invasion spricht, sogar die Yankees, aber niemand tatsächlich etwas unternimmt. Die reden alle nur«, sagte Penfold. »Wir tun wirklich unser Bestes. Wir verstärken die Royal Navy im Mittelmeer, lassen Kriegsschiffe vor Port Said kreuzen, drohen mit Ölsanktionen, fordern eine erneute Sitzung des Völkerbunds...«

»Niemand kümmert sich um den Rauch«, unterbrach ihn der Zwerg, »es sei denn, das eigene Haus steht in Flammen.« Er sah, daß Tariq mit frischem Kaffee über das Deck nahte.

»Exzellenz«, sagte Tariq und verneigte sich vor seinem scharfsinnigen Herrn, der gerade einige Skizzen für ein neues schwimmendes Café an den englischen Lord weiterreichte. »Eine Frage läßt mir keine Ruhe.«

Olivio Alavedo nickte, ohne seinen Diener anzuschauen.

»Warum hat man das Boot verbrannt, wenn doch niemand wußte, daß Ihr dort sein würdet?«

»Um mir Angst einzujagen«, sagte der Zwerg. »Damit ich von meinen Geschäften ablasse«, fügte er hinzu und wußte, daß Lord Penfold ihm jetzt aufmerksam zuhörte. »Damit ich verkaufe, anstatt zu kaufen. Sie haben gedacht, Angst wäre billiger als Geld.«

Tariq lachte nur selten laut, aber jetzt konnte er nicht anders.

»Diese Leute sind auf Angst aus?« sagte er. »Dazu können wir ihnen verhelfen, *Effendi*!«

»Ja. Angst.« Der kleine Mann hob den Kopf und sah den Nubier an. Zum erstenmal seit Cloves Tod entdeckte Tariq das alte Funkeln in dem grauen Auge seines Herrn.

»Bevor du uns Bericht erstattest, Tariq, laßt mich euch noch etwas zeigen«, sagte der Zwerg. Er öffnete die Mappe und legte zwei Porträts nebeneinander auf den Tisch. Er drehte die Bilder so, daß zuerst Lord Penfold, dann Tariq sie betrachten konnten. Eines war *Maître* Aristides Zeichnung des Mörders; das andere, eine verschwommene Photographie, war bei der Trauerfeier für Clove Alavedo aufgenommen worden und zeigte den Chauffeur des Staatssekretärs für Öffentliche Arbeiten. Die beiden Männer sahen sich bemerkenswert ähnlich.

»Beeindruckend«, sagte Penfold. »Dein Franzose hat ihn am besten getroffen, aber das ist auf jeden Fall derselbe Mann, ganz klar.«

»Was hast du herausgefunden, Tariq?« fragte der Zwerg und beugte sich vor, als hätte man soeben eine üppige Mahlzeit vor ihm aufgetragen. »Wer ist dieser schmalgesichtige Mann?«

»Wir kommen der Sache näher, Herr. Dieser Gottlose stammt aus Oberägypten, aus dem Dorf Armant, das so berühmt für seine Auftragsmörder ist wie andere Dörfer für ihr Gemüse oder ihre Handwerker. Dieser Mann ist als der ›Geier‹ bekannt, nach dem glatzköpfigen Aasfresser der Savannen«, erklärte Tariq, der sichtlich stolz auf seine Erkenntnisse war. »Man sagt, er könne gut mit dem Messer umgehen.«

»Wie ist dieser verfluchte Kerl nach Kairo gekommen?« fragte Penfold, der plötzlich ebenfalls sehr an der Jagd interessiert zu sein schien.

»Er ist aus Port Said hierhergeflohen. Dort hatte er im Frachtraum eines Dampfers drei Stauer unter einer Ladung Kohle begraben«, erwiderte Tariq.

»Was du nicht sagst«, entgegnete der Engländer. »Schmutzige Angelegenheit.«

»Ja, *Effendi*. Man hat die Leichen gefunden, als das Schiff in Kapstadt ankam. Die Ratten hatten sie fast vollständig aufgefressen.«

»Es dürfte nicht allzu schwierig sein, den Kerl aufzustöbern, falls er für diesen Staatssekretär Sowieso arbeitet«, sagte Penfold.

»Leider, mein Lord, hat er nur zeitweise als Chauffeur gearbeitet, nämlich an jenem Tag, an dem wir ihn bei der Basilika gesehen haben. Seine Tätigkeit für Musa Bey ist anscheinend eher privater Natur, so daß er nicht allzu häufig offen in Erscheinung tritt«, erklärte Olivio geduldig. »Jetzt erzähl uns, wohin die Fährte führt, Tariq.«

»Wenn seine Zeit es erlaubt, fährt dieser Geier ein altes Taxi, einen gestohlenen Renault, den er sich mit seinem Partner teilt. Die meisten Nächte verbringt er in dem Zimmer zweier junger Prostituierter...«

»Wo befindet sich diese Unterkunft?« unterbrach ihn der Zwerg. Bei dem verlockenden Gedanken, den Mörder während dessen beneidenswerten Vergnügungen überraschen zu können, stockte ihm beinahe der Atem.

Tariq zögerte kurz. Er wollte den Moment auskosten. »Er schläft bei den Kamelen, Herr, bei den toten Kamelen.« Der Nubier tippte sich an die Nase, bevor er fortfuhr.

»Wie man mir berichtet hat, liegt dieses Zimmer in einer Gasse nahe des Schlachthofs *al-Madbah*, Herr. Es heißt, der drückende Geruch der Kamele, der lebenden wie der toten, hänge dort in der Luft wie Staub während eines Sandsturms. Sogar die frischgewaschene Wäsche, die über den Gassen an den Leinen baumelt, riecht nach Kamel.«

Der Arbeitslärm der Schreiner, die unter Deck beschäftigt waren, störte ihre Unterredung.

»Wir müssen diesen Geier finden, bevor er abermals flieht«, sagte der Zwerg. »Es ist an der Zeit, daß ich erneut an der Jagd teilnehme«, fuhr er fort. Er war entschlossen, der Hinrichtung beizuwohnen. »Wo werden wir die Witterung aufnehmen?«

»In der Nähe des Schlachthofs gibt es ein Speiselokal, das Birzani. Mein Onkel, Tawfiq Abd al-Hadi, und die anderen Schlachter sind dort täglich zu Gast. Sie sind wohlhabende Männer und können es sich dort bequem machen.«

»Ja, ja, natürlich«, sagte der Zwerg, als würde er dem zustimmen.

»Gegenüber von diesem Lokal liegt ein Café, in dem die Taxifahrer ihren Tee trinken und Würfel spielen. Nach einer Weile kommt jeder der Fahrer entweder ins Birzani oder in dieses Café auf der anderen Seite des Platzes, denn dort werden gestohlene und gefälschte Lizenzen gehandelt sowie andere Papiere, die sie für ihr Gewerbe benötigen.«

»Morgen gehen wir auf die Jagd«, sagte Olivio fröhlich. »Ich wünschte nur, Mr. Anton wäre hier, um sich uns anzuschließen.«

Früh am nächsten Morgen stiegen die drei Männer aus dem Rover und gingen langsam durch die engen Gassen zum Platz der Schlachthäuser. Der Nubier ging voran, um den Weg freizumachen, nur ein Graben, eine Schlammbarriere oder ein Müllhaufen hinderten seinen kleinen Herrn am Weiterkommen. Dann drehte er sich um, verneigte sich und hob Olivio Alavedo mit sanftem Respekt über die Hürde. Bei jeder dieser Unterbrechungen wartete Penfold geduldig ab, schöpfte etwas Atem und bedauerte den Zustand seines Schuhwerks. Unter der staubigen aufgehängten Wäsche balgten sich Straßenköter, und Kinder rannten barfuß zwischen alten Abfällen, Gräben voller Dreck und engen Hühnerställen umher. Während der Engländer voranschritt, hielt er seinen neuen schwarzen Gehstock in der Hand. An der anderen Hand hielt er den Zwerg.

Im Laufe der Zeit war um den Schlachthof herum ein abhängiges Dorf entstanden, wie ein mittelalterlicher Ort, der sich um eine große Kathedrale ausbreitete. Jetzt war es eine von Kairos vielen Städten in der Stadt. Es war ein Gemeinwesen verschlungener Gassen und schmaler zweigeschossiger Häuser aus bröckelnden roten und grauen Ziegeln. In mancherlei Hinsicht war es ein Viertel wie viele andere auch. Die vorspringenden hölzernen Fenstergitter der oberen Etagen trafen über ihren Köpfen fast zusammen. Die morschen Gebäude schienen sich gegenseitig vor dem Zusammenbruch warnen zu wollen und lehnten über den engen Gassen beinahe aneinander.

Sie kamen an kleinen Kaffeehäusern und Restauranttheken vorbei, aber auch an offenen Marktplätzen, die etwas Erleichterung verschafften. Sandalenmacher, Tabakhändler, Lederverkäufer und Schlachter öffneten ihre Geschäfte, klappten die hölzernen Türläden auf und fegten Schmutz und Abfälle beiseite, während sie sich darauf vorbereiteten, eingekeilt zwischen den schrägen Wänden in den schmalen Werkstätten und Läden ihr Tagwerk zu beginnen. Frauen in langen schwarzen *Malayas* blieben stehen, um miteinander zu plaudern oder zu handeln, spähten sorgfältig unter ihren Kopftüchern hervor, um Stoffballen und Früchte zu mustern, und unterbrachen gelegentlich ihre Gespräche, um den drei Männer hinterherzublicken.

»Das hier ist das Birzani, Herr«, sagte Tariq und breitete die Arme aus, um sie in eine Ecke des Platzes zu dirigieren. An einem wackligen Tisch vor dem offenen Fenstertresen aus gehämmertem Nickel wischte er zwei Holzstühle ab und zog einen davon für Olivio zurück. Hinter dem Tresen stand ein alter Mann mit Filzkappe und bediente seine Gäste auf der Straße.

»Man scheint hier gut zu tun zu haben«, sagte Penfold vergnügt. An einer Ecke des Fensters erschien eine wohlgeformte Frau, die in einen Umhang und ein Kopftuch gehüllt war. Sie zahlte mit einer Münze und nahm mehrere frische heiße *Aysh baladi* entgegen, gefüllt mit gekochten und pürierten dicken Bohnen, vermischt mit Öl, Zitrone, Zwiebeln und Knoblauch.

»Manchmal gibt es morgens eine kurze Pause zwischen den letzten Prostituierten, die nach Hause gehen, und den ersten Schlachtern, die noch vor der Dämmerung mit ihrer Arbeit beginnen«, sagte Tariq. »Aber die Küche im Birzani ist niemals kalt. Diese Frauen dürfen sich natürlich nicht hinsetzen und verweilen oder hineingehen, und ihnen werden auch keine Teller angeboten. Sie müssen ihr Essen am Tresen kaufen, wie Ihr seht.«

»Du darfst dich zu uns setzen, Tariq«, sagte der Zwerg.

Kurz darauf, als die Schlachter aufbrachen, kamen die ersten Karren- und Taxifahrer und rochen nacheinander an den offenen Blechpfannen und *Dammassas.* Jeder dieser Schmortöpfe, die wie Flaschenkürbisse geformt waren, verströmte einen ganz eigenen Duft, wie ein Kognakschwenker oder ein kleiner Flakon. Draußen zuckten kleine graue Esel mit den Nüstern und senkten die Köpfe zu den Haufen des hellgrünen *Birsiim*, das ihre Besitzer in den Rinnstein geschüttet hatten. Die Männer benutzten lange hölzerne Schöpflöffel, um ihre weißen Emailteller am Tresen der offenen Küche zu füllen. Dann streuten sie mit den Fingern Kümmel und gehackte Petersilie auf ihr Essen. Sie bezahlten mit Halbpiastermünzen und lehnten sich drinnen und draußen an die Wände, tranken, aßen und plauderten mit ihren Kameraden, bevor sie wieder zu ihren Taxis und Eselkarren zurückkehrten.

»Ich könnte auch einen Bissen vertragen«, sagte Penfold, der jungenhaft hungrig war. »Was ist das denn da?«

»Ein typisch ägyptisches Gericht, mein Lord«, sagte der Zwerg. Er war voll Feuereifer auf die Jagd konzentriert und rieb sich eines seiner durchbohrten Ohrläppchen, bemühte sich aber dennoch, seinem Freund höflich zu antworten. »*Fuul*, zerdrückte Saubohnen mit Olivenöl, Salz und Zitrone, über Nacht auf kleiner Flamme gekocht und mit ausgepreßtem Knoblauch und Kreuzkümmel gewürzt.«

»Sabâh al-khayr«, sagte der Wirt und servierte seinen drei Gästen kleine Gläser Pfefferminztee.

»Gott segne dich mit einem guten Morgen«, erwiderte Tariq und stellte dem alten Birzani seinen Herrn und Lord Penfold vor.

Penfold sah die kleinen Gläser in der morgendlichen Kälte dampfen. Noch bevor er einen Schluck getrunken hatte, vertrieb ein Windstoß den Duft des Tees und die Gerüche, die aus den verschiedenen Töpfen des Restaurants aufstiegen. Das hohe Steingebäude, in dem die Kamele geschlachtet wurden, sowie die beiden Ziegelhäuser, die der Schlachtung von Rindern und kleineren Tieren vorbehalten waren, lagen fast hundert Meter entfernt. Aber die Brise brachte den drückenden Gestank alter Kadaver und frisch getöteter Tiere mit sich. Der Wüstenwind wehte durch die vergitterten Fenster des großen steinernen Schlachthauses, dann die Ziegeldurchgänge entlang, die von dem Haus wegführten, vorbei an den Ställen und Stapeln neuer Häute, über die hölzernen Plattformen voller Kamelköpfe und die langen Tische, auf denen saftige Lebern, weißhäutiges zähes Fleisch, Innereien, Hufe und Höcker lagen, quer über den Platz bis zum Restaurant.

Mitten auf dem Platz warteten ein paar Kamele. Ihre linken Vorderbeine waren hochgebunden und am Knie gefesselt. Penfold wußte, daß die Tiere in ganzen Herden aus Oberägypten und dem Sudan nach Kairo getrieben wurden. Nur durch die Kamele unterschied sich dieses Viertel von all den anderen, dachte er und sah, daß sein Freund die ungewohnte Umgebung argwöhnisch musterte. In den Wüstenlagern außerhalb von Kairo wurden für gewöhnlich die

Kamele um die Männer geschart. Hier jedoch hatten sich die Leute um die Tiere versammelt, die ihnen zu Diensten standen, sie ernährten und kleideten.

»Warum sind diese armen Kamele alle so markiert?« fragte Penfold und meinte damit die roten Kreidestriche, die sich an den Hälsen, Höckern und Vierteln der Tiere deutlich von dem struppigen gescheckten Fell abhoben. Der Anblick erinnerte ihn daran, wie er selbst aussehen mußte, wenn sein Schneider den Stoff während einer Anprobe mit Kreide kennzeichnete.

»Um die Eigentümer der verschiedenen Stücke festzuhalten«, sagte der Zwerg und dachte an Dr. Hängers Aufzeichnungen über seine körperliche Verfassung.

Penfold nippte an seinem Tee. Er war beeindruckt, wie gut Tariq dieses Abenteuer für seinen Freund vorbereitet hatte. Der Nubier trug an diesem Morgen eine kurze schäbige *Gallabijjah* und die schweren schwarzen Gummistiefel eines Fleischzerteilers aus *al-Madbah.* Neben ihm an der Wand unterhalb des offenen Fenstertresens lehnte sein persönliches *Sakiina.* Das dicke gebogene Messer war so lang und schwer wie ein kurzer Säbel, und es war das Kennzeichen eines jeden Zerteilers.

»Schicker Aufzug, Tariq«, sagte Lord Penfold und schlug die Schuhe aneinander, um den hartnäckigen Dreck der Gassen abzuschütteln.

»Kattar khayrak.« Tariq neigte seinen Kopf.

»Das ist ja ein prächtiges Messer«, fügte Penfold hinzu.

»So ist es Sitte, mein Lord«, erklärte der Zwerg zufrieden und freute sich, das Wissen weiterzugeben, das er selbst sich erst an jenem Morgen angeeignet hatte.

»Die Klinge des Messers wurde nach der letzten Schlachtung nicht gesäubert, aus Furcht, man könnte dadurch heraufbeschwören, daß es keine Kamele mehr zu zerteilen gibt. Die glatte helle Schneide wurde natürlich gründlich von einem dieser quirligen Kameljungen geschärft, die dort drüben gerade mit Steinen nach den Hunden werfen. Sie sind Handlanger, die sich ihr Geld dadurch verdienen, daß sie sich um die Messer, Beile, Haken und Ketten kümmern, wegen derer ganz Nordafrika uns um diesen Schlachthof beneidet. *Al Häwïya* wird er von den Jungs stolz genannt, die ›niedrigste Hölle‹ im Islam.« Der Zwerg war stolz auf seine Kenntnisse und lehnte sich zufrieden auf seinem Stuhl zurück. Das Wissen verlieh ihm ein Gefühl der Kontrolle.

Während sein Herr redete, nickte Tariq respektvoll. Dann ergriff er leise das Wort, als sie einen dunklen massigen Mann in Birzanis Küche treten sahen, um sich dort sein Essen auszusuchen. Der Mann trug eine fleckige Schürze aus Ziegenfell und eine weiße Mütze. In seinem Gürtel steckte ein langstieliges Beil.

»Dieser große Mann ist mein Onkel, Tawfiq Abd al-Hadi«, sagte Tariq. »Hadi ist ein Ausweider. Alle wissen, daß er selbst das größte Kamel in höchstens drei Minuten ausnehmen kann.«

»Was du nicht sagst«, merkte Penfold trocken an.

»Jawohl«, sagte Tariq und berichtete seinem Herrn und dessen Freund eifrig von der Tätigkeit seines Onkels. Die Schürze, sagte er, war die Uniform der dienstälteren Schlachter, die das Zerteilen der wertvollen Fleischstücke überwachten, vornehmlich die Brusthälften und einige kleinere Teile, die den toten Tieren ihren Wert verliehen. Jedes Körperteil der Kamele war von Nutzen, nicht zuletzt die Füße, die körbeweise weggeschleppt wurden, um daraus eine der Lieblingsspeisen Kairos zuzubereiten: Kamelfußsuppe.

Tawfiq Abd al-Hadi stand am Tresen und schlang sein rundes Brot und die Linsen hinunter.

»Dein Onkel ißt mit der linken Hand«, sagte Olivio, dem dieser Verstoß gegen die arabischen Sitten und Gebräuche aufgefallen war.

»Für ihn ist das zulässig«, sagte Tariq. »Er ißt auf diese Weise, weil er drei Finger seiner rechten Hand verloren hat.« Wie sie erfuhren, hatte Hadis eigener Sohn seinem Vater vor einigen Jahren versehentlich die Finger abgetrennt. Der junge Mann hatte einen Kamelrumpf an der Winde hochgezogen, während Hadi seine Hand noch in der Kette hatte, mit der kurzen schlüpfrigen Klinge seines Eingeweidemessers in den Fingern. Die Männer im Schlachthof waren nicht zimperlich, aber einer von ihnen hatte sich übergeben, als er die Finger an Hadis Arm entlangrutschen und in dem tiefen Sumpf aus geronnenem Blut, Kot und Darmresten verschwinden sah, der den Boden des Schlachthauses bedeckte.

Tawfiq Abd al-Hadis Stellung im Schlachthof brachte kaum Anstrengungen mit sich, und auf seinem Tisch fand sich jeden Abend reichlich von dem nach Wild schmeckenden, sehnigen Fleisch, so daß sein Leib mittlerweile die riesige weiße *Gallabijjah* ausfüllte wie die Bohnen einen fest verschnürten Sack Kaffee. Der Verzehr des Fleisches von Höckertieren hatte seinen Körperbau langsam dem der Kamele angeglichen. Sogar sein Rücken war massig, rund und fleischig, als würde ein Höcker quer darüber liegen.

»Scheint ja ein kräftiger Bursche zu sein«, sagte Penfold. »Bin froh, daß er nicht hinter meinem Kamel her ist.«

»Onkel«, sagte Tariq, stand auf und grüßte den Bruder seines Vaters respektvoll, wenngleich er Olivios ausdrücklichen Befehl befolgte, keine Namen zu nennen. »Dies hier sind meine geschätzten Freunde, die nach jenem bösen Mann suchen. Sie haben eine große Belohnung ausgesetzt.«

Tawfiq Abd al-Hadi verneigte sich und wischte die Hände aneinander ab. »Gott schütze Sie ... und Sie«, sagte er und nickte jedem der beiden Fremden zu.

»Auch Ihnen alles Gute, Mr. Hadi«, sagte Lord Penfold und erhob sich lächelnd.

»Diese Belohnung, Onkel, ist höher als ein Lotteriegewinn und bei weitem nicht so ungewiß«, sagte Tariq mit seltenem Eifer. »Ein Mann könnte sich damit eine gut bewässerte Farm im Fajjum kaufen, eine erlesene junge Frau oder sogar ein neues Automobil.«

»Gott ist groß!« sagte Hadi. »Darf ich deine Freunde auf der anderen Seite des Platzes zu einem Kaffee und etwas Gebäck einladen?«

Die vier Männer gingen quer über den Platz zu dem niedrigen offenen Kaffeehaus, das etwas tiefer als der Rest der Straße lag. Hadi suchte ihnen im Innenraum einen guten Platz, einen Ecktisch, und bestellte für sie alle. Dicht neben ihnen saßen Männer auf niedrigen dreibeinigen Hockern, rauchten Wasserpfeife und unterhielten sich, während sie langsam an Kaffee und bunten Fruchtsäften nippten oder aus schlanken halbvollen Gläsern Lakritzsaft tranken.

»Ich habe gehört«, sagte Hadi, nachdem sie ihre Bestellung erhalten hatten, »daß der Auftraggeber des Mannes, den Sie suchen, ein wohlhabender und einflußreicher Würdenträger ist.«

»Es gibt viele wohlhabende Männer in Kairo«, erwiderte der Zwerg und sah, wie Penfold sich das Revers mit zwei Tropfen Zuckersirup bekleckerte, als er in sein *Baklawa* biß. »Und viele Arten von Einfluß.«

»Es heißt, dieser Mann sei ein Pascha in der Regierung und sein Arm reiche so weit, wie der Nil fließt.« Hadis Glas verschwand in seiner riesigen Faust. »Jedes Jahr zu seinem Geburtstag lädt dieser Pascha seine Untergebenen und Bediensteten zu einem Festmahl mit ausgesuchtem Kamelfleisch ein, das von unserem Schlachthof geliefert wird. Bald ist es wieder soweit.«

Als würde er nichts von all dem mitbekommen, pickte Penfold die Rosinen aus einem Gebäckstück, wobei seine gestreifte Krawatte so lange über die Servierplatte wischte, bis ihr Ende ganz mit gemahlenem Zimt und fein zerkleinerten Nüssen bestäubt war.

»Wir werden das Entgegenkommen unserer Freunde nicht vergessen«, sagte der Zwerg mit verheißungsvoller Stimme und schaute Hadi tief in die Augen, »und zwar genauso wenig, wie wir die Verbrechen unserer Feinde vergessen haben.« Er stand auf und stützte sich dabei auf Tariqs Arm.

Bei diesen Worten mußte Tariq an Miss Clove denken, wie sie sich lachend vom Rücksitz des Daimler zu ihm nach vorn beugte, um mit ihm zu plaudern.

»Vielen Dank für Ihre Großzügigkeit«, sagte der Zwerg freundlich zu Hadi. »Ich vertraue darauf, daß Ihr Neffe den Mann finden wird, den wir suchen.«

In diesem Jahr, beschloß Tariq, dürfte es Allah und auch einigen anderen Leuten dienlich sein, dem Haushalt des Staatssekretärs anläßlich seines Geburtstags ein anderes Gericht zu liefern als das Fleisch der Wüste, wenngleich eines, das in ähnlicher Weise zubereitet war.

»Du hast nach mir gesucht, schwarzer Mann.« Die Stimme sprach in dem italienisch gefärbten Arabisch, wie es in Port Said üblich war.

Tariq war in seinen Gummistiefeln durch den kotverschmierten Durchgang gestapft. Jetzt wandte er sich langsam nach rechts, um einen Blick auf den unsichtbaren Feind zu werfen. Das war kein schlechter Moment. Sein Herr befand sich in Sicherheit. Der Zwerg und der Engländer waren vor dem glitschigen Boden zurückgeschreckt und am Anfang des Korridors stehengeblieben.

Im trüben Licht des frühen Morgens konnte Tariq in den Schatten des Tierpferchs, in dem der Sprecher wartete, nicht allzuviel erkennen. Der Nubier griff noch nicht nach dem langen Kamelmesser, das an seinem Gürtel hing. Er wußte, daß seine Cousins und die anderen Schlachter ihm bald durch die dreckige Ziegelgasse folgen würden, die zu dem Schlachthaus führte. Es mußte ihm nur gelingen, die Angelegenheit ein bißchen hinauszuzögern. Er drehte sich um und hörte, daß sich in den Ställen zu beiden Seiten mehrere Männer bewegten.

»Bist du das, Geier?« Tariq machte zwei Schritte in den Pferch. Er war entschlossen, den Mann in seiner eigenen Falle festzuhalten. Er dachte an das Feuer auf dem Boot, an seine Verbrennungen und an Miss Clove, und er spürte die Wut wie glühendes Metall in seinen Adern lodern. »Bist du das, du Kindermörder?«

»Kinder, Hunde, unreine Nubier, was immer Gott wünscht.« Am anderen Ende des Stalls trat eine schlanke Gestalt in einer schwarzen *Gallabijjah* aus dem Schatten unter dem rissigen Bohlendach und kam auf Tariq zu. Der Mann hielt ein Stück Papier in beiden Händen. Die Stimme klang jetzt verärgert. »Kennst du dieses Bild?«

Tariq erkannte eine der Zeichnungen des Franzosen, die er auf den Märkten und in den Gassen von Kairo verteilt hatte. Der Mann hielt das Porträt direkt unter sein eigenes Kinn. Die großen schwarzen Augen funkelten wütend aus dem gleichen schmalen, zerfurchten Gesicht. Die gleiche Einbuchtung verlief quer über den rasierten Schädel.

»Kennst du dieses Bild?« schrie der Mann riß das Papier entzwei.

Tariq antwortete nicht. Er hatte seine Aufgabe erfüllt.

»Du hast mich vom Jäger zum Gejagten gemacht!«

Tariq hörte eilige Schritte. Er drehte sich nach links und sah sich drei Angreifern gegenüber. Sofort warf er seinen Rücken gegen die grobe rote Ziegelwand, zog das *Sakiina* und hieb damit zu. Das lange Messer schlitzte einem der Männer den Bauch auf und traf den Arm eines anderen.

Tariq schwang das triefende Messer vor sich her und hielt sich die überlebenden Angreifer damit vom Leib. Er fühlte sich gut, war erregt. Wenn doch nur sein älterer Bruder Haqim jetzt neben ihm sein könnte, dann wäre alles perfekt. Hinter sich an der Wand hörte er eine Bewegung. Er warf einen Blick nach oben.

Eine finstere Gestalt hockte wie ein Affe in der Dunkelheit über ihm. Der Mann ließ die Arme sinken und schmetterte Tariq genau hinter dem Ohr einen Ziegelstein an den Kopf.

Tariq wachte auf, als er einen furchtbaren Schmerz zwischen den Beinen verspürte. Er öffnete die Augen und sah, wie der Stiefel eines Mannes ihn in den Schritt trat. Der Nubier schrie zweimal und hoffte verzweifelt, daß jemand ihn hören würde. Er hatte keine Ahnung, wo er sich befand. Der Geier trat abermals zu, und Tariq schrie von neuem. Dann beugte der Mörder sich hinunter und hob das dreckige zerrissene Porträt vom Boden. Er knüllte es zusammen und stopfte es Tariq in den Mund.

Sie waren in einer Schmiedewerkstatt, deren Wände aus den gleichen Lehmziegeln bestanden wie die Pferche des Schlachthofs. Ein dicker hellhäutiger Mann mit einer Lederschürze saß auf einem Hocker neben einem Holzkohlenfeuer, in dem seine Werkzeuge glühten. Mit einem sandalenbeschuhten Fuß betätigte er einen riesigen ledernen Blasebalg.

Der Angreifer, dessen Arm Tariq aufgeschlitzt hatte, war mit schmerzverzerrtem und schweißbedecktem Gesicht damit beschäftigt, seine Verletzung mit einem Stück Stoff zu verbinden, das er sich vom Saum seines eigenen Gewandes abgerissen hatte. An einer Wand lehnten drei weitere Männer.

Tariq saß mit ausgestreckten Beinen auf dem Boden. Seine Arme waren an einen Pfosten in der Mitte des Raums gefesselt. Er roch die blutigen Abfälle des Schlachthauses. Sie konnten nicht weit gekommen sein. Er erinnerte sich daran, daß er mehrere Schmiede gesehen hatte. Sie arbeiteten im allgemeinen für die Treiber, die Kairos Schlachthof mit den Kamelherden belieferten.

»Jetzt wirst du uns erzählen, wo dieser ungläubige Winzling, dem du dienst, sich an jedem Abend und jedem Tag dieser Woche aufhalten wird«, sagte der Geier und nickte dem Verletzten zu. »Aber ich weiß, daß wir dich zuerst lehren müssen, aufrichtig zu sein. Wie ich sehe, sind deine Brandwunden fast verheilt. Vielleicht können wir etwas daran ändern.«

Tariq erwiderte nichts. Das Papier steckte tief in seinem Mund.

Der verwundete Mann ging zum Feuer. Eine Seite seines Gewandes war dunkel vom Blut. Mit seinen kurzen dicken Fingern berührte er die Griffe von ein oder zwei Werkzeugen und entschied sich dann für eine schwere Zange. Die breiten Backen des Instruments leuchteten rotgolden, als er es aus der Glut nahm. Der Mann drehte sich zu Tariq um. Sein Mund stand offen, und seine zusammengewachsenen Augenbrauen zuckten erwartungsvoll.

Als der Mann das glühende Werkzeug vor dem Gesicht des Nubiers hin und her schwenkte, trat Angst an die Stelle von Tariqs Wut.

»Zunächst werden wir dir ein Mal verpassen, wie ich selbst eines trage. Dann wirst auch du für deine Feinde leicht zu finden sein.« Der Geier strich sich über die ungleichmäßige Einbuchtung in seiner kahlen Kopfhaut. »Laß dir Zeit, Rashid. Führe sie im Bogen zu seinem rechten Auge, ungefähr so.«

Tariq spürte die Hitze der Zange, als Rashid sie über seinen Kopf schwang. Die Bewegung wirkte unbeholfen, weil der linke Arm des Mannes geschwächt war.

»Sei vorsichtig!« wies der Geier ihn lautstark an. »Falls du einen Fehler begehst, mußt du noch einmal von vorn anfangen.«

»Dieses Sudanesenschwein hat mich verwundet.« Rashid drehte sich zu dem Geier um und senkte das Werkzeug. »Darf ich ihm das zuerst heimzahlen?«

»Ja, aber mach nicht zuviel.«

Rashid packte mit den glühenden Backen der Zange Tariqs linkes Ohr.

Tariqs Körper bäumte sich auf und stemmte sich gegen den Pfosten. Er roch sein verbranntes Fleisch, noch bevor der Schmerz ihn durchfuhr. Das nasse Stück Papier flog aus seinem Mund, und seine Schreie hallten durch die Luft des frühen Morgens.

»Al-Hadi!« rief er zwischen seinen Schmerzenslauten. Als er die Augen aufschlug, sah er, wie Rashid zurücktrat. Der Mann wirkte zugleich erschrocken und erheitert. Ein kleines Stück von Tariqs Fleisch hing noch immer rauchend zwischen den Backen der Zange.

Rashid hob die Augenbrauen, wies mit dem Werkzeug auf Tariqs rechtes Ohr und sah den Geier fragend an.

»Später.« Der Geier hockte sich neben Tariq und sprach mit leiser, zufriedener Stimme zu ihm. »Jetzt sag mir, wo dein Herr sich an jedem Tag aufhalten wird. Ich habe etwas mit ihm vor.«

In diesem Moment gab es am Eingang einen kurzen Tumult.

Tariq wandte den Kopf und sah Lord Penfold in den primitiven Raum stolpern, so daß der Engländer sich mit seinem Gehstock abstützen mußte. Ein Ägypter hatte ihn von hinten gestoßen. Danach folgte noch ein Mann, der fast so groß und dunkelhäutig wie der Nubier war. Er trug eine zappelnde Gestalt wie ein lästiges Bündel unter dem rechten Arm: Olivio Alavedo. Der kleine Mann trat und schlug um sich, ohne jedoch etwas ausrichten zu können. Er gab keinen Laut von sich, aber sein Gesicht war dunkelrot angelaufen.

»Jetzt brauchen wir dieses schwarze Schwein nicht mehr zu befragen«, rief der Geier. »Du darfst ihn bald töten, Rashid!« sagte er und ging auf den Zwerg zu.

Der Geier nahm Olivio an seiner Schärpe und am Kragen und warf ihn grob auf einen Haufen Holzkohle.

»Aufhören!« rief Lord Penfold und versuchte zu seinem Freund zu gelangen. Er wurde brutal gegen die Ziegelwand zurückgestoßen.

»Da ist etwas unter seiner Kleidung«, sagte der Geier und streckte einen Arm nach dem Zwerg aus, während Olivio mühsam versuchte, sich aus der rutschenden Holzkohle zu befreien.

Der Geier packte den Kragen des kleinen Mannes und riß dessen *Gallabijjah* auf, bis sie wie ein schäbiger Rock um seine Taille hing.

Olivio stürzte mit dem Gesicht voran in die Kohle. Dann stand er auf. Der kleine geschwärzte Körper des Zwergs, teilweise verhüllt durch das schmachvolle Geschirr aus Metall und Leder, das seinen Rücken stützte, zitterte vor Wut. Sein runder Kopf war blutrot. Mit geballten Fäusten sah der Zwerg im grellen Licht des Schmiedefeuers seinen Feinden entgegen.

Penfold stand im Schatten an einer der Wände. Er und Olivio

tauschten einen Blick aus. Dann ließ der Engländer die Klinge aus dem Stock gleiten.

»Schnapp dir den Winzling, Abbud«, wies der Geier einen seiner Männer an. »Und bring ihn zum Feuer. Mal sehen, ob er genausoviel Spaß an den Flammen hat wie seine Tochter.«

Der Schmied pumpte mit dem Blasebalg, und Abbud wollte den Befehl ausführen.

Als er nach dem Zwerg griff, warf Olivio ihm eine Handvoll Kohlenstaub ins Gesicht.

»Meine Augen!« rief Abbud und zuckte vor dem Zwerg zurück. Im selben Moment machte Penfold einen überraschend flinken Ausfall. Er stand seitlich wie ein Fechter, das rechte Knie so weit wie möglich gebeugt, sein schlimmes Bein ausgestreckt hinter sich, den linken Arm gerade nach hinten gereckt. Mit seinem Schwertarm stach er Abbud.

Der Geier sprang vor und schlug Penfold einen hölzernen Hocker über die Schultern, während die Spitze der Klinge aus Abbuds Rükken austrat. Penfold brach bewußtlos zusammen. Im Fallen riß er die kurze Waffe aus Abbuds Körper. Dann öffnete sich sein Griff.

Der Zwerg bückte sich nach der Waffe, während der Schmied auf ihn zueilte und Rashid die Zange an Tariqs Gesicht hob.

Aus der Gasse vor dem türlosen Eingang ertönte plötzlich der Lärm einer gewaltsamen Auseinandersetzung.

Die riesige Gestalt von Tawfiq Abd al-Hadi füllte den Durchgang aus. Er hatte sich ein weißes Stück Stoff um seine übliche Kappe geschlungen, so daß er jetzt einen großen Turban trug. Darunter drohte seine schwarze Miene. Mit dem Beil in der Hand schritt der nubische Kamelschlachter zu dem nächstbesten Mann. Eine Gruppe Ausweider, Häuter, Innereienpacker, Messerjungen und Ausbeiner, allesamt seine Kameraden aus dem Schlachthaus, strömte hinter ihm herein. Jeder der Männer hielt sein Arbeitswerkzeug in der Hand.

Einen Moment lang sahen sich Rashid und Hadi neben dem Blasebalg schweigend an, während sie beide erkannten, was der andere gerade vorhatte.

»Willkommen in *al-Madbah*«, sagte Hadi mit versteinerter Stimme. »Aber es ist reichlich dumm von dir, meinen Neffen und meine Freunde zu mißhandeln.«

Rashid schwang die rauchende Zange herum. Ihr glühender Kopf spiegelte sich in den Augen des massigen Nubiers. Aber sie traf ihn nicht.

Hadi war nach vierzig Jahren geschickt im Umgang mit einer schweren Klinge. Er parierte die Zange und schwang das Beil, als würde er ein Kamel zerteilen. Mit einem einzigen Schlag trennte er Rashids unverwundeten rechten Arm an der Schulter ab. Rashids linke Hand ließ die Zange los. Hadi holte noch einmal aus, und auch der andere Arm fiel zu Boden.

Tariqs Peiniger stürzte ihm quer über die Beine. Fontänen von Blut sprudelten aus den offenen Schultern.

Hadis Kameraden waren nicht untätig. Der Schmied wurde in sein eigenes Feuer geworfen. Der glühende Schürhaken steckte in seinem Bauch. Er hatte den Kodex des größten Schlachthofs von Ägypten vergessen: Das Schlachthaus beherrschte die abhängige Welt dort draußen, nicht umgekehrt. Ein weiterer Mann kniete stöhnend und würgend mit dem Gesicht am Boden, die Hände vor dem offenen Bauch verschränkt.

»Laßt diesen dort am Leben!« brüllte Hadi, damit sich kein junger Kamerad voreilig an dem Geier vergriff.

Olivio hatte sich in einen schmutzigen Umhang gewickelt. Sein Gesicht und seine Hände waren schwarz. Aufrecht und stolz wie ein römischer Senator stand er mit Penfold am Eingang und schrieb sich die Namen der Männer auf, die sie gerettet hatten.

»Lord Penfold und ich werden im Wagen warten«, sagte der Zwerg zu Tariq. »Bring dies auf deine Weise zu Ende, Tariq. Ich glaube, daß Lord Penfold und ich für heute genug Blut gesehen haben. Außerdem weiß ich, daß du ganz in meinem Sinne handeln wirst. Und denk an deinen Bruder.«

Olivio wischte mit seinem zerrissenen Gewand das Blut und den Schmutz von Lord Penfolds Klinge. Dann reichte er seinem Freund die Waffe mit einer kleinen Verbeugung zurück.

»Sie haben mir abermals das Leben gerettet«, sagte der Zwerg respektvoll. »Eure Lordschaft ficht wie Douglas Fairbanks.«

Der Zwerg und Penfold brachen mit einer Eskorte von drei Männern zu ihrem Wagen auf. Tariq schaute ihnen hinterher und erinnerte sich daran, wie sein Herr voller Güte seinen Einfluß geltend gemacht und erst Haqims Freiheit, später dann seine Flucht und die Anstellung in der Fremde bewirkt hatte.

»Der Geier wird dies nicht mehr brauchen, mein Lord«, sagte Olivio und blieb stehen. Er gab seinem Freund die goldene englische Uhr zurück, die Tariq dem Mörder abgenommen hatte. Erschöpft zog Penfold die Taschenuhr mit zitternden Fingern auf und hielt sie an sein Ohr. Es betrübte ihn, daß er kein Ticken hörte.

»Na ja, ich war sowieso noch nie besonders pünktlich«, sagte der alte Engländer und stützte sich auf seinen Gehstock, während er seine Schuhe an den zerrissenen Hosenaufschlägen abwischte.

Hinter sich hörte er, wie Hadi seinen Kameraden mit lauter Stimme etwas zurief: *»Al Häwïya!«* Dann führte Hadi seine Gruppe zum Schlachthaus. Tariq und der Geier gingen in ihrer Mitte.

Der Geruch des Schlachthofs stieg mit den ersten Sonnenstrahlen empor. Das Licht drang durch die Fenster, die sich ein gutes Stück unterhalb der Decke mit den hohen steinernen Pfeilern des Gebäudes abwechselten. Durch die Öffnungen in den Wänden hallte der Ruf eines Muezzins herein.

Überall an der Decke waren Stahlstangen befestigt. An ihnen hingen quietschende Metallrollen, über die wiederum die feuchten Ketten liefen, in denen sich jetzt das helle Morgenlicht glitzernd brach. Zehn Meter darunter gingen Männer und Jungen, die knöcheltief in Blut und Innereien standen, ihren morgendlichen Pflichten nach und taten so, als bemerkten sie nichts von der ungewöhnlichen Feinarbeit, die in einer der Ecken des riesigen Raums verrichtet wurde.

Tariq, der hier nur ein Laie war, saß auf einem Faß und schaute zu. Sein verletzter Kopf war mit einem feuchten Stück Stoff verbunden. Mit schmerzendem Schädel sah er, wie die Leute seines Onkels ihre Werkzeuge schärften, bevor sie sich daranmachten, ihre Arbeit zu vollenden. Wenn diese Prozedur vorbei war, würde sein großzügiger Herr ihn vielleicht von dem deutschen Arzt behandeln lassen.

Kamel auf Kamel wurde an massiven Haken unterhalb der Rippen mit Ketten emporgezogen und in kürzester Zeit gespreizt, ausgeweidet, gehäutet und geviertelt. Nur den Köpfen und dem oberen Teil des Halses wurde nicht die Haut abgezogen. Sogar die kurzen geschwungenen Schwänze wurden gehäutet, bis die vollständigen hängenden Kadaver nur noch von einer geisterhaft weißen, enganliegenden Membrane umschlossen wurden. Lediglich hier und da waren noch einige helle rote Flecke zu sehen. Die prallen Magensäcke, deren gerippte Form an ein großes Kissen erinnerte, wurden komplett entfernt. Die Füße und Köpfe wurden auf einer Seite der Halle gesammelt.

Ein einziges lebendes Kamel stand reglos vor Schreck in einer anderen Ecke und wartete darauf, an die Reihe zu kommen. Seine Flanken und Bruststücke waren mit der Kreide der Käufer markiert. Das Tier atmete kaum und schaute mit starrem Blick dabei zu, wie seine Wüstenbrüder zerteilt wurden.

Heute würde noch ein anderes Geschöpf diesem althergebrachten Verfahren unterzogen werden.

Der Geier hing kopfüber an zwei Ketten, die seine beiden Knöchel in entgegengesetzte Richtungen auseinanderzogen. Er wirkte viel zu klein für die Werkzeuge, die sich bald mit ihm befassen würden. Seine Handgelenke waren gefesselt. Er krümmte sich zusammen, um seinen Oberkörper anzuheben, weil er direkt über dem besudelten Boden keine Luft bekam. Sein glattrasierter, verbeulter Kopf war mit Kamelabfall beschmiert. Er versuchte, mit den Händen eine halbrunde Vertiefung vor Mund und Nase freizuräumen, aber die braune dickflüssige Masse und die verwesenden Organstücke flossen jedesmal wieder zurück.

Als der Geier bemerkte, daß ein Junge mit entschlossenen Schritten auf ihn zuwatete, bemühte er sich, die Abfallstückchen aus seinen Augen wegzublinzeln. Unter dem Kinn des Jungen war ein langes braunes Kopftuch verknotet, dessen eines Ende vor seiner Brust schwang. Er beugte sich vor und zog mit beiden Händen einen großen blutigen Haken heran. Die Kette des Hakens ließ die Deckenrolle schwirren. Hinter dem Jungen kam ein Häuter auf den Geier zu und blieb alle paar Schritte stehen, um seine Klinge an einem Lederriemen zu schärfen, der an seiner Taille hing.

Noch bevor der Muezzin die nächsten beiden Male zum Gebet gerufen hatte, würde Tariq höchstpersönlich das frische Fleisch an die Villa Musa Bey Halaibs ausliefern, das im Haushalt des Staatssekretärs für das jährliche Geburtstagsfestmahl benötigt wurde.

Dies war genau die Art von Veranstaltung, die das Ministerium für Öffentliche Arbeiten gut beherrschte. Feierliche Eröffnungen wurden besser besucht als die Polospiele im Gesira Club oder die Oper. Olivio fragte sich, ob das in Ägypten schon immer so gewesen war. Als Imhotep vor viereinhalbtausend Jahren die Stufenpyramide von Sakkara enthüllte, hatten da Priester, gefangene Löwen, herumtollende Zwerge und Akrobaten, Nubier und Giraffen aus den entlegenen Provinzen des Reiches der ganzen Zeremonie einen würdigen Rahmen verliehen? Wurden der Große Sphinx und die Tempel von Abu Simbel mit dem gleichen dramatischen Schauspiel vorgestellt wie der Suezkanal und der Assuan-Staudamm? Waren auch dies Szenen aus dem endlosen Theater des Nil gewesen?

Auch heute lag die Magie im Wasser begründet. Dieser wichtige neue Kanal würde die Fruchtbarkeit des Deltas in eine neue Ecke der Westlichen Wüste bringen. Mittels der vier Tore im Damm würde man die weitere Verteilung des Wassers gestatten und regeln, das inzwischen überreichlich aus Oberägypten heranströmte.

»Wirklich prächtig«, sagte Adam Penfold zu dem Zwerg. Auch die beiden Männer sahen prächtig aus in ihren gestreiften Hosen und Cutaways. »Denk doch nur mal daran, was das für die Fischer und all die armen Bauerndörfer bedeuten wird«, sagte er nachdenklich. »Und ich schätze, ein paar Steuern für die Regierung sowie einige neue Luxusgüter für den Palast dürften vermutlich auch dabei abfallen. Ach, was soll's ...«

»Für uns, mein Lord«, warf Olivio eilig ein, dem dieser andere Gedankengang mißfiel, »dürfte es ein Ende der Schulden und des Risikos bedeuten.« Zudem vielleicht eine kleine Belohnung für ihn selbst, dachte er, sowie eine Mitgift für seine Töchter und das Leben eines Gentlemans für seine Lordschaft. »Außerdem müssen wir auch an Miss Gwenn und Mr. Anton denken und an ihre Zukunft.« Er erinnerte sich daran, daß genau diese Wassermassen ihre Quelle in Abessinien hatten, und er wünschte, seine abwesenden Freunde wären hier, um diesen bewegenden Augenblick mit ihm zu teilen.

Prinz Faruk konnte nicht kommen. Man flüsterte, er sei auf dem Heimweg aufgehalten worden, und zwar in Antibes von einer frühreifen Kindertänzerin, die zu den Ballets Russes de Monte Carlo gehörte. Aber die Minister seines Vaters waren hier. Sie saßen plaudernd und hofhaltend auf der hölzernen Bühne, die den Damm krönte. Sie verneigten ihre Tarbusche und Homburgs vor den Botschaftern jener Nationen, deren Ingenieure oder Firmen bei dem Projekt eine Rolle gespielt hatten – oder gern gespielt hätten. Ferner grüßten sie den Gouverneur der Provinz, dessen Lehen hiermit erweitert wurde, sowie die Bürgermeister und großen Kaufleute aus dem Delta und darüber hinaus sogar ein paar Grundbesitzer, große und kleine. Ein grünweißgestreifter Baldachin überdachte die Plattform und schützte die Würdenträger vor dem Sonnenlicht.

»Wer sind denn die da drüben?« fragte Penfold und meinte damit einen mit Seilen abgesperrten Bereich neben der Bühne, in dem sich eine große Gruppe *Fellahin* drängte. »Vermutlich einfache Farmer oder die armen Teufel, die die ganze Arbeit gemacht haben, schätze ich.«

»Natürlich«, sagte der Zwerg und war der Ansicht, daß diese Leute sich glücklich schätzen konnten, überhaupt zugelassen zu werden. »Arbeiter, die bei dem Projekt beschäftigt gewesen sind, und Untergebene der Eigentümer der neuen Grundstücke.«

Zwischen den *Fellahin* und der Haupttribüne stand eine Kette aus Männern der Sonderpolizei. Die Offiziere waren Ägypter, aber ihre Waffen und Khakiuniformen stammten von der britischen Kolonialmacht, ebenso die schimmernden Lederstiefel und -gürtel. Olivio musterte sie sorgfältig, aber sein Widersacher Hauptmann Thabet, der inzwischen zum Leutnant degradiert worden war, befand sich nicht darunter.

Auf der anderen Seite der Plattform spielte das Regimentsorchester der Scots Guards »The British Grenadier«, und erinnerte die Anwesenden daran, daß Ägypten zwar nicht länger von Großbritannien besetzt war, aber nach wie vor unter dem Schutz jener fernen Insel stand. »From Hector and Lysander, and such great men as these«, sang der Zwerg leise mit, während er das akribisch genaue Protokoll der Sitzordnung prüfte und Penfold den Takt des ergreifenden königlichen Marsches mit seinem Gehstock klopfte.

Der Damm am Anfang des Kanals war zu beiden Seiten im felsigen Boden der Wüste verankert. Er stellte eine kleine Ausgabe der fast anderthalb Kilometer breiten, großen Talsperre dar, die seit fünfundvierzig Jahren den Lauf des Nils kontrollierte. Steinerne Pfeiler erhoben sich aus dem Wasser und trennten und umrahmten ein jedes der vier senkrechten eisernen Schleusentore. Die Pfeiler waren durch Bögen miteinander verbunden. Auf diesen wiederum verlief eine breite Straße, die Raum genug für einen gepflasterten Fußweg und eine Fahrbahn für den öffentlichen Verkehr bot. Außerdem befand sich dort ein erhöhter schmaler Schienenstrang. Auf diesen Schienen fuhr ein kleiner Tiefladewaggon, mit dessen zwei Winden die schwarzen Tore gesenkt und gehoben wurden, die den Fluß von dem Kanal trennten. An jedem Ende des Damms erhob sich ein festungsgleiches Bauwerk mit zinnengekrönten Brustwehren und zweigeschossigen schmalen Türmen. Die größere der beiden Burgen enthielt den Mechanismus und die Gegengewichte, mit denen die Drehbrücke betätigt werden konnte, um jenen Schiffen Platz zu machen, die so groß waren, daß sie nicht unter den Bögen hindurchfahren konnten.

An diesem Morgen flatterten der grüne Halbmond und die Sterne Ägyptens an jedem Turm und Pier, auf den Nilkreuzern und auf den Feluken, die man stromaufwärts entlang der Ufer an den Dattelpalmen vertäut hatte. Hinter den Palmen funkelten Reisfelder wie smaragdgrüne Ebenen. Ein schwacher Wind pfiff stetig durch das Zukkerrohr, das sich hinter dem niedrig bewässerten Reis wie eine gelbgoldene Wand erhob.

»Ist das da drüben nicht dein kostbarer Franzose?« fragte Penfold und schaute zu dem hohen Ufer, wo ein Ende des Kanaldamms in den Felsen überging. *Maître* Aristide saß auf einem Klappstuhl unter den gelben Blüten eines Goldregenbaums. Vor ihm stand seine Staffelei, und zwischen seinen Zähnen steckte ein Pinsel. Barfüßige Kinder scharrten wie Hühner neben ihm im Staub und sammelten die langen, schwarzen wurstförmigen Schoten ein, die über Nacht von dem Baum heruntergefallen waren. Eine alte Frau, deren Kopf von einer *Tarha* bedeckt wurde, saß in der Nähe auf dem Boden. Zwischen ihren Füßen stand ein Korb, und sie wartete darauf, daß die Kinder ihn mit den samentragenden Früchten füllen würden, aus denen sich ein Abführmittel herstellen ließ.

»Ja, das ist er, mein Lord«, sagte Olivio. Der Künstler hielt diesen dramatischen Augenblick im Bild fest, mit Olivio Fonseca Alavedo als markantem Mittelpunkt. Der Zwerg hoffte inständig, daß Penfold ihm diese Schwäche nicht als übertriebene Eitelkeit auslegen würde.

Baumwollene Fahnen säumten den Rand der hölzernen Plattform, die sich über den vier neuen Toren erhob. An jeder Ecke des Podests trafen die Flaggen Englands, Frankreichs und Ägyptens zusammen, als Anerkennung der Ingenieure und Banken, mit deren Hilfe das Bauwerk errichtet worden war.

Der Fluß brandete an die neuen Eisentore. Der Staatsekretär für Öffentliche Arbeiten würde höchstpersönlich eine der Winden betätigen und dadurch das erste Tor heben. Der Minister war zu alt und gebrechlich für diese Männerarbeit. Er hatte statt dessen eine Ansprache vorbereitet und drückte in kaum hörbarem Flüsterton den Dank ganz Ägyptens an Gott sowie an die *Banque de Suez et Indo-Chine* aus. Der Minister lehnte es ab, sich helfen zu lassen, und schlurfte allein zu seinem Stuhl zurück. Sein langer schwarzer *Stambouline*, der kragenlose Gehrock, war allen eine Mahnung an die Würde der Osmanen.

Zwei schwere schwarze Ketten, geschmiedet in Glasgow, hoben sich wie dunkle Seeschlangen aus dem Wasser. Die unteren Enden der Ketten waren an den beiden massiven Haken befestigt, die oben auf der senkrechten Platte saßen, aus der das Schleusentor bestand. Die anderen Enden der Ketten waren um die Trommeln der beiden Winden auf dem Wagen gewickelt, der sich jetzt oberhalb des Tors befand. Jedes der schwarzen eisernen Schleusentore war ungefähr zweieinhalb Meter hoch und fünfeinhalb Meter breit.

Musa Bey Halaib ging unter beifälligem Gemurmel der sitzenden Würdenträger stolz am vorderen Rand der Plattform entlang zu den Stufen, über die er nach unten zu dem Schienenwagen gelangen würde. In seinem Knopfloch steckte eine rote Nelke. Olivio sah, wie Musa Bey Halaib stehenblieb und seinen Cousin und Komplizen begrüßte, Abd al-Azim Pascha, den Königlichen Schatzmeister. Als er an Olivio vorbeikam, grüßte der Staatssekretär seinen Freund mit einen wohlwollenden Lächeln.

Der Zwerg nickte. Sein graues Auge blieb ausdruckslos. Tariq stand hinter dem Stuhl seines Herrn am Rand der Plattform.

Der Bey ließ sich von den Ereignissen an seinem Geburtstag nichts anmerken. Ihm war erst verspätet mitgeteilt worden, was für ein ungewöhnliches Fleisch auf seinem Teller gelegen hatte. Da er den Geier offenbar für unverdaulich hielt, hatte er sich in seiner Villa quer über den Bankettisch erbrochen.

»Schade, daß deine Kina nicht mitkommen konnte«, sagte Penfold zu seinem Freund, »aber so kurz vor der Geburt ist sie im Krankenhaus wohl besser aufgehoben, nicht wahr?«

Der Zwerg bekreuzigte sich. »Es könnte jeden Moment soweit sein«, sagte er und fragte sich erneut, ob dieses Baby wohl ein Junge werden würde. Würde es ein normales, gesundes Kind sein, oder würde es klein und außergewöhnlich sein wie er selbst? Gott sei ihm gnädig, er war nicht sicher, was er sich wünschte.

Olivio schaute hinab auf den wirbelnden Nil und mußte an Cloves Leiche denken, nachdem man sie aus dem versunkenen Wrack des Cataract Cafés geborgen hatte, und an den Anblick der Filmrollen, die peitschend und brennend im dunklen Wasser versanken. Wenn doch nur seine Rache vollständig sein würde, gelobte er im stillen, dann wäre er Gott für jedes Kind dankbar.

Mit Hilfe eines der nubischen Windenmänner kletterte der Staatssekretär die eisernen Stufen des Waggons hinauf. Dann legte er seine weichen Hände auf den Griff der ersten Winde. Ein anderer Nubier, ein Cousin von Tariq und Haqim, stemmte sich in die zweite Winde. Er übernahm das meiste Gewicht des sich hebenden Tors, so daß an der Winde des Funktionärs lediglich die Kette selbst hinaufzukurbeln war. Zwei Gehilfen standen bereit, um stählerne Keile in die Zahnräder der Trommeln zu klemmen und das Tor in der geöffneten Position zu arretieren.

Als das Tor sich hob, strömte das Wasser auf die einzige Öffnung im Damm zu und stieg zu beiden Seiten des Lochs in schnellen Strudeln empor, bevor die Wassermassen sich vereinigten und als schäumende Stromschnelle durch den Bogen nach unten stürzten. Die Zuschauer beugten sich vor, als der neue Bewässerungskanal unter ihnen begann, seine Aufgabe zum erstenmal zu erfüllen. In Würdigung des seltenen Moments wurden die Stimmen lauter. Die Platte hob sich, und der Windenwagen neigte sich in voller Länge zur Seite, so daß er sich hauptsächlich auf den vier stromaufwärts gelegenen Rädern abstützte. Nicht nur das Gewicht des Tors, auch die Brandung des Nils machte sich bemerkbar.

Musa Bey Halaib hatte nach wie vor eine Hand am Griff seiner Winde. Er fing an, vor Anstrengung zu schwitzen. Als er sich umdrehte, um sein Publikum zu grüßen, hob und senkte sich sein enges Wolljackett wie die Brust eines aufgeregten fetten Vogels. Alle Augen ruhten auf ihm, und die hinteren Reihen der Menge erhoben sich, als überall Applaus laut wurde. Olivio saß ganz vorn. Er klatschte mit seinen kleinen Händen und behielt den Nubier an der zweiten Winde im Auge. Er sah, daß die Kurbel sich zunächst langsamer bewegte und dann ganz anhielt, während der Mann seinen Griff lockerte. Der Windenmann zog beide Hände zurück. Die Kurbel begann sich in entgegengesetzter Richtung zu drehen und gewann mit jeder Umdrehung an Geschwindigkeit.

Plötzlich riß das gesamte Gewicht der Platte an der Winde des Beys. Der Griff sprang ihm aus der Hand. Verblüfft stoppte er, stocksteif wie eine Schaufensterpuppe, den rechten Arm ausgestreckt. Der metallene Griff bewegte sich schneller und schneller und brach ihm bereits bei der ersten Umdrehung das Handgelenk. Die Eisenplatte stürzte jetzt im freien Fall nach unten. Beide Winden drehten sich immer schneller, und niemand hätte die wirbelnden Griffe anhalten können.

Die Kette an der Winde des Beys riß sich von der Trommel los. Ihre Windungen schlugen laut wie ein Kanonenschuß in der Luft zusammen.

Peitschend wie eine Schlange traf die Kette den Staatssekretär quer über die Oberschenkel und durchtrennte sie fast. Sie riß ihn von dem Waggon und verschwand mit ihm über die Kante des Damms im Wasser. Gellende Schreie wurden laut, als die Menge in Panik verfiel und von der Plattform floh.

Mitten durch das Getümmel ging Tariq langsam die Stufen hinunter. Sein Herr saß kerzengerade aufgerichtet auf einem Kissen, das er auf den Armen trug.

Zwei nubische Windenmänner eilten an den Rand des Damms und starrten nach unten. Die anderen versuchten, die Griffe der Winden wieder zu fassen zu bekommen.

Nur Musa Bey Halaibs Füße, noch immer in die Kette gewickelt, waren in dem schäumenden Wirbel dicht unter der Oberfläche sichtbar. Sein Körper steckte mit den Schultern voran, gebrochenem Genick und fast abgetrenntem Kopf halb in der Öffnung. Er klemmte zwischen der scharfen Kante der heruntergelassenen Platte und dem Steinboden des Tors. Das Wasser floß an ihm vorbei und strömte den weitläufigen neuen Anwesen des Zwergs entgegen, um sie zu bewässern.

Im Gedränge am Fuß der Stufen fand sich Olivio plötzlich Auge in Auge mit dem Schatzmeister höchstpersönlich wieder, Abd al- Azim Pascha. Der hohe Amtsträger konnte in dem chaotischen Gewühl seinen Fahrer nicht finden. Jegliche Würde fiel von ihm ab, und er wandte seinen Kopf ängstlich hin und her, wie ein Vogel, der nach Körnern suchte.

Olivio beugte sich aus dem sicheren Refugium von Tariqs Armen vor und sprach den Schatzmeister an.

»Bitte verzeihen Sie, Pascha.« Es gab jetzt so viel zu besprechen. Vielleicht war die Zeit für eine Übereinkunft gekommen. »Darf ich mir die Ehre erlauben, Ihnen eine Fahrt in die Stadt in meinem Automobil anzubieten?«

Abd al-Azim war überrascht, einen kleinen Mann in Cutaway und Tarbusch vor sich zu sehen, der sich auf den Armen eines riesigen Nubiers vor ihm verbeugte. Er schreckte zurück und zögerte. Sein Mund stand leicht offen.

»Mein Daimler steht gleich dort drüben«, fügte Olivio Alavedo hinzu, als ein vorbeihastender Diplomat den Schatzmeister anrempelte.

»Oh«, sagte der Pascha nervös und griff nach seiner Uhrkette, »ja, ja. Das wäre sehr nett von Ihnen.« Er versuchte sich zu sammeln, um wieder würdevoll zu wirken. »Sehr nett.«

36

»Ich hab gesagt, halt die Tiere an!« brüllte Ernst von Decken, als Kimathi das erste Kamel ans Ufer des rauschenden Wasserlaufs führte. »Halt!«

Maultiere, Pferde und Kamele liefen durcheinander und irrten umher, als Kimathi die Kolonne anhielt und auf Ernst wartete. Manche der Tiere rutschten stolpernd das steile felsige Flußufer hinunter, senkten die Köpfe und begannen zu trinken.

»Wir müssen weiter«, sagte Kimathi nachdrücklich. Seine Miene wirkte verschlossen und reglos. »Mr. Rider hat mir befohlen, daß wir vor den Italienern so weit wie möglich nach Süden fliehen sollen.« Er reichte das Führungsseil an den kleingewachsenen Kameltreiber weiter, der neben ihm wartete. »Wir werden jetzt den Fluß überqueren.«

»Hier ist es zu tief«, schnappte Ernst. Es ärgerte ihn, daß er sich vor einem Schwarzen rechtfertigen mußte, der zudem nie Soldat gewesen war. »Manche der Maultiere schaffen es vielleicht nicht. Wenn wir eines davon verlieren, bedeutet das für mich unter Umständen, daß ich fast fünfzig Kilo Silber verliere.«

»Wir müssen den Fluß zwischen uns und die Italiener bringen, falls sie uns mit Lastwagen verfolgen«, sagte Kimathi. Er wußte, daß die Männer darauf warteten, einen Befehl zu erhalten.

»Dann lade die Kisten ab, und laß die Männer sie einzeln hinübertragen«, sagte Ernst laut, während Charlie, Harriet und Bernadette von ihren Pferden abstiegen und steifbeinig auf sie zukamen.

»Es wird bald dunkel.« Kimathi deutete auf die Sonne, die größer und röter wurde, je näher sie dem Horizont kam. Es war inzwischen auch deutlich kühler. Er nickte dem kleinen Mann neben sich zu, der daraufhin das Kamel an kurzer Leine zum Ufer führen wollte.

Ernst stieß den Kameltreiber fest vor die Brust. Völlig überrascht ließ der Mann das Seil los und fiel rücklings auf die Felsen.

»Jetzt aber Schluß damit«, sagte Charlie. Die beiden Streithähne ignorierten ihn und starrten einander an, während er dem Gestürzten eine Hand reichte. Das Kamel senkte den Kopf und hielt schnaubend seine großen Lippen über das Wasser, bevor es seinen Hals nach unten streckte und mit langen gleichmäßigen Schlucken zu trinken begann.

Kimathi nahm die Leine des Tiers und wandte sich zum Wasser.

Ernst zog seine Pistole und schlug dem Afrikaner den Lauf auf den Arm. »Halt!« schrie er.

Kimathi drehte sich mit geballten Fäusten um und sah von Decken an.

»Ich führe Bwana Riders Safari über den Fluß«, sagte er. Als wolle er beweisen, daß die Angelegenheit damit besiegelt war, legte er eine Pause ein und rief dann den Männern, die die Maultiere mit dem Silber führten, einen Befehl zu. Sie ließen die Halfter und Leinen der Tiere los.

»Sie können mit Ihrem Silber machen, was Sie wollen«, sagte Kimathi barsch zu dem Deutschen. Hinter ihm trotteten die unbeaufsichtigten Packtiere mit dem Silber nach vorn, um am Fluß zu trinken.

»Meine Herren«, sagte Harriet und legte Ernst eine Hand auf den Arm, »seien Sie nicht so verbohrt. Lassen Sie uns herausfinden, wo die flachste Stelle ist, und dann die Maultiere eines nach dem anderen herüberführen. Wir könnten ihnen je zwei Männer an die Seiten stellen.« Sie nahm ihr kleines Pferd am Zügel und ging mit ihm ins Wasser. Während sie sich vorsichtig am Ufer entlang zu einer rauhen Furt vortastete, redete sie dem Tier gut zu. Sie stolperte, trat in ein Loch und wurde bis zu Taille naß. Dann watete sie ans andere Ufer und stieg aufs Pferd, ohne sich umzublicken. Inzwischen befanden auch Bernadette und Kimathi sich bereits im Fluß. Ernst schaute ihnen hinterher, die Fäuste in die Seiten gestemmt.

An jenem Abend errichteten sie ihr Lager auf einem grauen Felsvorsprung drei Kilometer flußabwärts. Nach dem Essen ruhten sie sich träge aus und lauschten dem Rauschen des Wassers unterhalb von ihnen. Für die Gäste wurden abermals Seile zwischen die Bäume gebunden und Packleinwände darüber gespannt, um behelfsmäßige Zelte zu schaffen. Kimathi schlenderte durch das Lager und überprüfte die angepflockten Tiere und die Wachposten.

»Lassen Sie die Feuer nur auf kleiner Flamme brennen«, sagte er leise, »wie die abessinischen Schäfer.« Die Zwillinge saßen nebeneinander, während die Männer in der Nähe rauchten.

»Ich hoffe, daß Anton und seine Frau gut zurechtkommen«, sagte Bernadette, deren nasse Kleidung auf mehreren Ästen neben dem Feuer dampfend trocknete. Sie schaute mit übermütig funkelndem Blick in die Glut. »Vermißt du denn deinen Jäger gar nicht, Harry?«

»Anton Rider ist ein verheirateter Mann«, erwiderte Harriet abweisend. »Außerdem scheinen er und seine Frau sich ganz gut zu verstehen, meinst du nicht?«

»Das glaubst du doch selbst nicht, Harry. Im Moment haben sie kaum eine andere Wahl, na ja, abgesehen von dir, schätze ich …«

»Psst! Nicht so laut! Ernst versucht zu lauschen.«

»Wie sollten diese beiden je miteinander auskommen?« fuhr Bernadette mit leiser Stimme fort.

»Ich glaube, Gwenn ist einfach zu alt für ihn«, sagte Harriet mit zufriedenem Unterton.

»Vielleicht, aber das ist nicht ausschlaggebend«, sagte Bernadette voller Überzeugung. Sie wußte, daß ihre Schwester ihr endlich einmal aufmerksam zuhörte. »Sie ist nicht wie wir. Sie nimmt sich selbst so ernst. Sie ist eine hoffnungslose Karrierefrau, mit Kindern und ohne Geld. Sie braucht Schulen und eine Anstellung – oder einen reichen Mann. Aber Anton will auf diese Weise leben. Je härter es kommt, desto mehr fühlt er sich zu Hause. Er ist schlimmer als dieser Deutsche.«

»Was ist mit Ernst nicht in Ordnung?« warf Harriet sofort ein und verschränkte die Arme.

»Tja, nichts, schätze ich, falls dir so etwas gefällt …«

»Bernie …«

»Du denkst doch nicht etwa daran, ihn zu uns nach Hause nach Lexington mitzunehmen, oder?«

»Und warum nicht?« schnappte Harriet.

»Ich glaube, das wäre eine spaßige Angelegenheit, als würde man einen Mustang inmitten einer Koppel reinrassiger Stutenfohlen loslassen. Sobald du genug von ihm hast, könntest du ihn an einige dieser frustrierten alten Damen aus dem Klub vermieten. Vielleicht bei einer Tombola. Sie wären bestimmt an ihm interessiert.«

»Warum hast du immer nur solche schweinischen Gedanken?« Harriet drohte ihrer Schwester tadelnd mit dem Zeigefinger.

»Weißt du, Schwesterchen, Ernst und du, ihr würdet euch vermutlich gut verstehen, zumindest für eine Weile. Ihr zwei wollt nur euren Spaß haben. Aber diese anderen beiden sind bis über beide Ohren ineinander verliebt. Es ist absolut hoffnungslos. Sie passen bloß nicht so gut zusammen.« Bernadette zuckte die Achseln und schüttelte den Kopf. Sie fragte sich, ob ihre Schwester sich deswegen viele Gedanken machte. »Wie auch immer, falls Anton bei uns wäre, hätte es vorhin am Fluß nicht soviel Wirbel gegeben.«

»Ich finde, es ist alles sehr gut gelaufen«, sagte Harriet schelmisch mit lauterer Stimme und sah Ernst im schwachen Licht des Feuers an. Sie wußte, daß sie ihm noch immer beweisen mußte, daß sie seinen Beinstumpf nicht als abstoßend empfand. »Jeder braucht jemanden, der ihm sagt, was er zu tun hat.«

»Ich muß gestehen, Ernst, daß ich es leichter finde, immer das zu tun, was die Zwillinge mir empfehlen«, sagte Charlie, während er mit dem Deutschen ans Feuer trat.

»Was ist, wenn sie sich irren?« fragte Ernst mit lauter Stimme. Er klang noch immer barsch und verdrießlich, aber er vergaß sein steifes Bein, während er rauchte und Whisky aus einem Becher trank. Er setzte sich neben Harriet auf den Boden und streckte fluchend das Bein aus. »Was ist, wenn die beiden im Unrecht sind? Sie sind immer im Unrecht.«

»Sogar dann. Das ist am Ende trotzdem besser«, sagte Charlie und grinste, während Bernadette seine Hand tätschelte. »Klappt immer. Das werden Sie schon noch lernen.«

»Hmpf«, grunzte von Decken und trank. »Keiner von euch macht sich Gedanken um mein Silber.«

»Silber ist nicht alles. Du wirst schon sehen«, sagte Harriet vertraulich, kniete sich neben Ernst in den Staub und nahm ihm den Becher aus der Hand. »Und außerdem könntest du ein Bad gut gebrauchen.«

Sie stellte überrascht fest, daß die Schrecken ihrer Flucht sie nicht davon abgebracht hatten, Unfug im Kopf zu haben, eher im Gegenteil.

»Auch du würdest dir Gedanken um diese Maultiere machen, wenn das die Farm deiner Familie wäre, die sie auf ihren Rücken tragen«, sagte Ernst. Die Leichtfertigkeit dieser reichen Frauen ärgerte ihn.

»Wirst du mir verzeihen«, fragte Harriet mit noch sanfterer Stimme und deutete auf eines der primitiven Zelte, »falls ich dich mit nach dort drüben nehme und dir zeige, wie wir uns in Kentucky um ein Pferd kümmern, das lahmt?«

»Da, wo ich herkomme, werden sie erschossen«, sagte Ernst und lächelte ein wenig. Die Anspannung fiel von ihm ab.

»Zuerst reiben wir sie ab, es ist fast wie eine Massage. Wir fangen dabei mit den Fesselgelenken und Schienbeinen an«, sagte Harriet und wandte den Kopf, um ihrer Schwester hinterherzuwinken. »Gute Nacht, Bernie. Benimm dich.«

»Bleibt nicht zu lange auf«, antwortete Bernadettes Stimme aus dem Halbdunkel.

»Wir befolgen lieber den Rat deiner Schwester«, brummte Ernst und stützte sich beim Aufstehen auf Harriets Schulter ab.

Sie erhob sich ebenfalls. Er legte ihr einen schweren Arm um die Schultern, und gemeinsam humpelten sie zu dem provisorischen Zelt.

»Wie war das mit der Massage?« fragte der Deutsche und legte sich im Dunkeln auf den Rücken. »Wo willst du anfangen?«

»Das wirst du gleich sehen«, sagte Harriet, während sie seine Sachen aufknöpfte und ihm mühsam Stiefel und Hose auszog. »Genau hier«, fügte sie hinzu und biß ihn heftig.

Oberst Grimaldi wußte, daß die Männer ihn beobachteten, und daher achtete er sorgfältig darauf, nicht zusammenzuzucken, als der Sanitäter seine Wunde auswusch und dann wieder verband. Gott sei Dank hatten sie Wasserstoffperoxid. Welcher Weiße konnte ohne Desinfektionsmittel in Afrika überleben? Jeder Dornenstich neigte dazu, sich zu entzünden, ganz zu schweigen von einer Wunde wie dieser oder den sogar noch schlimmeren Kriegsverletzungen. Eine bemerkenswert saubere Wunde, hatte der Sanitäter von dieser hier behauptet. Der junge Mann war ursprünglich dazu ausgebildet worden, den Leichtverwundeten vorläufige Linderung zu verschaffen, aber inzwischen waren auch Verstümmelungen und Amputationen auf offenem Feld nichts Neues mehr für ihn.

Neben Grimaldi saß einer der Soldaten am Boden und befand sich noch immer bei der Arbeit. Er war der Sohn eines Schusters aus Taormina, und er arbeitete unter dem zornigen Blick von Hauptmann Uzielli, der aggressiver als jemals zuvor war, seit der Engländer sie alle gedemütigt hatte. Bereits am ersten Abend hatten sie eilig die drei Fallschirmjäger beerdigt, die dem Briten und diesem Ungeheuer zum Opfer gefallen waren. Ein traditionelles *Bersaglieri*-Lied hatte dabei den Busch erzittern lassen.

»Die Männer sind immer noch wütend, Oberst«, sagte Uzielli und ging neben seinem Kommandeur in die Hocke. Er war neugierig, ob und in welchem Ausmaß man ihm die Schmerzen anmerken würde. »Sie machen die Frau für Marios Tod und ihre verlorenen Stiefel verantwortlich.«

»Sie, Uzielli, stehen mir dafür gerade, daß die Männer meine Befehle befolgen«, sagte Enzo barsch. »Geben Sie mir die Karte dort.« Er versuchte, sich zu erinnern, wo er diese Bestie Haqim, die ihn festhielt, während Rider ihn verstümmelte, schon einmal gesehen hatte? Kairo? Hatte der Affe nicht für Gwenns Freund gearbeitet, diesen scheußlichen Winzling, und oben an der Rampe zum Cataract Café gestanden? Der einäugige Winzling, dachte er und hob selbst eine Hand ans Gesicht.

Der *Bersaglieri*-Schuster hatte seine Aufgabe unter Mithilfe von zwei Soldaten fast erfüllt: sechs Leute mit Fußbekleidung auszustatten, die für einen Marsch von mehreren Tagen geeignet sein würde. Zum Glück hatte einer der Soldaten sich über die Vorschriften hinweggesetzt und war mit einem Paar leichter Stiefel in seinem Rucksack abgesprungen. Diese standen jetzt neben Grimaldis Füßen. Sie würden eng, aber zweckdienlich sein. Die Schuhe und Sandalen für die anderen sechs Männer der Verfolgergruppe wurden aus robusten Segeltuch- und Lederstücken hergestellt, die sie aus den Rucksäcken,

Gürteln und sogar den *Bersaglieri*-Hüten geschnitten hatten. Aus Ansporn wegen der Ermordung ihrer Kameraden hatten sich alle fünfzehn Männer freiwillig gemeldet. Grimaldi hatte die sechs sorgfältig ausgewählt. Umberto, ein Mann aus den italienischen Alpen, würde ihnen als Fährtenleser dienen. Er war früher Bergsteiger und professioneller Jagdführer gewesen und hatte in seiner Jugend entlang der steilen gefährlichen Gipfel der Dolomiten Wildschafe aufgespürt und zur Strecke gebracht.

Enzo hörte es als erster.

»Ruhe!« befahl er. Es war ein Motor, und zwar ein Flugzeug, das sich aus östlicher Richtung näherte. Er stand sofort auf, noch bevor der Sanitäter fertig war. Das Ende der Bandage um seinen Kopf war noch nicht befestigt. Er drehte sich um, so daß er nach Osten schaute, und hielt sich eine Hand hinter das Ohr.

Die Männer sahen die Bewegung des Obersts und blickten in dieselbe Richtung.

»Eine CR-20«, behauptete er, kurz bevor die Fiat in Sicht kam. »Sie kann nicht allzu schwer beladen sein.«

Alle Männer standen auf, winkten und jubelten, als hätten sie wieder italienischen Boden unter den Füßen.

Der Doppeldecker flog in geringer Höhe heran und wippte mit den Tragflächen. Der Pilot winkte ihnen zu und starrte durch seine Brille nach unten. Falls in der Zwischenzeit keine neuen vorgeschobenen Stützpunkte errichtet worden waren, konnte das Flugzeug nicht lange hierbleiben, dachte Enzo. Das Benzin würde knapp werden.

Sogar vom Boden aus konnte der Oberst erkennen, welche Spuren der unerbittliche Krieg in Afrika hinterlassen hatte: Beulen im Rumpf, Einschußlöcher in der unteren Steuerbordtragfläche, ein provisorisches Fahrgestell. Auch der Motor klang nicht so rund und gleichmäßig, wie er eigentlich sollte. Sogar die Maschinen waren erschöpft. Kein Wunder, daß sie nicht landen würde.

Der Pilot flog eine Kehre und kam jetzt aus Westen zurück. Als er das Lager erneut überquerte, warf er zwei kleine Pakete ab. Dann flog er in östlicher Richtung zurück nach Hause.

Zwei Männer rannten auf Strümpfen los, um die Päckchen zu bergen, während Enzo dem Sanitäter befahl, seine Arbeit zu beenden.

»Colonnello!« Uzielli salutierte und übergab ihm die Kuriertasche. Der andere Soldat war noch beschäftigt. Er hob zunächst eine Stange Zigaretten auf und kratzte dann den wertvollen gemahlenen Kaffee zusammen, der aus einem Riß in dem Leinenbeutel rieselte, welcher zusammen mit der Tasche abgeworfen worden war. Das Geschenk eines Fliegers an den anderen. Uzielli blieb neben Grimaldi stehen. Seine Neugier war nicht zu übersehen.

»Das ist alles, Hauptmann.« Der Oberst ignorierte den Kreis aus erwartungsvoll starrenden Augen, schnallte die Riemen auf und nahm den dicken Militärumschlag aus der Kuriertasche. Er warf die stabile Ledertasche dem Schuster zu und faltete das einzelne Blatt auseinander. In diesem Moment kehrte der andere Soldat zurück, den zerrissenen Sack vorsichtig in beiden Händen haltend, um weitere Verluste zu verhindern.

»Verteilen Sie die Zigaretten, setzen Sie etwas Wasser auf und machen Sie Kaffee für die Männer«, sagte Enzo. »Brauchen Sie alles auf. Sobald wir aufgebrochen sind, werden wir keine Zeit mehr dafür haben.«

»Subito!« sagte Uzielli und gab den Befehl weiter. Er wollte so schnell wie möglich die Verfolgung aufnehmen und war gespannt, wie der Oberst sich verhalten würde, wenn er seine Frau bei dem Engländer fand.

Die Nachricht war von Marschall Graziani höchstpersönlich unterzeichnet und ansonsten kurz gehalten: Trotz gelegentlich heftigen Widerstands rückten die Truppen weiter vor, wenngleich Addis Abeba noch immer in weiter Ferne lag und das Gelände unverändert schwierig blieb. Bald würden eine halbe Million Italiener in Afrika im Einsatz sein. Die italienischen Verbände splitterten sich täglich weiter auf und wurden dadurch zunehmend verletzbarer. Der Völkerbund würde demnächst in Genf zusammentreten und den Konflikt erörtern. Der Kaiser von Abessinien würde vor den Abgeordneten sprechen und um Hilfe im Krieg gegen Italien bitten. Falls der Einsatz von Gas bestätigt wurde, könnte dies zu Wirtschaftssanktionen gegen Italien führen und nicht nur zur Schließung des Suezkanals. Folglich bestand Rom auf der Zerstörung des Films und der Eliminierung der Augenzeugen. Die Bergung des Silbers war weniger wichtig. Ein Aufklärungskommando der *Frontieri Alpini* war mit fünf Lastwagen im Eiltempo unterwegs, um sich mit Oberst Grimaldi zu treffen und seinen *Bersaglieri* zu Mobilität zu verhelfen. Die *Regia Aeronautica* würde die *Alpini* zu ihm führen und außerdem das Gelände nach der Safarigruppe absuchen. Die Augen des Duce und des Großrats des Faschismus waren auf Oberst Grimaldi und seine Männer gerichtet.

Enzo brauchte diesen zusätzlichen Ansporn gar nicht. Er holte die Kartentasche aus seinem Zelt und rief Hauptmann Uzielli zu sich. Dann breitete er die gefaltete Karte von *Africa Orientale Italiana* aus.

»Solange die Spur noch frisch ist«, sagte der Oberst, »nehmen sechs Männer und ich die Verfolgung zu Fuß auf. Falls wir den Engländer und die Frau erwischen, werden sie uns zu der Safari und dem Film führen. In der Zwischenzeit, Hauptmann, warten Sie und die anderen acht Männer auf die Lastwagen.« Enzo freute sich, daß dem Hauptmann die Enttäuschung deutlich anzusehen war. »Zumindest einer der Lastwagen muß meiner markierten Route folgen, um meine Gruppe einzusammeln. Mit den anderen vier Lastern werden Sie die Safari verfolgen, sobald die Flugzeuge sie ausfindig gemacht haben.«

»Perfekt«, sagte Anton und ließ seinen schweren Rucksack fallen, während er darauf wartete, daß Gwenn zu ihm aufschließen würde. »Wir schlagen unser Lager hier unter dem Felsvorsprung auf.« Er schöpfte mit den Händen Wasser aus dem schmalen Bach, der ein Stück oberhalb aus einer Spalte im Basalt entsprang, und wusch sich das Gesicht. »Zu dieser Jahreszeit führt die Quelle genau die richtige Menge Wasser. Einerseits genug, um den Teich dort zu speisen, andererseits zu wenig, um hinunter ins Tal zu fließen und Vieh oder Farmer anzuziehen.«

»Das da drüben muß der Shalasee sein.« Gwenn stand neben ihm in einem Riß des felsigen Steilhangs. Ohne nachzudenken, legte sie ihm eine Hand auf die Schulter.

Einen Moment lang blieb Anton schweigend stehen und genoß ihre Berührung. Dann verkündete er: »Klippspringer, eine frische Fährte.« Er kniete sich neben die zierlichen herzförmigen Spuren, die die kleine Felsantilope an einer Seite des Teichs hinterlassen hatte. »Könnte sich als nützlicher Wachposten erweisen.«

Gwenn wußte, daß Anton schon unendlich viele Lagerplätze ausgesucht hatte und daß er sogar auf Safari versteckte Stellen und geschützte Ecken bevorzugte. Falls sie sich nicht auf der Flucht befänden, wäre dies ein wunderschöner Moment. Sie bewunderte Antons Konzentration, die Art, wie er den scharfen Abdruck mit den Fingerspitzen nachfuhr, Staub in die Luft warf, um die Windrichtung zu überprüfen, und ein dunkles Kügelchen der Losung in der Handfläche zerdrückte, um dessen Feuchtigkeit und Alter einschätzen zu können. Gwenn fühlte sich bereits stärker, und ihre Schulterverletzung begann zu jucken. Sie setzte sich, streckte sich und schnürte die Stiefel auf, während sie zuschaute, wie Anton seine neue Waffe überprüfte: Er hatte sein Zigeunermesser an das Ende einer der Stangen ihrer Trage gebunden.

»Ich gehe los und suche uns ein Abendessen«, sagte Anton mit dem Speer in der Hand und stand neben dem Teich auf. »Es ist am besten, wenn ich nicht schieße. Du könntest bald ein Feuer anzünden.« Er berührte mit einer Hand ihre Wange. »Und du weißt, wie man mit denen hier umgeht.« Er ließ die Pistole und sein Gewehr bei ihr zurück.

Gwenn sah, wie er zwischen den Felsen verschwand. Das Gefühl des glatten Schafts der alten .375er in ihren Händen erinnerte sie an die frühen Abendstunden in den Hügeln oberhalb ihrer Farm. Sie hatte Frischfleisch gejagt, um die Afrikaner bei Laune zu halten, wenn Anton sich unterwegs auf Safari befand, was eigentlich immer der Fall war. Jetzt hatte sie Hunger und hoffte, er würde mit irgend etwas Gutem zurückkommen. Sie rieb sich die müden Füße und wikkelte den Verband von ihrem Kopf. Dann wusch sie sich das Gesicht, ohne jedoch ihr Spiegelbild in dem Teich deutlich erkennen zu können. Sie tastete die Wunde entlang ihres Wangenknochens mit den Fingerspitzen ab und hoffte, daß sie nicht allzu entstellt war.

Der erste Tag der Flucht war anstrengender gewesen als gedacht. Die bittere Auseinandersetzung an dem Fluß hatte ihren Teil dazu beigetragen. Warum war es manchmal einfacher, etwas Verletzendes als etwas Liebevolles zu sagen? Nach einer so langen Zeit voller Komplikationen gab es von beidem mehr als genug, man mußte sich nur entscheiden – wie bei dem Regal mit alten Gewürzfläschchen in einer oft benutzten Küche. Sie wünschte, sie würde eine glücklichere Hand beweisen.

Nach dem Essen waren Anton und Haqim stundenlang marschiert und hatten sie im flachen Wasser in südlicher Richtung den Fluß entlanggetragen. Manchmal waren die beiden auf den Flußsteinen ausgeglitten, und gelegentlich traten sie in ein Loch oder auf einen Fleck mit weichem sandigen Schlamm, während sie sich im Mondlicht vorwärts tasteten.

Gwenn wurde auf der Trage dermaßen durchgeschüttelt, daß sie glaubte, die zusammenwachsenden Knochen in ihrer Schulter würden sich wieder voneinander lösen. Sie mußte sich an den Stangen festklammern und ihr Gewicht bei jeder heftigen Bewegung und jedem Stolpern erneut verlagern. Auf den besseren Wegstücken döste sie ein und bewegte manchmal den Arm, um Antons Hand am Griff der Trage zu berühren und sanft zu versuchen, die Worte auszulöschen, die sie einander an den Kopf geworfen hatten. Zuerst reagierte er nicht, sondern zog sich zurück, wie er es oftmals tat, so daß sie gezwungen war, ihn mit weiteren kleinen Zeichen der Zuneigung zu beruhigen.

Einige Male hatten sie Tiere aufgescheucht, die am Fluß tranken, wenngleich keine Raubkatze, Gott sei Dank. Es gab keine Anzeichen für Krokodile. Einmal fiel sie von der Trage ins Wasser. Sie verletzte sich zwar nicht, lag aber danach zitternd vor Kälte da, während die anderen beiden sich weiter abmühten. In dem Moment hatte sie beschlossen, auf eigenen Füßen weiterzulaufen.

Nachdem Haqim aufgebrochen war, lagerten sie und Anton bis zum Morgengrauen am Fluß.

Anton schien überhaupt nicht zu schlafen, sondern saß ruhig neben ihr, sein Gewehr quer über den Knien. Sie fragte sich, was er wohl dachte. Einmal wachte sie auf und bemerkte, daß er ihre Hand genommen hatte. Am Morgen saß er noch immer neben ihr und hatte sie zwischenzeitlich mit seiner Jacke zugedeckt.

Den ganzen Vormittag lang waren sie gemächlich und mit vielen Pausen die westlichen Anhöhen des Ostafrikanischen Grabens hinaufgeklettert. Sie entfernten sich immer weiter von dem traditionellen Pfad, der in nordsüdlicher Richtung entlang der Seen verlief.

Wenn ein Stück ihres Wegs gar nicht oder kaum bergauf führte, ging Gwenn ohne Hilfe an den Wolfsmilchbäumen, den Dornbüschen und den harten roten Ameisenhügeln vorbei. Wenn die Strecke steil oder schwierig wurde, half Anton ihr. Sie hatte vergessen, wie stark er war und wie selbstverständlich er sich im Busch bewegte. Sie liebte die Bräune seiner Unterarme, seinen Geruch und das Gefühl, seine Muskeln unter dem Hemd zu spüren. Für ihn schien das alles keine Anstrengung zu bedeuten. Er wirkte wie ein Farmer, der über seine Felder schlendert, oder wie ein Maler, der mit seinem Spachtel Farben mischt. Es erinnerte sie daran, weshalb er nur so sein konnte, wie er war.

Gwenn riß sich aus ihren Gedanken und nahm das Fernglas, das er neben ihr liegengelassen hatte. Sie spähte den gefurchten Hohlweg entlang. Zuerst konnte sie Anton nicht ausmachen, aber dann entdeckte sie ihn. Er lag flach auf dem Bauch hinter einem Busch, nur wenige Meter von einem kleinen schlammigen Tümpel entfernt. Seine linke Hand hielt das Ende eines Seils. Das andere Ende war zu einer Schlinge geknotet und lag ausgebreitet am Rand des Wassers. Sein verbeulter brauner Buschhut hatte die gleiche Farbe wie der Staub. Sie stellte die Brennweite nach und musterte Antons breite Schultern, seine langen gebräunten Beine, seine geduldige Reglosigkeit. Würde Denby so werden wie er?

Sie beobachtete ihren Ehemann und erlebte ihn in seinem Element. Aus dieser Entfernung sah er noch genauso aus wie früher, wie der starke junge Kerl, den sie auf dem Schiff nach Mombasa kennengelernt und der sie mit diesen klaren blauen Augen angestarrt hatte, als sie ihn zum erstenmal verließ und mit dem stampfenden Landungsboot ans Ufer fuhr. Auch falls ihnen keine gemeinsame Zukunft bevorstand, so wußte sie doch, daß sie keinen anderen Mann jemals so sehr lieben könnte wie ihn. Sie fragte sich, ob er noch immer wütend auf sie war und ob ihm ihr Verhältnis mit Lorenzo nach wie vor so schwer zu schaffen machte.

Plötzlich sprang Anton auf, den Speer in einer, das straffe Seil in der anderen Hand. Er stürzte nach vorn, während ein junges Wildschwein quiekend und zappelnd versuchte, sich aus der Schlinge loszureißen. Ein paar Meter weiter ergriffen drei andere Schweine die

Flucht, zwei Frischlinge vorweg, die schwere Sau hinterher. Das Tier war nach seinem Schlammbad schwarz und schimmerte feucht. Es warf einen kurzen Blick zurück auf sein verlorenes Junges, dann scheuchte es die anderen beiden weiter. Gwenn sah die Schweine mit schnellen kleinen Schritten im Busch verschwinden, die Schwänze steil emporgereckt wie die Lanzen der Kavalleristen bei einer Parade.

Das andere Ferkel war bereits tot. Anton packte das Tier an den Hinterläufen und machte sich vorsichtig auf den Rückweg. Gwenn konnte von ihrem Platz aus sehen, wie konzentriert er war. Zunächst verwischte er die Blutspuren mit einem Dornenzweig, dann eilte er zurück zu ihr die Schlucht hinauf, wobei er darauf achtete, keine Fußabdrücke zu hinterlassen, und daher die felsigste Route wählte. Sie erkannte, daß er sich weitaus größere Sorgen wegen ihrer Verfolger machte, als er ihr gegenüber zugegeben hatte.

Gwenn setzte das Fernglas ab und schichtete unter dem Vorsprung etwas von dem trockenen Holz auf, das Anton wegen dessen geringer, blasser Rauchentwicklung ausgesucht hatte. Sie nahm *Oliver Twist* von einem Stein und riß behutsam eines der Vorsatzblätter heraus, ohne dabei die Bindung des Buchs zu beschädigen. Sie wußte, wie viel ihm daran lag. Dann füllte sie das Stück Papier mit trockenem Gras, zerknüllte es und zündete es zwischen den kleinsten Zweigen an. Das Holz fing Feuer. Eine weiße Rauchwolke stieg auf und verteilte sich weiträumig unter dem Dach des Vorsprungs.

Gwenn war stolz und fühlte sich jünger und so lebendig wie früher. Sie stellte sich neben den Teich und wartete mit verschränkten Armen darauf, daß ihr Mann zwischen den Felsen auftauchen würde. Sie mußte daran denken, wie es einst gewesen war, bei ihren gemeinsamen Ausflügen in die Aberdares. Sie hatten das Knacken der Bäume gehört, wenn um sie herum die riesigen Elefanten elegant den Wald durchquerten wie Wale im Ozean.

Anton kam auf sie zu und ließ das Schwein neben dem Feuer fallen. Er grinste sie an, fröhlich und stolz, zugleich Schuljunge und Wilderer.

»Ich komme um vor Hunger«, sagte sie und schaute ihm dabei zu, wie er sein Messer von der Stange losmachte und schärfte, bevor er eilig das Ferkel ausnahm, säuberte, zerteilte und auf Spieße steckte.

»Das sieht wundervoll aus. Während du das Essen zubereitest, werde ich noch schnell ein Bad nehmen, bevor es zu kalt wird.« Sie drehte sich um, zog sich aus und ließ sich in den flachen, eiskalten Teich gleiten, nachdem sie zuvor den Kochtopf mit Wasser gefüllt hatte.

Anton legte die Enden der hölzernen Spieße auf Felsen neben dem Feuer. Der Geruch des bratenden Schweinefleischs ließ Gwenn das Wasser im Mund zusammenlaufen. Sie wußte, daß das Fleisch sehr lange brauchen würde, auch wenn Anton den Frischling geviertelt hatte. Sie glaubte nicht, daß sie so lange würde warten können.

»Darf ich Ihnen Gesellschaft leisten, Mrs. Rider?« Er zog sich aus und sprang herein. Das Wasser bedeckte ihn kaum, und so saßen sie sich in dem Teich neben dem Vorsprung gegenüber wie Zwillinge in einer Kinderbadewanne, während Gwenns kleine Brüste sich in dem kalten Wasser zusammenzogen. Anton wusch ihnen beiden mit Sand die Füße. Als er damit fertig war, massierte und küßte er ihre Zehen. Dann stieg er flink aus dem Wasser und schüttelte sich wie ein Hund, während Gwenn ihre dreckige Kleidung anzog.

Das war ihnen beiden immer die liebste Tageszeit gewesen, wenn die Wärme des Nachmittags noch nachklang und die Frische des Abends noch nicht in Kälte umgeschlagen war. Es war die Stunde der Verandas, Drinks und Zigaretten. Heute würden sie statt dessen Schweinekoteletts essen.

»Wenn es fast gar ist«, sagte Gwenn und rieb sich die Hände, »setze ich die Makkaroni auf.« Halb zitternd und halb versengt saß sie auf einer Felsplatte, die von dem Vorsprung über dem Feuer abgebrochen und hinuntergefallen war. Sie schaute zu Anton herüber, der auf der anderen Seite des niedrigen Feuers hockte. Er wirkte zurückhaltend und gedankenverloren. Von Zeit zu Zeit drehte er die Spieße oder streute eine Handvoll wildes Zwiebelgras über das Fleisch. Fett tropfte in die Glut und flammte zischend auf. Gwenn schob den kleinen Topf näher ans Feuer und wartete darauf, daß das Wasser kochen würde, damit sie ihre letzten paar Nudeln hineinwerfen konnte. Dann blickte sie auf und merkte, daß seine großen blauen Augen sie ansahen, als wäre es das erste Mal. Sie fühlte sich jung.

»Das Fleisch dürfte beinahe fertig sein«, sagte er, als sie die Makkaroni ins Kochwasser fallen ließ.

Sie aßen schnell, während sie nebeneinander auf dem Stück Segeltuch saßen, aus dem zuvor die Trage bestanden hatte, und abwechselnd Antons *Choori* benutzten. Als Gwenn sich das Fleisch in den Mund schob, versuchte sie, nicht daran zu denken, wofür dieses Messer bereits verwendet worden war.

Nachdem sie aufgegessen hatte, setzte Anton sich mit gespreizten Beinen dicht hinter sie und schloß sie in die Arme. Sie fühlte sich zufrieden und sicher.

»Die Jungen fehlen mir«, sagte sie nach einer Weile und lehnte sich entspannt gegen ihn.

»Mir fehlen sie immer«, erwiderte er, sorgfältig darauf bedacht, nicht verärgert zu klingen.

»Ich weiß«, sagte sie und legte ihre Hände auf seine Unterarme. Sie wollte jetzt nur ungern die Zukunft zur Sprache bringen, aber sie konnte nicht anders.

»Wo könnten wir leben, falls alles gut ausgeht?« fragte sie und hoffte, daß ihre Frage den Moment nicht zerstören würde. Das war genau die Art von Test, die er niemals bestehen konnte – das wußte sie. Sie blickte zärtlich zu ihm auf, um ihn wissen zu lassen, daß dies als reine Frage gemeint war, nicht als Herausforderung.

»Ich bin mir nicht sicher«, sagte er langsam und wich ein kleines Stück zurück. »Wir wissen, daß die Farm nicht genug abwirft, zumindest nicht in der jetzigen Zeit, und mit den Safaris sieht es inzwischen praktisch genauso aus.« Sie drückte sanft seine Finger, um ihn zu ermutigen. Sie wußte, daß er sein Bestes gab.

»Aber mein Anteil an dem Silber könnte hilfreich sein«, fuhr er fort. »Und falls Olivios Pläne funktionieren, springt für mich vielleicht ein hübsches Sümmchen dabei heraus. Also wäre für eine Weile vermutlich Kairo am besten …«

»Dann könnte ich mein Studium abschließen und Ärztin werden«, unterbrach sie ihn. Es ärgerte sie, daß er nicht auch an ihr Leben gedacht hatte. Aber zumindest zeichnete sich eine Möglichkeit ab, sofern sie Glück hatten.

»Womöglich könntest du Schießunterricht geben«, sagte sie, obwohl sie wußte, wie verhaßt ihm das sein würde. »Du könntest Diplomaten und reichen Kairoern beibringen, wie man im Fajjum Vögel abschlachtet.«

»Irgend etwas findet sich immer«, sagte er. Er selbst hatte an die Glücksspiele bei den Pyramiden gedacht, doch er wußte, daß er so ein Leben nicht lange ertragen konnte.

»Aber den Jungs würde es in Kenia gefallen«, sagte er unbekümmert. »Das wäre genau das richtige für sie.«

»Nein«, sagte sie und schüttelte den Kopf. Da waren sie wieder, ihre Schwierigkeiten. »Nein, Anton, die Art, wie du dein Leben führst, birgt keine Zukunft für die beiden. Verstehst du das denn nicht?« Sie zögerte, aber sie wußte, daß er darauf keine Antwort hatte, und sie hoffte, sie könnte es ihm erklären, ohne aufs Spiel zu setzen, was mittlerweile zwischen ihnen wiedererwacht war. »Die Welt verändert sich. Falls es noch einen Krieg gibt, wie Olivio sagt, oder falls diese Depression einfach weitergeht, wird unser Leben vielleicht nie mehr so sein wie früher. Die Jungen brauchen eine Schule und eine Universität. Sie müssen in der Lage sein, ihre Wahl zu treffen und ihren Weg zu gehen.« Sie spürte, wie traurig er war, und drückte seinen Arm, bevor sie weiterredete.

»Bitte versteh doch. Ich liebe dich, aber wir können nicht zulassen, daß die Jungen dein Leben führen.«

Anton schloß einen Moment lang die Augen und drückte sein Gesicht in ihr Haar. Er fürchtete, daß sie nicht miteinander auskommen würden, und er wußte, daß er niemals mehr so lieben könnte. Dann lehnte er seinen Kopf zurück. Traurigkeit erfüllte ihn.

»Die Jungs werden schon klarkommen«, sagte er ruhig und erkannte, daß er seine Familie vielleicht nie mehr zurückerhalten würde.

Plötzlich hielt er eine Hand hoch und lauschte angestrengt. Sein Körper spannte sich an.

»Nur der Wind«, sagte er kurz darauf. Gwenn spürte, wie die Anspannung nachließ, wenngleich sie nicht verschwand.

»Würdest du mir vorlesen?« fragte sie, rutschte nach vorn und legte ihren Kopf in Antons Schoß. Sie war auch traurig, aber sie wollte das Beste aus diesen Momenten machen. Als er das Buch in die Hand nahm und den Staub aus den vertrauten Seiten blies, dachte sie an ihre Söhne. Wieviel Spaß die beiden daran hätten, einen solchen Ausflug mit ihm zu unternehmen.

Anton schlug das Buch auf. Er wollte ihr immer noch so nah wie möglich sein. Stirnrunzelnd suchte er im schwachen Licht des herunterbrennenden Feuers nach der Textstelle.

»Kapitel elf«, sagte er langsam und las die Überschrift vor. »›Oliver Twist und sein Großvater. Oliver wird entführt.‹«

Während Anton anfing zu lesen, öffneten seine Finger die Knöpfe ihres Hemds. Zuerst blieb sie ruhig liegen. Sie fürchtete, er würde sie zu dünn und bleich und verwundet finden. Als seine Hand über eine Brustwarze strich und sanft die Linie ihres Schlüsselbeins nachfuhr, erzitterte sie. Er las Olivers Worte vor:

> *Bitte, lassen Sie mich die Bücher zurückbringen, Sir. Ich werde so schnell laufen, wie ich kann.*

»Sein Großvater erinnert mich an Adam«, unterbrach Gwenn ihn, griff nach oben und knöpfte Antons Hemd auf. Ihre Finger verweilten auf der Stelle, an der seine einst gebrochenen Rippen ungleichmäßig verheilt waren.

»Psst«, ermahnte Anton sie und wiederholte Olivers flehentliche Bitte an seinen ihm noch unbekannten Großvater.

Gwenn konnte Olivers offenes ehrliches Gesicht dienstbeflissen vor sich aufblicken sehen, als Anton die Worte des Jungen vorlas und das Buch dabei hochhielt, um den Feuerschein auszunutzen.

> *Es dauert keine zehn Minuten, Sir!*

Antons andere Hand war unter ihrem Hemd, wärmte ihre Brust und hielt ihre Brustwarze zwischen den Fingern, ohne sich zu bewegen. Gwenn fühlte sich gleichzeitig entspannt und erregt. Ihr Körper sehnte sich nach der Intimität dieses Abends.

Sie wußte, daß Oliver entführt werden und nicht nach Hause kommen würde. Sie fröstelte.

Anton legte das Buch neben ihnen nieder und beugte seinen Kopf herunter, um sie auf die Wange zu küssen, während er sie mit beiden Armen festhielt.

»Dein Gesicht ist mit Fett beschmiert«, sagte sie und sah, wie er die Augen schloß, als sie seine Mundwinkel küßte. Sie küßte ihn erneut und leckte ihm wie eine Katze die Lippen und das Kinn sauber.

Kurz darauf lagen sie nackt auf der Plane neben dem Feuer.

»Für die Patientin wäre es am besten, wenn du dich auf den Rükken legen würdest«, sagte sie.

Anton ließ sich auf sein Hemd sinken und blickte zu ihr empor. »Ich liebe dich«, sagte er dann.

Sie erwiderte nichts, weil sie nicht wie ein Echo auf seine Äußerung klingen wollte, aber sie hoffte, daß er die Wahrheit wußte.

Bevor sie sich auf ihn sinken ließ, legte sie sich flach auf seinen harten Körper und bedeckte ihn langsam mit sanften Küssen. Dann kniete sie über ihm, während seine Hände ihren festen Po umspannten und sie nach unten zogen.

»Mach die Augen auf«, sagte sie, beugte sich zurück und griff hinter sich, während sie in die richtige Position rückte. Ihre Brustwarzen verhärteten sich, als ein kalter Windstoß unter den Vorsprung wehte und über ihren Körper strich, so daß sie eine kribbelnde Gänsehaut bekam. Gwenn schaute Anton in die Augen und bemerkte, daß sich vor dem verdunkelnden Abendhimmel etwas bewegte.

Sie blickte hoch und sah auf dem nächsten Felsen im Profil den Klippspringer auf zierlichen Hufen stehen, schlank, grazil und allein. Die Antilope hatte den Kopf anscheinend in ihrer beider Richtung gedreht, wenngleich Gwenn das Gesicht nicht erkennen konnte. Die kurzen, geraden spitzen Hörner und die großen zuckenden Ohren hoben sich vor dem blauschwarzen Himmel ab, während daneben eine schmale Mondsichel aufstieg.

37

»Ich habe euch Mädchen doch gesagt, ihr sollt diese verfluchte Kamera zurücklassen«, sagte Ernst. Er stand neben dem Haufen ausgesonderter Gepäckstücke und überwachte das Beladen der Tiere. »Wir nehmen nichts mit außer den Waffen, Nahrungsmitteln und dem Silber.«

»Nein, die Kamera gehört Harriet, und wir werden sie nicht hierlassen«, sagte Bernadette trotzig und stopfte den schweren schwarzen Kasten in eine der Segeltuchpacktaschen des Maultiers.

»Dies ist unsere Safari, nicht Ihre, Mr. von Decken. Die Kamera ist wichtiger als Ihr bißchen altes Silber.« Sie schaute Ernst in die Augen und fuhr mit Bestimmtheit fort. »Sie haben Dr. Fergus gehört. Was Harry mit der Kamera macht, könnte diesen schrecklichen Krieg beenden. Sehen Sie nur, welche Opfer Malcolm und Gwenn bereits gebracht haben. Es ist an der Zeit, daß wir anderen etwas Nützliches beitragen.«

»Das ist allein Ihre Meinung«, sagte Ernst verärgert. Er war es leid, sich mit Kaffern und Frauen herumzustreiten. »Sie haben bereits den verdammten Film«, fügte er hinzu. »Das ist genug, um uns alle ans Messer zu liefern. Sie brauchen die Kamera nicht.« Er hüpfte einen Schritt auf sie zu.

»Bernie, vielleicht hat er diesmal recht«, sagte Harriet ernst. Sie saß auf einem Felsen und benutzte zum letztenmal ihr Schminktäschchen. Sie preßte den Mund zusammen, um ihren Lippenstift gleichmäßig zu verteilen, und drehte sich zu ihrer Schwester um. »Um Gottes willen, laß uns die Kamera hierlassen, Bernie. Und auch die ganzen restlichen Filme. Vielleicht können wir die Italiener damit täuschen. Wir öffnen die anderen Filmschachteln und -dosen und lassen es so aussehen, als wäre alles benutzt worden. Die werden keine Möglichkeit haben, herauszufinden, was auf den Filmen ist.«

»Das dürfte kaum ausreichen«, sagte Bernadette hitzig. »Du weißt doch noch, was Dr. Fergus gesagt hat. Wir sind Augenzeugen. Die Italiener werden sich nicht sicher fühlen, bevor sie uns alle umgebracht haben.«

»Du hast recht«, sagte Charlie zu Bernadette, als er seine Staffelei und den Farbkasten auf den Haufen zwischen den verlassenen Zelten warf.

Bernadette nahm die Kamera heraus und ging zu ihrer Schwester. »Auf welcher Seite stehst du eigentlich?« zischte sie Harriet leise zu und warf den Kasten neben ihr auf den felsigen Boden.

»Ich bin stolz auf das, was wir tun«, sagte Harriet und blickte auf. Sie wollte nicht zwischen Ernst und ihrer Schwester wählen. »Aber wir müssen so schnell wie möglich fliehen. Sieh mal, Bernie, falls wir das Beweismaterial außer Landes bringen, wird das einiges bewirken, aber wir werden es nicht schaffen, wenn wir dieses ganze Zeug mit uns herumschleppen.« Sie riß die Augen auf. »Stell dir nur mal vor, was man sagen wird, wenn wir zurückkommen, all die Reporter und die Leute von der Pathé Wochenschau. Was werden die alle wohl sagen?« Sie sprang begeistert auf. In einer Hand hatte sie drei schmale Bände Carl Gustav Jung.

»O nein, Harry«, sagte Bernadette. »Er bleibt auch hier.« Sie schnappte sich die Bücher und warf sie neben die Überreste des toten Maultiers, das erschossen und gekocht worden war, nachdem es sich ein Bein gebrochen hatte.

»Danke, Bernie«, sagte Harriet sarkastisch. Sie steckte ihre kleine Emailpuderdose ein. »Lassen wir den Rest unserer Kosmetiksachen für die Italiener hier.«

»Gut, aber gib mir den Film von dem abgestürzten italienischen Flugzeug.« Bernadette kniete sich hin und zog eine flache Lederhandtasche aus dem Haufen. »Ich möchte sichergehen, daß ihm nichts zustößt.«

Harriet griff in eine Satteltasche und reichte die kleine Blechdose an ihre Schwester weiter. Bernadette verstaute den Behälter in die Handtasche und steckte sich die Tasche dann auf dem Rücken unter das Hemd.

»Laßt uns gehen«, rief Ernst barsch, schulterte sein Gewehr und zog sein Messer. »Ihr Mädchen seid hier nicht auf einer Gartenparty in Kentucky oder beim Plausch in irgendeinem Pariser Café. Schnell!«

Harriet sah, daß Bernadette die Lippen zusammenpreßte, wie immer, wenn ihre Pläne durchkreuzt werden. Sie wollte gerade zu einer harschen Erwiderung ansetzen, als Ernst noch etwas hinzufügte. Sein Tonfall duldete keinen Widerspruch.

»Deutsche Offiziere debattieren nicht.« Teilnahmslos drehte er sich zu den Zelten um und zerfetzte jedes einzelne mit mehreren langen Schnitten.

Harriet hatte noch nie erlebt, daß jemand ihre Schwester derart abkanzelte. Natürlich hatte Bernie recht, was das Silber betraf, aber darum ging es gar nicht. Für Ernst von Decken war eine verwöhnte, aggressive, intelligente, reiche Amerikanerin keinen Deut besser als ein plapperndes afrikanisches Mädchen, das auf den Steinen am Ufer eines Flusses ihre zerlumpte Kleidung wusch. Vielleicht konnte er den Jungs in Lexington ein paar Tips geben.

Ernst stieg auf sein Pony und nahm das Führungsseil des ersten Kamels. Der Rest der Safari formierte sich zu einer Kolonne. Charlie stieg als letzter auf sein Pferd. Er kletterte so müde in den harten Sattel, als hätte er bereits einen langen Tagesritt hinter sich. Statt auf dieser Reise stärker und fitter zu werden, schien Charlie an Kraft zu verlieren. Immer wenn sie abstiegen, war er erschöpft, und morgens sah er so aus, als hätte er nicht eine Minute geschlafen. Dennoch zeichnete er ständig weiter und zog immer neue Blätter aus den Taschen seiner Buschjacke. Wenn die anderen das Lager aufschlugen, schärfte er mit Ernsts Messer seine Bleistifte. Zudem war Harriet der Ansicht, daß seine Arbeiten besser wurden. Sie waren jetzt etwas kalkulierter, jeder einzelne Strich geriet ihm klar und gehaltvoll, und die Gesichter und Landschaften besaßen Charakter.

Warum gab es zu Hause nicht solche Männer wie Ernst und Anton? fragte Harriet sich, während sie einem schmalen Pfad folgten, der sich am Rand einer Kammlinie entlangschlängelte. Hier und da waren Teile des Wegs seitlich den Abhang heruntergerutscht und hatten kleine Lücken hinterlassen, die mit Sand und Felssplittern gefüllt waren. Zu Hause, dachte sie, waren die Gentlemen nicht hart und die zähen Kerle nicht höflich. Zweifellos gab es ein paar, die genauso rauh waren, vermutlich Cowboys, Bergarbeiter und Holzfäller. Das waren die Männer, mit denen ein Mädchen vielleicht ins Bett ging, aber nicht zum Abendessen. Ihnen fehlte die weltkluge Art dieser Kolonialeuropäer. Sie warf einen Blick auf die massige Gestalt, die voranritt.

Wie dem auch sei, sie bezweifelte, daß Ernst von Decken in Kentucky genausogut zurechtkommen würde wie sie selbst in Afrika. Er wäre nach kurzer Zeit gelangweilt und vielleicht ein bißchen zu grob in seiner unbedachten Art. Außerdem würde ihn das, was die Amerikaner für ihre Gesellschaft hielten, viel zu wenig beeindrucken, als daß er sich ihren Gepflogenheiten und Kleidungsvorschriften unterwerfen würde. Dennoch war sie sicher, daß es einige Dinge gab, an die er sich gewöhnen könnte, vor allem ihren Körper und ihr Geld. Bei diesem Gedanken mußte sie lächeln. Natürlich würde seine angeborene Trägheit auch eine Rolle dabei spielen. Falls sie die Plantage seiner Familie in Tanganyika zurückkaufte, würde er vielleicht beginnen, die Angelegenheit aus ihrem Blickwinkel zu betrachten.

Harriet dachte über das Silber nach. Wäre es nicht am besten, wenn Ernst kein eigenes Geld hätte?

Er war ein zäher alter Teufel, und alles mußte immer nach seinen Vorstellungen ablaufen, vor allem der Sex, aber sie lernte langsam, wie sie ihn in den Griff bekommen konnte. Seit sie ihn zum erstenmal getroffen hatte – und das war bereits mehrere Wochen her –, hatte er kein einziges vernünftiges Bad genommen, und er rasierte sich nie, bis sie ihn darum bat, wenn die Innenseiten ihrer Schenkel zerkratzt und verschrammt waren wie der Boden einer Zuchtbox. Manchmal war sie noch wund, lange nachdem sie fertig waren.

Heute nacht, ohne die Zelte, würde sich wohl keine Gelegenheit ergeben, ein bißchen unanständig zu sein, vermutete sie. Ihr war egal, was Bernie sah oder erfuhr, aber der arme Charlie war immer so prüde, und Gott allein wußte, was diese Afrikaner denken würden, falls sie und Ernst sich im Mondlicht vergnügten.

Harriet schaute nach vorn und sah, daß Ernsts Pferd mit dem rechten Vorderbein stolperte. Ein großer Fels setzte sich in Bewegung und stürzte die Böschung hinunter. Zahlreiche kleinere Steine rutschten hinterher und ließen eine Staubwolke aufsteigen. Auch ohne Steigbügel auf der Hangseite blieb ihr Deutscher mit Leichtigkeit im Sattel, als die rechte Schulter des Pferds erst nach unten sackte und dann wieder zurückschnellte. Er gewöhnte sich schneller an das Leben mit nur einem Fuß, als die meisten Männer sich an ein Paar neue Stiefel gewöhnen würden.

Haqim kniete sich neben die Asche des Feuers. Nach fünfzehn Stunden Marsch war er hungrig und erschöpft. Vor lauter Einsamkeit führte er Selbstgespräche. Er war gegen vieles abgehärtet, aber nicht gegen Verletzungen. Immer wenn er auf seinem Weg durch dieses gottverlassene Land eine Pause einlegte, schwoll der Knöchel, den er sich vor zwei Stunden vertreten hatte, so stark an, daß er sich kaum noch auf den Beinen halten konnte. Inzwischen lief er barfuß.

Überall um ihn herum waren die Anzeichen eines überstürzt abgebrochenen Übernachtungslagers sichtbar. Die Safari seines Herrn hatte auch schon bessere Zeiten gesehen.

Er legte den italienischen Karabiner beiseite und ließ seine Finger durch die weiche graue Asche gleiten. Sie war warm, aber nicht heiß. Ein Ziegen- oder Lammschenkel lag in der erloschenen Glut. Die Safari mußte an diesem Morgen aufgebrochen sein. Wenn nicht sein Knöchel verstaucht gewesen wäre, hätte er sie am nächsten Tag eingeholt.

Haqim nahm die europäischen Stiefel herunter, die an ihren Schnürsenkeln um seinen Hals hingen, und schaute zum Himmel empor, um festzustellen, in welcher Richtung die untergehende Sonne stand. Dann hinkte er zum Bach hinunter und wusch sich die Hände, Arme und den Kopf.

Der große Nubier vollendete seine Waschungen und kehrte zum Lagerplatz zurück. Er wickelte die schwarze Schärpe ab, mit der die zerlumpte bauschige Hose um seine Taille gehalten wurde. Dann schüttelte er die Schärpe im Wind aus, um sie zu reinigen, und legte sie doppelt gefaltet auf den harten Boden, so daß sie in die richtige Richtung wies. Er richtete sich auf, kniete nieder und verneigte sich mehrfach in tiefer Andacht, um die ausgefallenen Gebete des langen Tages wieder wettzumachen.

Erfrischt erhob er sich, nahm den Knochen aus dem Feuer, säuberte ihn und nagte die Fleischreste rund um das Gelenk ab, während er überlegte, was man von ihm erwartete. Er durfte seinen Bruder Tariq nicht enttäuschen.

Über das Rauschen des Wassers hinweg hörte er ein Geräusch. Haqim hob den Kopf. Es klang wie eine heranstürmende Horde Dämonen, und es handelte sich zweifellos um das entfernte zornige Brummen von Lastwagenmotoren. Er humpelte zu der Feuerstelle zurück und holte sein Gewehr. Falls dies die Feinde waren, mußte er sie aufhalten. Er zögerte und versuchte auszumachen, auf welcher Seite des Bachs die Fahrzeuge herannahten.

Gerade noch rechtzeitig hinkte Haqim durch das Wasser und kniete sich hinter einen Wolfsmilchbaum. Es würde schwierig sein, in dem nachlassenden Licht ein Ziel zu treffen, und er war noch nicht allzu geschickt im Umgang mit Schußwaffen, obwohl Mr. Anton ihm zu seinem Volltreffer ins Gesicht des italienischen *Afrangi* gratuliert hatte. Er bevorzugte nach wie vor den ehrlichen Nahkampf, Mann gegen Mann und mit den Händen.

Nach vielen Jahren auf der Flucht war Haqim die Einsamkeit leid und hatte Gefallen an dem freundlichen, wohlgenährten Safarileben gefunden, das der Zwerg aus Kairo für ihn arrangiert hatte. Jetzt schien sein altes hartes Leben zurückgekehrt zu sein. Er wußte, was diese Italiener mit ihm anstellen würden, nachdem er und der Engländer sie in ihrem Lager heimgesucht hatten.

Er fühlte sich gejagt, allein und bedroht, und er war wütend, daß er sich wieder einmal verstecken mußte.

Haqim starrte über den Fluß, als der erste Lastwagen auf die Lichtung einbog. Er verfluchte seine übliche Dummheit, als er sah, daß er seine Schärpe und die italienischen Stiefel vergessen hatte.

Drei große Laster hielten in einer Reihe an. Auf einem der Wagen war hinter dem Führerhaus ein Maschinengewehr montiert. Die Männer, ungefähr fünfzehn an der Zahl, schnatterten wie die Affen, während sie ausstiegen, pinkelten und zum Bach gingen, um etwas zu trinken. Er erkannte einen oder zwei aus dem Lager, in dessen Nähe er den Soldaten erschossen hatte. Manche der Männer hatten noch immer keine Schuhe oder Stiefel. Ein Soldat hob das zurückgelassene

Paar Stiefel auf und rief einem seiner Kameraden etwas zu. Unter ihnen war auch ein kleingewachsener Schwarzer, ein Somalisklave, vermutete der Nubier. Dieser unreine Mann nahm Haqims Schärpe und roch daran.

Der Somali drehte den schwarzen Stoff zwischen den Fingern und starrte auf die Stelle, an der die Stiefel gelegen hatten. Dann ging er mit langsamen Schritten zum Bach hinunter. Inzwischen war es fast dunkel. Er blieb am Ufer stehen und starrte über den Wasserlauf hinweg in Haqims Richtung. Plötzlich stieß er den abgehackten glucksenden Laut eines Buschjägers aus und deutete gerade nach vorn. Er wandte den Kopf und versuchte, die Aufmerksamkeit der Soldaten hinter ihm zu erregen. Mit so einem Mann auf seiner Fährte war jeder Fluchtversuch zwecklos, dessen war Haqim sich sicher.

Er hob die ungewohnte italienische Waffe, mühte sich mit dem Sicherungshebel ab und zog dann den Abzug durch. Der Schuß hallte über das Wasser.

Der Somali wurde in den Unterleib getroffen, schrie auf und torkelte zurück. Die Soldaten griffen nach ihren Waffen und rannten aus der ungeschützten Mitte des Lagers.

Haqim blieb, wo er war. Er wußte, er würde nicht weit kommen. Dann gab er noch zwei weitere Schüsse ab, ohne jedoch etwas auszurichten. Er sah, wie mehrere Italiener aus dem Lager eilten und stromabwärts den Bach überquerten. Ein anderer Soldat tat es ihnen stromaufwärts gleich.

Haqim stand auf und humpelte so schnell wie möglich auf den Bach zu. Der Name Allahs lag auf seinen Lippen. Mehrere Soldaten schossen. Sein linker Arm wurde getroffen. Er schaffte es über den Bach und krabbelte feuernd das Ufer empor. Nur die Dunkelheit schützte ihn. Im Vorbeigehen schlug er dem knienden Somali mit dem Kolben seines Gewehrs den Schädel ein. Eine Kugel traf ihn in die Seite. Als er die Mitte des Lagers durchquerte, prasselten von allen Seiten Schüsse auf ihn nieder.

Die Soldaten schossen Haqim in beide Beine. Er stürzte und kroch auf einen der Lastwagen zu, der mit geöffneter Motorhaube dort stand. An der Kante des Wagens zog er sich hoch und schlug sein leeres Gewehr mehrfach in den Motorraum und auf die Zündanlage.

»Schwarzer Hund!« rief einer der Soldaten.

Eine Pistole wurde ihm in die Seite gestoßen. Haqim schrie auf, als die Waffe abgefeuert wurde. Er fuhr herum und packte den Schützen. Haqim beugte den Kopf des Mannes über die metallene Kante des Motorraums. Der Soldat schoß erneut. Die hochgeklappte Haube fiel herunter und klemmte Haqims Arme und den Kopf des Mannes unter sich ein. Haqim ließ die zappelnde Gestalt nicht los und drückte das Gesicht des schreienden Soldaten gegen den heißen Motorblock. Schließlich packte ihn ein starker Mann von hinten.

Haqim drückte den sich sträubenden Kopf mit letzter Kraft nach unten. Er hörte, wie das Genick brach und die Schreie erstarben. Dann fiel er zu Boden, den Italiener noch immer wie einen Geliebten in die Arme geschlossen.

»Sie kundschaften nach wie vor das Gelände am Fuß der Hügel aus«, sagte Anton leise, ohne das Fernglas zu senken. Er spähte unter dem Rand des Felsvorsprungs hervor und sah, wie ein Feldstecher das Sonnenlicht reflektierte, als einer der Italiener die Anhöhen absuchte. Der Mann schien nicht zu zögern, als er den Kamm inspizierte, auf dem Gwenn und Anton sich verborgen hielten.

Die *Bersaglieri* mußten die übliche Route im Süden verlassen haben und waren westlich des Flusses ihrer Fährte gefolgt. Als sie die felsige Anhöhe erreichten, bei der Gwenn und Anton ihren Aufstieg begonnen hatten, verloren sie die Spur.

»Zumindest einer von ihnen muß ein erfahrener Fährtensucher sein«, fügte Anton hinzu, »obwohl es so aussieht, als seien alle sieben Europäer.«

Wäre er allein, würde es ihm vielleicht gelingen, kurz zuzuschlagen und dann schnell zu fliehen. Er könnte einen oder zwei der Männer durch einen Überraschungsangriff bei Nacht töten und dann jeden Tag möglichst viele Kilometer zurücklegen, bis er die Safari eingeholt hatte. Aber Anton war noch nie weniger allein gewesen. Trotz der harten Worte, die zwischen ihnen gefallen waren, hatte er sich Gwenn in den letzten paar Tagen näher gefühlt als jemals zuvor seit ihrer Heirat.

Ihre Auswahlmöglichkeiten waren begrenzt: Sie konnten sich ergeben, sie konnten weglaufen, sie konnten kämpfen, oder sie konnten leise abwarten und in ihrem Versteck bleiben, bis die Italiener weiterzogen. Wasser hatten sie reichlich, aber die Verpflegung war ein Problem. Er haßte den Gedanken, daß Gwenn nicht genug zu essen bekommen würde. Nach nur kurzer Zeit hier in diesem Lager hatte sie bereits viel Kraft gesammelt. Ihre Wangen waren nicht mehr so eingefallen, ihre Augen strahlten, und die genähte Wunde entlang ihres Wangenknochens verheilte zu einer dünnen sauberen Linie.

Sie saß neben ihm unter dem Vorsprung, hatte eine Hand auf seine Schulter gelegt und wartete darauf, daß er das Fernglas an sie weiterreichen würde. Anton war beunruhigt, daß einer der Soldaten sich neben den schlammigen Tümpel kniete, an dem er das Schwein getötet hatte. Er wünschte, er hätte seine Spuren sorgfältiger verwischt. Anton beobachtete den Mann noch ein wenig länger, dann gab er Gwenn den Feldstecher und nahm die Landkarte.

»O nein«, sagte sie. Ihre Stimme klang verändert. »Ich sehe eine Staubfahne. Da kommt ein Fahrzeug, und zwei der Soldaten laufen gerade den Hügel hinunter und winken ihm zu.« Sie reichte den Feldstecher an Anton zurück. »Schlechte Neuigkeiten.«

Anton schaute eine Weile zu. Der offene Armeelaster mit hölzerner Ladefläche war ein Fiat 633 mit kräftiger Bereifung. Er hielt am Ende des Tals an. Die *Bersaglieri* luden Vorräte aus, während der Fahrer heraussprang, seine dunkle Brille abnahm und sich an einem Busch erleichterte. Er war ein dickbäuchiger Mann in Shorts und langen Strümpfen. Als er zum Lastwagen zurückkehrte, kam einer der Italiener auf ihn zu, und der Fahrer salutierte.

Das mußte Grimaldi sein, der inzwischen auch einen *Bersaglieri*-Hut trug. Von der Ladefläche des Wagens stiegen noch drei weitere Männer, einer davon ein Afrikaner, und auf einer Plattform hinter der Fahrerkabine war ein Maschinengewehr angebracht. Die langläufige Waffe wurde von einer Segeltuchhülle bedeckt. Schwere Ersatzreifen und Zwanzigliterkanister mit Benzin waren an den Seiten festgezurrt. Auf der Fahrertür war irgendein Militärabzeichen aufgemalt, das jetzt unter einer dicken Staubschicht verborgen lag.

»Nein«, sagte Anton schließlich »Gute Neuigkeiten. Das ist unser neuer Lastwagen. Damit können wir unsere Safari einholen.«

Die Ankunft des Afrikaners gab ihm allerdings zu denken. Vermutlich handelte es sich um einen Fährtensucher, einen weiteren der angeheuerten Dubat-*Shifta.* Falls solch ein Mann das Schlammloch zu Gesicht bekam, würde man sie vielleicht so schnell verfolgen und aufspüren, daß er keine Gelegenheit erhielt, das Fahrzeug zu stehlen.

Es mußte heute nacht passieren.

Anton ließ das Fernglas sinken, nahm Gwenns Hand und sah sie an.

»Es ist soweit«, sagte er.

»Müssen wir aufbrechen?«

»Wir müssen diesen Lastwagen stehlen, bevor der Fährtensucher uns findet«, erklärte er und glaubte, Traurigkeit aus ihrem Blick zu lesen. »Ich schaue mir das Ganze mal genauer an. Kurz nach Einbruch der Dunkelheit bin ich wieder zurück.« Er stand auf und überprüfte seine Pistole. »Mach dich bereit, sofort aufzubrechen, wenn ich zurückkomme, und schichte einen großen Stapel Feuerholz auf, aber zünd' ihn noch nicht an. Wir werden zwei Feuer als Ablenkungsmanöver benutzen.«

Gwenn nickte und sagte nichts. Ihm macht all das Spaß, dachte sie. Er hätte Soldat werden sollen.

Eine Stunde später lag er mit der Pistole in der Hand fünfzig Meter hinter dem Lager der Italiener und machte sich Sorgen wegen des aufgehenden Monds. Eine breite Zeltplane spannte sich von einer Seite des Lastwagens zu zwei Pfosten, die man mit aufgetürmten Steinen befestigt hatte. Die meisten der Männer hielten sich unter diesem Dach auf. Ein oder zwei gingen immer wieder zu dem Feuer hinüber, auf dem ihr Essen kochte. Anton sah, wie der Fahrer den Tank des Fiat aus den schweren Kanistern nachfüllte. Grimaldi stand an einer Ecke der Plane und sprach mit dem Afrikaner und einem weiteren Mann, der einen Karabiner in der Hand hielt. Die beiden Männer verabschiedeten sich von dem Oberst und verschwanden auf der anderen Seite des Lagers in der Dunkelheit. Sie schienen in Richtung der Hügel aufzubrechen. Anton dachte an Gwenn und wünschte, er wäre nahe genug dran, um ihnen folgen zu können. Er sah Grimaldi, der mit einer Binde über dem Auge zum Feuer ging. Der Italiener hielt eine Karte in der Hand.

Anton wich langsam zurück, immer weiter den felsigen Abhang hinter sich hinauf, bis er schließlich weit genug entfernt war, um sich umdrehen zu können und flink das zerklüftete und von Felsbrocken übersäte Plateau aus uralter Lava zu erklimmen. Dort würde er ein Feuer vorbereiten. Sobald die Flammen zu sehen waren, würde er Gwenn das andere Feuer entzünden lassen. Dann konnte sie sich an den Abstieg machen und sich mit ihm auf der anderen Seite ihres Hügels treffen.

Als er von seiner Erkundung zurückkam, fand er Gwenn ruhig und bereit vor. Der Lagerplatz war aufgeräumt, alles war verpackt, und das Feuerholz war aufgeschichtet.

»Ich habe ein zweites Feuer auf der Anhöhe hinter ihrem Lager hergerichtet«, sagte er und schwärzte sich das Gesicht mit Asche. »Das dürfte die meisten der Leute anlocken. Sobald du es brennen siehst, zünde deins hier an.« Er machte sich Sorgen wegen ihres ausgeprägten Mitleids, nicht wegen ihrer Fähigkeiten oder ihres Muts. Während er die Beretta reinigte, gab er Gwenn noch einen Rat. »Zwei Soldaten erkunden bereits irgendwo in der Nähe die Hügel. Ich lasse dir die Holland hier. Wenn sie dich entdecken, schieß als erste. Zögere nicht. Schieß.«

»Viel Glück«, sagte sie. »Ich hoffe, die anderen sind entkommen. Es ist der Film, der zählt.«

Anton hatte nicht vor, sich mit ihr zu streiten. Er küßte sie und ging.

Gwenn kniete mit den gewachsten Streichhölzern in der Hand bei dem vorbereiteten Holzstoß. Die doppelläufige .375er lag neben ihr auf dem Rucksack. Sie schnürte sich die Stiefel zu und wartete auf Antons Signal. Es tat ihr leid, daß sie diesen Ort verlassen mußten, aber Gott stehe ihnen beiden bei, falls Lorenzo sie gefangennahm. Sie dachte daran, was Anton über das Risiko gesagt hatte, ihn am Leben zu lassen: »Würdest du erwarten, daß ich einen verwundeten Leoparden oder eine Hyäne in die Nähe unseres Lagers lasse?« Genau das war jetzt der Fall.

Sie guckte hinauf zu dem schmalen gewölbten Mond und entdeckte abermals den Klippspringer, dessen Umriß sich auf dem nahen Felsen abzeichnete. Sie mußte an den Abend zuvor denken – und an Anton. Sie erinnerte sich an ihren langen Liebesakt im Mondschein.

»Darf ich meinen Körper zurückhaben?« hatte sie sanft lächelnd gefragt, als sie beide endlich voneinander abgelassen hatten.

Plötzlich schreckte der Klippspringer auf und sprang in die Höhe, als hätte ihn von unten ein Schuß getroffen. Mit nach wie vor steifen Beinen landete er geschickt auf einem Felsen unterhalb, sprang noch zwei weitere Male und verschwand aus der Sicht.

Gwenn warf sich sofort zu Boden und legte das Gewehr vor sich hin. Sie war dankbar für die Warnung, und sie spürte, wie sich ihr Magen vor Angst zusammenzog.

Auf dem Plateau hinter dem italienischen Lager flackerte ein Licht auf. Anton hatte das Hauptablenkungsmanöver gestartet. Jetzt war sie an der Reihe. Gwenn richtete sich auf, riß mit zitternden Fingern ein Streichholz an und ließ es auf das trockene Gras im Zentrum des Holzstoßes fallen.

Was war das? Sie hörte, wie sich direkt unter ihr auf dem Abhang ein Felsen löste. Der Fährtensucher? fragte sie sich beunruhigt.

Sie nahm Rucksack und Gewehr und entfernte sich von dem auflodernden Feuer. In etwa dreißig oder vierzig Metern Entfernung kauerte sie sich hinter die Kante der Gratlinie. Noch bevor sie den Abstieg beginnen konnte, erschienen zwei bewaffnete Männer neben der Feuerstelle. Einer war ein junger *Bersagliere*, den sie wiedererkannte, der andere ein hagerer Afrikaner mit einem Seil als Gürtel um sein graues Baumwollgewand. Gwenn erstarrte bei diesem Anblick.

Sie wußte, was sie zu tun hatte: Jetzt war sie an der Reihe zu töten. Am besten mit dem Fährtensucher anfangen, dachte sie und erinnerte sich an Antons Befürchtungen hinsichtlich dieses Mannes.

Der Afrikaner musterte das Terrain im zunehmenden Licht der Flammen. Er hatte Gwenn den Rücken zugewandt und bewegte sich langsam mit heruntergebeugtem Kopf voran. Seine rechte Hand glitt mit gespreizten Fingern dicht über den Boden, als empfange er Signale direkt aus der Erde. Gwenn stützte die schwere Holland auf dem Rucksack ab und bemühte sich, nicht nachzudenken.

Sie feuerte den ersten Lauf ab. Der Afrikaner wurde zwischen die Schulterblätter getroffen und stürzte mit seinem Gewehr in der Hand ins Feuer. Gwenn fühlte sich seltsam distanziert. Überrascht von ihrer eigenen Gelassenheit, legte sie den Finger eilends auf den hinteren Abzug.

Als Gwenn den linken Lauf abfeuerte, warf der Soldat sich zu Boden. Anscheinend wurde er in die Hüfte getroffen. Er blieb schreiend neben dem Feuer liegen. Als Gwenn den felsigen Pfad hinuntereilte, auf dem sie und Anton sich treffen wollten, folgten ihr die Schreie des jungen Mannes den Hügel hinab. Sein Schmerz brachte sie völlig aus der Fassung.

Während hinter ihm die Flammen aufloderten, beeilte Anton sich das Plateau zu verlassen. Er hielt großen Abstand zu der gedachten Route ein, die das italienische Lager und sein Feuer auf direktem Weg miteinander verband. Zwischen den Felsen peitschten zwei Schüsse auf. Er erkannte seine .375er. War Gwenn in Ordnung? Seine Angst um sie verzehrte ihn fast, als er sich in einer Mulde verbarg und zuschaute, wie die Soldaten zusammenliefen und sich aufstellten. Er konnte noch nicht zu ihr. Zuerst mußte er den Lastwagen holen.

Grimaldi teilte die Soldaten in zwei Gruppen zu je vier Mann auf. Der Fahrer blieb zurück. Statt dessen nahm der Oberst höchstpersönlich seine Stelle ein und führte eine der Gruppen zu Antons Plateau. Die anderen *Bersaglieri* trabten in der Dunkelheit auf Gwenns Feuer zu. Anton betete, daß ihr nichts zugestoßen war, aber trotz aller Befürchtungen war er erleichtert, daß er keine Schüsse außer den ihren gehört hatte.

Er wartete, bis beide Gruppen sich weit genug von dem italienischen Lager entfernt hatten. Dann schlich er sich ins Tal und schlug einen Bogen um das Lager, bis er die abgewandte Seite des Lastwagens erreicht hatte. Zwischenzeitlich verlor er den Fahrer aus dem Blickfeld, als der dicke Mann zur anderen Seite des Wagens ging und sich auf das Trittbrett setzte. Anton kroch auf das Gefährt zu. Ein gefährliches Gefühl der Eile trieb ihn voran. Bei einer normalen Jagd hätte er wesentlich mehr Geduld an den Tag gelegt. Er spähte unter dem Wagen hindurch und konnte vor dem Hintergrund des Lagerfeuers die Stiefel und Strümpfe des Soldaten erkennen.

Anton kniete sich neben den Lastwagen und zwang sich, auf einen geeigneteren Moment zu warten. Als er sein *Choori* aus dem Gürtel zog, konnte er die starke Zigarette des Mannes riechen. Schließlich stand der Fahrer auf und öffnete die Tür. Er stieg in den Wagen und schob sich grunzend am Lenkrad vorbei auf den Sitz neben Antons Tür.

Hustend schnippte der Italiener seine Zigarette nach draußen und öffnete das Handschuhfach. Anton roch den einfachen Wein, als der Mann mit seinen Zähnen den Korken aus einer strohumhüllten Flasche zog und auf den Boden spuckte. Laß ihn trinken, ermahnte Anton sich, laß ihn trinken. Der Fahrer legte den Kopf in den Nakken, schloß die Augen und trank mit großen Schlucken. Anton erhob sich langsam aus seiner kauernden Position. Sein Messer trat unter dem Ohr in den Nacken des Mannes ein und schlitzte ihm dann in einer Bewegung den Hals oberhalb des Adamsapfels bis zum Kinn auf.

Anton öffnete die Tür und zerrte die Leiche nach draußen. Das Blut und der Wein ergossen sich dunkel über den dicken Bauch des Fahrers. Ruhig und gelassen, trotz des Mordes, nahm Anton ihm das Päckchen Zigaretten aus der Hemdtasche. Er verkorkte die Weinflasche, stieg ein und schloß die Tür. Roter Wein und Blut tropften von der Windschutzscheibe nach unten.

Der Fiat sprang sofort an. Anton warf einen Blick in Richtung der Hügel, konnte aber kein Anzeichen für eine Rückkehr der Spähtrupps erkennen. Obwohl er es vor Ungeduld kaum aushielt, fuhr er langsam und schaltete die Scheinwerfer so lange wie möglich nicht ein. Erst als er den Fuß der Hügel erreichte, machte er schließlich das Licht an.

Sofort hörte er Männer auf italienisch rufen. Sie mußten das erste verlassene Feuer gefunden und sich eilends auf den Rückweg zum Lager begeben haben. Er hörte das schnelle Krachen der 6,5mm-Mehrladegewehre der Soldaten. Mehrere Schüsse trafen den Lastwagen, bevor er um eine felsige Ecke am Fuß des Steilabbruchs bog. Zwei Kugeln durchschlugen die Tür neben Anton. Er schrie auf, als er einen kräftigen Schlag in die linke Seite verspürte, gefolgt von einem stechenden Schmerz.

Langsam rollte Anton über den holprigen Boden voran und fuhr auf die Ansammlung von Felsblöcken zu, die er mit Gwenn als Treffpunkt vereinbart hatte. Seine Seite war taub vor Schmerzen, und ihm wurde schwindlig. Ihm wurde übel, und er hielt mit laufendem Motor an. Zweimal ließ er die Scheinwerfer aufblitzen, dann schaltete er sie aus. Als er sich hinüberbeugte, um die Beifahrertür zu öffnen, wurde ihm schwarz vor Augen. Er stützte sich mit einer Hand ab und fühlte das Blut des Italieners dickflüssig, naß und rutschig auf dem Sitz. Sein eigenes Blut mischte sich hinzu.

Er schaltete das Licht ein. Zwei Gwenns standen mitten im Scheinwerferstrahl, beide mit Gewehr und Rucksack in den Händen. Er blinzelte und sah, wie sie zur Beifahrertür rannte und einstieg.

Gwenn schlug die Tür hinter sich zu und hielt sich am Sitz fest. Anton schaltete in den ersten Gang, und der Lastwagen fuhr ruckend an.

»Was ist passiert?« rief sie, hob ihre feuchten blutigen Hände vom Sitz und starrte ihn im Dunkeln an.

»Bist du in Ordnung?« fragte sie und berührte ihn an Taille und Schulter.

»Wir müssen fliehen«, murmelte er und schüttelte den Kopf, um wieder zu sich zu kommen. Dann folgte er den Scheinwerfern in die Nacht.

38

»Einer für Denby«, sagte Gwenn und zog die gebogene Operationsnadel nach oben, bis der Faden sich straffte und die verletzte Haut zusammengezogen wurde. Sie stieß die Nadel erneut durch Antons Haut. »Ein Stich für Wellie. Einer für Olivio. Zwei für Ginger und Clove. Einer für Haqim.«

Sie wußte, daß Anton versuchen würde, sich die Schmerzen nicht anmerken zu lassen. Anfangs gelang ihm das auch, und er tat so, als hätte die halbe Flasche Grappa ihn unempfindlich gemacht. Aber inzwischen waren die Knöchel seiner verkrampften Fäuste so weiß wie frisches Elfenbein. Wieso waren Männer noch immer wie kleine Jungen, wenn sie tapfer waren, und wie Babys, wenn sie weinten?

»Einer für Adam. Einer für Ernst. Noch einer für Olivio.« Der Faden wurde kürzer, je weiter sie die lange Fleischwunde vernähte. Abgesehen von dem Blutverlust war seine Verletzung eher unschön als gefährlich. Sie war stolz darauf, wie gründlich sie die beinahe mattblaue Kugel und die lästigen Splitter der Wagentür aus seiner Seite entfernt hatte. Sie hoffte, daß sie nichts übersehen hatte.

»Einer für Kimathi. Noch einer für Malcolm. Ich fürchte, wir haben nicht genug Freunde. So, fertig.«

Sie legte die blutige Nadel hin und nahm eine Mullbinde aus dem italienischen Verbandkasten, der auf der Ladefläche des Lastwagens befestigt war.

»Gott sei Dank bist du Krankenschwester, äh ... Ärztin«, sagte er mit heiserer Stimme, während sie seine Taille mit dem Verband umwickelte.

»Ich bin weder das eine noch das andere.« Gwenn verstummte, um das Ende der Bandage mit den Zähnen in zwei Teile zu reißen. »Obwohl ich vorhabe, es zu werden. Aber jetzt bist du der Patient. Lieg ruhig.« Sie verknotete die Enden. »Vielleicht wirst du der Arbeit deiner Frau jetzt etwas mehr Verständnis entgegenbringen.«

»Lieber würde ich verbluten«, sagte er spöttisch. Sein schmutziges unrasiertes Gesicht war schweißüberströmt. Er lag auf einer behelfsmäßigen Pritsche auf der Ladefläche des Fiat-Vierzylinders. Seine Verletzung ärgerte ihn.

Gwenn sprang vom Wagen und wusch sich Hände und Gesicht im brackigen Wasser eines Tümpels. Der Laster stand unter den dünnen, sich überlappenden Ästen zweier Akazien. Falls sie aus der Luft entdeckt wurden, würde man sie hoffentlich für Italiener halten. Sie spülte Antons zerrissenes Hemd aus und rieb es zwischendurch mehrmals im Sand. Dann kletterte sie zurück auf den Wagen.

»Du hast so viele Narben.« Sie strich mit den Fingerspitzen über seine nackte Schulter und setzte sich neben ihn auf einen der Ersatzreifen. Dann wischte sie sein Gesicht mit dem kühlen Hemd ab und hob seinen Kopf, so daß er etwas bequemer an der Maschinengewehrplattform lehnte. »Zumindest diese eine wird mir gehören.« Vielleicht können wir ein Liebespaar sein, wenn schon nicht Mann und Frau, dachte sie.

»Wir werden hier nicht lange allein bleiben«, sagte Anton mit etwas mehr Nachdruck und schaute über die Seitenwand des Lasters auf ein paar knorrige moosbedeckte Bäume in der Nähe. »Die Äthiopier kauen gern auf diesen roten *Miraa*-Blättern. Es ist wie *Gat*. Verleiht ein angenehmes Gefühl. Ich könnte ein paar davon ganz gut gebrauchen.«

»Versuch statt dessen lieber eine hiervon.« Gwenn zog eine faltige Zigarette aus der zerknitterten Packung *Aurora senza Filtro*, weil sie nicht wollte, daß Anton den linken Arm hob und dadurch die Wunde wieder öffnete. Nachdem sie die italienische Zigarette angezündet und ihm in den Mund gesteckt hatte, blieb ein langer schwarzer Faden Tabak an ihrer Unterlippe haften. Das dünne Papier an beiden Enden der Zigarette war eingesunken.

Nachdem Anton einen tiefen Zug genommen hatte, verzog er das Gesicht.

»Ich will gar nicht daran denken, wo diese Itaker das Zeug hernehmen.« Er schaute auf Gwenns Mund. Sie bemerkte es und sah ihn an. Dann nahm er mit seiner rechten Hand den Tabak von ihrer Lippe.

»Jedenfalls hat dieser Fahrer sein Bestes für uns gegeben. Wo ist der Wein, den er übriggelassen hat?« Anton strich ihr mit zwei Fingern sanft über die Unterlippe. Sie küßte sie.

»Hier.« Sie gab ihm die Flasche. »Hast du eine Ahnung, wo wir uns befinden?«

»Gute zwei Tage Fußmarsch von Grimaldis Haufen entfernt und ungefähr einen Tag Fahrt von dem Ort, an dem die Safari jetzt sein sollte.« Er sah das Zucken in ihren Augen, als er den Namen erwähnte.

»Anton, sieh nur.« Gwenn stand auf und schaute erschrocken in Richtung der Staubwolke, die in einiger Entfernung aufstieg. »Jemand kommt.« Sie hob das Fernglas an die Augen, während Anton nach seinem Gewehr tastete. »Ach, es sind bloß zwei Jungen mit ein paar Schafen oder Ziegen.« Sie setzte sich auf den Reifen und teilte sich den letzten Rest Wein mit Anton.

»Sie kommen näher«, sagte sie nach einer Weile, nahm ihre Hand von Antons Bein und blickte den beiden Schäfern entgegen, die mit einer Herde weißbrauner Ziegen auf den Wagen zukamen. Die leichtfüßigen Tiere hatten schlanke elegante Hälse, lange spitze Gesichter und tropfenförmige Hängeohren.

»Sie sind so hübsch«, sagte sie interessiert.

»Die Ziegen?«

»Nein, Anton, diese Äthiopier.«

Die Jungen warfen mit kleinen Steinen nach ihren mageren Schützlingen, um sie zusammenzuhalten, und stießen die Tiere unbarmherzig mit langen Stäben. Einer der Jugendlichen hatte ein gebogenes Messer an der Hüfte hängen. Sie trugen dicke Baumwollgewänder, deren Kapuzen sie auf die Schultern zurückgeschlagen hatten. Kauend und spuckend schritten sie voran. Beide Jungen hatten große dunkle Augen, markante Gesichter und leuchtende rote Lippen.

»Ach ja!« sagte sie sanft. »Schau dir nur mal den Großen an.«

»Nimm dich zusammen. Du bist eine verheiratete Frau mit zwei Kindern.« Dank seines medizinischen Hüfthalters konnte Anton sich kaum bewegen. Er versuchte, sich an der Gewehrplattform hochzuziehen.

»Schnall dir die Beretta um, und gib mir die Holland. Hier wird jede Minute ein ganzes Dorf auftauchen, und es ist am besten, wenn sie wissen, daß wir beide bewaffnet sind.«

»Beweg dich nicht so!« Obwohl sie sich über seine Dummheit aufregte, befolgte sie seine Anweisungen hinsichtlich der Waffen. »Ich helfe dir hoch, falls nötig.«

»Wirklich?« Er hob die Augenbrauen. »Nimm einen Silberdollar aus meinen Shorts, und kauf uns eines dieser Zicklein.«

Sie griff in Antons Tasche, ließ einen Moment lang ihre Finger spielen und neckte ihn ein bißchen zu heftig, bevor sie von dem Lastwagen sprang.

Für einen Taler verkauften ihnen die Jungen ein zartes braunes Kitz, das sich am Bein verletzt hatte. Sie töteten das Tier und zogen ihm auch gleich die Haut ab. Zunächst jedoch gingen die beiden Äthiopier direkt zu den *Miraa*-Bäumen und pflückten die roten Blätter der jungen Triebe. Auf einigen dieser Blätter kauten sie bereits herum, während sie das Tier schlachteten. Die anderen wickelten sie in alte Bananenblätter, welche sie in den Ledersäcken verstauten, die an ihren Taillen hingen.

Bevor sie gingen, tauschte Gwenn bei den Jungen eine Handvoll der Blätter gegen zwei Zigaretten ein.

»Feldmedizin«, sagte sie ein wenig besorgt, aber dann gab sie die Blätter an Anton weiter. Man sagte, daß das anhaltende Kauen der stimulierenden Blätter zu einem euphorischen Erregungszustand führte, während Schmerzempfinden, Müdigkeit und sexuelles Interesse nachließen.

Als die Schäfer aufbrachen, entzündete Gwenn ein Feuer. Sie war überrascht, daß die Jungen gingen, ohne daß die übliche Schar Abessinier aufgetaucht wäre, die zu den beiden gehörte. Die Schäfer mußten wohl auf der Suche nach frischem Wasser sein. Sie reichte Anton die Flasche Grappa und bemerkte rote Flecken auf seinen Lippen. Während sie das Fleisch des Zickleins auf Spieße steckte, fragte sie sich, ob sie für ihren Patienten tun sollte, was er für sie im Zelt getan hatte. Sie wußte noch, wie Malcolm Fergus gesagt hatte, daß Sex die beste Medizin sein konnte. Bei ihr hatte es auf jeden Fall gewirkt. Sie hoffte, daß Anton in der Lage sein würde, still liegenzubleiben, während sie ihre Pflicht tat.

»Alto là!« brüllte Hauptmann Uzielli und packte die Halterung des Maschinengewehrs. Er blinzelte durch seine dunkle Brille über das holpernde Führerhaus des Fiat hinweg auf das rauhe gelbbraune und graue Gelände vor ihm. Unter dem Militärhut, den er sich tief in die Stirn gezogen hatte, waren sein rundes Gesicht und die abstehenden Ohren von braunem Staub überzogen. Die breite Narbe auf seiner linken Wange hob sich dunkel neben der Nase ab. Inzwischen gefielen ihm diese gewaltigen Schluchten, die steilen Klippen und kühlen hohen Grate besser als die sengenden Sandlandschaften Libyens.

»Alto là!« Er schlug mit der Faust zweimal auf das Dach des Führerhauses und ärgerte sich über den dickfelligen Fahrer, einen typischen Idioten der *Frontieri Alpini*. Der Fahrer stoppte den sechsrädrigen Wagen am Rand einer felsigen Anhöhe, die sich vor ihnen wie ein riesiger Tellerstapel erhob, der nach oben hin immer schmaler wurde. Uzielli spürte, daß sie ihrem Ziel näher kamen, und er wollte den Feind als erster entdecken, noch bevor der Oberst zu ihnen aufschloß.

Direkt vor ihm verlief eine schmale steile Schlucht. Der zerklüftete schroffe Fels fiel rund fünfzig Meter ab und mündete in ein enges gewundenes Tal. Am Boden des Tals erkannte Uzielli vereinzelte grüne Ackerflächen. Er fragte sich, wie das Sonnenlicht jemals dort hingelangte. Kleine Gestalten und Tiere standen wie Spielzeuge im Tal verstreut. An einigen Stellen wirkte die Schlucht so schmal, als könnte ein Mann sie mit einem Sprung überwinden.

Uzielli blies die dicke Staubschicht von seinem Feldstecher und wischte die Linsen sauber. Dann nahm er die Brille ab, hob das Fernglas vor die weißgeränderten Augen und suchte die gegenüberliegende Kante der Schlucht ab, bis hin zu der in einiger Entfernung abfallenden Ebene, die weiter nach Süden und vorbei am nächsten See verlief. Als er die Schärfe nachstellte, hörte er zu seinem Ärger, daß der andere Lastwagen näher kam. Eine Staubwolke hüllte ihn ein, und er hörte die kratzende trockene Stimme von Oberst Grimaldi.

»Geben Sie mir das Fernglas, Hauptmann«, befahl der Oberst und stieg aus dem zweiten Lastwagen, einem Bianchi Dreitonner, der bis zu zwanzig Männer transportieren konnte, im Augenblick aber mit lediglich fünfzehn *Alpini* und *Bersaglieri* besetzt war. Leutnant Calandro reichte dem Oberst eine Wasserflasche. Grimaldi spülte sich den Mund und spuckte aus, bevor er trank.

Widerstrebend händigte Uzielli den Feldstecher aus und wunderte sich abermals über die Inkompetenz dieses Offiziers, der sein Auge und die Stiefel seiner Männer an eine kleine Gruppe Zivilisten verloren hatte. Das Auge war ohne Bedeutung, aber die Stiefel waren für einen Soldaten in den Bergen wertvoller als Wasser. Kurz nachdem Uzielli ihn und seine Gruppe aufgelesen hatte, war die ganze Abteilung unter Grimaldis Führung in einen Hinterhalt abessinischer Wilderer geraten. Dieser Leichtsinn hatte acht weiteren Männern das Leben gekostet. Eindeutig ein typischer Stutzer von der *Regia Aeronautica*. Was kümmerten die sich schon um die Infanterie?

»Und überprüfen Sie die Fahrzeuge, Uzielli, während ich mal nachschaue, wohin wir fahren.« Grimaldi redete, ohne den Hauptmann anzusehen. »Wir können es uns nicht erlauben, noch einen Wagen zu verlieren.« Einer der *Alpini* kontrollierte bereits die Reifen des Bianchi.

Sie hatten bereits drei Lastwagen verloren, einen davon an den verfluchten Engländer. Der erste der fünf war kurz vor dem Lager der *Bersaglieri* liegengeblieben, als die *Alpini* gerade am Treffpunkt ankamen. Eine Feder im Getriebe war gebrochen, so daß sich nur noch zwei Gänge einlegen ließen. Uzielli hätte drei gute Fahrzeuge des gleichen Typs vorgezogen, aber das hier war nicht die Armee. Ein zweiter Wagen, der ohnehin bereits Motorprobleme gehabt hatte, war an dem verlassenen Lagerplatz von dieser wahnsinnigen schwarzen Bestie noch stärker beschädigt worden. Uzielli hatte zwei *Alpini* zurückgelassen, die versuchen sollten, den Laster zu reparieren. Falls sie Erfolg hatten, sollten sie weiterfahren und einen Treffpunkt am Chamosee ansteuern. Falls sie keinen Erfolg hatten, würde man sie vermutlich nie wieder zu Gesicht bekommen. Immerhin verfügten die verbliebenen Lastwagen jetzt über ausreichend Benzin und Öl sowie über einige Ersatzreifen.

Enzo Grimaldi stieg auf den ersten Lastwagen und stützte seine

Ellbogen auf dem mit einer Plane verhüllten Maschinengewehr ab. Er suchte die andere Seite der Schlucht ab und entdeckte keine Bewegung. Dann nahm er systematisch die entfernteren Regionen in Augenschein und erspähte eine Staubfahne sowie eine langsam vorrükkende Kolonne aus Maultieren, Pferden und ein paar Kamelen, die an der fernen Steilkante südwärts zog.

»Irgendwelche abessinischen Händler«, verkündete Enzo voreilig. Dann sah er etwas im hellen Licht aufblinken. Er justierte die Brennweite und musterte die Kolonne ein zweites Mal. Irgend etwas reflektierte dort das Sonnenlicht. »Nein«, sagte der Oberst, ohne das Fernglas abzusetzen, »Europäer.«

Uziellis Magen zog sich zusammen, wie immer, wenn ein Kampfeinsatz bevorstand. Der Hauptmann ging zur Kante des Abgrunds, starrte reglos auf die andere Seite hinüber und suchte nach der besten Route zum Feind. Aus diesem Grund hatte das Oberkommando gerade ihn für diese Mission ausgesucht. Er hatte ein Talent für die Jagd, aber er war am besten, wenn er allein arbeiten konnte, vor allem wenn etwas Silber die einzige Belohnung sein würde.

Grimaldi sah einen Berittenen in europäischer Buschkleidung sein Pferd anhalten und die italienischen Lastwagen ebenfalls durch ein Fernglas in Augenschein nehmen. Der Oberst stellte befriedigt fest, daß der Mann verkrüppelt war. Ihm fehlte ein Fuß. Das dürfte die Sache erleichtern. Mehrere andere Europäer zügelten ihre Pferde und gesellten sich zu dem Mann mit dem Fernglas. Ein oder zwei schienen Frauen zu sein. Kurz darauf setzten sie ihren Marsch fort. Sie befanden sich auf einem Pfad, auf dem ihnen kein Motorfahrzeug folgen konnte, und eilten in gesteigertem Tempo und geschlossenerer Linie weiter nach Süden. Enzo zählte fünf aneinandergebundene Maultiere, an deren Packgeschirr zu beiden Seiten jeweils eine Holzkiste festgezurrt war. Das Silber?

»Uzielli«, sagte der Oberst und schaute zu dem *Bersagliere* hinunter, »hier ist die Gelegenheit, auf die Sie gewartet haben. Nehmen Sie zehn Männer mit leichtem Gepäck sowie das neue Scharfschützengewehr. Sie können das gesamte Wasser haben und darüber hinaus Stiefel nach Wahl.« Grimaldi sprang herunter und reichte Uzielli das Fernglas.

»Jawohl, Sir«, sagte Uzielli. Er freute sich über den Befehl, auch wenn er den Oberst dafür verachtete, daß dieser sich der gefährlichen Aufgabe entzog.

»Und hören Sie nicht eher auf, bis Sie alle erwischt haben. Ich nehme die Lastwagen und blockiere die Route zum Stefaniesee an der Stelle, wo diese Leute das Hochplateau verlassen und offenes Gelände überqueren müßten.«

»Ziehen Sie Ihre Stiefel aus«, sagte Uzielli zu dem *Alpino* mit den größten Füßen. »Sofort!« schrie er den verblüfften Soldaten an. Der Mann zögerte und schaute zu seinem Unteroffizier. Uzielli machte einen Schritt auf ihn zu. Eilig kniete der Mann sich hin und schnürte seine Stiefel auf.

»Sir«, protestierte der Unteroffizier, »meine Männer brauchen ihre Stiefel. Wir haben ...«

»Diejenigen, die mit mir mitkommen, können ihre Stiefel behalten«, sagte Uzielli und wählte fünf *Alpini* aus, während Grimaldi sich abwandte. »Sie und Sie, sofort die Schuhe ausziehen.« Der Hauptmann setzte sich auf einen Felsen und zog seine zu engen Stiefel aus, die ursprünglich dem Soldaten gehört hatten, der dem riesigen Schwarzen im Lager zum Opfer gefallen war.

»Calandro«, sagte Grimaldi und ging zum Führerhaus des vorderen Lastwagens. »Lassen Sie die restlichen Männer aufsitzen. Ich möchte, daß Sie das Maschinengewehr übernehmen.«

Der Leutnant kletterte auf die Ladefläche und schnallte die Segeltuchhülle los, mit der die Waffe bedeckt war. Dann steckte er einen Ladestreifen mit den langen 8 mm-Weichmantel-Bleigeschossen in das Breda. Grimaldi setzte sich persönlich ans Steuer und raste holpernd zwischen den Dornbüschen und großen lockeren Felsen hindurch, während er nach dem Ende der Schlucht Ausschau hielt. Mit etwas Glück würde er dem Finale persönlich beiwohnen können.

»Das ist alles so schwachsinnig«, sagte Bernadette mürrisch. Sie wandte sich im Sattel um und warf über die Schlucht hinweg einen Blick auf die Fahrzeuge der Verfolger. »Wir werden von einer Horde Itaker durch Abessinien gehetzt! Was, um alles in der Welt, wollen diese Italiener mitten in Afrika?«

Von Decken schaute die junge Amerikanerin lange an, bevor er etwas sagte.

»Stellen Sie sich das als deren Kalifornien vor, Miss.«

Harriet wollte etwas einwerfen, besann sich jedoch eines anderen.

Ernst schwang das rechte Bein hoch und legte es quer auf die schmalen Schultern seines äthiopischen Ponys. Dann wickelte er die geflochtenen Zügel um sein rechtes Knie. Es ärgerte ihn, daß der fehlende Fuß immer noch zu schmerzen schien. Da er jetzt die Hände frei hatte, hob Ernst das alte Zeiss-Glas an die Augen und beobachtete die Feindfahrzeuge. Man konnte beiden Wagen die harte Dienstzeit im Busch ansehen. Auf einem der Laster war hinten ein Motorrad festgeschnallt. Er zählte ungefähr fünfzehn Männer plus zwei oder drei weitere, die wie Offiziere gekleidet waren, sowie ein fest montiertes Maschinengewehr. Neben dem hinteren Wagen knieten zwei Männer mit Schraubenschlüsseln und wechselten einen Reifen.

»Gott sei gepriesen, daß es so viele Dornen in Afrika gibt«, murmelte der Deutsche.

Danach musterte Ernst von Decken die Strecke, die der Feind im folgenden Verlauf nehmen mußte. Er dachte an die Lektionen zurück, die er vor vielen Jahren während jener anderen Verfolgungsjagd gelernt hatte. Er hatte nicht deswegen vier Jahre auf der Flucht in Ostafrika überlebt, weil er Schlachten schlug, die er nicht gewinnen konnte. Gewalt hatte ihren Platz, auch Mut war hin und wieder angebracht, aber Umgehung und Täuschung waren auf einem langen Marsch die zuverlässigeren Begleiter. Er wurde langsam zu alt für diese Spielchen, erkannte er, wenngleich das für andere Arten der Zerstreuung noch nicht unbedingt galt.

»Wasser, Bwana?« fragte Harriet. Sie stand neben seinem Pferd, die eigenen Zügel in der Hand.

Er schaute nach unten und lächelte, als sein Zwilling ihm eine Feldflasche reichte. Harriet legte ihre andere Hand auf seine Hüfte und blickte mit geröteten, aber funkelnden Augen zu ihm empor. Ihr Haar war mit einem staubigen Kopftuch umwickelt. Ernst hielt sich nicht unbedingt für einen uninteressanten Mann, aber er war dennoch überrascht, wie sehr dieses amerikanische Mädchen sich zu ihm und seinem Leben hingezogen fühlte.

»Falls ihr beiden Rotschöpfe noch immer auf Abenteuer aus seid«, sagte er fröhlich, »wird sich euer Wunsch bald erfüllen, glaube ich. Eure Bewunderer kommen näher.«

»Ich habe Italiener schon immer gemocht«, sagte Harriet, als würde sie ein Selbstgespräch führen. »Sie sind so romantisch. Was glaubst du, wo wird Anton zu uns stoßen?«

»Er wird uns schon finden.« Der Deutsche gab Harriet die Feldflasche zurück und wischte sich mit dem Handrücken über den Mund.

»Ich habe gelernt, mir niemals Sorgen um deinen englischen Zigeuner zu machen.«

Ernst rieb sich die Augen. Der viele Staub und die grelle Sonne setzten ihm zu. Bevor er sie wieder öffnete, sah er von Lettow-Vorbecks Gesicht zu sich aufblicken, nur mit dem linken Auge, weil das rechte von Elefantengras zerschnitten war. Er faltete seine Landkarten zusammen und rief seine mageren Offiziere zu sich ans Feuer, wo er jeden einzelnen mit Namen begrüßte. Ein Stück daneben flatterte an einem Flaggenmast aus Bambus der zerlumpte schwarze Adler des kaiserlichen Deutschlands in der nächtlichen Brise. Die ausgehungerten *Askaris* hockten um ihre Feuer und warteten darauf, daß ihr dünner Mehlbrei warm wurde. »Meine Kameraden«, würde der General mit seiner klaren, festen Stimme sagen, die keine Erschöpfung kannte, »wir werden Afrika zu ihrem Feind machen. Das Land wird den Kampf für uns übernehmen.«

Das war das Ziel. Ernst mußte seine Silber-Maultiere dorthin führen, wo diese Fiats sich niemals hinwagen konnten. Glaubten diese Spaghettifresser etwa, sie könnten einen Hauptmann der Schutztruppe besiegen? Er kratzte sich am Bein und zählte die anderen Tiere, die nacheinander aufschlossen und sich auf dem kleinen Plateau sammelten.

Zehn Maultiere, sechs Pferde und vier Kamele waren eine seltsame Zusammenstellung, aber bis jetzt funktionierte es. Je nachdem, wie die Tage hinsichtlich des Wassers, der Beschaffenheit des Geländes und der Menge des vorhandenen Futters verliefen, kamen die verschiedenen Tierarten besser oder schlechter zurecht. Die Pferde waren zu sehr vom Wasser abhängig. Die launischen Kamele hatten eine

Abneigung gegen die schmalen holprigen Pfade, die an den steilen Abhängen der Hügelketten verliefen. Die Maultiere, die das Silber in zwei Gruppen abwechselnd trugen, hatten die schwerste Arbeit zu verrichten, so daß ihre Flanken und Bäuche von den Seilen und Gurten wundgescheuert waren. Dennoch schienen sie sich am besten zu halten.

»Ich hoffe, daß all diese Tiere hier oben genug zu fressen finden«, sagte Harriet, während sie ihren Blick über das Land vor ihnen schweifen ließ.

»Das werden sie nicht«, sagte Ernst, »aber wir werden diejenigen, die am hungrigsten wirken, zuerst aufessen.«

Entsetzt warf sie ihrem Liebling Chesterfield einen Blick zu, dem jüngsten der Kamele. Er knabberte mit seinem unanständig breiten Maul an einem dornigen ausladenden Kaktus. Sie hatte den Eindruck, er würde eines seiner Beine schonen. Inzwischen hielt Harriet von Kamelen fast ebensoviel wie von Pferden.

Ernst schaute über die Schlucht und sah, daß der große Lastwagen wieder anfuhr. Das andere Fahrzeug folgte. Ernst blickte ihnen durch das Fernglas hinterher. Dann drehte er sich um und entdeckte eine Gruppe Männer, die von den Italienern zurückgelassen worden war. Er zählte elf und sah, daß sie sich auf der anderen Seite der Schlucht an den Abstieg machten. Sie hielten genau auf ihn zu, und ihre Zielstrebigkeit beunruhigte ihn.

»Was machen wir jetzt?« fragte Harriet. »Wohin wird mein wilder Krieger uns führen?«

»Wir werden sie lehren, was es heißt zu marschieren«, sagte Ernst. »Aufsteigen, meine Kätzchen, wir müssen klettern.«

Fünf Stunden später blickte Harriet empor und schaute Ernsts Pferd dabei zu, wie es sich entlang der Abbruchkante einer höhergelegenen Terrasse des Abhangs seinen Weg suchte. Pferd und Reiter hoben sich vor dem Himmel ab und schwankten hin und her. Während das Pony hinaufstieg, saß ihr Liebhaber vornübergebeugt da und hielt die Zügel hoch über den Hals des Pferds, um dem Kopf des Tiers größtmögliche Bewegungsfreiheit zu geben. Er ritt nicht ganz so, wie man dies in Kentucky zu tun pflegte, aber es schien zu funktionieren. Einer der

Abessinier kundschaftete vor ihm die Route aus, wobei dessen Maultier mit der leichteren Last besser vorankam.

»Diese Seen sind wie Perlen an einer Halskette.« Bernadette wies auf eine große ovale Wasserfläche, die in der breiten Senke schimmerte, welche sich unter ihnen in südwestlicher Richtung auftat. »Das muß der Chamosee sein.« Ihr Pony zwickte Harriets, während sie sich auf dem schmalen Pfad drängelten. »Am Awasa- und Abayasee sind wir schon vorbei.«

»Nur noch einer, dann sind wir in Kenia und in Sicherheit«, sagte Harriet hoffnungsvoll. Sie war sich dennoch sicher, daß ihnen noch eine lange harte Schinderei bevorstand, vor allem weil Ernst jetzt die schwierigste Strecke einschlug, nicht die kürzeste. »Der Stefaniesee. Anton sagt, er erstreckt sich bis zur Grenze, und wir können Boote kaufen und einfach quer hinüberpaddeln.«

Harriet hob beide Hände an die Augen und beobachtete die Staubwolke, die hinter den italienischen Lastwagen aufstieg.

Ernst stieß einen gellenden Pfiff aus.

Harriet blickte auf und sah, daß er mit ausgestrecktem rechten Arm nach vorn deutete. Er schien nie zu zögern. Der Äthiopier am Anfang ritt herunter, um ihnen den Weg zu zeigen. Sein abgemagertes Maultier rutschte mit gesenktem Kopf voran. Bevor sie aufstiegen, zogen sie alle die Sattelgurte fester an. Die Maultierjungen führten ihre Tiere am Kopfgeschirr nach oben. Vor ihnen wartete der gewaltige Felsenozean des abessinischen Gebirgsmassivs, eine endlose Flucht von Gipfeln und Schluchten, Graten und terrassenförmigen Hängen. Diese steinernen Alterslinien der Erde waren genauso tief, rauh und aufschlußreich wie das dunkle wettergegerbte Gesicht eines alten Seemanns.

Falls jemand müde wurde, brauchte er lediglich durch das Fernglas einen Blick auf die italienischen Lastwagen zu werfen, die sich durch die Schluchten und Hohlwege nach Westen schlängelten und versuchten, der Safari den Weg abzuschneiden. Ein Soldat stand hinter dem Maschinengewehr und zielte nach vorn. Andere hielten sich an den hölzernen Seitenwänden der schwankenden Laster fest. Harriet kamen sie wie angeleinte Hunde vor, die nur darauf warteten, zu Fuß an der Jagd teilzunehmen. Die Wagen schienen langsam näher zu kommen. Von Zeit zu Zeit konnten die Angehörigen der Safari die kleine Schar Soldaten sehen, die ihnen zu Fuß nachsetzte.

»Wegen denen da mache ich mir am meisten Sorgen«, sagte Ernst zu Harriet, als er stehenblieb, um seinen Sattelgurt enger zu schnallen.

Zwei Stunden später hielt von Decken auf einem kleinen Plateau sein erschöpftes Pferd an. Die Safari versammelte sich um ihn. Aus Norden wehte ein kühler Wind und ließ den körnigen Staub in engen Wirbeln emporsteigen, die über das Plateau tanzten und dann wie Selbstmörder in die Tiefe sprangen.

»Kimathi«, sagte Ernst schroff und zog seine Pistole. »Laß Lapsam hier sein Feuer entzünden.« Von Decken hinkte zu einem schmächtigen Maultier, das mit angehobenem Bein dastand. »Ihr anderen sammelt Feuerholz.«

»Lapsam wird das Feuer dort drüben machen, Bwana, neben dem kleinen Gehölz«, sagte Kimathi ruhig.

Ernst ignorierte ihn, verpaßte dem geschwächten Maultier einen Schuß hinter das Ohr und ließ es für die Afrikaner liegen, damit diese es abzogen und schlachteten.

»Nein!« protestierte Bernadette, aber es war bereits zu spät.

»Da kann man nichts machen, Bernie«, sagte Harriet nicht unfreundlich, während sie sich die Stiefel aufschnürte. »Ich frage mich, was die Italiener über unsere Kleidung und die anderen Sachen gedacht haben.«

»Vermutlich ziehen sie die Klamotten abends am Feuer an«, erwiderte ihre Schwester.

Harriet bemerkte, daß Charlie sich müde auf einen Felsen setzte, mit beiden Händen ein Hosenbein hochzog und eine Stelle unterhalb seines Knies in Augenschein nahm. Bernadette ging zu ihm und setzte sich dicht neben ihn auf den Boden. Sie zündete sich eine Zigarette an und beugte ihren Kopf vor, um zu sehen, was er dort entdeckt hatte.

»Mal wieder eine Kamelzecke«, sagte Bernadette. Anton hatte sie vor diesen Zecken gewarnt, denn sie konnten Fieber und zeitweilige Blindheit hervorrufen. »Diese hier ist so groß wie eine Weintraube.« Harriet bewunderte, wie abgehärtet und alles andere als zimperlich ihre Schwester inzwischen war. Bernie zog ein paarmal kräftig an ihrer Zigarette, drückte die Glut auf die Zecke und wischte Charlies blutiges Bein dann mit etwas Sand ab, während er sich auf die Lippe biß.

Harriet schaute zurück zu Ernst und fragte sich, was er wohl dachte. Vielleicht würde er doch ganz gut in Lexington zurechtkommen. Was spielte es schon für eine Rolle, was manche ihrer Freunde davon halten würden? Diejenigen, die es verstanden, würden eifersüchtig sein.

Ernst lehnte an einem Felsvorsprung und spähte durch sein schweres Fernglas nach Norden. Er beobachtete ihre Verfolger, bevor es zu dunkel wurde. Außerdem wartete er darauf, daß es Abendessen geben würde. Er wurde langsam schlanker, während Harriet gerade begonnen hatte, sich an seinen Bauch zu gewöhnen.

»Ich zähle immer noch elf«, sagte er. »Die Lastwagen sind weiterhin dem Tal gefolgt. Diese anderen Jungs steigen direkt hinter uns empor. Sie haben nur leichtes Gepäck dabei.«

»Ich wünschte, Anton wäre hier«, sagte Bernadette zu Charlie. »Er würde wissen, was zu tun ist.«

Harriet hoffte, daß ihr Deutscher diese Bemerkung nicht gehört hatte. Sie sah, wie er zu dem Koch humpelte und ihm einige Anweisungen gab.

»Warum mußt du die Afrikaner immer so anschnauzen?« fragte Harriet, als Ernst an ihr vorbeikam. Es ärgerte sie, daß er im Umgang mit den Leuten nichts von Anton Riders ungezwungenem Humor und Respekt erkennen ließ. Die Schwarzen schienen sich aus irgendeinem Grund nicht daran zu stören. Bei den Negern in Kentucky würde das anders sein.

»Du glaubst, du wärst immer noch in der Armee«, fügte sie hinzu, als Ernst keine Antwort gab. »Du bist so deutsch.«

»Danke.« Ernst blieb stehen und schaute zu ihr herunter. »Unsere Schwarzen waren immer frei. Eure haben zweihundert Jahre in Ketten verbracht.«

Sie würde Ernst ein bißchen ändern müssen, falls er mit ihr nach Hause kam. Aber nicht zu sehr, dachte sie und musterte seine breiten Schultern und die tiefen Falten in seinem Gesicht. Der Versuch, eine Eiche zu beugen, würde bestimmt Spaß machen. Sie versuchte, sich ins Gedächtnis zu rufen, was Jung über Leute geschrieben hatte, die sich wirklich veränderten.

»Schichte das Feuer so auf, daß es noch weiterbrennt, nachdem wir aufgebrochen sind«, sagte von Decken barsch zu Lapsam, während er seine Krücke hinter sich fallen ließ und sich auf einen Felsen setzte.

»Schlagen wir denn hier nicht unser Lager auf?« fragte Charlie. Die Furcht vor weiteren Anstrengungen schwang deutlich hörbar in seiner Stimme mit.

Ernst war damit beschäftigt, die Lederhülle von seinem Stumpf abzuschnallen, um den Sand und Staub herauszuschütteln. Er antwortete, ohne den Amerikaner anzusehen.

»Nein, es sei denn, Sie möchten mit Mussolini frühstücken.«

»Wie weit ist es noch bis zur Grenze?« fragte Bernadette.

»Bis zum Stefaniesee sind es noch ungefähr hundertzehn Kilometer«, sagte Ernst, »aber nur auf direktem Weg. Dann sind es noch etwa dreißig, bis der See die kenianische Grenze überquert.«

Harriet hatte gelernt, daß Ernst es haßte, ausgefragt zu werden. Immer wenn er wütend war, wurde sein Akzent stärker.

Sie nahm seine Krücke und setzte sich hinter ihn. Dann fertigte sie aus einem gelbbraunen Stück Stoff, das sie von einem ihrer Röcke abgeschnitten hatte, ein dickes Polster. Mit einer Angelschnur, die sie in einem Rucksack gefunden hatte, befestigte sie das Polster am oberen Ende der Stütze. Wortlos legte sie die Krücke zurück an ihren Platz, ging zu ihrer Schwester herüber und setzte sich neben sie.

»Nachdem wir mit diesem Maultier fertig sind, geht es für uns noch drei oder vier Stunden weiter, während diese Itaker sich auf das Feuer hier konzentrieren werden«, sagte Ernst. »Der Mond wird hell genug scheinen, und wir werden die Tiere zu Fuß führen.«

»Warum brechen wir nicht erst am Morgen auf?« klagte Charlie. »Sie können uns nicht einholen, wenn wir reiten.«

»In diesem Land legt ein Mann mit zwei gesunden Beinen eine größere Strecke zurück als ein Pferd, es sei denn, man befindet sich in ebenem Gelände und kann hin und wieder einen Galopp einlegen«, erklärte Ernst mit überraschender Geduld. »Und wir müssen langsam gehen. Wenn wir diese Maultiere traben lassen, bewegt sich ihre Ladung zu heftig hin und her, und das Packgeschirr geht kaputt.«

Manchmal schien es, als habe Ernst eine Menge für Charlie übrig. Vielleicht tat der Amerikaner ihm auch einfach nur leid. Wie auch immer der Grund lautete, Harriet stellte verärgert fest, daß Ernst bereit war, seine Entscheidungen mit Charlie zu diskutieren, mit den Zwillingen hingegen nicht.

»Warum lassen wir das Silber nicht zurück?« fragte Charlie.

»Warum lassen wir den Film nicht zurück?« entgegnete Ernst. »Wen kümmert es schon, ob die Itaker und diese Schwarzen sich gegenseitig umbringen, oder mit welchen Mitteln sie das tun?«

»Nein«, sagten Bernadette und Harriet wie aus einem Mund und nahmen ihre Blechteller entgegen, auf denen sich Reis mit Soße und verkohltem Fleisch befand.

»Was ist in dieser Soße, Lapsam?« fragte Harriet lächelnd und schob das Fleisch an den Rand ihres Tellers.

»Zwiebeln und Knochenmark vom Maultier, Miss. Kleingehackt.« Lapsam deutete auf Chesterfield. Der junge langhalsige Wiederkäuer stand auf drei Beinen da und stützte einen Vorderfuß vorsichtig auf der Zehenspitze ab. »Morgen gibt es Kamelfleisch.«

Nach dem Essen stand Ernst auf und hängte sich sein Gewehr quer über den Rücken. Er nahm seine Krücke, sah sie sich genau an, nickte und grunzte beifällig. Dann wandte er sich ab und humpelte flink an dem Grat entlang, der im Zickzack nach Südwesten verlief. Die anderen erhoben sich und folgten ihm. Jeder führte eines der Tiere.

39

Hauptmann Uzielli war überrascht, wie wenig sich ihr Abstand auf die Zivilisten in den letzten drei Tagen verringert hatte. Er setzte sich auf einen Felsen und zog die Schnürsenkel fester an. Seine Männer marschierten in einer Reihe auf dem Vorsprung an ihm vorbei. Die *Frontieri Alpini* und seine fünf *Bersaglieri* hielten noch immer ein wenig Abstand zueinander. Beide Gruppen blieben nicht nur unterwegs dicht zusammen, auch abends entzündeten sie jeweils ein eigenes Feuer.

Die *Bersaglieri* hatten nicht ganz soviel Schneid bewiesen, wie er erwartet hatte, vermutlich weil bereits einige ihrer Kameraden gefallen waren. Einer von ihnen, ein mürrischer Kerl mit dem schweren Akzent der Leute aus Brindisi und außerdem dumm wie ein Stück Brot, machte viel Wirbel um seine Füße. Er trug noch immer diesen Schund, den sie im Lager der *Bersaglieri* angefertigt hatten, eher Sandalen als Schuhe oder Stiefel. Wahrscheinlich hatte er jedoch die ersten achtzehn Jahre seines Lebens barfuß auf den heimatlichen Straßen zugebracht. Bald würde er wieder barfuß sein.

Uzielli fragte sich besorgt, wie die Männer sich halten würden, wenn sie die bevorstehende Drecksarbeit erledigen mußten – nicht die Kämpfe, sondern die Morde. Zum Glück waren zwei der *Bersaglieri* bereits mit ihm in Libyen gewesen. Sie verstanden, was es bedeutete, einen Krieg in Afrika zu führen. Er schaute zu einem der beiden herüber. Der Mann war ganz in Gedanken versunken und reinigte gerade sein neues Scharfschützengewehr, das *Assassino*.

»Das dürfte die Aufgabe um einiges leichter machen, Umberto«, sagte Uzielli. »Eigentlich müßten wir es schon hinter uns haben«, fügte er hinzu, »wenn man bedenkt, daß handverlesene Gebirgsjäger hier ein paar Frauen und einen Krüppel verfolgen.« Er ärgerte sich, daß er nicht von vornherein mehr Verpflegung und zusätzliche Wasserflaschen mitgenommen hatte, aber er hatte erwartet, daß sie wieder zu den Lastwagen stoßen würden, und außerdem dauerte die Jagd mittlerweile wesentlich länger als geplant. Zumindest sorgte die Rivalität zwischen seinen Leuten dafür, daß kaum etwas von dem üblichen Armeegejammer laut wurde.

Sie waren alle durstig, und jeder Mann durfte nur alle zwei Stunden ein paar kleine Schlucke aus den Feldflaschen trinken. Auf der weit entfernten Ebene unter ihnen war kein Anzeichen der Lastwagen zu entdecken, und sie hatten keinen einheimischen Führer dabei, der ihnen gezeigt hätte, wie man hier in den Hügeln Wasser finden konnte. Letzte Nacht hatten sie die Überreste eines halbverzehrten Kamels hinuntergeschlungen, das von der Safari unter einem Sandhaufen zurückgelassen worden war. Sie hatten die Geier verscheucht und sich auf das Essen gestürzt, als wäre es ein Osterlamm, aber das Fleisch war trocken, sehnig und zäh und hatte ihnen die ganze Nacht wie ein Stein im Magen gelegen. Außerdem hatten sie alle noch größeren Durst bekommen.

Während seine Männer sich niederließen, suchte Uzielli das Gelände mit dem Fernglas ab. Ein oder zwei der Soldaten zogen die Stiefel aus, um kleine Steine herauszuschütteln oder ihre wunden Stellen und Blasen zu untersuchen. Ihre Beute befand sich hoch über ihnen. Die Leute der Safari führten ihre Tiere über einen schmalen Pfad direkt am Abgrund und kamen nur langsam voran.

In den letzten paar Stunden hatten die Italiener aufgeholt, weil sie hin und wieder eine Abkürzung nehmen konnten, anstatt die ganze Zeit auf dem zickzackförmigen Weg zu bleiben, der sich hoch und runter schlängelte und von einem Grat zum nächsten führte. In der Luftlinie lagen sie vermutlich nicht mehr als fünf oder sechs Kilometer zurück, aber der eigentliche Weg war ungefähr doppelt so lang. Uzielli stellte die Schärfe nach, während seine Männer den steilen Aufstieg emporstarrten. Der Wind war stärker geworden, und ein feiner, steinharter Staub schlug ihm ins Gesicht. Er mußte an die Sandwüsten denken, die so viele Männer in Libyen verschlungen hatten.

Nachdem er den Feind jetzt mehrere Tage lang beobachtet hatte, waren ihm die einzelnen Leute immer vertrauter geworden, so wie ein Jäger in den Bergen zu Hause vielleicht einen besonderen Hirsch oder Widder wiedererkennen würde. Sogar die Tiere waren ihm inzwischen bekannt. Die Safari hatte noch acht Maultiere, von denen zwei zu hinken schienen. Das letzte in der Reihe trug zwei der Kisten. Der verkrüppelte Mann hatte wieder die Führung übernommen.

Uzielli sah, daß eine der Frauen ein Gewehr aus dem Sattelfutteral des dürren Ponys zog, neben dem sie ging. Sie reichte ihre Zügel an einen der fünf Afrikaner weiter und drehte sich um, so daß sie dem Ende der Kolonne entgegenblickte. Dann kniete sie sich hin und legte die Waffe an. Kurz darauf hallte ein Schuß zwischen den Felswänden wider.

Das hinterste Maultier ging mit den Vorderläufen in die Knie, als hätte es einen Schlag auf den Kopf erhalten. Dann wollte es wieder aufstehen, aber es rollte auf die Seite und fiel über den Rand der Klippe.

Verblüfft sahen Uzielli und seine Männer, wie das Tier hinabstürzte. Der Körper des Maultiers krümmte sich, und seine langen dünnen Beine schlugen aus, während es sich zweimal um die eigene Achse drehte. Schließlich schlug der zuckende schwarze Körper weit unterhalb der Safari neben dem Pfad auf einen Felsblock auf. Die beiden Kisten zerbarsten.

Uzielli richtete sein Fernglas wieder auf die Kolonne und beobachtete einen Tumult, als der verkrüppelte Mann sich auf dem schmalen Pfad nach hinten drängte und die Tiere mit einer Krücke schlug, um sich an ihnen vorbeizuschieben und die Frau mit dem Gewehr zu erreichen. Als er ihr gegenüberstand, schwang er die Krücke drohend. Die Frau schien ihn zu ignorieren. Sie schob das Gewehr zurück in das Futteral und nahm ihr Pferd wieder am Zügel. Nach einer Weile zog die Kolonne weiter, während der Mann mit der Krücke ein Fernglas an die Augen hob und auf das Maultier und die kaputten Kisten hinunterstarrte. Der italienische Offizier konnte seine Gefühle verstehen und schaute ebenfalls auf die Absturzstelle. Er sah, wie sich das Sonnenlicht in einem Haufen Silber spiegelte.

Uziellis Männer standen auf, ohne daß er den Befehl dazu gegeben hätte. Er band sich die Schnürsenkel zu und übernahm die

Spitze der Gruppe. »Zurückbleiben!« schrie er einige der Männer an, die ausnahmsweise von hinten drängelten. »Vergeßt nicht, wer ihr seid!«

Als sie einige Stunden später das tote Tier erreichten, rannten die Männer jubelnd an Uzielli vorbei, als läge vor ihnen eine Oase oder ein Bordell. Bis auch er dort eintraf, hatten die Männer ihre Waffen niedergelegt und sich die Taschen mit Silber vollgestopft. Andere hatten ihre Rucksäcke geöffnet und holten Munition, Rationen und Verbandpäckchen heraus, um Platz für die Maria-Theresien-Taler zu schaffen, die vor ihnen glitzerten. Ein Stück oberhalb auf dem Hang prügelten sich ein *Bersagliere* und ein *Alpino* um einen Sack Münzen, der in einer Mulde lag.

»Attenzione!« brüllte Uzielli wütend. Er zog seine Beretta. *»Attenzione!«*

Die Männer in seiner Nähe rappelten sich auf. Er schoß auf den Boden zwischen ihren Füßen. Die Kugel prallte lauthals ab und sauste heulend davon. Die anderen Männer bei dem Maultier standen auf und schlugen die Hacken zusammen.

»Ihr alle leert jetzt eure Taschen und Rucksäcke. Diese Münzen sind italienisches Eigentum.« Der alte Soldat wußte, wen die Armee verantwortlich machen würde, falls das Silber zum zweitenmal gestohlen wurde. »Dann verstaut ihr das gesamte Silber in euren Rucksäcken«, sagte er zu drei *Bersaglieri.* »Wir werden jede einzelne Münze zählen. Und die anderen nehmen die Sachen, die vorher in euren drei Rucksäcken gewesen sind.«

Langsam und mürrisch begannen die Männer, die Münzen von dem felsigen trockenen Boden neben dem toten Maultier aufzulesen. Uzielli schaute hoch und sah, daß die beiden Soldaten auf dem Abhang über ihm immer noch miteinander kämpften. Der *Bersagliere* schlug den *Alpino* mit einem schweren Stein vor die Brust und erhob sich auf die Knie, wobei er seinen schwarzen Lederhut festhielt. Hauptmann Uzielli hob die Beretta und feuerte.

Der *Bersagliere* kam hangabwärts ins Schwanken. Der Hut entglitt seinen Fingern. Darunter rieselten Silbertaler hervor. Uzielli schoß erneut. Der Soldat fiel zwischen den Felsen aufs Gesicht.

»Hol seine Stiefel und die Feldflasche«, sagte der Hauptmann zu dem Jungen aus Brindisi. Er wollte die Verfolgung so schnell wie möglich fortsetzen. *»Presto!«*

»Subito, Capitano, subito!«

Uzielli erkannte, daß es an der Zeit für eine neue Taktik war. Zehn Männer würden immer durch den Langsamsten der Gruppe gebremst werden. Am besten besann er sich auf die klassische Methode der *Bersaglieri*-Kundschafter: Schicke den schnellsten Mann voraus. Uzielli würde den Jungen aus den Bergen schicken, Umberto, der zudem mit ihrer einzigen weiter reichenden Waffe ausgestattet war, dem *Assassino*.

Harriet gab Ernst das Fernglas zurück. Sie wußte, daß er wegen des verlorenen Silbers noch immer wütend war, obwohl es seinen Zweck erfüllt und die Feinde aufgehalten hatte. Sie wollte sich nicht dazu äußern. Ihre Mutter hatte ihr beigebracht, daß jede Trennung mit den Worten »Ich hab's dir doch gesagt« vorbereitet wurde. Von jetzt an würde sie sich nicht mehr mit Ernst streiten, sondern einfach tun, was sie für richtig hielt.

»Du hattest recht, Harry«, sagte statt dessen Bernadette. »Die Italiener erschießen sich gegenseitig wegen ein bißchen Silber. Erstaunlich, wie dämlich Männer sein können.«

Sie näherten sich einer langen flachen Mulde, die mit Wasser gefüllt war. Die Tiere hatten ihren Schritt beschleunigt und eilten auf den Teich zu. Sie bestätigten damit Jungs Beobachtung, daß das Verhalten sich ändert, wenn etwas begehrt wird, auch wenn die eigentliche Persönlichkeit dieselbe bleibt, dachte Harriet, während sie sich den Staub vom Gesicht wusch.

»Dieser Soldat könnte uns Probleme bereiten«, sagte Ernst, und Harriet glaubte, daß diesmal er recht hatte. Einer der Italiener hatte seine Kameraden verlassen und eine eigene Route eingeschlagen, die nicht länger dem Zickzackpfad folgte, den die Safari nach Süden genommen hatte.

»Der sieht wie ein Jäger aus«, murmelte der Deutsche.

Etwas später machte er noch eine zweite Beobachtung. »Er trägt keinen kurzen Karabiner wie die anderen.« Ernst stützte sich schwer auf Harriets Schulter. Sein Fernglas war noch immer nach Norden gerichtet. »Es hat einen langen Lauf und daher vermutlich eine größere Reichweite.«

»So ähnlich wie die alten langen Kentucky-Flinten«, warf Harriet ein. Sie machte sich Sorgen. »Unsere Jagdgewehre können über mehr als zwei-, dreihundert Meter nicht viel ausrichten«, fügte sie hinzu. Sie wußte, daß die schwereren Geschosse ihrer Waffen sogar für noch geringere Entfernungen gedacht waren als die kurzen italienischen Karabiner.

Der Italiener trabte langsam voran und folgte einer einfacheren Route, die parallel zu ihrer eigenen verlief, aber tiefer lag. So hatte Harriet sich immer den Laufschritt der Indianer vorgestellt. Die Safari würde nach einer Weile natürlich auf tiefergelegenes, ebeneres Gelände hinabsteigen müssen, wenn sie den See erreichen wollte. Harriet erinnerte sich, bei James Fenimore Cooper gelesen zu haben, wie mehrere Indianer auf der Jagd nacheinander einzeln voranrennen würden, so daß immer dann ein neuer Mann zu spurten begann, wenn sein Vorläufer zusammenbrach. Wenn die Gruppe groß genug war, würde die Beute irgendwann erschöpft aufgeben.

Inzwischen hatte dieser Jäger sie auf dem tiefergelegenen Pfad tatsächlich überholt. Er trabte weiter. Zweifellos beabsichtigte er, nach einer Weile emporzuklettern und ihnen den Weg abzuschneiden.

»Falls er höher kommt als wir«, rief Ernst nach hinten, »kann dieser Schweinehund uns aus sicherer Entfernung abknallen.«

Harriet sah, wie der Italiener hinter einer schroffen Steinsäule verschwand, die sich wie ein Stützpfeiler unter dem Steilabbruch vor ihnen erhob.

»Auf die Pferde!« rief Ernst. Er war zunehmend wegen der Gefahr besorgt. »Bleibt in Bewegung.«

Das Wasser an diesem Nachmittag hatte sie erfrischt, und so eilten sie so schnell wie möglich bis zum Sonnenuntergang weiter. Hastig schlugen sie schließlich in einem Winkel zwischen zwei Felsvorsprüngen ihr Lager auf. Dann schlachteten sie das schwächste Maultier. Sogar Charlie hatte inzwischen beinahe seinen Widerwillen überwunden, ihre Reit- und Packtiere zu töten und zu verspeisen. Bislang hatte ihr wanderndes Essen ihnen gute Dienste geleistet.

»Maultiere haben das schlechteste Fleisch«, sagte Bernadette mürrisch, als Lapsam sich an die Arbeit machte. »Warum essen wir nicht noch ein Kamel?«

»Wir brauchen die restlichen Kamele und Pferde noch, Fräulein«, sagte Ernst, als würde er mit einem Kind reden. »Wir müssen nämlich noch schnellstmöglich durch das Buschland, bevor wir den Stefaniesee und die Grenze erreichen. Das Gebiet dort ist flach und sandig.«

»Nur die Franzosen essen gern Pferde«, sagte Bernie und ignorierte ihn. Diese Anmerkung machte sie jeden Tag.

»Was erwartest du?« fragte Harriet. Sie wußte, daß man eine Wiederholung am ehesten dadurch vermied, indem man die gleiche Antwort gab. »Sie lesen nicht *Black Beauty*, wenn sie klein sind.« Erfreut stellte sie fest, daß ihre Schwester die Augen rollte.

Bernadette reichte ihre Zigarette an Charlie weiter und legte ihrem Verlobten eine Hand auf die Schulter. Dann schaute sie nach unten, um zu sehen, was er auf dem kleinen Block in seinem Schoß gerade zeichnete. Sie saßen nebeneinander auf einer flachen Felsplatte, es duftete nach den gegrillten Muskelstreifen.

Charlie stand auf und ging zum Feuer. Er setzte sich im Schneidersitz hin, so daß er die Mädchen ansah. Dann begann er, die Zwillinge im Schein des Feuers zu zeichnen. Harriet fand, daß er jetzt, da sein Gesicht im Halbdunkel lag, ganz ausgemergelt aussah. Neben ihm hockte Lapsam und drehte das Maultierfleisch in den Flammen.

Ein Gewehrschuß peitschte durch die Finsternis. Der Knall brach sich an den Felswänden um sie herum. Mehrere Stimmen schrien auf, und die Tiere zuckten zusammen und zerrten an ihren Zügeln und den lockeren Fußfesseln.

Harriet wußte sofort, daß die Kugel für Charlie bestimmt war.

»Charlie!« schrie Bernadette, als sein Körper nach dem Treffer in sich zusammensackte.

Ihr Verlobter lag stöhnend auf dem Rücken. Eine Schulter ragte ins Feuer. Über seinen Skizzenblock leckte eine Flamme.

Lapsam war als erster bei ihm und zerrte ihn beiseite, während Bernadette und Harriet auf ihn zurannten. Der Afrikaner half ihnen, Charlie in den Schutz der Felsplatte zu ziehen, bevor auch sie sich verbargen.

Ernst kauerte sich mit seinem Gewehr nieder und spähte in die Richtung, aus der geschossen worden war. Es gab keinen zweiten Schuß. Der Jäger verriet seine Position nicht.

Bernadette war zu schockiert, um zu weinen. Sie kniete dort mit Charlies Kopf auf dem Schoß. Auf seinen Lippen standen Blutblasen. Ernst robbte zu ihnen.

»Lungenschuß«, sagte er ruhig. Er gab Harriet sein Gewehr und knöpfte vorsichtig Charlies Hemd auf. Die bleiche Brust war blutüberströmt. Zwischen den Rippen war ein kleines Loch, aus dem immer neues Blut sickerte. Harriet kroch am Rand der Felsplatte entlang und kam mit dem Verbandkasten zurück.

Ein zweiter Schuß zerriß die Nacht. Lapsam schrie auf. Dann kroch er langsam auf sie zu und fiel auf die Seite. Er hielt sich mit blutigen Händen den Bauch und blieb mit offenem Mund liegen. Seine dunklen Augen waren weit aufgerissen.

»Wir können nicht hierbleiben«, sagte Ernst, als nach einem weiteren Schuß eines der Kamele umfiel. Das Tier lag in nur wenigen Metern Entfernung auf der Seite und atmete mit lauten hohen Seufzern ein und aus.

»Wie sollen wir die beiden in diesem Zustand transportieren?« Vor lauter Angst und Schock verschlug es Harriet fast den Atem. Sie starrte erst Lapsam und dann Charlie an. Wie sollten sie die Wunden mit den kleinen Mullkissen versorgen, die Bernadette aus dem Verbandkasten nahm? »Sieh doch nur, wie sie bluten.« Genau in diesem Moment splitterte über ihrem Kopf ein Stück Felsen ab, und sie zuckte zusammen.

»Wir können Charlie und Lapsam nicht bewegen, ohne sie zu töten.« Ernst drückte zwei Kissen gegen die Wunde in Charlies Brust. Kurz darauf war auch seine Hand dunkel und feucht.

»Ihre einzige Hoffnung besteht darin, daß wir sie hier zurücklassen, damit sich ein italienischer Sanitäter um sie kümmern kann. Je eher, desto besser für die beiden.« Ernst legte eine Pause ein. Er sah Harriet ins Gesicht, und seine Stimme wurde sanft. »Die Lastwagen sind die einzige Möglichkeit. Falls wir bei Charlie und Lapsam bleiben und die Italiener hinhalten, werden sie alle beide sterben.«

Er hinkte in die Dunkelheit und rief den Afrikanern zu, ihm hinter einer Ecke des Vorsprungs beim Beladen der Tiere zu helfen.

»Ernst hat recht, Bernie«, flüsterte Harriet und legte ihrer Schwester einen Arm um die Schultern. Mit der anderen Hand streichelte sie Bernadettes Wange. »Du und ich können sie nicht retten. Wir können es einfach nicht. Sie brauchen medizinische Versorgung und ein Fahrzeug.«

»Ich bleibe bei Charlie.« Bernadette wischte ihm mit ihrem Hemdschoß das Gesicht ab, als erneut rote Blasen auf seine Lippen traten. Dann griff sie auf dem Rücken unter ihr Hemd und holte die Lederhandtasche hervor, in der der Film war. »Die Italiener werden es nicht wagen, eine Amerikanerin umzubringen.«

Nur zu wahr, dachte Harriet und zögerte. »Dann bleibe ich auch«, sagte sie entschlossen.

»Nein. Jemand muß weitermachen, damit sie wissen, daß sie Charlie und mich nicht töten können, ohne daß etwas davon publik wird. Es ist für uns alle sicherer, wenn du jetzt gehst.« Bernadette nahm Harriets Gesicht zwischen die Hände und sah ihr in die Augen.

»Und jemand muß diesen Film außer Landes bringen. Du mußt es tun, Harriet. Bitte. Du mußt. Das ist wichtiger, als wir es sind.« Bernadette beugte sich herüber und umarmte ihre Schwester. »Geh schon, beeil dich. Hilf Ernst bei den Vorbereitungen. Du kannst hier nichts tun. Geh, Harry, und nimm das hier.« Sie reichte ihrer Schwester die Handtasche. »Je schneller du aufbrichst, desto besser.«

Harriet steckte sich die Tasche unter ihr eigenes Hemd. Dann kniete sie sich neben Lapsam und strich ihm über die Wange, bevor sie ein weißes Hemd aus ihrem Rucksack nahm und es neben dem Feuer an einen Stock hängte. Das dürfte zumindest dafür sorgen, daß nicht mehr geschossen wurde.

Nach fünfzehn Minuten waren alle Tiere beladen. Harriet kniete sich neben ihre Schwester und drückte sie an sich.

»Beeil dich, Harry, sonst brechen sie noch ohne dich auf«, sagte Bernadette, küßte ihre Schwester auf die Wange und ließ sie los. »Geh, sofort. Mach es nicht noch schlimmer. Bitte.« Harriet nickte und umarmte sie ein weiteres Mal. Die beiden Zwillinge trennten sich ohne Tränen.

Ernst wartete mit zwei Pferden hinter den Felsen.

Harriet nahm die Zügel ihres Tiers. Sie fühlte sich klein, und ihr war kalt. Sie versuchte, nicht daran zu denken, daß sie ihre Schwester vielleicht nie wiedersehen würde.

»Es tut mir leid«, sagte Ernst und drückte ihre Hand, als sie sich auf den Weg machten. Sie antwortete nicht. Während sie dem Rest der Safari hinterhereilten, dachte er darüber nach, wer zurückbleiben sollte, um die Italiener aufzuhalten.

Es war nur noch ein Mann übrig, dem er diese Aufgabe zutrauen konnte: dieser Teufel Kimathi. Ernst wußte, daß die Augen und Beine des Afrikaners nicht mehr die jüngsten waren, aber er konnte sich noch gut an Anton Riders Worte erinnern. »Er ist zuverlässig wie ein Schweizer Uhrwerk«, hatte Rider zu Ernst gesagt. »Wenn du dich umdrehst, ist er immer hinter dir.«

Bei Tagesanbruch würde der Jäger sich wieder auf ihre Fährte setzen, sobald er das Lager gesäubert hatte. Jemand mußte ihn aufhalten. Das war genau die Art von Auftrag, die Ernst in jüngeren Tagen gern selbst übernommen hätte, aber er mußte diese Safari in Bewegung halten, und er war inzwischen zu langsam, um die Gruppe wieder einholen zu können, falls er zurückfiel.

Sie ließen Kimathi in einer Felsspalte oberhalb des Pfads zurück. Er behielt die doppelläufige .450er, eine Handvoll getrockneter Datteln und eine Blechtasse mit Wasser bei sich.

Mehrere Stunden lang setzte die Safari ihren Weg im Licht der Sterne und des Monds fort. Schließlich wandten sie sich in Richtung Osten, so daß wieder das schimmernde Becken des Chamosees in Sicht kam, und suchten Schutz hinter dem stachligen Wall einer langen gewundenen Gratlinie.

»Wir halten hier.« Ernst warf seine Krücke hin und stöhnte auf, weil die wundgeriebene Stelle unter seinem Arm schmerzte. Hinter ihm gähnte die niedrige Öffnung einer der vulkanischen Höhlen, die sich vor Millionen von Jahren gebildet hatten, als die Lava hervorgetreten und in unterschiedlichen Schichten abgekühlt war. Er hatte gehört, daß einige dieser Höhlen sich über mehrere Kilometer erstreckten.

»Kein Lager oder Feuer«, stieß er laut flüsternd hervor und schaute

Harriet besorgt an, »lediglich eine Stunde Pause und ein bißchen von dem Reis.« Er würde den Koch vermissen. Jetzt hatten sie nur noch zwei Kamele, sechs Maultiere und die Pferde. Es waren lediglich drei Afrikaner übrig, es sei denn, Kimathi schaffte es zurück.

»Ich hätte sie nie verlassen sollen«, sagte Harriet leise. Sie saß an einen Vulkanfelsen gelehnt, legte den Kopf zurück und schloß die Augen.

»Du konntest nichts tun«, sagte Ernst sehr sanft. »Niemand von uns konnte was tun. Sie brauchen ein Transportmittel und einen Arzt. Nur die Italiener können ihnen helfen.«

Drei grelle Schüsse hallten aus der Ferne an ihre Ohren. Die Abstände dazwischen waren so gleichmäßig wie bei den Knöpfen an einem Waffenrock.

»Kommt das aus dem Lager?« Harriet sprang auf.

»Muß dieser Scharfschütze sein, der den anderen Italienern Signale gibt«, sagte Ernst unbekümmert. »Auf diese Weise dürfte der Sanitäter noch schneller bei ihnen sein.« Er streckte Harriet eine Hand entgegen, obwohl er wußte, daß sie sie nicht ergreifen würde. Sie sah aus, als hätte man auf *sie* geschossen. »Wir brechen am besten wieder auf.«

Harriet stand zitternd da und verschränkte mit geballten Fäusten die Arme vor der Brust. Sie drehte sich um und starrte zurück nach Norden. Ihr Körper begann zu wanken.

Ernst packte von hinten ihre Schultern und spürte, wie ihre schmale Gestalt zusammensackte und starr wurde. Er drückte sie aufmunternd.

»Komm«, sagte er mit leiser entschlossener Stimme und erinnerte sich daran, wie oft sie Verwundete zurückgelassen hatten, damit die Briten sich um sie kümmern würden. »Das wird den Feind verlangsamen«, sagte von Lettow-Vorbeck für gewöhnlich und befahl, daß die Zurückbleibenden mit älteren Waffen und nur wenigen Schuß Munition ausgestattet wurden. Allerdings waren es nicht britische Soldaten, die sich dieser drei annehmen würden.

Eine Stunde lang zogen sie langsam am Rand des Grats weiter, während es heller und wärmer wurde. Einmal glaubte Ernst, zwischen einigen Dornbäumen weit unterhalb von ihnen eine Staubfahne aufsteigen zu sehen. Die italienischen Lastwagen oder nur der Wind?

Zwei laute Schüsse, die fast wie einer klangen, hallten donnernd aus großer Entfernung zwischen den Felsen heran.

»Kimathi!« rief Ernst der kleinen Kolonne hinter sich laut zu. »Gott schütze ihn!«

Harriet erschauerte und sagte nichts. Sie wußte lediglich, daß sie ihre Schwester den Mördern überlassen hatte.

40

»So etwas ist immer ein bißchen unschön, Rosario«, sagte Hauptmann Uzielli zu dem stämmigen *Alpino* und warf einen Blick auf die zwei oder drei Geier, die in Spiralen nach unten schwebten. Er bemerkte die schmalen angelegten Schwingen und die rautenförmigen Schwanzfedern der großen Vögel und fragte sich, was er und seine Männer vorfinden würden, wenn sie den Felsvorsprung erreichten. Vielleicht waren dies Bartgeier, von denen es hieß, daß sie die Knochen ihrer Beute aus großen Höhen fallen ließen, um so an das Mark zu gelangen.

Als die Soldaten sich den Leichen neben dem erloschenen Feuer näherten, wich ein ganzer Schwarm der Vögel wütend über den felsigen Boden zurück. Die Geier hüpften, pfiffen empört und wedelten mit ihren langen grauen Schwingen den Staub auf. Die Schnäbel der Tiere waren rot vom Blut, wenngleich sie ihre Bäuche noch nicht gefüllt hatten und keines von ihnen übersättigt wirkte. Schritt für Schritt zogen die Vögel mit den orangefarbenen Bäuchen sich zurück und gaben ihre Beute für den Augenblick frei. Ihre stoppeligen schwarzen Bärte zitterten im Wind.

Die Geier hatten schlimm gewütet und die Bauchwunde des dikken Afrikaners geöffnet. Einem der Vögel hing ein runzliges Stück Darm aus dem Schnabel, als handelte es sich um die ungleichmäßigen Stücke einer hausgemachten *Salsiccia*. Uzielli schaute hoch und sah in ein oder zwei Kilometern Entfernung noch andere Geier zu Boden schweben.

»Mein Gott«, sagte ein junger *Alpino* angesichts der ungeduldigen Vögel, die gereizt auf der Stelle hüpften, während sie darauf warteten, ihre Mahlzeit fortsetzen zu können. Zwei der Soldaten bekreuzigten sich.

»Warum seid ihr Stadtjungen so empfindlich?« Uzielli zündete sich eine Zigarette an. »Ihr werdet schon bald bedauern, daß Umberto nicht noch ein paar mehr der Leute erwischt hat.«

Uzielli ließ seinen Blick über das Lager schweifen.

Nur die Frau war an einem einzigen Schuß gestorben.

»Was für eine Verschwendung«, sagte Uzielli und bewunderte die langen schlanken Beine und den wohlgeformten Oberkörper. Er legte ihr eine Hand auf den Hals und ließ sie zu ihrer Schulter hinabgleiten, ein kleines Stück unter ihr Hemd. Er spürte, wie kühl und sanft sich ihre Haut anfühlte.

»Ich würde gern wissen, wie dieser Rotschopf lebendig gewesen ist«, sagte einer der Männer.

»Zu schade, daß sie nicht mehr warm ist«, warf Rosario lachend ein.

»Die beiden Männer wurden zunächst aus einiger Entfernung verwundet«, sagte Uzielli. »Als Umberto danach herkam, hat er sie umgelegt. Bloß fünf Kugeln für alle drei. Das hätte ich selbst auch nicht besser hinbekommen.«

Er ging in die Hocke, knöpfte die Taschen der Buschjacke des Europäers auf und sah die Habseligkeiten des Toten durch. Es beunruhigte ihn, daß er einen amerikanischen Paß fand. Er steckte ihn ein, zusammen mit einem Bündel Dollarnoten und einer Zeichnung, auf der zwei identische Frauen zu sehen waren. Eine davon war das tote Mädchen. Sie hatte ihre vollen Lippen zu einem Kreis geformt und rauchte eine Zigarette. Uzielli spuckte in die rechte Hand und benutzte den Speichel, um dem Amerikaner den goldenen Ring vom Finger zu ziehen, ohne ihn zu verstümmeln.

Als er und die anderen acht Männer das Lager verließen, blieb einer der *Bersaglieri* zurück und schnürte die Stiefel des Weißen auf.

Ein Stück weiter den Pfad entlang bot Umberto einen noch scheußlicheren Anblick, der aber wenigstens dazu diente, die Männer in ihrer Entschlossenheit zu bestärken.

»Schweine. Er sieht aus, als hätten sie seinen Brustkorb mit einem Spaten aufgebrochen«, sagte einer der Soldaten und kniete sich neben die Leiche. »Und das Scharfschützengewehr fehlt.«

»Zwei großkalibrige Geschosse aus kurzer Distanz«, sagte Uzielli und starrte nach unten. Er schaute sich um und kletterte dann zu dem Spalt hinauf, der oberhalb im Gestein klaffte. Dort hob er zwei Patronenhülsen auf.

»*Porci Inglesi*«, rief der Hauptmann. »Eine Elefantenbüchse. Halten die uns für Tiere?« Er hatte noch nie gesehen, daß ein Gewehr solche Verletzungen hervorrufen konnte. »Kynoch .450 Nitro Express« war in den runden Rand jeder der beiden Kupferhülsen geprägt. Er steckte eine der Hülsen in die Tasche. Sie würde eine brauchbare Signalpfeife abgeben.

»Bedeckt seine Leiche mit Steinen«, sagte er zu zwei der *Alpini*, da niemand von ihnen eine Schaufel bei sich trug. »Beeilt euch. Dann schließt ihr so schnell wie möglich zu uns auf.«

Uzielli und die anderen marschierten weiter, wenngleich etwas vorsichtiger als bisher. Als er durch sein Fernglas das Gelände überprüfte, entdeckte er zu seiner Erleichterung unterhalb von ihnen in einiger Entfernung zwei der Lastwagen. Die Falle schloß sich endlich.

»Ich hätte nie gedacht, daß ich mich mal so sehr darüber freuen würde, einen Schwarzen zu sehen«, sagte Ernst von Decken. Er saß auf einem Felsen und blickte Kimathi entgegen, der zu ihnen hinauflief.

Durstig erreichte der Kikuyu sie schließlich. Die Falten in seinem Gesicht wirkten vor lauter Erschöpfung noch tiefer als sonst. In jeder Hand trug er ein Gewehr.

Ernst stieß einen bewundernden Pfiff aus, als er dem alten Fährtensucher das langläufige Carcano aus der Hand nahm. »Patronen?« fragte er Kimathi, während der Mann in großen Schlucken aus einer Feldflasche trank. *»Risasi?«*

»*Ndio*, Bwana«, sagte der Afrikaner langsam, als würde er ein ungeduldiges Kind beruhigen. *»Ndio.«* Dann schüttete er dem Deutschen einen Lederbeutel voll langer spitzer 6,5mm-Patronen in die ausgestreckten Hände. Unter dem Lauf des Scharfschützengewehrs war in einer ledernen Hülle ein Zielfernrohr verstaut.

»Nicht schlecht gemacht, du dreckiger alter Hund«, sagte von Dekken widerwillig. »Hiermit kann ich sie uns vielleicht vom Leib halten, während wir durch die Ebene zum Stefaniesee hetzen.«

Er holte das Zielfernrohr heraus und ließ es in die entsprechende Halterung oben auf dem Gewehr einrasten. Auf diese Weise würde er die Waffe bei Entfernungen von unter hundert Metern oder einem sich schnell bewegenden Ziel nur umständlich einsetzen können, aber er hoffte, daß ein Einsatz auf kurze Distanz nicht nötig werden würde. An beiden Enden des Fernrohrs schützten kleine schwarze Lederkappen die Linsen. Sie erinnerten ihn an die Hülle für seinen Beinstumpf.

Eine halbe Stunde später begannen sie mit dem Abstieg. Die beiden Kamele wurden mit dem Silber beladen. Das schwächste Maultier wurde getötet und zurückgelassen, abgesehen von den beiden Hintervierteln, die auf dem Packgeschirr eines seiner sich sträubenden Artgenossen festgeschnallt wurden.

Der Abhang teilte sich kurz vor dem Fuß des Hügels zu einer immer breiter werdenden Spalte und öffnete sich dann auf die felsige Hochebene des großen Gebirgsmassivs, auf der sich auch der See befand. Als sie unten waren, stieg Ernst auf sein Pferd und wandte sich um. Er hielt sich dicht neben der Steilwand und wartete, daß die Safari aufschließen würde, damit sie losreiten konnten. Der Boden unter ihren Füßen war weich und nachgiebig. Er war bedeckt von feiner hellgrauer Vulkanasche, die zermahlenem pulvrigen Bimsstein ähnelte.

Von Decken kontrollierte die Anhöhen und die sichtbaren Windungen des abschüssigen Pfads, den sie genommen hatten. Er konnte kein Anzeichen ihrer Verfolger entdecken, aber er wußte, daß es nicht mehr lange dauern würde. Hier und da durchbrachen die dunklen Öffnungen vulkanischer Höhlen oder Gänge die Felswand. Das ausgedehnteste Hochland des Kontinents begann hier seinen stufenweisen Abstieg in ein anderes Afrika. Wie der Rhein, der Ärmelkanal oder die Meerenge von Gibraltar, so war auch dies eine der natürlichen geologischen Trennlinien, an denen sich ganze Nationen ausrichteten und über die hinweg Kriege stattfanden.

Während Ernst nach den Italienern Ausschau hielt, zog er das *Assassino* aus seinem Sattelfutteral und justierte das Zielfernrohr. Beunruhigt dachte er daran, daß er noch keine Gelegenheit gehabt hatte, sich mit der Waffe einzuschießen. Er freute sich schon darauf, das Gewehr an dessen ehemaligen Eigentümern auszuprobieren.

Harriet stieg als letzte aufs Pferd. Sie war traurig und schweigsam, und sie zog die Schultern hoch, als sei ihr kalt oder als wäre sie allein.

»Ich kehre um«, sagte sie plötzlich und wandte den Kopf ihres Reittiers. »Ich weiß, daß Bernie etwas zugestoßen ist. Sie braucht mich.«

»Nein«, sagte Ernst barsch. »Was auch immer geschehen ist, du kannst ihr nicht helfen.« Er beugte sich vor und packte ihr Pferd am Halfter. Es würde schon schwierig genug werden, wenn sie einfach nur weiterritten, dachte er ungeduldig. Sie waren nur leicht bewaffnet, befanden sich im offenen Gelände und hatten Kamele und Pferde statt Lastwagen. Er bezweifelte, daß sie es schaffen würden.

»Laß mein Pferd los!« Sie schlug ihm mit ihrer Reitpeitsche auf den Arm. »Wie kannst du es wagen!«

Ernst war entschlossen, sie aufzuhalten. Er stieß seinem Pferd die Ferse in die Seite, und beide Tiere setzten sich in Bewegung. »Du wirst umgebracht, falls du umkehrst!« brüllte er. »Sei nicht dumm.«

»Das ist mir egal«, schrie Harriet. Sie glaubte, sie alle seien ohnehin verloren. Während er ihr Pferd zwang, dicht neben ihm zu bleiben, holte sie abermals aus und schlug ihn quer über das Gesicht. »Laß mich gehen!«

»Zwing mich nicht dazu, dir die Hände zu fesseln.« Ernst riß ihr die lederne Reitpeitsche aus der Hand. »Kannst du denn nicht begreifen, daß wir uns mitten in einem Krieg befinden?« Er verpaßte ihrem Pferd einen Klaps mit der Peitsche, woraufhin beide Tiere am Fuß der Felswand davontrabten.

Nach einigen Minuten hielt er an und wartete darauf, daß der Rest der Safari sie einholen würde, bevor sie in das offenere Gelände kamen. Harriet hatte sich ein wenig beruhigt. Kurz darauf hörte Ernst ein neues Geräusch. Über dem Schnauben der Tiere und dem Stampfen der Hufe vernahm er das unverkennbare Brummen von Motoren, die sich hinter den Felsen in ihrem Rücken näherten.

Ernst erkannte, daß die Lastwagen sie in der Ebene erwischen und mit dem montierten Maschinengewehr niedermähen würden, falls sie jetzt in Richtung des Sees losjagten.

Von Decken drehte sich um und trieb sein Pferd brutal zur Eile an.

»Wir müssen so schnell wie möglich in eine Höhle.« Ernst galoppierte zurück und führte Harriet und die anderen zu dem größten Eingang im Hang. Ungefähr siebzig oder achtzig Meter vor der Höhle kamen sie an einem riesigen Feigenbaum vorbei, unter dem eine kleine Quelle entsprang. Die durstigen Tiere sträubten sich, als sie eilig am Wasser vorbei zu der Öffnung im Fels geführt wurden.

»Laßt sie nicht anhalten«, befahl Ernst. »Schafft sie in die Höhle.«

Als Ernst sein Pferd hineinführte, wich ein Schwarm Fledermäuse in den dunklen Raum zurück, der sich nach hinten immer weiter verengte. Die Pferde und Maultiere drängten sich im breiten Eingang der Höhle dicht zusammen. Die kühle Finsternis machte sie nervös, und der zerklüftete Lavaboden und die rauhe niedrige Decke gefielen ihnen ganz und gar nicht.

»Die Kamele sind zu groß!« rief der Kameljunge. Es gelang ihm nicht, die Tiere tiefer in die Höhle zu führen.

»Laß sie dort vorn«, wies Ernst ihn an. Der Junge schlug den Kamelen auf die Knie, so daß beide Tiere sich niederließen und den Eingang blockierten.

Ernst kniete sich mit dem langen Carcano hinter eines der Kamele. Kimathi und Harriet schlossen sich ihm mit den Jagdgewehren an. In diesem Moment kam der erste Lastwagen in Sicht.

»Hier haben wir zumindest eine Chance«, sagte Ernst, als Harriet neben ihm niederkniete und ihm eine Hand auf die Schulter legte. »Überprüft eure Gewehre«, fügte er hinzu.

»Danke für den Hinweis, Bwana«, brummte der alte Fährtensucher sarkastisch. Dann grinste er Harriet an.

Sie sahen, wie der staubige Bianchi schlingernd neben dem Feigenbaum zum Stehen kam. Beide Türen schwangen auf. Auf der Ladefläche saß niemand. Der Fahrer und ein barfüßiger Soldat gingen zu dem kleinen Teich und knieten sich hin. Der Barfüßige stützte sich mit den Händen auf dem staubigen Ufer ab, senkte den Kopf und begann, wie ein Tier von dem Wasser trinken. Ernst nahm die Lederkappen von dem Zielfernrohr und lud das Gewehr durch. Es blieb keine Zeit, das Zielfernrohr abzunehmen. Die Italiener würden sie jeden Augenblick entdecken.

Der Fahrer streifte seine getönte Schutzbrille ab, schöpfte mit beiden Händen Wasser und bespritzte sich das Gesicht. Sein Mund stand offen. Ernst stellte das Zielfernrohr scharf, bis er die Augen und Zähne des Italieners sehen konnte. Das Gesicht des Soldaten war müde, unrasiert und staubig. Der Mann fuhr sich mit der Zunge über die Lippen und tauchte die Hände erneut in den Teich. Dann wollte er das Wasser an seinen Mund schöpfen. Durch das Zielfernrohr sah Ernst, wie der Blick des Soldaten sich plötzlich auf die zahlreichen frischen Tierspuren richtete, die vom Feigenbaum zu der Höhle führten. Der Fahrer sprang auf und rannte zu seinem Wagen. Im gleichen Moment tastete ein sechsrädriger Fiat sich vorsichtig um die Felsen herum. Ein Mann saß hinter dem Steuer, ein anderer lehnte auf einem montierten Maschinengewehr. Genau das, was wir für unsere Flucht gebrauchen können, dachte Ernst.

Der erste Fahrer griff in seinen Wagen und nahm einen Karabiner vom Sitz. Ernsts Kugel traf ihn ins Rückgrat. Der barfüßige Italiener schrie auf und rannte hinter den Lastwagen. Ernst schwang das Carcano herum, um den Fiat ins Visier zu nehmen, der sich in einer großen hellen Staubwolke näherte.

»Verdammt!« rief Harriet, nachdem ihr erster Schuß den fahrenden Wagen verfehlt hatte. Kimathis erste Kugel ließ die Windschutzscheibe in tausend kleine Stücke zerbersten. Ernst wandte den Kopf und nickte dem Afrikaner beifällig zu. Der Laster krachte gegen den Feigenbaum und blieb stehen. Ernst hörte Schüsse vom Hügel über ihnen. Er feuerte zweimal auf den Mann, der soeben das Maschinengewehr schußbereit machte, verfehlte ihn jedoch, weil er das Zielfernrohr nicht neu justiert hatte.

»Verflucht!« stieß er wütend hervor.

Eine Garbe größerer Geschosse ließ kleine Staubwolken aufsteigen und ratterte auf sie zu, um schließlich eines der knienden Kamele in Bauch und Rücken zu treffen. Eine der Silberkisten zerbrach. Harriet warf sich gegen die zerklüftete Wand der Höhle. Als ihr Rücken auf den Fels traf, spürte sie, wie die Filmdose unter ihrem Hemd laut knackte. Ernst ließ sich auf die Seite fallen. Der italienische Schütze bestrich den Eingang der Höhle, und von dem sterbenden Kamel spritzte Blut auf. Aber nicht nur das Kamel war getroffen worden, zwei der Afrikaner lagen ebenfalls tot auf dem Boden. Jetzt waren sie nur noch zu viert.

Harriet war durch den Staub und das Blut halb blind, und die Schüsse und Querschläger, die den Fels vorn in der Höhle absplittern ließen, gellten ihr in den Ohren. Sie sparte sich ihren zweiten Schuß auf und kroch vorsichtig an den Rand des Eingangs. Weiter hinten in der Höhle lag eines der Pferde zuckend auf der Seite. Es blutete aus dem Hals.

Kimathi stand hinter dem zweiten Kamel und hob die .450er. Das Tier bewegte seinen Kopf und fing sich das schwere Geschoß ein, das eigentlich für den Mann hinter dem Maschinengewehr bestimmt gewesen war. Der Kikuyu stutzte verblüfft, wischte sich mit einem Arm die Blutspritzer aus dem Gesicht und klappte das Gewehr auf, um nachzuladen. Als er die doppelläufige Waffe wieder schloß, trafen ihn drei Kugeln quer über die Brust.

Der große Afrikaner wurde gegen die Seite der Höhle geschleudert und lehnte für einen Moment an dem rauhen Fels. »*Tlaga!*« rief er. Die Waffe glitt ihm aus den Händen. Blut rann ihm über die Lippen. Er versuchte sich aufzurichten. Dann rutschte er an der Wand hinunter. Er saß nach Luft ringend da, mit der Waffe quer über den Beinen, und hielt die Finger auf seine Brust gepreßt. Das Blut strömte über seine Hände.

Einen Augenblick lang herrschte beinahe Stille. Nur Kimathis Stöhnen und das klägliche Wiehern des sterbenden Pferds waren zu hören.

Ernst sah, daß Harriet sich neben Kimathi kniete, ihm das Gesicht abwischte und seine Hände zur Seite drückte, um seine Wunden zu untersuchen. Er wußte, daß der Mann erledigt war.

Der Deutsche nahm das Zielfernrohr von seiner Waffe ab und blinzelte ins Licht. Er konnte zwei der Italiener sehen, die noch am Leben waren: den Mann am Maschinengewehr und einen weiteren, der gerade irgendwelche Anweisungen brüllte. Offenbar meinte er die Soldaten, die den Hügel hinunterliefen, um sich den Lastwagen anzuschließen.

Hinten in der Höhle kauerte der letzte Afrikaner sich zwischen den überlebenden Maultieren und Pferden nieder. Ernst feuerte auf einen laufenden Soldaten und verfehlte sein Ziel.

»Wir können ihm nicht helfen«, sagte Ernst zu Harriet, ohne einen Blick auf Kimathi zu werfen.

»Keine Sorge, du hast recht«, erwiderte Harriet wütend. Sie dachte daran, wie nahe dies Anton gehen würde. »Kimathi ist tot.« Ihre Wangen waren tränenüberströmt. Ihre Hände waren rot vom Blut. Sie legte Kimathis Gewehr beiseite, nahm ihn bei den Schultern und rückte ihn von der Wand ab, so daß sein Körper ausgestreckt dalag. Dann schloß sie ihm die Augen und verschränkte der Leiche die Hände über dem Bauch.

»Überprüfe dein Gewehr«, sagte Ernst ungeduldig, nachdem Harriet sich die Hände an dem sandigen Boden der Höhle abgewischt hatte. »Wir müssen uns einen dieser Lastwagen schnappen, bevor die anderen Soldaten hier ankommen.«

»Welchen der Laster?« fragte sie. Sie hatte die gleiche Idee gehabt.

»Den sechsrädrigen. Dann müssen wir nicht anhalten, falls einer der Reifen kaputtgeht«, sagte er und nahm das Fahrzeug in Augenschein. Es wirkte groß genug, um sie und das gesamte Silber transportieren zu können.

Harriet lud nach und kniete sich neben Ernst. Ein Gesteinssplitter hatte sie an der Stirn verletzt. Besorgt strich Ernst ihr mit zwei Fingern über das Gesicht.

»Einer von uns muß versuchen, sich den Wagen zu holen, während der andere auf den Kerl am Maschinengewehr schießt.« Er griff nach seiner Krücke und hoffte, daß er schnell genug sein würde. Harriet fiel ihm in den Arm.

»Du wirst es nicht schaffen«, sagte sie. »Du kannst nicht rennen. Ich gehe, und du gibst mir Deckung.« Er sah Harriet dabei zu, wie sie in aller Ruhe ihre Schnürsenkel fest anzog. Als sie fertig war, fügte sie hinzu: »Ich treibe die letzten fünf Pferde und die Maultiere nach draußen und laufe hinter ihnen los, während du anfängst zu schießen.«

Er war von ihrem Mut beeindruckt, aber er hatte immer noch Zweifel. »Kannst du das Ding fahren?« fragte er und überprüfte sein Gewehr, während Harriet die Tiere in der Nähe des Höhleneingangs versammelte.

»Kannst du schießen?« konterte sie. Sie war angespannt und ängstlich, aber sie spürte, wie ihre Traurigkeit langsam einer Wut wich. Harriet atmete tief durch und machte sich bereit. Sie kroch nach vorn und kauerte sich zwischen den toten Kamelen nieder.

»Zu spät«, sagte Ernst lakonisch. »Sie sind da. Das müssen die anderen sein, die uns zu Fuß gefolgt sind.«

Drei Soldaten erschienen in der Nähe der Oase und rannten zu den Lastwagen. Ernst feuerte und traf einen der Männer, als dieser versuchte, auf die Ladefläche des Fiat zu klettern. Zwei weitere tauchten auf und schossen, dann noch zwei. Ein Offizier schien die Männer hinter den Fahrzeugen zusammenzurufen.

Von Decken befestigte abermals das Zielfernrohr auf seinem Gewehr. Harriet saß an der Wand und hielt die .450er bereit. Das andere Jagdgewehr lag neben ihr. Zum erstenmal in ihrem Leben fühlte sie sich verängstigt und allein. Sie dachte an Bernadette. Ihre Schwester war bestimmt verletzt oder getötet worden. Dann biß sie die Zähne zusammen. Sie mußte weitermachen. Bernie hätte gewollt, daß sie kämpfte.

Ernst säuberte beide Linsen und nahm das Maschinengewehr ins Visier. Der Schütze lag auf der Ladefläche des Wagens und fingerte an einer Munitionskiste herum. Die Waffe des Mannes wies auf den Eingang der Höhle. Ernst besah das Breda ganz genau von der langen metallbeschlagenen hölzernen Schulterstütze bis zu der breiten gelochten Kühlrippe an der Mündung. Er stellte das Scharfschützengewehr ab.

»Gib mir die Holland.«

Die neugierige Frage, was er jetzt vorhatte, stand Harriet deutlich ins Gesicht geschrieben. Sie reichte ihm das schwere doppelläufige Gewehr.

»Laß uns hoffen, daß Riders englisches Spielzeug treffsicher ist.« Ernst wischte sich die schweißnassen Hände an der Hose ab und stützte dann seine Ellbogen auf eine der Silberkisten, die noch immer auf die Rücken der toten Kamele geschnallt waren. »Dieses Maschinengewehr ist gefährlicher als die Italiener.« Der Deutsche schloß das linke Auge und zog den Höhenunterschied in Betracht. Er zielte ein kleines Stück über die rechteckige Metallplatte, mittels derer der Ladestreifen in die Waffe geführt wurde. Ernst betätigte den vorderen Abzug des Jagdgewehrs.

Die Kugel traf mit lautem Klirren. Das Maschinengewehr schwang auf seiner drehbaren Halterung ein großes Stück herum. Ernst wartete, bis es wieder still stand. Dann feuerte er erneut. Das schwere Gewehr fiel zwischen die Halterung und das Führerhaus des Lastwagens. Harriet jubelte und warf Ernst einen kurzen Blick zu. Mehrere der Italiener erwiderten das Feuer. Harriet schoß zurück. Einer der Soldaten hörte abrupt auf zu feuern.

»Jetzt dürften wir bis zum Einbruch der Dunkelheit Ruhe haben.« Ernst wischte sich das Gesicht an einem Ärmel ab. »Es müssen noch sieben oder acht übrig sein. Vielleicht erwische ich noch einen oder zwei, während sie ihre Makkaroni fressen. Danach versuchen wir mit den Pferden einen Ausbruch.« Er spuckte aus, um den Staub in seinem Mund loszuwerden. Dann grinste er Harriet humorlos an. »Und ein bißchen Silber für unsere alten Tage nehmen wir auch mit.«

»Und den Film ebenfalls«, fügte Harriet hinzu. Sie war absolut entschlossen, den Beweis außer Landes zu bringen – nicht um den Abessiniern zu helfen, sondern um ihre Schwester zu rächen. Sie fragte sich, ob ihre Bernie bereits ihr Leben dafür geopfert hatte.

Harriet überprüfte die Tiere eines nach dem anderen, zog die Sattelgurte nach und sorgte für eine gleichmäßige Verteilung der Last auf den Rücken der überladenen Maultiere. Warum riskierte sie für Ernsts Silber ihr Leben? fragte sie sich. Für sie war es natürlich nicht von Belang, aber für ihn bedeutete es sein altes Leben in Tanganyika. Und nach dem, was sie beide dafür durchgemacht hatten, entwickelte auch sie langsam ein Interesse dafür.

»Wenn der Schußwechsel anfängt«, flüsterte Ernst und legte ihr eine rauhe Hand auf die Wange, »reite so schnell, wie du kannst, Liebling. Triff mich am Fuß dieser Felsen dort drüben. Nach zwei- oder dreihundert Metern kommt eine schmale Schlucht. Das dürfte die Lastwagen aufhalten.« Er zögerte und drückte sie für einen Moment an sich. Auf ihrem Rücken spürte er die lederne Handtasche. Ihr verdammter Film würde sie beide das Leben kosten.

Er knöpfte das Hemd auf und küßte sie zwischen den Brüsten, so daß sein stachliger Bart sie kratzte. Bevor er von ihr abließ, biß er sie zärtlich in den Hals. Dann kroch er mit seiner Krücke in die Dunkelheit hinaus. Harriet zitterte. Ihr wurde bewußt, wie sehr sie mittlerweile seine rauhen Berührungen genoß. Sie beobachtete Ernst dabei, wie er die mondbeschienenen Stellen mied und sich statt dessen im tiefen Schatten des Felsgrats hielt, der sich über ihrer Höhle erhob.

Nachdem Ernst aufgebrochen war, gab Harriet dem Kameljungen eine Handvoll Silber.

»Bring dich in Sicherheit«, sagte sie. »Schnell.« Der verängstigte Jugendliche schlüpfte leise in die Nacht hinaus. Harriet wartete zwanzig Minuten bei den Pferden und Maultieren, streichelte und beruhigte sie. Sie wußte, daß die nervösen Tiere ihre Aufregung spürten. Als sie die weichen Nasen der Ponys berührte, mußte sie daran denken, wie sie und ihre Schwester sich als kleine Mädchen nachts in die Ställe gestohlen hatten, um sich auf die Strohballen zu legen und mit großen Augen ein wackliges neugeborenes Fohlen zu betrachten. Sie waren so nah an das Tier herangeschlichen, daß sie seinen frischen Duft riechen konnten, und sie hatten sich gegenseitig damit geneckt, wer sich als erste trauen würde, das Fohlen zu streicheln.

Harriet wunderte sich, daß die Italiener noch keinen Angriff auf die Höhle unternommen hatten. Hinter den schützenden Lastwagen sah sie den flackernden Schein eines Feuers, und gelegentlich drangen aus dem Lager Stimmen an ihr Ohr.

Zu ihrer Rechten peitschte auf der gegenüberliegenden Seite der Quelle ein Schuß auf. Ernst. Inzwischen gelang es ihr immer häufiger, Gewehre anhand des Schußgeräuschs zu erkennen und auseinanderzuhalten. Ein Mann schrie auf. Andere Gewehre schossen zurück. Jemand versuchte, das Lagerfeuer auszutreten. Harriet konnte vor lauter Angst kaum noch atmen. Sie riß sich mit aller Macht zusammen. Dann führte sie ihre Stute zum Eingang der Höhle und stieg in den Sattel. Sie packte die Führungsseile und beugte sich wie ein Indianer tief über den Hals ihres Pferds, so wie sie und Bernie es immer als kleine Mädchen gespielt hatten. Schließlich stieß sie ihrem Reittier die Fersen in die Seite und schnellte an den toten Kamelen vorbei aus der Höhle.

Harriet war sicher, daß sich bei einer zu schnellen Gangart über kurz oder lang die Verschnürung der Silberkisten lösen würde, und so bremste sie die Tiere zu einem zügigen Schrittempo ab. Im Dunkeln schlug sie einen großen Bogen um die Quelle und das italienische Lager. Sie fürchtete sich, und als sie das andauernde Gewehrfeuer und einen startenden Motor hörte, schickte sie im stillen ein Stoßgebet für Ernst zum Himmel. Sie ritt aus dem Schatten des Felsgrats und gelangte plötzlich auf mondbeschienenes Gelände. Ein Paar Scheinwerfer wurde eingeschaltet und tauchte die Senke rund um den Feigenbaum in helles Licht. Harriet ließ die Tiere traben. Sie hörte, wie der Motor des beschädigten Lastwagens lautstark stotterte, aber nicht ansprang.

Kurz darauf setzte der erste Wagen sich in Bewegung. Während er um den Teich herumfuhr, wanderte der Lichtkegel seiner Scheinwerfer über den Abhang. Harriet galoppierte auf die Felsen zu, ließ ihrem Pferd aber nicht die Zügel schießen, so daß die Maultiere an ihren kurzen Leinen Schritt halten konnten. In einiger Entfernung vor ihr, beinahe in direkter Verlängerung des Fußes der Steilwand, sah sie zwei winzige Lichtpunkte. Dann setzte sich der Lastwagen der Verfolger in gerader Linie hinter Harriet und tauchte ihren Fluchtweg in Helligkeit. Bei der letzten Felsansammlung vor ihr flammte ein Mündungsfeuer auf: Ernst. Sie hielt direkt auf die Felsen zu. Vom Wagen hinter ihr wurde das Feuer eröffnet.

Ernst schoß beständig weiter, während der Laster näher kam. Einer der Scheinwerfer erlosch. Harriet erreichte die Felsen, und Ernst stand auf. Er versuchte, sein Pferd hinter einen der Felsblöcke zu ziehen, und geriet auf seiner Krücke ins Wanken.

»Ich halte ihn!« rief Harriet und versuchte, das tänzelnde Tier am Halfter zu packen. Ernst ließ seine Krücke fallen. Er hüpfte auf einem Fuß und ergriff mit einer Hand Mähne und Zügel des Pferds. In der anderen Hand hielt er sein Gewehr. »Da hinten kommt noch ein Lastwagen!« schrie sie. Die beiden entfernten Lichtpunkte waren größer geworden.

Ernst bekam seinen Fuß in den Steigbügel und stieg auf. Eines der Maultiere wieherte laut und fiel um. Es stürzte gegen einen Felsen, woraufhin eine der Kisten zerbrach. Harriet hatte sich in die Führungsseile und Zügel verheddert und versuchte herauszufinden, welches der Seile sie loslassen mußte.

»Ohne dein verdammtes Silber wären wir schon längst weg!« rief sie.

Der Lastwagen ihrer Verfolger hielt direkt neben ihnen an. Ernst saß auf seinem unruhigen Pferd und bemühte sich verzweifelt, seine Waffe nachzuladen. Auf der Ladefläche des Wagens standen sieben Männer mit Gewehren.

»Waffen fallen lassen!« schrie eine Stimme auf italienisch. »Runter von den Pferden!«

Der Fahrer und ein anderer Soldat sprangen ab und packten die Zügel der beiden Pferde. Ernst versuchte, einen der Männer mit seinem Gewehr niederzuschlagen, wurde jedoch vom Pferd gezogen. Er fluchte auf deutsch, schlug um sich und wehrte sich, aber dann schlug er mit dem Rücken auf den Boden auf. Harriet sah, daß sein lederner Beinschutz abriß. Die Wunde an seinem Stumpf hatte sich geöffnet und blutete.

Harriet stieg zitternd ab und händigte ihre Waffe aus. Sogar unbewaffnet, verkrüppelt und mit einer blutenden Wunde im Gesicht, schüchterte Ernsts rohe Wildheit die jungen Italiener ein, die ihn in Schach hielten. Der Deutsche schnappte nach Luft und starrte wütend den Soldaten an, der ihm den Lauf eines Karabiners in die Rippen stieß. Ernst stand auf und legte Harriet einen Arm um die Schultern, um sich auf sie zu stützen. Sie spürte, wie sein Körper zitterte, als er sich bemühte, seine Wut im Zaum zu halten.

Harriet und Ernst mußten sich mit dem Rücken an einen Felsen stellen. Der grelle Scheinwerfer des Lastwagens blendete sie. Das Licht wurde von den hohen Felsen zurückgeworfen und erhellte auch den Wagen. Harriet fühlte, wie Ernst auf den Film unter ihrem Hemd klopfte. Wollte er sie bitten, daß sie sich dafür entschied, den Film zu übergeben? Als einer der Italiener das Wort ergriff, konnte sie den schweren Akzent kaum verstehen.

»Soll ich die beiden töten, *Capitano*?« Rosario nahm eine Handvoll Münzen aus der zerbrochenen Kiste.

»Noch nicht«, sagte Uzielli. »Zuerst muß ich ihnen noch ein paar Fragen stellen.«

Ernst verstand, was der Italiener sagte. Er mußte jetzt eine Entscheidung hinsichtlich des Films treffen. Falls die Italiener ihn fanden, würden sie ihre Gefangenen mit Sicherheit töten. Und falls sie den Film nicht fanden? Würden sie Ernst und Harriet dennoch umbringen? Oder würde man die beiden foltern?

»Schaff diese *Cagna* hierher«, sagte Uzielli, der noch immer auf der Ladefläche des Lastwagens stand. Die Grundregel in solchen Situationen lautete, daß man die Opfer voneinander trennen und den Schwächsten gegen den Stärksten benutzen mußte. Er hob seine Beretta und schoß dem zappelnden Maultier zweimal in den Kopf. Ein Soldat packte Harriet. Uzielli starrte sie an und mußte an die identische Tote denken, die sie in dem Lager vorgefunden hatten.

»Ich bin amerikanische Staatsbürgerin«, sagte Harriet Mills langsam, laut und deutlich, zunächst auf englisch, dann in ihrem Schulitalienisch. »Befindet Italien sich mit den Vereinigten Staaten im Krieg?«

»Sie haben sich durch Ihr Verhalten selbst zu Kriegsteilnehmern gemacht«, sagte Uzielli, während der Soldat sie am Handgelenk an die Seite des Lastwagens zerrte. »Sie kämpfen auf italienischem Grund und Boden.«

Da Ernst sich nicht mehr abstützen konnte, lehnte er sich gegen den Felsen zurück und versuchte, möglichst wenig bedrohlich zu wirken. Er mußte auf eine geeignete Gelegenheit warten.

»Sie haben italienische Soldaten getötet«, fuhr Hauptmann Uzielli fort und kniete sich auf die Ladefläche. Er deutete mit seiner Pistole auf von Decken. »Und falls dieser hinkende Krautfresser ein Amerikaner ist, bin ich die Niggerkönigin von Saba.«

Uzielli streckte die Hand aus, riß Harriet das Tuch vom Kopf und gleichzeitig ein paar Haarsträhnen aus. Er bemerkte die gedämpft rote Farbe ihres Haars.

»Ich habe Sie schon mal gesehen.« Er nahm die Zeichnung der beiden Frauen aus seinem Waffenrock und faltete sie auseinander. Dann musterte er Harriet für einen Moment, bevor er ihr das Blatt in die Hand drückte. »Wie es aussieht, ist es für die Jungs nun doch nicht zu spät, ein bißchen Spaß mit Ihnen zu haben.«

Uzielli gluckste laut, während Harriet die Zeichnung von sich und Bernadette ansah. Dann blickte sie auf. Ihr Gesicht war zugleich ängstlich und wutverzerrt.

»Sie haben meine Schwester ermordet!« brüllte sie und versuchte, nach ihm zu schlagen. »Stimmt das etwas nicht? Sie haben meine Schwester ermordet!«

»Wo ist der Film?« Uzielli streckte seinen Arm vom Lastwagen herunter. Er schob Harriets Gegenwehr beiseite und legte ihr seine linke Hand auf die Wange. Sie fühlte sich, als hätte irgendein seltsames Tier sie gepackt.

Ernst schaute dem Ganzen mit kaltem Blick zu und hielt sich zurück. Er war schlau genug, sich nicht von seiner Empörung hinreißen zu lassen. Ihm war so, als würde er von weitem einen Motor hören, oder handelte es sich lediglich um den Wagen vor ihm im Leerlauf?

Uzielli kniff Harriet in die Wange. Jetzt hörte auch er den sich nähernden Lastwagen, was ihn nur noch mehr in seinem Entschluß bestärkte, den Film sicherzustellen, bevor Oberst Grimaldi hier auftauchen und die Leitung übernehmen konnte.

»Wo ist dieser verdammte Film?« fragte Uzielli mit unkontrollierter Wut in der Stimme. Er senkte seinen Kopf bis dicht vor Harriets Gesicht und quetschte und verdrehte ihre Wange, als würde er versuchen, den Deckel eines widerspenstigen Marmeladenglases aufzuschrauben.

Harriet schrie, aber sie antwortete nicht. Es würde mehr nötig sein als das hier, um sie zur Zusammenarbeit mit diesem Schweinehund zu bewegen. Sie hoffte inständig, daß Ernst nicht versuchen würde, sich einzumischen.

Uzielli zerrte an ihrer Wange, bis sie glaubte, ihr würde gleich das Auge aus der Höhle springen. Er sprach sehr langsam, damit die Amerikanerin ihn verstehen konnte.

»Ich dachte, wir hätten Sie bereits getötet«, sagte er zu ihr. Er ließ seine Hand zu ihrer Brustwarze gleiten und packte sie brutal durch das Hemd. Dann riß er die Hand nach oben, so daß Harriet beinahe den Boden unter den Füßen verlor. Vor Schmerzen wurde ihr schwarz vor Augen. Sie schrie gellend auf und schlug nach seiner Hand. Ihre Fingernägel hinterließen tiefe Kratzspuren.

»Aufhören!« brüllte Ernst. Trotz seiner hilflosen Lage wollte er nach vorn stürzen, aber einer der Soldaten hob den Karabiner.

»Ich werde ein bißchen zu alt für diese Sachen«, sagte Uzielli und zuckte zusammen, während seine geballte Faust dennoch nicht von ihr abließ, »aber die Jungs haben seit Monaten keine Frau mehr gehabt, wenn man diese Äffinnen in Massawa mal außer acht läßt, und außerdem haben Sie mehrere ihrer Kameraden getötet.« Uzielli senkte erneut das Gesicht, bis Harriet seinen stinkenden Atem riechen konnte. »Vielleicht werden Sie etwas kooperativer sein, nachdem man Ihnen ein wenig Aufmerksamkeit geschenkt hat. Frauen sind nach dem Sex meistens redseliger.«

Der Hauptmann wandte sich an den stämmigen *Alpino*, der gerade eine Silberkiste auf den Lastwagen hievte.

»Rosario, du romantischer Bastard, du darfst als erster. Aber wisch dich ab, bevor du sie berührst. Vielleicht überlege ich selbst es mir ja noch einmal.«

»Der Film ist unter ihrem Hemd«, sagte Ernst. Er wußte, daß sie ihn ohnehin gefunden hätten, und hoffte, es würde ihm gelingen, den Soldaten neben ihm abzulenken, damit er dessen Waffe packen konnte. Er hatte vorher geahnt, daß die Italiener letztendlich auf diesen Gedanken kommen würden, und ihm war klar, daß er nicht in der Lage wäre, untätig herumzustehen, während Harriet vergewaltigt wurde. Er würde zwangsläufig irgendeine Dummheit begehen, die sie beide das Leben kosten konnte.

»Capitano, una machina!« rief Rosario. *»Una Fiat!«*

Hauptmann Uzielli blinzelte von der Ladefläche seines eigenen Lastwagens in die herannahenden Scheinwerfer. Das mußte dieser verdammte Grimaldi in dem reparierten Fahrzeug sein. Uzielli stieß Harriet zurück und winkte dem Neuankömmling grüßend zu. Er hatte noch immer seine Pistole in der Hand. Harriet fiel neben dem Wagen zu Boden. Sie fragte sich, was sie jetzt noch tun konnte, um den Film zu retten.

Der Fiat hielt fünfzehn Meter entfernt in der Dunkelheit an. Uzielli sah, daß hinter dem montierten Maschinengewehr ein Mann stand. Er trug keine Uniform. Hinter dem Steuer saß eine Frau.

Uzielli begriff sofort, daß hier etwas nicht stimmte. Er hob seine Beretta. *»Fuoco!«* rief er seinen Männern zu.

Die Soldaten rissen ihre Gewehre hoch. Ernst ließ sich zu Boden fallen.

Anton Rider gab einen langen Feuerstoß aus dem ruckenden Maschinengewehr ab und bestrich den anderen Lastwagen von vorn nach hinten. Dann noch einmal langsamer zurück. Er stoppte kurz und schwang die Waffe herum, um auf einen *Alpino* zu schießen, der bereits abgestiegen war. Als Rosario starb, fielen ihm ein paar Silbermünzen aus der Hand.

Der letzte Soldat ließ seinen Karabiner fallen.

Anton zögerte kurz und ließ dann aus der rauchenden Waffe eine dritte Garbe von links nach rechts über den Lastwagen wandern.

»Hör auf!« schrie Gwenn ihn an und lehnte sich aus dem Fenster. »Hör auf zu schießen! Sie sind alle tot.«

»Nein«, sagte Ernst. »Einer auf diesem Lastwagen bewegt sich noch.«

Anton sprang herunter und schaute auf die Ladefläche des anderen Fiat. Uzielli lebte noch. Er war in den Arm und zweimal in die Seite getroffen worden und lag rücklings zwischen seinen toten Männern. Anton erkannte ihn sofort wieder. Er nahm die Beretta des Mannes und warf sie Ernst zu.

»Endlich, Engländer, endlich!« brüllte Ernst und streckte einen Arm aus. Mit dem anderen stützte er sich auf Harriets Schulter ab. »Natürlich spät, wie üblich!«

Anton und Gwenn eilten zu ihnen.

»Wo sind Bernadette und Charlie?« fragte Anton, nachdem sie sich alle umarmt hatten.

»Wir mußten sie zurücklassen, nachdem Charlie verwundet worden war...« Harriet verstummte.

»Ich hole sie«, sagte Anton sofort.

»Nein, das ist zwecklos.« Von Decken schüttelte den Kopf. »Zwecklos.«

Harriet wandte den Kopf und starrte Ernst an. Er wich ihrem Blick aus und überprüfte nervös den Schlitten und das Magazin der Automatikpistole.

Schließlich sagte er es ihr. »Du hattest recht.« Er wies auf den Toten neben der Silberkiste und fügte mit leiser Stimme hinzu: »Dieser Mann hat vorhin gesagt, daß diese Schweine sie ermordet haben.«

Harriet erschauerte und machte sich von Ernsts Arm los. Dann entfernte sie sich langsam von den anderen, blieb mit dem Rücken zu ihnen stehen und starrte hinauf in die Hügel.

Der Deutsche hüpfte zwei Schritte zu dem ersten Lastwagen und versuchte, seinen nackten Beinstumpf möglichst nicht im Staub schleifen zu lassen. Die Pistole steckte in seinem Gürtel. »Diese Jungs machen keine Gefangenen. Das sind Verbrecher, keine Soldaten.«

Der italienische Hauptmann versuchte sich aufzusetzen. Ernst griff auf den Lastwagen, packte Uzielli am Hemd und durchsuchte die Taschen des Italieners. Das Geld steckte er selbst ein. Charlies Goldring und Paß reichte er an Gwenn weiter. Dann wandte er sich wieder dem Lastwagen zu und öffnete einen der italienischen Rücksäcke, die auf der Ladefläche lagen. »Mein Silber!«

Von Decken zog die Beretta und spannte den Hahn.

»Nein!« sagte Gwenn. »Nicht!«

»Warum nicht?« fragte Ernst mit gelinder Neugier.

»Er ist verletzt. Du kannst ihn nicht einfach umbringen.«

»Wenn du darauf bestehst.«

Als Gwenn nach seinem Arm griff, hielt von Decken die Pistole neben Uziellis rechten Knöchel und feuerte. »Katzelmacher!« Er drehte sich um und schoß den anderen Soldaten ins Bein. Beide Italiener schrien auf.

»Ich hoffe, du findest das zivilisierter, Doktor.« Ernst nahm seine Krücke und warf sie neben den Rucksäcken auf die Ladefläche. Mit schmerzendem Bein zog er sich in das Führerhaus empor und schlug die Tür hinter sich zu.

Einen Moment lang herrschte Schweigen. Gwenn hielt den Ring und den Paß umklammert. Dann ging sie zu Harriet herüber und legte ihr einen Arm um die Schultern. Das amerikanische Mädchen schreckte auf und versuchte, sich ein wenig zusammenzureißen.

»Sie hätten nichts tun können«, sagte Gwenn sanft.

Anton zerrte den schluchzenden *Bersagliere* auf die Ladefläche neben Uzielli. Der italienische Hauptmann verfluchte ihn.

»Wo sind der alte Kimathi und die anderen?« fragte Anton.

»Tot.« Harriet bückte sich, um den Schutz für Ernsts Beinstumpf aufzuheben. »Dort hinten, bei der Quelle. Und die anderen sind auch alle tot oder weggelaufen.«

»Tot?« sagte Anton. »Kimathi auch?« Niemand antwortete. Er faßte einen Entschluß.

»Wir werden Kimathi begraben«, sagte er schnell und mußte auch an Laboso und Lapsam denken. »Dann versorgen wir uns mit ausreichend Wasser, laden das Silber und die Vorräte in den besten Lastwagen und brechen zur Grenze auf.« Er warf eine der Leichen über die Seite des Lastwagens. »Die verletzten Italiener lassen wir an der Quelle zurück.«

»Helfen Sie mir, diese beiden zu verarzten«, sagte Gwenn zu Harriet und ging auf die verwundeten Soldaten zu. »Wie konnte Ernst nur auf sie schießen?«

»Machen Sie sich nicht lächerlich, Gwenn«, sagte Harriet verärgert. »Was glauben Sie, wo wir uns befinden? Dieses Gesindel hat Bernie und Charlie ermordet. Mich wollten sie vergewaltigen. Diese beiden wären uns gefolgt, falls Ernst ihnen keine Kugel verpaßt hätte.«

Gwenn gab Harriet den Ring und warf den Paß ins Führerhaus.

»Wir müssen uns beeilen.« Anton kippte die nächste Leiche von der Ladefläche des Fahrzeugs. »Nur noch ein See. Heute morgen haben wir in einiger Entfernung einen weiteren italienischen Lastwagen gesehen. Auf ihm war hinten ein Motorrad festgeschnallt.«

41

Der große Reiher öffnete den langen geraden Schnabel und schlug ihn klappernd wieder zu, als würde er ein Gähnen unterdrücken.

Der Vogel stand auf langen schwarzen Beinen im grünen und gelbbraunen Schilf und reckte den blaßroten Hals. Er war fast so groß wie Anton und musterte dessen Einbaum aus kreisrunden gelben Augen. Dank der dunklen Pupillen wirkten sie wie Sonnenblumen.

»Ernst!« brüllte Anton aus dem langen hölzernen Kanu. »Ernst! Beeil dich!« Der Deutsche antwortete nicht. Anton war sich sicher, daß Grimaldi sie immer noch verfolgte, und er machte sich Sorgen wegen des anderen Lastwagens, den er und Gwenn zwei Tage zuvor gesehen hatten. Rider wollte die Fahrt über den Stefaniesee so schnell wie möglich antreten.

»Er ist fast fertig«, rief Harriet ihnen vom Ufer aus zu.

Gwenn döste erschöpft im Bug. Hinter ihr lag Antons alte Merkel auf einer einzelnen Silberkiste, die zwischen ihnen stand. Anton blickte durch das Schilf ans Ufer. Eine Horde Äthiopier kletterte auf dem verlassenen Fiat herum. Der Tank war leer. Im Schatten des Wagens standen Ziegen. Zwei Frauen versuchten, den Fahrersitz aus dessen Halterung zu lösen. Andere knieten am Ufer und spülten die Benzinkanister aus. Eine Gruppe Jungen raufte sich auf der Ladefläche des Wagens, während überall um sie herum die Männer damit beschäftigt waren, die Holzplanken zu demontieren, aus denen die Seitenwände bestanden. Ein kleines Mädchen in einem makellos weißen Gewand sah, daß Anton herüberschaute, und winkte ihm mit einer Hand schüchtern zu.

Ein kleines Stück vom Ufer entfernt standen zwei Ansammlungen runder Schilfhütten mit kegelförmigen Strohdächern. Die Gebäude waren mit geflochtenen Farnwedeln geschmückt, und auf den Spitzen der Dächer befanden sich geschnitzte koptische Kreuze. Jede der beiden kleinen Ansiedlungen war von einer schulterhohen Palisade umgeben, durch deren geöffnetes Tor Ziegen, bucklige Rinder und Kinder in langen Gewändern ein und aus gingen.

Gwenn schlug die Augen auf und schöpfte Wasser aus dem See, um sich das Gesicht zu waschen. Sie fühlte sich gestärkt. Als sie aus dem Kanu stieg, sah sie eine junge Frau, die am Ufer entlang in ihre Richtung ging. Der Hals der Frau wurde von der Schulter bis zum Kinn von mehreren Lagen kleiner roter Perlen bedeckt. Auf ihrem Kopf trug sie einen langen schwarzen Wels, der in ein Stück Stoff gewickelt war. Der Schwanz des Fisches hing vor ihrem Gesicht herab.

Am Strand in der Nähe des Lastwagens mühte von Decken sich mit dem Silber ab und überwachte zudem zwei gutbezahlte Äthiopier bei der Arbeit. Er war entschlossen, nicht eine einzige Münze zurückzulassen. Sie hatten mit einem Dutzend Stangen auf beiden Seiten von Ernsts Kanu je einen zusätzlichen kleineren Einbaum befestigt. Die Boote wirkten wie Ausleger oder die kleineren Rümpfe der Katamarane. Ihr Abstand zum mittleren Kanu betrug etwas mehr als einen Meter, damit genug Platz zum Paddeln blieb. Ernst hatte so lange Silberkisten in die drei Einbäume gehievt, bis alle drei Rümpfe tief und schwerfällig im Wasser lagen, obwohl das Wasser des Stefaniesees salzig und überaus tragfähig war. Das Silber aus den zerbrochenen Kisten hatte er lose auf den Boden von Antons Kanu geschüttet. »Das ist dein Anteil«, sagte er zu seinem Freund. Auch das würde helfen, dachte Anton, wenngleich es nicht genug war.

Während sie alle arbeiteten, kam ein Äthiopier zu ihnen ans Ufer. Er trug einen kleinen Jungen auf den Armen, der in einen blutigen Umhang gewickelt war. Der Mann legte das bewußtlose Kind vor ihnen hin. Gwenn öffnete die Kleidung des Jungen. Seine dünnen Oberschenkel waren beide mit zwei Reihen gezackter Wunden überzogen.

»Krokodile«, sagte Anton und vergewisserte sich, wie groß der Abstand zwischen den einzelnen Verletzungen war. »Hier in der Gegend und im Sudd gibt es die größten Krokodile von ganz Afrika.« Er lief zum Lastwagen, um den Verbandkasten zu holen.

Gwenn säuberte und bandagierte die Wunden so gut sie konnte. Erneut staunte sie über die gute Konstitution der Afrikaner. Als sie fertig war, hatte sich inzwischen eine ganze Gruppe Abessinier eingefunden, die um Hilfe baten: abgemagerte und fiebernde Familien mit Malaria, ein alter Mann, der an Bilharziose litt, ein Blinder mit leeren milchig-blauen Augen, die wie Murmeln glänzten, zwei Brüder mit der gleichen Wirbelsäulenverkrümmung und eine alte Frau, die von irgendeinem Parasiten befallen war, den Gwenn nicht identifizieren konnte.

Gwenn fühlte sich gebraucht, aber gleichzeitig der Aufgabe nicht ganz gewachsen. Sie merkte, daß sie es kaum erwarten konnte, zurück an die medizinische Fakultät zu gelangen und ihre Ausbildung zu beenden. Ihre Anstrengungen ließen sie an Kenia denken und an ihre wöchentliche Sprechstunde auf der Farm. Für einen Arzt war es nirgendwo so wie in Afrika. Jeder hier brauchte ihn. Jeder Mediziner war sein eigenes Hospital.

Während sie die Afrikaner untersuchte und versorgte, soweit das mit den Mitteln des italienischen Verbandkastens möglich war, hörte sie, wie Ernst sich an seinem Boot abplagte. Harriet half ihm, die Stangen mit Drähten, Schnüren, Keilriemen und Schellen zu befestigen, die Anton aus dem Lastwagen herausgerissen und abgeschraubt hatte. Gwenn sah, daß sich in einiger Entfernung ein Leprakranker niederhockte. Der Mann mit den geschwollenen grauen Beinen, aufgedunsenen kurzen Fingern und dem nasenlosen Gesicht beschattete seine blutunterlaufenen Augen mit einem Bananenblatt und schaute ihr bei der Arbeit zu. Zweifellos wußte er, daß sie nichts für ihn tun konnte.

»Ernst! Es geht los«, hörte Gwenn ihren Mann rufen. Ihre Arbeit war getan, und ihre Schulter schmerzte. Sie stieg in das Kanu und nahm ein tropfenförmiges Paddel. Der Wasserstand des Sees war niedrig. In den flachen Tümpeln schwärmten Moskitos zwischen den Wasserlilien mit ihren ausgebreiteten grünen Blättern und den Blüten, die außen blau und innen gelb waren. Als Anton die Balance des Kanus überprüfte und die Ladung verrückte, stellte Gwenn beunruhigt fest, daß sein Hemd auf der linken Seite frische Blutflecke aufwies.

Parallel zum Ufer verliefen lange schlammige Sandbänke, auf denen vereinzelte Reiher, Ibisse und die Fährten von Flußpferden zu sehen waren. Es schien, als würden sie die Kanus an manchen Stellen über die Barrieren ziehen müssen, um in tieferes Wasser zu gelangen. Auf einer südlich gelegenen Insel sah sie eine Gruppe rotschnäbliger Enten ans Ufer watscheln.

Gwenn konnte kaum fassen, daß am Ende des Sees Kenia wartete. Zum erstenmal erschien es ihr möglich, daß sie tatsächlich nach Hause zurückkehren würde. Sie hoffte, daß Lorenzo sich nicht in der Nähe befand. Auch ohne den Film würde er ihnen folgen, das wußte sie.

Erst nachdem Anton abgelegt und zu paddeln begonnen hatte, stieg auch Ernst schließlich in sein Kanu. Gwenn drehte sich um und sah, daß Harriet seine Krücke in einen der kleineren Einbäume legte. Ihr war bewußt, wie sehr Harriet ihre Schwester vermißte. Wenn all das hier vorbei war, würde der Schmerz erst richtig über sie hereinbrechen. Gwenn sah, wie die Amerikanerin tiefer ins Wasser watete und bis zu den Knien einsank, als sie die drei Boote durch den weichen grauen Sand schob. Sie hörte Ernsts brummende Stimme, die Harriet Ratschläge und Anweisungen erteilte. Gwenn mußte lächeln und berührte Antons Hand.

Mehrere Stunden lang arbeiteten sie sich voran. Gwenn bedauerte, daß sie selbst nicht paddeln konnte. Sie hätte nicht gedacht, daß diese Art der Fortbewegung derartig anstrengend sein würde.

»Wenn die Regenzeit vorbei ist«, sagte Anton und machte eine Handbewegung, die den See vor ihnen einschloß, »ist das hier weniger ein See als vielmehr eine Reihe von sumpfigen Pfützen, immer wieder unterbrochen durch schlammige Inseln und diese matschigen Sandbänke.«

Zweimal mußten sie die Kanus entladen, bevor es ihnen gelang, sie quer über die kleinen Inseln zu ziehen. Lediglich der Teppich aus Silbermünzen verblieb in dem ersten Einbaum. Vorsichtig benutzten sie die Pfade der Flußpferde, die sich durch die hohen Schilfgräser und Farne zogen, von denen der größte Teil der Inseln bedeckt war. Anton ging jedesmal voran und eilte dann zurück, um erneut beim Tragen zu helfen. Sein Hemd war inzwischen von dunklem Blut durchtränkt, aber er weigerte sich, zu halten und Gwenn die Wunde versorgen zu lassen.

Gelegentlich trafen sie auf frische Flußpferdspuren und den dunklen Kot von Krokodilen. Sobald der Boden weich und nachgiebig wurde, war Ernst nutzlos. Seine Krücke und der Beinstumpf sanken ein, so daß er kaum auf sich selbst aufpassen konnte.

»Nimm zwei Gewehre, Ernst, und sonst nichts. Wir übernehmen deine Arbeit«, sagte Anton schließlich auf der zweiten Insel zu ihm. Er wollte so schnell wie möglich weiter. »Aber bitte nicht schießen. Wir sind noch zu nah am Ufer und sollten besser keine Aufmerksamkeit erregen.«

Harriet stellte verblüfft fest, daß ihr Deutscher eine Anweisung entgegennahm, ohne dagegen zu protestieren.

Ernst überquerte die dritte Insel und setzte sich auf einen Felsen am Wasser. Er beobachtete einen Schwarzstorch dabei, wie der Vogel mit seinem langen zangenförmigen Schnabel Schnecken und andere Weichtiere aus dem Schlamm holte. Während Anton und Harriet erneut auf die andere Seite der Insel unterwegs waren, um die Einbäume wieder zu beladen, verfolgte er mit der Holland einen Schwarm ägyptischer Gänse im Flug. Er schoß nicht, sondern visierte sie nur an, während er wie ein Junge mit der Zunge schnalzte.

Einige Meter vor Anton stieß Harriet einen Schrei aus und ließ das Ende der Kiste fallen, die sie gerade durch den Sand zog.

Anton rannte nach vorn und folgte einer frischen gewundenen Fährte, die vom Schwanz eines Krokodils stammte. Mitten im Schilf fand er eine flache Senke mit trockenem Sand. Dort in der kleinen Mulde befand sich ein ungeschütztes Nest. Er warf einen Blick nach unten und sah mehrere Krokodilbabys, die gerade schlüpften. Ihre langen Finger schoben Teile der elfenbeinfarbenen Eierschale beiseite, während sie sich den Weg ins Leben freikämpften und dabei schrille Piepser von sich gaben.

Als er Gwenn erreichte, rannte gerade ein weibliches Krokodil mit erstaunlicher Geschwindigkeit hinter ihr her und folgte dabei einem schmalen Pfad, der in der Nähe von Ernst ins Wasser führte. Die langen Kiefer des Tiers standen ein Stück offen, und man konnte sehen, daß drei winzige Jungen dazwischen Schutz gefunden hatten. Ihre langen schmalen Körper wurden in der Krippe, die durch die ungleichmäßigen, vorstehenden Zähne ihrer Mutter entstand, am Boden des Mauls hin und her geschleudert.

Der schwarze Rücken der breitmäuligen Amphibie war so zerklüftet wie Abessinien. Als sie an Ernst vorbeirannte, schoß er ihr in den Kopf. Die Panzerechse schlug wild mit dem Schwanz um sich und versank im See.

»Es war bestimmt zweieinhalb oder drei Meter lang«, sagte Harriet. Sie war bleich und zitterte.

»Also genaugenommen selbst noch ein Baby«, stellte Anton fest und hob die zurückgelassene Kiste an. Er machte sich Sorgen wegen des lauten Schusses.

Harriet kletterte auf wackligen Beinen in den Bug von Ernsts Einbaum und kauerte sich dort zusammen, während Anton die Boote zu Ende belud. Anton hatte soeben zum erstenmal erlebt, daß das amerikanische Mädchen vor Furcht wie gelähmt war. Er wußte, daß jeder seinen persönlichen Alptraum hatte.

Eine langgestreckte breite Sandbank im Westen schnitt sie nach wie vor von der Mitte des Sees ab. Hin und wieder sahen oder hörten sie Flußpferde blasen und auf der anderen Seite der Sandbank durchs tiefere Wasser brechen.

Drei oder vier weitere Stunden paddelten, stakten und schleppten sie sich in Sichtweite des Ufers voran. Die Erschöpfung ließ sie immer langsamer werden, bis schließlich jede Bewegung weh tat. Zu ihrer Rechten schimmerte der See golden im Licht der untergehenden Sonne. Die letzten Sonnenstrahlen ließen die metallisch grünen Schwingen eines einzelnen Ibisses aufblitzen, und der Ruf des Vogels hallte über das Wasser. *»Häh, däh, däh.«*

»Wollen wir über Nacht nicht anhalten?« schlug Gwenn vor. Sie konnte erkennen, daß Harriet kurz vor dem Zusammenbruch stand.

»Nein«. Anton steuerte das erste Kanu zwischen zwei sandige Inseln. »Noch ein oder zwei Stunden, und dieses Wasser ist britisch.« Er beugte sich vor und berührte Gwenns Schulter.

Sie legte ihre Hand auf seine.

Anton hörte den Knall der Waffe im gleichen Moment, in dem die Kugel einschlug.

Kurz hinter dem Bug von Ernsts Kanu flogen Splitter hoch. Harriet schrie auf und schlug die Hände schützend vors Gesicht. Ein Wasserstrahl spritzte in den Einbaum.

»Wir haben Glück, daß dieser Schweinehund von der Sonne geblendet wird«, sagte Anton, während er seine Merkel hob. »Das muß Grimaldi sein.« Er fragte sich, ob Gwenn sich dessen bewußt war.

Anton dachte an seine toten Freunde und an den Mann, der all dies hier zu verantworten hatte. Er wünschte, er könnte seine Begleiter verlassen, durch das Schilf an Land schwimmen und diesem Italiener eine abschließende Lektion erteilen. Dann starrte er nach vorn und versuchte sich vorzustellen, wo er selbst Position beziehen würde, falls er der Jäger wäre. Nur von den Inseln aus war es möglich, beide Ufer des Sees in Schußweite zu behalten.

Die Merkel hatte einen längeren Lauf als die Holland, aber sie hatte nicht die Reichweite der Militärwaffen. Anton machte sich im Boot so klein wie möglich und musterte aufmerksam das Ufer vor ihnen. In ungefähr zweihundert Metern Entfernung erstreckte sich eine Landzunge ins Wasser. Eine Gestalt bewegte sich dort hinter irgendeinem Hindernis, das ein Baumstamm oder ein altes Kanu sein konnte. Zu weit entfernt.

»Leg dich hin, Gwenn«, sagte Anton und hob sein Paddel.

»Ernst! Nagle ihn mit dem Carcano fest, während ich näher heranpaddle!« schrie er. Er wollte den Italiener vor den Lauf seiner schweren doppelläufigen Flinte bekommen. »Gwenn, leg dich hin!«

Ernst feuerte beständig, während Antons Einbaum voranglitt. Zur Antwort schlugen zwei Kugeln zwischen den Kanus ins Wasser. Als Anton nahe genug herangekommen war, hob er die Merkel und stützte seine Ellbogen auf die Knie. Er zielte hoch und schoß beide Läufe ab. Dicht neben seinem Ziel zersplitterte das Holz. Als er nachlud, schlug eine Kugel in Ernsts Boot ein. »Bastard«, murmelte Anton. Er legte an und hob das Gewehr um eine Winzigkeit, im Vertrauen darauf, daß dieser alte Trick ihm ein wenig zusätzliche Reichweite verleihen würde. Dann zog er den vorderen Abzug durch. Der

Mann verschwand aus der Sicht. Das Feuer wurde nicht länger erwidert.

»Vielleicht können wir ihn abhängen, falls wir einfach weiterfahren«, sagte Gwenn.

Sie erreichten eine Fahrrinne, die sie durch die Sandbank in tieferes Wasser führte. Sie paddelten auf die Sonne zu.

Anton hörte, wie am östlichen Ufer ein leichter Motor stotternd ansprang. Das kreischende Geräusch blieb in einiger Entfernung auf gleicher Höhe mit ihnen, während sie im Schein der untergehenden Sonne nach Süden glitten. »Ich schätze, das ist das Motorrad, das auf den Lastwagen geschnallt war«, sagte Anton. Sie paddelten schneller. Gelegentlich waren sie gezwungen, sich mit Stangen durch dichtes Schilf voranzustaken.

Als sie einen breiten Abschnitt mit klarem Wasser erreichten, sah Anton vor ihnen eine Kette von schlammigen Inseln, die sich quer über den See erstreckte und beinahe von Ufer zu Ufer reichte. Er hob sein Fernglas an die Augen und entdeckte am östlichen Ufer das Motorrad, das dort auf dem Boden lag. Daraufhin suchte er den See ab und erspähte Grimaldi, der im knietiefen Wasser von einer Insel zur nächsten watete und sich dabei mit weit ausholenden Bewegungen der Arme vorwärts arbeitete. In einer Hand trug der italienische Offizier ein Gewehr.

Anton sah, wie Grimaldi das Ufer der mittleren Insel hinaufwankte. Er steuerte das Kanu auf eine Durchfahrt zur Linken zu und sah, daß der feuchte Schlick sich an den Stiefeln des Italieners festsaugte, während dieser sich Schritt für Schritt seinen Weg durch das dichte kurze Schilf bahnte. Zwischen den Wasserpflanzen, die diese niedrige Insel bedeckten, erkannte Anton die Schatten von Baumstämmen oder dunklen Trümmern.

Die Böden der Kanus strichen über das hohe Seegras, das sich wogend vom Boden des Gewässers erhob. Während Ernst mit kraftvollen Zügen paddelte, schöpfte Harriet mit seinem Hut das stetig nachfließende Wasser aus dem Innern des Boots.

Plötzlich schoß rechts von Anton in einem Meter Entfernung eine Wasserfontäne empor. Ein Flußpferd durchbrach wie ein Wal die Oberfläche und verfehlte den Einbaum nur knapp.

»Anton!« schrie Gwenn. Er hob die Merkel und drehte sich um. Er mußte in die Sonne blinzeln, und das Flußpferd griff Ernsts Kanu an.

Anton feuerte beide Läufe ab. Er war sicher, daß beide Kugeln trotz der schwierigen Sichtverhältnisse getroffen hatten, wenngleich keine tödlich gewesen war. Der riesige Schädel des Flußpferds erhob sich unter dem Bug des Kanus aus dem Wasser. Die gewaltigen Kiefer öffneten sich wie ein Fallgitter. Zwischen den großen gelben Eckzähnen strömte Wasser heraus. Durch den gewaltsamen Angriff und das hohe, auf einmal ungestützte Gewicht des Silbers brachen die Verbindungsstangen, so daß die seitlichen Einbäume sich losrissen und umschlugen. Ernst klammerte sich im Wasser an seinem gekenterten Kanu fest und hielt mit einer Hand sein Gewehr umklammert. Harriet kraulte mit gleichmäßigen Zügen auf Anton zu, obwohl ihre Stiefel und Kleidung sie nach unten zogen.

Der verwundete Flußpferdbulle raste mit der Kraft und dem Lärm einer Lokomotive hinter Harriet her. Er blutete aus einem Ohr, und sein Maul klaffte weit auf.

»Anton, halt ihn auf!« brüllte Gwenn. Er lud die Waffe mit seinen letzten beiden Patronen und feuerte erneut. Auf diese kurze Distanz konnten sie hören, wie beide Kugeln das Flußpferd klatschend über einem Auge trafen. Das mächtige Tier glitt weiter im Wasser voran. Sein Maul war geschlossen, und seine kleinen, vorstehenden roten Augen standen offen und leuchteten. Als Harriet neben Anton nach dem Rand des Kanus griff, schoß die runde Flanke des Flußpferds knapp an ihr vorbei.

»Vorsichtig«, sagte er. Er sah die Angst in ihren aufgerissenen Augen, während sie nach Atem rang. »Sie werden uns noch umkippen.« Er beugte sich vor und hob die Silberkiste an, die zwischen ihm und Gwenn stand.

»Hier, wir können uns dieses zusätzliche Gewicht nicht länger leisten«, sagte er und warf die Kiste über Bord. Ernst, der nur ein paar Meter entfernt im See trieb, schrie laut auf, als die Kiste auf dem Wasser aufschlug und versank.

»Beug dich hier herüber, Gwenn«, sagte Anton. »Noch weiter.« Er zog Harriet über die Kante und spürte unter ihrem Hemd die durchnäßte Handtasche mit dem Film. Im selben Moment fielen ihm die kleinen Splitter auf, die sich in ihre linke Wange gegraben hatten. Sie landete platschend in der Mitte des Einbaums auf dem Bett aus Silbermünzen.

»Verdammt!« sagte Harriet und spuckte Wasser. »Der Film ist bestimmt ruiniert.« Sie griff unter ihr Hemd, holte die Handtasche hervor und drehte sie um. Grünes Seewasser und ein paar Sandkörner rieselten heraus. Dann nahm sie die Filmdose. Der Blechbehälter war verbeult, und in seinem Deckel klaffte ein breiter Riß. Die runden Kanten wölbten sich nach außen. Harriet hielt die Dose ein paar Sekunden lang in ihren zitternden Händen und versuchte erfolglos, den Deckel wieder zu befestigen. Während sie damit beschäftigt war, tröpfelte weiterhin Wasser aus dem Behälter, und es drang immer mehr Licht ein.

»Zwecklos!« jammerte Harriet und stopfte die Dose zurück in die Handtasche. »Ich habe ihn ruiniert.« Sie schloß die Augen. Gwenn drehte sich in dem schmalen Boot um und versuchte sie zu trösten.

»Machen Sie sich keine Sorgen«, sagte Gwenn und legte Harriet eine Hand auf die Schulter. Sie wußte, daß dies nicht die richtigen Worte waren, und sie befürchtete, Harriet würde glauben, daß ihre Schwester umsonst gestorben wäre. »Vielleicht ist dem Film gar nichts passiert. Und wir können immer noch allen erzählen, was wir gesehen haben.«

»Bernie! Bernie!« klagte Harriet schluchzend und wiegte sich in dem Kanu vor und zurück. »Es tut mir so leid!«

»Ernst«, sagte Anton, »du bist zu schwer, um auch noch einzusteigen. Gib mir dein Gewehr, und dann halt dich am Heck fest.«

»Der Teufel soll dich holen«, stieß Ernst wütend hervor. Er schwamm herüber, packte die Seitenwand des Kanus und spuckte aus. Sein Gesicht war rot angelaufen.

»Du verdammter englischer Bastard.« Er reichte Anton die triefende Waffe und schnappte nach Luft. »Ich habe mein Leben für dieses Silber riskiert. Es hat mich bereits einen Fuß gekostet.«

»Mein Silber liegt auf dem Boden dieses Kanus«, sagte Anton. »Merk dir von hier aus irgendeinen markanten Punkt am Ufer. Dann kannst du zurückkommen und dein Silber bergen«, fügte er in ruhigem Tonfall hinzu. »Und ruf laut, sobald du ein Krokodil siehst.« Anton lachte in sich hinein, als der Deutsche abermals fluchte. »Oder falls du eins mit deinem verbliebenen Fuß berührst.«

Anton begann zu paddeln, während hinter ihnen der Körper des Flußpferds im sich verdunkelnden Wasser versank. Wenn die Verwesungsgase den Kadaver wieder an die Oberfläche steigen ließen, würde ihre kleine Gruppe entweder in Sicherheit oder tot sein, dachte er.

Sie fuhren weiter und näherten sich langsam der mittleren Insel. Sie waren jetzt in Waffenreichweite. An Grimaldis Stelle würde er sich dort ins Schilf legen und ihnen auflauern.

Die Sonnenstrahlen erreichten inzwischen kaum mehr das Wasser, sondern streiften nur noch die höheren Schilfgräser, vereinzelte kleine Hügel am Ufer und was sonst noch über die Fläche des Sees hinausragte.

»Paddeln Sie weiter, bis ich sage, daß alle sich flach auf den Boden legen sollen.« Anton reichte sein Paddel an Harriet weiter und nahm das Carcano. Er öffnete den Verschluß, trocknete die Kammer und die letzte Patrone mit seinem *Diklo* und lud die Waffe durch. Als er eine Bewegung auf der Insel sah, hob er das Gewehr. »Hinlegen!« Er wußte nur zu gut, daß dieser eine Schuß sitzen mußte. Er atmete tief ein und schloß das linke Auge.

Noch bevor er schießen konnte, richtete der Italiener auf der Insel sich kerzengerade auf und sank dann auf ein Knie herab. Ein einzelner furchtbarer Schrei zerriß die Stille über dem See.

Von einer toten Akazie in der Mitte der Insel erhob sich gemächlich ein Fischadler. Er breitete seine großen schwarzen Schwingen aus, und sein kastanienbrauner Bauch schimmerte im Licht der sinkenden Sonne. Der wilde, möwenähnliche Schrei des Vogels hallte über das Wasser. Seine kräftigen gelben Krallen waren leer.

Als Anton näher kam, erkannte er, daß Grimaldi versuchte, sein Gewehr zu senken und auf etwas im Schilf zu zielen, das ihn an einem Bein gepackt hatte.

»Ein Krokodil!« schrie Gwenn entsetzt.

Grimaldi feuerte zweimal, anscheinend ohne Erfolg. Sein humpelnder Körper wurde durchgeschüttelt, so daß er nicht genau zielen konnte. Mit jedem unfreiwilligen Schritt, zu dem ihn das Krokodil zwang, das ihn gepackt hatte, schien er näher ans Wasser zu gelangen. Im Schutz der Wasserpflanzen bewegten sich zahlreiche Tiere aus allen Richtungen auf ihn zu. Lange dunkle Schatten eilten mit peitschenden Schwänzen herbei, um sich ihren Anteil zu sichern. Anton sah ein riesiges breites Ungetüm von fast fünf Metern Länge, das reglos unmittelbar am Ufer lag, so daß sein Körper zum Teil vom Wasser des Sees bedeckt wurde.

»Erschieß das Krokodil!« schrie Gwenn.

Harriet paddelte wie wild, und das Kanu näherte sich langsam der Durchfahrt zur Linken der Insel.

»Rider«, rief Ernst vom Heck. »Erschieß diesen Schweinehund, solange er noch steht.«

Anton hob das Gewehr und zögerte. Ihm war klar, daß Grimaldi sein Schicksal verdient hatte, aber dennoch fühlte er sich verpflichtet, dem Oberst zu helfen. Er wußte, worauf er hoffen würde, falls er in der Lage des Italieners wäre.

Ein zweites, kleineres Krokodil erreichte ihn. Grimaldi fiel der Länge nach ans Ufer.

Er gab noch einen Schuß ab, dann fiel ihm das Gewehr aus den Händen. Schreiend richtete er sich auf beide Knie auf. Sein Gesicht war mit Sand und Schlamm bespritzt, und er hatte seine Augenklappe verloren.

»Lorenzo!« rief Gwenn mit gequälter Stimme. »Hilf ihm, Anton! Erschieß das Krokodil!«

Anton wußte, daß er Grimaldi mit nur einer Kugel nicht retten konnte, selbst falls er das wollte. Er wußte aber auch, daß Gwenn es ihm niemals verzeihen würde, wenn er nicht wenigstens den Versuch unternahm.

Inzwischen hatten sich vier oder fünf Krokodile in die zappelnde Gestalt verbissen oder schnappten nach ihr. Das riesige Reptil am Ufer erhob sich auf seinen kurzen Beinen und wandte den Kopf. Mit erstaunlicher Geschwindigkeit fuhr es herum, stürzte sich ins Getümmel und stieß die kleineren Rivalen mit kräftigen Hieben seiner enormen Kiefer beiseite. Als es den Mann an der Taille packte, peitschte sein breiter schuppiger Schwanz im Wasser hin und her.

Grimaldi hing im Maul des Krokodils wie ein Fisch im Schnabel eines Reihers. Das große Reptil riß den Italiener vom Boden empor und schüttelte ihn heftig, um das erste Krokodil dazu zu zwingen, sein Bein freizugeben. Das kleinere Tier ließ nicht locker und wurde ebenfalls umhergeschleudert. Seine schlenkernden Vorderfüße wirkten blaß und klein wie die Hände eines Kindes.

Als das Kanu die Durchfahrt erreichte, legte Anton das Carcano an. Er dachte an Gwenn, schloß ein Auge und zielte. Es wäre vielleicht besser, einfach zuzulassen, daß dieser Bastard von den Krokodilen bekam, was er verdiente, dachte Anton. Andererseits hätte der Engländer nach so vielen Jahren im Busch gegen all seine Instinkte handeln müssen, um nicht einzugreifen.

Die gewaltige Amphibie zog sich mit den Hinterbeinen durch ein kleines Feld aus Wasserlilien zurück in den See. Ihr Schwanz wühlte das Wasser auf, und die menschliche Gestalt zwischen ihren Kiefern zappelte immer noch.

»Erschieß das Krokodil!« brüllte Gwenn.

Anton wußte, daß die kleinkalibrige Kugel nutzlos sein würde. Dennoch zielte er für seinen letzten Schuß zwischen die geschuppten Wülste hinter den Augen des Krokodils.

Enzo fuchtelte mit Armen und Beinen, und sein Körper schrammte über das Ufer, als die mahlenden Kiefer ihn ins Wasser zerrten. Die kleineren Reptilien versammelten sich um ihn. Sein furchtbarer Schrei hallte über den See.

Im letzten Moment entschied Anton sich für ein anderes Ziel. Er feuerte und traf Grimaldi in die Brust. Das Krokodil tauchte mit dem toten Mann im Maul unter.

Gwenn ließ sich nach vorn auf die Knie sinken und verbarg das Gesicht in den Händen. Das Kanu glitt an der Insel vorbei.

»Schneller, Rider«, drängte Ernst und spuckte Wasser. »Paddle, verdammt noch mal! Sonst holen die mich noch als nächsten.«

Anton nahm sein Paddel und blickte auf.

Er sah einen Mann in Shorts am Ufer stehen, einen großen Afrikaner. Der Mann war bewaffnet, und in seiner Begleitung befanden sich vier weitere Uniformierte. Jeder der Männer trug einen Fez, lange dunkle Strümpfe, Khakishorts und einen dunkelblauen Pullover.

Kenias King's African Rifles. Im Hintergrund stand ein kleines Gebäude, das von einer Palisade umgeben war und auf dem eine Flagge hing.

Ein verschlissener Union Jack wehte im Licht der untergehenden Sonne.

42

»Endlich«, sagte der Zwerg und lächelte Lord Penfold an. Sie saßen unter dem Schirm am unvollendeten Heck des neuen Cataract Cafés. Wie die Stäbe eines Vogelkäfigs erhoben sich um sie herum die Streben, an denen der obere Teil des Achterdecks befestigt werden würde. »Sie haben es endlich verstanden.«

»Wie bitte?« entgegnete Penfold und wandte den Blick seiner wässrigen blauen Augen nicht von der *Gazette* ab. Er hatte seine Brille aufgesetzt. »Hier steht, die Italiener haben da unten in Äthiopien so ziemlich alles überrannt. Außer ein paar Stellungen in den Bergen ist nichts mehr übrig. Der Kaiser versteckt sich in irgendeiner Höhle. Sollte mich nicht überraschen, wenn unsere Jungs eines Tages nach dort unten müssen, um sie zur Strecke zu bringen. Afrika ist wirklich kein Platz für Italiener.«

»Mein Lord ...«

»Kaum gute Neuigkeiten«, fuhr der Engländer fort. Tariq brachte ihm einen Gin. »Oh, danke schön. Die Schlagzeilen sind auch nicht besser als die von gestern: SELBSTMORDE AN DER WALL STREET. SCHWARZHEMDEN VERANSTALTEN FACKELMARSCH IN WIEN. BÜRGERKRIEG IN SPANIEN. ITALIENER NEHMEN ADDIS EIN. MASSENHINRICHTUNGEN MIT MASCHINENGEWEHREN.« Penfold faltete die Zeitung zusammen und nippte an seinem Gin, bevor er fortfuhr.

»Man sagt, daß Mussolinis Jungs abessinische Priester ermordet und Verwundete in der Obhut des Roten Kreuzes angegriffen haben. Die ausländischen Rote-Kreuz-Teams ziehen ab und klagen, sie seien bombardiert worden. Wieder ein Artikel über diese Gasgeschichte. Die Itaker bestreiten es nach wie vor. Die Einheimischen nennen es ›brennenden Regen‹. Es ätzt ihnen die Haut von den Gesichtern. Es verbrennt sogar die Mäuler der Packtiere, wenn die armen Viecher das vergiftete Gras fressen.«

»Mein Lord«, unternahm Olivio einen weiteren Versuch. Er kaute auf einem Mangokern.

»Verzeihung, alter Junge.« Penfold legte die Zeitung auf den kleinen Tisch zwischen ihnen. »Was haben sie verstanden?«

»Wie sie das Schiff fertigstellen sollen, auf dem wir hier sitzen«, sagte der kleine Mann leicht entnervt. »Ausgehend von *Maître* Aristides Zeichnungen hat mein Schiffbauingenieur, ein Alexandriner Grieche *de bonne famille*, endlich ein neues Café entworfen, das meinen Wünschen entspricht«, sagte Olivio. Er war entschlossen, seinen Freund an der eigenen Zufriedenheit teilhaben zu lassen. Dank der großzügigen neuen Segnungen des Nils spielten die Kosten keine Rolle. Zudem spürte der Zwerg, daß ein weitaus größerer Krieg in der Luft lag. Mit diesem Konflikt würden die Preise für Baumwolle und Zucker auf jeden Fall steigen.

»Wissen Sie, es wird eine Karavelle«, fügte er hinzu, beugte sich zur Seite und blickte auf das, was neben seinem Stuhl stand. Schon bald würde das Schiff die quadratischen Achteraufbauten und das hohe schmale Heck aufweisen können, den breiten Bug und sogar die Masten des kühnsten und anmutigsten aller Schiffe, einer portugiesischen Karavelle.

»Sie wird natürlich doppelt so lang sein wie Vasco da Gamas Schiff, und sie wird nie von Lissabon nach Goa segeln.« Olivio lächelte. Ihm gefiel sein Scherz. Nur die dreieckigen Lateinsegel würden fehlen, wenn das neue Cataract Café eröffnete. Allerdings würden schmale gabelförmige Wimpel im Wüstenwind flattern, und einer davon würde den ägyptischen Namen des Schiffs tragen. Diese Karavelle würde der Liebe und dem Profit dienen. Unter Deck würde er Verlockungen anbieten, denen sogar der abgestumpfteste ägyptische Beamte nicht widerstehen konnte.

»Wie wird sie heißen?« fragte Penfold.

»Qurunfil«, sagte der Zwerg. »Clove.«

»O wie wunderbar!« rief Adam Penfold mit aufrichtigem Entzükken.

»Ganz Kairo wird darum wetteifern, betteln und Bestechungen anbieten, um einen Tisch im Bug und auf dem Vorderdeck zu erhalten.« Der Zwerg breitete die Arme aus und spreizte die Finger. Seine Augen funkelten, als er fortfuhr.

»Ich kann vor mir sehen, wie die Gäste die Gangways hinunterdrängen und sich auf das Essen stürzen werden. Können Sie nicht jetzt schon riechen, mein Lord, wie die saftigen gefüllten Tauben duften werden, die würzigen gegrillten Kebabs und Ihre eigene Leibspeise, die gebackenen *Samosas*?«

Olivio ließ seinen Blick über das Schiff schweifen und sah bereits die eleganten Mittag- und Teegesellschaften vor sich, die volle Bar im geschlossenen Heck, die letzten Tanzpaare, die Liebenden, die allein im Mondlicht über den Nil glitten, und die privaten Theateraufführungen unter den Augen des Sphinx in den geheimnisvollen Schatten des Refugiums unter Deck.

»Und noch eines, Eure Lordschaft«, sagte er etwas leiser und dachte an das Kind, das er verloren hatte. »Im Frühling wird es auf Deck Filmvorführungen geben.«

Der kleine Mann lauschte begeistert dem geschäftigen Treiben, dem Sägen und lauten Hämmern im Innern des Rumpfes unter ihnen. Als er den runden Kopf wandte, sah er einen Boten mühsam die Rampe vor ihm erklimmen. Die Miene des Zwergs ließ nicht erkennen, welch furchtbarer Schmerz bei dieser Bewegung durch seinen Rücken fuhr. Der Junge trug die elegante gelbbraune Livree der Suez Cable & Wireless und hatte eine mit den Initialen der Firma versehene Ledertasche des Telegrammzustelldienstes in der Hand. Ohne einen Blick nach unten zu werfen, ließ Olivio einen Arm sinken und schaukelte die Rattanwiege, die dicht neben ihm im Schatten stand.

Er gab dem sich verbeugenden Kurier einen Sixpence. Der Zwerg wollte sich seine Besorgnis nicht anmerken lassen, und so legte er das Telegramm zunächst auf die *Gazette*. Nach einer kurzen Weile öffnete er den hellblauen Umschlag, entfaltete die Nachricht aus Mombasa und warf einen vorsichtigen Blick darauf.

Mein lieber Olivio,
Gwenn schifft sich Montag mit von Decken und Harriet Mills nach Suez ein. Die beiden beabsichtigen, in Deinem Café zu heiraten. Bitte sende Nachricht, was zwischenzeitlich bei Dir vorgefallen ist. Richte Wellie und Denby unsere lieben Grüsse aus. Haqim, Kimathi, Bernadette und Charlie wurden von den Italienern getötet. Gwenn ist verwundet, aber auf dem Weg der Besserung. Ich breche nach Nairobi auf und dann weiter ins Landesinnere. Werde Euch alle so bald wie möglich in Kairo treffen. Sag Clove, sie soll einen guten Film für uns aufheben. Alles Gute

Anton

Die Worte verschwammen vor Olivios Augen. Er stöhnte und stieß einen Klagelaut aus. Sein Körper zitterte, dann brach er schluchzend zusammen. Er wehrte sich nicht dagegen, sondern jammerte und weinte wie ein Kind. Er weinte um sie alle, um seine Tochter, um seine Freunde, um sich selbst. Adam Penfold beugte sich vor und legte ihm die Hände auf beide Arme. Dann nahm er dem kleinen Mann die Nachricht aus der Hand. Eine Weile saßen die beiden Freunde schweigend nebeneinander.

Der Zwerg spürte, wie etwas seinen kleinen Finger berührte, ihn fest packte und daran saugte, als würde es ihn küssen. Er neigte den Kopf und lächelte durch den Tränenschleier zu seinem auffallend kleinen Sohn hinunter.

Eine Anmerkung zu dem Buch

Ich habe mir in *Das Café am Nil* hinsichtlich der Zeitabläufe und der geographischen Gegebenheiten einige Freiheiten erlaubt. Der erste Einsatz von Giftgas durch die italienischen Truppen fand am 23. Dezember 1935 statt, nicht im Oktober oder November desselben Jahres, wie dieser Roman andeutet. Es gibt Inselklöster in den äthiopischen Seen, aber nicht im Zwaisee. Der Lebensraum des Simenfuchses liegt für gewöhnlich weiter im Nordwesten, als dieses Buch behauptet. Dschelada-Paviane bevorzugen ein etwas felsigeres Terrain, als hier beschrieben. Im Din Din Wald gibt es jedoch tatsächlich außergewöhnlich dunkle Tiere.

Der Massenmord an christlichen Mönchen hat nicht in der Gegend des Zwaisees stattgefunden, sondern im Kloster Debre Libanos nördlich von Addis Abeba. Im Mai 1937 wurden dort zweihundertsiebenundneunzig Mönche sowie einhundertneunundzwanzig junge Diakone von italienischen Truppen erschossen, und zwar auf ausdrücklichen Befehl von Marschall Rodolfo Graziani, dem Vizekönig von *Africa Orientale Italiana*, nachdem abessinische Partisanen einen Anschlag auf das Leben des Vizekönigs verübt hatten. Als ich am koptischen Weihnachtstag des Jahres 1994 den bergigen Abhang hinter Debre Libanos hinaufstieg, fand ich die aufgeschichteten Schädel der ermordeten Mönche noch immer gut erhalten auf einer Felskante oberhalb des Klosters vor.

Die Begriffe »Abessinien«, und »Äthiopien«, wurden über viele Generationen hinweg gleichrangig gebraucht, obwohl in den dreißiger Jahren des 20. Jahrhunderts »Abessinien« im allgemeinen bevorzugt wurde. Unter den rund fünfzig Nationen Afrikas stellt Äthiopien (zusammen mit Liberia) in einer Hinsicht eine Ausnahme dar: Es war zeit seiner Geschichte niemals eine europäische Kolonie. Die italienische Besetzung war zu keinem Zeitpunkt vollständig und endete 1941, als Abessinien von britischen Truppen unter Major Orde Wingate befreit wurde. Mein eigener Vater verbrachte während jener Periode dort einige Zeit, als er für die britische Regierung in einer kombinierten parlamentarischen und militärischen Mission unterwegs war. Man ist sich weithin einig, daß die sechsjährige italienische Besetzung zwei Segnungen brachte: einen beträchtlichen Ausbau des Straßennetzes sowie die nahezu vollständige Abschaffung der Sklaverei. Abessinien war das letzte Land in Afrika, in dem Sklaverei auf breiter Basis offiziell gestattet wurde. Heutzutage gibt es eine eingeschränkte Form der Sklaverei im Sudan.

Der »Grandpa«, auf den sich die Widmung des Autors bezieht, war in Wirklichkeit meine Großmutter. Sie hat selbst auf dieser Bezeichnung bestanden, nachdem meine Schwester sie als kleines Kind einmal so genannt hatte. Meine Schwester hatte während eines Aufenthalts im Londoner Haus meines Großvaters väterlicherseits versucht, eine Bronzebüste des Hausherrn zu beschreiben und war dabei ein wenig durcheinander geraten. Obwohl Grandpa eine gütige Dame war, ließ sie sich nicht so leicht von ihren Vorhaben abbringen. Sie wurde 1907 Anwältin, führte Suffragettenmärsche an, leitete ein Unternehmen, bereiste 1927 Rußland per Zug, kandidierte in den dreißiger Jahren zweimal für den amerikanischen Kongreß und hielt 1952 im Alter von achtzig Jahren eine Rede vor dem Konvent der Republikanischen Partei in Chicago. Und so haben wir sie auch weiterhin Grandpa gerufen, bis sie im Alter von sechsundneunzig Jahren starb.

B. B.

Danksagung

Das Café am Nil erforderte Fachkenntnisse, die über das Wissen des Autors hinausgingen.

Richard F. Pedersen, ehemaliger Rektor der Amerikanischen Universität in Kairo, hat mich mit seinen Ratschlägen großzügig unterstützt. John Rodenbeck, der in Kairo genauso zu Hause ist wie im Haut Languedoc und im Oriental Club, und dessen Gelehrsamkeit ebenso breitgefächert wie tiefgründig ist, hat mehrere Teile dieses Manuskripts schonungslos redigiert, um mir dabei behilflich zu sein, die Details des Kairoer Lebens und der Kairoer Kultur möglichst wahrheitsgetreu wiederzugeben. Die Lektüre dreier Jahrgänge (1934–1936) der englischsprachigen Tageszeitung von Kairo, *The Egyptian Gazette,* verschaffte mir eine Einführung in das tägliche Leben Ägyptens und vermittelte einen Eindruck, wie die Ereignisse der dreißiger Jahre unerbittlich auf den Ausbruch des Zweiten Weltkriegs zusteuerten. Ebenfalls hilfreich für das Verständnis von Zeit und Ort waren Captain John Plant und mehrere Mitglieder der Familien Khayyatt und Wissa, vor allem Gertrude Wissa, die schon zu meinem Vater sehr freundlich gewesen war, als er sich während des Krieges in einem Kairoer Krankenhaus von einer schweren Verwundung erholte.

Es gab noch andere Freunde, die mir großzügig mit ihrem spezifischen Wissen zur Seite standen: Robin Hurt, der »Jäger der Jäger«, und Terry Matthews, der berühmte Bildhauer, zu Fragen der Tierwelt und diversen Afrikana; Andrew Carduner zu den Kraftfahrzeugen; Jim Hare und die anderen erfahrenen Piloten des Rhinebeck Aerodrome zur Luftfahrt; Alan Delynn und Douglas Fairbanks jr. zu zeitgenössischen Filmen; Valmore J. Forgett von der Navy Arms Company zu den Jagdgewehren sowie Peter Horn und R. L. Wilson, der herausragende amerikanische Fachmann für Schußwaffen, zur Bewaffnung der Italiener.

Für ihre Inspirationen und Informationen bin ich auch vielen der Kriegsberichterstatter und Historiker zu Dank verpflichtet, die über den italienisch-äthiopischen Konflikt geschrieben haben. Ebensolcher Dank gebührt den vielen gastfreundlichen und hilfreichen Äthiopiern, vor allem Teodros Ashenafi und Ephraim Negori.

Für ihre Kritik und ihre kreative Unterstützung bedanke ich mich bei Constance Roosevelt, Winfield P. Jones, Dimitri Sevastopoulo, meinem Sohn Bartle B. Bull, meinem Agenten Carl D. Brandt und meinem Lektor Kent Carroll – sie alle sind scharfsinnige Leser und haben dazu beigetragen, aus *Das Café am Nil* ein besseres Buch zu machen.